1 MONTH OF
FREE
READING

at

www.ForgottenBooks.com

By purchasing this book you are eligible for one month membership to ForgottenBooks.com, giving you unlimited access to our entire collection of over 1,000,000 titles via our web site and mobile apps.

To claim your free month visit:

www.forgottenbooks.com/free667552

ISBN 978-0-260-36974-1
PIBN 10667552

GESCHICHTE

DER

BAUKUNST

VON

FRANZ KUGLER.

Mit Illustrationen und andern artistischen Beilagen.

DRITTER BAND.

❧

STUTTGART.

VERLAG VON EBNER & SEUBERT.

1859.

Der Verfasser behält sich das Recht der Uebersetzung in
fremde Sprachen vor.

Druck der J. G. Sprandel'schen Buchdruckerei in Stuttgart.

INHALT DES DRITTEN BANDES.

VERZEICHNISSE.

XII. DIE ARCHITEKTUR DES GOTHISCHEN STYLES.

1. Einleitung.

Das allgemeine Verhältniss.

Der gothische Baustyl ging als eine vereinzelte Abzweigung aus dem romanischen hervor. Sein Ursprung gehört einem engen Lokalbezirke an; seine erste Gestaltung und Entwickelung hat einen provinziellen Charakter. Er fand dann weitere Verbreitung, ein Produkt des Zeitgeschmackes, dem die Welt zu huldigen sich gedrungen sah, dem sie sich rasch oder langsam, mit Hingebung oder mit zögerndem Widerstreben unterwarf, bis zuletzt Alles in den Landen des christlichen Occidents nur das Gesetz seiner Formen anerkannte, Alles sich beeiferte, an der Durchbildung dieser Formen mitzuarbeiten. Das nördliche, und im engeren Sinne das nordöstliche Frankreich ist seine erste Heimat. Man wusste es, dass man von dort das neue Formengesetz empfing; man rühmte sich der neuen, in „französischem Werk" [1] errichteten Bauten.

Aber es war mehr als eine Laune des Zeitgeschmackes, was den französischen Baustyl über den Lokalcharakter hinaushob, was ihn zum weltherrschenden machte, was die Nationen zwang, seinem Bildungsgange ihre ganze formengestaltende Kraft zuzuwenden. Es war das volle Gefühl, dass nach den Grundzügen, welche in ihm gegeben waren, das gemeinsame geistige Streben der Zeit zur formalen Ausprägung, zur dauernd wirksamen Verkörperung seines Gehaltes gelangen sollte.

In den Systemen des romanischen Baustyls war der Individualcharakter der Nationen des christlichen Occidents als das eigentlich Bestimmende und Entscheidende zu Tage getreten. Diese Systeme waren allerdings auf dem Grunde der Tradition, mit dem Bestande ihrer antiken und antikisirenden Formenelemente, erwachsen; aber die nationelle Empfindungsweise hatte sich in der Formenbildung wie in der räumlichen Combination

---

[1] „Opere francigeno." S. unten den zeitgenössischen Bericht über den Bau der Stiftskirche zu Wimpfen im Thal.

frei und mannigfaltig bewegt, und die Wechselwirkung mit den
Bedingnissen der Tradition hatte nur dazu gedient, die Herausbildung des Eigenen und Selbständigen zu fördern. Es war ein
verwandtschaftlicher Zug zwischen dem, was der klassischen
Reminiscenz und dem, was dem nationellen Selbstgefühle der
Zeit angehörte, vorhanden. Das letztere, in sich beschlossen,
verlangte nach dem Eindruck räumlicher Befriedigung, nach der
gegliederten Festigung solches Eindruckes; in den klassischen
Elementen hatte es wesentliche Hülfsmittel zur künstlerischen
Durchbildung des Erstrebten gefunden. Es ist kein Zufall, dass
die Blüthe des romanischen Baustyles mit der Blüthe des nationalen Epos zusammen fällt.

Den Gegensatz gegen das volksthümlich Individuelle in dessen
natürlicher Besonderung bildet das geistige Gemeingefühl der
Zeit. Von jenen frommen Institutionen, — den klösterlichen
Stiftungen, die in der allgemeinen Wirrniss des Völkerlebens
als die sicheren Bewahrer der Heilmittel gegründet waren und
denen sich stets neue und neue angereiht hatten, von den fried-
lichen und den kriegerischen Pilgerfahrten zu den Orten eines
gnadenvollen Gedächtnisses und von der Kunde der wunderbaren
Abenteuer solcher Fahrten genährt, hatte es sich in eigenthümlich schwärmerischer Richtung entfaltet. Zustände festeren ge-
nossenschaftlichen Beharrens, überall sich herausbildend, vornehmlich im Inneren der jungen städtischen Mächte, gaben
solcher Richtung eine breite Unterlage. Die Kirche hatte sich
zur weltgebietenden Macht erhoben, getragen durch eben diese
Richtung, die sie mit allen Kräften pflegte, verbündet mit Ritterthum und Wissenschaft, im schonungslosen Kampfe gegen alles
Ketzerwesen, das ihrer Macht entgegen stand, demnächst mit
allen Schichten der Völker durch ihre Sendboten, die neuen
Mönchsorden der Franciskaner und Dominikaner, in steter Berührung und Wechselwirkung. Der Zeit genügte das Abgeschlossene des früheren Cultus, seiner Erscheinung, seiner baulichen Form nicht mehr; sie verlangte nach einer innigeren Ver-
gegenwärtigung des Heiligen und Ueberirdischen, nach der unmittelbaren Nähe der wundervollen Geheimnisse, welche das
Reich himmlischer Gnaden zu erschliessen geeignet waren. Das
Leben selbst sollte sich im Wiederschein solcher Nähe verklären.

Es ist die spätere Zeit des 12. Jahrhunderts, von der ab
diese Wirkungen sich auf hervorragende Weise geltend zu machen
beginnen, zu neuen monumentalen Gestaltungen, zu einer neuen
baulichen Sprache führend. In Frankreich, wo städtisches Leben
sich glanzvoll entwickelte, wo der theologischen Wissenschaft
(auf der Pariser Universität) die gedeihlichste Pflege zu Theil
ward, wo ein mächtiges Königthum mit dem päpstlichen Interesse
Hand in Hand ging, wo der Vernichtungskrieg gegen die ketze-
rischen Albigenser — und mit diesen freilich gegen die ganze

blühende Lust der französischen Südlande — den blutigen Triumph der neuen Zeit bekundete, prägten sich die ersten Grundsätze der neuen Formensprache aus. Es lag nur in dem Charakter des allgemeinen Zeitbedürfnisses, dass man wiederholte, weiterbildete, zum Gemeingut der Nationen machte, was dort zuerst festgestellt war. Der sehnsuchtsvolle Drang, der die Gemüther der Menschen bewegte, das Begehren nach allseitiger Theilhaftigkeit an dem, was die Erfüllung der Sehnsucht verhiess, fand in jenen Formen seinen Ausdruck; aus der Gestaltung des Bürgerthums, aus seiner zünftisch beharrlichen Organisation gingen die Kräfte hervor, welche dem Wundervollen eine reale Existenz gaben.

Die Grundzüge des Systems.

Der gothische Baustyl knüpft allerdings wiederum an die Tradition an. Er entwickelte sich aus dem romanischen, und es fehlte nicht — auch abgesehen von den Gegenden, wo man neben seiner Einführung längere Zeit an der altüblichen Form festzuhalten suchte, — an manchen charakteristischen Momenten des Ueberganges. Aber das innere Wesen machte sich bald als das völlig Entgegengesetzte geltend.

Zunächst in der allgemeinen räumlichen Fassung. Lichtvolle Erhabenheit und einheitliche Gliederung des Raumes wurden vor Allem erstrebt. Man ging mit lebhaftem Bewusstsein auf die mystische Wirkung der baulichen Erscheinung aus, welche die schwärmerische Erregung des Geistes erforderte; aber das Mysterium sollte Jeglichem offenbar sein. Die romanische Architektur hatte dem Geheimniss eine abgeschlossene Stätte schauerlichen Dunkels bereitet, den Kryptenraum, der fast durchgängig unter einem Theile des kirchlichen Gebäudes angelegt war; die gothische Architektur wandte sich von solcher Einrichtung mit Entschiedenheit ab. Das epische Gedicht des Titurel, das das Mysterium des heiligen Grales feiert und in der Schilderung des Graltempels ein Wunderwerk gothischer Bauweise erstehen lässt, spricht sich (Strophe 409) mit Abscheu über den Kryptenbau aus:

> Und fragt ihr dort nach Grüften?
> Nein! Gott der Herr bewahre,
> Dass in der Erde Schlüften
> Sündhaft ein rein Geschlecht sich schaare,
> Wie das sich birgt in dunkeln Gründen.
> Man soll in lichter Weite
> Den Christusdienst und Christenglauben künden!

In der That kommen gothische Krypten unter gothischen Kirchen nur in seltenen Ausnahmefällen vor, zumeist nur in solchen, wo eine äusserliche Veranlassung, z. B. ein abschüssiger Boden,

einen Unterbau unter dem Chor nöthig machte. Mit den Krypten
aber verschwand zugleich jene auffällige Erhöhung des Chor-
rau es, welche im romanischen Kirchenbau vorherrschend gewesen war. Der gothische Chor geht völlig in dem Gesammt-
organismus der baulichen Anlage auf; nur in den Klosterkirchen,
die jetzt aber, bei den veränderten Lebens-Interessen, selten eine
künstlerisch hervorragende Bedeutung haben, pflegt er sich dem
Körper des Baues in der Weise eines gestreckten Flügels anzuschliessen; insgemein ist er dem Ganzen eingebunden und nur
durch umgebende Schranken von dem Uebrigen getrennt. Selbst
die Querschiffanlage, welche den Chor von dem Hauptraume des
Volkes zu scheiden pflegt, erscheint in der Disposition der gothischen Kirchen nicht mehr als entscheidendes oder auch nur vor-
herrschendes Gesetz. Häufig, im Einzelnen sogar bei Prachtbauten, fehlt das Querschiff ganz, ist die bauliche Anlage eine
in sich ungetheilte und fügt sich der Chor einfach nur der östlichen Hälfte, mit dem Hochaltare, ein. Es ist eine Rückkehr
auf die in der altchristlichen Basilika beliebte Anordnung, doch
freilich mit dem erheblichen Unterschiede, dass bei dieser die
Einrichtung eine zufällige geblieben war, in unrhythmischem
Verhältnisse zum Ganzen, während sie sich im gothischen Bau
stets in die räumliche Gesammt-Rhythmik auflöst.

So ist auch jenes Mystische der Totalität des gothischen
Baues eingewoben. Es durchdringt alle Theile des Baues; es
entwickelt sich, umgekehrt als wie beim Romanismus, dem Lichte
entgegen; es bietet sich rings der Schau dar und findet in den
freien Höhepunkten seine vollste und ergreifendste Entfaltung.

Der innere Aufbau des kirchlichen Werkes ist wesentlich
hierauf berechnet. Er behält (wenn einstweilen von gewissen
jüngeren Systemen abgesehen wird, die sich in zum Theil abweichender Weise ausbilden) die räumliche Gliederung des höheren
Mittelschiffes, der niederen Seitenschiffe bei; er nimmt das System der kreuzgewölbten Decke, wie sich dasselbe in den spätern
Epochen des Romanismus entwickelt hatte, auf. Aber diese
Räume steigen luftig aufwärts, sich in ihren obern Theilen der
Fülle einströmenden Lichtes öffnend; diese Decke erscheint wie
in schwebender Bewegung von den aufsteigenden Stützen getragen, massenlos, einer Wundererscheinung gleich. Eine sinnreich combinirte technische Construktion machte diese dem natürlichen Gesetz scheinbar widerstreitende Wirkung möglich. Die
gesammte bauliche Masse hatte sich in ein Gerippe selbständiger
Einzelstücke aufgelöst, zwischen welche überall nur leichtere
Fülltheile zum Abschluss nach aussen eingesetzt waren; was
früher als eine mehr oder weniger dekorative Zuthat erschienen,
war jetzt das eigentlich construktive Element geworden; was
früher das Wesentliche war, hatte jetzt nur noch die Bedeutung
des Beiläufigen. Das Gewölbe zerfiel in ein Kreuznetz von

Gurten und Rippen, zwischen denen sich dünne Kappen spann-
ten; sie liefen unterwärts auf einzelne Punkte zusammen und
bedurften nur hier der wirklichen Stütze; sie waren in der Linie
des Spitzbogens gewölbt, der sich in der romanischen Spätzeit
schon verbreitet hatte, der in seiner Erscheinung ebenso sehr
dem aufstrebenden Drange entsprach, wie er technisch den Vor-
theil eines möglichst beschränkten Seitendruckes gewährte. Es
bedurfte also überall keiner eigentlichen Mauermasse mehr zum
Träger dieses Gewölbes und zu seinem Widerlager, sondern nur
kräftiger Einzeltheile; es erschien als angemessen, die dem Seitendruck der Wölbtheile entgegenwirkenden Einzelmassen auf den
Aussenseiten des Gebäudes vortreten zu lassen: feste Strebepfeiler
an den Seitenschiffen, starke Strebebögen, welche sich von diesen,
die man thurmartig erhöhte, dem Ansatz des Mittelschiffgewölbes
entgegenspannten. Dabei gingen die Wände zwischen diesen
festen, als Stützen und als Streben dienenden Einzeltheilen zu
weiten Fenstern aus einander; und nur eine Brüstungsmauer war
in den Seitenschiffen nöthig, den innern Raum von dem Verkehr
der Aussenwelt abzuschliessen; nur eine andere Füllmauer, an
den Oberwänden, schloss den Raum ab, welchen die anlehnenden
Dachungen der Seitenschiffe einnahmen. Aber auch diese liess
sich, schon für den äussern Zweck einer leichteren Communi-
cation zu allen Theilen des Gebäudes, in eine leichte Triforien-
Gallerie umwandeln; und auch die Dachungen der Seitenschiffe
liessen sich auf eine Weise in selbständige Einzelstücke theilen,
dass sie der Gegenwand nicht weiter bedurften und dass jene
Gallerie sich als Fensterfortsetzung ebenfalls gegen das Aeussere
öffnen konnte.

Die Elemente dieses technischen Systems lassen sich in der
romanischen Architektur, seit den ersten Versuchen einer Verbindung des Gewölbes mit dem Basilikenbau, nachweisen, vornehmlich in der französisch-romanischen Architektur, die zu diesem Behuf das Verschiedenartigste in Angriff genommen hatte.
Es ist daher wohl die Ansicht ausgesprochen, dass dies ganze
System nichts sei, als die nothwendige Vollendung jener Bestrebungen, und es hat nicht an gründlich technischen Nachweisen
zur Bestätigung solcher Ansicht gefehlt. [1] Nur ist dabei das
Eine übersehen: dass auch das technische Endergebniss ohne
die völlige Umwandelung des geistigen Strebens, ohne die ideale
Absicht, ohne den aufwärts und dem Lichte entgegen strebenden
Drang, ohne das Verlangen nach einer wundervollen Wirkung
nimmer zu Tage getreten wäre. In der That gewinnt das Innere

---

[1] Viollet-le-Duc (dictionnaire de l'arch. française, I, p. 187, ff.), weist es sogar nach, und von seinem Standpunkte aus mit völlig richtiger Consequenz,
dass die gothischen Architekten Frankreichs jene gewaltigen Höhenverhältnisse
so mässig genommen hätten, als es nur immer thunlich gewesen sei.

des kirchlichen Gebäudes durch das Verschwinden alles desjenigen, was dem aufgegipfelten Raume seinen Halt giebt, indem es
durch die Construction überall nach aussen gelegt war, eine zau-
berähnliche Erscheinung, deren Eingreifen, deren Pflege und
stets gesteigerte Durchbildung lediglich nur aus der eigenthümlichen Stimmung der Geister der Zeit hervorgehen konnte. Die
ganze Weise der Detailbehandlung steht mit solcher Tendenz im
innigsten Einklange. Hievon hernach.

Vorerst kommen noch andre Momente der allgemeinen räumlichen Gliederung in Betracht. Das Princip des romanischen
Kreuzgewölbes (das durch vereinzelte Ausnahmen nicht in Frage
gestellt wird) beruhte auf der quadratischen oder quadratähn-
lichen Grundrisstheilung; einem Gewölbequadrat des Mittelschiffes entsprachen je zwei in den Seitenschiffen; ein „Joch“ des
Mittelschiffes umfasste zwei Arkaden; ein Hauptpfeiler wechselte
mit einem Zwischenpfeiler, während die Oberwände jedes Joches
einen verhältnissmässig breiten Raum einnahmen und die Fenster
sich ihnen zumeist gruppenförmig einfügten. Dies Alles musste
sich bei dem Stützensystem des gothischen Baues, bei seiner überall aufstrebenden Richtung, bei der Umwandelung der Wandmassen in volle Lichtöffnungen, nothwendig ändern; jeder Schiffpfeiler musste gleiche Function erhalten, jede Arkade zum Jochfelde, jeder Obertheil des letzteren zur unbeschränkten Fensteröffnung geeignet werden und somit auch das Mittelschiffgewölbe
sich in entsprechende Schmalfelder, mit scharf sich durchschneidenden Querrippen, theilen. Eine grössere Raschheit in der
rhythmischen Folge der Bautheile, ein belebterer Wechsel in der
Gliederung des Gewölbes, dem ruhigen Gleichmaass der romanischen Wölbung ebenso entgegengesetzt wie in Harmonie mit den
übrigen treibenden und bewegenden Momenten des gothischen
Systems, war das ästhetische Ergebniss. — Einer eigenthümlichen
Uebergangsbildung, welche den Drang nach solcher Entwicklung
aus dem romanischen Princip heraus bekundet, ist besonders zu
gedenken. Sie hält noch an der quadratischen Haupttheilung,
an dem Wechsel von Hauptpfeilern und Zwischenpfeilern fest;
aber sie führt auch die letzteren zur Wölbung empor und lässt
von ihnen Zwischenrippen nach dem Kreuzungspunkte der Wölbung aufsteigen, eine Theilung des Gewölbfeldes in sechs Kappen
bewerkstelligend. Der Eindruck dieser Anordnung ist nicht ohne
phantastischen Reiz, doch zu wenig dem erforderten Gleichmaass
entsprechend, zu sehr mit andern Missständen für die Gesammtwirkung verbunden, als dass sie eine andre als nur eine vorübergehende Bedeutung hätte gewinnen können. (Als ächtes Ueber-
gangs-Element zeigt sich diese Anwendung auch schon an spätromanischen Bauten.)

Die Schmaljoche des gothischen Baues und die Schmalthei-
lung seiner Hauptwölbung stehen sodann in unmittelbarem Wech-

selverhältniss zu den Ausgange der räumlichen Gliederung auf
der Ostseite des Gebäudes, zu den Schlusse des Chorraumes.
Das Halbrund der Absis, mehrfach auch schon in der spätromanischen Architektur durch abweichende Formen ersetzt, war
überall mit den gothischen System unvereinbar; der Stützenbau
des letzteren machte einen eckigen Schluss unbedingt nöthig;
das rhythmische Ausklingen der Bewegung erforderte einen polygonischen Schluss, dessen Felder somit nothwendig (im Verhältniss zur inneren Gesammtweite) schmal wurden und der sich
mit entsprechend schmalen Gewölbkappen bedeckte. Die letzteren schlossen sich naturgemäss in einer centralen (halbkuppel-
ähnlichen) Folge zusammen.

Der Chorschluss zeigt in Uebrigen mannigfach verschiedene
Grunddisposition. Zumeist wird hier an den Motiven festgehalten, die in Romanismus schon vorgebildet waren und die nunmehr nur die formelle Um- und Ausbildung in Sinne der Gothik
empfangen. Bei Bauten reicher Anlage (und vornehmlich bei
der ersten glänzenden Entfaltung des lokalfranzösischen Systems
und dessen mehr unmittelbarer Uebertragung) kommt es zu einer
überaus kunstvollen Anordnung, welche die rhythmische Grundbewegung vielfach abgestuft zu volltönenden Ausgange bringt:
die Seitenschiffe um den inneren Chorschluss als gleichfalls polygonischer Umgang umhergeführt und wiederum von einem Kranze
polygonischer Absidenkapellen umgeben. Die gegenseitige Auflösung der Kreuzwölbungen über diesen verschiedengestalteten
Theilen giebt zu einer Fülle sinnreicher Combinationen, zu
Theil zu malerischen Effekten von eigenthümlicher Zierlichkeit
Anlass. Die volle Breitenausdehnung solcher Anlage pflegt mit
entsprechend breiterer Entfaltung des baulichen Ganzen, mit
fünfschiffiger Hauptanlage, mit einem dreischiffigen Querbau in
einem Wechselverhältniss zu stehen. In andern Fällen, überall
bei schlichteren Anlagen, begnügt man sich mit der einfachen
Chorschlussform; aber anlehnende polygonische Abschlüsse der
Seitenschiffe, manches Mal schrägliegende, so dass sie über die
Flucht der Seitenschiffwände vorspringen, auch sonst eigenthümliche Anordnungen pflegen nicht minder die Neigung zu einem
belebten Ausgange der räumlichen Gesammtbewegung, zu den
Wirkungen malerischer Perspektive zu bekunden. Anderweit
fehlt es freilich auch nicht an der Aufnahme des entschieden entgegengesetzten Princips, des starr geradlinigen Abschlusses, der
den Traditionen, dem Gesetze der räumlichen Rhythmik und seinen kunstreichen Combinationen mit Absicht entsagt, der aber
neue Wirkungen, durch prächtige Fensterarchitekturen in den
also gewonnenen grossen Schlussfelde, zu erstreben pflegt.

Dann ist noch der allgemeinen Dispositionen des Thurmbaues zu gedenken. In den ersten (lokalfranzösischen) Stadium
seiner Entfaltung ist das gothische System, mit fast übermüthigem

Stolze, auf eine reich entfaltete Thurmanlage bedacht, bis zu
sieben, ja bis zu neun Thürmen über dem einzelnen kirchlichen
Bau. Doch fehlt es, in den meisten Fällen, theils an der vollendeten Durchführung solcher Anlagen; theils ist das zur Ausführung Gekommene in späteren Zeiten zerstört worden. Auch
tritt bald, im Gegensatz gegen diese Ueberschwänglichkeit, ein
strengeres Gesetz ein, welches als das zumeist normale zu fassen ist: das der Anlage zweier Thürme über den Seitenräumen des Westbaues, mit den Haupteingängen und mit einer
Zwischenhalle, die sich hoch gegen den innern Mittelraum zu
öffnen pflegt. In andren Fällen legt sich ein mächtiger Thurm,
im untern Raume die Portalhalle einschliessend, der Mitte der
Westseite vor. Ueberall gewinnt hiedurch die letztere, im Gegensatz gegen jene Momente des Chorschlusses auf der Ostseite,
ihr bestimmt charakterisirtes Gepräge, als die feste Basis der
ganzen räumlichen Anlage. Der Schneidepunkt der Dächer von·
Lang- und Querschiff hat zumeist nur eine dekorative Bezeichnung,
durch ein aufgesetztes leichteres Thürmchen. Ein eigentlicher
massiger Thurm über der Vierung, wie nicht selten in der romanischen Architektur, kommt vorzugsweise nur bei lokalen Abarten
des Systems, namentlich in der englischen Gothik, auf längere
Dauer in Anwendung.

Die Behandlung.

Die Grundzüge der baulichen Gestaltung des gothischen Systems empfangen durch die Fassung, die Gliederung, die Bebandlung der Einzeltheile ihren belebteren Ausdruck. Das ecstatische
Moment des Aufbaues gewinnt durch sie eine völlig bewältigende
Kraft. Zunächst wiederum an das bis dahin Uebliche, an die
romanische Formenbildung mit ihren antiken Reminiscenzen an-
knüpfend, entfaltet sich in kurzer Frist eine nach Maassgabe des
neuen Bedürfnisses völlig umgewandelte, völlig neue Formensprache. Die Complication des Aufbaues, die durchgehende Gegenseitigkeit seiner Bedingnisse hat eine organische Durchbildung
der Theile zur Folge, welche zur künstlerischen Veranschau-
lichung seiner scheinbaren Wunder im entschiedensten Maasse
beiträgt und in deren eigenthümlichem Charakter vorzugsweise
— mehr als in dem Wunder selbst — die ästhetische Bedeutung
der Gothik beruht.

Der Innenbau kehrt zunächst auf die in sich beschlossene
Säulenform zurück. Säulen, wie in der alten Basilika, treten
an die Stelle der Schiffpfeiler des romanischen Gewölbebaues,
kräftig und voll genug, um den auf ihnen gethürmten Lasten
zur Stütze dienen zu können, dabei aber in ausgeprägt selbständiger Ausbildung. Ueber dem ausladenden Kapitälgesims setzen

die Scheidbögen, die Rippen des Seitenschiffgewölbes, die schlanken Säulenbündel auf, die als „Dienste" für die Rippen des Mittelschiffgewölbes emporsteigen. Es ist ein neues Moment von kräftig primitiver Fassung, an sich freilich noch ein zufälliges, noch zu den Besonderheiten einer provinziellen Neuerung gehörig, noch ohne ein organisches Verhältniss zum Ganzen, dabei aber völlig geeignet, als Kern und Grundlage für die neuen Entwickelungen zu dienen. Diese treten schleunig ein und setzen sich in stetiger Folge fort. Jenen Diensten werden andre untergesetzt, welche sich der Säule anlehnen; noch andre fügen sich den letztern hinzu, als Träger der Bogen- und Gewölbgliederungen, welche unmittelbar von dem Kapitäl der Säule ausgingen. Die Säule wird zum R u n d p f e i l e r mit angelehnten D i e n s t e n; die Zahl der Dienste vermehrt sich, je nachdem man der einzelnen Bogen- und Gewölbgliederung einen besondern Träger giebt; sie erscheinen als stärkere und schwächere Säulenschafte („alte" und „junge" Dienste, nach der Handwerkssprache des deutschen Mittelalters), je nachdem jene Gliederungen einen derartigen Unterschied erfordern. Der Rundpfeiler hat zu Anfang noch seine säulenartige Besonderung, mit selbständiger Basis und Kapitäl; ähnlich die Dienste, die, wo sie am Obertheil des Mittelschiffes emporsteigen, sich noch aus gesonderten Schaften übereinander bauen, noch umfasst von den horizontalen Wandgesimsen, die vorerst aus der Reminiscenz der romanischen Wandmasse beibehalten werden. Aber die äusserlich combinirten Theile verschmelzen mehr und mehr zum einheitlichen Ganzen; die Dienste gehen mit kehlenartigem Schwunge und anderweit elastisch vermitteltem Ansatz aus der Kernmasse des Pfeilers hervor; ein gemeinsames polygones (achteckiges) Basament giebt die Gesammtunterlage, aus welcher sich die besondern Basamente für jeden Dienst — und für jeden leichteren in leichterer Weise — ablösen, während die Schafte selbst über leicht elastischen Fussgliedern anheben; ein leichter Kapitälkranz umfasst den Theil der so vereinigten Dienstbündel, welcher zunächst die niederen Bogen- und Gewölbglieder aufnimmt, und krönt die anderen Dienste, die ungetheilt, eben so zusammenhängend, als die Träger der Rippen des höheren Mittelschiffgewölbes emporschiessen. Der Pfeiler ist zum lebendig bewegten und gegliederten baulichen Organe geworden; vollendet wie die Säule der hellenischen Architektur; in sich gebunden durch das cylindrische Gesetz seiner Kernform und zugleich von quellendem und treibendem Einzelleben erfüllt, welches sich strahlend aufwärts bewegt und dessen selbständig organische Kraft das mehr oder weniger hohe Aufsteigen der Theile, nach den verschiedenen Höhen der Seitenschiffe und des Mittelschiffes, als ein ästhetisch gerechtfertigtes erscheinen lässt. Die Seitenträger der Seitenschiffgewölbe, an der innern Stirn der nach aussen vortretenden Strebepfeiler,

empfangen dieselbe gegliederte Behandlung. — Die hiemit bezeichnete normale Gestaltung des gothischen Pfeilers unterliegt
allerdings mannigfachem Wechsel. Ihre allmählig eintretende
Entwickelung ist so eben schon angedeutet; im Einzelnen wird
mehrfach an dieser oder jener befangneren Stufe des Entwicklungsganges festgehalten. Daneben fehlt es nicht an mancher
Reminiscenz des romanischen Pfeilers, mit der Bildung härterer
Pfeilerecken, welche sich jenen flüssigen Gliedern einmischen.
In den späteren Epochen der Gothik macht sich mancherlei willkürliche Behandlung geltend. Hievon wird später die Rede sein.

Die Bögen, wie schon angedeutet, befolgen durchgängig
die Linie des Spitzbogens. Auch ihre Gliederung behält zunächst die Motive der spätromanischen Fassung bei, eine bandartige, zum Theil eckig abgestufte Form, mit eingelassenen Rundstäben, u. dergl. Aber die Umbildung ist wiederum eine völligdurchgreifende, den Ausdruck ihrer ästhetischen Function, den
der Verbindung des Aufschiessens, des Spannens, des sich selber
Tragens, aufs Charaktervollste darlegend. Sie geht von der Formation der Kreuzrippen aus, deren selbständig structives Verhältniss (während sie im Romanischen, soweit sie dort vorkommen, nur Dekoration waren,) zuerst zur selbständig künstlerischen
Behandlung auffordern musste. Die Rippen erscheinen ihrer
Grundform nach als Flachbänder, vor denen leichte Stäbe, in
kehlenartigem Schwunge sich loslösend, vortreten; aber sie haben
zugleich der Spannung der zwischen ihnen eingesetzten Gewölbkappen zu begegnen; das Profil ihres Stabes senkt sich, wie in
einer Nachwirkung dieser Seitenspannung, in einen scharfen Grat,
welcher dem ganzen Gebilde einen bezeichnenden Schluss (den
eines herz- oder birnenförmigen Profils) giebt. Die Bildung erscheint in einfacherer Anwendung oder reicher entwickelt, mit
vermehrten Seitengliedern, in denen zum Theil das Motiv der
Hauptform wiederklingt. Sie wird naturgemäss auf die stärkeren
Quergurtbänder übergetragen und hier die reichere Behandlung,
zugleich in volleren und kräftigeren Formen, zur Anwendung
gebracht. Sie erscheint schliesslich auch in der Profilirung der
Scheidbögen, von denen die Obertheile des Mittelschiffes getragen werden, hier natürlich, bei der starken Breitenmasse, in mannigfaltigstem, aber stets durch dasselbe Grundprincip bedingtem
Wechsel der Theile. — Auch dies ist die normale Form der
Gliederung. Bei baulichen Monumenten, die keine reichere Entwickelung des Details erstreben, erscheint schon früh eine einfach
nüchterne Weise der Profilirung, in der Hauptsache aus einer
einfachen (doch hiemit stets charakteristischen) Auskehlung der
rohen Bandformation bestehend. In der Spätzeit des Styles wird
diese die vorherrschende.

Im nächsten Wechselbezuge zu der Formation der Pfeiler,
der Bögen und Gewölbgurte, d. h. zu den structiven Massenthei-

len des Baues, steht sodann die Anordnung der Fensterarchitektur. Das Fenster ist, dem ganzen Gesetz der baulichen Anlage folgend, hoch, schlank, spitzbogig eingewölbt. Zu Anfange, in der Epoche des Herausarbeitens aus dem Romanismus, ist es einfach eine erweiterte und erhöhte Durchbrechung der Wand oder, in der Reminiscenz einer romanischen Fenstergruppe, die voller zusammengefasste Anordnung einer solchen. Dann bildet sich diejenige Anordnung aus, welche dem Fenster den ganzen freien Wandraum zwischen den festen Stützen des Gebändes (mit Ausschluss dessen, was hievon als Füllmauer zurückbehalten wurde,) zutheilt. Die Wand ward zur weiten Oeffnung; der hiemit beseitigte Schluss des räumlichen Innern ward durch eine dekorative Gitterarchitektur ersetzt. Das erste Motiv der letzteren war in den Beispielen jenes noch gruppenmässigen Zusammenfassens einzelner kleinerer Fenster gegeben; statt eines solchen trat zunächst ein Bau von luftig schlanken Säulenarkaden ein, in dessen Bogenwerk sich oberwärts eine Rosette einspannte. Leichte Säulen lehnten sich frei an die schrägen Seitenwandungen der Fenster; andre stiegen von der Brüstung empor; das Bogen- und Rosettenwerk, welches den oberen Raum erfüllte, erschien in derben Stab- und Bandformen. Aber wie die Gliederung der eigentlichen Innentheile des Baues, der Pfeiler und Bögen, flüssiger wurde, drang auch ein flüssigeres Leben in die Behandlung dieser Fensterarchitektur ein; ihre Umrahmung ward ein selbständigeres Ganzes, mehr nach dem Princip der Pfeiler- und Bogengliederung behandelt, mit einem elastischen Wechsel von geschwungenen Kehlen, Rundstäben, birnförmigen Profilen; die Füllung nahm den entschiedenen Charakter eines Gitterbaues an, dessen Haupttheile nur die Reminiscenz der Säulenformen behielten; die Rosettenfüllung des Bogens schlang sich in zierlichen Kreisspannungen ineinander, in leicht ausgekehlten Bandprofilen, aus denen sich ebenso leicht die innere Zackensäumung der Rosetten loslöste. Die Formenspiele sind mannigfaltig, doch in den normalen Zeiten der Blüthe des Styles in sich stets auf maassvolle Weise gebunden und erst später zu einer bunten, phantastisch anmuthigen oder abenteuerlich barocken Spielerei übergehend. Das Ganze derartiger Bogenverschlingung (die vielfach auch an andern Punkten des Baues ihre Stelle fand) bezeichnet die Handwerkssprache mit dem Namen des „Maasswerkes", die Rosetten, je nach der Zahl ihrer Bogenzacken, als „Dreipässe, Vierpässe, Sechspässe" u. s. w., die Zacken selbst als „Nasen." — Der Gitterbau des Fensters gab der Verglasung desselben ihren Halt. Der Haupttheil der Wände war hiemit zum Glasbau geworden. Aber die Technik der farbigen Glasbereitung ward zur wiederum künstlerischen Ausstattung dieser durchsichtigen Flächen benutzt. Alles füllte sich mit einem bunten Farbenspiele, welches in vollem Lichte strahlte, welches

zu den reichsten Dekorationen willkommenen Anlass gab und
auf seinen Hauptstellen, oft aber auch bis in den Gipfel der
Fenster hinauf, figürliche Darstellungen empfing.

Der Behandlung der Brüstungswand unter den Oberfenstern
des Mittelschiffes, als Wandgallerie, dann in ebenfalls fenster-
artiger Durchbrechung ihrer Rückseite, ist schon gedacht. Die
architektonische Formation dieser Gallerie bildete sich, mehr
oder weniger, der Anordnung des darüber befindlichen grossen
Fensters entsprechend aus. Wo die Gallerie nicht zur Ausführung kam, ward doch die Wand selbst häufig mit einem gallerie-
ähnlichen Relief-Stab- und Maasswerk ausgestattet. Im Uebrigen
waren von der gesammten Oberwand nur noch die Zwickel zu
den Seiten der Scheidbögen übrig; diese boten sich der altüblichen
Wandmalerei zur figürlichen Belebung dar. — Die Brüstungswände unter den Penstern der Seitenschiffe mussten natürlich ihren
festen Schluss behalten; doch wurden ihnen insgemein Wandarkaden, in abermals entsprechender Weise, vorgelegt.

So war das gesammte Innere von bewegter Gliederung, von
stetiger Entwickelung, von pulsendem Leben erfüllt, Alles im
Ausdrucke aufstrebenden Dranges, frei von dem Gewichte des
Stoffes, dem rings einströmenden Lichte entgegendrängend, während das Licht selbst in glutfarbigem Wechsel niederströmte
und die körperlosen Gebilde einer verklärten Welt mit sich trug,
— in Wahrheit der Offenbarung eines Mysteriums gleich, welches die Sinne befängt, die Geister mit sich reisst und die kunstvollen Mittel zur Erzielung seiner Wunder vergessen macht. —

Im Aeussern des Wunderbaues lagen diese Mittel freilich
in ihren gewaltigen Lasten da, die kolossalen Strebepfeiler, die
Strebethürme, die Strebebögen, welche der schwebenden Aufgipfelung des Inneren ihren Halt gaben. Zuerst hatte die Gothik mit der künstlerischen Ausgestaltung des Inneren allzuviel
zu thun, als dass sie auch diesen Theilen eine eingehendere Sorge
hätte zuwenden können. Sie blieben einstweilen noch in ihrer
massenhaft lastenden Erscheinung, nur durch diese — durch ihre
Einzelsonderung und ihre charakteristisch vertikale Dimension —
das neue bauliche Gesetz in den allgemeinsten Grundzügen an-
deutend, nur etwa durch schlichte Stufenabsätze; durch eine
einfach dachartige Krönung, durch ein oder das andre halb zu-
fällig hinzugefügte Schmuckstück bestimmter charakterisirt, nur
in der Wechselwirkung mit der Fensterarchitektur, die sich in
ihrem Einschluss schon reich entfaltete, von einer gewissen künstlerischen Bedeutung. Schlichte Horizontalgesimse vertheilten
sich zwischen diese vorspringenden Einzelstücke, als Basament
und obere Krönung der Schiffe des Baues und zur Bezeichnung
der an jenen angeordneten Absätze. Aber wie das bauliche Innere sich zum Ausdrucke eines stets reicher und flüssiger bewegten Lebens entfaltete, ward auch der Aussenbau in ein ähnliches

Streben hineingezogen, mühte man sich, auch seinen Theilen den
Ausdruck einer rastlos aufwärts drängenden Bewegung zu geben,
auch ihn zur Wundererscheinung umzugestalten, durch den noch
reicheren Wechsel seiner Formen, der in den structiven Elementen gegeben war, durch ihre noch kunstvollere Durchbildung
die Wirkung des Innern selbst zu überbieten. Die Mittel konnten hier, da die Massen als solche ihr Recht behalten mussten,
allerdings nur dem mehr untergeordneten Elemente des Dekorativen
entnommen werden; aber das künstlerische Gefühl hatte sich
durch die Behandlung des Inneren schon genugsam für das Organische und dessen tiefer ästhetischen Gehalt geschärft, um der
Dekoration auch an dessen Bedingnissen Antheil geben, um sie
wiederum im Scheine des selbständig Belebten sich entwickeln
lassen zu können.

Die Strebepfeiler der Seitenschiffe hatten eine dreifach
gewichtige Masse empfangen, dem Seitendruck ihrer Gewölbe zu
begegnen, die thurmartige Erhöhung zu tragen, welche die dem
Mittelschiffgewölbe entgegengespannten Strebebögen aufnehmen
sollte, dem Seitendruck dieser und dem mit ihnen hinabgeführ-
ten Druck der Mittelschiffgewölbe zu trotzen. Die Masse empfing durch Theile, welche über den Ansatz des Strebebogens
emporstiegen, eine noch stärkere Belastung; diese gestalteten sich
naturgemäss als selbständig gespitzte Thürmchen, und die werk-
thätige Hand säumte nicht, ihnen den Anschein eines eignen
kleinen Bauwerkes zu geben. Die Handwerkssprache benennt
diese Pfeilerthürmchen (die sich wiederum an andern Stellen
vielfach wiederholten) als „Fialen.“ Unterwärts war die Strebe-
pfeilermasse, wie schon angedeutet, je nach der Bedeutung ihrer
Lastfunctionen, in Absätze getheilt; der Vorsprung des Absatzes
erwies sich als geeignet, einen andren kleinen Schmuckbau aufzunehmen, ein gethürmtes Bildtabernakel, dessen Erscheinung
mit der der Fiale in Einklang stand. Beide drückten ein leichtes Aufsteigen aus, welches der Masse das Gepräge unbedingter
Schwere schon zu entnehmen begann. Leichterer Nischenschmuck,
im Relief ausgeführt, aber in den bewegten Gliederformen behandelt, wie diese sich im Innenbau oder in der Fensterarchitektur entwickelt hatten, gab anderweit der Masse eine spielende
Bewegung. Der Strebebogen, oberwärts mit schräger Abdachung versehen, empfing an seiner Unterfläche eine Gliederung,
welche der der Bögen des Innenbaues entsprach; zwischen Bogen
und Dach ward seine Masse dann wohl von Rosetten oder an-
derm Maasswerkschmuck durchbrochen, der ihn leichter machte
und wiederum bewegte Formen zur Erscheinung brachte, ohne
doch seine innere Spannung zu beeinträchtigen. Ueber den Fensterpfeilern des Mittelschiffes, also über dem oberen Ansatz der
Strebebögen, steigen andre Fialen empor, verbunden durch eine

leicht durchbrochene Maasswerkbrüstung,. welche von dem Kranzgesims getragen ward. — So waren überall die Motive gefunden,
mit deren Durchbildung das Gerüst des Aussenbaues einen leicht
und luftig aufsteigenden Eindruck hervorzubringen vermochte.
In ausserordentlicher, prachtvoll reicher Weise entwickelten sie
sich bei den grossen fünfschiffigen Bauten. Hier wuchsen aus
den Seitendachungen, über den Pfeilern, welche die gedoppelten
Seitenschiffe des Innern schieden, eigne Strebethürme auf, die
Anordnung zweifacher, — oder insgemein, bei dem machtvoll
erhöhten Mittelschiff solcher Anlagen, die Anordnung vierfacher
Strebebögen (je zweier in doppelgeschossigem Wechsel) vermit-
telnd. Nicht bloss die höchst augenfällige und wirksame Complication an sich, sondern namentlich auch die hiedurch benö-
thigte ansehnliche Erhöhung sämmtlicher Strebethürme, die wech-
selvoll sich entwickelnde Vermehrung ihrer Stufen und ihrer
dekorativen Ausstattung ist es, was hier schon die glänzendste
Entfaltung des Systems zu Tage treten lässt.

Andres Eigenthümliche ist sodann in Betreff der Gestaltung
und Behandlung der Portale anzumerken. Ihre Seitenwandungen und ihre Bögen, weit ausgeschrägt, gliederten sich wiederum nach den im Innern, an Pfeilern und Bögen entwickelten
Principien, mit Säulchen, Stäben, Einkehlungen u. dergl. Aber
die eigentlich architektonische Durchbildung trat hier insgemein gegen den Reichthum bildnerischen Schmuckes zurück, mit
dem man die ganze Portalumfassung auszustatten liebte: grössere Statuen zu den Seiten und Reliefs an den Basamenten, Reihen
kleinerer Statuen in den Bogengeläufen, Reliefs in der, von den
letzteren umschlossenen spitzbogigen Lünette und an dem Sturz,
welcher diese trug, wiederum eine oder mehrere Statuen an dem
Pfosten, welcher den Sturz in der Mitte zu stützen pflegte. Tiefe
Hohlkehlen zur Aufnahme der Sculpturen in der Portalumfassung, wenig vorspringende Glieder zwischen diesen bildeten dabei die einfache architektonische Grundlage. Das Ganze, auf
möglichst reiche Wirkung berechnet, gestaltete sich zu einem
eignen Nischenbau. der mit seinen Aussentheilen manches Mal
über die bauliche Fläche vortrat, selbst eine Art von Vorhalle
bildend. Der vortretende Theil bedingte eine selbständige Bedachung, die sich giebelförmig über den spitzbogigen Einschluss
aufbaute; das Feld zwischen Giebel und Spitzbogen bot sich zu
neuer bildnerischer oder dekorativer Ausstattung dar, während
die kräftig starken Linien der Giebelschenkel dem Ganzen einen
beruhigenden Abschluss gaben. — Die Anordnung eines Giebels
über der spitzbogigen Oeffnung fand nach solchem Vorgange
bald eine durchgreifende Verwendung. Sie erwies sich, auch
durchaus abgesehen von dem Zwecke einer wirklichen Bedachung,
als ein sehr geeignetes dekoratives Mittel. dem Bogen für das
Aeussere seine rhythmisch abgeschlossene Signatur zu geben, das

schon in ihnen enthaltene aufstrebende Element auch mit einer
charakteristischen Aussenform nachdrücklich hervorzuheben. Sie
gewann in dieser Beziehung eine um so entscheidendere Bedeutung, als der Giebel, schlank aufsteigend, sich überall den oberwärts durchgehenden Horizontalgesimsen vorlegte, ihre durch
das Strebepfeilersystem schon abgeschwächte Bedeutung abermals und in umfassender Weise verringerte und in demselben
Maasse das Gesetz der aufsteigenden Bewegung vermehrte. Bei
dem Nischen- und Tabernakelwesen, welches zum Schmuck der
Strebepfeiler verwandt ward, kam diese Giebelform daher vielfach zur Verwendung; ebenso, und in vorzüglichst wirksamer
Weise, als Krönung der Fenster des Oberbaues, hier in durchgeführt rhythmischem Wechselverhältnisse zu dem Systeme der
Fialen und mit diesem, wie er selbst insgemein mit durchbrochen
gearbeitetem Maasswerk ausgefüllt ward, die gesammte Krönung
des Oberbaues in eine völlig luftige Zergliederung auflösend.
Der Handwerksname dieser dekorativen Giebel ist der der „Wimberge."

Die Horizontalgesimse hatten sich, wie alle Einzelmomente des gothischen Baues, zu Anfang in romanischer Reminiscenz gestaltet, mit dieser oder jener Weise eines kräftig geschwungenen, ihre Bedeutung charakterisirenden Profils. Aber
sie mussten sich, fast mehr als alles Uebrige, unter den angedeuteten Verhältnissen der entscheidendsten Umbildung unter-
werfen. Sie mussten aller wirksamen Ausladung, allem, wie
sehr auch gemässigten Massencharakter, aller Profilirung, die auf
das Gewicht eines solchen hindeutete, entsagen. Das Vertikal-
gesetz des baulichen Ganzen und sein bewegter Drang bestimmte
auch ihre Form: oberwärts schräg abfallend, unterwärts in starker Kehlung unterschnitten, hiemit allerdings materiell auf möglichst leichte Ableitung des Regenwassers berechnet, (wesshalb
auch die Handwerkssprache sie als „Wasserschlag", ihr Profil
als das der „Wassernase" bezeichnet,) aber darum nicht minder
in innigem Wechselbezug zu den rhythmischen Verhältnissen
jenes Gesetzes. Bei Gesimsen von einigermaassen hervorstechender
Bedeutung, wie bei den Krönungsgesimsen, pflegte sich der Kehlung ein leichtes Blattornament einzufügen. — Auch im Innenbau wurde diese Behandlung der Horizontalgesimse durchgeführt,
bis auf die leichtesten Fuss- und Deckgesimse der Einzeltheile
hinab.

Seinen Triumph feierte das System des gothischen Aussenbaues im Thurmbau und in der Verbindung desselben mit dem
Bau der Façade. Die Anwendung des Strebepfeilers war beim
Thurme durch Structurverhältnisse des Innern nicht geboten:
die an sich einfache Anlage konnte es überflüssig erscheinen lassen, auch hier für die bauliche Festigung zu einer solchen Aushülfe zu schreiten, und in der That sind die ersten Thürme des

gothischen Styles noch ohne dieselbe ausgeführt. Aber man
musste sich bald überzeugen, dass nicht nur die Symmetrie des
Ganzen auch hier die Anlage dieser vorspringenden Massen erforderte, sondern dass mit ihnen zugleich das beste Mittel gegeben war, auch diese Bautheile mit leichterer Kühnheit aufzu-
gipfeln und sie für den emporstrebenden Charakter des Ganzen,
für die in ihnen sich kundgebende geistige Stimmung zu den
vorzüglichst augenfälligen Merkzeichen auszuprägen. So lagern
sich auch den Ecken der Thürme die Strebepfeiler vor, ihren
schlanken Geschossen den festen Halt gewährend, mit diesen
sich verjüngend und je nach Erforderniss durch den mannigfaltigsten Wechsel jener Nischen-, Tabernakel- und Wimberg-De-
korationen belebt, die Portale zwischen sich einschliessend und
freie Räume zu leichten Fensteröffnungen darbietend, deren dekorative Ausstattung wiederum mit der übrigen Schmuckfülle in
Einklang steht. Bei der zweithürmigen Façade ist dem Zwischenbau, welcher der Mittelschiffbreite des Innern entspricht, die
glanzvollste Ausstattung vorbehalten; er enthält das Hauptportal
und über dessen Krönung ein grosses Prachtfenster, das sich
theils als Rose mit zierlichster Maasswerkfüllung, theils als vielgegliedertes Spitzbogenfenster gestaltet; darüber den wiederum
mit reicher Dekoration ausgestatteten Giebel des Hauptdaches.
Die verschiedenen Epochen des Styles und die Unterschiede seiner nationellen Behandlung zeigen in der besondern Weise dieser Anordnungen und in ihrer gesammten Ausstattung mannigfachen Wechsel. Ebenso in der Behandlung der obern Thurmgeschosse, wo die Gesammtbewegung der Dekorationen des baulichen Aeusseren zu ihrer letzten Entwickelung gelangen sollte.
Ueberall zeigt sich das Streben vorherrschend, diesen oberen
Theilen einen möglichst leichten Ausgang zu geben, sie aus den
unteren Gliedern, die ihren Fuss als Erker, als Eckthürmchen,
als Fialen umkränzen, mit letzter luftgleicher Kraft herauszu-
lösen, das pyramidale Helmdach, welches sie krönt, schlank in
den Aether hinausschiessen zu lassen. Das einfach normale Princip (das in seinen Grundmotiven wie in seiner kunstvollen Durchbildung vorzugsweise Deutschland angehört) ist das einer achtseitigen Gestaltung des Obergeschosses, vor dessen Ecken die
Fialen des zunächst tiefern vierseitigen emporgeführt sind, und
die Krönung desselben mit achteckigem Helm, der wiederum
aus einem Kranze von Fialen und Wimbergen aufsteigt. Aber
die einfache Gestalt wandelt sich, abermals das Gesetz der Masse
von sich werfend, den Wundern des Innenbaues ein neues, grösseres Wunder entgegensetzend und mit triumphirender Kühnheit
dem Sturm der Elemente Trotz bietend, zum reizvollsten Dekorativbau: zur schlankgegliederten, rings geöffneten Fensterarchitektur, zum ebenso offnen, aus Rippenstäben und eingespanntem
Rosettenmaasswerk zierlich aufgegipfelten Helmgerüst. Der

Bildungsgang des gothischen Systemes hat hiemit seinen Höhen-
punkt erreicht.

Die Façaden des Querschiffes, wo ein solches vorhanden,
gestalten sich nach den Motiven der Hauptfaçade, nur ohne die
Bedingnisse, welche sich hier aus der Verbindung mit dem Bau
der kolossalen Seitenthürme ergaben, und statt dieser verschiedenartige Anordnungen für einen eigenthümlichen Seitenabschluss
ausprägend. —

Noch sind einige Einzelmomente nachzuholen. Für das Ornament, welches Naturformen nachbildet, ist bei der Gliederung,
die das ganze bauliche System durchwaltet, bei dem Spiele der
Maasswerkformen, das in den Gitterfüllungen und den Relief-
nachbildungen an solchen angewandt wird, wenig Raum. Die
phantastische Neigung, welche in der romanischen Ornamentik
eine so bedeutende Stelle eingenommen hatte, muss bei der strengen Folgerichtigkeit des Organismus, welcher den gothischen
Innenbau und die Dekorationen seines Aeussern erfüllt, nicht
minder zurücktreten; oder es findet sich doch nur in seltenen
Ausnahmefällen eine Reminiscenz dieser Neigung. Durchgängig
ist das Ornament ein schlichtes Blattwerk, welches einfache Formen der heimischen Natur aufnimmt, zu Anfang in unbefangen
naturalistischer Nachbildung, später mit gewissen mehr stylisti-
sehen Motiven, die mehr oder weniger in Einklang mit der baulichen Gefühlsweise stehen. Im Inneren sind es die Kapitäle
der Bündelpfeiler, deren völlig einfache Kelchform sieh mit einem
derartigen Blätterkranze belegt. Im Aeusseren sind es die Linien
und die Spitzen der Giebel, die der Dachungen, der Thürme und
Fialen, die eine solche ornamentale Ausstattung empfangen, ebenfalls in schlichter Behandlung, aber hier doch zur sehr charakteristischen Bezeichnung ihres dekorativen Gehaltes. Folgen von
Blättern (die „Bossen" oder „Krabben" der Handwerkssprache)
lösen sich von allen schräg aufsteigenden Linien ab, sich in ge-
schwungener Bewegung aufwärts breitend; andre, zur vollen
Kreuzblume verbunden, krönen überall die letzten Gipfelpunkte.
Es ist wie ein Ausblühen und Verklingen all der Bewegungen,
die in diesen letzten aufstrebenden Gliederungen ihren Ausdruck
gefunden hatten.

Der Ausstattung mit figürlichem Bildwerk, zunächst an
den Portalen, ist bereits gedacht. Anderes Bildwerk, zum Theil
in den mannigfachen Tabernakelnischen, welche die dekorative
Ausstattung der Strebepfeiler herbeiführt, zum Theil in Gallerien, die sieh der Ausstattung der Façaden zum reicheren Schmuck
(besonders in der französischen Architektur) einreihen, fügt sich
an. Es findet sieh hiebei die Gelegenheit zur Entfaltung reicher
Bildercyklen gedanklichen Inhalts. — Eine besondere Gattung
von Bildwerk wird durch Einrichtungen des materiellen Bedürfnisses veranlasst. Bei der reichen Complikation des baulichen

Aeussern ist man mit Umsicht auf die Ableitung des Regenwassers von den Dachungen bedacht; ein kunstreich combinirtes
Gerinne, von den obern Theilen auf den Rücken der Strebebögen niedergeführt, ist zu diesem Behufe angelegt; es findet
seine Entladung an den äussern Strebepfeilern. Hier sind es
mannigfache Thiergestalten, auch seltsame menschliche Bildungen,
die, weit vorgestreckt, als Wasserausgüsse dienen. Sie wiederholen sich dann auch, in lediglich dekorativem Sinne, an andern
ähnlichen Stellen, wo ein materieller Zweck der Art nicht
vorliegt.

Schliesslich ist des Farbenschmuckes zu gedenken. Die
vorhandenen Reste sind überall sehr gering. Im Aeussern scheint
Farbe und Gold etwa nur bei der reichen Portalausstattung vorgekommen zu sein, im Allgemeinen wohl nicht häufig. Im
Innern scheint solcher Schmuck, in seiner normalen Verwendung,
sehr mässig gewesen zu sein, namentlich etwa nur zur Ausstattung der Kapitäle oder zur Dekoration der Gewölbkappen.
Der gesammte plastische Organismus der Innengliederung scheint
eine umfassendere Buntfarbigkeit auszuschliessen; einzelne Beispiele, welche dennoch ein solches Verfahren zur Ausführung
gebracht zeigen, die aber ohne Zweifel durch den individuellen
Geschmack des Meisters oder des Bauherren oder durch sonst
zufällige Gründe veranlasst wurden (namentlich die bunte Ausstattung des Innern der Ste. Chapelle zu Paris), geben nur den
Eindruck eines künstlerischen Wirrsals. Das buntfarbige Licht
der Fenster, statt das polychromatische Verfahren zu rechtferti-
gen, scheint im Gegentheil die reine und gleichmässige Wirkung
der architektonischen Gliederung und ihres plastischen Gehaltes
doppelt nöthig zu machen. Wesentlich anders verhält es sich
allerdings da, wo der Gliederung die volle und geläuterte Durchbildung fehlt. In der italienischen Gothik, wo diess zumeist der
Fall ist, ergab sich die farbige Dekoration als ein natürliches
Ersatzmittel für diesen Mangel.

Die Kehrseiten des Systems.

Das gothische Werk entfaltet sich zur vollsten Totalität.
Grundriss und Aufbau, inneres und äusseres System stehen in
den innigsten Wechselwirkungen; der mystische Drang findet in
der technischen Construktion das Mittel zu seiner Verkörperung;
die künstlerische Thätigkeit bringt ein organisches Gefüge hervor, welches ebenso die struktiven Theile erfüllt, wie es das
freie Spiel der Dekoration in die Strenge seines eigenthümlichen
Bedingnisses hineinzieht. Alle Kräfte des Geistes spannen sich
an, das Werk zur Erscheinung zu bringen; mit dem ecstatischen

Aufschwunge, mit dem künstlerischen Versenken in die Aufgabe geht der schärfste Calcül, geht die Nüchternheit des handwerklichen Betriebes Hand in Hand. Aber das unbedingte Gesetz der Totalität hebt seine eigne Wirkung auf; der rastlose Drang nach organischer Entwickelung verkehrt sich in einen formellen Schematismus; die Widersprüche zwischen den geistigen Elementen, welche sich zum Schaffen des Werkes vereinigt, konnten durch diese Vereinigung nicht überwunden werden, mussten vielmehr auch in ihr als feindliche Kräfte gegen einander wirken.

Schon diejenige Grundrissbildung, die sich als ein Produkt vorzüglich sinnvoller Berechnung kund gibt und die man gern den Glanzmomenten des gothischen Systems zuzählt, — die des polygonen Chorschlusses mit Umgang und Absidenkranz, führte zu einem mangelhaften Erfolge. An sich gibt sie allerdings das Bild des lautersten räumlichen Organismus, dessen Grundbewegung hier in der That einen höchst durchgebildeten Abschluss findet, zunächst einen einfach starken in dem polygonen Ausgange des Mittelschiffraumes, dann durch dessen Oeffnungen (zwischen den Pfeilerarkaden) in die niederen Seitenräume hinaus strömend und hier, in dem Kranze der umgebenden Absiden, in einem rhythmisch wiederholten Spiele ausklingend. Aber der Aufbau ist nicht geeignet, diess abstract Concipirte auf entsprechende Weise zur Erscheinung zu bringen, empfängt vielmehr gerade durch diese Grundlage eine zerstreute und verwirrende Wirkung. Die Zwischenräume zwischen den gegliederten Chorpfeilern sind zu eng, als dass das hindurchblickende Auge einen vollen Eindruck empfangen könnte; dieser trübt sich um so mehr, als dasselbe an jeder Stelle einer andern räumlichen Richtung (je nach der stets wechselnden Lage der polygonen Absidenkapellen) begegnet, trübt sich in doppeltem Maasse, als die Abschlüsse jener hintern Räume allseitig von Fenstern durchbrochen sind und somit einen Wechsel der Lichtwirkung enthalten, der für das Auge des im innern Raume Weilenden nothwendig unfassbar ist. Die Disposition ist, wie bemerkt, einer schon im romanischen Style gegebenen nachgebildet. Hier indess war die Wirkung, wenn auch nicht voll beruhigend, so doch ungleich klarer, mit schlichten Rundsäulen im Chorschluss, mit einfachen und überall gleichmässigen Rundwandformen in Umgang und Absiden, mit einer Unterordnung der Fensteröffnungen im Verhältniss zu den festen Wandmassen. Die spekulirende Gothik hatte von der gesteigerten Ausbildung dieser Anordnung keinen Gewinn.

Der innere Aufbau ist im Uebrigen von vorzüglicher Gediegenheit; dem wirkungsvollsten räumlichen Rhythmus begegnet hier die gehaltenste organische Durchbildung von ächt künstlerischer Empfindung. Die seltnen Vorzüge des Systems sind in Obigem bereits dargelegt. Aber es kann doch nicht vergessen

werden, dass diess System auf jene Wunderwirkung bemessen
ist, dass die letztere der gewaltsamen Erregung des Gemüthes
keine Befriedigung folgen lässt und dass, wenn das Auge ver-
gebens nach den Gründen dieser Erscheinung forscht, zuletzt
doch ein schwindelndes oder beklemmendes Gefühl zurückbleibt.
Auch veranlasst die fast übermächtig treibende Bewegung im
Organismus der Innentheile einige rhythmische Uebelstände. Bei
den kurzen Jochfeldern müssen die Rippen eine tiefe Senkung
annehmen, welche die klare Wirkung der Gewölbfolge beeinträchtigt; bei den noch schmäleren Feldern des Chorschlusses
entstehen hiedurch hässliche Schneidungen der Linien. Bei
diesen ist es zugleich (was mit dem oben in Betreff des Chorschlusses Gesagten näher zusammenhängt) ein auffälliger Uebel-
stand, dass ihre Scheidbögen, um die Höhe der übrigen zu gewinnen, scharf überhöht gebildet werden müssen, im steileren
Spitzbogen oder (als „gestelzte“ Bögen) mit hochsenkrechten
Anläufen. — Dann bleibt, wie bewunderungswürdig die organische Gliederung des Inneren ist, noch ein Punkt von gewichtiger
Bedeutung übrig, der das Gepräge unorganischer Härte hat. Es
ist der Ansatz der Gurt- und Bogengliederung über dem Kapitäl
der Dienste; ihre eigenthümliche Form tritt unvermittelt, unvor-
bereitet, ohne ein Organ, das ihren Ursprung in sich schlösse,
ein; das Kapitäl, vielmehr ein Abschluss der Dienste als eine
wirkliche Verbindung dieser mit jenen, hat nicht die Bedeutung
eines solchen Organs. Die spätere Gothik hat diesen Missstand
sehr deutlich empfunden und verschiedenartige Abhülfe versucht,
insgemein mit völliger Beseitigung des Kapitäls, wobei dann die
Gewölbglieder sich unmittelbar aus den Diensten oder aus der
Pfeilermasse lösen oder die Dienste ganz und gar nach dem
Profil jener gebildet werden; aber es war viel weniger eine Lösung
des Mangels als ein Umgehen desselben, oder seine Ersetzung
durch ein grösseres Uebel.

Das Princip des Aeusseren geht in der Hauptsache darauf
hinaus: die hier lagernden und strebenden constructiven Massen
durch dekorative Umkleidung und Ausbildung künstlerisch zu
beleben. Wie reich aber, in wie überschwänglichem Maasse
diess Princip durchgeführt wurde, so blieb es in seiner Wesen-
heit doch eben nur Dekoration; wie sinnvoll die Construktion
an sich war, so blieb ihr Gesetz, trotz alles hinzugefügten
Schmuckes, doch einseitig überwiegend, ohne das Vermögen, sich
in eine volle künstlerische Harmonie aufzulösen. Das Aeussere
war, seinen Grundformen nach, ein zerstückeltes Gerüst, dessen
Einzeltheile sich zur wirkungsvollen Einheit nicht zusammenzu-
fügen vermochten, die mit ihren Vorsprüngen und ihren Bogen-
massen — zumal bei den grossen Prachtbauten, welche den
Gipfelpunkt des Systems bezeichnen, — sich selbst und den
Körper des Baues in stetem Wechsel deckten, nirgend ein festes

klares Bild des Gesammtzusammenhanges, nirgend einen in sich
beschlossenen und befriedigenden Eindruck gewährend. Am Chor-
haupte, wo zugleich der Wechsel der Grundbewegung eintrat
und zugleich die Strebemassen in eine engere gegenseitige Beziehung traten (für deren Lösung Verschiedenartiges versucht
ward), musste sich die Unbefriedigung des Eindruckes bis zur
Verwirrung steigern.

Die Dekoration war bestimmt, diesen Mangel zu verdecken,
für ihn einen Ersatz, der ästhetischen Anforderung eine andere
Richtung zu geben. Die allgemeine Wirkung in dieser Beziehung
ist allerdings ausserordentlich, die Sinne befangend, das ruhige
Urtheil hemmend. Tausendfältiges Leben scheint jene Massentheile zu umspielen; es schiesst in Gruppen zusammen; es gipfelt
sich in jedem Gruppenstück in bunter Wechselfolge empor. Statt
der Einheit des Eindruckes wird geradehin die Mannigfaltigkeit
zum künstlerischen Gesetz gemacht, indem das Band dieser
Mannigfaltigkeit in dem gleichartigen Bildungsprozess der dekorativen Einzeltheile gegeben zu sein scheint. Aber dies Band
war zumeist doch nur ein conventionelles, phrasenhaftes. Wenn
die zuerst festgestellten Dekorationsformen der Fiale und des
Bildtabernakels sich der Strebemasse noch mit schlichter Naivetät
zugesellten, wenn anderweit in glücklichen Einzelfällen die in
dem baulichen Inneren ausgebildete quellende Gliederformation
für die Behandlung der Strebemassen herangezogen ward; so
herrscht in all den Nischen- und Maasswerkbildungen, von denen
diese Dekorationen erfüllt sind, doch durchweg ein trockner
Schematismus, so ergibt sich überall jene Gleichartigkeit, weil
nur der Schein des Organischen erstrebt werden konnte, als das
Produkt eines äusserlichen Caleüls. Das völlig phrasenhafte
Moment, zu welchem der gothische Aussenbau sich entwickelt,
spricht sich in dem, für seine Gesammterscheinung so höchst
bedeutenden System der Wimberge aus; es ist eine formale
Fiction, die lediglich nur zum Behufe der Wirkung angewandt
wird, die ausser aller Beziehung zu den structiven oder organischen Gesetzen des Baues steht (zu dem natürlichen Zwecke einer
Querdachung sogar im entschiedensten Widerspruch) und für
deren ästhetische Vermittelung (im untern Ansatz der Schenkel)
daher auch Nichts gefunden werden konnte. So ist es die Behandlung des Einzelnen, die den ersten, fast berauschenden Eindruck jener dekorativen Fülle wiederum auflöst und hiemit jene
zerstückelte Massenwirkung aufs Neue in ihr Recht treten lässt.

Auch das kühnste Prachtstück des gothischen Aussenbaues,
der durchbrochene Oberbau des Thurmes, gehört diesen dekorativen Conventionen an. Wie sehr mit ihm auf eine Wundererscheinung hingearbeitet wird und wie begeistertes Staunen der
in solcher Weise ausgeführte Bau hervorruft, so ist es doch in

der That wiederum nur die Willkür des Calcüls, im Gegensatz
gegen alles natürlich Bedingte und organisch Begründete, was
ein solches Werk ins Leben führt, was ihm seine gegliederte
Entwickelung gibt. Der innere Widerspruch ist um so auffälliger, mit je scheinbarerem Ernste die strengen Grundformen
des zweckvollen Baues nachgebildet werden; er macht sich zugleich unmittelbar geltend, da die Durchbrechungen einander
fast für jeden Standpunkt des Beschauens in unrhythmischer Weise
decken und somit nicht einmal die dekorative Wirkung rein zu
Tage tritt. — Einzelne Werke der Art aus gothischer Spätzeit,
wo sich in dem dekorativen Spiel ein selbständigeres Element
kund gibt, halb mährchenhaften Zuges, unbeirrt von festen
Systemformen, gewinnen in der That eine in sich mehr berech-
tigte Physiognomie, zumal wenn dabei die Gesammtdimensionen
sich verringern oder das Ganze sich in Einzelstücke, an denen
das Spiel sich mit zierlicher Leichtigkeit entfalten kann, auflöst.

Einige Momente des Aussenbaues zeigen ein auffallend ge-
schmackwidriges Verhalten, eine Vorneigung zu solchem, ein
absichtliches Beharren an dessen Ergebnissen. Sie gehören den
Theilen bildnerischer Ausstattung an. Zunächst die Ausstattung
der Portale (in der französischen Gothik und dem, was als nähere
oder fernere Nachfolge bezeichnet werden mag). Was darüber
schon gesagt ist, bezeugt ein Wohlgefallen an bildnerischer Ueberladung, der Art, dass die Architekturform sich auf geringfügige
Andeutungen ihres Vorhandenseins beschränken muss. Schlimmer
ist die Art und Weise der Vertheilung des Bildwerks. Die
spitzbogige Lünette, ihrer Umfassung gemäss nothwendig ein
ungetheiltes Ganzes, wird zumeist in Reliefstreifen zerschnitten,
die sich über einander ordnen und zu den Seiten aufs Häss-
lichste durch die einzelnen Bogenabschnitte begrenzt werden. In
den die Lünette umgebenden Bogengeläufen bauen sich Statuen
empor, die, insgemein auf Tabernakel-Consolen sitzend, den
Bogenlinien folgen und somit, bis in den Gipfel hinauf, eine mehr
und mehr widersinnig hängende Lage einnehmen. U. s. w. —
Ein andrer Punkt betrifft die figürlich gebildeten Wasserausgüsse.
Ueberaus selten erscheinen hier, etwa als romanische Reminiscenz, Gestalten von phantastischer Bildung, denen das ihnen zu-
getheilte Geschäft eine Art humoristischen Reizes gibt. In andern, ebenfalls aber nur seltenen Fällen sind es Figuren geheiligter
Symbolik, die hiebei freilich schon eine wenig schickliche Verwendung finden. Zumeist sind es ungefüg plumpe Thier- oder
Menschengestalten, die mit dem Maule oder dem Munde das
Wasser von sich geben, in einer rohen Laune gebildet, die kaum
als Scherz, geschweige denn als Humor zu fassen ist und die im
Gegensatz gegen den der baulichen Gliederung zu Grunde liegenden Idealismus fast befremdlich wirkt. Auch ist es nicht
immer der Mund, der zu jener Function dient. Manches Mal

macht sich in diesen, auch in andern Einzelfiguren, die an einer oder der andern Stelle als eine dekorative Zuthat eingefügt werden, ein satyrisches Element geltend, gegen Judenwesen und auch gegen Pfaffenthum gerichtet, nicht ganz selten wiederum von allerplumpster Art.

Es ist schliesslich hinzuzufügen, dass das System des gothischen Aussenbaues, in der durchgängigen, sowohl durch die Construktion als durch die Dekoration herbeigeführten Zerstückelung seiner Theile, vielfache materielle Uebelstände zur Folge haben musste, zumal in den nordischen Klimaten und unter den herberen und wechselvolleren Angriffen ihrer Witterung. Ein ganz gediegenes Baumaterial und eine völlig solide Technik und Bauführung setzten der Wirkung dieser Angriffe allerdings ein ferneres Ziel; aber die ausserordentliche Complikation des Werkes gab nur zu leicht zu diesem oder jenem zufälligen Mangel Anlass, und jeder Mangel musste sich sofort, weil er stets in Beziehung zum Ganzen stand, empfindlich rächen. Das Bewusstsein der Undauerbarkeit, das sich von vornherein schon dem naiven Auge des Betrachtenden einprägte, führte daher auch ziemlich durchgängig zu Veranstaltungen, welche zur steten Ueberwachung des baulichen Werkes und zur möglichst schleunigen Beseitigung eingetretener Schäden bestimmt waren. In jüngeren Zeiten waren diese Veranstaltungen grossen Theils aufgelöst worden; die daraus hervorgegangenen verderblichen Folgen bezeugen jedenfalls den in den Systemen selbst liegenden Mangel materieller Zweckmässigkeit und hiemit wiederum das Einseitige seiner ursprünglichen geistigen Conception.

Es sind, wie bemerkt, innerlich widersprechende Elemente, welche das gothische Werk, den Ausdruck und das Sinnbild eines begeisterungsvollen Zeitdranges, in sich vereinigte und deren Widerspruch sich, je gewaltsamer sie zu dieser Vereinigung herangezogen wurden, um so entscheidender und folgenreicher kund geben musste.

Das System, in der mystischen Emporgipfelung seiner Räume und seiner baulichen Theile, bedurfte künstlicher Hebel, um solche Wirkung zu ermöglichen. Hiedurch war die künstlerische Aufgabe schon in ihren allgemeinsten Grundzügen eine zweitheilige, schon von vornherein nach dem Maasse einer einseitig idealistischen und einer einseitig statischen Berechnung gespalten. Bei der Ausführung des Baues machte sich diese Spaltung in stets wiederholter Wechselfolge geltend, in der Nothwendigkeit unablässiger Berücksichtigung der Gegensätze, unablässiger Bethätigung des scharfsinnigsten, so vielfach gegliederten Calcüls, wie das Werk selbst gegliedert war. Ein trocken verstandes-

mässiges Element musste sich somit dem schwärmerischen Ge-
fühlsdrange, welcher dem ganzen baulichen Wesen seine Richtung und sein Ziel vorgezeichnet hatte, zugesellen. Die Ausführung selbst verlangt zahlreiche werkerfahrene Hände, die
Fülle der Aufgaben und ihre im Einzelnen zumeist sehr lange
Dauer einen stetig fortgesetzten handwerklichen Betrieb. Das
städtische Bürgerthum, aus dessen Schoosse jetzt überhaupt die
überwiegende Mehrzahl dieser baulichen Unternehmungen hervorging, lieferte die Arbeiter, gab dem Betriebe seinen genossen-
schaftlichen Zusammenhang, sein festes zünftisches Gesetz. Jenes
Verstandesmässige nahm also zugleich den Charakter des Abgeschlossenen, vorschriftsmässig Beschränkten an, der das natürliche Ergebniss zünftischer Einrichtungen ist. Jene ecstatische
Richtung des Gefühles aber, wie tief sie die Geister der Zeit
gerührt, wie durchgreifende Anregung zu neuer Schöpfung sie
gegeben hatte, wie lebhafte Nahrung sie aus den kirchlichen Institutionen empfing, ermangelte doch des festen und unangreif-
baren Bodens; sie war eine geistige Strömung, deren Kraft nicht
in gleicher Stetigkeit andauern konnte, während das Verständige
und seine Bewährung im Betriebe des Handwerks sich nothwendig
in ungleich zäherer Beharrlichkeit geltend machen mussten. Dies
Element, von vornherein ein nothwendiger Beisatz des idealen
Schwunges der Gothik, gewann in ihr daher einen stets erweiterten Spielraum, bis es sich schliesslich — der volle Gegensatz
ihres ursprünglichen Wesens — zum herrschenden machte.

Hiemit aber erklären sich sehr naturgemäss ihre vorzüglichsten künstlerischen Mängel: die Incongruenzen zwischen dem
Plan, dem Aufbau und den Wirkungen desselben; der ganze
formale Schematismus und das mit seinen Mitteln geschaffene
Scheinbild organisch baulicher Existenz; das barbaristisch ge-
schmackwidrige Verhalten in bildnerischer Ueberladung, in dem
Wohlgefallen an plumpen und gemeinen Bildungen; die Zeugnisse des Spottes, der sich den Trägern des Ausgangspunktes
der eigenen künstlerischen Richtung entgegenkehrte; auch die
materiellen Uebelstände, insofern der raffinirte Calcül wenigstens
zu ihrer Vermehrung beitrug und das Handwerk seinen Stolz in
eine Herstellung künstlich complicirter Combinationen setzte. Im
späteren Verlaufe der Gothik, als ihr geistiges Princip sich in
eine äusserliche Schultradition umgewandelt hatte, erscheinen
jene Elemente naturgemäss als die wesentlich bestimmenden, zu
einer kalt nüchternen Fassung oder zum willkürlich barocken
Formenspiele führend.

Zunft und Meister.

Ueber die Verfassung der baulichen Zunft, deren hier zu
gedenken ist, kann mit wenigen Worten weggegangen werden.
Sie glich der der übrigen Zünfte des städtischen Mittelalters,
nur dass sie, bei der Bedeutung des kirchlichen Werkes, zu dessen
Ausführung sie berufen war, bei der Menge von Kräften, welche
sie hiezu in Anspruch nehmen musste, bei der Nothwendigkeit,
diese gemeinsam einem Ziele zuzuführen, umfassender und mit
grösseren Gerechtsamen und Freiheiten ausgestattet war als die
Mehrzahl der übrigen. Ihre Vereinigung bildete die „Hütte;“
an ihrer Spitze stand der „Meister“ und unter diesem der „Parlirer;“ dann folgten die Schaaren der Gesellen und der Lehr-
linge. Der innere Organismus, das sittliche und das religiöse
Verhalten waren durch Vorschriften geregelt. Schlichte Zunft-
geheimnisse knüpften das innere Band fester. Schlichte Kunst-
geheimnisse, im Verlauf der Zeit in bestimmte mathematische
Formeln ausgeprägt, dienten zur Uebertragung der Grundelemente structiver Bildung. [1]
Mit der Erwähnung des „Meisters,“ welcher der zünftischen
Genossenschaft vorstand, welcher das einzelne Werk leitete und,
je nach Umständen, der Urheber des Planes war, drängt sich
zugleich aber die Frage nach der Art und Weise der individuell
künstlerischen Bethätigung entgegen. Es versteht sich von selbst,
dass überall, wo ein Bau von nur einigermaassen gegliederter
Beschaffenheit ausgeführt werden soll, ein Plan vorliegen, dass
dieser von einer bestimmten Persönlichkeit entworfen sein, dass
sich darin irgendwie der Charakter dieser Persönlichkeit kund-
geben muss. Es liegt nicht minder in der Natur der Sache, dass
jedes Einzelmoment baulicher Entwickelung auf die Wirksamkeit einer einzelnen Person zurückzuführen, jedes charakteristische
Einzelwerk seinem Plane nach als das Produkt persönlicher
Leistung zu betrachten ist. Aber es ist gleichwohl zu unterscheiden, wieweit hiebei von bewusster Erfindung die Rede sein
darf, wieweit das allgemeine Gesetz, das allgemeine Streben durch
das individuelle Vermögen beherrscht und geleitet wird, wieweit
letzteres den gegebenen Stoff als ein Objekt selbständig künstlerischer Darstellung und Wirkung zu behandeln im Stande ist,
— wieweit es vielleicht auch über die Grenze, die das Wesen der
architektonischen Kunst dieser individuellen Bethätigung steckt,
hinausschreitet. Die Geschichte der gothischen Architektur macht

---

[1] Für das Weitere verweise ich auf Schnaase, Geschichte der bildenden
Künste, IV, I, S. 299, ff., der hier zugleich die Nichtigkeit der tieferen socia-
len und künstlerischen Geheimnisse der Bauhütten, welche die neuere Zeit in
sie hineingelegt und aus ihren schriftlichen Resten herausgelesen hat, zur Ge-
nüge nachweist.

nun allerdings, und schon in ihren früheren Epochen, eine Reihe
von Meistern namhaft, nach deren Plänen und unter deren Leitung Werke von ausgezeichneter Bedeutung ausgeführt sind. Wir
sehen, dass dies und jenes Besondre der individuellen Eigenthümlichkeit dieser einzelnen Meister angehört und dass sie damit kräftig und bedeutend in den allgemeinen Entwickelungsgang eingriffen. Wir sehen im Einzelnen sogar (es möge an Erwin's Façadenbau des Strassburger Münsters erinnert werden)
Architekturen, in denen sich auf dem Grunde der überkommenen
baulichen Motive eine Wirkung entfaltet, deren sprechende Eigenthümlichkeit das unbedingte Gepräge des Individualcharakters
-hat. Doch sind diese letzteren Fälle sehr selten, und das Persönliche tritt, im Grossen und Ganzen betrachtet, immer noch
sehr entschieden hinter den generellen Charakter des Styles und
seiner Eigenschaft als eines Produktes der allgemeinen Zeitstimmung, als deren Beauftragter gewissermaassen der einzelne Meister
nur handelt, zurück. Und dies eben um so mehr, als jene bis
in die letzten Punkte hinausdrängende Gliederung des Systems,
wie dieselbe sich Schritt von Schritt entfaltete, das individuelle
Ermessen überall in engen Grenzen halten, als die zünftische
Gliederung des Betriebes in demselben Grade der freieren Bewegung des Individuums entgegenstehen musste. In der That
bekunden es auch diejenigen Werke selbst, welche eine umfassendere, länger fortgesetzte Thätigkeit in Anspruch nahmen, dass
dies die wirkliche Auffassung der Zeit war. Fast nirgend wird
der Plan, wie er aus der Hand des ersten Meisters hervorgegangen war, als ein abgeschlossenes Kunstwerk, das seine Gesetze in sich hat, betrachtet. Er gilt jedem nachfolgenden Ge-
schlechte nur als ein, gewissermaassen von der Natur Gegebenes,
dessen Weiterbildung ihm obliegt, dem es nach seinem Entwicke-
lungsstandpunkte das weiter Erforderliche hinzufügt, an dessen
Vollendung es sich in stets wechselnder Behandlungsweise bethätigt. Nur wo das System von Hause aus keine durchgreifend
feste Basis oder wo es dieselbe bereits verloren hat, macht sich
ein breiteres Hervortreten der künstlerischen Individualität geltend. So überall in den Schlussepochen desselben; so vornehmlich in der italienischen Gothik, die, ein halb fremdartiges Ge-
wächs, von zum Theil ausgezeichneten Meistern als ein geradehin
freier Stoff künstlerischer Bildung behandelt wird.

Die Wandlungen des Systems.

Das Gesetz des gothischen Systems, mit seiner geistigen und
seiner structiven Tendenz, mit seinen Vorzügen und seinen Män-
geln, musste bei der umfassenderen Ausbreitung mannigfaltiger

Umwandelung unterliegen. Wie diese zum Theil aus den inneren Widersprüchen und aus dem Maasse ihrer Steigerung je nach der gemach sich verändernden Zeitstimmung hervorging, so aus der Opposition, welche hier und dort das abermalige Hervortreten nationell besondrer Gefühlsweise veranlasste; so auch, in Wechselwirkung mit diesen Beziehungen, aus der Verwendung eines Baumaterials, dessen Beschaffenheit Abweichungen in dem structiven und in den dekorativen Elementen bedingte; so nicht minder aus der Uebertragung der kirchlich ausgeprägten Formen auf andre Lebenszwecke und aus der Rückwirkung, welche sich hiebei auf das Ganze der Behandlung ergab.

Zunächst war es der allgemeine geistige Ausgangspunkt des Systems, — jener eigentliche Ausdruck des Ecstatischen, jene schwebende Aufgipfelung der inneren Räumlichkeit, was doch nicht überall eine unbedingte Aufnahme fand. Man zog ein mässigeres Verhalten vor, als es in dem ursprünglich französischen Muster vorlag, man strebte nach einer mehr in sich beruhigten und gefestigten Wirkung. Das Massengefühl behauptete sich theilweise doch in seinem Rechte: in minder umfassender Auflösung des baulichen Ganzen in ein Stützengerüst und entsprechend gegliederte Einzeltheile; in minder durchgängiger Beseitigung der Wandtheile; selbst mit der eigenthümlichen Anordnung, dass man die Strebemassen in den Innenraum hereinzog und sogar dem Oberbau des Mittelschiffes, mit einer Art von Nischensystem, denen sich die Fenster einfügten, innen vortretende Pfeilervorsprünge gab. Der ungetheilt aufwärts drängenden Bewegung, die die enge Folge der räumlichen Gliederung bedingte, trat das Bestreben nach einer freieren Ausweitung des Raumes, — das Princip einer hallenmässigen Anlage gegenüber; eine minder überwiegende Erhöhung des Mittelraumes, auch die völlige Beseitigung dieser Erhöhung schloss sich daran an. Namentlich in Deutschland fand das System gleicher Schiffhöhen, das des „Hallenbaues" im engeren Sinne des Worts, (wie schon in der spätromanischen Architektur von Westphalen) vielfache Anwendung. Es entsagte jener leidenschaftlichen Steigerung des räumlichen Gefühles; es blieb in sich fest beschlossen; aber es gewann zugleich, durch das bewegte Princip des Styles und seiner Gliederformation, einen sehr eigenthümlichen Ausdruck und unter Umständen eine höchst glückliche Wirkung. Das Aeussere gestaltete sich hiebei als ein einfacheres Ganzes, ohne das Gerüst der Strebebögen, durch die Folge der Strebepfeiler und der zumeist schlank aufsteigenden Fenster charakteristisch bezeichnet, wobei aber die herkömmlichen dekorativen Stylformen allerdings ein mehr zufälliges Verhältniss annahmen. Für die Bedachung wurde nicht selten — und, wie es scheint, besonders in der Frühzeit des Systems — die schon bei spätromanischen Hallenkirchen vorkommende complicirte Anordnung beliebt,

dass nemlich nur das Mittelschiff mit einem Längendache bedeckt
ward, die Seitenschiffe dagegen Querdächer je über den einzelnen
Jochfeldern erhielten, welche hinterwärts an jenes anstiessen und
nach vorn eine Giebelreihe bildeten, die dem Gebäude zur eigenthümlichen Krönung diente. Doch ging man hievon (vermuthlich aus äusserlich praktischen Gründen, um überall einen völlig
gesicherten Wasserabfluss herbeizuführen,) wiederum ab und gab
der Gesammtmasse des Baues zumeist ein einziges grosses Dach,
dessen Last dann allerdings eine nicht sonderlich günstige ästhetische Wirkung hervorbrachte.

Dem M a t e r i a l e nach war das System auf einen fügsamen
Haustein berechnet. Härteres Gestein, z. B. Granit, hatte naturgemäss eine Vereinfachung der dekorativen Formen zur Folge;
edler Marmor veranlasste es, dass sich diesem eine vorzügliche,
manches Mal eine überwiegende Sorgfalt zuwandte. Eine besonders durchgreifende Modification veranlasste der gebrannte Z i e -
g e l. Er wurde zum Theil nur für die bauliche Masse angewandt, während man gegliederte Formen aus Haustein einfügte,
die doch schon, in ihrem Wechselverhältniss zu jenen, eine Er-
mässigung der reicheren Ausstattung zur Folge hatten. Er bildete aber auch das ausschliessliche Material und bedingte dann
die Beseitigung aller stärker ausladenden Details, somit eine durchgreifende Umgestaltung namentlich des Aeusseren; er gab gleichzeitig zu einem reichen und bunten Reliefschmuck auf der Fläche
Veranlassung, hatte aber, da seine Einzeltheile v o r der baulichen
Ausführung durch Formen bereitet wurden, nur zu häufig einen
völlig handwerksmässigen, fabrikartigen Betrieb zur Folge. —
Das Wesen des gesammten Systems beruhte auf der gewölbten
Steindecke. Theilweise trat jedoch wiederum eine H o l z d e c k e
an ihre Stelle. Namentlich in England blieb das System der
letzteren, welches dort in der romanischen Epoche überall wenigstens für die Hochräume beliebt war, in der Erinnerung;
nachdem man sich auf nicht lange Zeit der gothischen Wölbung
gefügt hatte, kehrte man in umfassender Weise zu jener zurück,
sie kunstreich durchbildend und ihrem Bedingniss gemäss die
Einzelformen des Aufbaues modificirend. Auch anderweit fehlt
es nicht an ähnlichen Vorkommnissen.

Die Z e i t u n t e r s c h i e d e charakterisiren sich in ihren Haupt-
phasen dahin: dass, nach den (ausschliesslich französischen) Anfängen in der Spätzeit des 12. Jahrhunderts, das 13. Jahrhundert die erste grosse und kraftvolle Blüthe des Styles bezeichnet;
dass im 14. Jahrhundert eine gemächliche und verfeinerte Verwendung der gewonnenen Resultate eintritt; dass das 15. Jahrhundert und die nächstfolgende Zeit bis zur Neuaufnahme der
klassischen Form die Ausgänge enthält, in denen die Vernüch-
terung des gothischen Systems nnd seine Entartung eintritt, zugleich aber, in der Erledigung der strengeren Gesetze desselben,

wiederum neue Combinationen von eigenthümlich charakteristischer Bedeutung zur Erscheinung kommen. Die Momente des Wechsels sind bei den verschiedenen Nationen, zum Theil unter dem Einfluss ihrer besonderen geschichtlichen Zustände verschieden; die Epoche des Schlusses ebenso. In Italien tritt die Renaissance (die Architektur der klassischen Form) schon in der Frühzeit des 15. Jahrhunderts ein, während daneben im Einzelnen noch auf längere Jahrzehnte am gothischen System festgehalten wird. In den Landen diesseits der Alpen geht die Dauer des letzteren mehr oder weniger tief in das 16. Jahrhundert hinab, in merkwürdigen Einzelbeispielen noch beträchtlich weiter.

Für die Umbildung der Einzeltheile des Baues, welche vornehmlich in den jüngeren Epochen der Gothik hervortreten, ist das Folgende anzumerken.

Die Pfeilergliederung geht in einen mehr spielenden Formenwechsel über, häufig durch unmittelbare Niederführung des Profils der Gewölbrippen auf das Detail des Pfeilers veranlasst. Es ist schon bemerkt, dass hiedurch die mangelnde innigere Vermittelung von Dienst und Rippe ersetzt werden sollte; aber der Dienst selbst verliert durch solche Umwandelung alles Gepräge charakteristisch selbständiger Kraft. Oder es wird aller Einzelgliederung des Pfeilers entsagt und dieser auf die, nur für die bauliche Totalwirkung berechnete schlichte Rundform oder auf eine noch schlichtere polygonische (zumeist achteckige) zurückgeführt. Die letztere gewinnt zuweilen eine treffliche Wirkung durch leis concave Einziehung seiner Flächen. An eckigen Pfeilern von breitem Grundverhältniss läuft wohl, in der eben angedeuteten Weise, das Scheidbogenprofil nieder; das innere System geht hiedurch auf das einer zusammenhängenden Arkadenwand zurück.

In der Anordnung des Gewölbes tritt mancherlei Weise eine reichere, auf dekorative Wirkung berechnete Formation ein. Die Schlusssteine des Gewölbes, im Kreuzungspunkte der Rippen, empfangen verschiedenartigen plastischen Schmuck. Dem einfachen Netz der Kreuzrippen werden Zwischenrippen zugefügt, welche zunächst zu einer sternartigen Bildung Anlass geben; im Laufe des 14. Jahrhunderts bildet sich das hiemit gewonnene „Sterngewölbe" nicht selten in eigenthümlich graziöser Behandlung aus. Später gesellen sich noch andre, mehr spielende, selbst blumenartig geschweifte Formen hinzu. Oder es wird das eigentliche Princip der Kreuzwölbung, welches dieser reicheren Anordnung noch zu Grunde lag, völlig verlassen und ein förmliches „Netzgewölbe" ausgebildet, mit parallel laufenden, mannig-

fach sich durchschneidenden, zum Theil auch mit Sternformen
vermischten Rippen. .Hiebei folgen die letzteren in ihrer Gesammtdisposition wiederum dem Princip der (halbkreisrunden)
Tonnenwölbung, der Art, dass die buntgegliederte Decke sieh
in leichtem Spiele über die Räume schwingt, von eigenthümlich
phantastischer Wirkung im jüngeren deutschen Hallenbau.
Ueberall sind die Rippen bei diesen Systemen, wo sie ihr bedeu-
tungsvoll organisches Verhältniss aufgeben, in leichter Kehlen-
form profilirt. Auch nehmen sie dabei manches Mal eine eigene
springende Entwickelung an, frei aus der Gewölbfläche vortretend, im Gipfel selbst (durch künstliche Mittel gehalten) sich
traubenartig senkend. Zur besondern Abart entwickelt sich dasselbe System in einzelnen Districten des Ziegelbaues, wo die
Rippen ganz verschwinden und das Gewölbe sich aus einer Menge
kleiner eckiger Kappen oder Zellen zusammenbaut. Oder es
breitet sich dasselbe .(in der englischen Gothik) in reichge-
mustertem fächerartigem Schwunge empor, oberwärts mit Halb-
kreisen zusammenstossend, zwischen denen sich zierliche Rosetten
einlegen oder wiederum traubenartige Rippengebilde niedersenken. U. s. w.

In ebenso reichen Formspielen gliedert sich, wie schon angedeutet, das Maasswerk der F e n s t e r. Strengeren, eigentlich
gitterartigen Bildungen (in der englischen Gothik) tritt eine Fülle
bunter Muster gegenüber, nicht selten in geschweiften Formen,
deren besondern Typus man wohl nach ihrer Aehnlichkeit mit
einer „Fischblase" zu bezeichnen pflegt.

Die Neigung zu geschweiften Formen macht sich besonders
in den Dekorationen des spätgothischen Aussenbaues geltend.
Die Wimberge über Portalen und Fenstern, an den Krönungen
der Tabernakel u. s. w., nehmen nicht selten, statt ihrer geradlinigen Giebelschenkel, eine geschweifte Bogenform an. Häufig
senkt sich dieselbe völlig auf die Aussenlinie der spitzbogigen
Oeffnung nieder, diese mit einem geschweiften Bogen umfassend,
den man wohl als „Kielbogen" oder „Eselsrücken" zu bezeichnen pflegt. Auch anderweit erscheinen an den luftigen Theilen
des Aeussern, namentlich an den durchbrochenen Helmen von
Thürmen und Thürmchen, phantastisch gewundene Bildungen,
Fialenspitzen, die sich den Bögen in hornartiger Krümmung anlegen oder sich frei in solcher Weise hinausrollen, buntes holz-
artiges Geäste, welches die Architekturformen schon ganz in eine
spielende Nachahmung von Naturgebilden übersetzt. U. dergl. m.
In mehrfacher Beziehung lässt sich hiebei ein Element orientalischen Einflusses wahrnehmen, dessen Ursprung in der Versetzung
der spanischen Gothik mit Motiven der dort heimischen maurischen Architektur zu suchen ist, das auf die burgundischen Niederlande, wie es scheint, übertragen wurde und in Folge solcher
Uebertragung weitere Aufnahme fand.

Aller Reichthum der gothischen Dekoration und alle üppige
Lust der Spätzeit fand in den kleinen Dekorativ-Architekturen, die in der Epoche des gothischen Systems beliebt waren,
die Gelegenheit zur reichsten Entfaltung. Ausserhalb der Kirchen sind es Gedächtnisspfeiler, mit Bildwerk versehen, oder
eigentliche Bildtabernakel; innerhalb derselben eine Fülle von
zierlichen Tabernakelarchitekturen, welche sich gleichfalls über
verehrtem Bildwerk, über den Grabstätten ausgezeichneter Personen, besonders aber über dem Gelass, das das heilige Mess-
opfer bewahrte, erhoben, Kanzeln und anderes festes Stein-
geräth, die Schranken, die den Chor von dem umgebenden Raume
abschlossen, und vornehmlich der vordere Bau des „Lettners‟
(Lectorium), der den Chor — wiederum zur eindringlicheren Bezeichnung seiner grössern Heiligkeit — von dem vordern, für
das Volk bestimmten Kirchenraume schied. Wenn bei den im
Freien errichteten Werken die allgemeinen Gesetze des Styles
maassgebend blieben, wie sie sich am Aeussern des kirchlichen
Gebäudes entwickelt hatten, so trat bei den im bedeckten Raume
befindlichen ein völlig ungebundenes dekoratives Spiel hervor,
welches jene Gesetze, in luftigster Aufgipfelung, in phantastischer Verbindung der Theile, zum mährchenhaften Gedicht um-
gestaltete und hierin unter Umständen allerdings ebenso sehr
den höchsten graziösen Reiz zu entwickeln wusste, wie es
gelegentlich abermals der Starrheit eines handwerksmässigen
Schematismus oder einer baroken Willkür verfiel.

Es ist schliesslich der Verwendung der Formen des gothischen Styles auf die Bauten des praktischen Bedürfnisses zu gedenken. Diese begleitet die ganze Stufenfolge seiner
Entwickelung. Das städtisch ausgebildete Volksleben gab dieser
Entwickelung überall die materielle Unterlage; so spiegelt sich
jene auch in den Bauten wieder, in denen dasselbe der eignen
Macht, dem Gefühle des eignen Werthes, dem eignen persönlichen Behagen, das künstlerische Siegel aufdrückte. Der Hausbau, für öffentliche Zwecke und für die des Privatlebens, wusste
sich die Formen, welche der geistige Trieb der Zeit hervorgerufen, mit Geschick und zur eigenthümlich bedeutungsvollen
Wirkung anzueignen, in kräftig geschlossener Fensterarchitektur,
mit Erkern, Altanen, Gallerieen und Thürmchen, oft mit fester
Bogenhalle im Erdgeschoss, in den nordischen Landen mit luftiger Aufgipfelung des Giebelbaues. Thore und Thürme statteten sich, mehr oder weniger, mit den dekorativen Elementen des
Styles aus, die ihnen, im Gegensatz gegen ihr Massengewicht,
ein Gepräge fröhlicher Anmuth zu geben geeignet waren; ritter-
liche Burgen und feste Schlösser ebenso. In der Spätepoche

des Styles fand die dekorative Lust an diesen Bauten die Gelegenheit zur wiederum reichsten und buntesten Entfaltung.
    Dabei aber lag in dem Bedingniss dieser Anlagen doch der
natürliebe, sehr entschiedene Gegensatz gegen das idealistische
Moment, welches bei den Kirchenbauten und mit diesen bei der
Gestaltung der Grundprincipien des Styles maassgebend war.
Wenn hievon das Dekorative übertragen ward, so musste sich in
der ganzen Disposition dieser Bauten doch ihr eignes Gesetz geltend machen und zur Ausbildung mancher besondern Form Veranlassung geben.   Während sich das kirchliche Monument von
unablässig aufsteigender Bewegung und Gliederung erfüllt zeigte,
musste hier wieder eine festere Lagerung, eine bestimmtere
Scheidung der Geschosse ersichtlich werden; während die Fenster
sich dort, mit jener Bewegung im Einklang, hoch empor gipfel-
ten, mussten hier kurze, feste, bestimmt abgeschlossene Fensterformen erscheinen.   Einfach viereckige Fenster, deren Umfassung
aber das Princip der gothischen Gliederung beibehält, kommen
häufig zur Anwendung; minder aufsteigende Bogenformen, von
verschiedenartiger Behandlung, — im gedrückten Spitzbogen, im
Flachbogen, im Halbkreisbogen, treten oft an die Stelle des
schärfer ausgesprochenen Spitzbogens.   Auch ein eigenthümlicher
Bogenschluss, mit hängend gebrochenen Bögen, einem hängenden
Teppichwerk vergleichbar, findet sich in der Spätzeit des Styles
oft angewandt.   Mancherlei charakteristisches dekoratives Spiel
vermittelt diese Formen und Linien mit den Flächen des Baues
und ihrer anderweitigen Ausstattung. — Der kirchliche Bau
nimmt in der Schlusszeit des Styles Manches von diesen besonderen Formen für seine Zwecke auf.

    Die Uebergänge des gothischen Baustyles in den der Renais-
sance sind gering.   Der letztere tritt unvermittelt ein, und es
finden sich nur wenige Beispiele, in denen der gothische Baustyl
Einzelmotive desselben seinen Spätbildungen einmischt.   Selbst
auch die im Anfange des Renaissancestyles beibehaltenen Reminiscenzen des gothischen sind im Ganzen wenig erheblich.

2. Frankreich.

a. Die französischen Nordlande in den früheren Epochen des gothischen Styles.

Die Umbildung der Architektur des occidentalischen Mittelalters, der Uebergang aus dem romanischen Styl in den gothischen, die erste Ausprägung des letzteren in einer Fülle von zum Theil höchst grossartigen Monumenten gehört den Nordlanden Frankreichs an. Der Beginn fällt in die zweite Hälfte des 12. Jahrhunderts, gleichzeitig mit den anderweit auftauchenden jüngeren Entfaltungen des romanischen Styles, verwandt mit diesen in dem Streben nach einer freieren und bewegteren Behandlung der architektonischen Form, zuerst nur im Gepräge einer Abart des romanischen Styles, bald in wesentlich umgewandelter Fassung. Es unterscheiden sich zwei Hauptgruppen: die der Monumente der östlichen Districte, — Champagne, Isle-de-France, Picardie, — und die der Normandie; die minder umfassenden Gruppen von Nord-Burgund und der Bretagne, einzelne Monumente in Nachbardistricten reihen sich jenen an. Ein Jahrhundert ausserordentlicher baulicher Thätigkeit giebt dem neuen Style seine erste gesetzmässige Durchbildung, — eine solche, die allerdings noch an den primitiven Grundzügen festhält, die noch streng und innerlich herb erscheint, sich zum völlig flüssigen Organismus noch nicht entwickelt, die zugleich aber dem erdenkbar Höchsten an machtvoller Wirkung, dem reichsten Glanze dekorativer und bildnerischer Ausstattung zugewandt ist. Dann, seit der Mitte des 13. Jahrhunderts, lässt der Schaffensdrang nach; doch ist die Arbeit noch nicht abgeschlossen; für den Schmuck der Monumente und die Regelung seiner Formen werden noch zahlreiche Kräfte in Bewegung gesetzt. Mit dem 14. Jahrhundert dagegen tritt in der nordfranzösischen Gothik eine lang anhaltende Pause ein, und erst die Schlussepoche des Styles erscheint aufs Neue in glänzender Bethätigung.

Die Elemente, auf denen die gothische Gestaltung beruht, lagen im romanischen Style bereits vor. Das Kreuzgewölbe war diesem nicht fremd; Gurte und Rippen zur Gliederung desselben, zur thunlichen Ableitung des Hauptdruckes auf einzelne Punkte, Strebepfeiler zur Gegenwirkung gegen diesen Druck waren mehrfach angewandt. Die orientalische Spitzbogenform hatte sich für die Verringerung des Seitendruckes (zunächst in den Tonnenwölbungen des Südens) als vortheilhaft erwiesen; auch für die Arkaden, in einzelnen Fällen auch für die Oeffnungen des Gebäudes hatte man sich ebenfalls schon dem Spitzbogen zugewandt. Als Träger solches Wölbesystems waren die Pfeiler der Schiffarkaden, zum Theil reichlich, gegliedert; in der Chorrun-

dung, auch schon bei vertiefter Arkadenstellung des Chores waren
Säulen als Stützen des Gewölberaumes verwandt worden. So
auch hatte der Absidenkranz des Chorumganges den Raum in
reich entwickelter Weise geschlossen und gleichzeitig zur consequenten Gestaltung eines Strebesystems wesentlich beigetragen.
Das gothische System hatte unbemerkt innerhalb der Grenzen
des romanischen Styles begonnen; nur die bewusstere Einigung
jener Grundelemente ist es zunächst, was die Scheidung zwischen
beiden, die mehr charakteristischen Anfänge des Gothischen bezeichnet.

Isle-de France, Champagne, Picardie.

Einige der Monumente von Isle-de-France, welche zum
Schlusse des französisch-romanischen Styles bereits besprochen
sind, müssen hier als frühste Ausgangspunkte nochmals erwähnt
werden. Es sind die Bauten des 12. Jahrhunderts an der Kirche
von St. Denis, [1] namentlich der Chor dieser Kirche (in seinen
alten Theilen), der Chor von St. Germain-des-Prés zu
Paris, [2] die Kathedrale von Noyon. [3] Bei ihnen hatte das
Romanische diejenige Wendung genommen, welche als bestimmte
Einleitung zu der Richtung des Gothischen betrachtet werden darf.
Besonders die Kathedrale von Noyon, als ein ansehnlicher Gesammtbau von einheitlichem und doch zugleich fortschreitend schärfer aus-
geprägtem Systeme, ist für die Momente des Ueberganges von Bedeutung. Das Innere des Schiffbaues, des jüngeren Theiles dieser Kathedrale, zeigte bereits den räumlichen und formalen Ausdruck der gothischen Richtung vorwiegend, während das Aeussere
allerdings noch an den Grundzügen des romanischen Styles festhielt. Andre Monumente, welche neben jenen genannt sind,
gleichartig in der kunstgeschichtlichen Stellung, im Einzelnen
ebenfalls mit bemerkenswerthen Motiven des Ueberganges, liessen doch nicht eine ähnlich klare und bestimmte Ausbildung
ersichtlich werden.

Der dort abgebrochene Faden setzt sich hier fort. Es reihen
sich jenen Monumenten wiederum andre an, die ihnen der Zeit
nach ebenfalls ganz nahe stehen, ihnen im constructiven System,
in der stylistischen Behandlung ebenfalls noch durchaus verwandt
erscheinen. Nur dass hier das Neue nicht mehr als ein Beiläufi-
ges zu fassen ist, dass es deutlicher bereits als das Bestimmende
und Bedingende erscheint und Dasjenige, was an überlieferter
romanischer Form beibehalten wird, sich seinen Bedingnissen
einordnet. Dem spitzbogigen Kreuzgewölbe mit Rippen und
Gurten, den spitzbogigen Arkaden, Gallerieen und Triforien des

---

[1] Thl. II, S. 225. — [2] Ebenda, S. 222. — [3] Ebenda. S. 231.

Inneren entsprechen durchgehend spitzbogige Portale und Fenster, entspricht ein durchgehendes System von Strebepfeilern und Strebebögen im Aeusseren. Etwaige Abweichungen davon bilden nur eine an Einzelstücken bemerkliche Ausnahme.

Einige Bauwerke der Champagne sind voranzustellen. Zunächst die Kirche Notre-Dame zu Châlons[1] (sur Marne). Sie wurde an der Stelle eines im J. 1157 eingestürzten Gebäudes aufgeführt und erhielt ihre Weihe im J. 1183. Es ist in der Hauptsache ein Bau aus einem Gusse, ein Werk von energischer Bestimmtheit, in Einzeltheilen von ausgezeichneter Schönheit. Die Schiffarkaden haben Pfeiler, die mit Halbsäulen besetzt sind; an der Vorderseite der Pfeiler, nach dem noch schwerern romanischen Princip, je eine starke Halbsäule, über deren Kapitäl je drei schlanke Halbsäulen als Gewölbdienste aufsetzen. Ueber den Schiffarkaden die etwas mager geordneten Arkaden einer Empore; darüber ein kleines Triforium und über letzterem je zwei schlanke Fenster. Der Chor, durch ein einfaches Querschiff von dem Vorderbau geschieden und durch zwei in ihren Grundmauern aus dem älteren Bau beibehaltenen Thürme einigermaassen beeinträchtigt, hat ein Säulenhalbrund, eine Empore über dem Umgange und drei hinaustretende Absiden. Vor den letzteren stehen je zwei schlanke Säulen, Träger für das Rippengewölbe, welches die Absiden selbst und die Theile des Umganges deckt, für den Durchblick durch diese Räume von zierlich malerischer Wirkung. Die Kapitäle der Säulen haben zumeist sehr geschmackvolle spätromanische Ornamentation. Im Aeussern bildet das schwer constructionelle, noch gänzlich unbelebte Gerüst der Strebepfeiler und Strebebögen einen starken Contrast zu der feinen Fensterarchitektur. Die Schifffenster, nach der innern Disposition zu je zweien gruppirt, werden aussen durch einen grösseren Bogen umfasst, hiemit eine Vorbereitung zu der spätern charakteristischen Fensterarchitektur des gothischen Styles bildend. In den Chortheilen sind in den verschiedenen Geschossen Gruppen von je drei schlanken Fenstern angeordnet, ohne eine derartige Umfassung, die an den Rundmauern dieser Theile nicht ausführbar war; Säulchen zwischen den Fenstern, feine Consolen-Archivolten geben ihnen eine zierliche, noch romanisirende Ausstattung; andre Schmucktheile romanischer Art, namentlich kräftige ornamentirte Consolengesimse zum obern Abschluss der Geschosse, stehen damit in Einklang. An einigen Theilen ist dem romanischen Element, noch in einem innigeren Anschluss an das Herkömmliche, eine stärkere Einwirkung verstattet. So an dem Untertheil des Querschiffes, dessen Fenster

<hr />

[1] Zu den Darstellungen in den Voy. pitt. et rom. vergl. die Annales archéologiques, II, p. 19, 98; Chapuy, moy. âge pitt., 61; Calliat, encyclopédie de l'architecture, V, No. 41, 67, 71—74, 84, 85, 101. Wiebeking, bürgerl. Baukunde, T. 86, 87.

noch die anmuthvoll gegliederte Rundbogenform des romanischen
Styles (eine doch lautrere und befriedigendere als die des neu-
eingeführten Spitzbogens) haben; so auch an den Thürmen, deren
Wandnischendekoration grösstentheils noch das romanische Gesetz

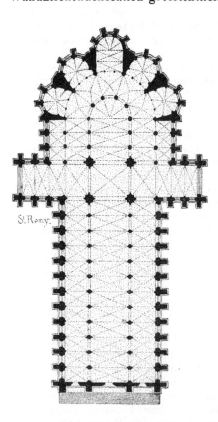

befolgt. Die Westfaçade
wird durch zwei kräftige
Thürme der Art gebildet;
der Zwischenbau zwischen
ihnen hat, ohne eine son-
derlich günstige Austhei-
lung, über dem Portal drei
schlanke Spitzbogenfenster
und über diesen ein grosses
Kreisfenster.

Der genannten Kirche
zur Seite stehen die Neu-
bauten von St. Remy zu
Rheims.[1] Dieselben sol-
len in den sechziger Jahren
des 12. Jahrhunderts be-
gonnen sein; als eigentlicher Erneuerer des Gebäu-
des wird der Abt Simon
(1182—98) genannt.[2] Der
Chor, ein selbständiger Bau,
ist dem von Notre-Dame
zu Châlons sehr ähnlich,
nur völliger durchgeführt
und in seiner inneren Disposition noch zierlicher ausgebildet. Das Schiff enthält
eine etwas verwunderliche
Umarbeitung der alten, dem
11. Jahrhundert angehöri-
gen Anlage: die untern
Pfeiler seltsam in Halbsäulenbündel umgestaltet; darüber auf Consolen auf-

Grundriss von St Rémy zu Rheims
(Nach Wiebeking.)

setzende Dienstbündel und oberwärts die hochaufsteigenden Rippen
des gothischen Gewölbes. Die Theile zumeist westwärts erscheinen
als völlig frühgothische Arbeit. Die Façade ist ein wenig ge-
lungener Versuch, das neue System des Inneren äusserlich zu

---

[1] Vergl. Thl. II, S. 217. Zu den dort angeführten Darstellungen s. de Caumont, Abécedaire, arch. rel., p. 303; Viollet-le-Duc, dictionnaire, I, p. 62;
Wiebeking, bürgerl. Bank., T. 86. — [2] In seiner Grabschrift, in der von ihm,
freilich nur sehr allgemein und in spielenden Versen, gesagt wird „erexit ec-
clesiam.“ Gallia Christiana, IX, col. 234.

bekunden. Sie hat zwei schmale, noch gänzlich romanische Eckthürme; dazwischen einen breiten Mittelbau, mit Portalen und
Fenstern in hohem schlichtem Spitzbogen, die letzteren mehrgeschossig, in nicht geistreicher Austheilung, und mit seltsamen
Strebepfeilern, welche als kolossale Halbsäulen von antik kanel-
lirter Art behandelt sind, eine missverstandene Nachahmung der
Halbsäulen des spätrömischen Prachtthores zu Rheims. [1]

Verwandter Richtung angehörig, wohl ein wenig jünger, ist
der Chor der Kirche von M o n t i e r e n d e r [2] (Montier-en-Der,
D. Haute-Marne, unfern von Vassy,) mit einem Halbrund gekuppelter Säulen, den zierlich spitzbogigen Arkaden einer Empore, einem kleinen gebrochenbogigen Triforium und spitzbogigen Doppelfenstern, die von den hier halbrunden Schildbogen
des Gewölbes umschlossen werden. Die Anordnung hat etwas
Spielendes; die Dienste und die Schäfte der Fenstersäulchen sind
mehrfach durch Ringe getrennt.

Eine Anzahl kleinerer kirchlicher Gebäude der Champagne,
zumeist in der Umgegend von Rheims, scheint entschiedener an
der einfach romanischen Grundlage festzuhalten, die Anfänge
des Gothischen naiver aus dieser herauszubilden. [3] Dahin gehört
die Kirche von B o u r g o g n e, deren Chor romanischen Grundriss und im Aufbau Uebergangsformen und deren Schiff schlicht
frühgothische Fassung hat. Dahin die Kirchen von C e r n a y,
L a v a n n e, H e u t r é g i v i l l e, B e t h é n i v i l l e (diese eine einfache Kreuzkirche, ohne Seitenschiffe,) die von S o u d r o n, B r o u s -
s e v a l - l è s - V a s s y, N a u r o y, D a m p i e r r e - l e - C h â t e a u.
Die Pfeiler sind zum grösseren Theil viereckig, mit einfacher
Halbsäule als Gurtträger.

— —

In I s l e - d e - F r a n c e beginnen die Anfänge des Gothischen
in derselben Frühzeit, in ebenfalls nahem Anschluss an die
Uebergänge aus dem Romanischen. Diess vornehmlich in der
K a t h e d r a l e N o t r e - D a m e von S e n l i s, [4] die, in der zweiten

---

[1] Auch sonst kommen hier (wie am Aeusseren von Notre-Dame zu Châlons)
antikisirende Details vor, z. B. in den kanellirten Säulchen, welche die Auf-
lager, gegen die die Strebebögen geführt sind, stützen. Es ist darin ein verwandtes Verhalten, wie in den jüngeren romanischen Monumenten von Burgund. — [2] Zu den Darst. in den Voy. pitt. et rom. vergl. de Caumont, a. a. O.,
p. 313, 317; und Viollet-le-Duc, a. a. O., p. 96 (10.) — [3] Nach den Darstellungen in den Voy. pitt. et rom., die jedoch zum Theil nur aus Grundrissen
bestehen, so dass das Urtheil kein abschliessendes sein kann. — [4] Zu den Dar-
stell. in den Voy. pitt. et rom. vergl. Chapuy, cath. franç. und moy. âge mon.
145, 197, 294. Viollet-le-Duc, dictionn., II, p. 461, ff. (29—31); III, 371, f.
Wiebeking, bürgerl. Bank., T. 86.

Hälfte des 12. Jahrhunderts neugebaut, im J. 1191 eine Weihung empfing. Der Plan ist dem der Kathedrale von Noyon ähnlich, in der Anordnung des Chores wie in der des Schiffes, in letzterem besonders auch dadurch, dass Pfeiler, welche mit stärkeren und schwächeren Halbsäulen besetzt sind, mit freistehenden Säulen wechseln. Auch die Kapitäle haben noch romanisches Ornament, und zwar von vorzüglich schönem und edlem Charakter. Indess ist durchgehend die neue Richtung des künstlerischen Gefühles mit grösserer Bestimmtheit und Derbheit ausgesprochen; die Emporen über den Seitenschiffen öffnen sich durch einfache Spitzbögen, ohne weitere Arkadenfüllung. Der Oberbau des Schiffes gehört einer jüngeren Bauveränderung an. Die Façade ist schlicht geordnet, doch ohne grosse Wirkung, im Einzelnen mit älteren Reminiscenzen und mit den Elementen späterer Ausstattung. Sie hat zwei Thürme über den Seitentheilen, der südliche mit leicht aufschiessendem achteckigem Oberbau und leichter achteckiger Pyramidenspitze, wohl nach dem Muster normannischer Motive des 13. Jahrhunderts, eins der klarsten Beispiele der Art, welche Frankreich besitzt. (Die reiche Ausstattung der Querschiffgiebel gehört der Schlussepoche des gothischen Styles an.)

Ein Bau ebenso frühen Beginnes, mit ebenso charakteristischen romanischen Reminiscenzen, aber von abweichender räumlicher und formaler Tendenz ist die K a t h e d r a l e von L a o n. [1] Ueber ihre Geschichte ist wenig bekannt, doch erscheint sie im J. 1173 schon ansehnlich in der Ausführung vorgerückt. [2] Mit ihr tritt ein neuer Geist in die Entwicklungsgeschichte der Architektur ein, die überlieferten Formen für neue Wirkungen verwendend, unbekümmert um die Dispositionen, welche bisher als geheiligte galten und als solche mehr und mehr durchgebildet waren, eigne Zwecke in fast schneidendem Contrast gegen letztere zur Geltung bringend. Es ist ein langgestreckter dreischiffiger Bau, in der Mitte durch ein dreischiffiges Querschiff durchschnitten. An der Ostseite des Querschiffes, an seinen äussern Flügeln, bilden sich kleine Seitenkapellen mit hinaustretenden Absiden, — der Chor selbst hat nichts der Art, er schliesst vielmehr völlig einfach, in gerader Linie ab. Die Schiffarkaden werden durchgängig durch einfache Säulen von kräftig derbem Verhältniss und Spitzbögen gebildet; nur in der Durchschneidung der Schiffe und an ihren Stirnseiten (zum Tragen der Thürme, s. unten,) erscheinen statt den Säulen Bündelpfeiler, und noch an ein Paar vereinzelten Stellen sind die Säulen ausnahmsweise

---

[1] Zu den umfassenden Darst. in den Voy. pitt. et rom. vergl. Chapuy. moy. âge monum., 85, 126, moy. âge pitt., 20. Du Sommerard, les arts du moy. âge, I, S. II, pl. 4. Viollet-le-Duc, dict. II, p. 304; III, 386, f. De Caumont, Abécéd., a. r. p. 291, 293, 314, 313, 317. Mérimée, in der Revue archéol., V, p. 13. Wiebeking, bürgerl. Bauk., T. 85, 87, 116. — [2] Schnaase. Oesch. d. bild. K. V, I, S. 85, f.

mit Diensten versehen. Es ist etwas mehr Weltliches als Kirchliches in dieser Anordnung; es fehlt die Auszeichnung des heiligen Chorraumes, die in diesem gegebene Ausrundung der räum-

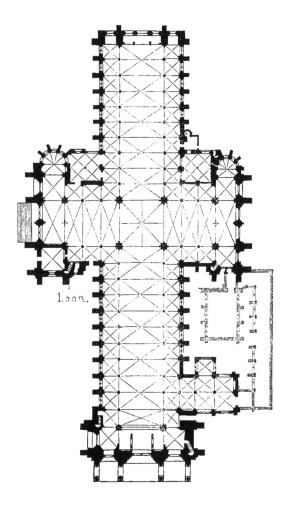

Grundriss der Kathedrale von Laon. (Nach Viollet-le-Duc.)

lichen Bewegung, deren mehr und mehr kunstreiche Auflösung
(in dem Absidenkranze des Umganges) die Generationen der Meister bis dahin vorgearbeitet hatten. Es ist ein offner, in seinen
verschiedenen Theilen gleichartiger Hallencharakter erstrebt, und
die lange Flucht der Säulen, welche mit sichrer Gewalt die auf

ihnen ruhenden Lasten tragen, giebt nach allen Seiten das Bild
einer fast kriegerischen Energie. Es ist ein selbstbewusstes Bürgerthum, das sich in dieser ganzen Disposition zum ersten Mal
und sofort in entschiedener Machtfülle ausspricht, den Ausdruck
seines Wesens an die Stelle des kirchlichen Symbols setzt. Die
Maasse sind 320 Fuss Länge zu 75 F. Breite, das Mittelschiff
36 F. breit und 83 F. hoch. Der Aufbau folgt der reichen Disposition, welche in den gegebenen Systemen vorlag; aber auch
seine Weise dient nur dazu, den Charakter des volksmässig Gewaltigen und Gefesteten zu verstärken. Die hohen Arkaden einer
Empore ziehen sich überall über den Seitenschiffen hin, darüber,
unter den Oberfenstern, die zierlichen Bogenstellungen eines
kleinen Triforiums. Ueber den Kapitälen der Säulen setzen
Dienstbündel als Träger eines sechstheiligen Kreuzgewölbes auf,
massenhaft geordnet, je fünf Halbsäulen und je drei wechselnd
(ausser den Quer- und Kreuzgurten des Gewölbes überall zugleich auf die Einfassung der Schildbögen berechnet,) vielfach
durch Ringe unterbrochen, welche sie an die Wand heften und
ihre Massen wie mit wiederholten Banden umschnüren. In Langschiff und Chor geht eine gleichartig spitzbogige Anordnung
durch; im Querschiff erscheint eine alterthümlichere Anordnung,
indem die Emporen-Arkaden und die der Triforien, nach romanischer Art, noch rundbogig gehalten sind. Das Ornament, namentlich das der Säulenkapitäle, hat vielfach noch den rein romanischen Charakter, aber in noch reizvollerer Behandlung als
in der Kathedrale von Senlis. — Derselbe Ausdruck im Aeusseren des Gebäudes, hier an den Hauptstellen zur noch glorrei-
chern Pracht entfaltet. An den Langseiten (am Oberbau) ein
einfach ernstes und gewichtiges System von Strebepfeilern und
Strebebögen. Aber die vier Façaden der Ost- und Westseite
und der Giebel des Querschiffes auf reichere Ausstattung berechnet und vornehmlich durch schmuckvolle Thurmanlagen hervorgehoben: zwei Thürme über den Seitentheilen der Westfaçade,
zwei über den Seiten jedes Querschiffgiebels, einer über der mittleren Vierung des Gebäudes. Die Westseite erscheint vor Allem
als ein bedeutungsvolles Beispiel für den ausgebildeten Façadenbau gothischer Frühzeit. Kräftige Strebepfeiler, oberwärts nischen-
artig zusammengewölbt, schliessen ihre Theile ein. Unterwärts
sind drei vortretende Portalhallen angeordnet, tonnengewölbartig,
die Wölbung einer jeden mit einem schlichten Giebelbau gedeckt;
die Oeffnung des Hallenbogens noch in fast romanischer Art
umsäumt; im Grunde der Hallen die geschmückten Wandungen
der Portale, das mittlere reich mit Sculpturen, die aber dem
Gesetze der architektonischen Gliederung noch einigermaassen
untergeordnet blieben. Darüber, im Einschluss jener durch die
Streben gebildete Nischen, die Fensterarchitektur, einfach spitzbogige Fenster, von Säulen eingefasst, auf den Seiten, ein grosses

Kreisfenster mit sehr schlichtem Maasswerk in der Mitte. Ueber den Nischen eine zierliche Krönung durch eine leichte Arkadengallerie. Dann die Thurmgeschosse mit luftigen, wiederum von

Façade der Kathedrale von Laon. (Nach Chapuy.)

Säulen eingefassten Fenstern und mit leichten Säulenerkern, die auf den Ecken über den Strebemassen des Unterbaues vortreten. Die Querschiffgiebel mit ihren Thürmen dem Princip nach in ähnlicher Behandlung; so auch der Ostgiebel (ohne Seitenthürme), mit grossem Kreisfenster in der Mitte. Ohne Zweifel reicht die Ausführung dieser äusseren Bautheile wesentlich in das 13. Jahrhundert hinab. Manches davon ist unvollständig erhalten, (die vorhandenen Thürme ohne die zugehörigen Spitzen); Einzelnes trägt das Gepräge jüngerer Erneuung oder Zuthat. Diess ist namentlich der Fall mit dem grossen Fenster, welches den südlichen Giebel schmückt und ein Prachtbeispiel der Dekorativformen des 14. Jahrhunderts ausmacht. In dieselbe Spätzeit gehören die den Langseiten hinzugefügten Seitenkapellen, deren Fensterarchitektur denselben reicheren Styl zeigt.

Die Kathedrale Notre-Dame von Paris [1] steht der von Laon als ein gleichzeitiger, wenn auch im Ganzen etwas jüngerer, und als ein verwandter Bau zur Seite. Das System ist ein sehr ähnliches; der hallenartige Charakter des Inneren dadurch noch mächtiger ausgeprägt, dass das Gebäude fünfschiffig ist, mit doppelten Seitenschiffen. Ein Querschiff, diess jedoch einschiffig und über die äusseren Seitenmauern (zumal in der ersten Anlage) nur wenig vortretend, durchschneidet den Bau ebenfalls in der Mitte. Aber der völligen Opposition gegen das kirchlich geheiligte Herkommen hat man hier nicht beigestimmt: der Chor ist wiederum in der austönenden Rundform geschlossen, obschon ohne die kunstreiche Auflösung in den Kranz der umgebenden Absiden. Die Anordnung ist wie ein Uebereinkommen zwischen den weltlichen und den kirchlichen Factoren der Zeit; der Hallenbau der zweifachen Seitenschiffe zieht sich in gleichmässiger Ruhe und Geschlossenheit, sein Gesetz nicht preisgebend, als Doppelumgang um das Halbrund des Chores umher. Ueber den inneren Seitenschiffen sind, wie in Laon, Emporen angeordnet, deren Arkaden sich nach dem Mittelraume öffnen. Die Baugeschichte steht theils durch urkundliche Ueberlieferung, theils durch die jüngsten sehr sorgfältigen Durchforschungen des Gebäudes selbst fest. Die Gründung fand im Jahr 1163 statt, die Einweihung des Hauptaltares, im Chore, im J. 1182, die Vollendung des Chorbaues gegen den Schluss des 12. Jahrhunderts. Der Bau der Vorderschiffe und der Façade, schon vorher begonnen, wurde seinen Haupttheilen nach im ersten Viertel des 13. Jahrhunderts ausgeführt. Veränderungen und Zuthaten folgten hernach. Die Maasse sind 390 Fuss Länge bei 120 F. vorderer Breite, das Mittelschiff 36 Fuss breit und 106 F. hoch. — Das Innere hat denselben Charakter machtvoller Energie, wie das der Kathedrale von Laon; die Säulenstellungen, welche diese aufgegipfelten Massen tragen, haben dieselbe feste Geschlossenheit, dieselbe derbe Wucht. Aber der Aufbau über ihnen ist schon lichter; die Scheidbögen, welche die Säulen verbinden, sind mit doppelten Rundstäben profilirt, während ihre breite Laibung zu Laon nur mit je einem starken Rundstabe eingefasst ist; die Arkaden der Empore sind von luftigerem Verhältniss; die

[1] De Guilhermy, itinéraire archéologique de Paris, p. 21, ff. Viollet-le-Duc, dictionnaire, I, p. 6, 48, f., 68, 104, 192, 207, 233; II, p. 71, 85, 145, 285, 509, 515, 531, 534. Lecomte, Notre-Dame de Paris. Chapuy, cath. françaises; moy. âge monum., 1, 102, 163, 174, 409; moy. âge pitt. 76. Winkles, french cathedrals. De Laborde, monum. de la France, II, 172 ff. Gailhabaud, l'arch. du V au XVI siècle, liv. 48, 72, 73. D'Agincourt, Denkm. d. Arch., T. 39, f. Willemin, mon. fr. inéd, I. pl. 84. Calliat, encyclopédie d'architecture, zahlreiche Tafeln in vol. I, II, III. *Denkmäler der Kunst*, T. 50 (4, 5.)

über den Säulenkapitälen aufsetzenden Dienstbündel bestehen nur aus je drei schlanken Halbsäulen (obschon auch sie ein sechstheiliges Kreuzgewölbe tragen,) und von den vielfachen Banden der Ringe ist bei ihnen, die leicht aufschiessen, bereits völlig abgesehen. Im Chor (dessen innere Arkaden, im Parterre, durch moderne Veränderung entstellt sind) finden sich, besonders in den Kapitälen, noch mancherlei romanisirende Ornamentformen; im Schiff herrscht eine jüngere Kapitälform, mit einem Knospenkelche, dessen Blattwerk sich allerlei Nachbildung heimischer Vegetation zugesellt, vor. Die westlichsten Säulen des Mittelschiffes sind bereits mit schwächern Halbsäulen versehen; zwischen den Seitenschiffen wechseln hier durchgehend einfache Säulen mit solchen, die rings, in sehr zierlichem Spiele, mit schlanken

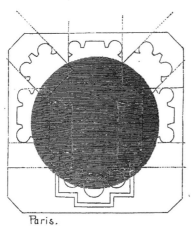

Paris.

Kathedrale von Paris. Profil der Schiffsäule und der darüber aufsetzenden Bogen, Gurte, Rippen und Dienste. (Nach Viollet-le-Duc.)

freien Säulchen umstellt sind. Die Emporen-Arkaden des Chores sind einfach geordnet, mit einer Säule in der Mitte; die des Schiffes reicher, mit je zwei schlanken Säulen, während in dem Bogenfelde, welches jede dieser Arkaden umfasst, eine kreisrunde Oeffnung enthalten ist. Die Oberfenster des gesammten Baues haben sehr bald nach dessen Vollendung, voraussetzlich nach einem Brande und schon im zweiten Viertel des 13. Jahrhunderts, eine wesentliche Veränderung erlitten. Die ursprüngliche Einrichtung hat sich durch jüngste Untersuchung ergeben. Ueber den Emporenarkaden waren, statt der sonst und z. B. in Laon üblichen Triforien, grosse Rundöffnungen angebracht, mit einer Maasswerkfüllung von noch romanisirendem rosettenartigem Charakter, welche den Dachraum über den Emporengewölben einigermaassen erhellten; darüber einfache Fenster, ohne Maasswerk, wie überall in der primitiv gothischen Architektur. Nach jenem Brande wurden die Fenster bis auf die Tiefe der Rundbögen hinabgeführt und mit dem zwar noch sehr schlichten, aber schon entwickelten gothischen Maasswerk, wie es in der genannten Epoche sich ausgebildet hatte, ausgesetzt. Gleichzeitig hiemit wurden auch mit den Dächern, Gewölben und Fenstern der Emporen die entsprechenden Veränderungen vorgenommen. Mit dem ursprünglichen Aufbau stand ohne Zweifel, wie sich ebenfalls aus bestimmten Kennzeichen ergeben hat, ein reichcombi-

nirtes, ob in seinen Formen auch sehr einfaches Strebesystem
in Verbindung, welches den Druck der verschiedenen Gewölbe-
theile auf höchst compacte äussere Strebemassen ableitete. Auch
dies unterlag einer Veränderung, indem mit abenteuerlicher
Kühnheit lange Strebebogenarme, im Einzelnen bis zu einer
Länge von 40 Fuss, über die anderweitigen Constructionen hin
und den äusseren Druckpunkten des Hauptgewölbes entgegen
gespannt wurden. — Wie das Innere, so ist auch die Westfaçade
nach dem Typus der von Laon angeordnet, doch in einer gleich-
mässigeren, mehr rationellen Austheilung des dortigen Systems,
mehr durchgebildet, mehr gothisch, aber in demselben Maasse
auch nüchterner, trockner, minder kraftvoll. Die Portale sind
bereits, in Wand- und Bogengeläufen und im Bogenfelde, mit
derjenigen Sculpturenfülle überladen, welche ihr architektonisches
Gesetz aufhören macht; um so empfindlicher vermisst man an
ihnen eine anderweit festigende architektonische Umrahmung,

wie solche zu Laon durch jenen
hallenartigen Vorbau so wirksam gegeben ist. Den Gesammtbau der Portale krönt eine durchlaufende gebrochenbogige Statuengallerie; darüber die Fensterarchitekturen. Der hierauf folgende Thurmbau ist etwas jünger,
dem zweiten Viertel des 13. Jahrhunderts angehörig. Zwei starke
viereckige Thürme erheben sich
über den Seitentheilen der Façade,
unterwärts mit einer Säulengalle-
rie, welche zwischen die Strebpfei-
ler eingespannt ist und welche sich
zugleich, statt des Mittelschiff-
giebels und als zierlich luftige
Bekrönung des Mittelbaues (doch
allerdings in überwiegend dekorativer Wirkung), zwischen beiden
Thürmen fortsetzt; oberwärts mit
schlank aufsteigenden Doppelfenstern. Bestimmte Merkzeichen
lassen es erkennen, dass es in
der Absicht lag, beide Thürme

Kathedrale von Paris. Ursprüngliches und
später verändertes System des Innern.
(Nach Viollet-le-Duc.)

mit pyramidalen Steinhelmen zu
versehen; diese sind unausgeführt
geblieben, und die abgestumpfte
Form der Thürme von Notre-Dame ist nachmals für nordfranzösische Thurmbauten mehrfach maassgebend geworden. — Im
Uebrigen fehlt dem Aeussern die Uebereinstimmung mit der

Kathedrale von Laon; der grössere Thurmreichthum der letzteren
wiederholt sich hier nicht. Die Querschiffgiebel gehören der
zweiten Hälfte des 13. Jahrhunderts an; sie bilden eine um ein
Geringes vortretende Erweiterung der ursprünglichen Anlage.
Der südliche Giebel hat inschriftlich das Datum der Gründung,
1257, und den Namen des Erbauers, des Meisters Johannes
von Chelles. Beide sind, in ähnlicher Weise, völlig dekorativ
behandelt, mit schlank übergiebelten Portalen und Portalnischen,
einer Fenstergallerie und, als Haupttheil, einem kolossalen Rundfenster, dessen rosenartig geordnete Gliederung die ausgebildet
gothischen Maasswerkformen in reicher, doch dabei etwas mono-
toner Weise zur Verwendung bringt. In derselben Epoche wurden die Wände zwischen den Streben der äusseren Seitenschiffe
geöffnet und kleine Kapellen zwischen ihnen angelegt. Im Anfange des 14. Jahrhunderts folgte die Anlage andrer Kapellen,
zwischen den äusseren Streben der Chorrundung, diese in besonders schmuckvoller Architektur, dem Style der Zeit gemäss.

Für den Ausdruck machtvoller Erhabenheit, mit welcher die
neue Geistesrichtung ins Leben trat, für ihre erste selbständige
Bethätigung noch mit dem Aufwande nachdrücklichster Kraft
erscheinen die Kathedralen von Laon und Paris als vorzüglich
charakteristische Beispiele. Andre Kirchen reihen sich ihnen
an, [1] die das primitive System weiter zur Anwendung bringen
und einzelne Punkte allmälig fortschreitender Entwickelung bezeichnen. Zu bemerken ist, dass das fast gewaltsam Aufgegipfelte des innern Baues jenen Kathedralen als besondere Eigenthümlichkeit verbleibt, dass das System sich fortan zumeist einfacher gliedert, dass namentlich die Emporen mit ihren Arkaden
insgemein wegfallen, hiemit aber zugleich die übrigen Theile den
Raum für eine selbständigere und leichtere Entfaltung gewinnen.
Ein eigenthümliches Gebäude ist die im Jahr 1216 geweihte
Abteikirche St. Yved zu Braine, unfern von Soissons. Das System ihres Vorderschiffes ist schlicht, noch kurze Säulen mit
Spitzbögen, darüber ein kleines Triforium und über diesem die
Fenster; die letzteren wiederum ohne Maasswerk und ausserhalb
zum Theil noch, im Nachklange des romanischen Gefühles, mit
ornamentirter Bogeneinfassung. Vorzugsweise bemerkenswerth
ist die Disposition des Chores, dessen mittlerer Theil, polygonisch schliessend, ohne Umgang ansehnlich hinaustritt, während er sich zunächst am Querschiff seitenschiffartig ausbreitet
mit je zwei halbrunden Absiden, welche in diagonaler Richtung

---

[1] Die Darstellungen der im Folgenden besprochenen Monumente s. besonders in den Voy. pitt. et rom. dans l'anc. Fr., Picardie u Champagne.

anlehnen, — ein Versuch, das Gesetz des Langbaues mit dem
Absidensystem in unmittelbare Verbindung zu bringen, nicht
unvortheilhaft für die Structur der Wölbungen, gleichwohl in

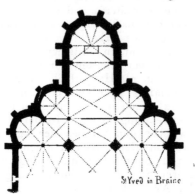

Chor von St. Yved zu Braine.

einer nicht harmonischen Entwickelung der räumlichen Verhältnisse und der in ihnen waltenden Grundbewegung. Der westliche Theil des Gebäudes ist neulich abgebrochen; die Façade
befolgte im Wesentlichen das strengere Vorbild der Kathedrale
von Laon.

Die Abteikirche von L o n g p o n t, in derselben Gegend,
1227 geweiht, jetzt eine höchst malerische Ruine, hat im Innern
Säulenarkaden von schon minder gedrücktem Verhältniss und ein
ebensolches Triforium über diesen, während die über den Säulen
aufsetzenden Dienstbündel noch an das massigere System von
Laon erinnern. Die Oberfenster sind gedoppelt, mit einem kleinen Rund über ihren Bögen, ausserhalb von einem gemeinschaftlichen Spitzbogen umfasst, eins der ersten Beispiele für jene
Fensterform, aus welcher die Maasswerk-Architektur des gothischen Styles sich herausbildet. Die Façade erinnert auch hier,
obwohl minder genau, an die kräftig strenge Disposition von
Laon. Sie ist ohne Thürme und das Strebebogensystem über den
Seitenschiffen erscheint für den Eindruck der Façade wesentlich
mitwirkend.

Die Kirche von St. L e u - d'E s s e r e n t, unfern von Senlis,
bezeichnet zwei verschiedene Stufen primitiv gothischer Entwickelung. Sie ist dreischiffig, ohne Querschiff, mit Chorumgang und
fünf flachrunden Absiden. Der Theil, welcher den Chor ausmacht, ist ohne Zweifel ein etwas älterer Bau. Im Chorrund
wechseln stärkere und schwächere Säulen, dann starke gegliederte Pfeiler ebenfalls mit einer freistehenden Säule. Der Aufbau
des Chores ist schlicht, die Ornamentik noch eine übergangs-

artige, in sehr zierlicher Behandlung. [1] Im Schiff [2] ist eine
gleichmässige Folge kurzer starker Rundsäulen, welche durchgängig bereits mit je vier Halbsäulen besetzt sind, indem das
Ganze dieser Säulenform von einem gleichmässigen Kapitäl umfasst ist. Darüber die aufsteigenden Dienstbündel (je 3), die
Arkaden der Triforiengallerie (mit je 2 freien Säulchen und
jede Arkade von einem grösseren Spitzbogen umfasst) und die
Oberfenster, welche denen von Longpont ähnlich sind, mit der
geringen feineren Ausbildung, dass das kleine Rund oberwärts
schon ein einfaches kleeblattartiges Maasswerk hat.

Sodann die Kathedrale von Soissons, [3] in der sich anderweit eigenthümliche Entwickelungsmomente ankündigen. Ein
dreischiffiges Querschiff durchschneidet sie ziemlich in der Mitte.
Der südliche Querschiffflügel bildet einen von dem Uebrigen
abweichenden älteren Bautheil, dem Beginn des Neubaues der
Kathedrale seit dem Jahr 1175 angehörig. Er ist halbrund geschlossen, mit schmalem Umgange. Bündelpfeiler, mit je zwei
schlanken Säulen wechselnd, bilden das innere Halbrund; darüber die hohen, ähnlich geordneten Arkaden einer Empore und
ein kleines Triforium. Der übrige Bau gehört im Wesentlichen
dem Anfange des 13. Jahrhunderts an; vom Chore wird (inschriftlich) angegeben, dass im Jahr 1212 der kirchliche Dienst
in ihm angefangen habe. Das innere System besteht aus Säulenarkaden von nicht gedrücktem Verhältniss und einem Triforium
über diesen; die Säulen mit je einer schlanken Halbsäule an
ihrer Vorderseite und dem über letzterer aufsetzenden Dienstbündel. Das Hauptgewölbe hat die einfache Kreuzform, je ein
Joch des Schiffes umfassend. Die Oberfenster haben dieselbe
Anordnung wie die im Schiffe von St. Leu-d'Esserent. Der Chor
nimmt die ältere, reich ausgebildete Form aufs Neue auf; er
schliesst halbrund, mit gleichfalls halbrundem Umgange und
einem Kranze von fünf Absiden; diese aber sind bereits, was als
besonders wesentliche Neuerung erscheint, polygonisch gebildet.
(Die Façade und der nördliche Quergiebel sind jünger.)

Die Ruinen der Abteikirche von Ourscamp, in der Gegend
von Compiègne, lassen eine Weiterbildung des innern Systems
der Kathedrale von Soissons erkennen. Die den Schiffsäulen
vorgesetzte Halbsäule läuft hier bereits ununterbrochen als Gewölbedienst empor, und statt des Triforiums ist unter den Fenstern ein, der Theilung der letzteren analoges spitzbogiges Nischenwerk angebracht.

Einige Monumente, zu Paris und in der Umgegend, sind
unter unmittelbarer Einwirkung der Bauschule der dortigen Kathedrale entstanden. Zu ihnen gehören die kleine Kirche St.

[1] Vergl. Viollet-le-Duc, diction., II, p. 504. — [2] Chapuy, moy. âge monum.
318. — [3] vergl. Viollet-le-Duc, a. a O., I, p. 63, 194; II, p. 309. Wiebeking,
bürgerl Bauk., T. 85.

Julien le Pauvre zu Paris,[1] die den frühest gothischen Styl
in vorzüglich prägnanter Weise, den ältern Theilen der Kathedrale entsprechend und gleichzeitig mit diesen, zur Erscheinung
bringt; und die ältern Theile von St. Séverin,[2] ebendaselbst,
der auf der Westseite stehende Thurm und die drei ersten Joche
des Schiffes, aus der ersten Hälfte des 13. Jahrhunderts. — Sodann die Kirche von Bagneux,[3] südlich nahe bei Paris, gleichfalls in strengster Frühform; mit Säulen im Schiff und verschiedenartig gegliederten oder gebündelten Säulen im Chor; der
letztere geradlinig schliessend; das Triforium noch rundbogig
und darüber im Schiff kleine Kreisfenster, im Chor sehr einfache
Spitzbogenfenster. — Ebenso die Kirche von Mantes,[4] deren
Vollendung um die Mitte des 13. Jahrhunderts fällt. In ihrem
innern System wechseln gegliederte Pfeiler und Säulen; die letzteren, ebenso wie die Arkaden der hier angeordneten Empore,
wiederholen wesentlich die Pariser Stylformen. Eigenthümlich
ist, dass die Empore des Chorumganges mit nebeneinanderlie-
genden Tonnenwölbungen, — die zugleich nach der Aussenseite
aufwärts stiegen, ohne Zweifel um hier, durch grosse Rundfenster, einen vermehrten Lichtzufluss für das Innere zu gewinnen,
bedeckt ist. Die Façade lässt eine Einmischung der schlankeren
frühgothischen Formen der benachbarten Normandie und die
breitern und vollern von Isle-de-France erkennen.

Ausserdem sind in Isle-de-France zu nennen: der von der
Kirche St. Thomas zu Crépy, unfern von Laon erhaltene Thurmbau; die Kirche St. Leger zu Soissons, im Aeussern durch
ein noch sehr schlichtes Strebesystem (mit kleinen Durchbrechungen statt der Anordnung von Strebebögen) bemerkenswerth;
die Abteikirche von Mont-Notre-Dame und die kleine Wallfahrtskirche zu Presles.[5] beide unfern von Soissons; die Kirche
der Minimen zu Compiègne; die Kirchen von Mouchy-le-
Châtel und von Marissel, in der Umgegend von Beauvais;

---

[1] De Guilhermy, itin. arch. de Paris, p. 368. ff. (Der Chor dieser kleinen
Kirche ist rein erhalten. Den Schiffbau bezeichnet Guilhermy als gleichzeitig;
doch giebt er an, dass nicht nur die vordern Joche desselben im 17. Jahrhundert abgebrochen seien, sondern damals auch das Uebrige Umänderungen
erlitten habe: „qui en ont dénaturé le style." Der erhaltene Theil des Hauptschiffes erscheint gegenwärtig mit einem Tonnengewölbe bedeckt. Mertens, in
der Wiener Bauzeitung, 1843, S. 161, f., hält diesen Rest des Schiffbaues für
ein Ueberbleibsel des frühsten Mittelalters, der Epoche vom 7—10. Jahrhundert
angehörig, wobei man im 12. Jahrhundert die etwas gefährliche Operation
unternommen habe, den Säulen, auf denen die Oberwände und das Gewölbe
ruhen, andre Kapitäle und Basen zu geben; Schnaase, IV, II, S. 366, scheint
ihm beizustimmen. Ich muss den Thatbestand und die um ein Jahrtausend
auseinander gehende Divergenz der Ansichten dahingestellt lassen.) — [2] De
Guilhermy ebendas., p 154. Chapuy, moy. âge pitt., 8.   [3] Calliat, encyclopédie de l'architecture, II, pl. 53; III, pl. 24, 36, f., 83, ff., 135. — [4] Schnaase,
Gesch. d. bild K., V, I, S. 97. Viollet-le-Duc, dictionn., I, p. 196; II, p. 512.
Chapuy, moy. âge mon., 51 — [5] Organ für christl Kunst, V, S. 288.

die verbaute Kirche St. Frambourg zu Senlis, und die Kirche
St. Gervais zu Pont-St.-Maxence, unfern von dort.

In der Picardie: die ehemalige Abteikirche Notre-Dame zu
Ham, ein, wie es scheint, verschiedenzeitiges Gebäude, besonders
bemerkenswerth dadurch, dass hier noch eine Krypta und zwar
von ansehnlichem Umfange vorhanden ist, in massig frühgothischer Behandlung; die Kirche von Ailly-sur-Noye und die
Kirche St. Pierre zu Roye, beide noch mit romanisirenden Elementen; die verbaute Kirche St. Pierre zu Doullens, mit gekuppelten Säulen im Inneren ; das Portal der Abteikirche St.
Etienne zu Corbie, bei Amiens; die Kirche von St. Quentin. [1]
Die letztere ist ein sehr ansehnlicher Bau, mit weitem fünf-
schiffigem Chor und einem Kranz stark hinaustretender Chorkapellen, in deren Zugängen (wie bei Notre-Dame zu Châlons
und St. Remy zu Rheims, und wohl nach dem Vorbilde der
letztern Kirche) je zwei zierlich schlanke Säulen angeordnet
sind. Das Jahr 1257 wird als das der Einweihung des Chores
bezeichnet. (Die westlichen Theile sind jünger.)

In der Champagne: die Kirchen St. Maclou und St. Pierre
zu Bar-sur-Aube, beide noch mit romanisirenden Theilen,
besonders in den Triforien u. dergl.; das Schiff von Ste. Madeleine zu Troyes, derb frühgothisch, in den Kapitälen noch mit
glänzend romanischen Spätformen (der Chor vom Anfange des
16. Jahrhunderts); die Kirchen von Provins (Seine-et-Marne):
St. Quiriace und St. Ayout, beide ebenfalls mit romanisirenden
Einzelheiten, das Mittelschiff von Ste. Croix und die Façade von
St. Regoul; die Kirche von Rompillon (Seine-et-Marne), ein
ansehnlicher, durchgebildet frühgothischer Bau, überall mit einfachen hochspitzbogigen Formen; [2] die Kirche Notre-Dame von
Donnemarie (Seine-et-Marne); die Kirche von Orbais (Marne),
deren Chor mit dem von St. Remy zu Rheims verglichen wird; [3]
die Kirche St. Jacques zu Rheims, im Querschiff übergangsartig, im Langschiff zuerst primitiv gothisch, dann in etwas fortschreitender Entwickelung (der Chor aus spätest gothischer Zeit);
die Kirche von St. Ménéhould [4] (Marne), u. A. m.

Auch einige ausserkirchliche Werke, grosse Saalgebäude,
welche mit erheblichem Aufwande zur Ausführung gebracht wurden, sind als charakteristische Monumente der gothischen Frühepoche namhaft zu machen. — Der erzbischöfliche Pallast zu
Laon [5] neben der dortigen Kathedrale, mit einer stattlichen
Fensterarchitektur (ohne Maasswerk), welche sich dem Style der

---

[1] Zu den Ansichten in den Voy. pitt. et rom. vergl. Wiebeking, bürgerl.
Bank., T. 85 (Grundriss) und de Caumont, Abécéd., arch. rel., p. 302. — [2] Vgl.
Chapuy, noy. âge monum., 285. — [3] Vergl. Schnaase, V, I. S. 82. — [4] Die
Aussenansicht dieser Kirche in den Voy. pitt. et rom. im schlichten Frühgo-
thisch. De Caumont, Abécéd., a. r., p. 126, führt sie unter denen auf, welche
noch das burgundische System kannelirter Pilaster zeigen — [5] De Caumont,
Abécédaire, arch. civ., p. 136.

Kathedrale anschliesst. — Ein sehr geräumiges Gebäude der ehemaligen Abtei von Vauclair,[1] unfern von Laon, gegen 204 Fuss lang bei 38 F. Breite, im Untergeschoss in zwei Säulensäle zerfallend, im Obergeschoss einen einzigen Saal bildend, dessen Kreuzgewölbedecke durch eine Mittelreihe von 13 kräftigen Säulen getragen wird und dessen Fenster noch rundbogig sind, während gleichwohl die Gurte des Gewölbes die schon ausgeprägt gothische Form eines einfachen Birnstabprofiles haben. — Ein prächtiger Saalbau in der ehemaligen Abtei von Ourseamp,[2] die sogenannte „salle des Mores“ oder „des Morts“, ebenso mit einer Mittelreihe von Säulen, diese von schlankerem Verhältniss. — Das Refectorium von St. Martin des champs zu Paris,[3]

Refectorium von St. Martin des Champs zu Paris. (Nach de Guilhermy.)

das reizvollste Beispiel derselben Bauanlage, mit sieben höchst schlanken Mittelsäulen; diese auf mehrfach abgestuftem achteckigem Untersatz; der Schaft aus zwei Stücken bestehend, welche durch einen gegliederten Ring getrennt werden, das untere stür-

[1] De Caumont, Abécédaire, arch. civ., p. 100, ff. Voy. pitt. et rom., Picardie, II. Verdier, architecture civile et domestique au moy. âge. — [2] Voy. pitt. et rom., Pic., III. (grosse Vignette im Text.) Verdier, a. a. O — [3] De Guilhermy, it. arch. de Paris, p. 242. Viollet-le-Duc, dictionn., II, p. 528.

ker, das obere leichter; die Kapitäle in reizvoll leichter Beiaudlung. Die Dienste an den Wänden dem obern Schaftstück der Säulen ähnlich und von Consolen getragen; die Fenster zweitheilig, schlank, ohne Maasswerk, darüber je eine ansehnliche Rose. — U. A. m.

Während der Ausbau der grossen Werke, in denen die Anfänge des gothischen Styles gegeben waren, fortschritt, während diese primitiven Elemente in anderen weiter verwandt und verarbeitet wurden, traten gleichzeitig neue Entwickelungen — gelegentlich, wie schon angedeutet, mit einer Rückwirkung auf jene Arbeiten — ins Leben. Neue grossartige Kathedralen und andere Monumente wurden, in stets gesteigertem Wetteifer, seit dem Anfange des 13. Jahrhunderts gegründet, neue Kräfte und neue Gedanken auf ihre Ausführung verwandt. Die in jenem eingeschlagene Richtung wurde weiter verfolgt, zum entschiedneren Bewusstsein, zum harmonischeren Einklange, zur lebhafteren Bewegung durchgebildet. Schon die erste Hälfte des Jahrhunderts führt die französische Gothik zum Gipfelpunkte ihrer Entfaltung; hernach folgt im Wesentlichen nur materielle Vollendung des Begonnenen, nur im Einzelnen noch eine reichere und feinere Ausbildung, nur in der letzten Spätepoche noch ein buntes und übermüthiges Spiel mit den gegebenen Formen.

Ein erstes neues Entwickelungsmoment bezeichnet der Bau der Kathedrale von Chartres.[1] Hier hatte man um die Mitte des 12. Jahrhunderts (es wird das Jahr 1145 genannt) eifrig gebaut; doch war das Vorhandene im J. 1195 durch einen Brand zerstört worden, bis auf die Thürme der Westfaçade, welche dem Neubau, zu dem man sofort schritt, einverleibt wurden. Im Jahr 1260 erfolgte die Weihung; es scheint nicht, dass der Bau (mit Ausnahme des obern Theiles des Nordwestthurmes) jüngere Theile von Bedeutung hat. Die Kathedrale von Chartres nähert sich, was ihren Plan betrifft, einigermaassen der von Paris, aber mit wiederum stärkerer Betonung des kirchlich traditionellen Elements. Sie wird von einem dreischiffigen Querschiff durchschnitten; die Vorderschiffe schränken sich auf einen dreischiffigen Raum ein, während der Chor fünfschiffig ist und die Seitenschiffe als doppelter Umgang umhergeführt sind, mit drei vereinzelt hinaustretenden polygonen Absiden und kleinen flach absiden-

[1] Lassus, A. Duval et Didron, monographie de la cath. de Chartres. Chapuy, cathédrales françaises; moy âge monum., 13, 19, 20, 21, 122, 246; moy. âge pitt., 153. Winkles, french cathedrals. De Laborde, monum. de la Fr., II, pl. 154, ff. Willemin, mon. fr. inéd., I, pl. 54, 81, 82. Du Sommerard, les arts au moy. âge, III, S. X, 3. Viollet-le-Duc, dictionn., I, p. 65, 235; II, 146, 311. Calliat, encyclopédie de l'architecture, V. pl. 7, 42, 44, 45, 75. Wiebeking, bürgerl. Bauk., 7, 85, 87, 89, 116, 118. Denkmäler der Kunst, T. 50 (I.)

artigen Kapellenbuchten zwischen und neben diesen. Ein kryptenartiger Unterbau zieht sich rings unter den Seitenschiffen
(denen des Schiffes und den inneren des Chores nebst dem Chorumgange) umher. Der ganze Bau ist 396 Fuss lang, das Mittelschiff 45 F. breit und 108 F. hoch. Das Innere gewährt den
Eindruck ruhiger Erhabenheit; kräftiges Aufstreben und feste
Lagerung — dem vollen Breitenverhältnisse des Mittelschiffes zu
dessen Höhe entsprechend — vereinigen sich zur charakteristisch
eigenthümlichen Wirkung; die Gliederung des inneren Aufbaues
zeigt das vorschreitende Streben nach einem in sich einheitlichen
Systeme. Die Schiffpfeiler haben die Grundform der Säule,
regelmässig mit vier anlehnenden Diensten besetzt, — nur in der
seltsamen Laune, dass wechselnd je eine Rundsäule mit achteckig
polygonen Diensten und je eine achteckige mit runden Diensten
versehen ist. Die Säule, welche den Kern bildet, hat ihr stärkeres
Blattkapitäl, jeder Dienst nach dem Verhältniss seiner Dicke ein
minder hohes; doch entbehrt der vordere Dienst des Kapitäles
ganz und ist nur durch das Deckglied des letztern abgeschlossen;
über ihm setzen ein andrer von ähnlicher Stärke und schwächere
zu seinen Seiten auf, als Träger der Gurte und Rippen des
Mittelschiffgewölbes emporsteigend. Die Scheidbögen der Schiffarkaden sind lebhafter profilirt (mit wiederholt absetzenden Ecken
und eingelassenen Rundstäben); über ihnen die Arkaden eines

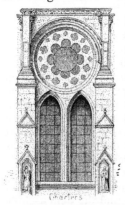

Chorfenster der Kathedrale von
Chartres. (Nach Fergusson.)

Triforiums, unterwärts und oberwärts mit
Horizontalgesimsen, welche sich über die
aufsteigenden Dienstbündel umherkröpfen;
darüber die Fenster. Die letztern sind
nach dem Princip derer von St.-Leu-d'Esserent und der Kathedrale von Soissons angeordnet, d. h. in jedem Jochfelde zwei
schlicht spitzbogige Oeffnungen und ein
rosettenartiges Rund über ihnen. Diese Form,
an sich noch nüchtern, ist hier insofern zur
reicheren Wirkung ausgebildet, als die Rosette, in allerdings überwiegendem Verhältniss (und in Uebereinstimmung mit den
grossen und prächtigen Rosettenfenstern in
den Giebeln des Gebäudes) eine etwas reichere Ausbildung erhalten hat. Die Ueberwölbung des Mittelschiffes besteht in der
fortan üblichen Form, aus einfachen Kreuzgewölben, je eines über jedem Jochfelde. — Der äussere Aufbau
war auf eine überaus glanzvolle Wirkung berechnet. Es sollte
die Thurmpracht von Laon noch überboten werden: nicht blos
zwei Thürme auf der Westfaçade, zwei an der Ecke jedes Querschiffgiebels und einer über der mittleren Vierung, sondern noch
zwei andre an den östlichen Chorseiten, vor dem Ansatz des

Absidenkranzes, im Ganzen also neun Thürme. Doch ragen von diesen nur die beiden der Façade über den Körper des Gebäudes hervor; die übrigen sind über die Punkte, wo ihre freie Erhebung erfolgen sollte, nicht emporgeführt worden. Der Eindruck der Façade bedingt sich durch die älteren Formen der Thürme, welche ihre Seitentheile ausmachen; es sind einfach spätromanische und übergangsartige Formen: Nischen und Fenster, zum Theil noch rundbogig, meist bereits spitzbogig. Der südliche Thurm schliesst mit einem kurzen, durch einen etwas wirren Erkerbau verdunkelten achteckigen Obergeschosse und hohen schlichten Hallen über diesem ab; der nördliche Thurm hat in der Schlussepoche des gothischen Styles einen schlanken und reichgeschmückten Oberbau erhalten. Der Zwischenbau ist mit mehr Ausstattung versehen. Unterwärts mit drei neben einander belegenen, spitzbogigen und rechtwinklig eingerahmten Portalen, einem breiteren in der Mitte und schmäleren auf den Seiten, die, zwar noch mit romanischen Dekorativformen, doch für die primitive Behandlung französisch gothischer Portalausstattung ein sehr bezeichnendes Beispiel gewähren. Sie sind nämlich in allen Theilen so durchaus mit bildnerischer Sculptur bedeckt, dass das architektonische Gesetz bereits in diesem frühern Beispiele vollständig verdunkelt ist. Sie gehören ohne Zweifel noch den Bauten, welche vor 1195 stattfanden, an;[1] die Theile über ihnen, namentlich ein grosses Rosenfenster, welches mit stattlichen, noch streng gebildeten Rosetten erfüllt ist, sind als Theile des Neubaues zu betrachten. Auch beide Querschiffgiebel haben grosse und stattliche Rosenfenster, deren Anordnung, bei anderweit durchgeführten Horizontallinien im Einschluss der Thurmbauten und ihrer Streben, von edler und klarer dekorativer Wirkung ist. Unterwärts hat jeder Querschiffgiebel drei Portale und drei zusammenhängende, mit spitzbogigen Tonnenwölbungen und schlichten Giebeldächern bedeckte Portiken: auch diese wiederum sind aufs Reichliehste und, zumal an dem nördlichen Portikus, in demjenigen Uebermaasse, welches das architektonische Gefühl vernichtet, mit Sculpturen bedeckt. In dem System der Strebepfeiler und Strebebögen, welches die übrigen Theile des Aeussern umgibt, machen sich die ersten Versuche geltend, mit der constructiven Form eine künstlerische Dekoration zu verbinden. Die Abdachungen an den Hauptabsätzen der Strebepfeiler erscheinen bereits zu kleinen Säulentabernakeln ausgebildet; die Bögen sind zum Theil gedoppelt und durch das Spiel kleiner zwischengespannter Säulenarkaden zierlich belebt.

[1] Nach der Annahme von Viollet-le-Duc, p. 313, befand sich im alten Bau zwischen beiden Thürmen eine Vorhalle und das dreifache Portal in ihrem Grunde, an welcher Stelle sein so überwiegend bildnerischer Charakter allerdings einigermaassen eine Berechtigung finden durfte. Erst bei dem Neubau habe man dasselbe in die Façade aufgenommen.

Neben der Kathedrale von Chartres sind die jüngeren Theile der dortigen Kirche St. Père [1] einzureihen. Hier hat das System des Schiffes, noch in romanischer Reminiscenz, Pfeiler, die mit vier Halbsäulen und vier Ecksäulchen besetzt sind, bei einer Durchbildung im frühgothischen Style; über den Scheidbögen ein gebrochen bogiges Triforium; die Oberfenster mit schlichtestem Maasswerk. Der Oberbau des Chores (über dem altromanischen Unterbau, Th. II., S. 215) hat eine reicher gothische Durchbildung, welche etwa der Mitte des 13. Jahrhunderts entspricht.

Die zweite in der Folge jener Kathedralen ist Notre-Dame von Rheims. [2] Sie wurde im Jahr 1212 gegründet, der Chordienst in ihr 1241 begonnen; die Arbeiten wurden das 13. Jahrhundert hindurch fortgesetzt; im Jahr 1311 starb ein Meister Robert von Coucy, den seine Grabschrift als Meister der Kathedrale bezeichnet. Jüngerer Zeit scheint Erhebliches von dem Vorhandenen nicht anzugehören. In dem Plane dieses Gebäudes, in der Massenhaftigkeit seiner unteren Constructionen, zum Theil auch in Einzelformen des unteren Aufbaues geben

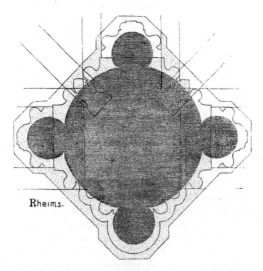

Rheims.

Kathedrale von Rheims. Profil des Schiffpfeilers und der darüber aufsetzenden Bögen, Gurte, Rippen und Dienste. (Nach Viollet-le-Duc.)

[1] Willemin, mon. fr. inéd., 1, pl. 55. (p. 38.) — [2] Zu den Darstellungen in den Voy. pitt. et rom. vergl. Chapuy, cath. franç.; moy. âge monum., 26, 79, 120, 131, 150, 164; moy. âge pitt., 127. De Laborde, mon. de la Fr., II, 163. Du Sommerard, a. a. O., III, S. X, 1. Willemin, a. a. O., pl. 83. Gailhabaud, l'arch. du V au XVI. siècle, (zahlreiche Blätter). Viollet-le-Duc, dictionn., besonders II, p. 146, 470, ff., 518, f. Wiebeking, bürgerl. Bauk., T. 85, 87, 90, 93, 114, 115, 118. *Denkmäler der Kunst. T. 50 (8), 51 (I, 5.)*

sich noch alterthümliche, romanisirende Nachklänge zu erkennen,
— vielleicht das Ergebniss der Lokalschule, aus welcher der
Meister des ersten Entwurfes hervorgegangen sein mochte (einer
der Bauschulen der Champagne, wo man, wie im Vorigen mehrfach angedeutet, nicht ganz so schnell wie in Isle-de-France den
alten Traditionen zu entsagen vermochte). Die Kathedrale hat
ein gestrecktes dreischiffiges Vorderschiff, ein breites dreischiffiges
Querschiff und einen fünfschiffig ansetzenden Chor, der aber nach
schon zwei Jochen in das Halbrund mit Umgang und einem
Kranze von fünf Absiden übergeht, hierin der älteren Disposition des Chores, wie z. B. bei St. Remy zu Rheims, noch verwandt, doch allerdings in einer Umbildung, welche das neue
Gesetz der architektonischen Composition schon bestimmt ins
Auge fasst. Das Wesentliche des inneren Systems zeigt dies
Gesetz in abermals vorschreitender Entwickelung, dem der Kathedrale von Chartres vergleichbar, doch dabei mit der Wiederaufnahme einer entschiedenen Höhenwirkung (das Mittelschiff
etwa 38 Fuss breit und 115—120 F. hoch), in fester und klarer
Grösse emporsteigend. Die Mittelpfeiler sind gleichmässig rund
und mit je vier Halbsäulen bekleidet, rings von starken Blattkapitälen umgeben; darüber die aufsetzenden Gewölbdienste, die
Triforiengallerie, die Fenster. Die letzteren zeigen eins der ersten
Beispiele bestimmt ausgebildeten Maasswerkes, indem die Doppelfenster und die Rosette, die in Chartres noch getrennt erschienen,
sich einer gemeinsamen Umrahmung (schon unmittelbar im
Schildbogen des Gewölbes und seiner Dienste) einfügen, ihre
Zwischentheile, mit Säulchen und Rundstäben versehen, sich zu
belebten Gliedern eines Ganzen gestalten. Auch die Scheidbögen
und die Gurtungen des Gewölbes haben eine abermals belebtere
Profilirung. — Ebenso kündigen sich im Aeussern, wenigstens
an denjenigen Theilen desselben, welche als die jüngeren betrachtet werden müssen, die Momente einer bewegteren Entwickelung an. Während an dem Unterbau der Querschiffflügel (wie
auch in deren Innerem) noch alterthümliche, selbst romanisirende
Elemente sichtbar werden, während die Streben der Seitenschiffe
noch entschieden massig gehalten sind, steigen die letztern oberwärts als mit leichten Thurmspitzen gekrönte Tabernakelbauten,
in denen Statuen stehen, empor, gliedern die Strebebögen sich
an ihrer Unterfläche nach dem Princip der Scheidbögen, bilden
sie sich an ihrer Oberfläche dachartig, mit den Blumen des Dach-
firstes geschmückt. Es ist die edelste Ausbildung des Strebesystems der französischen Gothik. Im Uebrigen war die Kathedrale von Rheims wiederum auf die glänzendste Thurmentfal-
tung, mit sieben Thürmen wie die von Laon, angelegt; was von
diesen aber ausgeführt war, ist nach einem Brande im J. 1481
bis zur Dachhöhe verschwunden, mit Ausnahme der beiden
Thürme der Façade, die jedoch auch die damals verlornen Helme

nicht wiederempfangen haben.   Die Paçade, ohne Zweifel der
jüngste Theil des Baues, hat eine überaus reiche dekorative Aus_
stattung, das System, wie es seit Laon befolgt war, zur klarsten
Entfaltung bringend, mit den Elementen einer vorzüglich edlen
Durchbildung des Einzelnen im· Sinne der französischen Gothik,
doch auch sie in vorzugsweise dekorativer Wirkung und von

Façade der Kathedrale von Rheims. (Nach Chapuy)

Ueberladung keinesweges frei. Sie ist dreitheilig, die Streben,
welche sie abtheilen, mit jenen tabernakelgeschmückten Absätzen.
Die drei Portale, zwischen den Streben und diese völlig deckend,
sind Halle und Thürgliederung zugleich, abermals das architektonische Gesetz gegen das bildnerische durchaus preisgehend,
statt der eigentlichen Dachung schon mit blossen Scheingiebeln

versehen, und auch diese mit Sculpturen gefüllt. Drüber im Mittelfelde eine grosse Rose mit reichem Maasswerk, in spitzbogigem Fenstereinschluss (über dessen Oberlinien sieh in disharmonischer Anordnung ein Figurenfeld hinzieht), zu den Seiten zierlich schlanke spitzbogige Maasswerkfenster; über diesen Theilen, als hohe horizontale Bekrönung, eine durchgehende Statuengallerie. Dann die leichten Thurmgeschosse, in edelster Behandlung ausgebildet gothischer Formen. Zu bemerken ist, dass, wie das System des Maasswerks, so auch das des Scheingiebels über den Spitzbogen sieh in dieser Façade völlig ausgebildet zeigt, doch im Ganzen noch die grossen Linien der Horizontalgesimse vorherrschen.

Gleichzeitig mit der Kathedrale wurde die Kirche St. Nicaise zu Rheims gebaut. Ihre Gründung fällt in das J. 1229, wie aus der Grabschrift ihres ersten Meisters, Hugo Libergier [1] (gest. 1263), hervorgeht. Später war der schon genannte Robert von Couey mit der Leitung dieses Baues beauftragt. Die Kirche, wegen der Schönheit ihrer Verhältnisse sehr gerühmt, ist im vorigen Jahrhundert abgerissen; die Façade ist uns in Abbildungen erhalten. [2] Sie hatte in dem Wesentlichen der Austheilung Aehnlichkeit mit der des Domes, nur ohne dessen reichen Schmuck und gemessenen Rhythmus. Eine Reihe kleiner Portalvorbauten zog sich am Fusse hin, während ein riesiges Spitzbogenfenster, oberwärts wiederum eine bunte Rose einschliessend, den ganzen Mitteltheil ausfüllte. Schlanke achteckige Thürme mit luftigen Säulenerkern und von festen pyramidalischen Helmen gekrönt, erhoben sich über den Seitentheilen.

Es folgt die Kathedrale von Amiens. [3] Ihr Bau wurde im Jahr 1220, und zwar mit dem Vorderschiffe, begonnen. Es werden die Namen der Baumeister genannt: Robert von Luzarches, dem sehr bald Thomas von Cormont folgte, sowie diesem sein Sohn Renault von Cormont. Der Chor, zumal der obere Bau desselben, ist jünger als das Vorderschiff; im Jahr 1258 zerstörte ein Brand die Dächer der bereits vorhandenen Chorkapellen; hienach wurde der Hochbau des Chores in Angriff genommen und mit seiner Vollendung im Jahr 1288 das Wesentliche des Werkes abgeschlossen. Einzelnes ist Zufügung aus dem 14. Jahrhundert und aus dem Anfange des 16. Der Plan wie das System des Aufbaues (mit Ausnahme der Façade) zeigen ein zu vollkommener Klarheit gediehenes Princip, ein vollkommenes Beherrschen der Mittel, ohne dabei auf ein Ueber-

---

[1] Schnaase glaubt den Namen „li Bergier" lesen zu dürfen. — [2] U. A. in den Voy. pitt. et rom. und bei du Sommerard, a. a. O, II, S. IV, 2. Vergl. Viollet-le-Duc, dictionn., III, p. 389, ff. — [3] Voy. pitt et rom. (Pic.) Chapuy, cath franç.; moy. âge monum., 4, 44, 97, 120, 278; moy. âge pitt., 122, f. Winkles, french cath. De Laborde, a. a. O. 164, ff. Viollet-le-Duc, a. a. O., I, p. 7, 72, 93, 103, 203; II, 323, 474, ff., 520, f. Willemin, a. a. O., pl. 85, 113. Wiebeking, a. a. O., T. 85, 87, 88, 114. *Denkmäler der Kunst, T. 50 (3, 9.)*

bieten der letztern hinauszugehen; die Kathedrale von Amiens
gilt in diesem Betracht, und mit Recht, als das Meister- und
Musterwerk der französisch-gothischen Architektur. Ein dreischiffiges Querschiff durchschneidet das Gebäude in der Mitte;
das Vorderschiff ist dreischiffig (mit später zugefügten Kapellen),
der Chor, in vollendeter Umbildung der älteren, reich durchgebildeten Disposition, fünfschiffig, statt des einfachen Halb-
rundes in entschiedener Polygonalform geschlossen, mit einem
Umgange und einem Kapellenkranze von sieben polygonalen Absiden, deren mittlere ansehnlicher als die übrigen hinaustritt.

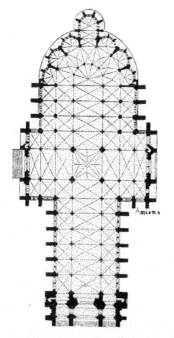

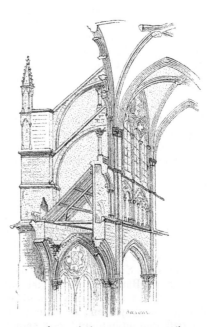

Grundriss der Kathedrale von Amiens.   Kathedrale von Amiens. System des Schilf-
(Nach Viollet-le-Duc.)   haus (Nach Viollet-le-Duc)

Das Gebäude ist im Inneren 415 und im Aeusseren 450 Fuss
lang, an der Vorderseite 150 F. breit, im Mittelschiff 38 F. breit
und 132 F. hoch. Die Innenwirkung ist, nach Maassgabe des
letztgenannten Verhältnisses und nach der Anordnung des Aufbaues, hoch, frei und machtvoll. Die Mittelschiffpfeiler sind
rund, mit vier Halbsäulen, von denen die an der Vorderseite,
nur von dem Deckgesims des Kapitäles durchschnitten (wie zu
Chartres), als Hauptdienst emporsteigt. Die Arkaden des Triforiums gruppiren sich, von grösseren Bögen umfasst, und inner-

halb dieser mit durchbrochenem Maasswerk. Auch die Oberfenster erhalten ein gruppirtes Maasswerk, in vollendeter Durchbildung, doppeltheilig, mit grösseren und mit kleineren Rosetten, — eine eigne, schon gegliederte Architektur, welche sich
dem offnen Bogenfelde einspannt. Im Chore hat auch das Triforium bereits, nach der Weise der jüngeren Epoche, welcher
dieser Bautheil angehört, eine eigentliche Fenstereinrichtung, mit
arkadenmässig durchbrochener Aussenwand. Die festen Theile
des Baues sind schon wesentlich auf das Pfeilersystem eingeschränkt. — Im Aeusseren haben die Seiten des Vorderschiffes
ein einfaches System von Strebepfeilern und Strebebögen, jene
oberwärts mit schlichten Thürmchen schliessend, diese für ge-
regelten Wasserablauf eingerichtet. Am Chore zeigt sich ein
mehr kunstreicher Versuch, indem zwischen der eigentlichen
Wölbung des Strebebogens und seinem geradlinig geneigten
Rücken (mit dem Wasserkanale) durchbrochene, spielend dekorative Arkaden eingespannt erscheinen. Ausserdem ist zu bemerken, dass die Chorfenster aussen mit dekorativen Giebeln,
welche die Dachgallerieen unterbrechen, gekrönt sind, zu den
ersten Beispielen solcher Anordnung gehörig. — Auffälliger Weise
ist von einem irgendwie reicher entfalteten Thurmbau bei dieser
Kathedrale fast ganz abgesehen. Nur über den vier Pfeilern
der mittlern Vierung war, wie angegeben wird, ein eigentlicher
Thurm errichtet; dieser wurde im Jahr 1527 durch einen Blitz
zerstört und 1529 durch einen leichten schlank aufschiessenden
Thurm, von Holz und mit Blei bekleidet, ersetzt. Den Querschiffgiebeln fehlen die Thürme völlig, (zwei Treppenthürmchen,
die zu den Seiten des Hochbaues des Nordgiebels aufsteigen,
kommen nicht in Betracht); aber auch bei der Westfaçade ist
die ursprüngliche Anlage sehr fraglich. Diese ist dreitheilig, in
der Weise der Façaden, welche für Thurmbauten über ihren
Seitentheilen angelegt sind, und über den letztern allerdings mit
selbständig aufsetzenden Thurmgeschossen versehen. Aber es
ist nur die Hälfte der erforderlichen Tiefe, und diese Thurmgeschosse sind auf den Seiten daher halb so breit wie von vorn,
— eine so ungesetzliche und übelwirkende Anordnung, dass sie
als ein Ergebniss ursprünglichen Planes nicht betrachtet werden
kann. Es scheint vielmehr, dass auch hier die Emporführung
von Thürmen ursprünglich nicht beabsichtigt war, dass im
Gegentheil die Façade einen eignen, in sich gleichmässig abgeschlossenen dekorativen Vorbau bilden sollte. Die Anordnung
zweier reichgeschmückter Arkadengallerieen, welche über den
Portalen durchlaufen, lässt hier die horizontale Schichtung und
eine vorherrschend dekorative Absicht schon so entschieden hervortreten, dass es glaublich ist, man habe auch oberwärts das
Ganze in ähnlicher Weise krönen wollen. [1] Uebrigens vermisst

---

[1] Nach der Angabe von Viollet-le-Duc, II, p. 326, sollen sich vor der Façade

man in der Façade auch in andrer Beziehung einen durchgeführt
einheitlichen Plan. Auch die Portale, die sich hallenartig zwi-
, schen und vor den Strebepfeilern lagern und wiederum die beliebte Ueberfülle bildnerischer Ausstattung enthalten, sind nicht
in völliger Uebereinstimmung mit dem Massenbau und etwas
später als dieser ausgeführt. Die Obertheile der Façade rühren
aus dem 14. und dem 16. Jahrhundert her. Zu den Theilen
dieser Schlussepoche gehört das nördliche Thurmgeschoss und
das Maasswerk der grossen Rose in der Mitte. So auch die
Ausstattung der Querschiffgiebel und ihrer Rosen.

  Die Kathedrale St. Pierre zu Beauvais[1] schliesst sich
der von Amiens noch an, aber bereits in einer entschiedenen
Wendung zu Willkür und Uebermuth. Sie besteht nur aus Chor
und Querschiff; das Uebrige ist unausgeführt geblieben. Der Bau
wurde nach einem Brande vom Jahr 1225 begonnen, anfangs,
wie es scheint, langsam und etwa erst seit 1240 in lebhafterem
Betriebe. Die Kühnheit der Maasse und der Construction sollte
alles Vorhandene überbieten; 1272 war der Chor fertig, stürzte
jedoch schon 1284 theilweise zusammen; die Herstellung erfolgte
am Ende des 13. und im Anfang des 14. Jahrhunderts. Das
Querschiff, wie es vorhanden, gehört dem Anfange des 16. Jahrhunderts an. Der Plan ist in der Hauptsache dem der Kathedrale von Amiens entsprechend, doch, wie oben angedeutet, mit
ansehnlich gesteigerten Verhältnissen; das Mittelschiff 146 Fuss
hoch, bei 45 F. Breite. Alles ist auf äusserste Geltendmachung
der Höhendimension berechnet; der genannte Herstellungsbau
hat dazu beigetragen, diese abermals zu verstärken, indem die
Joche des Chores (in seinen Längenfluchten) durch zwischengesetzte Pfeiler verdoppelt wurden, hiemit die Scheidbögen überall
eine scharf zugespitzte Bogenform, die Oberfenster (in gleichem
Maasse verdoppelt) durchweg ein höchst schlankes Verhältniss
erhielten. Das Triforium wurde der Maasswerkgliederung der
Fenster noch ähnlicher gebildet; die Dienste ohne alle Durchschneidung durch Horizontalgesimse leicht emporgeführt. Es
ist etwas Ueberreiztes, etwas traumhaft Phantastisches in diesem
Höhendrange, der nicht nur des Gesetzes der Masse zu spotten
scheint, der überhaupt von dem rhythmischen Wohllaute des

die Fundamente finden, welche auf ein ursprünglich beabsichtigtes, doppelt
so breites Vortreten ihres Baues als das gegenwärtige schliessen lassen; man
habe sich wegen Mangels an Mitteln auf die halbe Stärke eingeschränkt.
Wenn Jenes richtig sein wird, so scheint Dies, bei der sehr reichen Ausstattung, die man dem Façadenbau gegeben hat, keineswegs annehmbar. Wenn
die erste Absicht auf einen Façadenbau in der üblichen Anordnung hinausging, so scheint die Abweichung davon in der That durch einen abweichenden
(ob auch nicht sehr glücklichen) künstlerischen Gedanken veranlasst zu
sein.
   [1] Voy. pitt et rom. (Pic.) Chapuy, moy. âge mon., 192, 348, 357; moy. âge
pitt., 80, f. Winkles, french cath. Viollet-le-Duc, a. a. O., I, p. 70, 238; II,
p. 334. Wiebeking, a. a. O., T. 86, 118.

räumlichen Verhältnisses und seiner formalen Entwickelung absieht. Das Strebesystem, welches das Aeussere umgibt, schiesst
in ebenso schlank aufgegipfelter Weise empor, das Einzelne in

Innenansicht des Chores der Kathedrale von Beauvais. (Nach Chapuy.)

zierlich thurmartiger Gliederung, das Ganze ohne Zweifel in
sehr richtiger constructiver Berechnung, aber ebenso ohne ein
befriedigend rhythmisches Wechselverhältniss seiner Theile, entschieden mehr ein Product des Calcüls als des künstlerischen
Bedürfnisses.

Den späteren Arbeiten an der Kathedrale von Amiens und
denen von Beauvais steht der Umbau der Abteikirche von St.
Denis [1] bei Paris, der von 1231—1281 ausgeführt wurde, zur

---

[1] Vergl. Thl. II. S. 225. Zu den dort citirten Werken s. Viollet-le-Duc,
dictionn., I, p. 66, 95, 205 und Chapuy, moy. âge monum., 413. Wiebeking,
a. a. O., T. 85, 87, 115. (Hiebei ist des Tabernakelmonumentes über dem

Seite. Das Schiffsystem entspricht, namentlich auch in dem Adel der Verhältnisse, dem von Amiens, mit jener vorgeschrittenen Anordnung, welche das Triforium fensterähnlich gestaltet, auch mit dekorativen Giebelaufsätzen ausserhalb über den Oberfenstern. Dieselbe Behandlung hat der Oberbau des Chores. Zu bemerken ist, dass hier die Schiffpfeiler die bereits üblich gewordene Rund-form (mit anlehnenden Halbsäulen) wieder verlassen und statt dessen eine im Kern eckig gegliederte, reich mit Säulchen be-setzte Pfeilerform annehmen. Es ist wie ein Zurückgehen auf die ältere Form der letzten romanischen und der Uebergangs-Epoche; aber das schlankere Verhältniss und die freiere Behand-lung der Säulchen bringt einen wesentlich veränderten Eindruck hervor, und die vorderen Säulchen steigen völlig unbehindert, ohne alle Durchschneidung durch Kapitäle oder Gesimse, als Dienste bis zum Ansatz des Hauptgewölbes empor. Es ist hierin, trotz der starren Kernform, das Element einer Belebung ausge-sprochen, die, wie es scheint, auf die flüssigere Umbildung des dienstbesetzten Rundpfeilers, wie solche namentlich in der deutsch-gothischen Architektur erfolgte, nicht ohne Einfluss war. — Auch die Kathedrale St. Pierre-et-St. Paul zu Troyes [1] in der Champagne schliesst sich an. Sie ist fünfschiffig, von einem ein-fach einschiffigen Querbau durchschnitten, der Chorumgang mit fünf polygonen Absiden umgeben. Doch hat die Ausführung längere Zeit gedauert; [2] der Chor, 1208 begonnen und nach einer Verwüstung im J. 1227 grossentheils erneut, gehört der Zeit vor der Mitte des 13. Jahrhunderts, die Vorderschiffe hauptsächlich dem 14., die Façade dem 16. Jahrhundert an. Einzelnes im Chor scheint noch aus der Epoche vor der genannten Verwü-stung herzurühren; das Wesentliche des inneren Systems hat nächste Verwandtschaft mit dem von St. Denis, auch in der Pfei-lerbildung; das Strebesystem und die sonstige äussere Dekoration der Vorderschiffe hat, die jüngere Zeit charakterisirend, eine schon mehr spielende Behandlung.

Grabe von Abailard und Heloise auf dem Kirchhofe Père-Lachaise zu Paris zu gedenken, von dem versichert wird, dass es aus Stücken der Wand-arkatur, unter den Seitenschifffenstern von St. Denis, nach den Verwüstungen dieser Kirche zu Ende des vorigen Jahrhunderts, zusammengesetzt sei. Doch finden sich allerdings auch abweichende Angaben, z. B. dass dasselbe aus der Kirche St. Marcel zu Châlons-sur-Saône, wo Abailard zuerst bestattet war, oder aus dem Kloster des Paraclet bei Nogent-sur-Seine, wo Heloise als Aebtis-sin starb und ihr und Abailard später ein gemeinsames Grabmal errichtet wurde, herrühre. Vergl. Voy. pitt. et rom., Champagne, p. 308, f. und Viollet-le-Duc, a. a. O, p. 95.)

[1] Voy. pitt. et rom. (Champ.) Viollet-le-Duc, a. a. O., I, p. 77, 93, 205; II, 93, 341. — [2] Schnaase, Gesch. d. bild. K. V, I, S. 126.

Drei kirchliche Monumente, im Süden und im Südwesten von Isle - de - France belegen, sind Werke derselben Bauschule. Sie schliessen den Kreis der bezüglichen grossen Monumente des 13. Jahrhunderts ab.

Zunächst die Kathedrale von Bourges,[1] ein machtvoller Bau, der sich dem Plane der Kathedrale von Paris nahe anschliesst, fünfschiffig, doch völlig ohne Querbau, mit doppeltem halbrundem Chorumgang und mit fünf sehr kleinen Absiden,

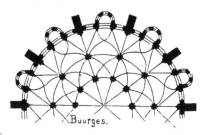

Chorrundung der Kathedrale von Bourges. (Nach Viollet-le-Duc.)

welche vereinzelt aus dem letzteren hinaustreten. Auch der Aufbau hat ein der Pariser Kathedrale analoges Verhältniss, nur mit dem erheblichen Unterschiede, dass hier über den inneren Seitenschiffen keine Emporen angeordnet sind, diese somit in ungetheilter Höhe ansehnlich über die äusseren Seitenschiffe emporsteigen. Die Maasse sind 405 Fuss äussere Länge, 117 F. Mittelschiffhöhe, 66 F. Höhe der inneren und 28 F. Höhe der äusseren Seitenschiffe. Der Bau war bereits in den letzten Decennien des 12. Jahrhunderts vorbereitet und, wie es scheint, begonnen, doch noch in der Weise des älteren Systems; zwei schmuckreiche Seitenportale, die aus dieser Zeit herrühren, haben noch das spätromanische Gepräge, mit gegliederter rundbogiger Wölbung, mit Statuen zu den Seiten, auch das eine (das südliche) mit Sculpturen in den Bogengeläufen, welche bereits nach frühgothischer Art angeordnet sind. Für die Choranlage waren, durch die Lokalität bedingt, bedeutende Unterbauten nöthig, welche einer, aus älterer romanischer Zeit herrührenden Krypta umfassende Zusätze beifügten. Der eigentliche Freibau rührt, der künstlerischen Behandlung zufolge, vornehmlich erst aus dem zweiten Viertel des 13. Jahrhunderts her. Die Pfeiler des Innern sind rund und durchweg mit acht leichten Halbsäulen besetzt; darüber die einfach behandelten Gallerien eines Triforiums

[1] De Laborde, monum. de la France, II, 171, 191, f. Du Sommerard, les arts au moy. âge, II, S. V, 4. Chapuy, moy. âge mon., 6, 206, 271. Viollet-le-Duc, dictionn., I, p. 199, 234 (57); II, 294. Girardot und Moulins, la cath. de Bourges. Gailhabaud, Denkm. d. Bauk., II, Lief. 145. Wiebeking, a. a. O., T. 113. Denkmäler der Kunst, T. 50 (2).

und über diesen die mit schlichtem Maasswerk versehenen (nicht
hohen) Oberfenster; diese Anordnung wiederholt sich, in gesetzlicher Weise, ebenso an den Wänden der inneren Seitenschiffe
wie an denen des Mittelschiffes. Der Eindruck des Hallenartigen
macht sich hier, bei der gleichartigen Ausweitung des Raumes
nach den Seiten und der eigenthümlich reichen Entfaltung dieser Seitenperspective, bei dem stufenweise aufsteigenden Maasse
der Räume, dem der Blick von den niedrigen äusseren Seitenschiffen folgt, mit eigenthümlicher Entschiedenheit geltend. Die
Façade ist fünftheilig, in nicht sehr günstiger Anordnung, die
einzelnen Theile durch massig vortretende Streben getrennt;
unterwärts mit schweren giebelgekrönten Portalhallen, die in der
üblichen Weise mit Sculpturen beladen sind, oberwärts mit den
Dekorativformen späterer Zeit. Der mittlere Theil, über dem
Hauptportale, besteht aus einem kolossalen Fensterbau, rechtwinklig eingerahmt und von dem glänzendsten Maasswerke im Style
des 14. Jahrhunderts ausgefüllt; Andres, namentlich die Thurm-
aufsätze über den äusseren Seitentheilen, ist noch später.

Sodann der Chor der Kathedrale von le Mans, [1] der in
breiter und glänzender Ausdehnung dem aus der romanischen
Epoche herrührenden Schiffbau [2] hinzugefügt wurde. Er gehört
der mittleren Zeit des 13. Jahrhunderts an und wiederholt das
zu Bourges befolgte bauliche System, mit fünf, in verschiedener
Höhe emporsteigenden Schiffen und dem Kranze isolirter Absiden
um den äussern Umgang. Alles aber ist reicher, stattlicher und
zugleich gesetzlicher durchgebildet. Die Pfeiler zu den Seiten
des Chormittelschiffes sind stark, rund, mit zwölf Diensten besetzt; die in der (schon polygonisch gestalteten) Chorrundung
mit Rücksicht auf ihre engere Stellung in der üblichen Säulenform, doch mit je drei schlanken Diensten an ihrer Vorderseite;
die zwischen den beiden Seitenschiffen als einfache Säulen. Sehr
eigenthümlich sind die Absiden gestaltet, als kleine Kapellen,
welche ansehnlich, mit parallelen Seitenwänden und polygonem
Schlusse, hinaustreten, [3] sich auch auf der Nord- und Südseite
des Baues fortsetzen, so dass dieser von 13 Kapellen umgeben
ist, im Innern eigenthümlich wechselvolle Durchblicke gewährend,
im Aeussern nicht minder mit mannigfacher Verschiebung der
baulichen Linien und Gruppen.

Ferner die Kathedrale St. Gatien von Tours, [4] ein Gebäude etwa aus dem zweiten Viertel des 13. Jahrhunderts, dem
ausgebildeten System der Kathedralen der nordöstlichen Lande

---

[1] Viollet-le-Duc, a. a. O, I, p. 200, 236; II, p. 355, f. De Caumont, Abécéd., a. r., p. 305. — [2] vergl. Thl. II, S. 195. — [3] Es ist in dieser Anordnung Verwandtes, nur in reicherer Anordnung, mit der Anlage der Chöre von
Séez und von St. Pierre-sur-Dives in der Normandie. (Vergl. unten.) Es
scheint hiebei ein gegenseitiger Einfluss statt gefunden zu haben. — [4] Viollet-
le-Duc, a. a. O., II. p. 343, f.

völlig entsprechend, geringer in den Maassen als diese, aber von vorzüglich klarer und sicherer Durchbildung, fünfschiffig (die äusseren Seitenschiffe zumeist als Kapellen behandelt) und mit fünf Absiden um den einfachen Chorumgang. (Die Façade vom Anfange des 16. Jahrhunderts.) — Die Kirche St. Julien, ebendaselbst, ist gleichzeitig und von verwandter Behandlung. [1]

Einige kleine kirchliche Monumente, Kapellen, die für ausgezeichnete Zwecke errichtet wurden, haben auf besondre Beachtung Anspruch. Von den Bauherren und von den Meistern mit eigenthümlicher Liebe gepflegt, sind sie ebenso sorgfältig in der technischen wie in der künstlerischen Behandlung; in kürzeren Fristen ausgeführt, erscheinen sie als Werke eines Gusses, eines unveränderten und unverkümmerten künstlerischen Gedankens. Für die feinere, ausgesprochen individuelle Ausprägung des Geschmackes und seiner Bewegungen geben sie vorzüglich charakteristische Beispiele.

Zu ihnen gehört die erzbischöfliche Kapelle zu Rheims. [2] Sie rührt aus der früheren Zeit des 13. Jahrhunderts her und hat noch das strengere Gepräge, welches an der gothischen Architektur der Champagne länger haftet. Ihr Chor ist fünfseitig geschlossen. Sie ist zweigeschossig; das Untergeschoss niedrig, kryptenartig, mit starkem Gurtenkreuzgewölbe bedeckt; das Obergeschoss hoch und frei emporgeführt, mit einwärts tretenden, den äusseren Streben entsprechenden Pfeilern, die mit einfachen Diensten versehen und unterwärts, einen sehmalen Umgang bildend, durchbrochen sind. Der Umgang ist mit leichter spitzbogiger Wandarkatur bekleidet, darüber die sehmalen, schlicht spitzbogigen Fenster, mit feinen Ecksäulchen und noch ohne Maasswerk. Das Ganze in dem Eindruck feierlich klaren Ernstes.

Dann die Schlosskapelle von St. Germain-en-Laye, [3] westwärts von Paris, ein ähnlich angelegtes Gebäude, doch ohne Untergeschoss und im Inneren wie in der Fensterarchitektur mit fein durchgebildeter Gliederung, im Charakter der Epoche zunächst vor 1240. Die Fenster sind dekorativ behandelt, breit, mit einer Maasswerksfüllung, welche das einfache Gesetz schon zur reicheren Gruppirung entfaltet zeigt, und statt des einwölbenden Spitzbogens in sehr eigenthümlicher Weise rechtwinklig umschlossen, der Art, dass sie im Aeusseren das Oberfeld zwischen den Streben und dem Kranzgesims völlig ausfüllen. (Die Kapelle ist in mangelhaftem Zustand erhalten.)

[1] Schnaase, a. a. O., V, I, S. 144. — [2] Gailhabaud, l'arch. du V au XVI siècle, (liv. 44, 50.) Viollet-le-Duc, dictionn., II, p. 439. Annales archéol., XIII, p. 314, 233, 289; XIV, p. 25, 124. — [3] Viollet-le-Duc, a. a. O., p. 430.

Die dritte ist die S t e.   C h a p e l l e zu P a r i s , [1] von Ludwig
dem Heiligen als Kapelle seines königlichen Pallastes und zur
Aufbewahrung hochheiligster Reliquien errichtet, das gerühmteste
Gebäude dieser Gattung , für die Entwickelungsmomente des
gothischen Systems in mehrfacher Beziehung von Bedeutung,
dabei aber von manchen eigenwilligen Besonderheiten nicht frei.
Sie wurde 1245 begonnen und bereits 1248 eingeweiht; Baumeister war P e t e r v o n M o n t e r e a u .   Sie ist wiederum zweigeschossig; das Untergeschoss auch hier niedrig, aber durch
einen Säulenumgang und kunstreich angeordnete Ueberwölbung
(über den Seitenräumen in einem etwas gesucht constructiven
Spiel von malerischer Wirkung; das Obergeschoss von freier und
graziöser Leichtigkeit.   Die Kapelle ist im Innern 33 Fuss breit
und 101 $\frac{1}{2}$ F. lang, im Untergeschoss 20 $\frac{1}{4}$ und im Obergeschoss
63 F. hoch.   In dem letzteren treten nach innen nur die schlan-
ken, frei um einen eckigen Kern gruppirten Säulenbündel, welche
die Dienste für das Gewölbe ausmachen, vor; zwischen ihnen
sind die breiten und hohen Maasswerkfenster angeordnet, unterwärts mit einer Brüstungswand von nur geringer Höhe, die mit
einer reichen Arkatur geschmückt ist.   Die Architektur des Innern
hat bereits das Princip einer völlig durchgeführten gegliederten
Belebung; die Massen und Flächen sind gänzlich verschwunden;
die architektonischen Formen dem bunten Gewebe bildlicher und ornamentistischer Darstellung, besonders in den Glasmalereien der Fenster. zur Einrahmung, selbst durch wechselnde
Färbung, Ornamentik. Vergoldung in das Gebiet des ausschliesslich Dekorativen hinübergezogen.   Diese polychromatische Ausstattung [2] ist bei der gegenwärtig erfolgten Herstellung der Kapelle nach den alten Resten erneuert worden; sie kann jedoch
n i c h t a l s Beleg des dem gothischen Baustyle Angemessenen
und durch sein inneres Princip Bedingten betrachtet werden; sie
ergicht sich vielmehr als eine willkürlich spielende Zuthat zu
schon vorhandenen formalen Elementen, nur durch das Bestreben, der Stätte königlich heiliger Andacht die erdenklichst reichste
Ausschmückung zu geben, veranlasst, aber das klare Gesetz der
architektonischen Organisation in ebenso hohem Grade beein-
trächtigend.   Die Dienste haben im Widerspruch gegen die gleichartige Function, welche sie in dem ästhetischen Ganzen ausüben,
eine verschiedenartige blaue oder rothe Grundfarbe; sie sind im
Widerspruch gegen die Ungetheiltheit der Bewegung, welche sich

[1] Troche, la Ste. Chap. de Paris.   De Guilhermy, itinéraire arch. de Paris,
p. 308. Gailhaband, l'arch. du V au XVI s. '(livr. 74, 89, 132, 135, 141.)
Calliat, encyclopédie de l'arch., I, II, III, mit sehr zahlreichen Tafeln. Viollet-
le-Duc, a. a. O., I, p. 78, 94; II, p 79, 424, 536. Du Sommerard, les arts au
moy. âge, IV, ch. IV, 1, 3. De Laborde, monum. de la France, II, 162. —
[2] Vergl. die Darstellung auf dem farbigen Titelblatte in Springer's Handbuch
der Kunstgeschichte, seine Bemerkungen dazu auf S. XII, und die meinigen
in meinen Kleinen Schriften etc., II, S. 511, 619.

in ihrer Form ausdrückt und dem Auge um so weniger entzogen
werden darf, in je schlankerem Maasse sie emporsteigen, mit
Mustern bedeckt (den Wappenemblemen des heiligen Königs),
die das Modell ihrer Formen nicht zur Wirkung kommen lassen.
Die ganze Architektur des Inneren ist durch diese Zuthaten in
ihrer Wirkung um so empfindlicher verletzt, als in ihr, wie bemerkt, die festen Massen bereits verschwunden sind und ihre
Gegenwirkung gegen die schon anderweit (in den Glasmalereien

Ste. Chapelle zu Paris. Obertheil der Fenster und Strebepfeiler.
(Nach Gailhabaud.)

u. s. w.) vorliegende Buntheit um so entschiedener hätte betrachtet werden sollen. [1] — Im Aeusseren kommt vornehmlich die
Fensterarchitektur, die auch hier den Raum zwischen den Streben ausfüllt, in Betracht. Auch hier die reichere Gruppirung

[1] Es ist sehr richtig bemerkt worden, die Ste. Chapelle sei wie ihrem Haupt-
zwecke so auch ihrer Beschaffenheit nach eigentlich nichts als ein grosser
Reliquienschrein. Hieraus erklärt sich jenes Uebermaass des Dekorativen,
zugleich aber auch, dass sie nicht als durchaus normal im architektonischen
Sinne gelten kann.

des Maasswerkes, mit der Absicht möglichst gesetzlicher Consequenz, dabei aber nicht ganz ohne eine gewisse Trockenheit in
der Behandlung; bemerkenswerth u. A. dadurch, dass sich hier,
an den untersten Spitzbögen des Maasswerkes erste Beispiele
der sogenannten Nasen zeigen. Ueber jedem Fenster ein-deko-
rativer Giebelaufsatz (ein sogenannter Wimberg), der das Dach-
gesims und die Gallerie durchschneidet, von sehr schlichter und
noch nicht klar durchgebildeter Behandlung: der Fensterbogen
zunächst von einem Hohlleisten mit Blattfüllung umfasst und
dieser eigen disharmonisch (unmotivirter Weise von kleinen vorspringenden Thierfiguren nach Art der Wasserausgüsse getragen),
in horizontaler Linie, als ob er von den Streben überbaut sei,
fortgeführt; darüber das flache, von einem kleinen Dreipass
durchbrochene Giebelfeld, dessen Schenkel sich unentwickelt
gegen die Streben verlaufen, während von ihren Oberlinien sich
Blattknospen spielend lösen. Es ist vielleicht das erste Beispiel
des dekorativen Giebels über gothischen Fenstern; die Bekrönung
der Streben durch kleine dekorative Thürmchen (Fialen) steht
damit in Wechselverhältniss. Im Uebrigen ist eine doppelge-
schossige offne Vorhalle vor der Westseite des Gebäudes zu erwähnen. Eine grosse Rose mit bunt spielendem Maasswerk in
dem Obertheil der Westfaçade und zwei Thürmchen auf den
Ecken der letzteren gehören einer Erneuung vom Sehlusse der
gothischen Epoche an. Bei der gegenwärtigen umfassenden Herstellung der Kapelle hat sie auch über der Mitte des Daches,
wo sich früher ein Thurm erhob, einen solchen wiederempfangen, in zierlicher spätgothischer Form, ein Werk des Architekten Lassus.

Eine Kapelle der h. Jungfrau, im Kloster St. Germain-
des-Prés zu Paris, [1] war von demselben Meister, Peter von
Montereau, gebaut worden, gleichzeitig gegründet, aber erst
im J. 1255 vollendet. Sie ist abgerissen, doch haben sich Zeichnungen davon und Einzelreste (u. A. das Hauptportal, welches
auf dem Friedhofe der .Valois zu St. Denis aufgestellt ist,) erhalten. Die Anlage war wiederum ähnlich; die Details haben
einen etwas trockenen und zugleich mehr gesuchten Charakter
als die der Ste. Chapelle. (Ein ähnlich behandeltes Refectorium,
welches Peter von Montereau schon früher, 1239 — 44, zu St.
Germain-des-Prés gebaut hatte, ist gleichfalls nicht mehr vorhanden.)

Auch grössern Kirchen wurden Kapellen angebaut, zu deren
Ausführung man nicht minder bestrebt war, eine reiche und
sorgliche Durchbildung zu Tage treten zu lassen. Ein ausgezeichnetes Beispiel der Art aus der Spätzeit des 13. Jahrhunderts
ist die dem Chorumgange der Kirche von St. Germer [2] ange-

[1] Viollet-le-Duc, a. a. O., II, 425, 434. — [2] Thl. II, S. 232, Viollet-le-Duc,
a. a. O. p. 452.

bängte Frauenkapelle; ein andres aus der Frühzeit des 14. Jahrhunderts ist eine, der Südseite des Chores der Kathedrale von M a n t e s[1] angebaute Kapelle. Die letztere gewährt ein vorzüglich sprechendes und edles Beispiel jener reicheren, feineren und klar gemessenen Durchbildung, welche das Ergebniss der angedeuteten Epoche ausmacht und in der französisch gothischen Architektur so selten ist. Die Wimberge aussen über den Fenstern erscheinen hier bereits als leichtes völlig dekoratives Spiel, der Raum zwischen der oberen Einwölbung der Fenster und den Giebelschenkeln nur noch mit leichtem Maasswerk ausgefüllt. — Die seit der Spätzeit des 13. Jahrhunderts zwischen den Strebepfeilern grosser Kathedralen eingebauten Kapellen mit ihrer zumeist zierlichen Fensterarchitektur, z. B. die schon angeführten Beispiele der Art zu Paris und Laon, sind in diesem Betracht hier nochmals zu erwähnen.

* * *

Es sind schliesslich einige Kirchen anzuführen, die sich den im Vorigen besprochenen Richtungen nicht unmittelbar anschliessen und die besonders für die Ausläufer des gothischen Styles in das 14. Jahrhundert hinab in Betracht kommen. Die Kathedrale von M e a u x [2] (Seine-et-Marne), vom Anfange des 13. Jahrhunderts, nachmals erheblich umgebaut, ursprünglich mit Emporen über den Seitenschiffen, wovon noch die Arkadenbögen in den Jochen des Chores vorhanden; das nördliche Querschiff im glänzenden Style der späteren Zeit des 14. Jahrhunderts. — Die Kirche von S t. M a r t i n - a u x - B o i s [3] in der Picardie, unfern von Clermont; mit einfach polygonem Chore, ohne Umgang; in ihren schlicht ausgebildeten Formen auf das 13. Jahrhundert deutend. — Die Kathedrale St. Etienne zu C h â l o n s s. M. [4] nach einem Brande im Jahr 1238 gebaut, grösseren Theils im 14. Jahrhundert erneut und mit ansehnlichen Restaurationen aus dem 17. und 18. Jahrhundert. Der Chor in seiner ursprünglichen Anlage gleichfalls einfach polygonisch (dreiseitig), aber nachmals mit breitem Umgang und Kapellen umgeben; zu den Seiten desselben zwei Thürme aus älterer spätromanischer Zeit. Die Arkaden der Vorderschiffe noch mit Säulen statt gegliederter Pfeiler. — Die Kirche S t. U r b a i n zu T r o y e s, [5] 1262 (durch Papst Urban IV., Sohn eines Schuhmachers von Troyes,) gegründet, doch sehr langsam fortgeführt und erst 1389 geweiht. Der Chor auch hier ohne Umgang; die Erscheinung des Ganzen, charakteristisch für die im Laufe des 14. Jahrhun-

---

[1] Viollet-le-Duc, a. a. O., p. 452. — [2] Viollet-le-Duc, a. a. O., I, p. 198; II,.p. 162. Gailhabaud, l'arch. du V. au XVI. siècle, (liv. 84, 90, 92, 103.) — [3] Voy. pitt. et rom., Picardie, — [4] Ebendas. Champagne. Viollet-le-Duc, a. a. O, II, p. 353. Wiebeking, a. a. O., T. 86, 87. — [5] In denselben Werken (V. l. D., I, p. 76, 80; II, p. 81, ff.)

derts nachlassende Kraft, in einer gewissen dünnen Noblesse des
gothischen Styles. Sehr eigenthümlich, in dem Spiele mit künstlerischen Constructionen nicht minder ein Beleg für die jüngere
Zeit, die Anlage zweier Seitenportiken: sehr schlanke Rundpfeiler, welche die kreuzgewölbten Decken und die Wimberge über
den offenen Schildbögen tragen, und der Seitendruck der Gewölbe durch anstrebende Bögen auf isolirte massige Pfeiler, welche
vor den Portiken stehen, hinausgeworfen.

Dann die Kirche St. Jean-des-Vignes zu Soissons. [1]
Von dieser Kirche steht nur noch der prachtvolle Façadenbau
mit den beiden Thürmen über seinen Seitentheilen. Die ganze
Behandlung weicht entschieden von dem System der nordöstlichen
Lande ab und entspricht vielmehr dem der Normandie; der
Meister des Gebäudes gehört ohne Zweifel der Bauschule des
letzteren Landes an. Alles hat hier den schlanken, leichten,
gegliedert aufstrebenden Charakter, der den gothischen Monumenten der Normandie ihr eigenthümliches Gepräge giebt; so in
den glänzenden Portalen, die an ihren Wandungen mit Säulchen
bekleidet, in ihren Bogenwölbungen, ohne Bildnerei, reichlichst
gegliedert sind; so oberwärts in den Fenstergeschossen und in
den Thürmen. Diese, mit leichten und festen Helmen gekrönt,
sind ungleichartig, der südliche schlichter und niedriger, der
nördliche höher und mit phantastisch barocken Elementen, welche
auf die Schlussepoche des gothischen Styles deuten. Das Uebrige
gehört dem 14. Jahrhundert an.

Auch einige Kreuzgänge, die in ihren Arkaden und in
deren Maasswerk den Entwickelungsgang des Systems begleiten,
sind anzureihen. Aus dem Anfange des 13. Jahrhunderts die
Kreuzgang-Gallerie neben der Südseite der Kathedrale von
Laon, [2] in noch primitiver Anordnung, mit einfach spitzbogigen
Säulenarkaden zwischen starken Strebepfeilern, während die Wand
über denselben von grossen Rosettenfenstern durchbrochen ist. —
Aus der Spätzeit des 13. Jahrhunderts der Kreuzgang von St.
Nicaise zu Rheims, [3] in mehr durchgebildeter, aber noch
völlig strenger und ernster Fassung. — Aus dem 14. Jahrhundert der stattliche Kreuzgang bei der Kathedrale von Noyon; [4]
— der des grossen Hospitals zu Provins [5] (mit weggebrochenem
Maasswerk); — und der von St. Jean-des-Vignes zu Soissons, [6] eins der glanzvollsten Beispiele der Art, den stylistischen
Eigenthümlichkeiten der Façade der Kirche entsprechend, und
in einer Behandlungsweise, welche sich dem Dekorativen schon
merklich zuneigt.

---

[1] Voy. pitt. et rom., Picardie, II. Du Sommerard, les arts au moy. âge, III,
S. VIII, 1. — [2] Viollet-le-Duc, dict., III, p. 427, ff. — [3] Chapuy, moy. âge
monum., 110. — [4] Voy. pitt. et rom., Picardie III. Viollet-le-Duc, a. a. O.,
p. 442, f. — [5] Voy. pitt. et rom. Champagne. — [6] Ib., Pic. II Du Sommerard, a. a. O., II, S. V, 2. De Caumont, Abécéd., arch. civ., p. 158, f.
Viollet-le-Duc, a. a. O., p. 444, f.

Nord-Burgund.

Die frühgothische Architektur von Nord-Burgund schliesst sich der von Isle-de-France und Champagne nahe an, doch mit manchen charakteristischen Besonderheiten, die zum Theil auf das ältere Bausystem von Burgund zurückdeuten. Als ältestes Monument gehört hieher, zwar noch im südlichen Districte der Champagne (nach der jüngeren Landestheilung) belegen, die Kathedrale von Sens. [1] Ihr Bau fällt in die zweite Hälfte des 12. Jahrhunderts; Herstellungen und Veränderungen haben im 13. Jahrhundert und in späteren Epochen stattgefunden. Der Aufnahme des frühgothischen Systems sind noch erhebliche romanische Reminiscenzen beigemischt; jenes selbst ist in eigner Art behandelt. Das Gebäude ist dreischiffig, in der Mitte von einem einschiffigen Querbau durchschnitten. Der Chor von einem halbrunden Umgange umgeben; eine in dessen Mitte hinaustretende polygonische Absis ist Hinzufügung des 13. Jahrhunderts, [2] andre, unregelmässige Chorkapellen sind Hinzufügung jüngerer Zeit; den vortretenden Querschiffflügeln schlossen sich halbrunde Absiden, von denen die auf der Nordseite erhalten ist, an. Das innere System besteht durchgehend aus einem Wechsel starker, mit Diensten besetzter Pfeiler und gekuppelter Säulen; die letzteren schlanker und leichter als die Schiffsäulen in den frühgothischen Monumenten von Isle-de-France, aber zugleich von geringerer Bedeutung für den Zusammenhalt des Ganzen, mehr im dekorativen Sinne wirkend. Darüber die kleinen Arkadenöffnungen eines Triforiums und die Oberfenster, (diese mit Maasswerkfüllung des 13. Jahrhunderts). Das Höhenverhältniss des Mittelschiffes ist nicht überwiegend; seine Gewölbe sind, der Anordnung der Joche entsprechend, sechstheilig, indem die emporlaufenden Pfeilerdienste die Hauptträger ausmachen; die Quergurtbögen erscheinen noch in massiger Breite (mit eingelassenen Eckrundstäben.) Das ganze Maassverhältniss erinnert noch lebhaft an das gewichtigere System der älteren burgundischen Architektur, nur dass statt der Tonnenwölbungen zwischen den Quergurten sechstheilige Kreuzgewölbe eingeführt sind. Einzelheiten sind noch vielfach in romanischer Form gebildet; namentlich an den Säulenkapitälen findet sich spätromanische Ornamentik. Das Aeussere des Mittelschiffes hat sogar noch die völlig romanische Dekoration von Rundbogenfriesen und Lissenen, gegen die sich einfachste Strebebögen spannen. Die Façade, dreitheilig nach gewöhnlicher Art, ist

---

[1] Chapuy, cathédrales franç.; moy. âge mon., 78, 403. Voy. pitt. et rom. (Champ.) De Laborde, mon. de la Fr., 11, 152, 208. Viollet-le-Duc, diction., II, p. 61, 348. — [2] Ob ursprünglich bereits eine derartige Absis vorhanden war, darf, wie es scheint, dahingestellt bleiben.

verschiedenzeitig: der nördliche Thurm aus der späteren Epoche
des 12. Jahrhunderts, in übergangsartigen Formen; das Uebrige,
nach einem Sturz des Südthurmes im Jahr 1260, in gothischer
Weise erneut, in Fenstern und Gallerieen mit den reicheren
Maasswerkbildungen dieser Epoche. Der Obertheil des Südthurms gehört der gothischen Schlusszeit an; ebenso die reiche
Ausstattung der Giebel des Querschiffes.

Die Façade eines alten Hospitalgebäudes zu Sens zeigt
gleichfalls eine Mischung zierlich spätromanischer und frühgothischer Formen, — die des ehemaligen Justizpallastes, ebendaselbst, eine energisch ausgebildete frühgothische Fensterarchitektur, mit hochschlanken Spitzbögen. — Die Ruinen der Abteikirche von Dilo, unfern von Sens, haben eine hiemit verwandte
Behandlung. [1]

Aehnlicher Frühzeit, im Wesentlichen ebenfalls noch dem
Schlusse des 12. Jahrhunderts, gehört die Kirche der Cisterzien-
serabtei Pontigny, [2] nordwärts von Auxerre, an. Es ist ein
ansehnlicher Bau, in der üblichen Strenge der Cisterzienserkir-
chen, hiemit aber um so entschiedener die Zeitrichtung und die
Grundelemente des neuen Systems bezeichnend. Merkwürdig ist
die Disposition des Chores, der aus einem Uebereinkommen zwischen den allgemeinen traditionellen Bedingnissen und denen
der Ordenssitte eine sehr eigenthümliche Gestalt gewinnt: er

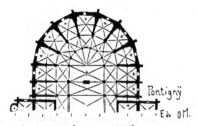

Grundriss des Chores der Kirche von Pontigny. (Nach de Caumont.)

schliesst mit einem Säulenhalbkreise und dem Umgange umher,
welchem sich, statt der künstlicheren Form des Absidenkranzes,
ein Kreis eckiger, zwischen den Strebemauern angeordneter Kapellen anreiht, sowie sich auch dem Querschiff die üblichen
viereckigen Kapellen anschliessen. Die Formen sind durchgehend
die einfachen schlank spitzbogigen des frühgothischen Styles, im
Inneren ohne Triforium, die Fenster ohne Maasswerk, dazwischen
im Aeusseren das schlichteste System von Strebepfeilern und
Bögen. Der einfachen Façade legt sich die im burgundischen

---

[1] Abbildungen in den Voy. pitt. et rom., Champ. — [2] Ebendaselbst. De
Caumont, Abécédaire, a. r., p. 276. Viollet-le-Duc, a. a. O., I, p. 272; II,
p. 464. Fergusson, handbook of arch., II, p. 689.

herkömmliche Vorhalle vor, mit leichten spitzbogigen Arkaden geöffnet.

Der Chor der Abteikirche von Vézelay,[1] der dem älteren Schiffbau, wie es scheint, in der Epoche von 1198 bis 1206 hinzugefügt wurde, zeigt ein entschiedenes Bestreben, dem Styl von Isle-de-France nachzukommen, obschon wiederum nicht frei von alterthümlichen Reminiscenzen. Er hat, in polygonem Schlusse, den Umgang und den Absidenkranz, diesen zumeist naeh dem Vorbilde von St. Denis, nur in reicherer und mehr spielender Ausstattung. Das innere System, einigermaassen mühsam geordnet, baut sich stattlich empor: kräftige, nicht zu schwere Säulen mit gegliederten Spitzbögen; starke Dienstbündel über den Säulen, mehrfach theils von Ringen, theils von den Horizontalgesimsen umfasst; die zierlichen Arkaden eines Triforiums, spitzbogig, doch zu je zweien von Rundbögen überwölbt; und hohe schlanke Oberfenster ohne Maasswerk. — (Der nahe belegenen noch übergangsartigen und nur in Einzelheiten dem gothischen System mehr zugeneigten Kirchen von Montréal und Pont-Aubert ist bereits früher, Thl. II, S. 163 gedacht.)

Andres Eigenthümliche aus der Frühzeit des 13. Jahrhunderts schliesst sich an. So die kleine Kirche von Flavigny[2] (Côte-d'Or), deren Schiffpfeiler mit starken Halbsäulen besetzt sind und die über den niedern Seitenschiffen hohe Emporen hat, während das nur wenig höhere Mittelschiff, wiederum an das ältere burgundische System erinnernd, der Oberfenster entbehrt. (Doch sind in spätgothischer Zeit mit dem Gebäude erhebliche Veränderungen vorgenommen.) — So die Kirche von Sémur-en-Auxois[3] (Côte-d'Or), ein Gebäude von vorzüglich klarer Durchbildung, bemerkenswerth u. A. durch die Anordnung gekuppelter, schlank spitzbogiger Fenster mit Säulchen und einer mit Maasswerk geschmückten Rose darüber, das zierlichste Beispiel dieses, in der nordfranzösischen Architektur roher behandelten Systems. (Dagegen der kleine Kreuzgang neben der Kirche[4] wiederum mit einem schwerer gefügten Maasswerk.)

Ebenso die Kirche Notre-Dame zu Dijon.[5] Sie hat einen polygonisch geschlossenen Chor, ohne Umgang, und kleine Seitenabsiden in den Winkeln von Chor und Querschiff, während sich ihrer Westseite, in ächt burgundischem System, eine sehr geräumige Vorhalle vorlegt. Die letztere ist ein offner gegliederter Pfeilerbau von der Höhe der Seitenschiffe, mit hohem Oberbau, dessen mittlerer Theil sich gegen den inneren Kirchen-

---

[1] S. Thl. II.. S. 160. Viollet-le-Duc, a. a. O., I, p. 7 (8), 92, 232; II, 524. — [2] Gailhabaud, l'arch. du V. au XVI. siècle, livr. 34. — [3] Viollet-le-Duc, a. a. O., I, p. 42, 68; II, 513, f. — [4] Ebenda, III, p. 439, ff. — [5] Chapuy, cath. franç.; moy. âge monum., 182, 196, 201, 245. De Laborde, mon. de la Fr., II, 170, f. D'Agincourt, Denkm. der Architektur, pl. XXXVI, 1—13. (Das bei Chapuy, cath. fr. enthaltene späte Datum der Gründung, 1252, dem die Belegstelle fehlt, scheint nicht ganz richtig.)

raum, eine tiefe Empore bildend, öffnet. Die Schiffarkaden des
Inneren bestehen aus schlichten Säulen frühgothischer Art und
Spitzbögen; darüber, von den Dienstbündeln unterbrochen, die
einfachen Arkaden eines Triforiums, welches rings in dem Gebäude, auch in der Empore über der Vorhalle, umhergeführt
ist. Das Aeussere, mit Ausnahme der Façade, hat massig
schwere Formen; ein starker viereckiger Thurm mit runden Eckthürmchen erhebt sich über der mittleren Vierung; eben solche
Eckthürmchen fassen die Giebel des Querschiffes ein. An der
Westseite, über den Eckräumen der Vorhalle, sind andre Thürme
angeordnet; doch bleiben diese in der Vorderansicht unwirksam;
sie verbergen sich hinter dem Oberbau der Façade, der, über
den grossen Schwibbögen der Vorhalle, aus zwei gleichmässig
durchlaufenden luftigen Gallerieen schlanker Säulchen und Spitzbögen, durch horizontale Friese begrenzt und abgeschlossen,
besteht. Es ist in dieser Anordnung ein lebhafter Anklang an
südliche Compositionsweise, besonders an die Façaden von pisanischen und lucchesischen Gebäuden der späteren romanischen
Epoche, und es mag nicht unstatthaft sein, sie auf ein derartiges
Vorbild zurückzuführen. — Die Kathedrale [1] von Dijon (die
frühere Abteikirche St. Bénigne) ist ein schlichter, nicht sonderlich bedeutender Bau etwas späterer Zeit. Sie ersetzt das gefeierte ältere Gebäude. welches hier um den Beginn des 11. Jahrhunderts errichtet und 1271 zusammengestürzt war. [2]

Von der Kathedrale von Auxerre [3] gehört zunächst der
Chor, der im J. 1215 (über einer älteren Krypta, Thl. II, S. 154)
begonnen und gegen 1234 vollendet wurde, dieser Epoche an.
Sein Inneres, im östlichen Abschluss mit einfachen Säulen, in
der westlichen Hälfte mit verschiedengegliederten Pfeilern, hat
leichte Verhältnisse; ein umherlaufendes Triforium ist durch die
Leichtigkeit seiner Säulchen von besonders zierlicher Wirkung.
Die Oberfenster haben die primitive Maasswerksfüllung. An
dem Chorumgange tritt ostwärts (der schon in der Krypta vorgebildeten Anordnung entsprechend) eine Absidenkapelle hinaus,
deren Zugang durch eine Arkade von höchst schlanken Säulen.
mit zierlich dekorativem Formenspiel im Uebergang von den
Kapitälen in die Bögen, gebildet wird. Querbau und Vorderschiff haben die reichen, glänzender durchgebildeten Formen des
14. Jahrhunderts, die unvollendete Façade und die der Querschiffgiebel die Dekorationen des 15. und 16. Jahrhunderts. —
Die Giebelarchitektur eines Flügels des hinter der Kathedrale
belegenen bischöflichen Pallastes [4] entspricht dem Style der
frühest gothischen Theile der Kathedrale.

[1] Chapuy, cath. fr. — [2] Vergl. Thl. II, S. 150. — [3] Chapuy, cath. fr.; moy.
âge pitt., 65. De Laborde, mon. de la Fr., II, pl. 144. De Caumont, Abécéd.,
a. r., p. 301. Viollet-le-Duc, a. a. O., II, p. 351, 517. — [4] Vergl. De Caumont,
a. a. O., arch. civ., p. 137.

Ein Baustück von eigenthümlich dekorativer Wirkung ist, an der Paçade der eben besprochenen Kirche von Vézelay,[1] der Giebelzwischenbau, welcher als Beginn einer Erneuung den älteren Theilen im 14. Jahrhundert eingefügt ist, ohne dass das Ganze aber irgend zur Entwickelung gekommen wäre. Er hat schlank spitzbogige Fenster und Sculpturennischen, nach der Linie eines umfassenden grossen Spitzbogens geordnet. — Was hier unvollendet geblieben, zeigt sich an der Façade der Kirche von St. Père,[2] nahe bei Vézelay, in vollständiger, sehr stattlicher Weise durchgebildet. Die ganze Dekorationsweise nähert sich einigermaassen der von St. Jean-des-Vignes zu Soissons. Auch dieser Kirche fehlt übrigens die geräumige burgundische Vorhalle nicht.

In andrer Weise zeigt sich die glänzend dekorative Behandlung des 14. Jahrhunderts an einem der Flügel des erzbischöflichen Pallastes zu Sens.[3]

Normandie.

Das gothische Bausystem der Normandie[4] steht im vorzüglichst bedeutungsvollen Wechselverhältnisse zu dem von Isle-de-France und den Nachbargegenden; die Reihenfolge seiner Monumente gibt verschiedenartig bezeichnende Beispiele für den Beginn und für die fortschreitende Entwickelung des Styles. Sein eigenthümliches Wesen beruht auf dem Ausdrucke jener herberen Frische, jenes mehr ernüchterten Sinnes, der schon der romanischen Architektur des Landes ihr Sondergepräge aufgedrückt hatte. Es bildet den sehr entschiedenen Gegensatz gegen die drängendere Fülle der französischen Bauschule, und es spricht denselben in besonders entschiedener Weise in der Anordnung des Façadenbaues, namentlich in der Ausstattung der Portale, welche hier der bildnerischen Ueberladung entbehren, aus. Diese Richtung bleibt aber von der in ihr begründeten Einseitigkeit, von einer gleichförmigen Trockenheit, einem eigenthümlichen Schematismus, nicht frei, besonders da, wo sie in ihrer Weise auf schmuckvollere Behandlung ausgeht. Sie hat hierin zugleich eine Verwandtschaft mit der Richtung der englisch-gothischen Architektur; ein Wechselverhältniss auch zu dieser, eine unmittelbare Rückwirkung der englischen auf die normannische Architektur tritt mehrfach zu Tage.

Die Abteikirche von Fécamp[5] (Seine-inf.) ist als ein ansehnlicher Bau, der in seinen verschiedenen Theilen die Fortschritte vom spätromanischen bis zum ausgesprochen frühgothi-

---

[1] Du Sommerard, les arts au moy. âge, I, S. I, 4. — [2] Ebendas., , S. IV, 12. [3] De Caumont, Abécéd., arch. civ., p. 173. — [4] Vergl. die Thl. IIII S. 199 citirten Werke — [5] Voy. pitt. et rom., dans l'anc. France, Normandie, pl. 64, ff.

schen Style enthält, voranzustellen. Sie wurde, wie es scheint, nach einem Brande, welcher im Jahr 1167 stattfand, begonnen und gegen 1220 beendet. Der Chor, mit hinaustretenden Absiden, hat noch romanisches Element; das Querschiff und der Anfang des Langschiffes zeigen den Uebergangscharakter. Das Hauptsystem des Inneren besteht aus gegliederten Pfeilern, welche vielfach mit Halbsäulchen als Diensten besetzt sind, die drei Dienste der Vorderseite ununterbrochen bis zu den Gurten des Mittelschiffgewölbes aufsteigend. Die Scheidbögen sind in der üblichen Weise mit eingelassenen Rundstäben profilirt. Darüber die Arkaden einer Empore, je zwei Spitzbögen im gemeinsamen spitzbogigen Einschluss, mit einem kleinen Rund im Bogenfelde; und die Oberfenster, in jener das Maasswerk vorbereitenden Form, zweitheilig und ebenfalls mit der kleinen Rundöffnung über den Bögen. Die Kapitäle haben spätromanische und soben bezeichnend frühgothische Formen. (Der Ostseite ist eine Frauenkapelle im späteren gothischen Style angebaut.)

Einige Kirchen, zum Theil ebenfalls noch mit Reminiscenzen romanischer Form oder Behandlung, haben im Inneren Schiffarkaden mit einfachen Säulen, die Gewölbdienste in der üblichen Weise über den Kapitälen der letzteren aufsetzend. Zu diesen gehört die im Jahr 1226 geweihte Kirche von Louviers [1] (D. Eure). Ihre schweren Säulen haben Blattkapitäle mit der eigen zierlichen Anordnung vortretender Köpfe an der Vorderseite, über die sich das Deckgesims als Basis der Dienste herumzieht. Die Arkadenöffnungen des Triforiums haben verschiedenartige, zum Theil noch romanisirende Formen, mit gebrochenbogiger Umfassung. Die Oberfenster sind einfach spitzbogig, ohne Maasswerk. — Dann die Stiftskirche von Mortain (Manche), die im Ganzen ähnlich behandelt ist, bei der aber eine Bildung der ornamentistischen Details im mehr alterthümlichen normannischen Charakter angemerkt wird. — Ebenso die Kathedrale St. Pierre zu Lisieux [2] (Calvados), ein stattlicher Bau, der nach einem Brande im Jahr 1226 ausgeführt zu sein scheint. Ihr ausgedehnter Chor ist noch in der alterthümlichen Weise mit drei Absiden an dem halbrunden Umgange angeordnet. Der Bau ihrer Façade zeigt ein ausgeprägtes Beispiel normannischer Gothik, in noch strenger Fassung, aber mit geschmückten Einzeltheilen: das Portal, in rechtwinkligem Einschlusse, lebhaft gegliedert; das grosse Mittelfenster, ebenso umschlossen, statt des Maasswerkes mit schlanken Spitzbögen auf zwei Säulchen

---

[1] Voy. pitt. et rom., Norm., pl. 2. Chapuy, moy. âge monum., 158. Osten, in d. Wiener Bauzeitung, 1845, S. 212, Taf. 678 (1, 12—16.) Der Grundriss bei Wiebeking, bürgerl. Baukunde, T. 86, zeigt einen breiten fünfschiffigen Bau, mit halbrundem Chore, ohne Umgang. — [2] Chapuy, a. a. O., 362. De Caumont, Abécéd., a. r., p. 325. Osten, a. a. O., S. 214, T. 679 (3, 4, 7, 11.) Wiebeking, a. a. O., T. 91.

ausgesetzt. Im Uebrigen einfach schlankes Fenster- und Nischenwerk und kräftige, doch nicht gleichartig ausgeführte Thürme
über den Seitentheilen, der südliche noch romanisirend und mit
achteckigem Helme gekrönt.

Die Kathedrale von Rouen,[1] das mächtigste Gebäude
gothischer Architektur, welches die Normandie besitzt, vereinigt
in sich verschiedenartige Systeme, verschiedenartige Grundelemente der künstlerischen Fassung und Behandlung, als Merkzeichen einer wechselnden Bauführung und der im Laufe der
Jahrhunderte eingetretenen Wandlungen. Der Hauptbau wurde
nach einem Brande im Jahr 1200 begonnen und 1280 geweiht;
Einzelnes scheint von einer älteren Anlage beibehalten; Andres
gehört den Zeiten des 14. bis 16. Jahrhunderts an. Die Kathedrale ist 408 Fuss lang und im Mittelschiffgewölbe 84 F.
hoch. Die Choranlage ist der von Lisieux analog, innen mit
Säulen und mit drei Absiden, von denen die mittlere im Anfange
des 14. Jahrhunderts durch den zierlichen langgestreckten Bau
einer Frauenkapelle ersetzt wurde; die beiden andern haben noch
sehr alterthümlichen Charakter (z. B. in der Anordnung stark
vortretender Rundbögen, welche sich im Aeusseren über ihren
spitzbogigen Fenstern wölben). Der Querbau ist dreischiffig, mit
Absidenkapellen, welche an seinen Ostwänden ansehnlich vortreten. Die Arkaden der Vorderschiffe (welche man für den ersten
Theil des nach 1200 begonnenen Baues und für älter hält als
den Chor, doch mit Ausnahme der Absiden des letzteren) haben
die Form von Bündelpfeilern, lebhaft mit Halbsäulchen gegliedert. Darüber ist ein zweites Geschoss ähnlich behandelter Arkadenbögen, wie die Oeffnungen einer Empore, doch ohne die
Anlage einer solchen über den Seitenschiffen, diese vielmehr
ungetheilt emporsteigend; es ist die Einrichtung, welche als die
ursprüngliche in dem romanischen Schiffbau von St. Etienne zu
Caen vorausgesetzt wird;[2] es darf indess dahingestellt bleiben,
ob hier die ursprüngliche Absicht in der That bereits auf diese
Anordnung gerichtet war, ob sie nicht vielleicht erst im Fortschritte des Baues (mit dem Aufgeben einer Emporenanlage) sich
herausgebildet hat. Ueber den Arkadenöffnungen ist ein kleines
Triforium; darüber, wiederum mit den Anzeichen eingetretener
Veränderungen, die Oberfenster, die, gleich den Oberfenstern des
Chores, ein Maasswerk in später gothischem Style haben. —
Das Aeussere ist auf eine stattliche Wirkung angelegt. Zunächst
die Westfaçade, ein nach dem System des Inneren dreitheiliger

[1] Voy. pitt. et r., Norm., pl. 123, ff. Chapuy, moy. âge mon., 37, 56, 58,
174, 217, 335; moy. âge pitt., 139. Winkles, french cathedrals. De Laborde,
monum. de la Fr., II, 196, f. Viollet-le-Duc, dictionn., I, p. 198, 237; II,
p. 69, 71, 361; III, p. 253, 370. Wiebeking, a. a. O., T. 85, 87, 96, 119. —
[2] Vergl. Thl. II, S. 203.

Bau, mit der eigenthümlich machtvollen Ausbreitung, dass sich beiderseits, über die Seitenfluchten des Gebäudes vortretend, ein starker viereckiger Thurm vorlegt. Diese Anordnung ist alt und rührt vielleicht schon aus der Epoche vor 1200 her. Der nördliche Thurm (mit Ausnahme seines obersten Geschosses) zeigt einfache frühest gothische Behandlung; ebenso die beiden Seitenportale der Façade, besonders das nördliche, welches, in noch romanisirender Reminiscenz und ohne bildnerische Ueberladung, mit reicher architektonischer Dekoration ausgestattet ist. Die übrigen, sehr glänzenden Theile des Façadenbaues gehören der gothischen Schlussepoche an. Die Querschiffgiebel sind auf schlanke Thürmchen über ihren Ecktheilen angelegt; die Anfänge ihres Baues gehören dem 13. und 14. Jahrhundert, ihre glänzendere Ausstattung ebenfalls der Schlussepoche an. Ein ansehnlicher Thurm über der mittleren Vierung war im Lauf der Jahrhunderte mehrfach erneut worden; er brannte im Jahr 1822 nieder und ist seitdem, mit einer in phantastisch gothischen Spätformen aus Eisen construirten Spitze, abermals hergestellt worden. — Der Kreuzgang zur Seite der Kathedrale [1] zeigt einen trefflich entwickelten Styl, der mittlern Zeit des 13. Jahrhunderts angehörig, besonders bemerkenswerth durch die Fensterarchitektur eines Obergeschosses.

Die Abteikirche von Eu [2] (Seine-inf.) schliesst sich in den Elementen des innern Systems der Kathedrale von Rouen an. Sie hat im Chor (der hier bestimmt als der ältere Bautheil, vom Anfange des 13. Jahrhunderts, bezeichnet wird) Säulen, im Schiff mit Säulchen besetzte Pfeiler. Doch sind über den Seitenschiffen und dem Umgange des Chores, auch beim Ansatze des Schiffes, noch wirkliche Emporen angebracht, im Fortgange des letztern dagegen nur jene emporenartigen Arkadenöffnungen, ein bestimmtes Zeugniss, wie die eine Einrichtung sich aus der andern entwickelte. Im Uebrigen sind die glücklichen Verhältnisse des Inneren zu rühmen. Die Façade ist schlicht, ohne Thürme, aber mit zierlich ausgestattetem Portal. Der Oberbau des Chores, im 15. Jahrhundert grossentheils erneut, hat im Aeusseren ein Strebesystem von zierlich dekorativer Behandlung.

———

Die vorzüglichst charakteristische und eigenthümliche Ausprägung des normannisch-gothischen Styles findet sich an einigen Monumenten der nordwestlichen Districte. Zunächst, wiederum noch im Uebergange aus dem Romanismus in das gothische System, an dem Chore von St. Etienne zu Caen, [3] der sich den

[1] Viollet-le-Duc, III, p. 449, ff. — [2] Voy. pitt. et rom., Norm., pl. 85, ff. Viollet-le-Duc, dictionn., I, p. 73, 198; II, p. 364. — [3] Pugin and le Keux, specimens of arch. antt. of Normandy. Osten, a. a. O., S. 201, ff., T. 673, f.

romanischen Vordertheilen dieser Kirche (Thl. II, S. 203) anfügt.
Sein Grundplan folgt den Dispositionen, welche sich in Isle-de-
France in den Monumenten des Ueberganges ausgebildet hatten;
er ist langgestreckt, mit halbrundem Umgange und einem Kranze
von sieben Absiden, zumeist etwa der Anlage von St. Denis
vergleichbar. Der Aufbau zeigt das System der Vorderschiffe
von St. Etienne nach den Anforderungen der neuen Zeit umgewandelt, in lebhaft durchgeführter Gliederung der einzelnen
Theile und noch mit derselben Neigung zu dekorativer Wirkung,
welche die spätromanischen Prachtwerke der Normandie charakterisirt. Er hat im Langbau Bündelpfeiler mit reichlich gegliederten Spitzbögen; darüber die Arkaden der Empore, rundbogig
mit ebenso feiner Gliederung, aber spitzbogig ausgesetzt (die
Spitzbögen dem umschliessenden Rundbogen parallel), mit einem
Dreipass im Bogenfelde; oberwärts je zwei Fenster, vor denen
(nach dem System des Vorderschiffes und nach dem von Ste.
Trinité zu Caen) eine eigen componirte spitzbogige Arkade mit
zwei schlanken Säulchen, eine schmale Gallerie bildend, angebracht ist. Im Halbrund des Chores stehen statt der Pfeiler
Doppelsäulen und sind die Arkaden der Empore, bei der engeren
Stellung, auch im Hauptbogen spitz, mit zierlichster Bogen-
säumung und ebenso zierlichem Vierpass im Bogenfelde. Als
Gurtträger sitzt im Langbau je ein Dienst auf einer Console an
der Vorderseite des Pfeilers, im Halbrund über dem Kapitäl der
Doppelsäule auf. Das Aeussere hat sehr phantastische Eigenheiten. Der Absidenkranz (mit den Streben zwischen den Absiden) hat ein im gleichmässigen Halbkreise umhergeführtes,
einfach massenhaftes Krönungsgesims, unterkragt von einem System grosser Bogenwölbungen, die von den Streben ausgehen.
Die Fenster des Galleriegeschosses sind von grossen, sich durchschneidenden Spitzbogengesimsen umschlossen, während darüber
eine schuppenartig gemusterte Dachbrüstung hinläuft. In diesen
Anordnungen sind verwandtschaftliche Anklänge an die normannischen Bauten Siciliens, ob bei letztern auch die Schmuckformen südlicher Architektur hinzugefügt, zu Caen die heimisch
üblichen beibehalten sind. Das Gewölbe des Galleriegeschosses
ist durch einfache Strebebögen gefestigt; vor der oberen Chor-
säule sind solche nicht vorhanden. Der ganze Chorbau von St.
Etienne erscheint als das Werk einer künstlerischen Individualität, die nach selbständigem Ermessen mit dem Formenmate-
riale ihrer Zeit schaltet, sich aber des nationalen Zuges lebhaft
bewusst bleibt. Wenn hiebei, aus Neigung und im wohlbedachten
Anschlusse an vorhandene Bautheile, manches Alterhümliche
gewahrt ist, so lässt die Arbeit doch erkennen, dass die Epoche
des Baues keine namhaft frühe ist und ohne Zweifel nicht vor
den Beginn des 13. Jahrhunderts fällt. [1]

[1] H. G. Knight, Entwickelung der Arch. unter den Normannen, S. 81, setzt

Die Kathedrale von B a y e u x [1] zeigt die glanzvolle Fortbildung eben dieser Motive im weiteren Verlaufe des 13. Jahrhunderts. Der Chor ist auch hier ein langgestreckter Bau, der Umgang von einem Kranze von fünf polygonen Absiden (die mittlere stärker hinaustretend) umgeben. Im Aufbau, der im Vorderschiff jene schmuckreichen Arkaden in sich aufgenommen hat, mit welchen am Schluss der romanischen Epoche die Erneuung der Kathedrale begonnen war, (Thl. II, S. 210) spricht sich der Anschluss an das System des Chores von St. Etienne zu Caen deutlich aus. Auch hier dieselbe und zum Theil eine noch lebhaftere Gliederung der Pfeiler und Bögen, dieselbe dekorative Neigung, dieselbe Anordnung schmaler Gallerieen vor den Fenstern, in reicher entwickelten Maasswerkformen; ebenso, bei hier durchgehender Anwendung des Spitzbogens, der Parallelismus der Linien in den Bogenfüllungen, (wodurch sich aber, zumal in grösseren Maasswerkcompositionen, das Resultat ergiebt, dass jeder innere Bogen steiler zugespitzt ist als der äussere, und das Ganze etwas trocken Schematisches gewinnt.) Die einfachere Anordnung ist im Vorderschiff. Ueber den romanischen Arkaden desselben bilden sich tiefe Fensternischen, von gegliederten Pfeilern eingefasst und diese unterwärts durchbrochen, so dass ein schmaler Umgang über den romanischen Arkaden entsteht. Statt den sonst üblichen Triforienarkaden hat der letztere eine kleine gebrochenbogige Brüstung; dann, vor den hohen Doppelfenstern, die freistehende Fenstergallerie-Arkade, mit schlanken Säulchen in der Mitte. Sehr reiche Ausbildung hat der Chor. Die Pfeiler und die Bögen im belebtesten Wechsel von Säulchen, Rundstäben, Plättchen, auch schon von Einkehlungen zwischen diesen und in den Bögen mit Einstreuung des Birnstabprofiles gegliedert; namentlich auch die Gurte und Rippen des Gewölbes mit einer, zwar noch spielenden Anwendung des letztgenannten Profils. Die vorderen Glieder des Pfeilers als Dienste emporlaufend; dazwischen über den Scheidbögen die mit reichem Maasswerke versehene Gallerie-Architektur eines schmalen Triforiums, und über diesem der vor den Fenstern vortretende Galleriebogen. Die Fenster im Aeussern, je nach ihrer Lage, einfach oder gedoppelt oder mit schlichter Maasswerkfüllung; dazu ein, nach der lokalen Geschmacksrichtung durchgebildetes Strebesystem. Die Façade in energisch massenhafter Ausbildung, mit zwei kräftigen Thürmen über den Seitentheilen, die mit schlanken achteckigen Helmen gekrönt sind, im Einzelnen noch romanisirend

den Chorbau in das 14. Jahrhundert. Diese Annahme erscheint nicht glaublich; aber es mögen in der von ihm angedeuteten Epoche (1316—44) Herstellungen zur Ausführung gekommen sein.
[1] Pugin and le Keux, a. a. O. Osten, a. a. O. Viollet-le-Duc, dict., II, p. 358. De Laborde, mon. de la Fr., II. 157, f. Du Sommerard, les arts au moy. âge, II, S. IV, 6. Chapuy, moy. âge mon., 91, 146, 192. De Caumont, Abécéd., a. r., p. 286. 316.

und wiederum mit den Elementen heimischer Dekorationsweise.
Doch mischt sich der anderweitigen Ausstattung der Façade
Fremdartiges ein. Unterwärts legt sich ihr ein Portalnischenbau

vor, der nach dem System der
Schule von Isle-de-France angeordnet ist, indess wiederum die
lokale Gefühlsweise, mit schlanken Säulen an den Seitenwandungen statt der Statuengruppen,
nicht verläugnet. Ueber dem
Mittelportal ein grosses Spitzbogenfenster, welches, statt der
in Isle-de-France üblichen Ro-

Gurt- und Rippenprofil im Chore der Kathedrale
von Bayeux. (Nach Pugin.)

senform, mit selbständig kräftiger Maasswerkgliederung gefüllt
ist. Darüber, einigermaassen disharmonisch zu der Form dieses

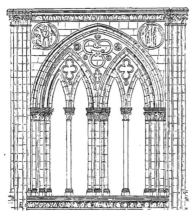

Fensters, eine dekorative Gallerie mit Statuennischen. Ueber
der mittlern Vierung des Gebäudes ein in breitem Viereck an-
setzender Hauptthurm, mit schlankem achteckigem Obergeschoss
aus der Spätzeit des gothischen
Styles und mit moderner Kuppel-
krönung. — Es ist anzumerken,
dass die künstlerische Richtung,
welche sich in diesem Gebäude,
und vornehmlich in dem System
seines Innern ausspricht, die verwandtschaftliche Beziehung zu
der frühgothischen Architektur
Englands in mehrfacher Beziehung zu Tage treten lässt.

Chortriforium in der Kathedrale von Bayeux
(Nach Pugin.)

Als ein Bau von verwandter
Richtung schliesst · sich die Ka-
thedrale von Coutances [1] (Manche) an. Ihr Chor hat einen
Kranz von sieben, in leichter Wirkung nebeneinander geordneten Absiden, (die mittlere im 14. Jahrhundert durch eine ansehnlich vortretende Frauenkapelle ersetzt,) und im innern Chorschluss gekuppelte Säulen, während im Uebrigen wiederum die
Form des gegliederten Pfeilers angewandt ist. Das einigermaassen Spielende, zum Dekorativen Geneigte, was sich in der Kathedrale von Bayeux bemerklich macht, scheint hier vermieden; die
Wirkung des Inneren ist eine fester in sich bedingte; die allgemeinen Verhältnisse sind klar und edel. Das Aeussere ist von

[1] De Laborde, a. a. O., 176. Du Sommerard, a. a. O., III, S. X, 2. Chapuy, m. a. mon., 205, 272, 417. De Caumont, a. a. O., p. 284, 339. Viollet-
le-Duc, a. a. O., II, p. 360. Wiebeking, a a. O., T. 91.

entschieden kräftiger Massenwirkung. Die Façade wiederum mit
zwei starken Thürmen, deren Obergeschosse, achteckig, mit
schlanken Fenstern, Erkerthürmchen, hohen Helmen, sich energisch aufgipfeln; der Zwischenbau mit einfachem (etwas nüchtern
behandeltem) Portal, grossem Spitzbogenfenster mit reichem
Maasswerk, und einer dekorativen Nischengallerie über diesem,
der Anordnung von Bayeux ähnlich, doch in besserem Verhältniss der Theile. Ueber der mittlern Vierung ein mächtiger,
ebenso gestalteter Thurm (dem jedoch der Helm fehlt.) Auch
die Ecken der Querschiffgiebel von Erkerthürmchen eingefasst.
    Andrer Richtung gehört die Kathedrale von Séez [1] (Orne)
an, seit dem Beginne des 13. Jahrhunderts gebaut, durch die
eigenthümliche Leichtigkeit ihrer inneren Construction ausgezeichnet. Im Schiff sind Rundsäulen mit je einem vorgesetzten
Dienste; im Chor, der um 1260 nach einem Brande erneut wurde,
Rundpfeiler mit vier und im Halbrund mit zwei Diensten. Der
Chorumgang hat einen Kranz von Absidenkapellen, etwa nach
dem System der Kathedrale von Rheims, aber ansehnlicher hinaustretend und, wie es scheint, mit der Absicht, der kühnen Ge-
wölbestructur des Chores durch die gestreckten Seitenwände der
Kapellen eine gegenwirkende Festigung zu gewähren. (Doch
sind die Gewölbe im Anfange des 19. Jahrhunderts eingestürzt
und durch hölzerne ersetzt.) Die Westfaçade mit Thürmen, die
im 14. und 15. Jahrhundert manche Umänderung erlitten haben.
— Die Kirche von St. Pierre-sur-Dives [2] (Calvados), im
Inneren kaum Etwas von den ursprünglichen Formen wahrend,
hat dieselbe Choranlage, ohne Zweifel aus gleicher Zeit.
    Unter den Monumenten der Normandie, welche der früh-
gothischen Epoche angehören, sind anderweit zu nennen: zwei
Kirchen zu Andelys (Eure), die (im Schiff unvollendete) Kirche
von Petit-Andelys, [3] deren Chor noch übergangsartig behandelt ist, mit einem Halbrund kurzer Säulen und mit einem, in
sehr eigner Weise kapellen- oder absidenartig gebildeten Umgange — und die Kirche Ste. Clotilde in Grand-Andelys, [4]
deren Façade sich durch das zierlich ausgestattete Hauptportal,
mit schlanken freistehenden Säulen vor Bogensäulennischen, auszeichnet. — An Ruinen kirchlicher Gebäude: die jetzt zumeist
verschwundenen der Abteikirche von Mortemer [5] bei Lions
(Eure), auch diese wiederum mit romanischen Reminiscenzen;
— die des Chores der Abteikirche von Jumièges, [6] welcher
sich dem romanischen Schiffbau anschloss, im ausgeprägten Typus
des 13. Jahrhunderts, und die der kleinen Kirche St. Pierre
ebendaselbst: — die der Abteikirche von St. Wandrille [7] bei

---

[1] De Laborde, a. a. O., 158. Viollet-le-Duc, a. a. O., I, p. 96, 103; II,
p. 357, 541. — [2] De Caumont, Abécéd., a. r., p. 285; hist. somm. de l'arch.,
p. 168. — [3] Osten, a. a. O., S. 213, T. 678 (15.) — [4] Voy. pitt. et rom., Norm.,
pl 188, 193. — [5] Ib., pl. 218, ff. — [6] Ib., pl. 8, 10, 16. — [7] Ib. pl. 22, ff.

Caudebec (Seine-inf.), die in neuerer Zeit völlig abgerissen sind und die das eigenthümliche Interesse gewährten, die blühende Ausbildung des gothischen Styles in das 14. Jahrhundert hinab und die sehr bestimmte Aneignung englischer Formen in dieser Epoche an vorzüglich gediegenen Einzelbeispielen verfolgen zu können. — Sodann verschiedene Klosterbaulichkeiten: das Kapitelhaus von St. Pierre-sur-Dives,[1] mit einer Säulenstellung im Innern, in geschmückten frühspitzbogigen Formen, die Fenster noch rundbogig; — das Refectorium zu Bonpont[2] (Seineinf., unfern von Pont-de-l'Arche), durch die Fensterarchitektur der Giebelseite besonders bemerkenswerth, wo fünf schlank spitzbogige Fenster nebeneinander und kleine Rosenöffnungen über ihnen angeordnet sind; — und Theile der überaus merkwürdigen Klosterfestung von Mont-St.-Michel, unfern von Avranches,

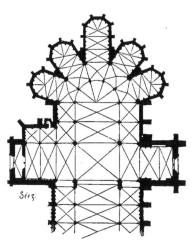

Séez.

Grundriss des Chores der Kathedrale von Séez.
(Nach Viollet-le-Duc.)

die sich an den Abhängen eines mächtigen, über dem Meere aufsteigenden Granitfelsens umherlagert. Ueber zweigeschossigen weiten Pfeiler- und Säulensälen (deren oberer seit dem 15. Jahrhundert den Namen der „salle des chevaliers" führt) ist hier ein Kreuzgang[3] aufgeführt, mit leichten spitzbogigen Säulenarkaden, deren Halle mit Holzwerk flach gedeckt war. Die Säulen stehen in gedoppelter Reihe, in zierlichem Spiele und ebenso zierlicher perspectivischer Wirkung vor- und zurücktretend; die Behandlung, der schon an sich diese phantastische Anordnung entspricht, ist völlig die der englischen Gothik, im Entwickelungsstadium des 13. Jahrhunderts.

———

Einige Monumente der Normandie, welche dem 14. Jahrhundert angehören, bezeichnen den Uebergang in die Weise der spätgothischen Formation in vorzüglich ausgezeichneten und für Frankreich seltenen Beispielen. Namentlich sind in diesem Be-

[1] De Caumont, Abécéd., arch. civ., p 92, f. — [2] Ib. p. 93, f. — [3] Viollet-le-Duc, dictionn., III, p. 456, ff. (Vergl. die Grundrisse des Klosters ebenda, I, p. 290, f., wo die Räume fig. 18, G, und fig. 19, E, die Unterbauten des Kreuzganges ausmachen.)

tracht die älteren, westlichen Theile der Kirche St. Pierre zu
Caen,[1] die zu Anfang des 14. Jahrhunderts begonnen wurden,
anzuführen. Das innere System hat keine erhebliche Bedeutung.
Die Arkaden haben etwas schwere Rundpfeiler mit einzelnen
leicht angelegten Diensten; die Fensterarchitektur ist reich ausgebildet. Um so gediegener ist das Aeussere, namentlich der
zur Seite der Paçade sich erhebende Thurm. Er ist einfach
viereckig emporgeführt, in schlanken Verhältnissen, oberwärts
mit einem leicht aufschiessenden Fenstergeschoss, der achteckige
Helm. der zwischen kleinen Erkerthürmchen aufsetzt; ebenso
leicht und schlank, mit Schuppenstreifen und kleinen Rosenöffnungen geschmückt. Er hat an der Basis, ohne die Streben
des Untergeschosses, eine Breite von 31½ Fuss, bei einer Höhe
von 242 F. Der dem Mittelschiff entsprechende Façadentheil der

Ansicht von St. Pierre zu Caen. (Nach Chapuy)

---

[1] Pugin and le Keux, a. a. O. Chapuy, moy. âge mon., 283. Peyré, manuel
de l'arch., pl. XVI, 1.

Kirche hat eine überaus glanzvolle Ausstattung, mit dekorativen Giebeln und reichen Maasswerkfüllungen, schon ohne Berücksichtigung des structiven Grundes der Formen, aber durchaus in reiner Bildung und in einem ungemein harmonischen Rhythmus ausgeführt. — Der Thurm von St. Pierre gibt die Vollendung des Systems der Thurmbauten der Normandie, wie dasselbe schon in der romanischen Zeit vorgebildet war; er erscheint zugleich als das Muster mancher jüngerer Anlagen. Als verwandtes Beispiel darf hier noch der Thurm der Kirche von Rouvres [1] (Calvados) genannt werden.

Ein andrer hochbedeutender Bau, der im 14. Jahrhundert begonnen wurde, ist die Kirche St. Ouen zu Rouen. Die Ausführung schritt jedoch langsam vor und gehört ihrem grössern Theile nach der jüngeren Zeit an. Die Kirche wird im Folgenden näher zu besprechen sein.

Bretagne.

Die Bretagne [2] hat nur wenig Beispiele der früheren gothischen Bauepoche; diese schliessen sich denen der Normandie an.

Hieher gehören, im Dep. Côtes-du-Nord, die Ruinen der Abteikirche von Beauport bei Tréguier und der dortigen Klosterbaulichkeiten (namentlich des Refectoriums [3]), im schlicht frühgothischen Style und noch mit romanischen Elementen; sowie die älteren Theile der Kathedrale von St. Brieuc.

Sodann zwei bedeutendere Monumente im Dep. Ille-et-Vilaine. Das eine ist die Kathedrale von Dol, ein ansehnliches dreischiffiges Gebäude, in der Mitte von einem einschiffigen Querbau durchschnitten. Das Vorderschiff hat ein sehr eigenthümliches System: [4] Rundsäulen, denen sich an beiden Seiten Halbsäulen als Dienste für die Scheidbögen anlehnen, während vorn und hinten freie schlanke Säulchen, als Dienste der Gewölbgurten, vortreten; der vordere Dienst läuft an der Oberwand empor, die Joche einer schlichten Triforiengallerie trennend. Der Chor mit weicher gegliederten Pfeilern und zierlicherem Triforium scheint jünger als das Schiff; er schliesst in gerader Linie ab, seine Giebelwand oberwärts mit einem prächtigen Fenster ausgefüllt, — eine Anordnung, in der sich ein englischer Einfluss bemerklich macht. — Das andre Beispiel ist die Kirche St. Sauveur zu Redon, die, mit Beibehaltung älterer romanischer

---

[1] De Caumont, Abécéd., a. r. p. 472. — [2] Voy. pitt. et rom. dans l'anc. France; Bretagne. J. J. Petel, la Bretagne. — [3] Vergl. De Caumont, a. a. O., arch. civ., p. 95, f. — [4] Vergl. De Caumont, Abécéd., a. r., p. 300.

Theile (Thl. II, S. 199) seit dem J. 1252 aufgeführt wurde. Der
Chor ist ein sehr stattlicher Bau, von einer einfach kräftigen
Strebebogen-Architektur umgeben, die Fenster mit wohlgebil-
detem Maasswerk ausgesetzt. Die westlichen Theile der Kirche
sind durch Brand vernichtet; ein jetzt isolirt stehender Thurm
steigt viereckig empor, mit Relief-Maasswerk ausgestattet, bekrönt
von einer schlanken achteckigen Spitze, welche zwischen kleinen
Ecktabernakeln aufschiesst. Die treffliche Behandlung des Granits (des landesüblichen Materials) und seine malerische Wirkung
wird an diesem Gebäude besonders gerühmt.

Die Kathedrale von St.-Pol-de-Léon (Finistère) ist ein
Bau von schlichter Strenge, dessen ausgebildete Einzelheiten,
z. B. das Maasswerk der Fenster, vorzugsweise bereits auf das
14. Jahrhundert deuten. (Von den Resten einer ältern Anlage
ist [Th. II, S. 199,] die Rede gewesen.) Zwei Thürme zur Seite
der Façade sind, bei einfach viereckiger Form, durch die straff
emporstrebenden Wandarkaden und Fenster, durch die achteckigen Helme, welche zwischen Erkerthürmchen aufschiessen, von
Wirkung. — In ähnlicher Weise ist der Thurm ausgeführt,
welcher sich über der (fast bedeutungslosen) Kirche Notre-Dame-
de-Krerzker, [1] ebendaselbst, erhebt, nur in weicherer und
stattlicherer Durchbildung, dem Thurme von St. Pierre zu Caen
einigermaassen vergleichbar. Auch er besteht ganz aus Granit
und ist 370 Fuss hoch, ebenfalls ein Muster für zahlreiche
jüngere Thürme des Landes.

An Klostergebäuden sind, ausser den eben genannten von
Beauport, die des Klosters der Cordeliers zu Quimper, welches
im Jahr 1224 gegründet wurde, — frühspitzbogige Arkaden mit
kräftigen Säulen, anzuführen.

b. Die französischen Nordlande in den späteren Epochen
des gothischen Styles.

Bis zur Mitte des 13. Jahrhunderts, der Regierungszeit Lud-
wigs des Heiligen, war die baukünstlerische Thätigkeit Nordfrankreichs in steigender Bewegung gewesen; von da ab hatte
sie nach und nach, wenn im Einzelnen auch mit Leistungen von
wesentlicher Bedeutung für die feineren Entwickelungsmomente
des gothischen Styles, abgenommen, bis sie im 14. Jahrhundert
erlosch. Auf die Tage des Glanzes war eine Zeit des inneren
Verfalls gefolgt; bald musste die französische Macht sich dem
siegreichen Schwerte Englands beugen. Der freudige Aufschwung, der zu jenem vielseitigsten Schaffen geführt hatte, war

[1] Vergl. de Caumont, Abécéd., a. r., p. 472.

gelähmt; nicht bloss die Neigung, auch die Mittel fehlten, in solchem Streben fortzufahren; vieles Begonnene blieb unvollendet. Erst als im Laufe des 15. Jahrhunderts die Verhältnisse sich wiederum feststellten, als ein neuer staatlicher Aufschwung erfolgte, hub auch ein neues monumentales Schaffen an. Die Zeit gegen den Schluss des 15. und im Anfange des 16. Jahrhunderts brachte der gothischen Architektur Nordfrankreichs eine reiche Nachblüthe; die unfertigen Theile der früheren Monumente wurden abermals in Angriff genommen, andre in erheblicher Zahl neu gegründet und nach selbständigem Plane zur Ausführung gebracht.

Aber es ist allerdings nur eine Nachblüthe. So reich und mannigfaltig die Schöpfungen dieser Epoche sind, so anmuthvolle Wirkungen sie im Einzelnen hervorbringen, so findet sich in ihnen doch keine innerliche Weiterbildung des Systemes. Die organische Gliederung, welche in der ersten Blüthenepoche angebahnt war, verflüchtigt sich in ein zierlich buntes Linienspiel, oder sie wird, mehr nüchternen Sinnes, auf ein einfach structives Gesetz, auf schlichte Massen und Theile zurückgeführt, dem sich, je nach Belieben, eine von dem architektonischen Organismus minder abhängige Ornamentik anfügt. Das Hauptgewicht der künstlerischen Absicht beruht auf der Dekoration, die in phantastisch spielender Verwendung des überlieferten Formenmateriales von Pfeilerdiensten, Gurtungen, Bögen, Maasswerken, Wimbergen, Fialen, nicht selten zu staunenswerthen Erfolgen gelangt, oft freilich auch einem abenteuerlich barocken Wesen anheimfällt. An Stelle der einfach strengen Grundlinien des ursprünglichen Systems werden dabei bunt wechselnde gern vorgezogen, gedrückte Flachbögen, geschweifte Spitzbögen, geschweifte Giebel, entsprechende Maasswerkformen. Es liegt in der Natur der Sache, dass dem monumentalen Werke hiemit der Stempel erhabener Grösse nicht gegeben werden kann, dass aber diejenigen Schöpfungen, bei denen die freiere Entfaltung des Dekorativen angemessen ist, sehr wohl den eigenthümlichsten Reiz zu gewinnen vermögen. Diejenigen Theile grösserer Monumente, diejenigen selbständigen Einzelwerke, welche solcher Richtung angehören, sind nicht ganz selten mit liebenswürdiger Anmuth behandelt. Neben den für kirchliche Zwecke errichteten Werken erscheinen zahlreiche Profanbauten, die mit künstlerischem Aufwande ausgeführt sind; mehrere von diesen haben im vorzüglichsten Maasse auf Beachtung Anspruch. (Sie werden am Schlusse des Abschnittes in selbständiger Folge aufgeführt werden.)

Die moderne Richtung der Architektur, in der Wiederaufnahme der antiken Formen, die im 15. Jahrhundert in der italienischen Architektur schon zur gesetzlichen Anwendung gekommen war, tritt dann dem rüstigen Betriebe dieser Schlussepoche des

gothischen Systems unmittelbar zur Seite. Es fehlt nicht an
Uebergängen von dem Einen zu dem Andern.

N o r m a n d i e.

Die Normandie steht in der Schlussepoche der nordfranzösischen Gothik durch die Fülle, den Glanz, die Anmuth ihrer
Monumente voran. Die bedeutendsten derselben, sowohl dem
kirchlichen als dem Profan-Bau angehörig, befinden sich in der
Hauptstadt des Landes, zu Rouen. Zunächst sind unter diesen
die kirchlichen Monumente zu besprechen.

Die schon erwähnte Kirche S t. O u e n [1] bildet das wichtigste Uebergangsdenkmal von der früheren zu der späteren
gothischen Bauweise Frankreichs, überhaupt eines der ausgezeichnetsten Werke des jüngeren gothischen Styles. Ihre Gründung
fällt bereits in das Jahr 1318, ihr Chorbau in die hierauf folgende Zeit; die Ausführung des Uebrigen gehört wesentlich erst
der Spätepoche an bis in das 16. Jahrhundert, ohne zum völligen
Abschluss gelangt zu sein. Die Kirche ist dreischiffig mit einschiffigem Querbau, der Chor mit Seitenkapellen und dem üblichen Kranze von fünf polygonen Absiden (diese in verschiedener Grösse, was aus einer gewissen Nüchternheit des Grund-
schemas hervorgeht), die mittlere stärker vortretend. Die Gesammtlänge beträgt 416 Fuss; das Mittelschiff hat 100 F. Höhe
bei 34 F. Breite. Die Gesammtwirkung des Inneren ist die einer
hohen, maassvoll klaren Eleganz; Alles ist in die leichteste Gliederung aufgelöst, die jedoch, indem sich das strengere organische
Gefüge auf die Hauptglieder beschränkt, schon einen etwas
schematischen Charakter gewinnt, dem Ganzen bei allem Adel
eine etwas monotone Stimmung beimischt. Die inneren Arkaden
haben ein System übereck gestellter Pfeiler, auf jeder Ecke mit
einer Halbsäule, als Dienst für die Gurte der Bögen und der
Gewölbe; zwischen den Halbsäulen andre feinere Gliederungen,
die, zwar von eigenthümlichen kleinen Basen ausgehend, ohne
Unterbrechung durch Kapitäle in die Scheidbögen und in die
Schildbögen des Gewölbes emporlaufen, — ein Pfeilersystem,
das der früher üblichen Kernform der Säule schon entsagt hat
und das mit jenen feinen parallelistischen Linien schon eine Er-
starrung und zugleich eine Verflüchtigung der architektonischen

---

[1] Pugin and le Keux, specimens of the arch. antt. of Normandy. Voy. pitt.
et rom., Norm., pl. 143, ff. Chapuy, moy. âge mon., 2, 17, 50, 169, 229, 244,
246, 249, 300, 348. De Laborde, mon. de la Fr., II, pl. 197, f. Peyré, manuel de l'arch., pl. II; V, 2: X; XVIII, 4. Viollet-le-Duc, dictionnaire, I,
p. 8 (10); 239. Wiebeking, bürgerl. Bank., T. 85, 96, 116. *Denkmäler der
Kunst, T. 51, (2, 3.)*

Form ankündigt. Ueber den Scheidbögen ist jedes Jochfeld völlig von einer grossen Fensterarchitektur ausgefüllt, einer zweitheiligen, aus dem Fenstermaasswerk und dem eines hohen Triforiums bestehend, beide Theile gleichartig behandelt und hiemit auch ihrerseits jenes Gleichförmige in der Linienführung bezeichnend. Das Wesentliche dieser Anordnung ist in Chor und Schiff übereinstimmend, doch die Behandlung in beiden Bau-

St. Ouen zu Rouen. System des Schiffes.
(Nach Peyré.)

theilen verschieden. Im Chor ist noch ein entschiedener Nachklang der früheren Richtung des gothischen Styles vorhanden, in seiner Pfeilergliederung das Verhältniss der Dienste noch vorwiegend, in dem Maasswerk seiner Fenster das Arkaden- und Rosettensystem, wenn auch in etwas willkürlicher Composition, noch bestimmend. Im Schiff dagegen herrscht das dekorative Princip vor; in der Pfeilercomposition machen sich jene Zwischenglieder mehr geltend und das Fenstermaasswerk schlingt sich in bunteren Mustern, in geschweifteren Linien (in sogenanntem Flamboyantcharakter) durcheinander. Auch im Aeusseren, namentlich in der Behandlung des Strebesystems, sind diese Unterschiede wahrzunehmen. Die Haupttheile der äusseren Ausstattung, die Schmuckwerke an Giebeln und Thürmen, gehören der Spätepoche an. Die Thürme der Westfaçade sind in sehr eigenthümlicher und auffälliger Weise übereck gestellt, mit auf den Ecken hinaustretenden Streben, wiederum eine Einrichtung, die von dem festen Gesammtgefüge des Baues und dessen Bedingnissen absieht und auf eine ausschliessliche dekorative Wirkung hinausgeht. — ohne Zweifel, um hiemit, durch die schräg vortretenden Seitenflächen, den mittleren Theilen der Façade einen vollen und breiten Einschluss zu gewähren. Das Portal ist ein einfach zierlicher später Bau; darüber ein grosses Rosenfenster

mit glänzend geschweiftem Maasswerk, eins der stattlichsten Beispiele dieser Spätform. Im Uebrigen ist die Paçade unvollendet
geblieben und sind die Thürme nur bis zu 50 Fuss Höhe ausgeführt, so dass die beabsichtigte Totalwirkung dahin steht. Der
südliche Querschiffgiebel hat eine vorzüglich reiche und zugleich

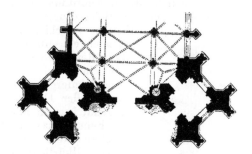

St Ouen zu Rouen. Grundriss der Westseite. (Nach Pugin.)

klar abgewogene Ausstattung, mit einem vortretenden, zierlich
leichten Portikus, darüber mit ebenso prachtvoller Rose wie die
Westfaçade, auf den Ecken von Treppenthürmchen eingefasst. Ueber
der mittleren Vierung steigt ein ansehnlicher Thurmbau empor,
im Untergeschoss viereckig, im Obergeschoss achteckig, auf das
Reichste mit Maasswerkfenstern, feinen Strebebögen gegen das
Obergeschoss und leicht durchbrochener Brüstung über dem
letzteren, das ohne Helmspitze abschliesst, ausgestattet. — Ein
prachtvoller Lettner, im Innern der Kirche, der den Chor von
den Vorderschiffen abtrennte, ist in der Revolution zu Ende des
vorigen Jahrhunderts zerstört worden, doch in Abbildungen
erhalten.

    Die Kirche St. Maclou [1] zu Rouen, kleiner als St. Ouen.
schliesst sich dieser in der Pracht der Ausstattung an und sucht
sie im Einzelnen noch zu überbieten. Ihr Bau fällt ebenfalls
in die Spätzeit des 15. und die ersten Decennien des 16. Jahrhunderts. Im Innern herrscht jenes späteste System der Pfeiler-
und Bogengliederung, welches der selbständigen Dienste entbehren zu dürfen glaubt; als eigenthümliches Schmuckwerk des
Innern ist eine zur Orgel führende Wendeltreppe, mit in zier-
lichstem Maasswerk durchbrochenen Wandungen, anzuführen.
Das Aeussere ist voll des überreichsten Schmuckes, der das
architektonische Gesetz in ein luftig buntes Formenspiel schon
völlig aufgelöst zeigt. Der Façade ist ein Portikus vorgelegt,
fünfseitig vortretend, mit dekorirten Bögen, hohen durchbrochenen
Giebeln, Brüstungsgallerieen, Fialen, für jeden veränderten Stand-

    [1] Chapuy. moy. âge mon., 253, 418; moy. âge pitt., 98, f. Du Sommerard,
a. a. O., II, S. V. 3.

punkt ein verändertes perspectivisches Bild gewährend. Dahinter
der ebenso glänzend behandelte Giebel des Unterbaues, ohne
Hauptthürme zu seinen Seiten, statt deren die Seitenabschlüsse

Ansicht von St. Maclou zu Rouen.

dureh Strebebögen, mit schlanken durchbrochenen Gallerieen,
welche auf ihnen emporklimmen, gebildet werden. Auch die
Portale der Langseiten sind ähnlich geschmückt. Ueber der
mittlern Vierung, das zierlich aufgegipfelte Ganze ebenso zier-

lich krönend, ist ein Mittelthurm, viereckig, mit leichtem, von einem Reigen von Fialen und spielenden Strebebögen umgebenen achteckigen Obergeschoss und (früher) mit schlanker, in Maasswerkform durchbrochener Spitze. — Andre Kirchen zu Rouen, derselben Epoche und Richtung angehörig, wenn auch nicht in ähnlichem Maasse bedeutend, sind St. Elai und St. Vincent. Schlichter sind St. Vivien und St. Patrice, beide mit hölzerner Gewölbdecke, die letztere durch allerleichtesten Bau, besonders in dem fünfschiffigen Chore und dem Fensterschmuck des Chorschlusses, ausgezeichnet. [1]

Ein andres Schmuckwerk höchsten Glanzes ist die Façade der Kathedrale zu Rouen, [2] die in derselben Zeit, mit Beibehaltung der oben erwähnten älteren Theile, ausgeführt wurde. Der südliche Seitenthurm der Façade ist von 1485—1507 erbaut worden, in vierseitiger, stets reicher ausgestatteter Masse emporsteigend, einigermaassen monoton durch eine an seinen Seiten durchgehende zweitheilige Anordnung, mit leichtem achteckigem Obergeschoss und ohne Spitze. (Auch das Obergeschoss des älteren Nordthurmes gehört dieser Spätzeit an). Die breite Façade selbst, zwischen den Thürmen, erhielt ihre Ausstattung von 1509—30, mit hohem Mittelportal und grosser, höchst bunt spielender Rose über diesem; darüber und zu den Seiten (über den älteren Seitenportalen) eine eigen aufgegipfelte Maasswerkarchitektur, fast schreinerartig, wie Chorstuhlwandungen riesigen Maassstabes behandelt, ein Gallerietäfelwerk mit einer übergrossen Fülle von Sculpturen, von Bögen, Giebeln, Fialen, Thürmchen überragt.

Die Kathedrale von Evreux, [3] deren Schiff jene Arkaden des spätromanischen Baues enthält, [4] gehört im Uebrigen verschiedenen Epochen der spätgothischen Zeit an. Es sind ähnliche Zeitverhältnisse wie die von St. Ouen. Der Oberbau des Schiffes, die Anlage des Chores (mit dem üblichen Absidenkranze) sind im 14. Jahrhundert begonnen; die Vollendung und zumal die äussere Ausstattung fällt in den Schluss des 15. und den Anfang des 16. Jahrhunderts. Auch hier sind die Façade mit ihren Thürmen, die Querschiffgiebel, der Mittelthurm, der über dem leichten achteckigen Obergeschoss mit durchbrochener Spitze gekrönt ist, als glanzvolle Beispiele des späten Dekorativstyles anzuführen, im Einzelnen durch rhythmische Energie bei aller üppigen Pracht ausgezeichnet.

Der Bau der Kirche Notre-Dame zu Caudebec [5] (Seine-inf.) geht ebenfalls auf die Entfaltung reicher Pracht aus, doch ist

---

[1] Vergl. v. Quast, im Museum, Bl. für bild. Kunst, III, S. 3. — [2] S. die S. 81 citirten Werke. — [3] Winkles, french cath. Chapuy, moy. âge mon., 155, 171, 172, 392. Wiebeking, a. a. O., T. 86, 118. — [4] Thl. II, S. 211.— [5] Chapuy, moy. âge mon., 49, 68; m. a. pitt., 121. Du Sommerard, a. a. O., II, S. V, 5, 36. Peyre, manuel, pl. XVI, 3. Pugin and le Keux, a. a. O. —

das Formengefühl durchgehend schwerer. Das Innere zeigt eine Wiederaufnahme des frühgothischen Systems, mit schlichten kräftigen Säulenarkaden, deren Behandlung, z. B. im Kapitäl, allerdings die Spätzeit bezeugt. Die Paçade hat ganz die Anordnung wie die von St. Maclou zu Ouen, nur überall in einer derberen, mehr massenhaften Wirkung, auch mit der Hinzufügung modern barocker Theile; der Giebel hat die inschriftliche Urkunde der dekorativen Absicht: „Pulcra es et decora.‟ Zur Seite der Façade ist ein Thurm mit kräftigem achteckigem Obergeschoss, welches (wie an andern schon erwähnten Beispielen) durch ein einigermaassen spielendes Strebesystem gestützt wird, und mit bunt durchbrochenem Helme, — eins der ansehnlichsten Beispiele solcher Gattung in der französischen Architektur. Eine der Kirche angefügte sechseckige Frauenkapelle hat ein Gurtengewölbe von der auf eine Mittelstütze berechneten Disposition, doch ohne Stütze durch eine schwebende Console getragen, eine Anordnung, welche durch verborgene, künstlich constructive Vermittelung ermöglicht ist, welche die Wirkung eines Wunders hervorbringen soll, aber — wie andre Fälle der Art — nur als eine künstlerisch widersinnige erscheint.

An andern Monumenten der Zeit sind zu nennen: die Kirchen St. Jacques zu Dieppe[1] (Seine-inf.) und Notre-Dame zu Vernon[2] (Eure), beide in der Anordnung ihres Façadenbaues durch eine gewisse einfache Klarheit, durch einen energischen Einschluss der spätbunten Dekorativformen ausgezeichnet. — Die Kirche von Harfleur[3] (Seine-inf.), mit einem stattlichen, etwas massenhaften Thurme, den eine hohe undurchbrochene achteckige Spitze krönt, und mit zierlicher Eingangshalle unter diesem. — An der Kirche von Louviers[4] ein glänzender Seitenportikus. Ein andrer, dessen Giebel teppichartig von einem geschmackvollen Maasswerkmuster ausgefüllt wird, an der Kirche St. Michel zu Vaucelles,[5] einer der Vorstädte von Caen (ein aus verschiedenen Epochen herrührendes Gebäude). — Auf der Kathedrale von Bayeux[6] der zierlich achteckige Bau über der mittleren Vierung. — Ferner die Kirchen von Lillebonne[7] (Seine-inf.), mit schlankem Thurmbau, St. Jean zu Elboeuf[8] (Seine-inf.), mit moderner Façade, die Kirchen zu Argentan[9] (Orne), zu Pont-l'Evêque[10] (Calvados), zu Appeville[11] (oder Annebault, Eure), diese von 1518—50 gebaut; u. a. m. — Die Kirche St.-Gervais-et-St.-Protais zu Gisors[12] (Eure) bildet

[1] Chap., m. a. mon., 291, 375. — [2] Ib., 297. — [3] Voy. pitt. et rom., Norm., pl. 44, f. Chap., m. a. pitt., 68. — [4] Oben, S. 80. — [5] Bei Pugin u. le Keux, a a. O. — [6] Vergl. oben, S. 84. — [7] Voy. pitt. et rom., Norm. pl. 34. [8] Chap. m. a. mon., 189; m. a. pitt., 32. — [9] Chapuy, m. a. mon., 309. — [10] De Caumont, Abécéd., a. r., p. 503, 534. — [11] Ib., p. 573, f. — [12] Voy. pitt. et rom., Norm., pl. 203, ff.

einen bemerkenswerthen Uebergang in die Renaissance - Architektur; ihre schlanken Schiffpfeiler sind rund, mit spiralförmig
darüber gewundenem Maasswerk und mit freieren ornamentistischen Mustern bekleidet; ihre Gewölbgurten in bunten Linien
durcheinandergeschlungen; ihr Aeusseres zum Theil, besonders
die Façade, schon in entschieden antikisirender Form behandelt.

An einigen Kirchen im Departement Manche sind besondere
Eigenthümlichkeiten anzumerken. Die Kirche von Carentan,[1]
etwa noch der Spätzeit des 14. Jahrhunderts angehörig, hat im
Inneren säulenbesetzte Pfeiler und ein Mittelschiff, welches, ohne
Fenster, nur wenig über die Seitenschiffe erhaben ist, eine in
der französischen Gothik höchst seltene Disposition. — Aehnlich
der Schiffbau von Notre-Dame zu St. Lô,[2] deren Chor
wiederum das Gepräge der Spätzeit trägt, mit Rundpfeilern, aus
denen sich die Gliederungen der Scheidbögen ohne Kapitälüber-
gang ablösen. Die Westseite dieser Kirche hat kräftige Thürme
mit festen Spitzen über achteckigem Obergeschoss. — Dann der
„Wunderbau" der Kirche von Mont-St.-Michel,[3] der die
Krönung jener schon (oben, S. 87) erwähnten phantastischen
Klosterfestung ausmacht. Das Schiff dieser Kirche rührt noch
aus romanischer Zeit her, ist jedoch (für Zwecke einer Besse-
rungsanstalt, wie die übrigen Klostergebäude) verbaut und durch
einen in neuerer Zeit stattgefundenen Brand höchst beeinträchtigt. Der Chor wurde von 1452—1521 errichtet, über einem
kryptenartigen Unterbau, fünfschiffig, mit fünf Absiden, aussen
von gewaltigem Strebewerk umgeben, früher mit einem hoch-
emporragenden Mittelthurm bekrönt. Alles ist Granit und hat,
diesem Material entsprechend, eine strengere Behandlung, die
gleichwohl mit der kühnen Leichtigkeit der Anlage, wie mit der
überaus malerischen Erscheinung der gesammten Lokalität, im
Einklange steht.

Picardie.

. Nächst der Normandie ist die Picardie[4] im Besitz glänzender Beispiele jener dekorativen Behandlung, — aus der Schlussepoche des gothischen Styles.

Vorerst ist in diesem Betracht der letzten Arbeiten, welche
zur Ausstattung der Kathedrale von Amiens ausgeführt wurden,
zu gedenken.[5] Die wichtigsten Schmuckstücke unter diesen sind
die drei grossen Rosenfenster, im Westgiebel und in den beiden
Querschiffgiebeln. Doch haben die Maasswerke, mit denen

· [1] Chap. moy. âge mon., 405. — [2] Ib. 212, 268. — [3] Viollet-le-Duc, dictionnaire, I, p. 288, ff. Du Sommerard, a. a. O., II, S. V, 6. — [4] Voy. pitt. et
rom., Picardie. — [5] Vergl. oben, S. 64.

dieselben ausgefüllt sind, in ihrer Composition etwas Dünnes und Dürftiges, erheblich zurückstehend gegen andre Spät-Compositionen der Art, wie die von St. Ouen zu Rouen. Wichtiger sind einige Neubauten. So die im Jahr 1487 begonnene Collegiatkirche von St. Riquier bei Abbeville. Sie hat den üblichen Kranz von Absidenkapellen um den Chor, doch diese von flachpolygonaler Grundrissform, die mittlere (als Frauenkapelle) gestreckt hinaustretend. Dem inneren Aufbau liegt, wie es selten in der Spätzeit gefunden wird, das ältere System der nordfranzösischen Gothik zu Grunde: Rundpfeiler, die mit starken kapitältragenden Diensten besetzt sind. Auch die Gurten des Gewölbes sind stark. Ueberall geht ein derbes Detailgefüge durch, mit einer entsprechenden schwer wulstigen Ornamentik, der es aber an einem üppigen Reichthum in den Detailbildungen nicht fehlt. Dieselbe Behandlungsweise im Aeusseren, besonders in der Façade.[1] Sie hat einen Thurm über dem Mittelfelde, (viereckig, ohne Helm,) und achteckige Treppenthürme zu den Seiten des Mittelportales. Alles ist mit Leistenwerk und Bildernischen bedeckt, in einer gewissen schematischen Ordnung, aber völlig ohne Gefühl für das bauliche Gesetz, die Architektur völlig in Schmuck und Bildnerei aufgelöst, die letzte Consequenz jener künstlerischen Richtung, welche (in der Frühgothik) mit der Umwandlung der Portale in Sculpturgehäuse begonnen hatte.

Aehnlich reich, doch nach einem abweichenden Systeme behandelt erscheint die, wohl etwas jüngere Kirche St. Wulfran zu Abbeville.[2] Ihr inneres System hat jene spielend gegliederten Pfeiler, deren Details ohne alle Kapitälscheidung in die Bogengliederung hinübergeführt sind. Der Chor schliesst dreiseitig, ohne Umgang; (sein Gewölbe fehlt). Die Façade ist ebenfalls ein absolutes Dekorationswerk, aber statt der Bildnerei der vorigen und der hierauf bezüglichen Detailformen durchaus in einem spielenden Maasswerk-Charakter behandelt. Das System der Bögen und Bogenfüllungen, der Giebel, der Fialen ist gänzlich in dies Gesetz hineingezogen, eine Reminiscenz der architektonischen Composition, die aber nur noch als Schmuck Gültigkeit hat. Auch das Strebesystem der Langseiten ist, von seinem constructiven Bedingniss schon durchaus absehend, in einen spielend angeordneten Schmuck umgewandelt.[3]

Die kleine Kirche St. Esprit zu Rue,[4] nordwestwärts von Abbeville, steht, ihrem Style nach, ungefähr in der Mitte zwischen den beiden ebengenannten Kirchen. Sie ist einschiffig, im Inneren durch bunt ornamentirte Gewölbgurte mit starken hängenden Zapfen, hierin schon im Uebergange zur Renaissance,

---

[1] Vergl. Chapuy, moy. âge mon., 157. — [2] Vergl. ib. 339, 390. — [3] Vergl. Viollet-le-Duc, dictionn., I, p. 79. — [4] Vergl. Chap., a. a. O., 109, 114, 326.

ausgezeichnet. Im Aeusseren (der Langseiten) ist wiederum Alles
Dekoration, jede Wandfläche mit Maasswerk bekleidet, die Streben
von polygonischer Grundform und mit Statuengruppen bedeckt.
Im Ornament, in der Behandlung des Blattwerkes, spricht sich
ein eigner, an spanische Spätgothik erinnernder Geschmack aus.

Andre spätgothische Kirchen dieser Gegend sind: die Kirche
von Poix, unfern von Amiens, nach einem Brande vom J. 1470
neugebaut, dem Inneren der von Rue ähnlich; — die Kirche
St. Jean zu Péronne, mit leichten Rundpfeilern im Inneren
bei gleicher Höhe der Schiffe, von günstigen räumlichen Verhältnissen und nur im Gewölbe, besonders durch die starken
Rosetten, welche an den Schneidepunkten der Gurte angebracht
sind, etwas zu schwer; die Façade nicht sonderlich durchgebildet; — die Hauptkirche von Corbie, ein nach streng durchgebildetem Plane angelegtes, besonders auch in dem Ganzen der
Façade wirksames Gebäude, doch in der Detailbehandlung trocken
und unlebendig; — die Kirchen von Caix und von Harbon-
nières im Santerre (dem südöstlichen Theile des Dep. Somme)
zierlich leichte Beispiele der in Rede stehenden Epoche, namentlich die erste von beiden; — Einzeltheile der Kirchen von
Montdidier, Mailly (Maillet), Laneuville (D. Somme),
— von Montreuil (Pas-de-Calais), diese im Inneren schlicht,
mit achteckigen Pfeilern, — der Kirche von St. Quentin (namentlich der glänzende Querschiffbau),[1] der von Ribemont,
unfern von St. Quentin, u. s. w.

Isle-de-France.

In Isle-de-France bildet der Querschiffbau der Kathedrale
von Beauvais,[2] vom Anfange des 16. Jahrhunderts, ein Prachtbeispiel der späten Gothik. Sein Inneres, dem Systeme des
Chorbaues sich anschliessend, wandelt dessen Formen in die
mehr nüchtern spielenden der Spätzeit um. Im Aeusseren entfaltet sich an den Giebelfaçaden die glänzendste Dekoration,
mit buntem Leistenmaasswerk; der Mittelbau beiderseits von Treppenthürmchen eingefasst; daneben das Strebesystem über den
Seitenschiffen; die Portalbauten zierlich von hängendem Bogenwerk umsäumt, u. s. w. — Gleichzeitig, seit 1506, ist der Chorbau von St. Etienne[3] zu Beauvais, ein ebenfalls reiches, aber
trocken und unschön behandeltes Werk.

An der Kathedrale von Senlis[4] rühren die Querschiff-

. [1] Vergl. Chapuy, a. a. O., 113. — [2] Vergl. oben, S. 64. — [3] Vergl. Thl.
II, S. 231. — [4] Vergl. oben, S. 41.

giebel aus derselben Epoche her, bunt spielende Maasswerk- und Nischenformen in einer eigen massenhaften Anordnung, das Portal des Südgiebels [1] mit zapfenartig niederhängendem Bogenwerk umsäumt. — Verwandten Charakter, in mehr phantastisch barocker Behandlung, hat die Paçade der ehemaligen Kirche St. Pierre [2] zu Senlis, deren Inneres (mit verschiedenzeitigen Theilen?) eins der Beispiele gleich hoher Schiffe bildet. — Ebenso die stattliche Kirche St. Antoine zu Compiègne. [3] — Auch St. Jacques, ebendaselbst, und die Kirche von Clermont gehören in diese Zeit, (die letztere, besonders im Portalbau, mit frühgothischen Theilen.) [4]

Paris hat einige Kirchen aus der Spätzeit des gothischen Styles, [5] die im inneren Aufbau ein schlichtes System ohne sonderliche künstlerische Bedeutung befolgen, im Aeusseren ohne erheblichen dekorativen Aufwand ausgeführt sind. St. Germain-l'Auxerrois [6] rührt aus verschiedenen Epochen her, Einzelnes (doch zumeist sehr umgewandelt) aus dem 13. Jahrhundert, der Haupttheil aus dem 15., Andres aus dem 16. Jahrh. Es ist ein fünfschiffiger Bau, 240 Fuss lang, die Pfeiler des Innern in der gegliederten Form ohne Kapitäle. Eine, im Jahr 1435 erbaute spitzbogige Vorhalle, in der Breite der ganzen Kirche, giebt der schlicht und ohne Thürme aufsteigenden Façade einen eigenthümlichen Charakter. Die jüngeren Theile von St. Séverin, [7] aus der zweiten Hälfte des 15. Jahrhunderts, zeigen einen ähnlichen Styl. Ebenso St. Gervais, [8] der Epoche um den Schluss des Jahrhunderts angehörig, bemerkenswerth durch mancherlei spielende (zum Theil beseitigte) Formen hängender Schlusssteine; [9] auch das gleichzeitige Schiff von St. Médard [10] (mit späterem Chor), und St. Merry, [11] ein Gebäude des 16. Jahrhunderts, seit 1520, das trotz dieser besonders späten Zeit an der schlicht gothischen Behandlungsweise festhält. Von St. Jacques-de-la-Boucherie ist ein Thurm [12] übrig geblieben, 1508—22 erbaut, in massig schwerer Anlage, mit barock dekorativem Leistenwerk von üppigerer Wirkung bekleidet.

Der Ausstattung, welche der Giebel der Ste. Chapelle zu Paris in dieser Spätepoche empfing, mit prächtiger Fensterrose und anderem Schmuck, ist bereits gedacht, (S. 70.) Die vielfache Erneuung und Ausschmückung der Giebelbauten, die in dieser Zeit vorkam, mochte auch hiezu Veranlassung gegeben haben. — Ihr folgte eine andre Ste. Chapelle, zu

---

[1] Chapuy, moy. âge pitt., 1. — [2] Voy. pitt. et rom., Pic. Chapuy, a. a. O., 7. — [3] Voy. pitt. et r. a. a. O. Chapuy, a. a. O., 88, 152. — [4] Voy. pitt. et r. — [5] De Guilhermy, itinéraire arch. de Paris. — [6] Vergl. Wiebeking, bürgerl. Bauk., T. 86. — [7] Vergl. oben, S. 52. — [8] Wiebeking, a. a. O. — [9] Chapuy, moy. âge pitt., 23. — [10] Wiebeking, a. a. O. — [11] Chapuy, moy. âge pitt., 106. — [12] Ib., 108. Du Sommerard, les arts au moy. âge, I, S. III, 2.

Vincennes[1] bei Paris, die schon in der Spätzeit des 14. Jahrhunderts begonnen war, ihre Vollendung jedoch erst im 16. Jahrh., um 1525, erhielt. Es ist ein einfacher Bau, von ähnlicher Anlage (doch ohne Untergeschoss), die Giebelfaçade wiederum ein reiches Schmuckwerk, diese nach dem Vorbilde der Façade von St. Pierre zu Caen (S. 88) componirt, die Dekorationsformen in ähnlich conventioneller Weise wie schon dort angeordnet, aber, der Spätzeit entsprechend, in spielenderen Mustern, in einem minder gereinigten Rhythmus durchgeführt.

Endlich ist der Obertheil des Nordwestthurmes an der Kathedrale von Chartres[2] zu erwähnen, der durch den Meister Jean Texier aus Beauce von 1507—14 erbaut wurde. Er gehört, ob ebenfalls auch in vorwiegend dekorativer Behandlung, zu den gediegensten Thurmbauten der französischen Architektur: viereckig mit stattlich geordneten Maasswerkfenstern; dann mit zwei achteckigen, jedesmal verjüngten und durch luftige Strebesysteme gestützten Obergeschossen, und in schlanker Spitze ausgehend. (Der Thurm erreicht eine Höhe von 378 Fuss.) Von demselben Meister ist, nach dem Thurmbau, auch die Brüstungswand ausgeführt worden, welche im Inneren den Chor der Kathedrale umgiebt und mit der anmuthigsten Tabernakelarchitektur, zur Basis und zur Bekrönung der daran befindlichen bildnerischen Darstellungen, ausgestattet ist, unter den Dekorationswerken solcher Gattung ebenfalls eines der vorzüglichst gefeierten.

Champagne.

Unter den Denkmälern der Champagne[3] nimmt die Wallfahrtskirche Notre-Dame-de-l'Epine,[4] unfern von Châlonssur-Marne, eine eigenthümliche Stellung ein. Sie zählt mit zu jenen Bauwerken, welche Momente des Ueberganges von der früheren zur späteren Gothik enthalten, doch in eigner Fassung und unter auswärtigem Einflusse. Die Wundererscheinung eines Muttergottesbildes in einem brennenden Dornbusch auf öder Haide, zu Anfang des 15. Jahrhunderts, gab Veranlassung zur Erbauung des Heiligthums. Die Gründung erfolgte im Jahr 1419; das Land war damals in englischem Besitz, und als erster Baumeister wird ein Engländer, Patrik, genannt. Nach zehnjähriger Bauthätigkeit trat eine Pause ein; dann, nachdem die französische

----

[1] Viollet-le-Duc, dictionn., II, p. 436, ff. Chapuy, a. a. O., 248. Du Sommerard, a. a. O., III, S. VIII, 3. — [2] Vergl. oben, S. 55. — [3] Voy. pitt. et rom., Champagne. — [4] Zu den ausführlichen Darstellungen in dem eben genannten Werke vergl. du Sommerard, a. a. O., II, S. IV, 2; Chapuy, moy. âge pitt., 25; Revue arch., V, p. 484. Wiebeking, a. a. O., T. 86.

Herrschaft wiederhergestellt war, wurde der Bau fortgesetzt und seiner grösseren Masse nach im Jahr 1459 abgeschlossen, doch erst in den ersten Decennien des 16. Jahrhunderts beendet. Der Langbau ist dreischiffig; der Chor setzt fünfschiffig an und schliesst mit dem Kranze polygoner Absidenkapellen, diese von ungewöhnlich grosser Dimension, was dem Grundrisse wie dem Aufbau der Ostseite etwas seltsam Unförmliches giebt. Die Gesammtlänge des Inneren beträgt 200 Fuss, die Breite des Mittelschiffes 38 F. Der innere Aufbau beruht auf dem älteren Princip: Rundpfeiler mit anlehnenden, als Gurtträger emporlaufenden Diensten, durchgehende Triforien u. s. w.; die Fenster gross und weit, mit den geschweiften Maasswerkformen der Spätepoche. Im Aeusseren, mit Ausnahme des Façadenbaues, herrscht das Gesetz des horizontalen Abschlusses vor, nach der Weise der englischen Gothik und fast noch mehr nach der der Südlande. Den Fenstern fehlen überall die Wimberge; gleichmässig umherlaufende Brüstungsgallerieen bilden die Bekrönungen, über denen nur im Unterbau die Fialen emporsteigen. Selbst die Querschiffgiebel, mit starken undekorirten Treppenthürmchen auf den Seiten, haben diesen völlig horizontalen Abschluss. Die Façade dagegen zeigt die charakteristisch französische Disposition, dreitheilig und im Ganzen von eigenthümlich edler Anordnung und ohne Ueberladung, obschon die Einzelformen, das Maasswerk, die geschweiften Schenkel der Wimberge u. s. w., die Spätzeit bezeichnen. Nur die Bekrönung des Mittelbaues, mit drei kleinen spitzen Giebeln, hat etwas barock Spielendes. Die Seitentheile der Façade steigen als Thürme empor; doch ist von diesen nur der südliche, 1529 erbaut, zur vollständigen Ausführung gekommen, mit kurzem achteckigem Obergeschoss und schlanker, völlig luftiger Spitze, welche im Wesentlichen nur aus acht aufschiessenden Rippen besteht, von einem leichten Strebesystem umgeben und oberwärts von einer Lilienkrone als Ring umfasst, einem Denkzeichen der königlichen Munificenz, durch deren Hülfe die Vollendung des Baues erfolgt war. — Im Inneren der Kirche wird ein glänzender Lettner gerühmt.

Die Façade der Kathedrale von Troyes,[1] 1506—90 erbaut, gehört wiederum zu den Denkmalen höchster Prachtfülle. Sie ist in der üblichen Weise angeordnet, dreitheilig, von den beiden Thürmen nur das erste Freigeschoss des nördlichen vorhanden. Die Strebepfeiler treten ungemein stark vor, unterwärts drei tiefe Portalnischenhallen einschliessend. Im Uebrigen ist die Durchbildung durchaus dekorativ, Alles überreich mit kleinem Strebewerk, Statuennischen, krausem spätest gothischem Maasswerk u. s. w. bedeckt, einer Filigranarbeit vergleichbar, die sich über die festen Massen hinzieht. Die Bögen der Portalnischen sind, diesem

---

[1] Chapuy, moy. âge mon., 193. Du Sommerard, a. a. O., III, S. VII, 5.

bunten Formenspiele entsprechend, mit tropfenartig niederhängendem Maasswerk umsäumt, ähnlich wie zu Beauvais und zu Senlis, aber in einer für den Gesammteffekt noch wirksameren Weise. Es spricht sich, so bestimmt die Einzelformen der spätmittelalterlichen Kunst des Occidents angehören, in dem Ganzen eine Geschmacksrichtung aus, die eigentlich mehr der Weise der orientalischen Kunst entspricht. (Das nördliche Thurmgeschoss ist abweichend von dem Unterbau behandelt, mit schlanken, im Halbkreisbogen geschlossenen Fenstern, in der Behandlung des Details schon völlig den Renaissance-Charakter tragend.

Troyes hat noch andre Monumente aus der Spätepoche des gothischen Styles, zumeist in einer trockneren Fassung und mit manchen Motiven, welche bereits auf den Uebergang in den Styl der Renaissance hindeuten. Rundpfeiler im Inneren, aus denen sich die Bogen- und Gewölbegliederungen frei ablösen, Maasswerke, welche die Form eines nüchtern starren Steingitters annehmen, runde Bogenformen statt der spitzen gehören hieher. Minder berührt von diesen Elementen erscheinen der im Beginn des 16. Jahrhunderts gebaute Chor Ste. Madeleine [1] und das Innere des Schiffes von St. Jean-Baptiste, während der Chor dieser Kirche entschieden die letzte Ausprägung des Styles zeigt. St. Nizies, St. Nicolas, St. Pantaleon kommen für die bezeichnete Uebergangsrichtung vorzugsweise in Betracht. — Dagegen bildet ein einzelnes Schmuckwerk eins der gefeiertesten Denkmäler jenes phantastisch dekorativen Geschmackes, durch welchen diese Epoche sich auszeichnet. Es ist der Lettner (Jubé) in Ste. Madeleine, [2] von Meister Jean Gualdo oder Gaylde um 1506 ausgeführt. Einer Brücke vergleichbar spannt er sich in drei Bögen zwischen den vordern Pfeilern des Chores hin, mit reich barocken Schmuckformen spätest gothischer Art, und nicht ohne Geschmack, bekleidet. Aber die Bögen werden statt aller sonstigen Stütze von schwebenden Consolen getragen; Construction und Form stehen im naturwidrigen Gegensatze, und die Absicht ist, statt auf künstlerische Befriedigung, lediglich nur auf Erregung des Staunens vor dem scheinbar Wunderbaren gerichtet. Der Grabstein des Meisters trägt die Worte, welche das Selbstbewusstsein des kühnen Handwerkers aussprechen: „Ich erwarte hier die selige Auferstehung, ohne Furcht, von meinem Werke erschlagen zu werden."

Anderweit sind als Bauwerke der Spätepoche, im Ganzen oder in Einzeltheilen bemerkenswerth, anzuführen: die Kirche von Villenauxe, St. Lorent zu Nogent-sur-Seine, die Kirche zu Pont-sur-Seine, St. Etienne zu Arcis-sur-Aube,

---

[1] Ueber den Schiffbau s. oben, S. 53. — [2] Vergl. Gailhabaud, Denkm. d. Bauk, III. Lief. 14. De Laborde, mon. de la Fr., II, pl. 206. Du Sommerard, a. a. O. III, S. VIII, 7. Chapuy, moy. âge mon., 242.

die Kirche zu Rosnay (diese mit der, in der Spätzeit so seltenen Anlage einer geräumigen Krypta) im Dep. Aube; — der
Chor von St. Jacques zu Rheims [1] (fünfschiffig, mit gekuppelten Säulen zwischen den Seitenschiffen, und mit drei flach
dreiseitigen Absiden schliessend) und die Kirche von Ay im
Dep. Marne; [2] — die Kirche zu Rethel (mit drei gleich hohen
Schiffen?) und die zu Mézieres (mit zierlichem Seitenportikus)
im Dep. Ardennes.

Burgund.

Burgund und die Nachbargegenden scheinen wenig namhafte
Monumente aus der gothischen Spätepoche zu besitzen. Als dahin gehörig sind anzuführen: die jüngeren Theile der Kathedrale
von Autun, [3] welche nach einem Brande im Jahr 1465 und im
Anfange des 16. Jahrhunderts ausgeführt wurden: besonders der
Thurm über der mittleren Vierung, viereckig und mit achteckiger
Spitze, die undurchbrochen, in leichter Kraft, aufschiesst, die
Kapellenschiffe der Langseiten und namentlich die Orgeltribüne,
diese wiederum das Werk eines phantastisch dekorativen, sehr
eignen Bogenbaues. — Ebenso die jüngeren Theile der Kathedrale von Nevers, [4] in der sich den alten römanischen Bau-
stücken zunächst (in den fünf ersten Jochen des Langschiffes)
Arbeiten aus dem zweiten Viertel des 13. Jahrhunderts, dann
aber und vornehmlich solche aus der Schlusszeit des gothischen
Styles anschliessen. Die letzteren zeichnen sich, im Innern des
Gebäudes, durch zierlichst leichte Behandlung aus. Ein mit
Nischen- und Maasswerk bekleideter Thurmbau erscheint dagegen
in Anordnung und Ausführung schwer. [5]

Dann, als vorzüglichst bedeutender Bau, die Kirche von
Notre-Dame zu Brou, [6] nahe bei Bourg in der, damals zu Savoyen gehörigen Landschaft Bresse (D. Ain.) Sie wurde von
1506—36 erbaut, als Mausoleum der herrschenden Familie mit
den Grabmälern Philiberts des Schönen, seiner Mutter Margaretha von Bourbon und seiner Gemahlin Margaretha von Oesterreich, Tochter Kaiser Maximilian's I., welche letztere die

---

[1] Ueber den Schiffbau s. oben, S. 53. — [2] Ob die Kirche von Chatillon-
sur-Marne ein spätgothischer oder etwa noch ein frühgothischer Bau ist,
wage ich nach dem in den Voy. pitt. et rom. enthaltenen Grundrisse nicht
bestimmt zu entscheiden. — [3] Vergl. Thl. II, S. 157. — [4] Ebenda, S. 164. —
[5] Vergl. Du Sommerard, I, S. III, 2. — [6] Voy. pitt. et rom., Franche Comté,
pl 25, ff. Du Sommerard, a. a. O., I, S. III, 4, 23. Chapuy, moy. âge mon.,
14, 347. De Laborde, a. a. O. II, 243. Peyré, manuel de l'arch., pl. XVIII, 6.
Mérimée, notes d'un voy. dans le midi, p. 80. Guide descriptif et historique
à l'église de Brou, 1857.

Urheberin des Baues war. Als Architekt wird ein Deutscher
genannt: „Louis de Wanboghem.“ Die Kirche ist dreischiffig
angelegt, mit Kapellenschiffen; der Chor ohne Umgang, in der
alten halbrunden Form schliessend; die Querschiffflügel, breit
und wenig vortretend, sind beiderseits durch einen Mittelpfeiler in vier Gewölbfelder getheilt.

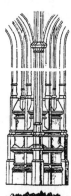

Das innere System hat jene lebhaft spielende
Gliederung, welche sich aus der Bogenprofilirung
ergiebt; sie ist ohne wesentliche Unterbrechung
am Pfeiler niedergeführt. Das räumliche Verhältniss des Inneren ist breit, die Gesammtwirkung noch immer eine ernste und kräftige. Die
Paçade ist in sehr willkürlich dekorativer Weise
behandelt: ein geschmücktes gedrückt flachbo-
giges Portal; schlank spitzbogige Fenster, nebeneinander, mit spielendem Maasswerk; ein in
gebrochenen Bogenlinien aufsteigender Giebel;
sehr barbarisirende Einzeltheile. Die reichste
Entfaltung gothischer Spätformen, die kunst-
reichste Ausführung derselben findet sich an den
architektonischen Theilen der Grabmonumente,
auch an dem Choreinschluss und besonders an

Kirche zu Bron System
der Pfeilergliederung
(Nach Peyré.)

dem Lettner auf dessen Vorderseite. — Die Kirche
von Bourg ist gleichzeitig und im Inneren ähnlich behandelt, im Aeusseren roh.

Im Westen schliesst sich die Façade der Kathedrale von
Tours [1] als ein Bau aus dem Anfange des 16. Jahrhunderts an.
Sie ist kräftig angeordnet, mit stark vortretenden Streben, hierin
und in der Behandlung der Portalnischen zwischen diesen der
Façade der Kathedrale von Troyes ähnlich, doch schlanker in
den Verhältnissen, die Detailformen der Portale noch von reinerer Bildung, ein mächtiges Spitzbogenfenster im Mitteltheile (dem
der Paçade der Kathedrale von Bourges ähnlich geordnet) von
bedeutender Wirkung; zugleich aber der Eindruck des Ganzen
durch ein kleinliches Leisten-Nischenwerk, welches alle Theile
bedeckt, erheblich verkümmert, die Obergeschosse der Thürme
ohne genügende Vermittelung zum Unterbau, ihre achteckigen
Kuppelkrönungen schon in Renaissanceformen.

[1] De Laborde, a. a O., II, pl. 207.

B r e t a g n e.

Die Bretagne [1] entwickelt in der Schlussepoche des gothischen Styles eine ziemlich lebhafte baukünstlerische Thätigkeit. Ihre Monumente haben manches Eigenthümliche. Zum Theil macht sich in ihnen ein englischer Einfluss geltend; zum Theil ist es das landesübliche Material des Granits, das zu einer besonderen Behandlungsweise Veranlassung giebt. Es zeigen sich Beispiele einer gewissen kühlen Energie, welche lebhaft an die architektonische Richtung gemahnen, die sich in den baltischen Küstenlanden entwickelt. Es tritt zugleich aber auch der, dem Lande und dem Volke von früher Zeit eigne phantastische Zug, in manchen barocken Gestaltungen hervor, doch in einer Weise, dass das Gesetz einer kräftig massenhaften Anlage zumeist vorherrschend bleibt. In einzelnen kleinen Schmuckarchitekturen bieten sich allerdings auch die Beispiele einer sehr reichen Ausstattung dar.

Den grössten Reichthum an Denkmälern hat das Dep. Finistère; hier, an der Westküste, am Wenigsten in Berührung mit den übrigen Kreisen französischer Kunst, erscheinen namentlich auch jene Beispiele englischen Einflusses. Zu diesen gehört, wie es scheint, schon die Kirche von Folgoat (Folcoat, Folgoet), für deren Beendung das Jahr 1419 angegeben wird. Sie hat im Innern Pfeiler, mit schlanken Diensten besetzt, deren jeder sein besondres Kapitäl trägt, im Aeusseren auf der Westseite einen kräftigen Thurmbau, im Ostgiebel ein Rosenfenster. Ein zierliches Seitenportal, ein stattlicher Lettner im Inneren sind später. — Dann die Kathedrale von Quimper, 1424 gegründet, mit ähnlichem Systeme des Inneren, wobei aber zu bemerken, dass die Gurten des Gewölbes nicht von emporlaufenden Diensten, sondern von Consolen getragen werden; das Fenstermaasswerk schematisch nach englischer Art; die Westseite mit sehr ansehnlichen Thürmen, welche mit hochemporlaufenden schmalen, oben rundbogig geschlossenen Schlitzfenstern versehen sind, eine Weise des Thurmbaues, die (eine Umwandlung des früheren normannischen Systems) als speziell bretonisch bezeichnet werden darf. — Die Ruine der Kirche der Cordeliers zu Quimper, nur mit einem Seitenschiff, zeigt sehr bestimmt Detailformen der englischen Gothik. — Auch in dem, mit grossem Ostfenster gerade abschliessenden Chore der Kathedrale von Dol (oben, S. 89) und in dem der Kirche von Pontcroix (einem, im Uebrigen spätromanischen Bau, Thl. II, S. 199) scheint sich der englische Einfluss anzukündigen. — Ebenso in der Façade der Ruine der Karmeliterkirche zu Morlaix, deren zierlicher Maass-

---

[1] Voyages pitt. et rom., Bretagne. J. J. Fotel, la Bretagne.

werkschmuck den Motiven englischer Architektur zumeist entspricht.

Einige Monumente haben im Inneren schlicht achteckige
Pfeiler, deren Form ohne Zweifel zunächst durch das Material
veranlasst war. So die Wallfahrtskapelle St. Jean-du-Doigt,
unfern von Morlaix, an der Meeresbucht, welche den Namen
Traoun-Meriadec führt. Sie ist von 1440—1513 gebaut worden.
Sie hat im Inneren überaus hohe und leichte Verhältnisse, mit
holzgewölbter Decke, (ein Pfeilerpaar, in der ursprünglichen
Absicht einer abweichenden Construction, mit reicher Säulengliederung.) — So die Kirche von Lambadec, mit niederen Verhältnissen des Innern, ausgezeichnet durch einen zierlich aus
Holz geschnitzten Lettner,[1] — und die Ruine einer Kapelle
bei Amelis, deren Pfeiler kanellurenartig verzierte Kapitäle
haben, ein Zeugniss spätester, schon auf die Renaissance hin-
weisender Zeit.

Andre Bauten sind durch Eigenthümlichkeiten in der dekorativen Behandlung, besonders in den Aussentheilen, bemerkenswerth,
ebenfalls auf die letzte Schlusszeit des gothischen Styles im 16.
Jahrhundert deutend. Eins der schlichteren und klarern Beispiele
ist die Façade der Kirche St. Nona zu Penmarch, das Portal
mit zwei dekorirten Rundbögen im spitzbogigen Einschluss, das
Maasswerk der Fenster in bunten Flamboyant-Mustern. (Die
angebliche Erbauungszeit der Kirche, 1408, kann der Paçade
nicht gelten.) — Die Kirche St. Fiacre zu Faouet ist durch
die malerische Anordnung ihres Thurmbaues über dem Giebel
ausgezeichnet: achteckige Eckthürme mit festen Helmspitzen
über den Ecken und ein offnes Mittelthürmchen über der Giebel-
spitze, etwas reicher behandelt und mit jenem rechts und links
durch Brückenbögen verbunden. Im Inneren Rundpfeiler, aus
denen sich die Glieder der Scheidbögen (im spätesten Kehlenprofil) frei ablösen, und ein äusserst zierlicher und reicher Holz-
Lettner. — Eine ähnliche Thurmanlage an der Kirche von Plo-
venez-Porsay (oder Parzay). — Mehrfach kommen geschmückte
Portale vor, gedrückt flachbogig, mit Statuetten in den Bogen-
läufen, deren hängende Lage (die schon im Spitzbogen sehr un-
bequem wirkt) völlig willkürlich wird, und mit geschweiftem
Giebel über den Bogen. So an der, auch im Uebrigen reich
ausgestatteten Kirche von Pencran, an der Kapelle Notre-
Dame-des-Portes zu Chateauneuf-du-Faou und an der Kirche
dela Martyre bei Landernau. — Die Kirche St. Tromeur zu
Carhaix ist durch einen Thurm, in der Mitte der Façade, von
jener Anlage wie bei der Kathedrale von Quimper und mit mässig reicher, klar angeordneter Ornamentation, von Bedeutung;
dieselbe wurde, inschriftlicher Angabe zufolge, von 1529—55

---

[1] Vergl. Du Sommerard, les arts au moy. âge, III, S. VII, 4.

ausgeführt. — Aehnlich der Thurm der Kirche von L o c - R o n a n , mit einem Portal der eben bezeichneten Art. — Aehnlich auch der Thurm der Kirche von L a n d i v i s i a n [1] vom J. 1565, bei dem aber, auch bei dem hohen achteckigen Helme und den Erkerthürmchen, zwischen denen dieser emporschiesst, die Formen der Renaissance sich mit der gothischen Anordnung vermählen. Zur Seite des Thurmes eine Vorhalle, in der angeführten Portiken-Anordnung und mit hohem, etwas barock gothischem Giebelbau.

Endlich gehört zu den spätgothischen Monumenten des Dep. Finistère noch der Kreuzgang des Klosters P o n t - l ' A b b é , [2] unfern von Quimper. Seine Arkaden bestehen aus einer einfachen, horizontal abgegrenzten Maasswerk-Architektur, von eigenthümlich schlichter Energie; seine Decke wird durch eine ebenso schlichte Holzwölbung gebildet.

Im D. Morbihan sind die Kirchen von H e n n e b o n , P l o ë r m e l , M a l e s t r o i t , St. N i c o d è m e zu nennen, mit mancherlei mehr oder weniger stattlichen Theilen besonders der äusseren Dekoration. Neben der Kirche von St. Nicodême steht, über einer geweihten Quelle, ein schmuckreiches kleines Brunnenhaus, mit rundbogigen Oeffnungen und phantastisch bunten Giebelzierden.

Im Dep. Côtes-du-Nord ist die Kathedrale von T r é g u i e r von eigner Bedeutung, in ihren verschiedenen Theilen sehr verschiedene Momente der Architekturgeschichte bezeichnend. Neben romanischen Theilen (Thl. II, S. 199) scheint sie andre aus dem 14. Jahrhundert zu haben, während das Meiste allerdings der gothischen Spätzeit angehört. Ein Thurm vor dem südlichen Querschiffflügel ist mit einer äusserst schlanken achteckigen Helmspitze gekrönt, welche unvermittelt über dem viereckigen Unterbau emporsteigt, mit ungegliederten Seitenflächen, diese aber, wie in verwunderlicher Reminiscenz einer Maasswerkgliederung, von oblongen und runden Löchern durchbrochen. Sie ist eine Arbeit des 18. Jahrhunderts und bildet ein immerhin beachtenswerthes Zeugniss für die späte Fortdauer der nationalen Geschmacksrichtung. — Ausserdem kommen die jüngeren Theile der Kathedrale von St. B r i e u c , [3] besonders der Chor, und die der Kirche St. Sauveur zu D i n a n , beiderseits mit glänzenden Maasswerkfenstern, in Betracht.

Im Dep. Ille-et-Vilaine die Kirche St. Léonard zu F o u g é r e s , 1406—40; im Inneren mit achteckigen Pfeilern; im Aeusseren, besonders an der Nordseite, nicht ohne etwas reichere Dekoration.

Im Dep. Loire-inférieure die jüngeren Theile von St. Aubin zu G u é r a n d e , unter denen besonders die Façade von Bedeutung ist. Ihr Mitteltheil steigt in schlichter Strenge, kühn und

---

[1] Vergl. Chapuy, moy. âge mon., 195. — [2] Vergl. Gailhabaud, l'arch. du V au XVI s. (livr. 16.) — [3] Vergl. De Caumont, Abécéd. arch. rel., p. 507.

hoch empor, eine tiefe Spitzbogennische bildend, in welcher un
terwärts das Portal und darüber das (vermauerte) Hauptfenster
liegen, — eine Anordnung, die an spätgothische Backsteinbauten
im nordöstlichen Deutschland erinnert. Zu den Seiten kräftige
Streben; oben in der Mitte ein vorgekragter Thurm, ein kleiner
(nur fragmentarisch erhaltener) Bau im Renaissancecharakter. —
Dann die Kathedrale von Nantes, deren Façade naeh inschriftlicher Angabe im J. 1434 angefangen wurde und deren Schiff,
ebenfalls in hohen und kühnen Verhältnissen, jene anderweit
übliche Spätform scharfgegliederter Pfeiler hat, mit unmittelbarem Uebergang dieser Gliederung in die Bögen und mit einem,
ebenfalls in später Weise bunt dekorirten Triforium. Der Chor
scheint moderner Umbau einer romanischen Anlage zu sein.

Spätgothischer Profanbau.

Die Schlussepoche der nordfranzösischen Gothik ist zugleich,
wie schon angedeutet, für den Profanbau von hervorstehender
Bedeutung. Die Reichen und Mächtigen liessen ihre Wohnungen
— Häuser, Falläste, Schlösser, — im Sinne eines behaglichen
Lebensgenusses einrichten; die künstlerischen Schmuckformen
der Zeit fügten sich den baulichen Massen, wie diese durch das
Bedürfniss geordnet waren, in heiterem Spiele an. Eine feste,
grossartige Totalität der Anlage ward insgemein nicht erstrebt;
um so entschiedener machte sich ihre malerische Wirkung geltend, und das dekorative Formenelement stand hiemit in bestem
Einklange. Besonderheiten der baulichen Composition, die man
gern im Auge behielt, trugen dazu bei, diesen malerischen Reiz
zu erhöhen, zur Entwickelung dekorativer Pracht vermehrte Gelegenheit zu geben; es waren Treppenthürme, welche aus den
Massen, diese unterbrechend, vortraten, Erker und sonstiger
Thurmschmuck, besonders aber die Anlage von Dachfenster-Er-
kern und ihre Ausstattung mit Bögen, Giebeln, Maasswerken,
Fialen, wodurch man eine verwandte Wirkung wie bei den Wimbergen und Fialen kirchlicher Gebäude und hiemit eine zumeist
sehr stattliche obere Bekrönung der Massen zu erreichen wusste.
Von maassvollerer Behandlung schritt man in solchen Bauwerken
allerdings zur mehr und mehr gesteigerten Pracht, zum phantastischen und selbst barocken Uebermaasse vor. — Die für die
obersten Zwecke des städtischen Gemeinwesens errichteten Gebäude waren ähnlich zu behandeln, indem bei ihnen die Unab-
hängigkeit von dem Bedürfniss des Einzelnen Gelegenheit gab,
mehr auf Geschlossenheit der architektonischen Composition hin-
zuarbeiten. Doch ist Frankreich nicht eben reich an Prachtbauten dieser Gattung.

Unter den bedeutenderen Profangebäuden dieser Epoche, welche sich erhalten haben, erscheint das früheste zugleich als das gediegenste und am Edelsten durchgebildete. Es ist das (jetzt als Gerichtshaus und Mairie dienende) Haus des Jacques Coeur zu Bourges,[1] eines der reichsten und angesehensten Männer unter Karl VII, 1443—53 erbaut, eine völlige Schlossanlage, welche einen Hofraum umgiebt. Die Behandlung ist, trotz der Pracht des Ganzen, noch als eine schlichte zu bezeichnen, die Ausstattung vornehmlich noch ein einfaches, aber kräftig wirkendes Leistenwerk, die reichere Dekoration nur den bedeutenderen Einzeltheilen zugewandt und auch sie in einem klaren und würdevollen Sinne behandelt.

Zahlreiche Schlosswohnungen, — Residenzen geistlicher und weltlicher Herren, — besass Paris. Eine von diesen ist völlig erhalten, der Pallast der Aebte von Cluny, das „Hôtel de Cluny," (gegenwärtig das Lokal einer berühmten Kunstsammlung.)[2] vom Ende des 15. Jahrhunderts. Auch hier herrscht noch eine ähnliche Schlichtheit der Gesammtfassung, bei schon mehr spielender Behandlung schmückender Einzelheiten, z. B. der Bekrönung der Dacherker. Die Kapelle des Pallastes ist viereckig, mit schlanker achteckiger Mittelsäule, welche das reiche Gurtengewölbe trägt, und mit kleiner Absis, die sich im Aeusseren von einem Consolenschafte getragen, zierlich hinauskragt. — Minder bedeutend ist der gleichzeitig gebaute Pallast der Erzbischöfe von Sens.[3] — Andre stattliche Palläste sind verschwunden, wie das „Hôtel de la Trémouille" und die zum Justizpallaste gehörige „Chambre des Comptes," welche neben der Ste. Chapelle belegen war.[4] Sie war im Anfange des 16. Jahrhunderts, angeblich durch den Italiener Fra Giocondo (einer der Meister des Renaissancestyles), erbaut und durch phantastisch bunte, schon einigermaassen barocke Giebel- und Dacherkerzierden ausgezeichnet.

Demselben italienischen Meister — und, wie es scheint, mit ebenso wenig genügendem Grunde wie bei dem eben genannten Gebäude — wird der Bau des Schlosses Meillant[5] bei St. Amand (D. Cher) zugeschrieben. Auch hier ein üppiger Reichthum in der Ausstattung des Einzelnen, Treppenthürme voll bunten Maasswerkes und andrer Zierden, Dacherker mit luftig aufgegipfelten Bekrönungen, u. dergl.; aber bei einem sehr lebhaften Wechsel der baulichen Massen, bei einem glücklichen Gegensatze der reicheren zu den schlichteren Theilen Alles,

---

[1] Gailhabaud, Denkm. d. Bank., III, Lief. 135. Du Sommerard, a. a. O., IV, ch. IV, 5. Chapuy, moy. âge mon., 255. — [2] Du Sommerard, a. a. O., I, S. 7, 8, f.; S. III, 7; IV, ch. II, pl. 1, ff. De Guilhermy, itin. arch. de Paris, p. 348. — [3] Du Sommerard, III, S. VIII, 4. — [4] Abbildungen bei Du Somm., IV, ch. IV, 3, 6. — [5] Gailhabaud, a. a. O., Lief. 112. Du Somm., a. a. O., III, S. IX, 5. De Laborde, mon. de la Fr., II, 218.

auch das üppig Phantastische, der malerischen Gesammtwirkung
untergeordnet und das Ganze in dieser Beziehung von sehr eigenthümlichem Reize. — Einige Palläste zu Dijon zeichnen sich
durch die geschmackvolle Pracht ihrer Hofeinrichtung aus; besonders das Hôtel des Ambassadeurs oder Hôtel d'Angleterre [1]
(rue des Forges, irrthümlich auch als H. Chambellan bezeichnet).

In der Bretagne sind mehrere Schlossbauten beachtenswerth.
Besonders das Schloss von Josselin [2] (Morbihan), ein in der
Masse schlichter Bau mit der langen Flucht von zehn hohen
und stattlichen Dacherkern, die mit Maasswerkzierden geschmückt
und von Fialen über gewundenen Ecksäulen eingefasst sind und
zwischen denen reiche Dachbrüstungen hinlaufen. — So auch das
herzogliche Schloss von Nantes, [3] ein mächtiger Hochbau, ebenfalls mit geschmückten Erkern gekrönt, an andern Stellen mit
andern Dekorationen ausgestattet; — und die Ruinen des Schlosses
von La Garaye [4] (Côtes-du-Nord), die mit spätest gothischen
schon feine Schmuckformen der Renaissance verbinden.

Die glänzendste Entfaltung des spätgothischen Schlossbaues
zeigt sich in der Normandie, [5] besonders in der Stadt Rouen.
Wie in der Ausstattung dortiger Kirchen aus der Schlussepoche
des Styles, so kündigt sich auch in diesen Werken ein schon
bis zum Uebermuth gesteigertes Spiel mit den künstlerischen
Formen an, wie es kaum anderweit gefunden wird. Zu ihnen
gehört das Palais de Justice [6] von Rouen. Ein älterer Flügel
desselben, mit der „Salle des Procureurs", wurde 1493 erbaut;
seine Architektur ist noch einfach und wesentlich nur durch die
Dacherkerfenster von Bedeutung, die, freilich zu anspruchvoll,
hochspitzbogig und hochgegiebelt wie Kirchenfenster über der
Dachbrüstung aufsteigen. Ein zweiter Flügel, das Hauptstück
des Gebäudes, rührt von 1499 her. Hier ist eine reichlich dekorirte flachbogige Fensterarchitektur zwischen ebenso geschmückten Streben und emporsteigenden Fialen; über der Dachbrüstung
eine luftige Bogengallerie in phantastisch geschwungenen Formen,
hinter der, noch phantastischer, durch ein Strebebogen-Gitterwerk
mit jenen Fialen verbunden, die buntgeschmückten Erkerfenster
angeordnet sind, — das Ganze eine abenteuerliche spielende
Bekrönung, deren aufgegipfeltes Formengewühl nicht eben in
klarem Verhältnisse zu der Masse des Gebäudes steht. — Sodann, ebendaselbst und aus derselben Epoche, das Hôtel de
Bourgtheroulde, [7] in seiner Gesammteintheilung kräftiger, die
Erkerfenster mehr im Verhältniss zu dem Ganzen, aber auch sie

---

[1] Du Sommerard, a. a. O., III, S. X, 6. Willemin, mon. fr. inéd., II, pl. 153.
— [2] Voy. pitt. et rom., Bret. J. J. Potel, la Bret. De Laborde, a. a. O., 180.
— [3] Potel, a. a. O. — [4] Derselbe. — [5] Pugin and le Keux, specimens of the
arch. antt. of Normandy. — [6] Vergl. Chapuy, moy. âge mon., 38, 159, 262.
Du Sommerard, a. a. O., IV, ch. IV, 4. De Caumont, Abécéd., a. civ., p. 208.
Denkmäler der Kunst, T. 51 (4.) — [7] Vergl. Chapuy, a. a. O., 290, 327. Du
Sommerard, a. a. O., I, S. II, 10. De Caumont, a. a. O., p. 212.

durch spielende Bekrönungen von ähnlicher Art in die barock phantastische Wirkung hineingezogen. (Zur Seite ein etwas jüngerer Gallerieflügel, in üppigen und feinen Renaissanceformen.) — Ebenfalls ein Beispiel reich-

ster Ausstattung war der um 1520 gebaute Pallast der Aebte von St. Ouen zu Rouen,[1] sowie die Paçade der dortigen Abtei von St. Amand;[2] die letztere, zum Theil noch vorhanden, hat ein zierliches Zimmerwerk, welches durch die constructiven Bedingnisse in klaren Linien zusammengehalten ist. — Anderweit enthält das Schloss Fontaine-le-Henri bei Caen[3] Theile derselben Geschmacksrichtung, während das Meiste an diesem Gebäude allerdings schon jünger ist und in ausgesprochener Renaissanceform erscheint. — Auch die Kapelle des Schlosses von Jucoville[4] bei Lacambe (Calvados) ist anzureihen.

Unter den Gebäuden des städtischen Gemeinwesens ist besonders das Hôtel de Ville von St. Quentin[5] von Bedeutung. Seine Façade folgt dem Muster, welches in den spätgothischen Stadthäusern des benachbarten Flanderns in so ansehnlichen Beispielen vorlag: unterwärts eine spitzbogige Halle auf achteckigen Pfeilern, darüber eine Reihe hoher spitzbogiger Fenster, das Ganze von kräftig vortretenden Streben eingeschlossen, von

Vom Hauptflügel des Palais de justice zu Rouen. System der obern Theile (Nach Pugin.)

einem Maasswerkfriese und drei hohen Giebeln gekrönt. Die Totalwirkung ist energisch, die Haupttheile stehen in gesunden gegenseitigen Verhältnissen, die Ausstattung ist, obgleich in den Spätformen, doch keine kleinliche. Dabei aber fehlt es im Einzelnen nicht an Eigenwillen und barocker Laune. Höchst widerwärtig macht es sich, dass die Pfeiler- und Bogenabstände der unteren Halle wechselnd stärker und schwächer sind. Die Kapitäle haben, neben spätgothischem Laubwerk, phantastisch figürliche Sculpturen. — Das Hôtel de Ville von Noyon[6] hat eine schlichtere Anordnung, ist aber durch sein Obergeschoss mit flachbogigen

---

[1] Du Sommerard, a. a. O. III, S. IX, 4. — [2] Ebendaselbst, III, S. IX, 8. Willemin, a. a. O., pl. 155. — [3] Bei Pugin u. le Keux. Willemin, pl. 223. Wiebeking, bürgerl. Bauk., T. 92. — [4] De Caumont, Abécéd., a. r., p. 522. — [5] Voy. pitt. et rom., Picardie II. Du Sommerard, III, S. IX, 2. Chapuy, moy. âge mon., 260. — [6] Voy. pitt et rom., a. a. O.

Fenstern und deren Behandlung, von angenehm befriedigender Wirkung. — Das Hôtel de Ville von Saumur [1] (Maine-et-Loire) ist durch eine gewisse kriegerische Energie, Zinnen und Erker-thürmchen, mit mässigen Schmucktheilen spätest gothischer Art, von Bedeutung.

An Stadtthürmen, sogenannten Beffrois, die, zumal in Ver-bindung mit den Stadthäusern, die Erscheinung der niederlän-dischen Städte so kräftig zu beleben pflegen, ist nichts Sonder-liches hervorzuheben. Nur Evreux zeichnet sich durch seinen Beffroi [2] aus, einem Bau des 15. Jahrhunderts, achteckig über vier-eckigem Unterbau, oben mit zierlich luftiger Spitze, im Charakter der geschmückteren Kirchthurmspitzen der französischen Gothik dieser Spätepoche.

Gothischer Bau im Laufe der modernen Epoche.

Die jüngeren Schmuckwerke der gothischen Architektur von Nordfrankreich gehen zum Theil, wie im Vorstehenden mehrfach angedeutet, erheblich in das 16. Jahrhundert hinab, während der Styl der Renaissance-Architektur mit seinen antikisirenden For-men bereits eingeführt ward, den hiedurch veranlassten Misch-bildungen, den selbständigen Gestaltungen dieses Styles zur Seite. Einzelne Fälle bezeugen eine Wiederaufnahme gothischer Be-handlungsweise in noch späterer Zeit, neben der unbedingten Herrschaft der modernen Stylformen und ihrer eigenthümlichen Wandlungen. Des im 17. Jahrhundert ausgeführten gothisiren-den Gewölbes im Schiffe von St. Germain-des-Prés zu Paris,[3] der in einem seltsamen Nachklange gothischer Behand-lung ausgeführten mächtigen Thurmspitze der Kathedrale von Tréguier in der Bretagne,[4] aus dem 18. Jahrhundert, ist bereits gedacht. Hier aber galt es, sich einem vorhandenen Aelteren in einigermaassen entsprechender Weise anzuschliessen. Ein andres, sehr grossartiges Monument, dessen Ausführung die Epoche des 17. und 18. Jahrhunderts ausfüllt, erscheint als ein durch-aus selbständiges Werk gothischer Composition, mit der bis zum Schlusse festgehaltenen Absicht, das Gesetz der mittelalterlichen Architektur zu bewahren, ihre Wirkungen zu erneuen, mit den machtvollen Leistungen ihrer früheren Glanzzeit zu wetteifern und sie, wenn möglich, zu überbieten, — ein fast wunderbares Phänomen innerhalb so gänzlich abweichender baulicher Rich-tungen, innerhalb geistiger Stimmungen, die eine so wesentlich unterschiedene Formensprache hervorgerufen hatten.

Dies ist die Kathedrale Ste. Croix zu Orléans.[5] An

---

[1] Gailhabaud, Denkm. d. Bank., III, Lief. 103. — [2] Viollet-le-Duc, dictionn., II, p. 196. — [3] Thl. II, S. 222. — [4] Oben, S. 109. — [5] Chapuy, cath. franç.; moy. âge mon., 43, 331. De Laborde, a. a. O., pl. 166, 258, f. Du Sommerard,

der Stelle älterer Anlagen war hier im J. 1287 ein Gebäude gegründet worden, welches zu den grossartigsten Kathedralen Frankreichs gehörte, dessen Thurm namentlich als der höchste des Landes galt. Im J. 1567 wurde sie durch die Hugenotten zerstört und zunächst, mit Benutzung der Reste, dürftig hergestellt. Im Jahr 1601 begann ein umfassender Neubau, dessen grösserer Theil in der ersten Hälfte des Jahrhunderts ausgeführt und der in der folgenden Hälfte langsamer fortgesetzt wurde, während der Bau der Façade erst im 18. Jahrhundert erfolgte. Der Plan ist völlig der der reichsten französisch-gothischen Kathedralen, fünfschiffig, in der Mitte von einem dreischiffigen Querbau durchschnitten, der Chor mit einem Kranze von sieben gleichartigen Absidenkapellen umgeben, (denen sich westwärts, in etwas missverstandener Anordnung, zwei Halbkapellen anschliessen.) Die Gesammtlänge beträgt 390 Fuss, die Höhe des Mittelschiffes 98 F. Der Aufbau entspricht demselben System. Er ist den Spätformen des Styles zugewandt, seine Theile nach ihrem Gesetze gliedernd; er ist dabei jedoch nicht ganz im Stande oder er hat nicht völlig die Absicht, sich des Formengefühles seiner Zeit durchaus zu entschlagen; er führt eine gewisse schärfere Strenge in die Behandlung des Details ein, die, ob allerdings auch in der durch die Gothik vorgeschriebenen Richtung, dennoch einen Anklang an das Formengefühl der Renaissance verräth; er hat in seinen Verbindungen und Abschlüssen eine gewisse nüchterne Bestimmtheit, die in diese spätgothischen Formen einen ähnlichen Zug von (antikisirend) klassischer Behandlung einmischt, wie es in der frühgothischen Architektur durch die Traditionen des romanischen Styles der Fall gewesen war. — Das Innere ist in einfach gleichmässiger Weise geordnet; die Pfeiler sind lebhaft gegliedert, (doch statt der sonst üblichen Spätformen mit schmalen kantigen Stähen,) ihre Gliederung ohne Kapitäl- oder Gesimsabschlüsse in die Bögen und Gurte übergehend; über den Scheidbögen des Mittelschiffes ein schlichtes, die feste Mauerwirkung nicht gänzlich aufhebendes Masswerk-Triforium; darüber die Fenster, die mit geschweiftem Masswerk ausgesetzt sind. Es ist durchgehend etwas Nüchternes in diesen Detailbildungen des Inneren; aber die räumlichen Verhältnisse sind ungemein würdig und von schönstem Gleichmaasse, und die feinen Details der Pfeiler und Bögen bringen, wie sehr ihnen auch der eigentliche Organismus fehlt, ein leichtflüssiges perspectivisches Linienspiel hervor. — Die Wirkung des Aeusseren bedingt sich (abgesehen von dem Façadenbau) zunächst durch ein in reichlicher Fülle und ebenfalls in gleichmässigem Charakter durchgeführtes Strebesystem. Kräftige Kranzgesimse, der antikisirenden Form sich annähernd und zum Theil um die Stre-

a. a. O., III, S. X, 10. Stark, Städteleben etc. in Frankreich, S. 280. Wiebeking, bürgerl. Bauk., T 85, 87, 115, 118. *Denkmäler der Kunst, T. 50, (6, 7.)*

bepfeiler verkröpft, lassen hier das Element der horizontalen
Lagerung wiederum entschieden sichtbar werden, während es
doch an dem reichen Wechsel bunt aufgegipfelter Strebethürmchen und Fialen, von reicher Maasswerkfüllung u. dergl. nicht
fehlt. Bezeichnend ist, dass die Streben im Grundriss zumeist
mit zwei Seiten eines Dreiecks vortreten. Ueber den Strebebögen klimmen überall (in einer Verdoppelung des Strebegesetzes)
schlanke durchbrochene Gallerieen empor, die besonders den
bunt verschobenen Theilen der Chorpartie ein überaus malerisches Ansehen geben. Die Querschiffgiebel haben polygonisch
vortretende Treppenthürmchen zu den Seiten des Mittelbaues
und Rosenfenster, welche durch ein eignes, sternartig ausstrah-
lendes Maasswerk ausgefüllt sind, im Uebrigen die scheidenden
Horizontallinien, auch einige, zum Barocken geneigte Schmuckformen; ihre Thüren haben antikisirende Säulen und Giebel, die
einzige Huldigung, welche hier dem Zeitgeschmack dargebracht
ist. Der Nordgiebel wurde von 1622—28, der Südgiebel von
1662—76 ausgeführt; beide sind in der Hauptsache gleich. Ueber
der Durchschneidung des Quer- und Langbaues erhebt sich ein
leichtes Thürmchen von einfacher Anlage, (aus Holz und mit
Bleibedeckung,) 1707 erbaut. — Der Bau der Westfaçade wurde
im J. 1723 nach dem Plane des Architekten G a b r i e l begonnen.
Auch hier liegt durchaus noch das Gesetz des Façadenbaues der
nordfranzösischen Gothik, einigermaassen nach dem Muster der
Kathedrale von Paris, zu Grunde, ebenfalls zur lebhaften Wirkung entwickelt, ob auch die abermals jüngere Zeit sich deutlicher bemerklich macht, in einer Weise, die den dekorativen
Effecten der damaligen Opernbühne und ihrer scenischen Malereien nicht ganz fern steht, — d. h. in einer neuen spielenden
Umbildung jenes dekorativen Elements, welches schon von vornherein die Anordnung der französischen Façade bedingt hatte.
Die Façade ist dreitheilig, ihre Theile durch Streben (von der
oben bezeichneten Anlage) geschieden. Unterwärts drei hohe
Spitzbogennischen mit geschweiftem Giebel; in der mittleren,
reicher verzierten Nische das Hauptportal; in den Seitennischen,
mit nicht sehr günstiger Anordnung, je zwei schmale Portale,
welche den doppelten Seitenschiffen entsprechen sollen. Ueber
den Nischen drei gleichartige Rosenfenster, bei denen der Bezug
zu den inneren Dispositionen des Gebäudes schon unberücksich-
tigt geblieben ist. Darüber, zwischen den Streben, eine luftige
Gallerie, theatralisch mit grösseren Maasswerk-Bögen und mit
kleinen von einfacher Form wechselnd. Dann steigen über den
Seitentheilen zwei schmuckreiche Thürme empor, in drei, sich
jedesmal verjüngenden Geschossen; das erste mit geschweift spitzbogiger Fenster- und Nischendekoration und mit leichten durchbrochenen Treppenthürmchen auf den Ecken; das zweite und
das dritte von luftigen, sehr zierlichen Gallerieen umgeben, das

letztere von runder Grundform, mit vier kleinen Ecktabernakeln,
über denen und der durchbrochenen oberen Säumung des Baues
sich, als Bekrönung des Ganzen, je vier Engelstatuen erheben.
Das Obergeschoss, das nicht im ursprünglichen Plane der Façade

Kathedrale von Orléans. Façadenthurm. (Nach Pugin.)

gelegen hatte, wurde erst im J. 1790, nach dem Plane Trou-
ard's, durch ·den Architekten Pâris hinzugefügt, — zu einer
Zeit, da der Sturm der Revolution, der anderweit so vielen Denkmälern des Mittelalters den Untergang bereitete, schon herein-
gebrochen war. Die Thürme, in ihrer luftig spielenden Erscheinung, stimmen mit dem Charakter der Haupttheile des Gebäudes
nicht sonderlich überein; es sind reiche Schmuckaufsätze, die
auf eigne Geltung Anspruch machen.· Aber es ist in ihrer Composition an sich eine hohe Grazie, in ihren Details (wenigstens
in den Hauptlinien) eine fast wundersame Reinheit des Styles.

in ihrer Escheinung ein magischer Reiz, der an manche architektonische Compositionen auf Gemälden von Claude Lorrain erinnert; womit dann wieder die moderne Gefühlsweise und das Scenische der Wirkung bezeichnet ist:

---

c. Die französischen Südlande.

Der Süden von Frankreich steht in der gothischen Bauepoche gegen den Norden erheblich zurück. Die Albigenserkriege hatten das Land gerade in der Zeit, da der neue Styl sich im Norden entwickelte, verwüstet und zerrüttet, und lange Ermattung war ihre Folge. Es fehlte an den Mitteln wie an geistiger Kraft, mit dem Norden zu wetteifern; es fehlte, im Allgemeinen, vielleicht auch an der Neigung, sich derjenigen Formensprache zuzuwenden, welche von den Unterdrückern des heimischen Geisteslebens ausgieng und in welcher diese die stolzen Denkmäler ihrer Grösse ausführten. Nur spät und zögernd fanden die gothischen Formen im Süden Eingang; nur eine geringe Zahl von Monumenten entstand, welche das Bestreben eines unmittelbaren Anschlusses an das System der nordischen Kathedralen bekunden; ebenfalls nur eine geringe Zahl bedeutenderer Bauwerke lässt die Herausbildung eigenthümlicher Systeme im Sinne der neuen Zeit erkennen. Es ist wenig Gemeinsamkeit in der südfranzösischen Gothik; sie zersplittert sich in kleinere, zerstreute Gruppen, in die Einzelbestrebungen einzelner Meister. Doch aber geht ein gewisser verwandtschaftlicher Grundzug durch ihre Leistungen; fast überall prägt sie ihren Monumenten, selbst denjenigen, welche mit ausgesprochener Absicht das nordische System nachzubilden suchen, einen Typus des Südens auf, der in einer festeren Lagerung, in einem mehr massenhaften Abschlusse, in der entschiedenen Geltendmachung der Horizontallinie und ihres Gesetzes in der äusseren Anordnung besteht. Es ist eine Anhänglichkeit an den Charakter des romanischen Styles, der im Süden so grossartige und so anmuthvolle Denkmäler hinterlassen hatte; es ist selbst eine Nachwirkung der antiken Traditionen, welche sich dort in so bedeutungsvollen Monumenten lebendig erhielten.

Beispiele frühgothischer Behandlung aus der Epoche des 13. Jahrhunderts, an der heimischen Gefühlsweise vorzugsweise festhaltend und zum Theil mit eigentlichen Elementen des Uebergangsstyles, finden sich besonders in südöstlichen Districten.

Einige in der Dauphiné. [1] So die Kirche St. Barnard zu
Romans, bei Valence, eine einschiffige Kreuzkirche mit fünfseitig geschlossenem Chor, in den Unterwänden des Vorderschiffes noch romanisch, [2] darüber der jüngere Bau mit einem zierlich
leichten spitzbogigen Triforium und schlicht spitzbogigen Fenstergruppen in den spitzen Schildbögen des Gewölbes. — So die
stattliche Abteikirche von St. Antoine (D. Isère, unfern von
Vienne). Diese hat ein inneres Arkadensystem, welches noch wie
die Vorbereitung zu einer Tonnenwölbung über dem Mittelschiffe
erscheint: die Pfeiler stark, viereckig, mit breitem Pilastervor-
sprunge nebst Halbsäulen an der Vorderseite; diese Vorlage, ein
Triforium durchschneidend, bis zu deren Kreuzgewölbe emporgeführt, aber die Gurte des letzteren ohne geeignete Vermittelung aufsetzend; die Innenseiten der Pfeiler mit je zwei Halbsäulen, die Bogenlaibungen in spielender Weise gegliedert. Der
Chor, polygonisch geschlossen (ohne Umgang), in etwas leichteren Verhältnissen, doch ebenfalls früh; die westlichen Theile des
Oberbaues, die (unvollendete) Façade aus jüngeren Epochen des
gothischen Styles. — So der Chor der Kathedrale von Vienne [3]
und die letzten westlichen Joche ihres Schiffes, deren Obertheile,
wie die Wölbung des Mittelschiffes und die Façade, ebenfalls
jünger sind.

Andre Monumente der Art im Languedoc, zunächst und
besonders im Dép. Hérault. [4] Die Ruinen des Klosters St. Fé-
lix von Montseau und die Klosterkirche von Vignogoul
haben noch Motive des Ueberganges; die letztere, nach 1220
begonnen [5] mit polygonischen Absiden, deren äussere Ecken mit
schlanken Säulchen geschmückt sind, während das von diesen
getragene Gesims zugleich, nach romanischer Art, von Consolen
gestützt wird. — Die Klosterkirche von Valmagne, 1257 begonnen, [6] zeigt im Inneren eine gewisse Nachahmung nordischer
Systeme, Rundpfeiler mit Diensten, aber barbaristisches Element,
die Scheidbögen z. B. in einer dem Pfeiler entsprechenden Rundform profilirt. Das Aeussere überall in sehr massiger Behandlung. Ein Kapellenkranz um den Chor, später, etwa aus dem
14. Jahrhundert. Der Kreuzgang neben der Kirche noch in
einem Gemisch frühgothischer und spätromanischer Formen. [7] —
Die Kirche St. Majan zu Villemagne ist ein schlicht frühgothischer Bau, sehr massig im Aeusseren, besonders in der
Chorpartie, wo die dicken Streben über den Fenstern nischen-
artig im Spitzbogen zusammengewölbt sind. — Dann die Kirche

[1] Voy. pitt. et rom., Dauphiné. — [2] Vergl. Thl. II, S. 127. — [3] Vergl. ebenda,
S. 159. — [4] Voy. pitt. et rom., Languedoc, II. — [5] Nach der Notiz bei Schnaase,
Gesch. d. bild. K., V, S. 178. (Es scheint hienach fraglich, ob die Zeitangabe
genügend verbürgt ist; doch stimmt sie zu den baulichen Entwickelungsver-
hältnissen jener Gegend.) — [6] Mérimée, notes d'un voy. dans le midi, (éd.
Brux.), p. 366. — [7] Vergl. Thl. II, S. 121.

St. Paul zu Clermont-l'Hérault (Clermont-Lodève), ein ansehnliches Gebäude aus der Spätzeit des 13. Jahrhunderts, 1313 beendet. Sie hat im Inneren ein durchgebildetes System von Pfeilern, die mit starken Halbsäulen besetzt sind, im Aeusseren die sehr charakteristische Ausbildung massenhafter Lagerung, die Westfaçade (ohne Portal) mit grossem Rosenfenster, dessen Maasswerk in einfachen Grundformen reich durchgebildet ist, darüber mit starkem Consolengesims. Aehnlich die Kirche von Lodéve. Ausserhalb des Dep. Hérault: die Kirche St. Paul zu Narbonne,[1] 1229 gegründet, kühn und leicht im inneren System, doch wiederum noch mit romanischen Reminiscenzen, namentlich in den phantastischen Sculpturen der Kapitäle; — der Chor der Kirche von Simorre[2] (D. Gers, südwestlich von Toulouse), 1290—1309 ein Ziegelbau, der an alterthümliche Motive anknüpft, geradlinig schliessend, mit Maasswerkfenstern, im Aeusseren in völlig derber Massenhaftigkeit; — und zwei zierlich frühgothische Kreuzgänge: der des ehemaligen Augustinerklosters (des jetzigen Museums) zu Toulouse, dessen Spitzbögen nach innen gebrochenbogigen Einschluss und dessen Kapitäle zum Theil wiederum noch phantastisch romanische Sculpturen haben, und der Kreuzgang neben der Kirche von Arles-sur-Tech im Roussillon, auf schlanken gekuppelten Säulchen mit leichten Kelchkapitälen.

Unter den Monumenten, welche einen lebhafteren Wetteifer mit der nordfranzösischen Gothik bekunden, ist die Kathedrale St. Jean-Baptiste von Lyon[3] voranzustellen. Auch sie folgt im Wesentlichen noch der früheren Ausbildung des Systems, in verschiedenen Stufen desselben, zumeist, wie es scheint, dem 13. Jahrhundert angehörig. Der Chor, polygonisch schliessend und ohne Umgang, hat noch Uebergangs-Motive; seine Fenster sind zweigeschossig, die unteren ohne, die oberen mit schlichtestem Maasswerk; zwischen beiden Geschossen im Aeusseren eine zierlich spätromanische Arcatur. Zu den Seiten des Chores zwei Thürme, bis auf jüngere Zuthaten von schlicht frühgothischer Beschaffenheit. Das System des Schiffes in einfach klarer Durchbildung bei würdigen Verhältnissen: kräftige und nicht schwere Pfeiler, mit Halbsäulen besetzt, von denen und über denen die vorderen wechselnd, für ein noch sechstheiliges Kreuzgewölbe, theils zu dreien, theils einzeln als Dienste emporsteigen; ein Arkadentriforium und Oberfenster von grosser und hoher Wirkung, die in eigenthümlicher Weise eine reichere Maasswerk-

[1] Mérimée, a. a. O., p. 372. — [2] Archives de la commission des mon. hist. — [3] Peyré manuel de l'arch., pl. V, 1; IX; XVIII, 1. Chapuy, moy. âge mon., 103, 270; moy. âge pitt., 133.

füllung vorbereiten, — eine Gruppe von je drei hochschlanken Fenstern mit Säulchen und über ihnen eine Gruppe von je drei Rosen; dies im Inneren durch den einzelnen Schildbogen des Gewölbes zusammengefasst und somit ein geschlossenes Ganzes bildend, im Aeusseren dagegen ohne die gemeinsame Umfassung. Die Seitenschifffenster aus Gruppen von je zwei ähnlich gebildeten Fenstern zusammengesetzt und diese, von der oberen Anordnung abweichend, auch im Aeusseren schon von einem grösseren Bogen umfasst, mit einer kleinen Rosette im Bogenschilde. — Die Façade, etwa in der Spätzeit des 13. Jahrhunderts begonnen und wesentlich dem 14. angehörig, doch zugleich mit Theilen aus dem 15. Jahrhundert, in einer Nachahmung des nordischen Systems, aber ohne sonderliches Verständniss desselben: unterwärts dreitheilig, mit sehr flach vortretenden Streben; dazwischen drei Portale mit Sculpturfüllung in der üblichen Weise und mit hohen dekorativen Giebeln; ähnliche Nischen- und Giebeldekoration an

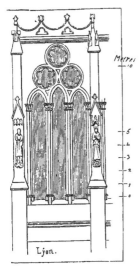

Kathedrale von Lyon Aeussere Architektur der Oberfenster. (Nach Peyré.)

den Streben; darüber eine durchlaufende Gallerie; dann der völlig flache Obertheil, ungegliedert, mit einem grossen Rosenfenster, dessen flau geschwungene Maasswerkformen auf die Spätzeit deuten, und mit einem Giebel über dem Mitteltheil und Thurmansätzen über den Seitentheilen.

Einige Stücke westschweizerischer Architektur schliessen sich dem eben besprochenen Denkmal an. Das eine ist das, im Jahr 1266 geweihte Schiff der Stiftskirche Notre-Dame zu Neuchâtel (Neuenburg), das sich, in den einfach strengen, doch charakteristischen Formen der französischen Frühgothik dem wenig älteren Chorbau anfügt, in welchem noch das Princip des romanischen Styles, und zwar in ebenso charakteristisch deutscher Fassung, ausgesprochen war. [1] — Ein andres Beispiel, von höherer Bedeutung ist die Kathedrale Notre-Dame von Lausanne, [2] deren Bau in die Zeit von 1235—75 fällt. Ihr Chor mit einem Säulenhalbrund und entsprechendem Umgange, hat in letzteren Wandarkaden, an denen noch die Form des aus

---

[1] Vergl. Thl. II, S. 491. — [2] Champrix, Notre-Dame de Lausanne. Wiebeking, bürgerl. Bank., T. 61. Chapuy, moy. âge pitt., 148. Stiche von Martens.

der burgundisch romanischen Architektur stammenden antikisirenden Pilasters erscheint. Im Schiff wechseln Bündelpfeiler
und Säulen; über den Scheidbögen, von den aufsteigenden Diensten unterbrochen, laufen die leichten Säulenarkaden eines Triforiums hin; andre Säulenarkaden rahmen die über letzteren
befindlichen Fenstergruppen ein. Die Fenster sind durchgängig
noch ohne Maasswerk. Das Aeussere ist in schlichter Massenhaftigkeit ausgeführt, mit zwei Thürmen auf der Westseite, von
denen der (im Oberbau allein zur Ausführung gekommene) südliche oberwärts von zweigeschossigen Säulengallerieen umgeben
ist, sonst nach italischer Art. Der Portalbau zwischen den Thürmen ist ein stattliches Werk aus der gothischen Schlussepoche,
eine hohe, mit Dekoration und Bildwerk ausgestattete Nische,
in deren Grunde die Thür und das Oberfenster liegen. Eine
Portalhalle auf der Südseite ist ein ansehnlicher Dekorationsbau
aus der Zeit des 13. Jahrhunderts. — Dann gehören hieher die
jüngeren Theile der Kathedrale von Genf,[1] namentlich die
Obertheile des Schiffbaues, die, wie es scheint, denen von Lausanne ähnlich behandelt sind.

Auch Einiges im nördlichen Savoyen ist an dieser Stelle
einzureihen. Namentlich die Kirche des Trappistenklosters von
Aiguebelle,[2] im schlichtesten Frühgothisch, mit noch halbrund
geschlossenem Chore; — und die Schlosskapelle von Cham-
béry,[3] die, zur Seite eines Thurmes von bezeichnend frühgothischer Behandlung, eine Chorausstattung in zierlichen Spätformen zeigt.

Drei Kathedralen enthalten die Uebertragung des vollentwickelten nordfranzösischen Systems auf den Süden und dessen
Verhältnisse. Die eine von ihnen ist die Kathedrale von Clermont-Ferrand[4] in der Auvergne. Sie wurde im Jahr 1248
durch den Meister Johannes de Campis begonnen, der Chor
1285 geweiht, das Uebrige, soweit es vorhanden, im Verlauf des
14. Jahrhunderts langsam ausgeführt. Sie ist fünfschiffig, mit
nicht vortretendem Querbau, der Chor von dem Kranze der
Absidenkapellen umgeben. Der innere Aufbau folgt dem nordischen System, mit leichten dienstbesetzten Rundpfeilern. Das
Aeussere hat diejenige grössere Schlichtheit und Strenge, die
ebensosehr ein Ergebniss der allgemeinen südlichen Gefühlsweise,
wie des lokalen Baumaterials — einer harten Lava — ist. Die
Seitenschiffe haben flache Dächer, obgleich die Oberwände des
Mittelschiffes die Anordnung (mit ausserhalb undurchbrochener
Triforienwand) beibehalten, welche für aufsteigende Seiten-

---

[1] Vergl. Thl. II, S. 169. — [2] Voyages pitt. et rom., Dauphiné. — [3] Chapuy,
moy. âge pitt., 130. — [4] Voy. pitt. et rom., Auvergne, pl. 51. — Chapuy, moy.
âge mon., 349. Viollet-le-Duc, dictionn., I, p. 75 (64); II, p. 372, f.

dachungen bestimmt war. Das Strebebogensystem hat eine
schlichte Kühnheit, mit schlanken zwischenstützenden Polygonal-
säulen, dazu das genannte Material Veranlassung gab, (wie
Aehnliches bei Verwendung des Granits sich in den Bauten der

· Clermont-Ferrand.

Strebesystem am Oberbau der Kathedrale von Clermont-Ferrand. (Nach Viollet-le-Duc.)

baltischen Küstenlande findet). Die dekorative Aus-
stattung, besonders der Querschiffgiebel, zeigt auch in
der Verwendung reicherer
Formen denselben Grundzug
herber Strenge. Der West-
bau ist unausgeführt geblieben. — Das zweite dieser
Gebäude ist die Kathedrale
St. Etienne von Limoges.[1]
Hier sind, auf der Westseite,
noch die Reste eines älteren
romanischen Baues vorhan-
den,[2] über dem sich ein schlanker frühgothischer Thurm,
mit einfachen Spitzbogen-
Nischen und Fenstern, er-
hebt. Der Chor bezeichnet
den Beginn eines Neubaues
von ausgedehnteren Verhältnissen; er ist aus Granit erbaut und der Anlage von
Clermont im Plan und in
der Behandlung des Einzelnen so verwandt, dass man
ihn als Werk desselben Meisters bezeichnen zu dürfen glaubt.
Doch fehlt es nicht an zierlich durchgebildeten Einzelheiten,
dergleichen sich u. A. in der äusseren Ausstattung der Chorkapellen, mit dem Formenspiele von Wimbergen, Fialen u. dergl.
in eigner Weise bemerklich machen. Die Ausführung des Querbaues und der ersten Theile des Vorderschiffes erfolgte erst in
der letzten Schlussepoche des gothischen Styles; die Vollendung
(die jene romanischen Reste beseitigt haben würde) unterblieb. —
Das dritte Monument ist die Kathedrale St. Just von Narbonne.[3]
Von ihr ist nur der Chor, 1272—1332, zur Ausführung gekommen, ein Werk von grossartiger Anlage, ebenfalls in der Richtung und im System der beiden obengenannten, doch in abweichender Behandlung. Das Innere zeichnet sich durch seine so
kühnen wie majestätischen Verhältnisse aus, das Gewölbe des

[1] Viollet-le-Duc, a. a. O., I, p. 76; II, p. 372, ff. 479, 538. — [2] Vergl. Thl.
II, S. 182. — [3] Voy. pitt. et rom., Languedoc, II, pl. 129, ff. De Laborde, mon.
de la Fr., II, pl. 169. Viollet-le-Duc, a. a. O., I, p. 75 (65); II, p. 374, ff.

Mittelschiffes über 120 Fuss hoch auf leichten Rundpfeilern, die
von schlanken Diensten besetzt sind. Die Ausstattung auch hier
streng, ohne allen dekorativen Luxus, aber in um so reinerer
Durchbildung der Gliederformen, in um so festerem construe-
tivem Gleichmaasse. Im Aeusseren ein in schlichter Kühnheit
aufsteigendes Strebesystem, während an den Massen auch hier
die Horizontallinie entschieden festgehalten ist. Das Material ist
ein sehr fester Kalkstein. (Ueber der Kathedrale ein Kreuzgang[1] von hohen und schweren Pfeilerarkaden, dem Anfange
des 15. Jahrhunderts angehörig.)

Zwei andre Monumente zeigen eine freiere Verwendung der
nordfranzösischen Elemente. Der Chor der Kathedrale St. Nazaire von Carcassonne,[2] der in den ersten Decennien des 14.
Jahrhunderts dem alten romanischen Schiffbau[3] hinzugefügt
wurde, in höchst eigenthümlicher Anlage: einfach polygonisch
und ohne Umgang schliessend, aber mit weit vorgestreckten
Querschiffflügeln, denen sich auf der Ostseite Kapellenschiffe
anschliessen. Das System ist einigermaassen nach dem des Schiffbaues geordnet, aber gothisch umgewandelt und zur glanzvoll
leichtesten Wirkung entfaltet, mit höchst schlanken Säulen als
Trägern der Flügelräume, mit prachtvollen Rosen in den Quer-
giebeln. Um so auffälliger ist, am Aeusseren der Chorabsis, die
romanische Reminiscenz eines Gesimses mit Consolenköpfen. —
Dann die Kathedrale St. Nazaire von Béziers[4] (D. Hérault),
die, mit der Beibehaltung spätromanischer Theile,[5] gleichfalls
im 14. Jahrhundert neugebaut wurde; im Inneren mit Bündelpfeilern, deren schlanke Leichtigkeit nicht minder gepriesen wird;
im Aeusseren wieder mit jener überwiegend massenhaften Anordnung. Die Façade mit zwei festungsartigen Seitenthürmen,
zwischen denen sich der Mitteltheil, flachbogig überwölbt, in der
Weise einer Nische vertieft; in ihm das Portal, mit hohem Giebel in rechtwinkligem Einschluss, und ein grosses, mit strengem
Maasswerk gefülltes Rosenfenster. Der Chor schlicht, (Fenster
ohne Maasswerk); ein massenhafter Seitenthurm zu seiner Seite
mehr im nordisch frühgothischen Charakter.

In eigenthümlicher Weise wirkte das System der nordfranzösischen Gothik auf die Lande des Westens ein. Hier trat dasselbe mit bedeutenden Werken der Bauschule von Isle-de-France,
— mit dem Chor der Kathedrale von Le Mans, mit der Kathedrale von Tours, — unmittelbar an die Grenzen heran, fanden
seine Formen demgemäss, auch in der Einzelbehandlung, unbe-

[1] Viollet-le-Duc, III, p. 454, f. — [2] Viollet-le-Duc. I, p. 53 (31), 97 (12);
II, p. 157, ff.; 377, ff.; 539. Mérimée, a. a. O., p. 416, ff. — [3] Vergl. Thl. II,
S. 132. — [4] Voy. pitt. et rom., Languedoc, II, pl. 247, ff. — [5] Thl. II, S. 121.

hinderten Eingang. Gleichwohl hielt man an denjenigen baulichen Dispositionen, welche hier in der romanischen Epoche und
noch in den letzten Ausgängen üblich gewesen waren, gern fest,
so dass sich aus dem Althergebrachten und dem Neueingeführten
besondre Mischbildungen, in mehr oder weniger lebhafter Durchdringung des Verschiedenartigen, mehr oder weniger bestimmter
Betonung seiner Theile, entwickelten.

Unter den spätromanischen Monumenten der westlichen Provinzen sind bereits verschiedene namhaft gemacht, die in solcher
Weise in das gothische System hinüberführen. Namentlich im
Anjou, von dessen Denkmälern die frühere Gothik dieser Districte als „anjovinischer" Styl bezeichnet wird. Die jüngeren
Theile der Kathedrale St. Maurice zu Angers,[1] ebenfalls
schon erwähnt, gehören vorzugsweise hieher. Querschiff und
Chor, aus dem zweiten Viertel des 13. Jahrhunderts, haben jene
kuppelartigen Kreuzgewölbe (sechs- und achttheilige), die aus
dem älteren Kuppelsysteme des Westens hervorgegangen waren,
mit Anwendung einfacher frühgothischer Details, die Innenwände unterwärts mit spitzbogigen Wandsäulenarkaden, die Giebelseiten des Querschiffes mit Rosenfenstern von frühgothischer
Art.[2] Die Façade[3] hat den ausgesprochenen Charakter nord-
französischer Gothik: ein mit Sculpturen bedecktes Portal und
zwei Thürme zu dessen Seiten, die mit schlanken Wandarkaden,
unterwärts noch mit rundbogigen, oberwärts mit spitzbogigen,
geschmückt und mit achteckigen Helmen gekrönt sind. (Ein
Zwischenbau zwischen den Thürmen, über dem Mitteltheile der
Façade, ist in späteren reichen Renaissanceformen ausgeführt.)

. Auf ähnliche Weise bildet sich zu Poitiers, in dem einschiffigen Bau von Ste. Radegonde, in dem dreischiffigen (mit
fast gleich hohen Schiffen) der Kathedrale St. Pierre, das
ältere System im Fortschritt des Baues nach den Bedingnissen
des gothischen Styles um. Auch hievon ist bereits gesprochen.[4]
Die Façade der Kathedrale[5] ist ein besonders stattlicher Bau
aus der Frühzeit des 14. Jahrhunderts: dreitheilig, mit Streben
und drei tiefen Portalen; über dem Mittelportal eine zierliche
Wandarkade und über dieser eine sehr treffliche quadratisch
eingerahmte Rose; über den Seitenportalen grosse Spitzbogenfenster; das Ganze horizontal abschliessend, schon mehr nach
südlicher Gefühlsweise. Zu den Seiten zwei vortretende Thürme,
nordisch, mit schlanken spitzbogigen Wandarkaden in zwei Geschossen.

Elemente einer mehr selbständigen Fassung zeigen sich an
der Kathedrale St. André zu Bordeaux.[6] Ihr Vorderschiff,

---

[1] Vergl. Thl. II, S. 194. — [2] F. de Verneilh, l'arch. byz. en France, pl. 16.
— [3] Chapuy, moy. âge mon., 269, 397. — [4] Thl. II. S. 190 u. f. — [5] Chapuy,
a. a. O., 202 — [6] Chapuy, moy. âge mon., 100, 135: moy. âge pitt., 169.
Parker, in d. Archaeologia, XXXV, p. 360. Schnaase, Gesch. d. b. K. V, I, S. 200.

seit 1252 gebaut, frühgothisch und noch an Reminiscenzen des romanischen Styles festhaltend, ist ein einschiffiger Bau von verhältnissmässig bedeutenden Dimensionen, 228 Fuss lang, 54 F. breit, 85 F. hoch, in sieben Gewölbfelder zerfallend; die Wände unterwärts mit rundbogigen Wandarkaden, oberwärts mit schlank spitzbogigen Fensterpaaren und einem kleinen Rund darüber. Es ist eine Anlage, die noch auf die einschiffig romanischen Kuppelbauten jener Lande zurückdeutet; die Wandarkaden sind eine unmittelbare Erinnerung an die bei diesen übliche Bebandlung; die allgemeinen Maassverhältnisse stimmen damit nicht minder überein. Aber das Gewölbe, wie es scheint, folgt dem eigentlich gothischen Gesetz, mit engeren Jochfeldern als den quadratischen des Kuppelsystems, (im Grundriss ungefähr wie 3 zu 5,) womit eine wesentlich veränderte Bewegung des inneren Raumes bezeichnet ist, und die Fensteranordnung entspricht dieser Disposition. Der Chor rührt aus dem 14. Jahrhundert, in seinen Obertheilen aus dem 15. Jahrhundert her und schliesst sich wiederum entschieden dem nordischen Kathedralensystem an, mit Umgang und Absidenkranz, in reicher und maassvoller Durchbildung. Die Querschiffflügel gestalten sich zu prächtigen Façadenbauten, mit Portalen, grossen Rosenfenstern und mit Thürmen über ibren Seitentheilen; wobei auf der Südseite nur niedrigere Ansätze dieser Thürme vorhanden sind, auf der Nordseite ansehnlichere Thurmgeschosse, mit schlanken achtseitigen Helmen bekrönt, emporsteigen. Die Dekorationen dieser Obertheile deuten auf die gothische Spätzeit. Die ganze Anlage der Querschifffaçaden geht auf eine noch machtvollere Wirkung hinaus, als sie an entsprechender Stelle selbst bei denjenigen nordfranzösischen Kathedralen, welche auf Querschiffthürme berechnet sind, ersichtlich wird; sie fällt hier bei der Einfachheit des Vorderschiffes doppelt ins Gewicht. Es darf nicht ganz ohne Grund vorausgesetzt werden, dass auch hierin, trotz des ausgebildet gothischen Systems, ein altprovinzieller Charakterzug sich geltend macht; es ist eine Anlage, die nur in gesteigertem Maasse, auf eine ähnliche Wirkung hinausgeht, wie solche bei der der Querschiffthürme der Kathedrale von Angoulême erstreht war. [1] — Die Westfaçade der Kathedrale ist verbaut. An die Südseite stösst ein zierlich leichter Kreuzgang [2] aus der Epoche des 14. Jahrhunderts: Säulenbündel mit Maasswerkbögen, über denen das horizontale Gesims hinläuft, ohne Ueberwölbung des Inneren. Der Glockenthurm, isolirt zur Seite der Kathedrale, ist ein stattlicher, kräftig durchgebildeter Bau des 15. Jahrhunderts.

Ueber der Kathedrale von Bordeaux ist die dortige Kirche St. Severin [3] zu erwähnen. Sie hat einige Stücke früherer romanischer Zeit und gehört ihrer Hauptmasse nach der früh-

---

[1] Vergl. Thl. II, S. 183. — [2] Viollet-le-Duc, diction, III, p. 452, f. — [3] Parker, a. a. O., p. 363. Stark, Städteleben etc. in Frankreich, S. 236.

gothischen Epoche an, mit Seitenschiffen und mit gerade schliessendem Chore, ist jedoch, zumal im Innern, in sehr durchgreifender Weise verändert und beeinträchtigt. Wesentliche Bedeutung hat ihr Südportal, innerhalb einer Vorhalle belegen und
mit schmuckreicher frühgothischer Ausstattung, sowie mit dem
inschriftlichen Datum 1267 versehen. Die Thüröffnung selbst
ist noch, in einer Reminiscenz des Uebergangsstyles, gebrochenbogig eingewölbt; darüber die Oberschwelle und das von dem
Spitzbogen umschlossene Tympanon.

Sodann einige Monumente in benachbarten Orten. In Bazas [1]
die Kirche auf dem „Mercadel" (dem kleinen Markte), in der
gothischen Frühform, einschiffig, mit zierlich schlanken Lanzetfenstern, — und der stattliche Bau der Kathedrale, [2] die
wiederum das nordische System aufnimmt. Es ist eine Anlage,
die, wie es scheint, noch in das 13. Jahrhundert zurückgeht, die
später vollendet und, namentlich im Inneren, in ziemlich durchgreifender Weise modernisirt ist. Der Chor, von den Vorderschiffen durch keinen Querbau getrennt, befolgt merkwürdiger
Weise die normannische Plananlage von Séez und von St. Piérre-
sur-Dives; [3] die Paçade hat einen sehr reich ausgestatteten Portalbau. — In Uzeste [4] unfern von Langon, eine Kirche mässigen Umfanges, welche Papst Clemens V. (gest. 1314) zu seiner
Grabkirche erbauen liess. Auch sie hat die nordische Anlage,

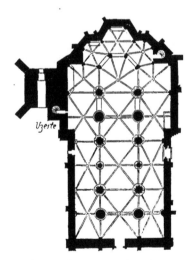

Grundriss der Kirche von Uzeste. (Nach Parker)

[1] Parker, a. a. O., XXXVI, p. 3, pl. 1. — [2] Vergl. Fergusson, handbook of
arch., II, p. 685, (nach Lamothe.) — [3] Vergl. oben, S. 86. — [4] Parker, a. a. O.,
p. 4, pl. II.

ohne Querschiff, mit einer Durchbildung des Details in feinem
und strengem Adel, während die allgemeine Disposition einiges
Unregelmässige und von der üblichen Disposition Abweichende
zeigt. Namentlich ist anzumerken, dass die Absiden des Chorumganges, statt als selbständige Kapellen vorzutreten, nur flach-
polygonische Ausbuchten desselben bilden, auch nicht mit selbständiger Ueberwölbung versehen sind, — völlig in der Weise,
wie sich der gothische Absidenkranz in den ziegelgebauten Kirchen der baltischen Hansestädte, welche dem französischen System folgen, umbildet; (s. unten). Im Schiff von Uzeste wechseln einfache starke Rundpfeiler mit dienstbesetzten und mit
schlanken Säulenbündeln, während das Gewölbe noch sechstheilig,
zwei Joche umfassend, angeordnet ist.

Das System einschiffig gothischer Kirchen hat, wie im Westen, so auch in den südöstlichen Districten mehrfach Anwendung
gefunden, in den letzteren, wie es scheint, häufiger und zugleich
entschiedener ausgebildet. Hier waren jene älteren einschiffigen
Gebäude, welche ein Tonnengewölbe mit untergelegten Gurten
trugen (und deren Disposition von vornherein minder gebunden
war als die der Kuppelkirchen,) von vorbildlichem Einflusse.
Die schlichte Festigkeit der Anlage mochte wiederum der südlichen Gefühlsweise, die einfache Structur dem oft geringeren
Maasse verwendbarer Mittel entsprechen. Doch wusste man der
Anlage eigenthümliche Vortheile abzugewinnen, dadurch nämlich,
dass man im Einschluss der stark vortretenden Strebepfeiler Kapellen anordnete, die, nach innen geöffnet, der Perspective des
sonst so einfachen Inneren doch Wechsel und Bewegung gaben.
Man war im Stande, hieraus ein eigenthümliches bestimmt ausgeprägtes künstlerisches System zu gewinnen.

Ein noch sehr schlichtes Beispiel einschiffigen Baues, mit
charakteristisch frühgothischen Formen, bildet das Vorderschiff
der Kathedrale St. Etienne von Toulouse.[1] — Bestimmtere,
doch ebenfalls noch einfache Ausbildung des Systems zeigen die
beiden Kirchen der Unterstadt von Carcassonne und die von
Montpezat (Tarn-et-Garonne.)[2] Hier sind es niedrige Kapellenschiffe zwischen den Streben, welche sich beiderseits dem
breiten Mittelraume anreihen. Die Kirche von Montpezat hat
einen einfach dreiseitigen Chorschluss, während derselbe sich zu
Carcassonne in drei Absiden gestaltet. — Das bedeutendste, vorzüglichst durchgebildete Beispiel ist die Kathedrale Ste. Cécile

---

[1] Voy. pitt. et rom., Languedoc, I, pl. 2, ff. H. Stark, a. a. O., S. 202.
(Das Vorderschiff wird wohl erst der 1275 unternommene Bau sein; der Chor,
auf den Stark dieses Datum bezieht, erscheint nach der Abbildung in den
Voy. pitt. etc. erheblich später.) — [2] Viollet-le-Duc, dictionn., I, p. 224, ff.

zu Alby[1].(Tarn.) Sie wurde 1282 gegründet und 1476 geweiht.
Ihre Anlage ist im Wesentlichen, trotz der langsamen Bauführung, ein Ganzes aus einem Gusse, 323 Fuss lang, 84 F. mit
den Kapellen und 52 F. ohne diese breit, 92½ F. im Hauptgewölbe hoch; ohne Querschiff, fünfseitig und mit fünf Absidenkapellen, welche der Flucht der Seitenkapellen entsprechen,
schliessend; vor der Mitte der Westseite ein sehr starker Thurm.

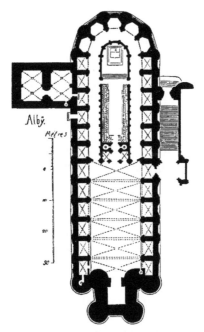

Grundriss der Kathedrale von Alby. (Nach Chapuy.)

Das Material ist gebrannter Stein; nur die feinen Details, wie
das Maasswerk der Fenster, bestehen aus Haustein. Die Strebepfeiler sind hier völlig in das Innere hereingezogen, so dass sich
über den Seitenkapellen, vor den Fenstern, hohe und freie Emporen bilden. Die architektonische Durchbildung ist die einer
schlichten Strenge; die nach Innen vortretende Stirn der Strebepfeiler ist mit einer Pilastervorlage und mit Säulchen zu deren Seiten (als Diensten für die Diagonalrippen) versehen, hierin wiederum
eine Reminiscenz an die alten Systeme des Südens bewahrend.

---

[1] Chapuy, cathédrales franç. Voy. pitt. et rom.; Languedoc, I, pl 37, ff.
Viollet-le-Duc, a. a. O., I, p. 225, ff.; II, p 380, f. Calliat, encyclopédie de
l'architecture, I, pl. 31, 61, 81, 101; II, 41; V. 4, 16. (In vol. I u II. Darstellungen der farbigen Ausstattung der Kirche)

Die Gurtungen der einfachen Kreuzgewölbefelder sind schlicht
profilirt. Die Wirkung des weiten Innenraumes ist grossartig frei,
kühn und fest; es thut überaus wohl, in den hereintretenden
Strebepfeilern die festen Massen zu erblicken, welche dem Ganzen eine begründete Existenz geben. In der Schlusszeit des gothischen Styles sind der östlichen Hälfte des Inneren reichge-
schmückte Chorschranken, um die sich ein Umgang umherzieht,
und ein ebenso reicher Lettner an deren vorderer Seite eingebaut worden. Dann sind die Obertheile des Inneren, Pfeiler-
wände und Gewölbkappen mit figürlichen und ornamentistischen
Malereien, diese im Styl der italienischen Renaissance, bedeckt
worden, welche die Massengliederung dieser Theile ähnlich be-
reichern, doch sie allerdings schon in eine spielende Wirkung
übergehen machen. — Noch entschiedener ist der Massencharakter im Aeusseren festgehalten. Hier werden die Streben nur
durch flachbogige Vorsprünge bezeichnet, zwischen denen die
einfach behandelten Fenster liegen. Ebenso sind die westlichen
Ecken des Gebäudes und die des grossen Thurmes durch runde
Vorsprünge statt der sonst üblichen Streben bezeichnet. Der
Thurm (ohne Portal) steigt in einer Anzahl zumeist sehr schlichter Geschosse, sich mässig verjüngend, bis zu 290 Fuss Höhe
empor; nur seine Obergeschosse haben die etwas feineren Formen kirchlicher, spätgothischer Architektur. Das ganze Aeussere
hat in vorzüglichst hervorstechender Weise jenes Festungsartige,
was auch sonst an gothischen Bauwerken von Südfrankreich gefunden wird; es scheint, dass die lange Zeit der blutigen Kriege
im Beginn dieser Epoche die schon vorhandene provinzielle For-
menstimmung auf solche Weise ins Strengere, fast Freudenlose
umgeprägt hatten; auch mochte es bei der Anlage der Kathedrale von Alby in der That darauf abgesehen sein, sie in Noth-
fällen als feste Burg benutzen zu können. Um so glänzender
sticht dagegen der überaus zierliche Portikus ab, welcher dem
hier an der Südseite befindlichen Hauptportale hinzugefügt ward,
im Styl der Chorschranken des Inneren und gleichzeitig mit
diesen.

Verwandte Beispiele sind die, im Ganzen sehr einfache Abteikirche von Moissac [1] (Tarn-et-Garonne); die von St. Ber-
trand-de-Comminges [2] (Haute-Garonne), diese, zwar nicht
ganz regelmässig, mit sehr stattlichem Absidenkranze; — und
die Kathedrale St. Jean zu Perpignan,[3] die 1324 gegründet

---

[1] Viollet-le-Duc, a. a. O., I. p. 227. (Vergl. Thl. II, S. 181. Es ist nach
den Vorlagen nicht klar, ob die ganze Kirche oder nur Theile derselben gothisch sind. Nach dem Grundriss in den Voy. pitt. et rom., der u. A. bei
Fergusson a. a. O., p. 616, wiederholt ist, möchte ich vermuthen, dass das
Vorderschiff noch, wie die Vorhalle, der spätromanischen Epoche und nur die
östliche Hälfte der gothischen angehört.) — [2] Viollet-le-D., ebendas. De Caumont, Abécédaire, arch. rel., p. 455, 457. — [3] Voy. pitt. et rom., Languedoc,
II, pl. 139, ff.

und 1509 geweiht wurde und bei der wiederum die grossräumigen Verhältnisse und die Kühnheit der Wölbungen gepriesen werden.

***

Die jüngeren Epochen der südfranzösischen Gothik, seit dem 14. Jahrhundert, haben vorwiegend jenes Gepräge bunter Mannigfaltigkeit, der das Gewicht herrschender Schulen fehlt. Charakteristisch Eignes findet sich zu Toulouse; die Anwendung des Ziegelmaterials unterstützt in dieser Zeit die Besonderheiten der künstlerischen Richtung. Die Jakobinerkirche[1] ist ein zweischiffiger Bau, mit einer Mittelreihe von sieben schlanken Rundpfeilern, im Inneren von glücklich freier Hallenwirkung, welche durch die hochschlanken Fenster (mit später Maasswerkfüllung) wesentlich unterstützt wird. Niedrige Seitenkapellen und Chorabsiden sind in jüngerer Zeit hinausgebaut. Das Aeussere sehr schlicht, doch ausgezeichnet durch einen schlanken Thurm, in dessen Fenstergeschossen die Arkaden, statt der Bögen, mit geradlinigen Schenkeln eingewölbt sind, eine Construction, welche das Ziegelmaterial an die Hand gab, welche weiter zu rhombischen Mustern benutzt ist und lebhaft an Motive afrikanisch - muhamedanischer Architektur erinnert. — Dieselbe Behandlung findet sich noch

Toulouse.

Obertheil des Thurmes der Jakobinerkirche zu Toulouse. (Nach Viollet-le-Duc.)

an andern spätgothischen Thurmbauten von Toulouse: an den Obergeschossen des Mittelthurmes von St. Saturnin,[2] an dem Thurme der Augustinerkirche[3] und an der Kirche du Taur oder du Thor,[4] (einem Gebäude mit sehr eigenthümlicher Choranlage, dreischiffig, in der Mitte geradlinig und zu den Seiten mit hinaustretenden Polygonal-Absiden schliessend.)[5] — Ebenso an dem Thurm der Kathedrale St. Antonin zu Pamiers[6] (Arriège.)

---

[1] Voy. pitt. et rom., a. a. O., I, pl. 13, f. Viollet-le-Duc, a. a. O., I, p. 299; III, p 395. De Caumont, Abécéd., a. r., pl. 456, 458, 474. — [2] Thl. II, S. 136. — [3] De Caumont, a. a. O., p. 514. — [4] Ebendas., p. 513. — [5] Viollet-le-Duc, a. a. O., I, p. 9 (13.) — [6] Voy. pitt. et rom., a. a. O. pl. 180.

Die Jakobinerkirche zu A g e n [1] (Lot-et-Garonne) ist ein ähnlich zweischiffiger Bau wie die zu Toulouse. So auch die Kirche
St. P o r c h a i r e zu P o i t i e r s. [2] — Die Kirche der Abtei C h a i s e-
D i e u [3] (Haute-Loire, unfern von Brioude,) erscheint als ein
Gebäude von derselben schlichten Beschaffenheit, doch dreischiffig,
mit gleich hohen Schiffen und schlanken achteckigen Pfeilern.
Der Chor der K a t h e d r a l e St. Etienne zu T o u l o u s e, der
sich dem Langschiffe[4] in sehr unregelmässiger Weise anschliesst,
wiederholt den nordischen Chorplan in der Fassung der gothischen Schlussepoche, flach fünfseitig schliessend, mit ebensolchem
Umgange und mit Absidenkapellen, denen Seitenschiffkapellen
entsprechen; das innere System mit hohen dienstbesetzten Rundpfeilern und spätem Flamboyant-Maasswerk in den kurzen Oberfenstern und der Triforientäfelung unter diesem. Die Façade
der Kathedrale [5] unvollendet, mit ungeschickt angewandten nordischen Dekorativformen. — Die Kathedrale von A u c h [6] (Gers),
seit 1439 im Baubetriebe (mit Beibehaltung älterer Theile [7] und
mit einem Façadenbau aus moderner Zeit) und die Kirche St.
M i c h e l zu B o r d e a u x [8] schliessen sich derselben Richtung an,
die letztere mit geradlinig geschlossenem Chor und mit stattlichem, vor der Westfaçade aufsteigendem Thurm.

Einige Kirchen zeichnen sich durch die reichlichere Weise
spätgothischer Thurmausstattung, wie diese im Norden üblich ist,
aus. So die Kirche von M i r e p o i x [9] (Arriège), deren Thurm
unterwärts sehr massenhaft gehalten ist, in den Obergeschossen
mit dem leichten Spiel von Strebethürmchen und Strebebögen
und mit hoher achteckiger Spitze. — So die Kathedrale von
M e n d e [10] (Lozère), die im J. 1362 begonnen sein soll, obgleich
die Haupttheile ihrer Westthürme noch ein mehr frühgothisches
Gepräge tragen; der nördliche von diesen mit einer Bekrönung
der eben bezeichneten späteren Art. — So besonders die Kathedrale von R h o d e z [11] (Aveyron), ein kräftiger Bau, anscheinend
noch mit romanischen und frühgothischen (wie auch mit modernen) Theilen; zur Seite ein höchst reich durchgebildeter Thurm,
in seinen oberen Geschossen sich achteckig aufgipfelnd, der zu
den bedeutendsten, zierlichsten und schmuckreichsten der Schlussepoche des gothischen Styles gehört. — So auch der Thurm der
Kathedrale von S a i n t e s, [12] u. a. m.

In derselben Zeit empfing die Kathedrale von L i m o g e s, [13]

[1] Viollet-le-Duc, a. a. O., p. 299   Parker, Archaeologia, XXXVI, p. 6. —
[2] Hugo, hist. gén. de la France, II, pl. 59. — [3] Voy. pitt. et rom., Auvergne,
II, pl. 146, ff. — [4] Oben, S. 128. — [5] Vergl. De Laborde, mon. de la Fr., II,
pl. 168. - [6] Gailhabaud, Denkm. d. Bank., Lief. 71. — [7] Vergl. Thl. II,
S. 173. — [8] Parker, Arch., XXXV, p. 363. Stack, a. a. O., S. 233. — [9] Voy.
pitt. et rom., Languedoc II, pl. 179. — [10] De Laborde, a. a. O., pl. 177. —
[11] Voy. pitt. et r., a. a. O., I. pl. 88, ff. De Laborde a. a. O., pl. 205. Chapuy,
moy. âge mon., 187. — [12] Parker, a a. O., p. 46. — [13] Vergl. oben, S. 123.
Chapuy, moy. âge pitt., 2.

wie bereits angedeutet, einen prächtigen Querschiffbau. Bunte, phantastisch dekorative Maasswerkmuster erfüllen den ganzen hochaufsteigenden Giebel, Streben, Wand und Fenster. Lyon besitzt in der Kirche S.t. Nizier,[1] deren Bau wesentlich dem 15. Jahrhundert angehört, ein bedeutendes Beispiel der Spätepoche, in charaktervoll eigenthümlicher Weise ausgeprägt. Die Verhältnisse des Inneren haben etwas Schweres, Breites, mit starken Gliederformen, mit der Entwickelung dekorativer Fülle. Die Scheidbögen der Schiffarkaden sind gedrückt spitzbogig; das Triforium, mit geschweiftem Bogenwerk, bildet eine selbständig gekrönte Gallerie; das Fenstermaasswerk hat kräftig bunte Formen; die Gewölbgurte sehlingen sich, rein dekorativ, in Maasswerkbildungen durcheinander. In den Aussentheilen herrscht die horizontale Lagerung entschieden vor. — Ein Beispiel zierlich reichster Dekoration ist die „Chapelle de Bourbon" an der Kathedrale von Lyon.[2] — Andres aus der Spätzeit in benachbarten Orten. So die Kirche Notre-Dame-d'Espérance in Montbrisson[3] (Loire), im Inneren von etwas trockner Behandlung; — die Kirche von Villefranche[4] (Rhône), mit schweren Dekorationsstücken an der Paçade; — die jüngsten Theile der Kathedrale von Vienne,[5] namentlich die Paçade, von reicher, spätphantastischer Anlage, doch ohne klare Entwickelung und unvollendet; die Kapelle von St. Geoire,[6] unfern von Vienne, mit glänzend barockem Portal, rundbogig naeh spätest gothischer Weise. U. s. w.

In der Provence findet sich noch eine geringere Neigung zur Aufnahme des gothischen Systems als in den übrigen Provinzen des Südens. Das 14. Jahrhundert hindurch haben die gothischen Gebäude hier eine Fassung, die noch an die Epoche des Ueberganges erinnert, mit vorherrschend gedrücktem Spitzbogen. Weniges erhebt sich über den Kreis des Gewöhnlichen; Weniges reiht sich den anderweit vorkommenden dekorativen Architekturen der Spätzeit an. Der gerühmteste gothische Bau, ausgezeichnet durch die kühne Leichtigkeit der Schiffe, die schlank aufsteigenden Fenster, die Zierlichkeit des Chorschlusses ist die Kirche von St. Maximin.[7] (Var). Eine alte Inschrift bezeichnet die Jahre 1279 und 1480 als Hauptepochen des Baues. Die Schilderung des Gesammtcharakters und die Angabe, dass die Pfeiler des Inneren und ihre Halbsäulen keine Kapitäle haben,

[1] Peyré, manuel de l'arch. pl. VI, 1; XI. Chapuy, moy. âge pitt., 93. — [2] Chapuy, moy. âge mon., 230. — [3] Ebendas., 338. — [4] De Laborde, mon. de la Fr., II, pl. 201. Chapuy, moy. âge pitt., 16. — [5] Voy. pitt. et rom., Dauphiné. Chapuy, moy. âge mon., 165. — [6] Voy. pitt et r., ebendas. - [7] Mérimée, notes d'un voy. dans le midi, p. 226.

vielmehr mit einem einfachen Gliede abschliessen, lässt vermuthen, dass wenigstens die Haupttheile des Baues der jüngeren
Epoche angehören. Die Façade fehlt. — Die·Façade der Kirche
St. Pierre zu Avignon [1] ist ein glänzend dekorirter Bau der
Spätzeit. — ·Ebenso die Façade der Kathedrale zu Aix, [2]
deren Haupttheile, zur Seite der romanischen und noch älteren, [3]
dieser Epoche angehören.

An besonderen dekorativen Prachtstücken ist zunächst ein
reiches Sakramentshäuschen im Chore der Kathedrale zu Grenoble, [4] zwischen 1337—50 ausgeführt, hervorzuheben. — Vornehmlich aber gehören zu diesen die schon besprochenen jüngeren Schmucktheile der Kathedrale zu Alby. [5] Jener Seitenportikus, der sich im luftigsten Formenspiel über dem Vorplatz des
Portales wölbt, zu welchem eine hohe Stiege emporführt, darf
vielleicht als das Meisterwerk dessen bezeichnet werden, was überhaupt die gothische Architektur in diesen traumhaften Gebilden,
die statt des Meissels mit dem Spitzenklöppel gefertigt scheinen,
zu leisten vermochte. Er steht den reizvollsten Werken der
Art, welche die arabische Kunst hervorgebracht hat, ebenbürtig
zur Seite, und es hat, zumal nach manchen Einzelheiten der Behandlung, den Anschein, als habe der Meister in der That die
Absicht gehabt, Aehnliches und noch Kunstvolleres zu Stande
zu bringen. Die Chorschranken im Inneren der Kathedrale und
der Lettner an der Vorderseite des Chores [6] haben dasselbe Gepräge graziösesten Reichthums, obschon es dabei an den Elementen launischer Willkür, die das Handwerk auf Kosten der
Kunst zur Geltung zu bringen sucht, allerdings nicht fehlt. Die
Gewölbgurte des Lettners senken sich zum Theil, wie bei dem
von Ste. Madeleine zu Troyes, [7] auf schwebende Consolen
nieder, statt durchweg von festen Stützen getragen zu werden.

An Profangebäuden kommt der Justizpallast zu Perpignan [8]
in Betracht. Er verräth, von der Weise der französischen Gothik völlig abweichend, die Hand eines fremden Werkmeisters.
Es ist eine einfach massige Façade; im Untergeschoss mit einem
rundbogigen Portal, dessen Bogen, ohne Detailgliederung, durch
überaus lange Keilsteine gebildet wird. Im Obergeschoss sind
Fenster mit je drei höchst schlanken und feinen Säulchen, über·

---

[1] Mérimée, notes d'un voy. dans le midi, p. 142. — [2] Chapuy, moy. âge
mon., 129. — [3] Vergl. Thl. II, S. 124. — [4] Voy. pitt. et rom., Dauphiné. —
[5] Oben, S. 129. — [6] Zu den Blättern in den Cathédr. fr. vergl. die in Moy.
âge pitt, 3 u. 53. — [7] Oben, S. 104. — [8] Voy. pitt. et rom., Languedoc II.
pl. 138.

denen gedrückte Bögen und blumige Spitzen in die Decksteine
eingeschnitten sind, — Anordnung und Formen von spanisch-
maurischer Art, die sich ebenso in Spanien, z. B. in Valencia,
wiederfinden.

2. Die britischen Lande.

a. England.

England hatte bereits im letzten Viertel des 12. Jahrhunderts ein Werk empfangen, welches in sehr wesentlichen Zügen
die Principien der beginnenden Gothik darlegt, — der Chorbau
der Kathedrale von Canterbury. Eine übersichtliche Cha-
rakteristik desselben ist am Schlusse der romanischen Architektur in England, (II. Bd. S. 281,) gegeben. Der Bau, seit 1175 und
zunächst unter Leitung eines französischen Meisters ausgeführt,
lässt in den Grundzügen seines Systems und in besonderen Einzelheiten die Uebertragung französischer Elemente auf den englischen Boden erkennen. Er ist mit einem grossen Aufwande
von Mitteln und mit den besten künstlerischen Kräften, welche
man heranziehen konnte, zu Stande gebracht; er ist ohne Zweifel, im allgemeinen architekturgeschichtlichen Belange, eines der
denkwürdigsten Monumente jener reichen Epoche; aber er blieb
ohne unmittelbaren Einfluss auf den Entwickelungsgang der englischen Architektur, und es knüpft sich namentlich die Ausbildung des englisch-gothischen Systems zunächst nicht an ihn
an. Noch übte der romanische Baustyl in England, wie überall
ausserhalb des französischen Nordostens, seine unbestrittene Herrschaft aus. Der Chorbau von Canterbury selbst konnte sich, trotz
seiner abweichenden Grundelemente, dem heimischen Formengesetze nicht ganz entziehen, und als nach wenig Jahren der
fremde Meister, durch ein körperliches Leiden gezwungen, von
der Bauführung abtrat, gewann letzteres in Einzeltheilen wieder-
rum eine grössere Geltung. Andre Denkmale derselben Epoche,
(wie solche in dem Abschnitt der englisch-romanischen Architektur gleichfalls aufgeführt sind,) zeigen nicht minder eine Hinneigung zu gewissen Typen des gothischen Styles, eine Aneignung
einzelner Formen desselben, theils im Anschlusse an das Beispiel
von Canterbury, theils unter anderen Einflüssen; aber bei ihnen
ist noch weniger von einer beginnenden Gothik, vielmehr überall
nur von jenen Modificationen des Romanismus die Rede, welche
mit dem Namen des Uebergangsstyles bezeichnet werden.
Erst mit dem Anfange des 13. Jahrhunderts, und in um-
fassenderer Weise vornehmlich erst seit der Zeit um den Beginn

des zweiten Viertels desselben, bildet sich ein englisch-gothischer
Baustyl aus. Derselbe erscheint sofort in eigenthümlicher Richtung. Er steht in entschiedenem Gegensatze gegen das, was in
Frankreich erstrebt wurde, was überhaupt das System seinem
Wesen nach bedingte. Er nimmt nur einzelne Elemente des
letzteren und seiner Formenbildung auf, während in dem Ganzen der hanlichen Anordnung die individuell volksthümliche Neigung maassgebend bleibt. Er bezeichnet eine Abart des Systems
von vorwiegend nationeller Ausprägung. Das transcendente Element, die systematische Berechnung, die in der französischen
Architektur von so wesentlicher Bedeutung sind, sagen dem englischen Volkscharakter wenig zu; für eine durchgeführte Gliederung der Räume und der Massen, nach Tiefe und Höhe, die
im französischen Style eine so entscheidende Wirkung ausüben,
aber zugleich ins Ueberschwängliche, über die Grenzen der reinen
Wirkung hinausgehen, zeigt sich nur eine geringe Neigung. Es
liegt im Wesen des englisch-gothischen Styles eine gewisse rüstige
Verständigkeit, der es vor Allem auf ein leicht fassliches Maass
des Ganzen ankommt. Er hat, um es mit einem Worte zu
bezeichnen, eine vorwiegende Neigung zu einer hallenmässigen Anlage, die, auch bei dem zumeist beibehaltenen System
des mittleren Hochbaues, auch bei ausgedehnten und schmuckvollen Werken, zu charakteristisch eigenen Weisen der Behandlung führt.

Die allgemeinen Dimensionen, der Grundriss, der Aufbau
sind hievon gleichmässig bedingt. Die Maasse, minder erheblich
als in den grossen Kathedralen des Continents, kündigen von
vornherein die leichtere Ausführbarkeit an. Das Längenmaass
ist allerdings oft bedeutend, mehr jedoch ein Ergebniss allmähligen Wachsens, der Zufügung neuer Theile an die alten (schon
im Gebrauche befindlichen.) als eines in solcher Art ursprünglich bestimmten Planes. Der hintere Abschluss des Gebäudes,
an der östlichen Chorseite, vermindert die kunstvollen, mehr oder
weniger mystisch wirkenden Auflösungen der räumlichen Bewegung, welche die französische Architektur in stets gesteigertem
Calcül durchzubilden bemüht war; der Chor schliesst vielmehr
in der Regel, jenes Motiv aufnehmend, welches in der Epoche
des Uebergangsstyles besonders durch die strengen Cistercienserbauten verbreitet war, einfach geradlinig ab, auf eine volle
einheitliche Beleuchtung durch die hohen Ostfenster bedacht. Doch
strebt man dahin, auch dieser Anordnung Vorbereitung und Entwickelung zu geben, theils durch die Einführung eines kleineren
östlichen Querschiffes (dazu das Motiv ebenfalls schon vorlag,
z. B. in der Kathedrale von Canterbury und schon in dem ursprünglichen Bau aus der Zeit um den Beginn des 12. Jahrh.).
theils durch kapellenartigen Ausgang und namentlich durch Hinzufügung einer langgestreckten, insgemein dem Mariendienst

gewidmeten Kapelle, (der „Lady-Chapel".) Im Aufbau wird alles
überwiegende Höhenmaass — all jener wiederum mystische Reiz,
den die französische Gothik durch die schwebende Emporgipfelung
ihrer Theile erreicht, vermieden. Eine geschossmässige Lagerung,
also das Gesetz der Horizontallinie herrscht vor; die aufsteigende
Gliederung der inneren Bautheile ist gar nicht oder nur in un-
tergeordnetem Maasse oder nur ausnahmsweise durchgeführt; die
Wölbung, soweit sie überhaupt vorhanden, ist weniger ein von
unten auf Bedingtes, als eine zwischen die Mauern selbständig
eingespannte Decke. Auch das Aeussere zeigt dies beiläufige
Verhältniss, in welchem die Gewölbdecke zu dem Systeme des
Ganzen steht; die Hülfconstruction der Strebebögen ist entweder
gar nicht angewandt oder sie ist in möglichst bescheidenen Formen
gehalten, zumeist ohne allen selbständig künstlerischen Aufwand.

Hiebei sind besondre Beziehungen anzumerken. Schon der
romanische Baustyl von England hatte, für den Hauptraum des
kirchlichen Gebäudes (mittleres Lang- und Querschiff,) keine
Vorneigung zur Anwendung des Gewölbes gezeigt. Halbsäulen
waren zwar nicht selten als Dienste an den Innenwänden emporgeführt, doch nur, mit allgemeiner Nachahmung überkommener
Motive, zur Theilung der Mauerflächen, zur Bezeichnung der Stütz-
punkte der Hauptdeckbalken. Der gothische Baustyl ward mit
einem Sinn aufgenommen, dem bis dahin die Ueberdeckung des
Hauptraumes mit hölzernem Sparren- oder Täfelwerk als das
Angemessene erschienen war. Es fehlte die Vorbildung des
Sinnes für ein durchgeführtes Wölbsystem; es fehlte überhaupt
das Bedürfniss, die technischen und die künstlerisch formalen
Gesetze dieses Systems sich zu eigen zu machen. Die alte Holztechnik blieb auch neben der Einführung der Wölbekunst in
Uebung und gelangte, als die ersten Stadien des gothischen Styles durchgemacht waren, aufs Neue zu wesentlichem Einfluss.
Man führte, statt eigentlicher Wölbungen von Stein, Scheinge-
wölbe von Holz aus, welche durch das Material und dessen Bedingungen natürlich doch ein andres Ansehen empfingen; man
gab der Holztechnik ihr selbständiges Recht und bildete die
Holzdecke in neuen, eigenthümlich kunstreichen Weisen aus;
man ging noch weiter und nahm die Motive einer spielenden
Holzconstruction, um nach ihrem Muster, im näheren Anschlusse
oder in freierer Behandlung, Steindecken von phantastisch bunter Erscheinung zur Ausführung zu bringen. Das schifffahrende
und schiffbauende Inselvolk war eben zu unmittelbar auf das
Material des Holzes und die stete Werkthätigkeit in dessen Verwendung hingewiesen, um sich desselben auch für seine monumentalen Zwecke ganz entschlagen zu können: mit dem räumlichen Gefühl eines hallenartigen Baues und seinen Erfordernissen
stand dasselbe naturgemäss in nächster, die Verhältnisse gegenseitig bedingender Wechselwirkung. Auch anderweit sollte die

Holztechnik ihren Einfluss kund geben; hievon wird im weitern
Verlauf zu sprechen sein.

In der Anordnung des Aeusseren macht sich jenes Gesetz
der horizontalen Lagerung ebenfalls geltend. Wie im Allgemeinen kein aufstrebendes Verhältniss vorherrscht, so findet auch
keine Unterordnung der horizontalen Abschlüsse unter die aufsteigenden Einzeltheile statt. Die Streben entbehren, häufig wenigstens, der krönenden Fialen; die Erhöhung der letzteren zu
Strebethürmchen fällt, bei dem Mangel oder der Bedeutungslo-
sigkeit der Strebebögen, fast überall fort; ebenso selten ist die
Anwendung der Fenstergiebel (der Wimberge,) welche anderweit
die Kranzgesimse durchschneiden. Nur in den Thurmbauten
tritt der Hochbau in seine Rechte, doch wiederum, bei Ermangelung eines durchgebildeten Strebesystemes, ohne eine lebendig
freie Entfaltung. An der Anlage des Thurmes über der mittleren Vierung, wie man denselben aus der heimischen Gestaltung
des romanischen Styles überkommen hatte, wird gern festgehalten;
er steigt oft massenhaft empor und beherrscht allerdings das
Ganze. Für den Thurmbau der Façadenseite wird kein bestimmtes Princip beobachtet, sowenig wie dies früher der Fall war.
Man errichtet zuweilen zwei Thürme, vor den Seitenschiffen; man
errichtet (zumal in späterer Zeit) einen Thurm vor der Mitte
der Façade; häufiger jedoch findet man es überflüssig, durch
eine gethürmte Façade mit dem machtvollen Bau des Mittelthurmes zu wetteifern. Man begnügt sich dann mit einer künstlerischen Ausstattung der Wandflächen, welche der Durchschnitt
des Gebäudes darbot; oder man führt einen eigen dekorativen
Vorbau auf, zu dessen Seiten wohl, über die Seitenflucht des
Gebäudes vortretend, selbständige Thürme oder Thürmchen angeordnet sind. Ueberall (bis auf wenige Ausnahmen der Spätzeit) ist die Masse des Thurmes schlicht viereckig; bekrönt wurde
er insgemein, wenigstens in den früheren Epochen des gothischen
Styles, mit einer schlank aufsteigenden achteckigen Spitze, die
aber zumeist aus Holz erbaut wurde und von der daher wenig
Beispiele erhalten sind. Später, bei immer erhöhter Geltendmachung des Gesetzes der Horizontallinie, liess man in der Regel die Spitze fort und gab dem Thurm eine Zinnenkrönung,
die dann auch über den anderen Kranzgesimsen des Gebäudes
durchgeführt wurde.

Das in seinen Grundzügen einfache System der baulichen
Anlage empfängt insgemein eine reiche Ausstattung. Aber bei
der minder vorwaltenden Neigung auf innerlichen Zusammenhang der Theile erfolgt die Durchbildung derselben ohne sonderliche Bezugnahme auf das Ganze und dessen Bedingnisse, ist
sie ungleich mehr eine dekorative als eine organische. Es ist
die alte Neigung, die sich schon im englisch romanischen Style
so charakteristisch ausgesprochen hatte, die in der Spätzeit dieses

Styles von schwer massigen Formen zu einem Uebermaass leichter, bunter, spielender Dekoration fortgeschritten war, und die nun in den Elementen der Gothik willkommene Gelegenheit zu neuer. Entfaltung findet. Sie gestaltet sich verschieden nach den verschiedenen Epochen des gothischen Styles; aber sie beruht früh und spät, bei allem Reichthum, allem üppigen Glanze, der sich im Einzelnen entfaltet, in einem gewissen starr schematischen Grundgefüge, — eben weil es an dem lebenvolleren Bedingnisse des Organischen gebricht.

Epoche des 13. Jahrhunderts.

Die erste Epoche ist die des 13. Jahrhunderts; die Engländer nennen sie die Zeit des „frühenglischen“ Styles. Sie hat den Charakter einer gewissen ritterlichen Keckheit und Straffheit, der es an einem lustigen, fast muthwilligen Formenspiele, aber ebenso an einer eigensinnigen, zuweilen etwas befangenen Laune nicht fehlt. Ihre Grundformen sind schlicht; aber sie weiss ihnen durch vielfache Wiederholung, durch ungemeine Beweglichkeit in der Zusammensetzung und Profilirung der Glieder, durch schmückende Zuthat oft einen lebhaften Reiz zu geben. Die Pfeiler der Schiffarkaden — fast durchgehend, wie schon im Vorstehenden bemerkt, ohne Bezugnahme auf das bauliche Ganze behandelt, — sind bunt gegliedert: aus einem Bündel selbständiger Säulen bestehend; aus schlanken Säulchen, die sich frei um einen mittleren Kern gruppiren oder doch in leichtester Schwingung aus denselben hervortreten; aus eckigen Massen, die aufs Reichlichste mit Stäben erfüllt sind, u. s. w. Die kelchförmigen Kapitäle haben runde tellerartige Deckglieder, der Gliederung des Pfeilers folgend, ohne den Charakter einer festen Unterlage für darauf ruhende Lasten; die Basen stehen in ähnlichem Verhältnisse. Die Kelche der Kapitäle sind theils schmucklos, theils mit einem Blattwerk bedeckt, welches zumeist in seltsam conventioneller, halb orientalischer Bildung gehalten ist, mit volutenartig hinaus- und ineinander gerollten Blättern. Die Scheidbögen nehmen dieselbe Gliederung in noch reicherem, noch mehr spielendem Wechsel auf; in ihre Tiefen legen sich nicht selten feine emporsteigende Ornamente. die eine Reminiscenz des derberen Zikzaks der romanischen Epoche enthalten, zumeist in der Form eines scharfgezeichneten, spitz vortretenden Vierblattes, (welches die Engländer mit dem Namen des „Hundszahns“ bezeichnen.) Die Dienste, welche die Mittelschiffgewölbe tragen, pflegen auf Consolen aufzusetzen. Die Fenster haben eine schlichte hochschlanke Bildung, fast durchgängig ohne Maasswerkfüllung. — sog. „Lanzetfenster;“ sie ordnen sich meist gruppenmässig und pflegen mit Ecksäulchen. besonders aber mit vorgelegten ebenso schlanken und leichten Säulenarkaden ausgestattet zu sein. Lanzet-Arkaden, auch gebrochenbogige, decken häufig die Wände, namentlich im Aeusseren des Gebäudes. Die Portale, ohne alle Berechnung auf Sculpturenschmuck, sind verhältnissmässig schlichter gehalten, minder selbständig als etwa in der französischen Gothik, mehr als Theile der Gesammtdekoration; da sie der Sculpturen-Lünette nicht bedürfen, so pflegt ihr Mittelpfeiler statt des horizontalen Sturzes durch kleinere Bögen verbunden zu sein. Der Mangel eines unmittelbaren Verhältnisses der Architektur zur figürlich bildenden Kunst (der durch wenige Ausnahmen nicht widerlegt wird) steht vielleicht mit dem Mangel des allgemeinen architektonisch organischen Princips im nächsten Wechselbezuge; ebenso der oft hervortretende Mangel des Gefühles für den tieferen Rhythmus der architektonischen Form, für das gleichartige Grundgesetz, nach welchem die letzte sich bildet. Dies vornehmlich in der Linie des Bogens. Steile und stumpfe Spitzbögen fügen sich, aus äusserlich gegebenen Motiven und ohne solche, zusammen; dies nicht nur in verschiedenen, manches Mal im nächsten Zeitanschluss ausgeführten Theilen des Gebäudes, sondern selbst in gleichzeitigen, unmittelbar zusammenhängenden Bogenreihungen (vornehmlich in dekorativen,) wo sich die Abschnitte aus irgendwelchen Gründen erweitern oder verengen; ebenso in Bogenfüllungen, wo man einem starren Schematismus zu Liebe die verschiedenen und verschiedenbezüglichen Bogenlinien streng concentrisch (in äusserlicher Harmonie und in innerlicher Disharmonie) bildet.

Die frühgothische Architektur von England verfolgt schon in ihren Anfängen eine selbständige Richtung; aber die französische Gothik stand bereits in zu entschieden ausgeprägter Bedeutung da, als dass von dieser, neben der allgemeinen Anregung, nicht mehrfach auch nähere Einwirkungen auf die englische hätten ausgehen sollen. Das dreizehnte Jahrhundert ist für England eine Epoche vorzüglich ausgezeichneter baulicher Thätigkeit; aber diese entwickelt sich unter dem steten Andrange des französischen Elements. So gelangt die englische Gothik des 13. Jahrhunderts nicht überall dazu, sich in völlig bestimmter Eigenthümlichkeit auszuprägen, sind namentlich diejenigen Fälle selten, in welchen diese Eigenthümlichkeit sich zur maassvollen Klarheit entwickelt. Der unmittelbar französische Einfluss führt allerdings manche Einzelformen herüber, deren edlere, inniger empfundene Durchbildung den günstigsten Gegensatz gegen den Schematismus der heimisch dekorativen Richtung bildet; zugleich aber musste für das Ganze der baulichen Composition, unter dem Widerstreit der so sehr entgegengesetzten Grundprincipien, nur zu häufig ein unentschiedenes Zwitterwesen hervorgehen.

Zu den eben erwähnten Einzelformen gehört vornehmlich die Anordnung des reichen Maasswerkes, wie es sich in der französischen Fensterarchitektur im Verlauf des 13. Jahrhunderts

ausgebildet hatte. In der späteren Zeit des Jahrhunderts findet
es sich mehrfach auch an englischen Monumenten. Das Beispiel
war zu wirksam, um nicht auch zu weiterer Nachfolge Anlass
zu geben. Aber wiederum machte sich dabei die nationell sche-
matische Behandlungsweise geltend. Man konnte sich in jene
Anordnung des Maasswerkes, welche dasselbe in elastischer Spannung hält, nicht finden; man setzte es aus den beliebten Lanzetbögen, aus Bogenlinien, welche concentrisch mit der Linie des
Hauptbogens liefen, zusammen und fügte der so gewonnenen
Grundeintheilung auf beliebige Weise den Rosettenschmuck bei.
Man bildete es, in den Hauptformen seines Gerippes, aus lauter
concentrischen, sich gleichmässig durchschneidenden Bogenlinien,
womit man gleichförmige Folgen rautenförmiger Rosetten gewann,
oder man füllte den ganzen Spitzbogen des Fensters mit ähnlich
zusammengereihten kleinen Rundrosetten u. dergl. m. Man empfing mit alledem, statt eines in seinen Theilen gegliederten Ganzen,
eben eine dekorativ bunte Musterfüllung. Dies ist ein Formenspiel, dessen Anfänge am Schluss der ersten Epoche hervortreten
und das sich in reicherer Weise, in mannigfacheren, namentlich
auch geschweiften Formen und Linien, im Laufe des 14. Jahrhunderts ausbildete.

In die Frühepoche der englischen Gothik gebören zunächst
ein Paar Bauwerke, welche, dreischiffig, von geringerer Dimension und mit Kreuzgewölben bedeckt, die dort höchst seltene
Anlage gleichhoher Schiffe (oder eine nur geringere Erhöhung
im Mittelraume) haben; von vornherein eine Andeutung des Hal-
lenprincips, wenn auch noch nicht in der späteren eigenthümliche-
ren Weise. Das eine ist ein östlicher niederer Anbau an der Kathedrale von Winchester,[1] an den (damals noch älteren,
später erneuten) Chor sich anschliessend und vermuthlich eine
ältere Kapelle ersetzend, von der noch die Krypta vorhanden.
Er wurde seit 1202 ausgeführt. Rundpfeiler, die mit Säulchen
umgeben sind, die letzteren mit Ringen um den Schaft, spielenden Blattkapitälen und reich gegliederten Basen nach dem wiederholten, bunt umgebildeten Motiv der attischen Basis, ebenso
bunte Bogengliederungen, Lanzetfenster, Lanzet- und gebrochenbogige Wandarkaden bezeichnen die Eigenthümlichkeiten dieses
merkwürdigen Baustücks. Gen Osten schliesst dasselbe, den
Schiffbreiten entsprechend, mit drei vierseitigen Kapellen, von
denen die mittlere (die Ladykapelle) weiter hinaustritt, in diesem
vortretenden Theile jedoch die Formen der gothischen Schlussepoche trägt. — Das zweite Beispiel ist der im Jahr 1240 geweihte Chor der Templerkirche zu London, welcher sich dem,

---

[1] Vergl. Thl. II, S. 253.

um ein Weniges älteren, noch in den Motiven des spätromani-
schen und des Uebergangsstyles ausgeführten Rundbau dieser
Kirche (Thl. II, S. 284) anfügt. Rundpfeiler mit je vier starken
Diensten und weich quellend profilirten Gliederungen, sowohl in
den Deck- und Fussgesimsen der Pfeiler als in den Bögen und
Gurten des Gewölbes u. s. w. sind auch hier als Eigenthümlich-
keiten anzuführen; doch ist in diesen Gliederungen schon etwas
Volleres, minder Springendes, was bereits die etwas vorgerückte

London

Aus dem Chore der Templerkirche zu London   Profil der Scheidbögen.   (Nach Billings.)

Epoche bezeichnet. Die Fenster, in der Lanzetform, sind zu je
dreien regelmässig geordnet und mit schlanken Säulchen zierlich
umfasst. Die Ostseite schliesst einfach geradlinig ab. [1] — Beiden
kirchlichen Gebäuden reiht sich eine stattliche Halle an, welche
im königlichen Pallaste zu Winchester[2] erbaut und um 1236
vollendet wurde. (Sie dient gegenwärtig zu öffentlichen Gerichts-
sitzungen.) Sie bildet ein Oblongum, im Inneren von $111\frac{1}{4}$ F.
Länge und $55\frac{3}{4}$ F. Gesammtbreite, dreischiffig und im Mittelschiffe $25\frac{3}{4}$ F. breit. Die Pfeiler der Schiffarkaden bestehen aus
kräftigen Säulenbündeln (die Hauptdienste wiederum vom Kerne
isolirt) und weiten Spitzbögen; der Charakter der Gliederungen
steht zwischen dem der eben erwähnten Gebäude in der Mitte.
Merkwürdig sind die hohen Fenster, mit einer schlichten gebrochenbogigen Füllung, die, eine Ausnahme in dieser Frühepoche
der englischen Gothik, ein einfaches Maasswerk glücklich vorbildet.

[1] Schnaase, Gesch. d. bild. K., V, I, S. 262, führt als andre frühgothische
Gebäude zu London noch die Ladykapelle von St. Saviours und die Kapelle in
Lambeth Palace an. (Ueber St Saviours vergl. übrigens Wiebeking, III,
t. 97, und Pugin, specimens of goth. arch., II, pl. 47, f.) — [2] E Smirke, on
the hall and round table at Winchester (in den Proceedings of the ann. meeting
of the arch. Institute etc. at Winchester, 1845.)

Die Decke ist ein einfaches Holzzimmerwerk. Das Ganze ist von festem, freiem, männlich klarem Charakter, die nationell eigenthümliche Richtung der Architektur mit Bestimmtheit bezeichnend.

In andern Fällen übte das Ueberlieferte noch seine Nachwirkung aus. Die Kirche St. Giles zu Oxford [1] hat in den Schiffarkaden schlichte säulenartige Rundpfeiler, deren rundes Kapitälgesims, mit einem eingereihten diamantirten Ornament, an die alten Rundpfeilerkapitäle erinnert, während die Scheidbögen schlicht eckig profilirt sind und die Fenster die einfache Lanzetform haben. Die Kirchen von Boxgrove (Sussex) und von Charlton-on-Otmoor [2] (Oxfordshire) haben achteckige Pfeiler von ähnlicher Beschaffenheit, zum Theil ebenfalls mit rundem Kapitälgesims. — Die Kirche zu Rothwell [3] (Northamptonshire) hat viereckige, zum Theil auch runde Pfeiler mit je vier starken Halbsäulen, in der Mitte von Ringen umfasst, die Kapitäle mit Blattschmuck, die Scheidbögen schlicht abgestuft. Das Westportal, vielfach mit Säulchen besetzt und im Spitzbogen reichlich gegliedert, hat in der Bogenumfassung starken Zikzak und ähnliches Ornament. — Auch die malerischen Ruinen der Abteikirche von Glastonbury [4] (Somersetshire) haben im Spitzbogen noch das Zikzakornament, das der im Uebrigen frühgothischen Anordnung einen phantastischen Reiz zufügt. — Die Kirche zu Ketton [5] (Rutland), 1232—50 erbaut, hat ein auffälliges Gemisch romanischer und frühgothischer Formen, in welchen man die jüngere Umwandelung einer älteren Anlage erkennt.

Ein sehr eigenthümlicher kleiner Bau, ebenfalls noch an Motive der Uebergangsepoche erinnernd, ist die Kirche zu Little-Maplested [6] (Essex), ein Rundbau von 26 Fuss innerem Durchmesser, mit sechseckigem Mittelraume von 14½ F. Durchmesser. Die Pfeiler desselben sind dreieckig, mit scharf hervortretenden Ecken und je drei Halbsäulen; die Behandlung schlicht; die Decken flach. Anstossend ein Langchor mit halbrunder Absis. Das kleine schmal spitzbogige Portal ist zierlich mit flachen Rosettenbändern umgeben.

Ein vorzüglich ausgezeichneter Bau aus dem zweiten Viertel des 13. Jahrhunderts ist das dreischiffige Querschiff der Kathedrale von York. [7] Ein Ablassbrief vom Jahr 1227 spricht von

---

[1] Bloxam, deutsche Ausg., S. 105, f. T. 24 (3), 25 (1), 26 (1.) — [2] Ebenda. — [3] Ebenda, S. 96; T. 20. — [4] Britton, arch. antt., IV, p. 189. — [5] Giossary, III, p. 36. — [6] Britton, a. a., I, p. 52. — [7] Britton, cath. antt., I. Winkles I, p. 41. Wild, views of the cath. of Canterbury and York. Halfpenny,

den bezüglichen Bauunternehmungen; im Jahr 1241 erscheint der
südliche Flügel als vollendet; die Vollendung des nördlichen
fällt in die nächstfolgenden Jahre. [1] Hier entwickelt sieh ein
reich durchgebildetes System, welches jedoch von mancherlei
spielenden Elementen nicht frei ist und sich zur harmonisch
gereinigten Wirkung noch nicht durchbildet. Die Pfeiler des
Innern sind zierlich bunt gegliedert, mit
vorspringenden Säulchen und Gruppen von
solchen und mit andern Säulchen, welche
freistehend zwischen diese eingelassen sind;
die Schäfte mit Ringen umfasst; die Kapitälkränze mit jenem conventionellen Blattwerk,
in welches sich (noch wie in romanischer
Reminiscenz) phantastische Figuren verflech-
ten. Ebenso bunte Gliederung in den Scheidbögen, in welche sich mehrfach jenes Ornament des feinzahnigen Vierblattes (des sog.
Hundszahnes) legt, das überall zugleich, im
Inneren und im Aeusseren, die Bögen des Querschiffes begleitet.
Die Gewölbdienste steigen zwischen den Bogenzwickeln auf.
Aber die Pfeilerabstände des Inneren sind ungleich und somit
ihre Bogenspannungen verschiedenartig. Derselbe Fall in den
stattlichen Emporenarkaden, deren Hauptlinien theils im Halbkreisbogen, theils im mehr oder weniger gedrückten Spitzbogen
geführt und die mit concentrischen Arkadenfüllungen ausgesetzt
sind. Oberwärts, an den Fenstern, einfachere Lanzetarkaden.
Die Giebelseiten sind verschieden angeordnet: die Nordseite mit
fünf mächtig hohen, in gleichartiger Majestät aufsteigenden Lanzetfenstern (den sog. „fünf Schwestern"), darüber, minder schön,
mit einer Gruppe kleiner aufsteigender Lanzetfenster; die Südseite mit einem Portal, Lanzetfenster und Arkaden zu dessen
Seiten und über demselben, und einem prachtvollen (ebenfalls
frühgothisch behandelten) Rosenfenster im oberen Theile. Die
südliche Giebelausstattung zeigt einige Annäherung an französi-
sehe Muster; es ist zu bemerken, dass diess an dem zuerst vollendeten Theile des Baues stattfindet, während sich in dem jüngeren eine Behandlung ausbildet, die als eine rein englische
bezeichnet werden muss. — Das im südlichen Querschiffflügel
befindliche Grabmonument seines muthmaasslichen Erbauers, des
Erzbischofes Walter Grey (gest. 1255), eine säulengetragene
Tumba, ist ein für die in Rede stehende Epoche gleichfalls sehr
charakteristischer Dekorativbau.

York.

Pfeiler im Querschiff der Kathedrale von York (Nach Britton.)

gothic ornaments in the cath. church of York. Willis, the arch. history of
York Cath. (in den Memoirs etc. communicated to the ann. meeting of the
arch. Inst. etc. at York, 1846) p. 19.

[1] Die Jahrzahlen, die man sonst für den Bau angegeben findet, haben nicht
für diesen, sondern nur für die Lebens- oder Amtsepoche der dabei Betheilig-
ten eine Bedeutung.

Die Umgegend von York besitzt eine Anzahl frühgothischer Monumente, die, mit dem Querschiffbau der Kathedrale von York, und mehr oder weniger in Uebereinstimmung mit dem Style desselben, eine ausgebreitete Lokalschule und das rege Streben jener Epoche bekunden. Zu diesen gehört der **Münster von Beverley**,[1] oder vielmehr die östlichen Theile desselben, das grosse dreischiffige Querschiff, der Chor und ein schmales östliches Querschiff, welches mit kleinen Seitenschiffräumen auf der Ostseite in den viereckigen Chorschluss hinüberleitet. Hier ist, in Fenstern, Fenster- und Wandarkaden, das Lanzetsystem lebhaft durchgeführt, doch mit der unschönen Anordnung, dass

Münster von Beverley. Inneres System der östlichen Theile (Nach Petit.)

je nach der räumlichen Bequemlichkeit Bögen von sehr verschiedenartiger Breite wechseln. Der südliche Giebel des Querschiffes hat eine vürdig gemessene Ausstattung mit hohen Lanzetfenstern und einer Rose im Obertheil; vomit aber der kleinliche und disharmonische Portalbau am Fusse desselben, rundbogig mit concentrisch spitzbogiger Füllung und schmalen Lanzetnischen zu den Seiten, im Widerspruch steht. Sehr eigen ist eine Wandarkadengallerie behandelt, die statt eines offenen Triforiums über den Scheidbögen des Inneren erscheint: gebrochen spitzbogige Arkaden, und hinter diesen, in flacherem Relief und wie in perspectivischer Verschiebung, einfach spitzbogige. Diess launige Formenspiel muss sich besonderen Beifalls erfreut haben, da es bei dem jüngeren Porthan der Vorderschiffe völlig nachgeahmt wurde. — Dann der **Münster von Ripon**,[2] eine einfache dreischiffige Kreuzkirche. · Das Innere dieses Gebäudes ist durch spätere Umbauten in vielen Theilen verändert worden; dagegen ist die westliche Façade in dem Wesentlichen der alten Anlage rein erhalten und ein sehr schätzbarer Beleg für die gothische Frühepoche und für einen, im Sinne jener Lokalschule klar entwickelten

---

[1] Britton, a. a., V, p. 194. Petit, remarks on Beverley Minster (in den eben erwähnten Memoirs etc. of the arch. Inst., York, 1846.) — [2] Winkles, Cath. churches, III, p. 113. Britton, a. a. V, p. 221. Parker, Arch. notes of the churches etc. in the city and neighbourhood of York, p. 39, (in den eben erwähnten Memoirs. Hier auch die Notizen über die im Folgenden genannten Gebäude, nebst einigen Abbildungen.)

Façadenbau. Mit zwei Thürmen in der Breite der Seitenschiffe versehen, bildet sie ein festes, in sich beschlossenes Ganzes. In den drei Portalen des Mittelbaues, den zweigeschossigen Fenstergruppen über diesen, den Fenstern und Wandnischen der Thürme herrseht ein ruhiges, gleichmässig geordnetes
Lanzetsystem, und nur die obere aufsteigende Fenstergruppe des
Mittelbaues und ihr Verhältniss zu dem Giebel desselben tritt in
etvas aus dem bestimmt abgeschlossenen Gesetze heraus. Die
Thürme waren ursprünglich mit schlanken Helmen von Holz
gekrönt; statt dieser schliessen sie gegenwärtig mit einem jüngeren Zinnenkranze ab. [1] — Andre Denkmäler derselben Epoche
und Gegend sind: die Ruinen der Abteikirche von Rievaulx,
dem Style des Münsters von Beverley, wie es scheint, nahe verwandt; die des Chores der Abteikirche von Fountains, und die
der Abteikirche von Byland, die sich besonders durch die treff-
lieh behandelte Façade auszeichnen; — die Kirche St. Cuthbert
zu Darlington, ebenfalls mit stattlicher Façade (einzelne Theile
des Gebäudes noch romanisch und aus der Uebergangsepoche);
— die kleine Kirche von Skelton, — und die eigenthümlich
interessante Marienkirche zu Nun Monkton. Die letztere ist
einschiffig, breit, mit Lanzetfenstern und zierlichen Lanzetarka-
den-Nischen zwischen diesen; über der Westseite ein Thurm, von
starken, in das Innere vortretenden Pfeilern getragen; die Façade
mit einem prächtigen rundbogigen, oben gothisch gegliederten
Portal und hohen Lanzetfenstern. — Jünger, im Jahr 1270 gegründet, ist die Abteikirche St. Mary zu York, gegenwärtig in
Ruinen. [2]

Eine ähnliche Behandlung des frühgothischen Styles zeigt
sich noch weiter in jenen nordöstlichen Districten. So in der
„Kapelle der neun Altäre", die in der Weise eines Querschiffes
den östlichen Abschluss der Kathedrale zu Durham [3] ausmacht;
— in den malerischen Ruinen der Prioreikirche von Tyne-
mouth [4] (Northumberland); — und in der zierlich ausgestatteten
Kapelle von Kirkstead [5] (Lincolnshire).

———

Es folgt eine Reihe von Bauausführungen, die, als Erneuung
von Theilen älterer Monumente oder als Fortsetzung und Vollendung solcher, welche in der Schlussepoche des romanischen

[1] Auch einige romanische Reste hat der Münster von Ripon; unter ihnen
zwei kleine Kryptenräume, von denen der eine, ein tonnengewölbter Raum,
für angelsächsisch gilt — [2] Halfpenny, Fragmenta vetusta, pl. 27. Ebendaselbst
auch Darstellungen der (nicht mehr vorhandenen?) im J. 1268 oder bald darauf erbauten Westseite der Kapelle St. William und der ungefähr gleichzeitigen Kapelle des erzbischöflichen Pallastes zu York, pl. 22, pl. 18, f.
— [3] Winkles, III, p. 75. — [4] Britton, a. a., IV, p. 109. — [5] Bloxam, deutsche
Ausg., T. 23 (1.)

Styles begonnen waren, dieselben Grundtypen des frühgothischen Styles in mehrfach wechselnder Behandlung zeigen. Hiezu gehören die östlichen Theile der Kathedrale von Rochester:[1] die letzten Joche der Vorderschiffe, das westliche Querschiff und der ansehnliche Chor mit einem zweiten geräumigen Querschiffe. Auch hier erscheinen (z. B. im Giebelbau des westlichen Querschiffes) die charakteristischen und einigermaassen spielend geordneten Lanzetformen. Besonders bemerkenswerth ist die Anlage einer ausgedehnten Krypta, welche sich vom westlichen Querschiff ab unter dem Chore erstreckt; sie gehört zu den seltenen Beispielen des Kryptenbaues in gothischer Zeit; ihre schlichten Säulen haben die übliche Behandlung des englischen frühgothischen Styles. Für die Weihung des Chores wird das Jahr 1227 angegeben; die Vollendung des Baues scheint etwas später erfolgt zu sein.[2] — Sodann die jüngeren Theile der Kathedrale von Chichester[3]. Diese bestehen in dem Chorschluss mit den schon (Thl. II, S. 268) erwähnten, noch halb romanischen Untertheilen und dem schlicht gothischen, aussen durch Strebebögen gefestigten Oberbau, die letzteren in einfach derber Behandlung, wie in der frühest französischen Gothik; in der auf zwei massenhafte Thürme berechneten, ebenfalls sehr schlicht gehaltenen Façade; in der, wohl etwas jüngeren und nicht regelmässig durchgeführten Anlage äusserer Seitenschiffe am Vorderbau, (so dass dieser, das einzige Beispiel in England, fünfschiffig wird); und in dem Thurm über der mittleren Vierung, der, mit schlanker achteckiger Spitze versehen, eins der ausgezeichnetsten Beispiele der Art, welche die gothische Architektur Englands besitzt, darbietet. (Eine dem Chore zugefügte zierliche Ladykapelle aus der Epoche um 1300.) — Ebenso die jüngeren Theile der Abteikirche von Romsey[4] (Hampshire), namentlich der westliche grössere Theil der Vorderschiffe, mit einer Gruppe kräftig hoher Lanzetfenster im Vordergiebel. An den Pfeilerbündeln der Schiffarkaden steigen hier Dienste, völlig im Charakter von Gurtträgern, empor; gleichzeitig aber ist über den Arkaden der Oberfenster ein Horizontalgesims angeordnet und sind die Dienste bis zu demselben hinaufgeführt, so dass trotz der dem Gewölbsystem nachgebildeten Pfeilergliederung dennoch auf keine Wölbung gerücksichtigt ist (wie die Kirche auch gegenwärtig mit einem Balkenwerk gedeckt erscheint).

Eigenthümliche Veränderungen wurden mit der alten Abteikirche von St. Albans[5] (Hertfordshire) vorgenommen. Zunächst,

---

[1] Winkles, I, p. 105. — [2] Im Glossary, III, p. 37, findet sich für den Chorbau das Datum des J. 1239. — [3] Winkles, II, p. 25. Fergusson, handbook, II, p. 854, ff. — [4] Britton, a. a., V, p. 188. — [5] Preston Neale, collegiate etc. churches I. Schnaase, V, I, S. 250, (mit Bezug auf die Thl. II, S. 256 citirten Werke. Die letzteren waren mir nicht zugänglich und ich bin daher ausser Stande, über den Charakter der Vorhalle von St. Albans, die schon um den Beginn des 13. Jahrhunderts erneut sein soll, Näheres anzugeben.)

in der früheren Zeit des 13. Jahrhunderts, mit der Vorhalle und dem westlichen Theil der Vorderschiffe. Hier blieb der Kern der alten Anlage, auch die Disposition der ungewölbten Decke; aber die Pfeiler des Inneren wurden nach dem Princip frühgothischer, obwohl schlicht gehaltener Gliederung ausgemeisselt, die Scheidbögen in lebhaftem Gliederwechsel spitzbogig gebildet. Ueber ihnen wurde ein geschmücktes Triforium angelegt, zierliche Säulenarkaden, deren Bogenfüllungen concentrisch mit den Hauptbögen geführt und in ihren inneren Linien mit Bogenzacken gesäumt sind; darüber ein Geschoss einfacher, mit Ecksäulchen geschmückter Fenster. Da in der ganzen Anordnung keine Bezugnahme auf eine Wölbung ist und die aufsteigenden Dienste gänzlich fehlen, so macht sich hier das Gesetz der horizontalen Lagerung mit völliger Entschiedenheit geltend, ist zugleich aber, bei dem Gegensatze der leichten, in gleichmässiger Entwickelung durchlaufenden Obergeschosse zu den kraftvollen unteren Arkaden, eine feste und entschiedene Wirkung glücklich erreicht. Der Chor gehört der Zeit um die Mitte und der zweiten Hälfte des Jahrhunderts an. Er ist gewölbt; Dienste gehen von den untern Bogenzwickeln aufwärts, ein Triforium durchschneidend, dessen Arkaden aus einer gleichmässigen Folge kleiner Spitzbögen bestehen; ein rhythmisches Gesammtverhältniss scheint auch hier zu angemessener Wirkung entwickelt zu sein. Die Fenster sind schlicht, das Mittelfenster der Ostseite schon mit trefflicher Maasswerkfüllung versehen.

Auch die Kathedrale von Ely [1] empfing ansehnliche Theile frühgothischen Styles; einen ausgedehnten, einfach geradlinig abschliessenden Chorbau und eine, mit dem üblichen Namen der Galilaea bezeichnete Vorhalle. In diesen Theilen herrscht eine feierliche Pracht, in der ein etwas alterthümelndes Gefühl nicht ohne eigenen Anreiz zur Steigerung des Eindruckes beiträgt. Im System des Chorbaues ist einige Verwandtschaft mit dem Querschiffbau der Kath. von York; auch scheinen die Schiffarkaden in der That ähnlich behandelt zu sein; im Uebrigen jedoch, namentlich in der Behandlung der Arkaden der Triforien und der schlicht geordneten Maasswerkfüllung derselben, ist ein klarerer, lebendigerer, vom Schematismus unbeeinträchtigter Rhythmus vorherrschend. Der Giebelbau des Chores ist wiederum durch das System der Lanzetfenster von bedeutender Wirkung. Der Bau der Vorhalle entwickelt den dekorativen Reichthum der Frühepoche in zierlichem Glanze. Die Ausführung des Chores erfolgte von 1235—52; die Vorhalle gehört ohne Zweifel derselben Epoche an. [2]

[1] Winkles, II, p. 41. — [2] Zwar wird (wie bei Winkles, so im Glossary III, p. 32,) für den Bau der Galilaea ausdrücklich die Zeit von 1200—15 angegeben. Diese erscheint aber nach allen vorhandenen Analogien als zu früh. Es muss dahingestellt bleiben, ob für jene Angabe urkundliche Gründe von irgend überzeugender Sicherheit vorliegen.

Ferner der Façadenbau der K a t h e d r a l e von P e t e r -
b o r o u g h , [1] dureh die Anlagen, welche im Ausgange der romanischen Epoche auf der Westseite dieses Gebäudes ausgeführt
waren, bereits vorbereitet und dieselben, in unmittelbarem Anschlusse, zu Ende führend. Eine schmale, hohe, querschiffartige
Halle, über die Flucht der Seitenschiffe hinaustretend, war dem
Westbau vorgelegt worden (vergl. Thl. II, S. 263); eine zweite,
ähnlich schmale und hohe Halle, nach aussen durch drei breite

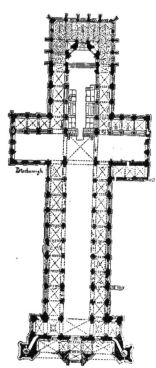

Grundriss der Kathedrale von Peterborough. (Naeh Britton.)

und mächtig hohe Spitzbögen geöffnet, auf den Seiten durch zwei leichte,
abermals hinaustretende Thürme gefestigt, ward nunmehr hinzugefügt.
Die starken Pfeiler, welche die Spitzbögen tragen, sind reichlichst mit hoch
emporschiessenden, von Ringen um-
gürteten Säulchen umstellt, während
sich in die lebhaft gegliederten Spitzbögen allerlei Ornament legt; über
den letzteren sind Giebel, die in etwas
spielender Weise von kleinen Arkaden
mit Statuen und von Rosetten ausgefüllt werden; zwischen den Giebeln
aufschiessende Thürmchen. Die Eckthürme haben verschiedengeschossigen,
ebenfalls bunt · spielenden Arkadenschmuck, zum Theil noch in romanischer Reminiscenz. Das Ganze ist ein
prachtvolles Dekorativwerk, mit grossartigen Hauptformen, deren Ausstattung aber zu einer gesetzlich klaren
Entwickelung nicht gelangt und der
es selbst wiederum an willkürlicher
Disharmonie — der mittlere grosse
Spitzbogen ist schmäler als die andern
— nicht fehlt. Die Angabe einer im
Jahr 1238 erfolgten Weihung der Kathedrale scheint den Abschluss der Arbeiten an der Façade zu bezeichnen.
(Ein portalartiger Einbau am Fusse der mittlern grossen Bogenöffnung gehört der Schlussepoche der Gothik an.)

Die „alte Ladykapelle" der K a t h e d r a l e von B r i s t o l , [2]
an der Nordseite des Gebäudes belegen, ist im Inneren durch
zierliche Lanzetarkaden vor den Fenstern ausgestattet. — Aehnlich die Ladykapelle der K a t h e d r a l e von H e r e f o r d , [3] die sich

[1] Britton, cath. a., V. Winkles, II, p. 65. — [2] Britton, cath a. V. —
[3] Ebenda, III.

der Ostseite derselben, mit niedrigem querschiffartigem Vorraume, anlegt. Hier entfaltet sich, durch buntes Säulenwerk und eine Weise der Ornamentirung, die mehrfach noch an die Elemente des Uebergangsstyles anklingt, eine vorzüglich reiche Pracht. Dieser Bautheil ist den Anfängen der englischen Gothik zuzuzählen. Nicht minder reich, doch etwas jünger, ist der nördliche Querschiffflügel der Kathedrale; er enthält ein wiederum sehr eigenthümliches Zeugniss für die seltsamen Launen, denen sich der frühgothische Baustyl in England nicht selten hingibt. Er hat ein Seitenschiff auf der Ostseite, dessen Arkadenbögen, sowie die des Triforiums darüber, statt des Spitzbogens in einem fast geradlinigen Dreieck gebildet sind (ähnlich, wie diess gelegentlich in der muhammedanischen Architektur, namentlich in Aegypten, der Fall ist); dabei haben sie zierlichen Schmuck, die des Triforiums ein stattliches Rosettenmaasswerk. Auch die Fenster der Westseite und sogar das kolossale Fenster, welches die Giebelseite dieses Querschiffflügels ausfüllt und ebenfalls ein volles Rosettenwerk enthält, haben jene, dem Wölbungsprincip so launenhaft widersprechende Bogenlinie.

Anderweit Eigenthümliches macht sich an den Resten frühgothischer Monumente von Wales bemerklich. Besonders an denen der Abteikirche von Cwmhir [1] (Grafschaft Radnor, unfern von Rhayader). Die bis zum Ansatz des Querschiffes in ihrem Unterbau erhaltenen Vorderschiffe haben die ansehnliche Länge von 244 1/2 Fuss, bei 69 1/2 F. Gesammtbreite. Sie bestehen aus 14 Jochen. Die nicht hohen Schiffpfeiler bilden im Grundriss ein übereck gestelltes Viereck, mit Bündeln von je drei Halbsäulen, die an den Ecken und in der Mitte der Seitenflächen vortreten; die lebhafte Gliederung wiederholt sich an den kräftigen, stark emporsteigenden Scheidbögen. Aufsteigende Dienste sind nicht vorhanden. Die lange Folgereihe der Arkaden gewinnt hiemit eine eigenthümlich energische und geschlossene Wirkung. — Die Reste der alten Kathedrale von Llandaff [2] (Glamorgan) haben Bündelpfeiler der üblichen Art, mit aufsetzenden Diensten; über den Scheidbögen einfache Lanzetarkaden. In der Façade ein noch rundbogiges Portal, hohe Lanzetfenster und Nischen in verschiedener Bogenweite, gebrochenbogiges Arkadenwerk im Giebel, u. s. w.

---

[1] Archaeologia Cambrensis, IV, p. 234. (Der Name wird „Kumbir" ausgesprochen.) -- [2] Winkles III, p. 137.

Umfassender entwickeln sich die Weisen des frühgothischen
Systems in einer Reihe von Kathedralen, deren Gesammtanlage
dem 13. Jahrhundert, zum Theil ebenfalls der Frühzeit desselben, angehört.

Die Kathedrale von Wells[1] wurde seit 1214 erbaut und
in ihren westlichen Theilen, mit Einschluss des grossen drei-
schiffigen Querbaues und der Anfänge des Chores, unter Bischof
Joceline (gest. 1242) beendet. Der Unterbau der östlichen Theile
erfolgte unter dessen Nachfolger Bitton (gest. 1274), der Oberbau
etwa im zweiten Viertel des 14. Jahrhunderts. Die westlichen
Theile des Gebäudes sind zunächst von höchst ausgezeichneter
Bedeutung; in ihrem inneren Systeme prägt sich die englische
Frühgothik — jener hallenartige Charakter mit vorherrschender
Horizontallinie — zur entschiedensten und befriedigendsten Er-
scheinung aus. Lebhaft gegliederte Pfeiler, im Kerne von eckiger
Kreuzform, aber aufs Reichlichste mit Bündeln schlanker Säul-
chen (einzelne im Birnenprofil) besetzt, werden durch kräftig
aufsteigende, ebenso reich gegliederte Scheidbögen verbunden.
Die vollen Kapitälkränze haben das eigenthümlich conventionelle

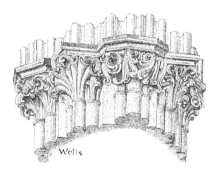

Kathedrale von Wells. Pfeilerkapital im Vorderschiff. (Nach Britton)

Blattwerk, welches dieser Zeit eigen ist; die äussern Bogenglie-
der, über den Kapitälen zusammenstossend, werden von vorspringenden Köpfen getragen. Das Triforium, gleichmässig
durchlaufend, wird durch kleine, von ähnlicher Gliederung umfasste Lanzetöffnungen gebildet; es hat nur den Charakter einer
stattlichen Mauerkrönung, die sich über den Schiffarkaden hinzieht, nicht den eines selbständigen Bautheils. Erst über dem
Triforium setzen die ganz kurzen Dienste das Gewölbe auf, dessen
Gurte, noch übergangsmässig profilirt, sich in kühner Bogenlinie

[1] Britton, cath. a., IV. Winkles I, p. 81.

emporschwingen. Das Innere dieser Bautheile hat den Ausdruck fester, in sich geschlossener Kraft, der es doch so wenig an lebhafter Entwickelung wie an rhythmischer Bewegung fehlt. Das mässige Höhenverhältniss — 67 Fuss im Mittelschiffgewölbe bei 34 F. Mittelschiffbreite und gegen 70 F. Gesammtbreite — steht hiemit im besten Einklange. (Die ziemlich ansehnlichen Fenster haben spätgothische Maasswerkfüllung.) — Die jüngeren Chortheile zeigen in den Arkaden ein einigermaassen verwandtes System, doch wiederum in spielender Behandlung; der ganze Oberbau ist in spielender Weise mit dekorativem Luxus ausgestattet. (In der mittleren Vierung ist, sehr im Widerspruch mit diesen feinen Formen. ein barbarisch ungeheuerliches Strebebogenwerk eingespannt, offenbar zur Festigung der Pfeiler, über denen der Mittelthurm ruht.) Eigenthümliches Interesse gewährt die Disposition der niedrigeren Räume, mit denen das Gebäude ostwärts abschliesst. Es ist eine Art Uebertragung der Absidenkränze an französischen Kathedralen auf das englische System: querschiffartig hinaustretend, kapellenartig sich abstufend und in der dreiseitig geschlossenen Ladyka-

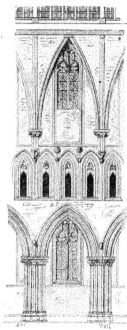

Kathedrale von Wells. Inneres System der Vorderschiffe. (Nach Britton)

pelle endigend; mit sternartig geordneten Gewölbgurten, die von leichten Pfeilern getragen werden, und mit reichen Rosettenmusterfüllungen in den Fenstern. — Die Anlage der Westfaçade gehört dem Bau aus der ersten Hälfte des 13. Jahrhunderts an. Hier zeigt sich eine Beobachtung des französischen Systems, aber nicht minder die bewusste Umarbeitung desselben naeh der heimischen Gefühlsweise. macht sich ein Streben nach bedeutender Wirkung geltend, die aber im offenen Widerstreit der Systeme, trotz einer gewissen phantastischen Energie über ein zwitterhaftes Wesen nicht hinauskommt. Die Façade hat zwei Thürme, doch wiederum nicht vor den Seitenschiffen, sondern über die Flucht derselben hinaustretend, so dass, bei der Anwendung stark vortretender Strebepfeiler, das Ganze sich fünftheilig ordnet. Aufwärts theilt es sich in durchgehende Horizontalgeschosse, die mit Wandarkaden geschmückt sind, im Hauptgeschosse mit hohen Lanzetarkaden, die sich im Mitteltheile als hohe, das Mittelschiff erhellende Fenster öffnen. Auffällig ist es, dass das Portal sich zwischen den übrigen Theilen der Ausstattung fast verliert. und noch mehr, dass die Strebepfeiler ganz und gar mit reich dekorirten Státuennischen, unter- und nebeneinander, erfüllt sind, während der Arkadenschmuck an den Zwischentheilen feste Wandflächen umschliesst, — also ein Missverstand und eine Verkehrung des natürlichen Gesetzes, welches die Strebepfeiler als die festen Stütztheile und die Flächen zwischen ihnen als die durchbrechbaren auffassen lehrt. Der Mittelbau giebelt sich ausserdem in mehrgeschossigen kleinen Arkadenreihen empor. (Der Oberbau der Seitenthürme trägt, sowie der des Thurmes über der mittleren Vierung, das Gepräge der Epoche um 1400.)

Einige Monumente zeigen in dem System ihres Inneren Verwandtes mit demjenigen, welches in den westlichen Theilen der Kathedrale von Wells befolgt ist. So die Ruine der Prioreikirche von Wenlock [1] (Shropshire). Ihr Triforium ist ähnlich behandelt, doch schon nicht in dem festen Zusammenhange wie zu Wells, sondern abschnittweise durch die Dienste unterbrochen, welche hier über den Zwickeln der Scheidbögen aufsteigen. — Dann die Ruine der Kirche St. Lawrence zu Evesham [2] (Worcestershire). Hier fehlt das Triforium ganz, sammt Gewölbdiensten und Gewölbanlage; statt dessen laufen über den Scheidbögen hochschlanke Lanzetfenster in enggedrängter Folge hin, so dass das horizontale Gesetz durchaus vorwiegt. (Die Ostseite mit grossem Fenster aus der gothischen Schlussepoche.) — So auch der ansehnliche, dreischiffige, einfach geradlinig abschliessende Chor der Kathedrale von Carlisle. [3] Dieser Bau gehört zwei verschiedenen Epochen an, welche durch einen Brand im Jahr 1292 geschieden sind. Die untern Arkaden, der Zeit vor dem Brande angehörig, haben kräftige, aus acht Halbsäulen (vier stärkeren und vier schwächeren, zum Theil im Birnenprofil) zusammengesetzte Pfeiler und fein gegliederte und gemusterte Spitzbögen. Der obere Bau bekundet in seinen Detailformen die spätere Zeit, aber die Anordnung folgt, wie es scheint, noch immer einem Muster des 13. Jahrhunderts. Horizontalgesimse scheiden die Geschosse des kleinen Triforiums und der Fensterarchitektur, jenes aus Gruppen kleiner (allerdings mit Maasswerk ausgesetzter) Spitzbogenöffnungen bestehend, diese nach dem früheren Princip der Lanzetfenstergruppen componirt. Die Dienste setzen erst mit dem Triforium auf. — Die malerische Abteikirche von Tiutern (Monmouthshire), 1268 geweiht und später vollendet, scheint ebenfalls unter einem Einflusse der Kathedrale von Wells entstanden zu sein.

Die Kathedrale von Worcester [4] hat einige ältere Theile: die grosse Krypta aus frühromanischer Zeit (Thl. II. S. 255) und

---

[1] Britton, a. a., IV, p. 59. — [2] Ebenda V, p. 209. — [3] Billings, arch. illustrations etc. of Carlisle Cath. — [4] Britton, cath. a.. IV. Winkles, III, p. 49. Wiebeking, III, t. 97.

die ersten Joche des Schiffes, welche den Styl der Uebergangsepoche tragen (Thl. II, S. 283). Das Uebrige ist frühgothischer
Bau, der Chor der ersten Hälfte, die Vorderschiffe (mit Ausnahme der eben genannten Theile) der zweiten Hälfte des 13. Jahrhunderts angehörig. Die Angabe einer im Jahr 1218 erfolgten
Weihung (nach einem Brande vom J. 1202) kann, wie es scheint,
auf die vorhandenen gothischen Theile nicht unmittelbar bezogen
werden, da die Vollendung auch der älteren von diesen ohne
Zweifel um mehrere Jahrzehnte jünger ist. Der Chor scheidet
sich von den Vorderschiffen durch ein einfaches westliches Querschiff; ein kleineres östliches Querschiff theilt ihn selbst, und er
schliesst, im Mittelraume wenig vortretend, einfach viereckig ab.
Die Pfeiler des Chores sind von freistehenden Säulchen umstellt

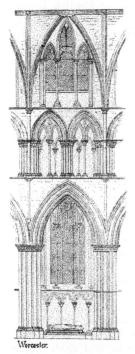

Worcester.

Kathedrale von Worcester. Inneres
System des Chorbaues. (N. Britton.)

und diese zumeist von Ringen umfasst;
die Scheidbögen reichgegliedert, zum
Theil mit eingelegtem Ornament. Darüber im Arkadentriforium: je zwei Spitzbögen auf Säulenbündeln, jeder von einer kleinen Arkade ausgesetzt, deren
Bögen lanzetförmig und concentrisch mit
dem Hauptbogen, von einem schlanken
Säulchen getragen werden, während im
Bogenfelde (statt einer Maasswerksdurch-
brechung) durchgehend eine sculptirte
Figur angebracht ist. Ueber dem Triforium, vor den (spätgothisch veränderten)
Fenstern, Lanzetarkaden mit hochschlanken Säulchen. In den Bogenzwickeln der
Scheidbögen setzt dienstartig ein Halbsäulchen über einer Console auf; diess
trägt ein anderes Säulehen, welches in
Verbindung mit der Triforienarchitektur
steht und von dessen Kapitäl die Gewölbgurte ausgehen. Es ist eine Bezugnahme
auf das Princip der Wölbung; aber die
eigenthümliche Behandlung des Triforiums hält die nationelle Physiognomie
fest; das Ganze hat das Gepräge einer
charaktervollen Eigenthümlichkeit. Beide
Chortheile sind insofern unterschieden,
als im östlichen Theile die Joche enger
und somit die Bogenlinien steiler sind als im westlichen. Die
Gesammtbreite beträgt 74 F., die Mittelschiffbreite 32 F., die
Gewölbhöhe im östlichen Theil 64, im westlichen 62 F. Das
System der Vorderschiffe ist ähnlich, doch nüchterner behandelt,
mit einigen willkürlichen Modifikationen und mit Diensten, die
vom Fusse der Pfeiler ununterbrochen emporlaufen. Das Aeus-

sere zeigt ein völlig schlichtes System, doch nur in dem östlichen Querschiff die alte Lanzetform der Fenster. Der ansehnliche Thurm über der Vierung hat die Formen der späteren Zeit des 13. Jahrhunderts. Die Westfaçade ist ohne besondere architektonische Ausstattung. (Das grosse Fenster der Westfaçade und das in der Ostseite der Kathedrale gehören einer modern gothischen Herstellung am ·Schlusse des 18. Jahrhunderts an.)

Die Kathedrale von Salisbury[1] wurde 1220 begonnen und 1258 geweiht; sie scheint bei der Weihung in ihren vorzüglichsten Theilen vollendet gewesen zu sein. Der Bau bildet, wie es selten der Fall, ein Ganzes aus einem Gusse, mit zwei Quer-

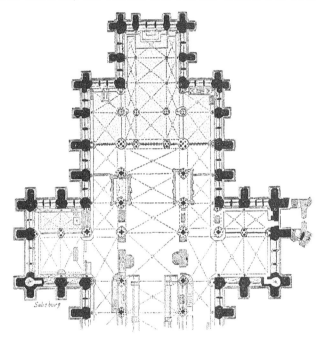

Grundriss der östlichen Theile der Kathedrale von Salisbury. (Nach Britton.)

schiffen, beide auf der Ostseite mit Seitenschiffen versehen, und dem niedern Bau der Ladykapelle, deren Räume sich, einfach abgestuft, dem östlichen Abschlusse des Chores anlegen. Die innere Gesammtlänge beträgt 455 Fuss; die Gesammtbreite der Vorderschiffe 78 F., die des Mittelschiffes 34 F., die Höhe des letztern 84 F. Das innere System hat im Chore Rundpfeiler mit acht frei umherstehenden Säulchen, im Schiff Pfeiler, die aus vier Halbsäulen mit vier dazwischen gestellten Säulchen zusam-

[1] Britton, cath. a, II; a. a., V, p. 197. Winkles, I, p. 1. Wiebeking, III, t. 105, 113.

mengesetzt sind; das Verhältniss der Pfeiler besonders leicht; die
Kapitäle in einfacher Kelchform, ohne Blattschmuck; die Scheidbögen lebhaft profilirt. Ein, auch hier ununterbrochenes Horizontalgesims scheidet das Triforiengeschoss, dessen Bögen mit
Arkadenfüllungen ausgesetzt sind, von den untern Theilen ab,
während sich über demselben schlanke Lanzetfenstergruppen-
erheben. Aber die Behandlung der Triforienarkaden zeigt ein
schwankendes künstlerisches Bewusstsein und bringt eine wesentliche Störung in den Rhythmus der ganzen Anlage; ihre Hauptbögen, in der Breite der Schiffjoche, sind gedrückt halbrund, mit
kaum wahrnehmbarem Knick in der Mitte; ihre Füllungen folgen
demselben Gesetze, welches den Linien der Scheidbögen und
denen der Fenster empfindlich widerspricht. Die Gewölbe der
Ladykapelle werden phantastisch von überaus schlanken Pfeilern,
die aus den leichtesten Säulehen zusammengesetzt sind, getragen;
den Zugang vom Chor in die Räume der Ladykapelle bildet eine
Arkade, die, je nach den Zwischenweiten der Pfeiler, wiederum
disharmonisch aus einem breiteren und zwei steileren Spitzbögen
besteht. (In der mittleren Vierung beider Querschiffe sind auch
hier, in den Längenfluchten, nachträgliche Verstrebungen eingespannt; im östlichen Querschiff von barbarisirender Anlage, wenn
auch nicht so unerträglich ungefügig wie zu Wells; im westlichen
Querschiff stattlichere und schmuckreichere Portalbögen spätest
gothischer Zeit vergleichbar.) — Das Aeussere zeigt eine klare,
charakteristische, harmonische Durchbildung; überall schlichte
Lanzetfenstergruppen; im Unterbau ein System einfacher Strebepfeiler mit schlichten Satteldächern; im Oberbau nur wenig vorspringende Wandstreifen und nur an einigen Stellen, für das
Ganze wirkungslos, ebenso schlichte straff aufsteigende Strebebögen. Besonders ausgezeichnet sind die Façade und der Mittelthurm, beide nach der Weihung der Kathedrale vollendet. Die
Façade ist im eigentlichen Sinne des Wortes ein Dekorativbau,
indem von den Seitenschiffen Hochwände, dem Mittelbau an Höhe
gleich, frei emporsteigen; Eckthürmchen festigen diese Wände
auf den Seiten, und starke Streben treten aus der Masse vor;
dazwischen sind schlichte Giebelportale, Lanzet- und Maasswerkfenster und Wandarkaden in wechselnden Folgen und in etwas
willkürlicher Anordnung enthalten. Der Mittelthurm steigt
schlank und mit hoher achteckiger Spitze bis zu 400 Fuss empor,
mit leicht aufschiessenden Maasswerkfenstern und spielend bunter
Musterung, in der immer noch altnationale Dekorationsweisen
nachklingen, versehen. — Das Grabmonument des Bischofes
G. Bridport [1] (gest. 1262), im südlichen Arme des östlichen
Querschiffes, ein kleiner kapellenartiger Bau, in dessen Einschluss
der Sarkophag befindlich, ist durch eigenthümlich dekorative

---

[1] Zu der Abbildung bei Britton vergl. Gailhabaud, Denkm. d. Bauk., III,
Lief. 104.

Behandlung frühgothischer Maasswerkarchitektur und sonstige
Ausstattung von Interesse.

Die Reste der um 1239 begonnenen Abteikirche von Netley,
südlich von Winchester, zu den vorzüglichst malerischen Ruinen
von England gehörig, scheinen eine Verwandtschaft mit den
Formen der Kathedrale von Salisbury zu besitzen. Doch ist die
Behandlung durchweg einfach.

Die Kathedrale von Lincoln [1] wurde mit Beibehaltung
älterer Theile, namentlich in dem romanischen Kern der Façade
(Thl. II, S. 275) erbaut, ohne jedoch durch diese in ihrem architektonischen Systeme weiter bedingt zu sein. Sie hat ebenfalls
zwei Querschiffe, das grössere westliche mit Seitenschiffen an der
Ostseite, das östliche mit je zwei im Grundriss halbrunden (auf
älterer Grundlage erbauten?) Absiden; der Chor schliesst gerade
ab, ohne sonstige Anbauten. Ihre Länge ist 482 Fuss; die Gesammtbreite der Schiffe 80, die Mittelschiffbreite etwa 41 F., die
Höhe des Mittelschiffes 80 F. Die westlichen Theile gehören der
ersten Hälfte, der östliche Theil des Chores, vom östlichen Querschiff ab, der zweiten Hälfte des 13. Jahrhunderts an. Das
innere System, zwar verschieden behandelt je nach den verschiedenen (auch in den westlichen Theilen bemerklichen) Epochen
der Bauführung, zeigt eine mit Geist und künstlerischer Empfindung beobachtete Mittelstufe zwischen englischer und französischer Auffassungsweise, die im rhythmischen Wechselverhältniss
der räumlichen Theile, in der Hinüberführung von dem einen zu
dem andern einen zumeist wohllautenden und befriedigenden
Eindruck hervorbringt. Die Pfeiler, leicht und fest, sind lebhaft
gegliedert, theils mit Säulchen frei um den Kern, theils mit
solchen (runden und birnenförmig profilirten), die aus dem Kerne

Pfeiler in der Kathedrale
v. Lincoln. (N. Bloxam.)

vorschiessen, während ihre Schäfte von Ringen
umfasst, ihre Kapitäle mit starkem Blattwerk
geschmückt sind. Die Scheidbögen haben ebenso
lebhafte Gliederung. In ihren Zwickeln, von
Laubconsolen getragen, setzen die Dienste auf,
zwischen denen die Maasswerkarkaden der Emporen angeordnet sind; über diesen, in der Lu-
nette des Gewölbes, die Fensterarchitektur. Die
westlichen Theile geben diese Anordnung in grösserer Strenge;
die Maasswerke der Triforien haben noch einen primitiven Charakter; die Fenster, in verschiedener Anordnung, die Lanzetform.
Im östlichen Chortheile herrscht überall ein in französischer
Weise reich und edel durchgebildetes Maasswerk; das grosse Ostfenster des Chores, das ausgezeichnetste Beispiel der Art, welches England besitzt, entfaltet dasselbe in vorzüglich glänzender
Weise. Die Behandlung des Aussenbaues folgt diesen Anord-

---

[1] Winkles, II, p. 1. Britton, a. a., V, p. 199. Wild, an illustration of the
architecture etc. of the Cath. church of Lincoln. Wiebeking, III, t. 102.

nungen, obschon dabei wiederum manche mehr spielende oder
launenhafte Momente hervortreten. in der wechselnden Stärke der
Lanzetbögen, an den westlichen Theilen, in der willkürlich dekorativen Ausstattung der Ostseite, wo jenem majestätischen Fenster die rhythmische Umschliessung und Krönung (wie durch
den Giebel der continentalen Gothik) fehlt. Das Strebesystem
ist auch hier überall in schlichtester Behandlung durchgeführt;
die Strebepfeiler des östlichen Chortheiles sind zvar mit Nischenwerk dekorirt, doch wiederum nur mit hohen Satteldächern versehen, hinter denen die Strebebögen ansetzen. Den alten Faça-
dentheilen sind in der Mitte, im Giebel und zu den Seiten
Flügelgebäude hinzugefügt, Alles reichlichst mit frühgothischen
Arkadenreihen geschmückt. Der Thurm über der mittleren Vierung zeigt in seiner Ausstattung eine phantastische Behandlung
frühgothischer Formen; die hohen Fenster des Obergeschosses,
mit knospend aufschiessender Säulengliederung, sind — ein seltenes Beispiel in der englischen Gothik — mit Wimbergen gekrönt. Der Oberbau der Westthürme, deren Ansatz noch der
romanischen Epoche angehört, ist ein stattliches Werk des
14. Jahrhunderts.

Die Westfaçade der (im Uebrigen romanischen) Prioreikirche
von Binham [1] (Norfolk) ist sehr stattlich mit Arkaden zu den
Seiten des Portales und darüber mit einem grossen Maasswerkfenster geschmückt, welches die edle und reiche Composition des
grossen Ostfensters der Kathedrale von Lincoln wiederholt und
nur, wie es scheint, gegen die graziöse Behandlung des letzteren
in etwas zurücksteht. — Die Ruine der Abteikirche von Croy-
land [2] (Lincolnshire) hat an ihrer Façade, neben älteren und
späteren Stücken, ebenfalls verwandte Formen.

Die Kathedrale von Lichfield [3] (Stafford) ist ein Bau
von einfacher Anlage und geringen Massen, nur mit einem
Querschiff, doch im Chor von erheblicher Länge und diese durch
die Ladykapelle, welche sich dem Chore in mittlerer Breite und
gleicher Höhe anfügt, noch vermehrt. Die Gesammtlänge beträgt
411 Fuss, die Gesammtbreite der Schiffe 65 F., die des Mittelschiffes nur 28, die Höhe desselben nur 55 F. Der gothischen
Frühepoche gehören zunächst die Vorderschiffe nebst dem Querschiffe (abgesehen von späteren Veränderungen des letzteren) an.
Auch hier ist die Mischung englischer und französischer Manie-
ren, die aber, indem man von der einen mehr festzuhalten und
gleichwohl der andern mehr Zugeständnisse zu machen bemüht
war, nicht in gleichem Maasse wie zu Lincoln zur innerlichen
Durchdringung führt. Man strebt nach Gesammtwirkung und
man hemmt dieselbe gleichzeitig durch kleine dekorative Spiele.
Das innere System zeigt kräftige, sehr reich mit Säulchen ge-

[1] Britton, a. a., III, p. 71. — [2] Ebenda, IV, p. 85. — [3] Britton, cath. a.,
III. Winkles, III, p. 1. Wiebeking, III, t. 105. *Denkmäler der Kunst*, T. 52 (7—11.)

gliederte und mit Kapitälkränzen geschmückte Pfeiler und einen höchst lebhaften Wechsel der Gliederung in den Scheidbögen; darüber Maasswerktriforien von bedeutender Dimension, mit feinen Zikzakornamenten in den Bögen, und über diesen, indem man auf eine namhafte Höhenwirkung verzichtete, kleine Oberfenster von dreiseitiger, aus drei Bogenstücken zusammengesetzter Form, ebenfalls mit Maasswerkfüllung. Gurtträgerdienste laufen selbständig an den Pfeilern und bis zum Gewölbe empor, Kapitälkränze und Gesimse, ebenso aber auch die Ornamente, welche man in die Bogenzwickel gelegt hat, durchschneidend. Die Façade hat zwei Thürme vor den Seitenschiffen, während der Mittelbau mit einem ansehnlichen Spitzbogenfenster von prächtiger Maasswerkfüllung versehen ist und mit einem Giebel schliesst, Alles zugleich in reicher Weise mit Nischen und Arkadengallerieen geschmückt. Es ist ganz das französische Muster; dabei aber fehlen der Façade die Streben völlig, womit der Anlage wie der Dekoration alle Entwickelung und gegenseitiges Verhältniss genommen ist. Die Thürme sind in der üblichen Weise mit schlanken achtseitigen Spitzen versehen; ebenso der Thurm über der mittleren Vierung, der aber nur eingeschossig die Dachungen überragt und bei dem hienach die Spitze ein höchst überwiegendes Verhältniss gewinnt. Die Portale fügen sich, wie in andern Fällen, ohne selbständige Entwickelung den Dekorationen des Aeussern ein. Bemerkenswerth ist ein eigen phantastischer Zug in der Ausstattung der Portale, an romanische, an maurische Motive anklingend; das Portal im nördlichen Querschifflügel bildet ein besonders glänzendes Prachtstück derartiger Dekoration. — Die Anlage des Chores scheint der der Vorderschiffe in nicht sehr ferner Frist nachgefolgt zu sein; seine Arkaden sind niedriger, gedrückter, einfacher behandelt; sein Oberbau jedoch ist erheblich jünger, völlig im Charakter des spätgothischen Styles von England. Die Ladykapelle ist von 1310 bis 21 erbaut und trägt das Gepräge dieser Epoche.

Der Bau der Abteikirche von Westminster[1] bei London, an Stelle der im 11. Jahrhundert errichteten Kirche (Thl. II, S. 252) wurde 1245 begonnen; die Weihung erfolgte nach Vollendung des Chores und Querschiffes im Jahr 1269; der Bau der Vorderschiffe schloss sich daran an und wurde langsam, doch in wesentlich übereinstimmendem Style zu Ende geführt. Hier zeigt sich eine entschiedene und höchst durchgreifende Aufnahme des französischen Systems, sowohl im Grundriss, mit grossem dreischiffigem Querschiff (dessen südwestlicher Seitenschiffraum jedoch durch den anstossenden Kreuzgang eingenommen wird,) und mit minder langgestrecktem, von einem Umgange und einem Kranze ansehnlicher polygoner Absiden umgebenen Chore (die

---

[1] J. Preston Neale u. E. Wedlake Brayley, the history and antiquities of the abbey church of St. Peter, Westminster. Wiebeking, II, t. 55; III, t. 101, 119.

mittlere Absis durch die später angebaute Kapelle Heinrichs VII.
beseitigt), als in den bedeutenden Höhendimensionen und nicht
minder in den vorzüglichst bezeichnenden Detailbildungen, denen
sich nur wenige Motive eigentlich englischen Charakters einmischen. Die Maasse sind: etwa 400 Fuss innerer Länge (bis
zur Kapelle Heinrichs VII.), 72 1/2 F. Gesammtbreite der Vorderschiffe, 33 1/3 F. Mittelschiffbreite, 102 F. Mittelschiffhöhe. Allem
gaukelnden Formenspiele, allem phantastischen Behagen, aller
eigenwilligen Laune wurde hier entsagt, aber auch von der
Fremde nur die strenge Consequenz des Systems, — nichts von
der üppig schmückenden Zuthat, von der maasslos gesteigerten
Wirkung, die in der französischen Gothik so oft vorherrschen,
herübergenommen. Kraftvoll, in strenger und keuscher Majestät, in gleichmässig durchgeführtem Gesetze steigen diese Massen
empor, sich zur feierlich erhabenen und beruhigten Wirkung
vereinend. Die Pfeiler des Inneren haben die schlichte Rundform, in den älteren Theilen mit je vier, in den jüngeren mit je
acht einfachen Diensten besetzt. Ihre Kapitäle haben eine schmucklose Kelchform, in englischer Weise das Rundprofil des Pfeilers
und der Dienste wiederholend. Zwiefache Ringe umfassen die
Schafte der Pfeiler; vielleicht, weil man sich an deren kühneres
Aufsteigen doch nicht zu gewöhnen vermochte, hiemit aber den
Pfeilern allerdings noch etwas Unfreies, Gebundenes gehend.
Die Scheidbögen sind hoch und kräftig gegliedert. Ueber den
Pfeilerkapitälen setzen die Dienste auf. Die Triforienarkaden,
sich den Haupttheilen des Baues angemessen unterordnend, haben
ein klar geregeltes Maasswerk. Die Fenster sind überall hoch
und frei, ohne doch die Wandflächen ganz auszufüllen und
damit für das Auge den festen Zusammenhalt der Massen aufzulösen; sie sind durchweg mit einem schlichten, gesetzlich klaren
Maasswerk ausgefüllt. Nur eine Art schmückender Zuthat ist
dem Inneren, und zwar den älteren Theilen desselben zugefügt,
wohl in der Reminiscenz alterthümlicher Ausstattung: ein zierliches Rauten- und Sternmuster, welches die Wandzwickel über
den Scheidbögen und den Triforienbögen deckt. Das Aeussere
vermeidet allen weiteren Schmuck, als den es durch die Fensterform gewinnt; die Strebepfeiler treten kräftig vor und steigen in
fester Masse aufwärts, den Strebebögen zum sicheren Widerlager.
Nur die Giebelfronten des Querschiffes sind etwas reicher behandelt, ebenfalls in den Grundformen der französischen Gothik;
ihre Hauptzierde besteht in einem grossen Rosenfenster, welches
die obere Fläche des Mitteltheiles ausfüllt. (Die Westfaçade
blieb unvollendet; sie empfing ihre Ausstattung, mit zwei Thürmen, erst spät, zu Anfange des 18. Jahrhunderts und nach den
Plänen von Christopher Wren, in theatermässig gothisirender
Form, die aber einen für diese Zeit immerhin beachtenswerthen
Versuch zur Nachbildung des gothischen Systems ausmacht.)

Die Westminsterkirche ist das einzige Beispiel so umfassender Aneignung französisch gothischer Dispositionen. Namentlich blieb die Nachahmung der französischen Choranlage ohne alle weitere Folge. Nur die alte Abteikirche von T e w k e s b u r y empfing bei den gothischen Bauveränderungen, welche mit ihrem Chore vorgenommen wurden (Thl. II, S. 270), einen derartig angeordneten Absidenkranz, wozu aber schon in der ursprünglichen Anlage das Motiv gegeben sein mochte.

———

Die Machtverhältnisse der geistlichen Körperschaften gaben Veranlassung, gleichzeitig auch den Stätten ihrer persönlichen Repräsentation volle künstlerische Sorge zuzuwenden. Die K a p i t e l h ä u s e r zur Seite der Hauptkirchen gehören zu den wichtigsten Denkmälern der ersten Epoche des gothischen Styles. Ihnen schliessen sich einige Kreuzgangsbauten an.

Das Kapitelhaus bei der Kathedrale von O x f o r d [1] ist das frühste von ihnen, ein einfach viereckiger Raum, der, besonders an der Fensterseite, mit zierlichen Lanzetarkaden geschmückt ist, eins der reinsten und edelsten Beispiele solcher Anordnung. Die übrigen [2] haben eine Polygonalform, insgemein mit einem Mittelpfeiler, auf welchem die Rippen der Gewölbdecke in reichem Linienspiel zusammenlaufen. Fensterfüllungen und Wandarkaden geben ihnen eine mehr oder weniger reiche Ausstattung. Das Kapitelhaus von L i n c o l n, ein zehneckiger Bau, hat ebenfalls noch den Lanzetcharakter; seine Fenster zu je zweien geordnet, doch ausserhalb bereits durch einen gemeinsamen Bogen umfasst; in der Ornamentirung seiner Theile noch manches Phantastische, in den Ecken z. B., als Träger der Gewölbdienste, eigenthümlich reich emporwachsende Blattconsolen. — Aehnlich, mit noch üppigerer Ornamentik, das von L i c h f i e l d, ein längliches Achteck, der Mittelpfeiler rund und mit zehn Säulchen umstellt. — Das von W e s t m i n s t e r, ein gleichseitiges Achteck (wie die folgenden,) aus der frühern Bauepoche des Kirchengebäudes. So auch die älteren Theile des dortigen Kreuzganges. — Das Kapitelhaus von S a l i s b u r y, [3] schon der späteren Zeit des Jahrhunderts angehörig, ein vorzüglich glanzroller Bau, mit schlankem säulenbesetztem Mittelpfeiler und mit grossen Fenstern, die durch reiches Rosettenmaasswerk von edelster Composition, den besten Mustern des Continents entsprechend, ausgefüllt sind. In demselben trefflich ausgebildeten Style der dortige Kreuzgang. — Das Kapitelhaus von Y o r k, [4] gegen den Schluss des Jahr-

[1] Britton, cath. a., II, und arch. a., IV, p. 125. — [2] Die bildlichen Darstellungen in den vorstehend augeführten Werken. — [3] Vergl. Gailhabaud, Denkm. d. Bauk., III, Lief. 115. — [4] Zu Britton, cath. a., I, vergl. Wild,

hunderts fallend, ohne Mittelpfeiler, ebenfalls mit hohen und weiten Fenstern, deren Maasswerk aber, bei ungeeigneter Grundeintheilung, jenes reinere Gesetz nicht mehr einzuhalten vermag. —
Das von Wells, historischer Nachricht zufolge um 1300 gebaut,
wiederum mit einem reichgegliederten Mittelpfeiler; das Maasswerk der Fenster schon in charakteristisch englischer Umbildung
und einigermaassen schwer. Unter diesem Kapitelhause, sehr
eigenthümlich, ein kryptenartiger Unterbau.

Für den lebhaften Betrieb der frühgothischen Architektur im
Laufe des 13. Jahrhunderts sprechen, ausser den durch Grösse
oder durch Schmuck ausgezeichneten Monumenten, auch zahlreiche kirchliche Gebäude von einfacher Beschaffenheit, die in
den Lanzetformen der Fenster, zu zweien bis fünfen zusammen-
gruppirt, in der Behandlung der Portale, in andern Einzelheiten
die vorzüglichst charakteristischen Typen des Styles zur Schau
tragen und zuweilen, bei aller Schlichtheit, durch sinnige Anordnung und Combination überraschen. Die namhaft gemachten
Beispiele,[1] gehören in überwiegendem Maasse den mittleren Districten von England an.

Hervorzuheben sind: In Derbyshire die Kirche von Ash-
bourne,[2] 1235—41 gebaut, (mit dem inschriftlichen Datum der
Weihung,) und die von Repton (mit Ausschluss ihrer älteren
Theile.) In Nothinghamshire die von Southwell und War-
mington. — In Leicestershire die Kapelle des Dreieinigkeits-
hospitals zu Leicester und die Kirchen von Nortkilworth,
Glenfield, Somerby. — In Warwickshire die von Wapen-
bury, Clifton-upon-Dunemoor, Baginton, Bronsover,
die letztere mit der primitiven Bildung des Fenstermaasswerkes,
dass zwei Lanzetfenster durch einen grösseren Spitzbogen umfasst sind und das Bogenfeld mit einer rautenförmigen Oeffnung
durchbrochen ist.[3] — In Oxfordshire die Kirchen von Stand-
lake, Bucknell, Stanton-Harcourt, bei dieser im Chore
eine Gruppe von drei hochschlanken Lanzetfenstern, die durch
ein gemeinsames, zierlich gebrochenes Gesims gekrönt werden.[4]
— In Northamptonshire die Kirchen von Cotterstock, gleichfalls durch primitiv behandelte Maasswerkfenster interessant;[5]
Die von Oundle, Tansor, Flore; die von Higham-Fer-
rers,[6] 1289—1337 erbaut, mit einem merkwürdigen Portale,
dessen Oeffnungen mit Flachbögen eingewölbt sind, während die

---

views of the cath. of Canterbury and York, und Halfpenny, goth. ornaments of
the cath. church of York.
[1] Grösstentheils bei Bloxam. — [2] Glossary, III, p. 36. — [3] Bloxam, T. 27
(2.) — [4] Ebenda, T. 26 (2.) — [5] Glossary, III, p. 34. — [6] Ebenda, p. 45;
pl. 32.

hohe Spitzbogenlünette darüber mit Kreisen kleiner Sculpturen geschmückt ist; und die Peterskirche zu Raunds,[1] durch einen sehr starken Thurm ausgezeichnet, der mit Lanzetarkadennischen geschmückt und mit massiv achteckiger Spitze, welche den Unterbau an Höhe überragt, gekrönt ist.

————

Dem Ende des 13. Jahrhunderts gehören einige merkwürdige und eigenthümliche Denkmäler an, hohe „Steinkreuze," von Edward I zum Gedächtniss seiner im J. 1290 verstorbenen Gemahlin, der Königin Eleanor, und zvar auf denjenigen Punkten der Strasse von der Grafschaft Nottingham nach London errichtet, auf denen der Leichnam, welchen man des Weges führte, bei nächtlicher Weile gerastet hatte. Es sollen 15 solcher Kreuze gewesen sein; drei davon sind erhalten: zu Geddington unfern von Kettering (Northamptonshire), in der Nähe von Northampton und zu Waltham (Hertfordshire,)[2] — Es sind dekorative Pfeiler auf breitem Stufenbau, oberwärts mit Statuen-Tabernakeln, und mit einem Thürmchen gekrönt, über dem ein Kreuz aufragt. Das Monument von Geddington ist schlank, dreiseitig, auf den Flächen seines unteren Theiles blumig gemustert; die beiden andern stärker, das bei Northampton achteckig, das zu Waltham sechseckig, beide auf den Flächen des Unterbaues mit gegiebelten Maasswerknischen zwischen leichten Eckstreben und Fialen, doch in einer Anordnung, dass die horizontalen Abschlüsse von den aufsteigenden Theilen nicht durchschnitten werden; das zu Waltham wiederum mit einer Musterfüllung auf den Flächen zwischen den Fialen und Giebeln. Es ist in der architektonischen Fassung und Behandlung Etwas, das an italienische Gothik erinnert; es darf dahingestellt bleiben, ob die Ausführung, wie dies früher aus verschiedenen Gründen behauptet worden, von italienischen Künstlern herrührt.

Andre Monumente ähnlicher Art sind von geringerer künstlerischer Bedeutung.

————

Epoche des 14. Jahrhunderts.

Die englische Gothik des 14. Jahrhunderts charakterisirt sich als eine Zwischenstufe zwischen den mit grösserer Entschiedenheit ausgesprochenen und durch umfassendere Erfolge bewährten künstlerischen Richtungen des 13. und der späteren Jahrhunderte. Sie nimmt die Richtungen auf, welche schon am

[1] Johnson, reliques of anc. engl. arch., part I, 2. — [2] Britton, a. a., I, p. 83. Fergusson, handbook, II, p. 872.

Schlusse des 13. hervorgetreten waren und giebt diesen eine
freiere Entfaltung. Sie verlässt jene herbe und straffe, oft noch
phantastisch spielende Weise der dekorativen Behandlung und
leitet dieselbe in bequemere, vollere, gleichmässiger flüssige Motive hinüber. Vorzüglich bemerkenswerth ist die Anordnung des
Maasswerkes, in welcher, freilich sehr wechselnd und ohne ein
organisch gegliedertes System, eine Füllung mit Rosettenmustern
vorherrscht. Hievon ist bereits im Obigen (S. 140) gesprochen.
Im Laufe des Jahrhunderts geht die bunte Maasswerkform, naeh-
dem sie sich namentlich auch in allerlei geschweiften Linien gefallen hat, wiederum in eine strengere Musterung über, mit vorherrschend senkrechter Verstabung, eine neue Richtung des
Geschmackes vorbereitend, die in der folgenden Epoche, (in dieser
durch das Gesetz des architektonischen Ganzen bedingt,) ihre
volle Entwickelung findet. Die Engländer unterscheiden nach
Maassgabe dieser Kriterien die Epochen eines ausschliesslich so
genannten „dekorativen" und eines „perpendikulären" Styles,
(indem sie die letztere Bezeichnung für die gesammte Schlussepoche
ihrer Gothik anwenden.) (Aehnlich wie das Maasswerk verhalten
sich auch die anderen Formenelemente des 14. Jahrhunderts;
die Gliederprofile empfangen eine derbere Fülle; das vegetative
Ornament bildet sich nach den freieren Naturformen. Die Gesammtanordnung der Systeme, zumal des Inneren, hängt, wie es
scheint, mehr von zufälligen Umständen oder von individuellem
künstlerischem Ermessen ab. Wichtig und für die weitere Entwickelung folgereich ist es, dass die Anwendung des Holzes für
die Bedeckung der inneren Räume und die künstlerische Ausbildung seiner Structur mehrfach beliebt wird und im Einzelnen
schon zu bedeutungsvollen Erscheinungen führt.

Charakteristische Werke aus der Frühzeit des 14. Jahrhunderts sind bereits im vorigen Abschnitt, als Abschluss solcher
Monumente, deren Bau im Wesentlichen dem 13. angehört, aufgeführt worden. Es sind vornehmlich die Ladykapelle der Kathedrale von Chichester (S. 147), die der Kathedrale von
Wells, sammt dem etwas späteren Oberbau des Chores, (S. 151)
und die Ladykapelle der Kathedrale von Lichfield, (S. 159.)
Auch das Kapitelhaus der Kathedrale von Wells (S. 162) zählt
zu den Werken, welche den Styl des 14. Jahrhunderts einleiten.
Ein Hauptmonument dieses Styles, wesentlich im gleichartigen Gusse durchgeführt, ist die Kathedrale von Exeter. [1]
Nur ihr Querschiff, im Grundriss von geringer Dimension, weicht
hievon ab, indem es, mit den reich ausgestatteten Thürmen, welche

---

[1] Britton, cath. a., IV. Winkles, II, p. 97. Wiebeking, I, t. 3.

sich über seinen Flügeln erheben, als Rest eines älteren romanischen Baues beibehalten ist, (Thl. II, S. 275.) Die Gründung
des Neubaues fällt bereits in das J. 1288; der Aufbau desselben
gehört vorzugsweise der Epoche des Bischofes J. Grandisson,
1327—69, an. Die Anlage folgt, in der Hauptdisposition, noch
den im 13. Jahrhundert beliebten Systemen, mit geringer Höhendimension; dem Chore, welcher eine längere Ausdehnung hat
als die Vorderschiffe., legt sich ostwärts die viereckige Ladykapelle mit schmalerem Vorraume an. Die Gesammtlänge beträgt
390 Fuss, die Gesammtbreite der Schiffe 74 F., die Breite des
Mittelschiffes 35 F., die Höhe desselben 69 F. Die Pfeiler der
innern Arkaden sind als Säulenbündel von lebhaft geschwunge-
nem Profil gestaltet; die Kapitäle von schmuckloser Kelchform;
in den Bogenzwickeln setzen auf reichsculptirten Consolen die
Dienste auf, welche die etwas schweren, in Sternenform verviel-
fachten Gurte des Gewölbes tragen. Unter den Fenstern, jedesmal nur in der Breitendimension der letzteren, doch noch nicht

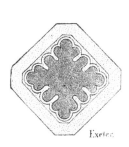

Pfeiler in der Kathedrale von
Exeter. (Nach Britton.)

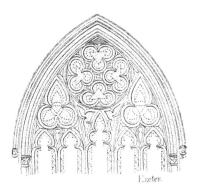

Fenstermaasswerk in der Kathedrale von
Exeter. (Nach Britton.)

in unmittelbarem Zusammenhange mit ihrem Stabwerk, laufen
die kleinen Arkaden eines Triforiums hin. Das Maasswerk der
Fenster hat den verschiedenartigsten Wechsel von Rosettenformen,
in zierlich spielenden Anordnungen; vorzüglich reich das grosse
und breite Fenster der Westseite. Das Aeussere hat ein schlicht
entfaltetes Strebebogensystem, kräftiger als es in England zumeist der Fall zu sein pflegt. Die völlig einfach und ohne den
Schmuck von Thürmen angeordnete Façade hat an ihrer unteren
Hälfte in der Spätzeit des 14. Jahrhunderts einen reich ausgestatteten Vorbau erhalten, eine Art zinnengekrönten Schreines
mit zwei durchlaufenden Reihen von Statuennischen, etwa nach
dem Motiv der Façade der Kathedrale von Wells, doch in noch

glänzenderer Durchbildung, aber völlig nur im Charakter eines dekorativen Zusatzes.

Ein zweites Monument, von vorzüglich ausgezeichneter Bedeutung, ist der Bau r Langschiffe und des Chores der K a- thedrale von York. [1] Nachdem das Querschiff in der ersten Hälfte des 13. Jahrhunderts in frühgothischem Style erbaut war, wurde der Neubau der Vorderschiffe im J. 1291 gegründet und in der ersten Hälfte des 14. Jahrhunderts ausgeführt, der Neubau des Chores 1361 begonnen und im Anfange des 15. Jahrhunderts beendet. Vorderschiffe und Chor haben in den Grundformen dasselbe System, in einer erhabenen Würde, welche diese Kathedrale zu einem der gerühmtesten gothischen Werke Englands macht; in der dekorativen Behandlung bekunden sich die Zeitunterschiede. Der Chor, geradlinig abschliessend, ohne weiteren Anbau, ist um ein Joch länger als die Vorderschiffe. Die Gesammtlänge beträgt 498 Fuss, die Gesammtbreite der Schiffe 109 F., die Breite des Mittelschiffes 48 F., die Höhe desselben 99 F. — Das innere System nimmt die Motive der continentalen Architektur auf: die Pfeiler rund, mit zwölf Diensten (vier stärkeren und acht schwächeren) besetzt, von denen die vorderen drei an der Oberwand des Mittelschiffes als Gurtträger emporsteigen. Die Scheidbögen bestehen aus einem reichlichen Wechsel von halbrunden Stäben (zum Theil mit breit birnenförmigem Profil) und halbrunden Kehlen; vobei zu bemerken, dass zwischen denen des Schiffes und denen des Chores, trotz verschiedenartiger Anordnung, keine principiellen Unter-

Profil des Scheidbogens im Schiff der Kathedrale von York. (Nach Willis.)

schiede stattfinden. Die Triforienarkaden sind bereits völlig als Theile des Fensterstabwerkes behandelt; das Maasswerk in den Fenstern der Vorderschiffe hat schmuckreiche Rosettenformen, die sich in dem grossen Fenster der Westseite zu glänzenden,

---

[1] Vergl. die S. 143, Anm. 7 citirten Werke. Auch Gailhabaud, Denkm. der Bauk., III. Lief. 64. Wiebeking III, t. 99, f. *Denkmäler der Kunst*, T. 52 (1—6.)

doch einigermaassen barock geschweiften Fächerbildungen zusam-
menlegen; das Maasswerk der Chorfenster zeigt den Eintritt der
senkrecht durchlaufenden Verstabungen, die in dem grossen Fenster der Ostseite, in Verbindung mit sonstigem Linienspiele, zur
nicht minder prachtvollen Musterung verwandt sind. Die Wölbung sämmtlicher Hochräume, auch die des Querschiffes, wurde
in Holz ausgeführt, mit mehr oder weniger spielender Gurten-
durchschneidung und hiemit in einem äusserlich dekorativen
Verhältnisse zu dem Ganzen, während überhaupt die Nachahmung
des Steinbaues und der in diesem ausgeprägten eigenthümlichen
Entwickelung durch ein ungeeignetes Material den harmonischen
Rhythmus des Inneren beeinträchtigen musste. Mehrfache Brand-
schäden, die in neuerer Zeit vorgekommen, haben zu Herstellungen des Holzwerkes Veranlassung gegeben. — Auch die stattliche Westfaçade zeigt eine der continentalen, und fast mehr der
deutschen als der französischen Gothik verwandte Anordnung:
mit kräftig vortretenden Strebepfeilern, mit viereckigen Thürmen
über den Seitentheilen, mit der Auszeichnung des Mitteltheiles
durch das Hauptportal und das kolossale Spitzbogenfenster über
diesem, mit der Anwendung von Wimbergen über den Spitzbogenöffnungen u. s. w. Dabei ist die Façade durchweg mit Lei-
sten- und Nischenwerk geschmückt. Gleichwohl wird auch hier,
und mehr als im Inneren, die wahrhaft verstandene Durchbildung vermisst. Der Eintheilung fehlt ein durchgehendes Gleichmaass, eine befriedigende Gegenseitigkeit der Verhältnisse; die
Absätze der Streben entbehren derjenigen Vermittelungen, welche
die continentale Gothik so sinnreich durchzuführen weiss; der
steile Wimberg über dem grossen Mittelfenster steht zu dem
Flachgiebel des Mittelschiffes in empfindlicher Disharmonie u. s. w.
Am Glücklichsten ist der Oberbau der Thürme, in leichter ächt
englischer Spätform, ohne Helme und nur mit zierlich schlanken
Fialen gekrönt. Der Thurm über der mittleren Vierung, in gewichtiger Masse aufsteigend, überragt die beiden Vorderthürme,
schliesst aber mit schwerem Zinnenkranz ohne den Schmuck von
Fialen ab. Die Aussenarchitektur der Langseiten hat grösseren-
theils reichen Fialenschmuck, doch keine Strebebögen. Sehr eigenthümlich ist die äussere Dekoration der oberen Fenster des
Chores, indem denselben in viereckiger Umrahmung ein freistehendes Stabwerk vorgesetzt ist. — Die Vollendung des Aussenbaues,
namentlich der Thürme, gehört übrigens erst dem 15. Jahrhundert an. Die Einweihung der Kathedrale fand im J. 1472 statt.

Wie dem Querschiffbau, so schliessen sich auch den jüngeren
Theilen der Kathedrale von York namhafte Bauausführungen
der dortigen Gegend in theilweise verwandter Richtung an. So
die Vorderschiffe des Münsters von Beverley,[1] die, indem

---

[1] Vergl. S. 145, Anm. 1 Wegen der übrigen Kirchen s. die S. 145 u. f. Anm.
2 erwähnten arch. notes von Parker.)

sie das System der östlichen Theile dieses Gebäudes fortsetzen,
dasselbe zugleich freier behandeln und ihm die glänzenden Maasswerkfenster des 14. Jahrhunderts zufügen. Die Paçade des Münsters folgt geradehin dem Muster von York, doch in einer klareren Austheilung, die durch die Abweisung continentaler Einzelformen (wie der Wimberge) und durch eine gleichartige
Durchführung des jüngeren perpendiculären Maass- und Stabwerkes an einheitlicher Wirkung wesentlich gewinnt. — So die
Abteikirche St. Peter zu Howden, die (mit Ausnahme der noch
frühgothischen Querschifflügel) als eines der Glanzbeispiele des
„dekorativen" Styles und deren Façade vorzugsweise als ein
Meisterwerk desselben gepriesen wird. — So der Chor der Abteikirche St. Mary and St. German zu Selby (mit einer aus
Holz ausgeführten Wölbung,) die Kirche St. Mary zu Hull,
u. a. m.

Ein Bau von abweichender Behandlung ist die Kathedrale
von Bristol.[1] Als ihre Bauepoche wird die Zeit von 1306 bis
32 angegeben;[2] sie besteht aber nur aus dem dreischiffigen Chore
und dem Querschiffe, indem von den Vorderschiffen nur die Ansätze vorhanden sind. Die Schiffe sind gleich hoch, 51½ Fuss,
bei einer Gesammtbreite von 69 Fuss und einer Mittelschiffbreite
von 30½ F. Die Pfeiler sind weich profilirt und nur an der
Vorderseite mit Diensten versehen, während im Uebrigen ihr
Profil ununterbrochen in den Scheidbogen übergeht. Die Gewölbe sind sternförmig; die der Seitenschiffe senken sich spielend
auf Querbögen nieder, welche zwischen den Schiffpfeilern und
den Aussenmauern eingespannt sind. Die Fenster haben das
übliche Rosettenmaasswerk.

In der Kathedrale von Ely[3] stürzte im Jahr 1321 der
Thurm der mittleren Vierung, ein Theil des alten romanischen
Baues, zusammen. Die im folgenden Jahre begonnene Herstellung gab Veranlassung zu einer prachtvollen Anlage, welche
dem Inneren dieser Kirche den eigenthümlichsten Reiz gewährt
und wiederum einen charakteristischen Beleg für die Strebungen
des 14. Jahrhunderts ausmacht. Mit Hinzuziehung der nächsten
Arkaden wurde ein weites Achteck von 65 Fuss Durchmesser
geschaffen und dieses mit den Hochschiffen der Kirche durch
vollgegliederte Bögen verbunden, während die Seitenfelder stattliche Oberfenster im Style der Zeit empfiengen. Die Wölbung
wurde in achttheiliger Fächerform, in der Mitte mit leichter Laterne von 30 F. Durchmesser, ausgeführt, aber völlig in einer

---

[1] Britton, cath. a., V. Winkles, II, p. 125. — [2] Ich muss die Richtigkeit
dieser Angabe dahingestellt lassen; in mehreren der baulichen Motive scheint
sich eher eine jüngere Zeit anzukündigen. — [3] Winkles, II, p. 41.

Holzconstruction, eins der ersten kunstreich kühnen Beispiele solcher Art, in denen die englische Architektur ausgezeichnet ist. — Gleichzeitig ist der Bau der Ladykapelle bei derselben Kathedrale, ein isolirt neben ihr belegener länglich viereckiger Raum, mit grossen Fenstern voll prachtvollen Rosettenmaasswerkes.

Das glänzendste Werk schmuckreich durchgebildeter Architektur, welches zu derselben Zeit, im zweiten Viertel des 14. Jahrhunderts, ausgeführt wurde, ist nicht mehr vorhanden, doch noch durch Baurisse bekannt. Es war die Kapelle des h. Stephan im königlichen Pallaste zu Westminster,[1] das Seitenstück der Ste. Chapelle zu Paris. In der Zeit des 18. Jahrhunderts verbaut und zu den Sitzungen des Unterhauses dienend, sind ihre Reste seit dem Brande von 1834, der einen grossen Theil der Gebäude von Westminster - zerstörte und den Bau des neuen kolossalen Parlamentshauses zur Folge hatte, verschwunden. Die Kapelle war ein längliches Viereck, im Inneren 88 Fuss lang und 32 F. 8 Z. breit. Gleich der Ste. Chapelle war sie zweigeschossig; im Untergeschoss etwa 18 F. hoch und mit kräftigem Sterngewölbe bedeckt, in den baulichen Details noch an die Motive des 13. Jahrhunderts erinnernd; im Obergeschoss etwas über 40 F. hoch mit leichter Holzdecke, die weiten Fenster mit zierliebstem Maasswerk und die Brüstungswände unter diesen innen mit einer Arkadendekoration, deren Tiefen durch figürliche Malerei belebt waren. Auch sonst war die Kapelle mit reichen dekorativen Zuthaten versehen.

Dann sind einige Nebengebäude der Kathedrale von Norwich[2] durch stattlichen Schmuck ausgezeichnet. Namentlich der Kreuzgang,[3] der schon 1297 begonnen war und in seinen Haupttheilen dem 14. Jahrhundert angehört, doch erst 1430 beendet wurde. Seine Arkaden, breit und im Ganzen etwas schwer geordnet, sind mit säulengetragenem Maasswerk von mannigfach wechselnder, zum Theil auch schon von perpendikularer Composition ausgefüllt. Ausserdem zwei Thorgebäude in der Umgebung der Kathedrale: „St. Ethelbert's Thor," in der schlichteren Strenge, die noch auf den Schluss des 13. Jahrhunderts zu deuten scheint; und „Erpingham's Thor," in zierlich leichter, mit Sculpturen ausgestatteter Umrahmung, vom Schlusse des 14. Jahrhunderts.

Die Kathedrale von Winchester[1] empfing in der Frühzeit und in der Spätzeit des 14. Jahrhunderts durchgreifende

---

[1] E. Wedlake Brayley u. J. Britton, the hist. of the ancient, palace and late houses of Parliament at Westminster. Fergusson, handbook, II, p. 870. Britton, a. a., V, p. 207. Wiebeking, III, t. 91. — [2] Britton, cath. a., II. — [3] Umfassendere Darstellungen (als in den Cath. antt.) s. in d. arch. antt., III, p. 85. -- [4] S. 141. Anm. 1.

Veränderungen, denen in der Schlussepoche des gothischen Styles noch manche Einzelausführung zur Beendigung des Ganzen folgte. Der Chor, zwischen dem altromanischen Querschiffe und dem aus dem Anfange des 13. Jahrhunderts herrührenden kapellenartigen Anbau (S. 141,) wurde in den früheren Decennien des 14. Jahrh. ernent. Das System seiner inneren Arkaden hat wiederum noch frühgothische Anklänge, doch ohne feinere künstlerische Empfindung: schmucklose Pfeiler, die aus starken Säulenbündeln bestehen, und Scheidbögen, deren mannigfach wechselndes Profil stumpfe, wenig verstandene Formen zeigt, während aufsteigende Dienste völlig fehlen. Die Fensterarchitektur des Oberbaues und des Aussenbaues verräth die Schlusszeit des Styles. — Die Vorderschiffe der Kathedrale enthalten die schon früher (Thl. II, S. 253) erwähnte Umwandelung der altromanischen Anlage in gothische Formen, ein Unternehmen, welches am Schlusse des 14. Jahrhunderts zur Ausführung kam. Die alten halbrunden Scheidbögen wurden ausgebrochen und statt ihrer, mit Beseitigung der alten Emporen, in grösserer Höhe ansetzende Spitzbögen eingewölbt; die Fensterarchitektur wurde ebenso nach dem Princip der gothischen Architektur angeordnet, das Detail nach dessen Erfordernissen mehr oder weniger umgemeisselt oder erneut. Gleichwohl blieb das ursprünglich Vorhandene von bedingendem Einflusse auch auf die neue Gestaltung und trug mit dazu bei, derselben ein eigenthümlich charaktervolles Gepräge, das eines energisch festen Emporstrebens, zu geben. Die Pfeiler der Schiffarkaden behielten die kräftige Masse, die emporlaufenden Dienste und, wie bei diesen so auch im Uebrigen, einen Theil von der starken Gliederung des alten Baues; die spitzen Scheidbögen, in entsprechender Weise behandelt, fügten sich dem massenhaften Gesammtsystem in einer halbdekorativen Weise ein. Für die Oberfenster bildeten sich hohe und tiefe Nischen, an deren Fuss statt eines eigentlichen Triforiums eine Galleriebrüstung angeordnet wurde, während die Fensteröffnung selbst eine flachspitzbogige Einwölbung erhielt; ein einfach kräftiges Maassund Leistenwerk, schon mit Anwendung der Perpendikularformen, gab dem gesammten Oberbau des Inneren eine klar geregelte Ausstattung. Im Laufe des 15. Jahrhunderts folgte die Ausführung der Gewölbe mit sternförmigem Gurtsystem, die Ausstattung der Westseite mit einem kolossalen, die ganze Breite des Mittelschiffes ausfüllenden Fenster, dessen Maasswerk völlig perpendikular gehalten ist, und der östliche Ausbau der Ladykapelle mit ähnlichen Fenstern.

Der Umbau der Vorderschiffe der Kathedrale von Winchester bildet bereits, auch abgesehen von diesen späteren Theilen, einen Uebergang zu der im 15. Jahrhundert üblichen Behandlungsweise. Aehnlich verhält es sich mit den Vorderschiffen der Kathedrale

von Canterbury. Sie wurde gleichzeitig und. in verwandter
künstlerischer Richtung ausgeführt; doch fand hier ein vollständiger Neubau statt, fielen somit die Beschränkungen, welche dort
aus den beibehaltenen Theilen der alten Anlage hervorgegangen
waren, fort. Auch hier ein kräftiges, stark aufstrebendes Verhältniss, doch minder gebunden, obschon in der Absicht auf
sichre Energie, einige alterthümliche Reminiscenzen ebenfalls
aufgenommen wurden. Die Pfeiler. der Schiffarkaden in der

Grundform rhombisch, übereck gestellt, mit
starken Diensten und einigen feineren Zwischengliedern; die Dienste mit einfachen Kapitälen und ihre Schäfte von Ringen umfasst;
die Zwischenglieder in die Scheidbögen übergehend, während ihr mittleres, von dem Dienste
getragenes Profil sich als breites Band gestaltet. In den Fenstern ein Maasswerk von
perpendikularer Form; unter den Oberfenstern
statt des Triforiums ein Reliefmaasswerk.
Die Gewölbgurte sternförmig; das Gewölbe

Canterbury

Pfeiler im Schiff der Ka-
thedrale von Canterbury
(Nach Britton)

der mittleren Vierung in der zierlichen Fächerform, für welche das 15. u. 16. Jahrhundert anderweit ausgezeichnete Beispiele bringen. Ueber der Vierung ein ansehnlicher
Thurm in derselben Spätform, mit Zinnen und starken Eckfialen
gekrönt. -- Auch der Kreuzgang zur Seite der Kathedrale ist
eine schmuckreiche Anlage ähnlichen Styles, merkwürdig dadurch.
dass über seinen Maasswerköffnungen nach Art der continentalen
Gothik stattliche Wimberge angeordnet sind.

Andre kirchliche Monumente des 14. Jahrhunderts kommen
für die Einzelheiten des Systems in Betracht. Namentlich für
das mehr oder weniger schmuckreiche Rosettenmaasswerk der
Fenster. Vorzüglich glänzende Beispiele der Art enthalten: die
Kirchen von Chartham[1] und von Hawkhurst,[2] beide in
der Grafschaft Kent; das Ostfenster der letzteren mit eigenthümlich reicher sternförmiger Rose innerhalb des Spitzbogens. Zu
Oxford der Chor der Kapelle des Merton College (deren
übrige Theile dem Anfange des 15. Jahrhunderts, mit nicht
minder schmuckreicher Fensterausstattung. angehören[3] und die
Kirche St. Mary Magdalen (südliches Seitenschiff,) vom Jahr

[1] Bloxam, d A.. T. 38 (6); 39. — [2] Hussey, the churches in Kent, etc.
p. 76. — [3] Darstellungen der verschiedenen Theile der Kapelle bei Pugin,
examples of goth. arch., 1, pl. 1—5; in Glossary, III zu p. 43 u. 62, (wobei
die Angabe des J. 1277 für den Chor, wenigstens in Bezug auf seine Prachtfenster, erheblich zu früh zu sein scheint;) und bei Bloxam, T. 38 (1), 49 (1.)

1337.[1] In Oxfordshire ausserdem der Chor der Kirche von
Dorchester,[2] dessen Fenstermaasswerk zierliche Uebergänge
zu dem perpendikulären System zeigt, zum Theil mit daran angebrachten kleinen sculptirten Figuren; das Maasswerk des einen
Fensters, in seltsam dekorativer Symbolik, in ein Baumgeäste
umgebildet, mit den Figuren, welche dasselbe zum Stammbaum
der Maria machen. In Herefordshire der Erweiterungsbau auf
der Südseite der alten Kirche von Leominster,[3] mit Fenstern,
deren Rosettenmaasswerk sich durch vorzüglichst edle Behandlung
auszeichnet, (auf der Mitte der Westseite mit grossem späterem
Perpendikularfenster); u. a. m. — In andern Fällen erscheinen
Abweichungen von der üblichen Spitzbogenform der Fenster,
die zu manchen Eigenheiten in der Behandlung des Maasswerkes
Anlass geben: Rundfenster, Fenster in der Form sphärischer
Dreiecke; im Flachbogen geschlossen, mit horizontalem Abschluss
versehen u. s. w. Namentlich die letztere Gattung, die zumeist
auf eine Holzdecke über den Innenräumen zu deuten scheint, ist
von Bedeutung: An der ebengenannten Kirche zu Hawkhurst
finden sich derartige Fenster; andre[4] an den Kirchen von Ashby
(Leicestershire), Brailes (Warwickshire), Byfield (Northamptonshire), Wimington (Bedfordshire) Garsington (Oxfordshire) und an der Marienkapelle von Hexham (Northumberland,)
die letzteren von leicht graziöser Behandlung des Maasswerkes.

An kleineren Kirchen dieser Epoche[5] ist die einfach klare
Formation der Pfeiler der Schiffarkaden anzumerken: schlicht
achteckige Pfeiler, wie an den Kirchen von Chacombe (Northamptonshire) und denen von Dunchurch und Tysoe (Warwickshire); Pfeiler, die aus vier Halbsäulen, zuweilen mit Hinzufügung geringerer Nebenglieder, zusammengesetzt sind, wie
an den Kirchen von Anstrey und Grendon (Warwickshire),
von Hanwell (Oxfordshire), von Chipping Warden (Northamptonshire); auch mit geschweifter, mehr birnenförmiger Profilirung, wie an der Kirche von Appleby (Leicestershire).

Vorzüglich bemerkenswerth ist es, dass bei kleineren Kirchen des 14. Jahrhunderts, welche statt einer gewölbten Decke
die schlichte Construction des hölzernen Dachgespärres zeigen,
schon nicht ganz selten das Bestreben eintritt, den letzteren eine
künstlerische Durchbildung und Berechtigung zu geben, mit
strebenden Bögen, mit Bogenausschnitten, mit gegliederter Profilirung der Balken, mit sculptirten Einzelheiten. Das Dach-
werk der Kirche von Adderbury[6] (Oxfordshire) ist ein Hauptbeispiel der Art. — Auch fehlt es nicht ganz an Beispielen, wo
eine Steindachung nach den Motiven solcher Holzconstruction

---

[1] Glossary, III, zu p. 52. Preston Neale, collegiate churches, II. — [2] Britton, a. a., V, p. 201. Gailhabaud, Denkm. d. Bank., III, Lief. 129. — [3] Archaeologia Cambrensis, new ser., IV, p. 180. Preston Neale, I. — [4] Bloxam,
S. 129. — [5] Ebenda, S. 118. — [6] Ebenda, T. 35 (2), 36.

ausgeführt ist. So in der Cantoreikapelle bei der Kirche von Willingham (Cambridgeshire) und im nördlichen Kreuzflügel der Kirche von Limington (Somersetshire). [1]

Ein höchst bedeutendes, aufs Reichste durchgebildetes Meisterwerk der Holzzimmerkunst erscheint am Schlusse des Jahrhunderts, das Deckwerk der grossen Westminster-Halle zu London.[2] In dem königlichen Pallaste von Westminster war bereits am Schlusse des 11. Jahrhunderts, durch Wilhelm II., ein kolossaler Versammlungssaal erbaut worden; Richard II. liess ihn, mit Benutzung des Vorhandenen, erneuen; im J. 1398 waren diese Arbeiten beendet. Die Halle, im Inneren 239 Fuss lang und 68 F. breit, wird durch ein mächtiges Balkengerüst überdeckt, welches bis zur Höhe von 92 F. emporsteigt. Die Streben, Ringel und Pfosten sind kunstreich verschränkt, sich gegenseitig in festschwebender Lagerung erhaltend; aber dem Nothwendigen und Gebundenen ist zugleich das Gepräge selbständig künstlerischer Entwickelung gegeben. Grosse Bogenspannungen herrschen vor, nach dem flüssigen Gesetze der Wölbung profilirt; reichliches Maasswerk füllt die Zwischenräume; sculptirte Engelgestalten mit Wappen in den Händen erscheinen als die Träger der hängenden Balken. Das vielfach wechselnde Formenspiel, welches sich über den weiten Raum hinbreitet, gewährt durchweg den lebhaftesten malerischen Reiz. Die mächtigen Fenster an den Schmalseiten, die kleinen an den Langseiten der Halle haben das reichgemusterte perpendikulare Maasswerk, welches die Epoche der Erbauung charakterisirt. — Das constructive System, welches sich hier so glänzend bewährt hatte, musste, wie es aus dem nationalen Bedürfniss hervorgegangen war, so auch auf die spätere Entfaltung der nationalen Kunst von wesentlichem Einflusse sein.

Unter den dekorativen Tabernakel-Architekturen dieser Epoche scheint sich, wenigstens in der früheren Zeit des Jahrhunderts, wiederum Manches von fremdartigem Einflusse geltend zu machen. Dahin gehört, u. a., das Grabmonument des Aÿmer de Valence (gest. 1323) in der Kirche von Westminster,[3] dessen Tabernakel (wie die S. 163 besprochenen Steinkreuze, obschon mit andern Elementen,) an italienische

[1] Bloxam, S. 120. — [2] Wedlake Brayley und Britton, the hist. of the anc. pal. etc. at Westminster. Pugin, specimens of goth. arch., I, pl. 32, ff. Wiebeking, III, t. 91. — [3] Preston Neale und Wedlake Brayley, the hist. etc. of the ch. of S. Peter, Westminster II, pl. 43.

Gothik erinnert. Dahin das Grabmonument König Edward's II. (gest. 1327) in der Kathedrale von G l o u c e s t e r , [1] von einem ansehnlichen Tabernakel überbaut, dessen dünn spielende Aufgipfelung wie eine missverstandene Nachahmung französisch-deutschen Systemes gemahnt, während seltsam geschweifte und gebrochene Bogenformen fast an spanische Elemente anklingen. — Die Behandlungsweise späterer Werke trägt einen selbständigeren Charakter, in zum Theil anmuthiger Bethätigung der heimisch dekorativen Richtung. Ein Hauptbeispiel ist das Grabmonument König Edward's III. (gest 1377) in der W e s t m i n - s t e r k i r c h e ; [2] die Tumba ist mit zierlichem Nischenwerk reich geschmückt und über ihr hin, zwischen den beiden Pfeilern der Kirche, welche die Basis des Monumentes einschliessen, spannt sich ein leichter Baldachin, dessen Säumung aus einem zierlich luftigen Giebel- und Bogenwerk zusammengesetzt ist. Aber er besteht aus Holz, und somit ist es auch hier das handlichere Material, in welchem die nationale Weise zur günstigeren Entfaltung gelangt.

Epoche des 15. und 16. Jahrhunderts.

Im Laufe des 15. Jahrhunderts gestaltet sieh das englisch gothische System in völlig selbständiger Eigenthümlichkeit; aus der spätern Zeit desselben, aus den ersten Decennien des 16. Jahrhunderts rührt eine erhebliche Zahl von Monumenten her, welche dieses System in vorzüglich charakteristischer Weise zur Schau tragen. Das Hallenmässige, das schon im Beginne der englischen Gothik erstrebt war, während die Einwirkungen der continentalen Gothik der umfassenderen Ausbildung desselben hemmend entgegengestanden hatten, bildet nunmehr den Grundzug des Systems; die Holzdecke, in verschiedener Weise behandelt, bestimmt die Ausprägung des letzteren. Das Verhältniss der Schiffarkaden ist in der Regel leicht und frei; die Fenster sind durchgehend weit und breit, vornehmlich im Oberbau, wo zumeist nur schmale Mauerpfeiler zwischen ihnen von der Masse übrig bleiben; oder es unterbleibt die Erhöhung des Mittelschiffes, und hiemit die Anordnung von Oberlichtern, gänzlich. Das Strebesystem wird bei diesen holzgedeckten Monumenten auf das geringste Maass zurückgeführt und die Anwendung von Strebebögen völlig beseitigt. Die Dächer werden flach und verschwinden hinter den starken Zinnenbrüstungen, welche die oberen Horizontalgesimse krönen. Das Wechselverhältniss der breiten Fenster zu den, im Inneren wie im Aeusseren vorherrschenden Horizontallinien führt zu einer eigenthümlichen

---

[1] Abbildung bei Britton, cath. a., V. — [2] Fergusson, handbook, II, p, 874.

Bogenform, mit welcher sie eingewölbt werden: zu der eines
sehr flachen Spitzbogens; nach der Epoche der Dynastie des
Hauses Tudor (seit 1485), unter dessen Herrschaft diese Bogenform die vorherrschende wurde, benennen die Engländer den
durch sie charakterisirten Styl (die Spätform des „perpendikularen") als den „Tudorstyl," den Bogen selbst als den „Tudorbogen". Er wurde dann überall bei den Ueberwölbungen üblich, auch wo er mit dem constructiven Gesetze minder in Einklang stand; namentlich die das Deckwerk stützenden flachen
Bogenstreben wurden durchweg in dieser Form gebildet. Im
Maasswerk der Fenster wird eine entschieden perpendikulare
Verstabung durchgeführt, den breiten Raum in der Weise eines
leichten Gitterwerkes ausfüllend. Es hat eine unmittelbare Uebereinstimmung mit dem Leistenwerk, welches zur Ausstattung der
Decke angewandt wird; auch anderweit wird ein leistenartiger
Schmuck gern durchgeführt, z. B. an dem Wandtheile des Inneren zwischen den Oberfenstern und den Scheidbögen; bei reicheren Anlagen sind hier entweder stark bezeichnete Horizontal-
bänder mit Füllungen von Leistenmaasswerk durchgeführt, oder
es geht die in den Fenstern vorgezeichnete senkrechte Verstabung,
die letzte Reminiscenz der Triforien-Architektur völlig aufhebend,
bis auf die Linien des Scheidbogens hinab. Durchgehend herrscht
in der Gliederprofilirung derselbe Leistencharakter vor, allerdings in einer mehr oder weniger nüchternen Fassung, mit
kehlenartigen Ausschnitten; von der kräftigeren, schwellenderen
Weise der Profilirung, welche durch das Wölbesystem bedingt
war, bleiben nur mehr vereinzelte Elemente übrig. Die Pfeiler
der Schiffarkaden sind nur noch selten als eigentliche Säulenbündel gestaltet; sie pflegen nur einzelne Säulendienste zu behalten, während die übrigen Glieder (wie in schon genannten
Beispielen des Ueberganges vom 14. in das 15. Jahrhundert)
ohne Scheidung in die Bogengliederung übergehen. Der Hauptdienst steigt nicht selten an der Oberwand des Mittelschiffes
empor, oder es setzt ein solcher in der üblichen Weise im Bogenzwickel auf, nunmehr (ähnlich wie schon in der alten romanischen Zeit) als Träger der Hauptstücke des Deckengebälkes
dienend. Für das Aeussere ist schliesslich noch anzumerken,
dass in dieser Spätzeit gern, wenigstens bei ausgezeichneteren Monumenten, ein starker viereckiger Thurm vor der Mitte der
Façade angeordnet wird, der in kräftiger Masse zu ansehnlicher
Höhe emporgeführt und in den Dekorativformen der Epoche,
zuweilen (namentlich am oberen Abschlusse) in eigenthümlich
spielender Behandlung, ausgestattet zu sein pflegt; er bildet einen
ausdrucksvollen Gegensatz zu der breit lagernden Masse des
Gebäudes. Doch fehlt es auch gegenwärtig nicht an Beispielen
des von früher her üblichen, ähnlich behandelten Mittelthurmes.
— Im Gesammtcharakter dieser Gebäude kommt jener Zug

rüstiger Verständigkeit, der schon als eigentliches Wesen der
englischen Gothik bezeichnet wurde, zum unbehinderten Ausdruck. Ein das Ganze durchdringender, in allen Theilen pul-
sender, in den letzten Abschlüssen sich erfüllender Organismus
fehlt; aber eine klare Freiheit der räumlichen Wirkung, ein
lichtvoller Aufbau, der die Fülle des leichten Details den Massen
streng einordnet und Grösse nicht ausschliesst, macht sich mehr
oder weniger mit Glück geltend.

Das Wölbesystem wurde indess nicht überall vermieden.
Einzelne Beispiele zeigen eine Anwendung desselben, die das
bestimmte und nicht erfolglose Streben nach grossartiger Wirkung
bekundet. Doch spricht sich auch in ihnen, in der Art und
Weise der Behandlung, die Gesammtrichtung der Zeit mit Entschiedenheit aus. In andern Fällen, vornehmlich da, wo es auf
die Entfaltung vorzüglich reicher dekorativer Pracht ankam,
bildete sich das Wölbesystem in eigenthümlich kunstreichen
Weisen aus. Es sind die zierlichen Formen zusammengesetzten
hölzernen Deckwerkes, welche hier ihren Einfluss ausübten und
theils wirklich nachgeahmt wurden, theils zu verwandten Formenspielen von überraschendem Effekte Veranlassung gaben. Das
Nähere solcher Behandlung wird bei Anführung der einzelnen
Monumente nachzuweisen sein.

Die Uebersicht der Monumente ist mit einigen grösseren
kirchlichen Gebäuden zu eröffnen, in denen das Wölbesystem
noch maassgebend blieb.

Zu diesen gehört, als eins der früheren Denkmäler, die sogenannte Redcliffe-Kirche, St. Mary, zu Bristol,[1] ein ansehnliches Gebäude, das, mit Ausnahme geringer älterer Theile,
die Frühepoche des 15. Jahrhunderts charakterisirt. Mit grossem
dreischiffigem Querbau und angehängter Ladykapelle, hat die
Kirche noch die volle Gewölbedisposition, die Verhältnisse des
Inneren hoch und würdig, die Pfeiler mit Diensten gegliedert,
die an der Mittelschiffwand zum Gewölbe emporlaufen; letzteres
in zierlich durchgebildeten Stein- und Netzformen. Die Oberfenster des Chores haben ein sehr eigen angeordnetes Maasswerk,
indem sich rings um die perpendikulare Verstabung ein Rosetten-
band umherlegt. Die übrigen Fenster haben nur Perpendikularformen, in ziemlich nüchterner Fassung. Ein starker Thurm
vor dem nördlichen Querschiff erscheint, der Anlage nach, als
älterer Bautheil; daneben springt auf der Nordseite ein eigen-

---

[1] Britton, an hist. and arch. essay relating to Redcliffe church, Bristol.
(Redcliffe ist ursprünglich der Name einer Vorstadt von Bristol.) Wiebeking,
III, t. 102.

thümlich angelegter schmuckreicher Portikus vor, das Portal desselben in phantastischer Spätform gebildet. [1]

Die Abteikirche des unfern belegenen Bath [2] ist ein ebenso charakteristisches Monument der Spätzeit. Ihr Bau fällt von 1500—39. Sie ist 210 Fuss lang und 72 F. im Ganzen breit, bei 30 F. Mittelschiffbreite; ein sehr schmales Querschiff, von 20 F. Breite giebt dem über der mittleren Vierung errichteten Thurme eine oblonge Grundfläche. Im inneren System erscheinen übereck gestellte Pfeiler mit mässiger, grösstentheils in die Scheidbögen übergehender Gliederung; letztere haben die, hier nicht sonderlich günstige Flachform des Tudorbogens. Die Oberfenster, sehr hoch und weit und mit nüchtern perpendikularem Maasswerk ausgesetzt, haben der Kirche den Namen der „Laterne von England" gegeben. Sie befolgen noch die rein spitzbogige Form, da sie sich, im Chor und Querschiff, einer Gewölbdecke einfügen, die in den höchst zierlichen Formen des sogenannten Fächergewölbes (s. unten) gebildet ist. Im Vorderschiff ist statt dessen eine hölzerne, flach spitzbogige Tonnenwölbung, gleichfalls mit zierlichem Leistenwerk, zur Ausführung gekommen; dass aber auch hier ursprünglich die Anlage eines wirklichen Gewölbes in der Absicht lag, beweisen im Aeusseren die Ansätze von Strebebögen, wie solche (in einfach roher Form) am Chore in der That angebracht sind. Das Gewölbe des Chores steigt bis zu 78 Fuss, die Decke des Vorderschiffes bis zu 82 F. Höhe empor.

Ebenso war die Kirche von Great-Malvern [3] (Worcestershire), ein vorzüglich klar und edel durchgebildetes Beispiel der Spätepoche, ursprünglich auf volle Ueberwölbung angelegt, wie. dies aus den Gewölbeansätzen im Mittelschiff und aus der rein spitzbogigen Form der grossen Fenster hervorgeht. Erst später wurde sie mit dem leichten Täfelwerk einer flachen Decke versehen.

Auch verschiedene der älteren Monumente von Bedeutung empfingen ihre gewölbten Decken in dieser späteren Zeit, in den nunmehr beliebten bunten Rippenverschlingungen, oder neue Bautheile, zum entsprechenden Abschluss der gewölbten Gesammtanlage. — Ein Hauptbeispiel ist der reiche Oberbau des Chores der Kathedrale von Norwich, [4] der sammt der Einwölbung der übrigen Hochräume und der Umwandlung der alten Westseite (mit Anlage eines kolossalen Fensters), in der Zeit um den Schluss des 15. und den Anfang des 16. Jahrhunderts zur Ausführung kam. — Aehnlicher Zeit scheint der Chor der

---

[1] Eine besondre Abbildung desselben bei Britton, a. a., IV, Titelblatt. — [2] Britton, the history and antiquities of Bath abbey church. Wiebeking, I, t. 3. — [3] Preston Neale, collegiate etc. churches, II. [4] Britton, cath. a., II. Winkles, II, p. 81.

Prioratskirche von C h r i s t c h u r c h (Hampshire) anzugehören,
dessen äussere Disposition [1] nicht minder auf eine Gewölbanlage
deutet.

———

Für das allgemein vorherrschende System des 15. und 16.
Jahrhunderts, mit der Eindeckung von Holz und der davon abhängigen formalen Gestaltung, fehlt es noch an umfassenderen
und eingehenderen Vorarbeiten; [2] namentlich gewähren die vorliegenden Materialien wenig genügende Einsicht in den Stufen-
gang der Entwickelung. Doch hat es den Anschein, dass sich
hiebei in der That nicht erhebliche Unterschiede bilden, vielmehr die festgestellten Grundzüge auf längere Zeit und bis zum
Aufhören des gothischen Styles im Wesentlichen dieselben bleiben.
    Die grössere Zahl ausgezeichneter Monumente scheint in den
südöstlichen Districten vorhanden zu sein. Zunächst und vornehmlich in Suffolk. [3] Hier erscheint die Kirche von M e l f o r d
als ein höchst stattlicher, in gleichmässiger Würde und Reinheit

Lavenham.

Inneres System der Kirche von
Lavenham. (N. Preston Neale.)

durchgeführter Bau: die Schiffarkaden leicht
und frei, auf schlanken, aus je vier Halbsäulen zusammengesetzten Pfeilern; die
reiche Fensterarchitektur, zu je zweien über
dem einzelnen Scheidbogen, ein Leistenmaasswerk bis auf die Linien des Scheidbogens niedergeführt; das Sprengewerk der
Decke von aufsteigenden Diensten und Sculpturen getragen; das Aeussere in klar gere-
gelter Erscheinung. im Oberbau mit voller
Zinnenkrönung. Aehnlich die nicht minder
stattliche Kirche von L a v e n h a m, mit feinerer, noch zierlicher ausgestatteter Arka-
dengliederung und mit Horizontalfriesen,
die von Maasswerk und Ornament reichlich
erfüllt und von den aufsteigenden Diensten
durchschnitten, über den Scheidbögen hinlaufen; auch das Aeussere, mit höchst
schmuckreichen Zinnenkränzen, noch glänzender als das der Kirche von Melford.
Aehnlich die Kirche von L o w e s t o f f e, auch
die von S u d b u r y, B l y t b o r o u g h, B u n-
g a y, B u c c l e s, die letztere u. a. durch
einen an der Südseite vortretenden Portikus
ausgezeichnet, dessen Ausstattung an die Dekorationsweise spät-

———

[1] Britton, a. a., III, p. 73. — [2] Uebersicht und Einzeldarstellungen besonders bei Bloxam. Ansichten des baulichen Ganzen (doch nur in kleinen Sti-
chen) besonders bei Pr. Neale. — [3] Zu den Darstellungen bei Neale vergl.
Suckling, the history and antiquities of Suffolk.

französischer Gothik gemahnt. — In Essex die Kirche von Thax-
sted, von derselben Anlage, der Oberbau des Mittelschiffes im
Inneren schlichter gehalten, dagegen die Seitenschifffenster in
zierlicher Pracht, breit, rechtwinklig umfasst und mit reicher
Maasswerkfüllung. Der Thurm ansehnlich, mit hoher Spitze. —
Zu Cambridge die Kirche Great St. Mary, von 1478 bis
1519 erbaut, ein bezeichnendes Beispiel für die Durchbildung
des Styles in dieser Spätzeit: stark gegliederte Pfeiler mit Tu-
dorbögen, die Gliederung bis auf die einzelnen Hauptdienste beiden Theilen gemeinsam; die Wand des Mittelschiffes unter den
Fenstern mit feinem Maasswerkornament; ebenfalls je zwei
Fenster über dem einzelnen Scheidbogen und die Bogenstreben
der Decke von den Diensten getragen. Minder bedeutend, ebendaselbst, die Trinity church. — In Huntingdonshire die Kirche
von St. Neot's, aus dem Anfange des 16. Jahrhunderts, in
ihren verschiedenen Theilen mit verschiedenartiger, reicher und
sculptirter Holzbedachung. (Der stattliche Thurm, [1] ohne Spitze,
einer Erneuung von 1687 angehörig.)

Doch auch die übrigen Districte des Landes sind an Monumenten verwandter Beschaffenheit nicht arm. In Oxford ist
die Kirche St. Mary [2] als ein ausgezeichneter Bau hervorzuheben,
der Chor von 1443 — 45, das Schiff von 1488. Hier sind im
Inneren schlanke, lebhaft mit Säulchen gegliederte Pfeiler, und
kräftige, ebenso reich gegliederte Scheidbögen; der Oberbau des
Schiffes in maassvoller Klarheit gehalten; die Decke von trefflich behandelten flachen Bogenstreben, die über Bildernischen
aufsetzen, getragen. Innere Gesammtbreite 53½ Fuss; Mittelschiffbreite 22½ F.; Mittelschiffhöhe 48 F. (Zur Seite ein Thurm
aus dem 14. Jahrhundert, mit zierlichem Fialenspiele und daraus
emporsteigendem achteckigem Helme.) Ebendaselbst die Kirche
St. Peter (mit Ausschluss der älteren romanischen Theile, Thl.
II., S. 276). Andre Kirchen in Oxfordshire: zu Ensham,
Burford, Cropsedy, Witney, Chipping Norton, die letztere mit fensterreichem Oberbau; auch die zu Bloxham, mit
einem eigenthümlichen, von schlanker Spitze bekrönten Thurme. [3]
— In Northamptonshire die an sich minder erhebliche Kirche
von Kettering, ausgezeichnet durch eins der edelsten Beispiele
spätgothischen Thurmbaues, dem ebenfalls die Spitze nicht fehlt;
die Kirchen von Charwelton, von Blakesly, von Whiston,
die letztere vom Jahr 1534, ein vorzüglich gerühmtes Beispiel
der Schlussepoche, mit gleich hohen Schiffen und trefflicher
Holzdecke. — In Warwickshire die Kirchen von Merevall,
Willoughby, Brinklow, Knowle, Coventry (St. Michael,
deren Thurm schon von 1373—95 erbaut war) und Stratford

---

[1] Britton, a. a., V, p. 221. — [2] Zu Pr. Neale vergl. Ingram, Memorials of
Oxford, III. Pugin, exemples, I, pl. 30, ff. Derselbe, specimens, II, pl. 14, f.
(Der Thurm ebendaselbst, I, pl. 72.) — [3] Britton, a. a., V, p. 222.

on avon, letztere beide im Oberbau wiederum völlig von weiten Fenstern ausgefüllt. — In Gloucestershire die Kirchen von Chipping Campden, mit mächtigem Thurme, und die von Cirencester, die sich durch mannigfache Weisen schmuckreicher Ausstattung auszeichnet, auf der Südseite mit einem Portikus, der sehr eigen in der Weise spätestgothischer Schlossarchitektur behandelt ist, mit Erkern und Zinnen. — In Somersetshire die Kirche St. Mary Magdalen zu Taunton,[1] mit hohem Thurm, der in viereckiger Masse vor der Westseite aufsteigt, oberwärts, zumal in seiner Zinnen - und Fialenbekrönung, mit vollem Schmuck, im Unterbau jedoch ohne hinreichend kräftige Gegenwirkung. Ausserdem die Kirchen von Yeovil, Kewstoke und Worle. — In Wiltshire die Kirche von Marlborough, einfach, mit gleich hohen Schiffen; die Arkadenpfeiler mit schlanken Halbsäulen, die Scheidbögen leicht und frei aufsteigend. — In Dorsetshire die Kirchen von Cerne Abbas, Bradford Abbas und Piddleton. — In Surrey die von Croydon, Beddington und Putney (die Scheidbögen der letzteren in der Tudorform; auch Fächergewölbe). — In Kent die Kirche von Ashford, aus der zweiten Hälfte des 15. Jahrhunderts.

Boston (an der Küste von Lincolnshire) besitzt in der Kirche St. Botolph[2] einen ansehnlichen, eigenthümlich behandelten Bau der Spätepoche: die Schiffarkaden des Inneren weit und frei, die Pfeiler aus schlanken Säulenbündeln bestehend, doch ohne aufsteigende Dienste; darüber je zwei kleine spitzbogige Fenster und Kreuzwölbungen von Holz (die Mittelschiffhöhe nur 61 Fuss). Vor der Westseite ein das breitgelagerte Gebäude hoch übersteigender Thurm (262 F. 9 Z.), unterwärts mit kolossalem, das Unterschiff der Kirche erhellendem Fenster, in seinen Eckstreben kräftig disponirt, doch in dem perpendikulären Maass - und Leistenwerk, welches die Fenster füllt und sämmtliche Flächen deckt, von nüchternem Eindruck; gekrönt mit leichter, achteckiger Laterne, welche früher zur Aufnahme nächtlicher Leuchtfeuer gedient haben soll. (Eine Gründung des Thurmes fand 1309 statt; der Aufbau gehört bestimmt der letzten Zeit englischer Gothik an.) — Die nicht minder ansehnliche Kirche von Louth[3] (Lincolnshire) ist gleichfalls durch einen bedeutenden Thurm an der Westseite ausgezeichnet, der, in schlichterer Massenbildung, mit einer höchst schlanken achteckigen Spitze gekrönt ist, welche unterwärts durch Strebebögen zwischen hohen Eckfialen gefestigt wird. Die Ausführung der Spitze gehört dem Anfange des 16. Jahrhunderts an; in den alten Baurechnungen führt sie den naiven Namen des „Bratspiesses".

Andre Kirchen, in denen sich die Spätzeit charakterisirt, in

---

[1] Britton, a. a., V, p. 210. — [2] Britton, a. a., IV, p. 113; V, p. 206. Gailhabaud, Denkm. der Bank., III, Lief. 86. — [3] Britton, a. a., IV, p. 1.

Yorkshire.[1] In York selbst: die Kirche Holy Cross, im Jahr 1424 geweiht, mit leichten Pfeilerarkaden, deren Gliederung ohne Kapitäl, aber in ihrer Profilirung eigenthümlich wechselnd in die Scheidbögen übergeht. St. Cuthbert, mit ansehnlicher Holzdecke; St. Helen, mit zierlichem Thürmchen über dem Westgiebel; St. Michael-le-Belfry, 1535—45 erbaut. Zu Thirsk die Kirche St. Mary, dreischiffig, mit schönem offenen Deckzimmerwerk; unter dem Chor, durch das Terrain veranlasst, eine Krypta. Zu Beverley die Kirche St. Mary, bei der, ausser einigen frühgothischen Resten, der Unterbau des Ciores dem 14. Jahrhundert, alles Uebrige dagegen der Spätepoche angehört, ein vorzüglich prächtiges Beispiel der letzteren und fast durchgängig mit dekorativ behandeltem flachen Deckwerk. Zu Skirlaw (unfern von Kingston-upon-Hull) eine stattliche einschiffige Kapelle,[2] deren Bau bereits aus dem Anfange des 15. Jahrhunderts herrührt. U. s. w.

Einzelnes Bemerkenswerthe an andern Punkten der nördlichen und nordwestlichen Districte. Der Thurm der Kirche St. Nicholas zu Newcastle-upon-Tyne[3] (Northumberland) mit phantastisch dekorativer Bekrönung: hohe Eckfialen, von denen sich starke Bögen nach der Mitte zu gegen einander wölben und so, freischwebend, ein offnes Tabernakelthürmchen tragen. — Die Collegiatkirche zu Manchester,[4] deren Aeusseres einen ansehnlichen Bau der Spätepoche bekundet (während über das Innere keine Kunde vorliegt). — Die Kirche von Tong,[5] (Shropshire), im inneren System sehr schlicht und, wie es scheint, mit Benutzung einer älteren, frühgothischen Anlage erbaut, dabei mit reicheren Details der Spätzeit; besonders bemerkenswerth durch den Thurm über der mittleren Vierung, der, viereckig ansetzend, durch Eckabschnitte in die (für England seltene) Form des Acitecks übergeht und mit achteckigem Helme gekrönt ist. — Einige, freilich wenig erhebliche Beispiele aus der Schlussepoche der Gothik in der Grafschaft Caernarvon (Nord-Wales): die Kathedrale von Bangor,[6] die Kirche von Clynnog Fawr;[7] u. a. m.

Unter den kirchlichen und klösterlichen Nebengebäuden sind hier als solche, welche die allgemeinen Typen des Spätstyles zur Schau tragen, noch anzureihen: der Kreuzgang der Abtei von Laycock[8] (Wiltshire, unfern von Chippenham), mit nüchtern perpendikularem Stabwerk in den Bogenöffnungen und schwerem Rippengewölbe; der mächtige, völlig mit Leistenmaasswerk

---

[1] Parker, arch. notes of the churches etc. in the city and neighbourhood of York, (in den Memoirs, comm. to the ann. meeting of the Arch. Institute etc. at York, 1846.) — [2] Britton, a. a., IV, p. 126. — [3] Ebenda, V, p. 222. — [4] Ebenda, III, p. 13. — [5] Eyton, antiquities of Shropshire, II, p. 252. — [6] Winkles III, p. 153. — [7] Archaeol. Cambr.' III, p. 247. — [8] Britton, a. a., II. p. 120.

bedeckte „Abtthurm" zu E v e s h a m [1] (Worcestershire); der zierliche „Vicars Gateway" bei der Kathedrale von W e l l s; [2] der
stattliche festungsaitige Portalbau der Abtei von B a t t l e [3]
(Sussex); u. a. m.

In einzelnen Fällen, wo es darauf ankam, im kleineren
Raume die Fülle dekorativer Anmuth zu entfalten, gewährten
die Motive der Holzdecke hiezu willkommenen Anlass. Namentlich bei einigen K a p i t e l h ä u s e r n der Spätepoche ist dies der
Fall. Das Kapitelhaus bei der Kathedrale von E x e t e r, [4] ein
oblonger Raum mit grossen Fenstern perpendikularen Maasswerkes über kleinen Wandarkaden, hat als Träger der Decke
ein mit zierlichster Ornamentik versehenes Sprengewerk, dessen

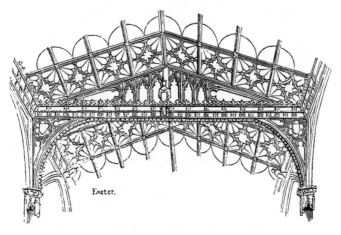

Decke des Kapitelhauses bei der Kathedrale von Exeter. (Nach Britton.)

Bogenstreben auf Tabernakelnischen ruhen, welche von Wanddiensten getragen werden, während die flachgegiebelte Decke
selbst mit einer sternartigen Musterung geschmückt ist. Das
Kapitelhaus bei der Kathedrale von C a n t e r b u r y, [5] ähnlich
angelegt, hat eine Holzdecke in der Form eines Tonnengewölbes,
über dessen Streifen sich ein gleichfalls sternartiges Maasswerk,
aber von reichster und wirksamster Composition, dem Schmucke
maurischer Decken vergleichbar, ausbreitet.

———————

Die Steinwölbung, wie bereits angedeutet, ahmt derartige
Muster nach. Die gewölbte Decke, mit welcher der Chor der

[1] Britton, a. a., V, p. 209. — [2] Britton, cath. a., IV. — [3] J. Johnson, reliques of anc. engl. arch. (part I.) — [4] Britton, c. a., IV. — [5] Ebenda, I.

Kathedrale von Oxford [1] ausgestattet wurde, ist ein zunächst
bezeichnendes Beispiel solcher Behandlungsweise. Hier setzen
über kurzen Diensten, welche in den Zwickeln zwischen den
Rundbögen des alten romanischen Baues aufsteigen, stark und
kräftig gegliederte Gewölbgurte an, ganz in der Weise der
Bogenstreben eines ansehnlichen Sprengwerkes; zwischen ihnen
spannen sich, zunächst den Wänden und vor den Nischen der
Oberfenster, flache, mit Maasswerk gemusterte Bogenbänder;
vor jenen Gurtansätzen aber senkt es sich consolenartig, dem
Untertheil eines Hängebalkens vergleichbar, hinab und steigt es
wiederum in bunten Gurten empor, in der Mitte des Raumes sich
in reichen Maasswerkmustern vereinend, ein launenhaft phanta-
stisenes Formenspiel, dessen zierliche Widersprüche, wenn allerdings auch eine völlig rhythmische Entwickelung und noch mehr
der Eindruck des constructiv Gesicherten vermisst wird, dem
Auge doch einen eigenthümlichen Reiz gewähren.

Andre bemerkenswerthe Weisen dekorativer Ausstattung und
Behandlung erscheinen in der Kathedrale von Gloucester [2]
und ihr zugehörigen Räumen. Hier war schon seit dem 14. Jahrhundert gearbeitet worden, dem Gebäude, dessen alter romanischer Kern allerdings blieb, eine Hülle in den Prachtformen der
späteren Gothik zu geben. Das Aeussere stellt sich als ein
Glanzbau dieser jüngeren Zeit dar, mit den stattlichen Fenstern,
den Zinnen und Brüstungen, welche der letzteren eigen sind,
mit mächtigem Mittelthurme, der in seiner reichen Ausstattung
zu den ansehnlichsten der Spätepoche gehört. Besonders merkwürdig ist die in der zweiten Hälfte des 15. Jahrhunderts ausgeführte Umwandelung des Inneren des Chores. Die schweren
zweigeschossigen Arkaden der ursprünglichen Anlage (Thl. II,
S. 279) sagten dem neuen Zeitgeschmacke nicht mehr zu; ein
reiches Leistenwerk wurde denselben hinzugefügt, als freies Ge-
gitter vor den offenen, als Reliefschmuck vor den geschlossenen
Mauertheilen, in Uebereinstimmung mit dem Stabwerk der hohen
Fenster des neuerbauten Oberbaues, während Gliederungen verwandter Art an den Pfeilermassen ungehemmt emporstiegen und
sich über den Raum hin in dem Geäste eines bunten Netzgewölbes ausbreiteten, und zugleich die Ostseite, mit völliger Beseitigung der alten Baustücke, durch eine kolossal, eigenthümlich
angeordnete und von perpendikularem Maasswerk ausgefüllte
Fensterarchitektur abgeschlossen ward. Es ist das grossartigste
Beispiel eines durchgeführt leistenartigen Dekorationssystemes,
von bedeutender Wirkung durch die Grundlage des festen Kernes, aber völlig in einer Behandlung, deren Motive in der
Technik des Holzbaues beruhen und die geradehin als eine
schreinermässige bezeichnet werden darf. Dann wurde der Ost-

---

[1] Britton, c. a., II. Winkles, II, p. 136. — [2] Britton, c. a., V. Winkles,
III, p. 17.

seite des Chores, durch einen niedrigeren Zwischenbau, mit ihm
verbunden eine ansehnliche Ladykapelle hinzugefügt, die, in
ähnlicher (doch etwas roherer) Behandlung und ringsum mit
grossen Fenstern perpendikularen Maasswerkes versehen, sich
völlig als grosses Glashaus darstellt. — Noch wichtiger ist die,
derselben Epoche angehörige Architektur des Kreuzganges. Er
ist mit dem sogenannten Fächer- oder Palmengewölbe bedeckt. In dieser Gewölbeform erscheint das in der späteren Zeit
beliebte vieltheilige Rippengewölbe nach den Grundsätzen eines
rhythmisch beschlossenen Leistenmaasswerkes umgewandelt. Die
Gewölbansätze steigen in, sich mehr und mehr ausbreitender
halbkreisrunder Grundform empor, mit Maasswerkrippen bekleidet, die fächerartig aus einander gehen, in schwellendei Be-

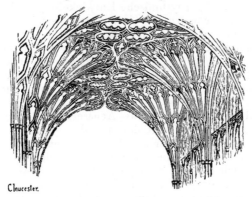

Gloucester.

Wölbung des Kreuzgangs bei der Kathedrale von Gloucester. (Nach Britton.)

wegung, die dem einzelnen Gewölbestück ein Aufwachsen gleich
dem einer Palmenkrone giebt. Oben stossen sie in ringförmigen
Abschlüssen gegeneinander, und dazwischen legen sich die Füllungen eines zierlichen Rosettenmaasswerkes. Es ist das edelste
Ergebniss der dekorativen Richtungen, die in der englischen
Gothik vorherrschen; auch hier ein phantastisches Formenspiel,
aber das Seltsame, Willkürliche, schematisch Gebundene in ein
harmonisches Wechselverhältniss, in einen gleichmässig klaren Fluss
aufgelöst, in graziösen Rhythmen ausklingend. Der Kreuzgang
von Gloucester bezeichnet eine erste Entwickelungsstufe dieser Gewölbeform, noch einigermaassen schwer, insofern der senkrechte
Durchschnitt des Gewölbes noch den vollen Spitzbogen zeigt, die
Theile desselben somit noch in etwas stärkerer Masse emporsteigen, auch ihre Maasswerkbekleidung noch nicht die völlig
leichte und sichere Entwickelung hat. Im Uebrigen entspricht
seine Ausstattung, namentlich die der Fensteröffnungen, derselben
reichen dekorativen Richtung.

Neben der Stephanskapelle von Westminster (mit den
Resten derselben in neuerer Zeit beseitigt) befand sich ein Kreuzgang,[1] welcher dieselbe Gewölbeform hatte. Er war in den
ersten Decennien des 16. Jahrhunderts ausgeführt worden. Hier
war der senkrechte Durchschnitt nach dem flacheren Spitzbogen
gebildet, so dass die Gewölbstücke eine leichter aufsteigende
Schwellung empfingen; auch hatte die Composition ihres Maasswerkes eine ähnlich leichtere Behandlung, waren die Rosettenfüllungen zwischen ihnen fester beschlossen. Nach diesen jüngeren
Elementen zeigt sich das Fächergewölbe in der Regel,
wenn auch sonst mit mancherlei Unterschieden, behandelt. Mit
demselben Kreuzgange stand zugleich, in den Hof desselben
hineintretend, eine überaus reizvolle kleine Kapelle in Verbindung, deren Gewölbe, fächerförmig ansetzend, in der Mitte in
Sternformen gebildet war. — Ein Hauptbeispiel der Fächerwölbung ist noch die prachtvolle Kapelle „der drei Altäre" (oder
Ladykapelle), die der Ostseite der Kathedrale von Peterborough[2] am Schlusse des 15. Jahrhunderts hinzugefügt wurde.
Andrer Beispiele, wie des Gewölbes über der mittleren Vierung
der Kathedrale von Canterbury, der Chorwölbung der Kirche
von Bath, ist bereits (S. 171 und 177) gedacht. Noch andre
sind im Folgenden zu erwähnen.

Verschiedene Kapellen, mit thunlichstem Aufwande von
Mitteln und Kräften erbaut, fassen die dekorativen Elemente der
Schlussepoche der englischen Gothik zur vorzüglich reichen Wir-
kung zusammen.

Das früheste dieser Monumente, schlichter im Verhältniss zu
den übrigen, ist die Beauchamp-Kapelle zu Warwick,[3]
die Grabkapelle des Richard Beauchamp, Grafen von Warwick,
gest. 1439, nach dessen Tode erbaut und 1475 geweiht. Sie hat
eine einfach oblonge Form, im Inneren 58 Fuss lang, 25 F. breit
und 32 F. hoch. Ueberall zeigt sich hier bereits ein sehr flacher
Spitzbogen, sowohl in dem Gewölbe, dessen netzförmig verschlungene Gurte sich ohne Scheidung aus den Wanddiensten
entwickeln, als in den mächtig breiten Fenstern, die mit etwas
schwerem perpendikularem Maasswerk ausgesetzt sind und
unter denen zierliche Arkadennischen hinlaufen. Einige kleine
Nebenräume haben andre Gewölbdecken, eine davon ebenfalls
schon Fächergewölbe, mit hängenden Schlusssteinen. Das Aeussere
zeigt starke, mit Leistenwerk geschmückte Strebepfeiler, ober-

---

[1] Abbildungen bei W. Brayley und Britton, the hist. of the anc. pal etc. at
Westminster. — [2] Britton, c a. V. Winkles, II, p. 72. (S. Thl. II. S. 263.) —
[3] Britton, a. a., IV, p. 7. Wiebeking, II, t. 54.

wärts mit kleinen geschweiften Strebebögen von spielendem·Zweck und spielender Wirkung.

Ungleich bedeutender sind die andern Kapellen. Zunächst die Kapelle des Kings College zu Cambridge, [1] eine Stiftung König Heinrich's VI., doch bei dessen Tode (1472) kaum begonnen, später langsam fortgebaut und erst im Jahr 1530 beendet. Ihr Plan bildet ein sehr gedehntes Oblongum, im Inneren 310 Fuss lang und gegen 45 F. breit, bei einer Höhe von 78 F.; mit ansehnlich vortretenden Strebepfeilern, zwischen denen kleine und niedrige Seitenkapellen eingebaut sind, deren einige sich, durch Thüren und Fenstergitter, gegen den Hauptraum öffnen. Mit diesen Kapellen beträgt die Gesammtbreite 78 F. Der Innenbau des Hauptraumes gestaltet sich hienach in einfachen Grundzügen. Säulenbündel scliessen als Wanddienste empor; zwischen ihnen liegen die hohen Fenster, die im reinen Spitzbogen schliessen und über denen erst im höhern Ansatz, mit einer Füllung der von dem Schildbogen umschlossenen Lünette durch ein Reliefmaasswerk, die Wölbungen ansetzen, — eine Einrichtung, die hier auf eine Abänderung des ursprünglichen Planes und auf eine erst im Verlauf des Baues beschlossene Erhöhung des Raumes schliessen lässt. Die Dienste tragen kräftige, stark profilirte Gurte, die sieh in der Form des Tudorbogens quer über den Raum wölben; zwischen die Gurte spannen sich reich gemusterte Fächergewölbe cin. Bei den ansehnlichen Massen, bci der ununterbrochenen Höhenwirkung der aufsteigenden Theile gibt die lange Folge dieser Wölbungen dem Inneren eine höchst feierliche Wirkung, obgleich allerdings die in jedem Gewölbetheil eintretende Durchschneidung durch jenen Quergurt den rhythmischen Fluss des Ganzen beeinträchtigt. Das Aeussere hat den Charakter gediegener Festigkeit, durch polygone Treppenthürmchen auf den Ecken, durch die kräftigen Streben, die Fialen, mit denen diese bekrönt sind, .die ornirte Zinnenbrüstung wirksam bezeichnet.

Sodann die Kapelle des heil. Georg zu Windsor, [2] bereits durch König Edward III. im 14. Jahrhundert gegründet, durch Edward IV. (1460—83) vergrössert und erneut und in den ersten Decennien des 16. Jahrhunderts vollendet. Sie ist dreischiffig, mit niederen Seitenschiffen, nach Ost und West gerade abschliessend, 218 Fuss lang und 65 F. im Ganzen breit, bei einer Mittelschiffbreite von 37 F. und Höhe desselben von 53 1/2 F.; durchschnitten von einem schmalen Querschiffe, dessen Flügel in halben Achtecken vortreten. Im Gesammtsystem des Inneren herrscht wiederum der Charakter des Leistenwerkes vor, in einem bezeichnend schreinermässigen Gefüge. Die Pfeiler scliessen in spielend bunter Gliederung aufwärts; die Scheidbögen lösen sich

---

[1] Britton, a. a., I, p. 17; III, p. 92. — [2] Ebenda, III, p. 29. Pugin, specimens, I, pl. 43,* 49, ff. Wiebcking, II, t. 54.

in sehr flacher Tudorform aus ihnen ab; in den Fenstern und
an den Wandtheilen unter ihnen ist ein perpendikuläres Maasswerk mit starken horizontalen Zwischenbändern gleichmässig
durchgeführt; das höchst kolossale Fenster der Westseite ist, in
ziemlich nüchterner Wirkung, ganz mit entsprechender Verstabung ausgefüllt. Vorzüglich ausgezeichnet sind die Wölbungen, auch sie (wie die Fenster) durchweg nach dem Princip
des Tudorbogens construirt): in den Seitenschiffen Fächergewölbe
von edelster und leichtester Behandlung; im Oberbau der Vorderschiffe mit einem in zierlichster Sternform verschlungenen
Netzwerk; im Oberbau des Chores (dessen Wölbung von 1507—8
durch die Meister John Hylmer und William Vertue ausgeführt wurde) ähnlich, aber zugleich mit künstlich gesenkten
Schlusssteinen; im Querschiff mit breiten fächerförmigen Ansätzen. Das Aeussere hat kräftige Strebepfeiler und leichte
Strebebögen, während zwischen den Zinnenkränzen und Brüstungen Fialen ohne Spitzen, kleinen Festungsthürmchen vergleichbar, aufsteigen.

Endlich die Kapelle Heinrich's VII.,[1] die in der Zeit
von 1502—20 der Ostseite der Westminsterkirche zu London
angebaut wurde. In ihr vereinigen sich verschwenderische Mittel,
verwegene Technik, phantastische Combinationsgabe, um ein Werk
des Staunens, eine Wirkung, wie sie nirgend anders vorhanden,
hervorzubringen. Auch dies ist ein dreischiffiger Bau, aber
(in Annäherung an das System der grossen Kirche, dem er sich
anfügt) dreiseitig schliessend und in diesen Theilen des östlichen
Abschlusses mit Kapellen von der Tiefe der Seitenschiffe umgeben; im Innern 104½ Fuss lang und gegen 72 F. breit, im
Mittelschiff 33½ F. breit und 61½ F. hoch. Das innere System ist dem der Kapelle von Windsor ähnlich, nur Alles in
zierlicherer Durchbildung und namentlich der Raum zwischen
den Oberfenstern und den Scheidbögen durch ein reiches Figu-
rentabernakelwerk ausgefüllt; der Art, dass jene dekorativen
Elemente der Schreinertechnik hier in dem mehr wechselnden
Formenspiele und in dessen mehr plastischer Fülle eine lebhaftere Berechtigung und Wirkung empfangen. Die Seitenschiffe
haben achteckige Strebepfeiler, halb nach aussen, halb nach
innen vortretend; die Fenster zwischen denselben sind in sehr
eigner Laune mit halbrundem Vorsprunge, wie die Erker einer
Schlossarchitektur, angeordnet und mit reihenweis geordneter,
oben horizontal abschliessender perpendikularer Verstabung ausgefüllt. Auch an den östlichen Theilen sind ähnliche Strebe-

---

[1] Britton, a. a., II, p, 15. Pr. Neale und W. Brayley. the hist. and antt. of
the abb. church St. Peter, Westminster Cottingham, plans, elevations etc. of
King Henry the seventh's chapel at Westminster. Pugin, specimens, I, pl. 64, ff.
Chapuy, moy. âge pitt., pl. 51. Wiebeking, II, t. 54, f., III, t. 101 *Denkmäler der Kunst*, T. 52, (12, f.)

pfeiler; aber diese setzen sich zugleich als breite Wandmassen zwischen den Kapellen fort; die Fenster der letzteren treten in polygonen Erkern vor. In der Structur der Wölbungen ist alle erdenkbare Kunst aufgewendet. Die Gewölbe der Seitenschiffe und der Kapellen sind fächerförmig, wobei statt der mittleren Rosettenfüllungen tief gesenkte Schlusssteine, nach oben zu sich wiederum fächerartig erhebend, angebracht sind. Im Mittelschiff sind starke Quergurtbänder (wie in der Kapelle des King's College zu Cambridge, doch im vollen Spitzbogen,) mit weich gemustertem Zackensaume; zunächst ohne Gewölbansatz und statt dessen (wie bei den Strebebögen eines hölzernen Sprenge-werkes) mit anschliessender Maasswerkdurchbrechung; dann mit Zapfen, die sich aus ihnen selbst niedersenken und von denen Fächerwölbungen aufsteigen, anderen Fächern begegnend, welche zur Seite der Fenster ansetzen und in der Mitte (wie in den Seitenschiffen) von gesenkten Schlusssteinen ausgehen, — ein wundersames Wirrsal, das die letzten Nachklänge organischer Gliederung ebenso wie den rhythmischen Fluss des kaum ge-wonnenen einfachen Fächergewölbes verschwinden macht, das aber doch, überall im zierlichsten Maasswerkgefüge sich bewe-gend, im Wechselverhältnisse zu der leichten Entfaltung und reichlichen Ausstattung der übrigen Bautheile, den stärksten phantastischen Reiz hervorbringt und in solchem Betracht den kecken Erzeugnissen orientalischer Phantasie immerhin als ein würdiges Seitenstück anzureihen ist. Das Aeussere, in minutiös ernüchterter Schematik, wirkt minder erfreulich. Im Unterbau fehlt bei den wirren Grundlinien alle Ruhe, und das kleinliche Maasswerk seiner Fenster wiederholt sich als Reliefschmuck auf den Flächen der Strebepfeiler. Diese sind statt der Fialen, mit starken Tabernakelthürmchen versehen, welche eine kuppelartige Bekrönung haben und von denen bunte durchbrochene Strebe-bögen gegen. den Oberbau gespannt sind. Letzterer schliesst mit hoher dekorirter Brüstung ab.

Von grosser und eigenthümlicher Bedeutung für die Schluss-epoche der englischen Gothik sind ferner die sogenannten Col-leges, Stiftungen für die Zwecke wissenschaftlichen Studiums, Convictorien, die für ein genossenschaftlich abgeschlossenes Leben angelegt und dem entsprechend baulich eingerichtet wurden. Schon im früheren Mittelalter waren solche Anstalten gegründet und zum Theil reichlich ausgestattet worden; im 15. und 16. Jahrhundert (wie auch später) entstand eine Fülle von Pracht-bauten zu diesem Behuf. Es sind zumeist burgähnliche Palläste. die in den Räumen des gemeinsamen Verkehrs, in den Kreuz-gängen, welche nicht selten die inneren Höfe umgeben, in den

Treppenhäusern, den grossen Versammlungssälen, und nicht
minder in den Kapellen, die sich zu ihrer Seite zu erheben
pflegen, mehr oder weniger reichen architektonischen Schmuck
entfalten.

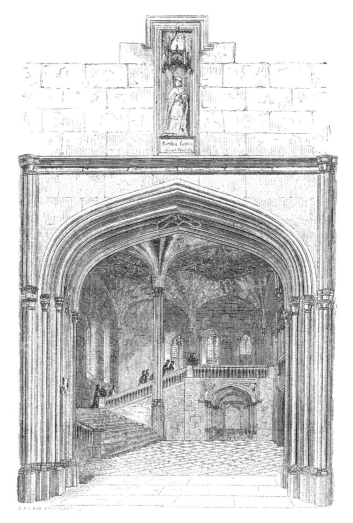

Treppenhaus im Christchurch College zu Oxford (Nach Knudt.)

Oxford, die alte Universitätsstadt Englands, besitzt den
grössten Reichthum von Colleges, welche dieser Epoche ange-

hören. [1] Magdalene College, All souls College, New
College, Merton College, Brazennose College, Balliol
College u. a. m. sind ebenso durch ihre Gesammtanlage wie
durch zierliche Behandlung einzelner Theile, in denen man
mehrfach wiederum einem leicht geschwungenen Fächergewölbe
begegnet, von Bedeutung. Vorzüglich ausgezeichnet ist Christchurch College, im dritten Decennium des 16. Jahrhunderts
von Kardinal Wolsey erbaut, mit zierlich reichem Deckenspreng-
werke über der grossen „Halle" und mit einem Treppenhause
vor letzterer, dessen anmuthige· Fächerwölbung, vielleicht das
geschmackvollste Beispiel der Art, in der Mitte von einem schlanken Bündelpfeiler von 80 Fuss Höhe gestützt wird. Das mächtige Auditorium der Divinity School entspricht in seiner
Anlage völlig den eben erwähnten Prachtkapellen, indem die
Seitenwände von grossen Fenstern eingenommen werden und die
Gewölbdecke mit starken Quergurten versehen ist, zu deren Seiten
sich, von niederhängenden Zapfen ausgehend, Fächer- und Sternwölbungen ausbreiten.

Auch Cambridge besitzt glänzende Anlagen der Art, doch
grösseren Theils aus späterer Zeit. Dem 15. und 16. Jahrhundert gehören, als ausgezeichnete Beispiele, King's College
und Trinity College an. Die prachtvolle Kapelle des ersteren
ist bereits besprochen. — Sehr wesentlich ist ausserdem das College von Eton [2] (Buckinghamshire). Seine mächtige burgähnliche Façade zeigt bereits Elemente des Ueberganges in die Renaissance - Architektur. Als merkwürdige Einzelheit (die sich
aber auch an andern Gebäuden derselben Spätzeit findet) sind
die säulenartig aufragenden Schornsteine zu erwähnen, deren
phantastische Ausstattung auf romanische Dekorationsweise zu-
rückgreift und hieraus natürliche Motive für seinen Uebergang
entnimmt.

Dann die Burgen, die festen Schlösser, die freiherrlichen
„Hallen," die ihren Namen von ihrem Hauptraume, der grossen
Versammlungshalle, tragen. Auch hier, vornehmlich aus gothischer Spätzeit (wie weiland aus der des romanischen Styles,)
machtvolle Anlagen und die üblichen Elemente schmuckreicher
Ausstattung, zweckmässig dem Bedürfniss angepasst oder nach
dessen Erfordernissen umgewandelt. So Crosby-Hall [3] zu
London aus der zweiten Hälfte des 16. Jahrhunderts, das einzig erhaltene Stück des Pallastes dieses Namens: ein Saal von
27 Fuss Breite und 69 F. Länge, mit stattlicher Tudorfenster-

---

[1] Ingram, memorials of Oxford. Rundt, views of the most pict colleges in
the univ. of Oxford. Pugin, in den examples (I) und in den specimens of
goth. arch. — [2] Britton, a. a., II, p. 95 Pugin, specimens, I, pl. 66. — [3] Britton, a. a. IV, p. 185. Pugin, specimens, I, pl. 42, ff.

Architektur, einem zierlich polygonen erkerartigen Ausbau und geschmückter Sprengewerkdecke. So die Halle des Pallastes von
Eltham [1] in Kent, 36 Fuss breit und 101 F. 4 Z. lang, aus
derselben Zeit, mit einem Hängewerk von vorzüglich edler Durchbildung. So Tattershall Castle in Lincolnshire, eine feste

Halle des Pallastes von Eltham. (Nach Fergusson.)

hohe Masse mit Fenstern in mehreren Geschossen, starken Eck-
thürmen und kräftiger Zinnenkrönung; Oxburgh Hall (Norfolk), East-Barsham Hall (ebenda), Giffords Hall (Suffolk) mit schmuckreichen und festen Thorbauten und andern bemerkenswerthen Einzelheiten. So die Ruinen von Warwick-
Castle und von Kenilworth (Warwickshire,) die sich malerisch
ausbreiten und von denen zugleich die letzteren durch zierliche
Elemente des gothischen Perpendikularstyles ausgezeichnet sind.
So die nicht minder malerischen von Thornbury Castle [2]
(Gloucestershire,) die, der Zeit von 1511—22 angehörig, durch

[1] Pugin, examples, I, pl. 43, ff. Hier, sowie bei Britton, a. a II, auch die
folgenden Beispiele. — [2] Zu Pugin vergl. Glossary III, p. 76.

phantastische, in Polygon- und Kreisformen vortretende und über
einander gesetzte Fenstererker ausgezeichnet sind, (der Anlage
der Fenster der Kapelle Heinrichs VII. zu Westminster analog,
nur noch seltsamer); das prachtvoll hergestellte Schloss von
W i n d s o r, in seinen gleichzeitigen Theilen mit ähnlichen, doch
einfacher behandelten Erkerbauten; H e n g r a v e H a l l, (Suffolk,)
inschriftlich vom Jahr 1538, auch dies Gebäude mit Erkern
der Art, gothischen Kuppelthürmchen und überall in einer Fassung und Behandlung, die wiederum eine Neigung zu der Richtung des Renaissancestyles erkennen lässt.   Aehnlich die älteren
Theile von H a m p t o n c o u r t [1] (Middlesex), deren grosse Halle
wiederum mit stattlichem Sprengewerk versehen ist.   U. a. m.

Endlich die Fülle von Dekorativwerken, mit denen die Kathedralen und andere ansehnliche Kirchen des Landes ausgestattet sind, schreinartige Einbauten, Lettner, Emporbühnen,
Grabmonumente in einer Kapellen- oder Baldachinform ; u.
dergl. m.   In diesen Arbeiten herrscht durchgehend ein feiner
Sinn, der, wenn zumeist auch in zierlichem Spiele, so doch ohne
launenhafte Willkür, ohne barocke Phantasterei die künstlerischen
Formen der Zeit verwendet und für die edle Richtung, welche
der dekorative Geschmack in dieser Epoche genommen hat, ein
vorzüglich günstiges Zeugniss ablegt.   Die Beispiele sind sehr
zahlreich.   Ein vorzüglich edles und anmuthreiches Monument
der Art ist die Grabkapelle der Gräfin Isabella von Warwick,
vom Jahr 1438, in der Abteikirche von T e w k e s b u r y; [2] ähnlich
das Grabmonument des Herzogs Humphrey von Gloucester, gest.
1447, in der Abteikirche von S t. A l b a n s. [3] Zahlreiche bischöfliche und erzbischöfliche Monumente, aus dem 15. und dem 16.
Jahrhundert, in den Kathedralen von W i n c h e s t e r, C a n t e r -
b u r y, Y o r k [4], u. s. w.

---

b. S c h o t t l a n d.

Schottland [5] empfing die Formen des gothischen Styles von
England, nahm dieselben jedoch langsam auf und behielt manche
Reminiscenz des romanischen Styles bei.   Die schottische Gothik
blieb alterthümlicher; im Laufe der Zeit, als die erbitterte Na-
tionalfeindschaft zwischen Schotten und Engländern zum bewussten Widerspruch gegen englischen Sinn und englische Sitte
führte, entwickelte sie sich auf jener Grundlage in sehr eigenthümlicher Weise.

[1] Pugin, specimens, II, pl. 1, ff. — [2] Pr. Neale, collegiate etc. churches, I.
[3] Ebenda. — [4] Britton, cath. a. — [5] Vergl. die Thl. II. S. 298 citirten Werke.

Die Frühepoche.

Dem 13. Jahrhundert gehören verschiedene Monumente an, die sich in den charakteristischen Lanzetformen der englischen Gothik bewegen, doch schon von vornherein, namentlich durch die Einmischung jener Motive, welche aus dem ältern Style in den neuen hinübergetragen wurden, in eigenthümlicher Fassung erscheinen.

Mehrere haben noch ein gemischtes, übergangsartiges Gepräge. So das Kapitelhaus des Klosters von Inchcolm (an der Mündung des Forth), ein achteckiger Bau mit halbrundem romanisirendem Portale, schmalen Lanzetfenstern und einem Obergeschosse, dessen kleine Fenster wiederum rundbogig geschlossen sind. — So die mächtige Abteikirche von Aberbrothoc (Fifeshire), mit glänzendem rundbogigen Westportale, dessen Detailbehandlung zwischen romanischer und gothischer Art in der Mitte steht, und mit wechselnden Formen in der Dekoration des südlichen Querschiffflügels, unterwärts mit spitzen, gebrochenbogig gefüllten Arkaden und rundbogiger Thür, darüber mit Lanzet- und im dritten Geschoss mit rundbogigen Arkaden, während das Gebäude im Ganzen als ein Hauptbeispiel schottischer Frühgothik bezeichnet wird. — So der ältere Theil der um oder nach 1223 gegründeten Kathedrale von Elgin. Auch hier ist es der südliche Querschiffflügel, der, der ersten Bauepoche angehörig, noch die Stylmischung bei vorwiegend gothischer Disposition zeigt: einfache, doch ausgebildete Strebepfeiler; ein reiches spitzbogiges Portal unter schlichtem Giebel, das etwa den geschmückten Portalen frühenglischer Gothik parallel steht; spitzbogige Lanzetfenster und über diesen rundbogige, die nach zierlich spätromanischer Art angeordnet sind. Die übrigen Theile der Kathedrale sind später. Der Chor nach einem Brande im Jahr 1270 erbaut, zeigt einen trefflich durchgebildeten Lanzetstyl, in einer Richtung, die im Wesentlichen, wie es scheint, der des Schiffes der Kathedrale von Wells (S. 151) folgt; die gerade abschliessende Ostwand ist insbesondere von edler und grossartiger Wirkung, mit wohlgegliederten Fenstern, die zu je fünfen in zwei Reihen über einander geordnet sind, und mit grossem Rosenfenster über ihnen. Der Schiffbau, nach einem Brande vom Jahr 1390, hat die Spätformen des 15. Jahrhunderts. Die Kathedrale ist gegenwärtig eine malerische Ruine.

Das bedeutendste Monument schottischer Frühgothik ist die Kathedrale von Glasgow.[1] Sie bildet ein Oblongum von 300 Fuss Länge und 73 F. Breite; der Chor dem Schiffe an Aus-

---

[1] Vergl. J. Collie, plans, elevations etc. of the Cath. of Glasgow.

dehnung gleich; zwischen beiden das über die Seitenmauern nicht
hinaustretende Querschiff. Das hohe Mittelschiff ist mit einer
Holzdecke versehen, die Seitenschiffe mit einfachen Kreuzgewölben; die Ostseite schliesst geradlinig ab mit zweifacher, den
Seitenschiffen entsprechender Vorlage (einigermaassen nach dem
bei den Cistercienserkirchen häufig vorkommenden Princip geordnet, doch nicht in einzelne Kapellen zerfallend). Unter dem
Gesammtraume des Chores zieht sich eine Krypta hin, deren
Anlage durch das ostwärts stark gesenkte Terrain veranlasst

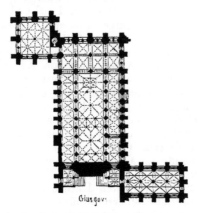

Grundriss der Krypta der Kathedrale von Glasgow. (Nach Collie.)

wurde und die, sowohl durch ihre Ausdehnung als durch die
volle Beleuchtung, den Eindruck einer selbständigen Unterkirche
hervorbringt. Ein an die Nordostecke anstossendes viereckiges
Kapitelhaus ist gleichfalls zweigeschossig, in Uebereinstimmung
mit den Höhen der Krypta und der Untertheile des Oberbaues.
— Die Gründung der Kathedrale fällt in die Spätzeit des
12. Jahrhunderts; die älteren Theile des vorhandenen Baues rühren
jedoch aus dieser Epoche nicht her, scheinen vielmehr erst seit
der Zeit um 1240 (in welcher des Baubetriebes urkundlich gedacht wird) ausgeführt. [1] Krypta und Chor bilden das ältere
Stück; das Schiff schliesst sich ihnen in weiterer Entwickelung
des Systemes an. Es ist ein ausgebildetes Frühgothisch, in der
Hauptsache der englischen Richtung entsprechend. Die geräumige
Krypta, mit stärkeren Pfeilermassen in der Flucht der Pfeiler
des Oberbaues und mit leichten, zierlich gegliederten Pfeilern,

---

[1] Ich kann hierin im Wesentlichen nur den Andeutungen bei Fergusson,
p. 898, folgen. Die Angabe im Glossary, III, p. 30, welche den Bau des Chores der Gründungsepoche zuschreibt und der sich auch Wilson, p. 617, anzuschliessen scheint, stimmt nicht mit dem stylistischen Charakter dieses Bautheils.

deren Stellung wie die Anordnung der Gewölbe über ihnen einen
eigenthümlichen Wechsel befolgt, im Mittelraume ist durch die
verschiedenartigsten perspektivischen Wirkungen von grossem
und seltenem Reize. In der Fensterformation herrscht ein durchgebildet strenger Lanzetcharakter vor, in den Oberfenstern des
Chores mit eigen primitiver Bogenfüllung, parallelistisch mit den
Linien des Hauptbogens und somit sehr scharf zugespitzt, darüber mit schlichter, noch fast romanisirender Maasswerkdurchbrechung. In den Oberfenstern des Schiffes, auf der Nordseite,

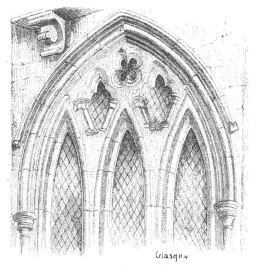

Fenstermaasswerk in der Kathedrale von Glasgow. (Nach Billings.)

findet sich ein mehr entwickeltes Maasswerk, charakteristisch
wiederum dadurch, dass die einzelnen Bogenfüllungen nicht spitz,
sondern halbrund gehalten sind. (Das Maasswerk in den Oberfenstern der Südseite ist spätgothisch.) Ein Thurm über der
mittleren Vierung hat ebenfalls noch Gruppen lanzetartiger Fenster und einen schlanken, mit einigen zierlicheren Dekorationen
versehenen achtseitigen Helm.

Als andre Monumente des 13. Jahrhunderts sind anzuführen:
die Abteikirche von Paisley (Grafsch. Renfrew, südwestlich
von Glasgow), in der, über den frühspitzbogigen Schiffarkaden,
ein rundbogiges Triforium mit spitzbogiger Arkadenfüllung angeordnet ist und die beiden grossen Fenster der Westfront rundbogige Maasswerkfüllungen haben, (über ihnen ein späteres reich
ausgestattetes Oberfenster;) — die Ruine der Abteikirche von
Pluscardine (südwestlich von Elgin,) mit einem rundbogigen

Portale, dessen Gliederungen den entschieden gothischen Charakter dieser Epoche tragen und das, mit eigenthümlicher ornamentistischer Füllung im äusseren Bogengeläufe versehen, von
so stattlicher wie energischer Wirkung ist; — der Chor der Kathedrale von Dunfermline (Fife) und Theile der Kathedrale
von Dunblane (Perth), beide in neuerer Zeit in den Formen
modern englischer Gothik überarbeitet; — und das Mittelschiff
der als Ruine erhaltenen Abteikirche von Holyrood bei Edinburgh, welches den Typus entwickelter englischer Gothik trägt,
das Hauptportal [1] ebenfalls den reicher dekorirten englischen Portalen dieser Epoche verwandt.

Die kleine Kathedrale der Hebriden-Insel Jona [2] verbindet
mit hochalterthümlichen Formen solche, welche der schon weiter
vorschreitenden Entwickelung im Anfange des 14. Jahrhunderts
entsprechen. Die Kathedrale, gegenwärtig ebenfalls eine Ruine,
war ungewölbt. Der Chor, mit Seitenschiffen, scheidet sich von
diesen durch spitzbogige Arkaden, deren Pfeiler noch die in der
romanischen Epoche der englischen Architektur so häufig vorkommende schwere Rundform haben, das grosse spitzbogige Ostfenster hat schwer gothisirende Maasswerkdurchbrechungen;
Manches im Chore ist rundbogig, doch mit gothischen Detailformen. Der Thurm über der mittleren Vierung hat viereckige
Fenster, nach aussen mit Platten ausgesetzt, die von gothischen
Maasswerkmustern durchbrochen sind; nach innen eine Nische
bildend, deren scheitrechte Wölbung in der Mitte durch ein
Balustersäulchen gestützt wird, eine sehr merkwürdige gothisirende Umbildung jener urthümlichen Form, die in den Fensterarkaden der altsächsischen Architektur Englands häufig gefunden
wird.

Endlich gehören namhafte Theile der Kathedrale von Kirk-
vall, auf den Orkney's, der früheren gothischen Epoche an,
besonders die östlichen Theile des Chores. Sie befolgen völlig
das System der älteren rundbogig romanischen Theile (Thl. II,
S. 299) und unterscheiden sich von diesen nur durch die charakteristisch gothische Detailbehandlung. Das grosse Ostfenster des
Chores hat in der Füllung seines Bogens eine grosse Rose, über
der keine weitere Durchbrechung stattfindet, so dass auch hier
wenigstens die eigentliche Oeffnung des Fensters rundbogig
schliesst.

Die Spätepoche.

Mit dem Ausgange des 13. Jahrhunderts beginnen innere
Wirrnisse und lange fortgeführte Kämpfe mit England. Fast

---

[1] Chapuy, moy. âge monumental, No. 47. — [2] Vergl. d. Ulster Journal of
Archaeology, I. p. 86.

auf die Dauer eines Jahrhunderts schränkt sich die bauliche
Thätigkeit Schottlands auf ein äusserst geringes Maass ein. Die
wenigen namhaften Beispiele monumentaler Ausführung, welche
aus dieser Epoche und besonders aus ihrer früheren Hälfte herrühren, sind von schlichter, schmucklos derber Beschaffenheit,
die Zeit charakterisirend, deren Sinn mehr auf kriegerischen
Schutz und Trutz als auf künstlerisches Behagen gerichtet war.
Zu ihnen gehört der Chor der im Jahr 1330 gegründeten Karmeliterkirche von South-Queensferry unfern von Linlithgow, mit rippenlosem (wie es scheint: tonnenartigem) Gewölbe,
wenigen schmalen Fenstern und mit einigen rundbogigen Formen,
namentlich in der Ueberwölbung der auf der Südseite belegenen
„Priesterthür." Aehnlich die Kirche des Dorfes Temple (East-
Lothian.)

Erst mit der späteren Zeit des 14. Jahrhunderts erwacht ein
neues künstlerisches Streben, welches dann, im Verlaufe des 15.
Jahrhunderts und besonders in dessen zweiter Hälfte, zu einer
reichen Entwickelung führt. Der gothische Baustyl Schottlands
empfängt hier sein höchst beachtenswerthes Sondergepräge. Es
sind die vorgefundenen Elemente, aus denen das letztere sich
herausbildet: die strengere Energie der Anlage, wie in der jüngst
vorangegangenen Zeit, die auch bei reicherer Verwendung herberen frühgothischen Formen, die romanischen Reminiscenzen.
Sie begegnen der dekorativen Lust, welche sich überall in der
gothischen Spätepoche geltend macht, und entfalten sich unter
solcher Einwirkung in eigenthümlich blühender Weise, manch-
mal derb und selbst von barock phantastischer Ausartung nicht
frei, häufiger — wenigstens in Einzeltheilen — in einem Adel,
in einer klar gemessenen Grazie, wie die spätgothische Epoche
anderweit nicht Vieles aufzuweisen hat. Die Grundzüge des
Systems sind zumeist schlicht. Das kirchliche Gebäude ist oft,
und sofern das Bedürfniss nicht eine mehrtheilige Anlage nöthig
machte, einschiffig, die Gewölbdecke von tonnenartiger Disposition; letztere schmückt sich jedoch, wo es auf reichere Ausstattung ankommt, gern mit einem netzartigen Rippenwerk, welches zu manchen Uebergängen in die Form des Kreuzgewölbes
Veranlassung giebt. In der jüngeren Zeit scheint das Kreuzgewölbe wiederum vorherrschend zu sein. Die Pfeiler der Schiffarkaden, bei mehrschiffigen Gebäuden, sind theils einfach rund
oder achteckig, theils mit kräftigen Diensten besetzt und mit
schmuckreichen Kapitälen versehen; eigenthümlich ist die Anwendung von Wappenschilden, welche sich nicht selten dem
Laubwerk der geschmückten Kapitäle als Hauptzierde zugesellen,
ein Dokument des gewichtigen Einflusses der vornehmen Geschlechter auf diese Anlagen. Thür- und Fensteröffnungen sind
vorherrschend von mässiger Dimension, aber um so mehr von
anmuthvoller Durchbildung; der Spitzbogen ist für sie nicht die

ausschliesslich bestimmende Form; vielmehr bleibt der Halbkreisbogen, wie schon in der vorangegangenen Epoche, ein charakteristisches Element der schottischen Gothik. Namentlich die
Thüren werden gern rundbogig überwölbt, mit zierlich leichter
Gliederung, von aller überladenden Ornamentik und lastenden
Sculpturausstattung frei, in der äusseren Linie ihrer Wölbung
zumeist von einem ornirten Bogenbande umgeben, welches dem
Ganzen einen wirksamen Abschluss gewährt. Auch fehlt es
nicht an Thüren, deren Wölbung durch ein geringeres Bogen-
segment als das des Halbkreises gebildet wird. Die Fenster
bleiben in der Hauptform spitzbogig; aber die Maasswerkfüllung
behält ebenfalls jene halbrunde Verbindung der Stäbe und schlingt
sich oberwärts in entsprechenden Bogenlinien in einander, der
Art, dass die in der spätgothischen Kunst überall üblichen geschweiften Formen (die Flamboyant- oder Fischblasenmuster)
hier nicht selten eine vorzüglich klare Entfaltung gewinnen und
wenigstens in dekorativem Sinne eine eigenthümlich reizvolle
Wirkung hervorbringen. Das vorliegende Material verstattet
noch kein Urtheil, wiewiet bei diesen baulichen Anlagen künstlerische Totalität erreicht und durchgebildet ist. Dass es an
Beispielen der Willkür und Seltsamkeit nicht fehlt, ist bereits
angedeutet, ebenso aber auch, dass im Einzelnen das wahrhaft
Vollendete geleistet wird. Namentlich ist anzumerken, dass sich
in der Behandlung der eben erwähnten Portale der gothische
Styl der beschränkenden Conventionen auf's Glücklichste ent-
ledigt, zu welchen sonst die einseitige Consequenz des Systemes
nur zu häufig Anlass giebt, dass er sich hier, ohne das innere
Princip seiner Gliederformation zu beeinträchtigen, zur reinen
Classicität umgewandelt zeigt, — ein kunsthistorisches Ergebniss,
das, wie es scheint, eines eindringenden Studiums würdig und
folgenreicher Entwickelungen fähig ist. — Von den charakteristischen Formen des spätenglischen Styles wird nur sehr Weniges, und dies nur in der Schlusszeit und in vereinzelten Beispielen, aufgenommen. Der Tudorbogen kommt gar nicht zur
Anwendung, wenigstens nicht bei irgend wesentlichen Theilen.
Das perpendikulare Fenstermaasswerk findet sich in einigen Fällen, doch auch in diesen nach schottischem Formgefühle modificirt.

Als Beispiele des Styles sind zunächst anzuführen: die zierliche kleine Kreuzkirche von St. Monance (Fife), die, angeblich
schon um 1369 vollendet, noch erst den Beginn der Entwickelung zu bezeichnen scheint; — die im Jahr 1398 gegründete
Stiftskirche von Bothwell (Lanarkshire, südöstlich von Glasgow) mit dem charakteristischen schottischen Tonnengewölbe im
Chor; — die gleichzeitige, sehr reich durchgebildete Abteikirche
von Lincluden (in derselben Gegend,) jetzt eine reizvolle Ruine;
— die Kathedrale von Dunkeld (Perth), vom Anfange des

15. Jahrhunderts, mit rundbogigem und spitzbogig gefülltem Triforium und stattlichen Fenstern in der bezeichneten Maasswerkbildung; — die Stiftskirche von Seton (East-Lothian), mit tonnengewölbtem, im östlichen Theile durch reiches Rippenwerk geschmücktem Chore und graziöser Rundbogenthür an dessen Südseite; die Abteikirche von Haddington (East-Lothian), mit vorzüglich reich durchgebildetem Rundbogenportal auf der Westseite und anderweitig schmuckreicher Ausstattung.

Die Kathedrale von Old-Aberdeen, am Ende des 14. Jahrhunderts erbaut, unterscheidet sich von diesen reicheren Monumenten durch eine sehr schlichte Behandlung, welche durch das hier zur Anwendung gekommene Material des Granits veranlasst ist; die Westfaçade z. B. hat nur eine Reihe ganz einfacher, schmaler, rundbogig eingewölbter Fenster. (Der Chor ist neuerlich abgerissen.) — Auch die im J. 1429 gegründete Stiftskirche von Corstorphine, unfern von Edinburgh, ist durch die sehr einfache Behandlung der Fensterformation, mit vorherrschendem Rundbogen, bemerkenswerth. Im Uebrigen ist sie neuerlich auf englisch gothische Weise modernisirt.

Die Kirche St. Giles zu Edinburgh, aus verschiedenen Bauzeiten herrührend, enthält charakteristische Belege für die verschiedenen Entwickelungsstufen des später gothischen Styles von Schottland, obgleich allerdings Vieles daran durch eine im J. 1829 ausgeführte englisch gothische Modernisirung verdunkelt ist. Die älteren Theile gehören einer Erneuung nach einem Brande im J. 1355 an. Hier, z. B. im nördlichen Seitenschiffe des Chores, findet sich noch das bezeichnend schottische Tonnengewölbe. Andres folgte nach einem Brande im J. 1385; so im J. 1387 die Anlage von Kapellen auf der Südseite des Schiffes, mit einem Rundbogenportale, das in seiner graziösen Form und Behandlung als eins der Meisterstücke der nationalen Richtung zu bezeichnen ist; nach 1400 die kräftig schmuckreiche Rothesay-Kapelle auf der Nordseite, mit streng behandeltem Kreuzgewölbe; nach der Mitte des 15. Jahrhunderts das südliche Seitenschiff und der Oberbau des Chores, kreuzgewölbt und in ansehnlich dekorativer Ausstattung; Andres noch später.

Glanzformen des 15. Jahrhunderts finden sich ferner in der Kirche St. Michael zu Linlithgow, besonders zierliches Fenstermaasswerk in der angedeuteten Weise der Verschlingung. — Vorzugsweise aber in der Abteikirche von Melrose (Roxburgh, am Tweed,) deren überaus malerische Reste das „Lied des letzten Minstrels" feiert. Im Innern des um 1453 ausgeführten Schiffbaues herrscht hier ein so energisches wie reich ausgestattetes System, mit mannigfachem Wechsel stattlichen Maasswerkes. Der südliche Querschiffgiebel hat ein kolossales Fenster, dessen Disposition noch altschottischer Anordnung folgt, in reich spielender und freilich in nicht ganz glücklicher Weise durchgebildet.

Der Chor, jünger als das Schiff, schliesst ostwärts mit einem noch grösseren Fenster, dessen Maasswerk die englisch perpendikulare Anordnung hat, aber mit Rosetten in rhombischem Ein-

Portal von St Giles zu Edinburgh. (Nacı Billings.)

schluss, welche die Trockenheit der Grundform glücklich unterbrechen. — Die Kathedrale von Fortrose (auf Black-Island im Murray-Golf, Gr. Ross,) nach 1485 vollendet, wird dem Schiffe von Melrose verglichen. — Als zierliches Beispiel des Styles galt die seit 1462 erbaute Kirche Holy Trinity zu Edinburgh; sie ist im J. 1848, bei Gelegenheit einer Eisenbahnanlage, abgetragen worden.

Ein höchst verwundersamer Bau ist die im J. 1466 gegründete Kapelle von Roslin,[1] bei Roslin Castle auf hohem Felsen über dem Esk-Flusse belegen. Sie bildet ein Oblongum von 68 Fuss innerer Länge und 35 F. Breite. Das Mittelschiff

---

[1] Britton, architectural antiquities, III, p. 47. Chapuy, moy. âge pitt., No. 69.

ist 15½ F. breit, die Ostseite (wie bei der Kathedrale von Glasgow) mit zweitheiliger Seitenschiff-Vorlage versehen. Die Schiffarkaden haben derbe Pfeiler von runder Grundform, mit Stabwerk bunt gegliedert, verschiedenartige barock gothische Kapitäle und breite Spitzbögen, deren Geläufe mit Ornamenten erfüllt sind. Die Seitenschiffe sind mit Quertonnengewölben bedeckt, welche von horizontalen Architraven getragen werden, mit einer Art breiter Gurtbänder geschmückt. Die äussere Chorvorlage hat Kreuzgewölbe mit breiten Rippen, an denen eine Rundzackenverzierung emporläuft und in deren Mitte kolossale sculptirte Schlusssteine tief herabhängen. Das höher aufsteigende Mittelschiff hat das altübliche spitzbogige Tonnengewölbe, mit breiten Quergurten und buntem Ornamentmuster zwischen diesen. Die Fensterarchitektur ist schwer spätgothisch, mit geschweiften Maasswerkformen. Das Aeussere hat reichlichen Schmuck, moresk bunte Zinnen, schwere blumige Fialen und kleine Strebebögen; die Bedachung ist Stein; die des Mittelschiffes besteht einfach in der Aussenform seiner solid construirten Wölbung. Eine kleine Krypta —

„wo Roslin's Herrn ruhn ohne Sarg
und jeden Freiherrn in der Erde
nur seine eiserne Rüstung barg,"

ist mit halbrundem Tonnengewölbe bedeckt und wiederum in eigner Weise mit dekorativen Gurtbändern versehen. — Es wird berichtet, dass ausländische Arbeiter zur Ausführung der Kapelle herangezogen seien; das Fremdartige der Behandlung, das an spanische oder portugiesische Dekorationsweise erinnert, scheint dies zu bestätigen. Gleichwohl ist in der Gesammtanlage die nationale Richtung unverkennbar, nur abenteuerlich, barock, fast zu einem Mährchengebilde umgestaltet. Die naive Darlegung des derb constructionellen Gefüges, das auch durch den phantastischen Aufputz nicht verdunkelt wird, sichert dem Gebäude seine Wirkung. — Die malerische Ruine der Kirche St. Bridget zu Douglas, auf der Insel Man, wird in mancher Beziehung mit der Kapelle von Roslin verglichen.

Im Anfange des 16 Jahrhunderts erscheinen die Annäberungen an den spätenglischen Styl. Hieher gehört das schon erwähnte Ostfenster der Kirche von Melrose. Sodann die Kirche von Ladykirk am Tweed, mit perpendikularem Fenstermaasswerk und mit national schottischer Wölbung, „bemerkenswerth durch ihre Verbindung mit den Details eines Styles, der unter der Hand des englischen Architekten seine Ueberfülle von hangenden Schlusssteinen und Fächermaasswerk zu entfalten pflegte;" — die Kirche von Stirling, gleichfalls mit perpendikularem Maasswerk; — die Kirche St. Mary zu Leith, östlich von

Edinburgh, mit viereckigen Oberfenstern; — das Schiff und der
südliche Querschiffflügel der Kirche von South-Queensferry,
mit ebensolchen Fenstern, rundbogigem Portal und einer Decke
von offenem Zimmerwerk.

Als charakteristische Beispiele des letzten Ausganges gothischer Architektur werden die Kapelle des King's College zu
Aberdeen und Heriot's Hospital zu Edinburgh namhaft
gemacht.

An Werken bürgerlicher Baukunst von monumentalem Gepräge scheint keine erhebliche Zahl vorhanden. Es werden die
freiherrl. Hallen von Borthwick, Crichton und Craigmillar,
die sich durch tonnengewölbte Decken auszeichnen, und der stattlich feste Bau des Schlosses von Linlithgow hervorgehoben.

c. I r l a n d.

In Irland scheint die gothische Architektur, bei den fortgesetzt bedrängten Verhältnissen des Landes, zu keiner sonderlich
bedeutenden Entfaltung gediehen zu sein. Sie kann hier einstweilen nur durch einige Namen vertreten werden; der Nachweis
der Bedeutung der letzteren muss künftiger Forschung und den
Ergebnissen derselben vorbehalten bleiben.

Frühgothischer Zeit, zum Theil wohl noch der des Uebergangsstyles, scheinen die Abteikirchen von Jerpoint, New-
town und Bective anzugehören. Als Hauptmonumente des
gothischen Styles, doch von verhältnissmässig geringer Dimension,
werden die Kathedrale von Dublin, die von Cashel, die Abteikirche von Kilmallock (Munster, Gr. Limrick), die Kirche
von St. Doulough genannt. Die Klosterkirche von Holy
Cross, unfern von Cashel, ein Bau des 15. Jahrhunderts, wird
den continentalen Anlagen verglichen. Einige Kreuzgänge der
späteren Zeit zeigen Formen einfacher Strenge; so der von
Muckross (Killarney) und der von Kilconnel, [1] mit schlichten Spitzbögen über eckigen Pfeilern. — An festen Schlossbauten
werden die von Malahide, Trim, Scurloughstown und
Bullock hervorgehoben.

Gelegentlich erscheint in spätest gothischer Zeit noch das
altkeltische Ornament phantastischer Bandgeschlinge nachgeahmt,
welches in der frühmittelalterlichen Kunst Irlands eine so charakteristische Rolle spielt. So in der Ausstattung der Thür eines
Hauses zu Galway, [2] deren Anordnung im Uebrigen späteng-
lischer Weise entspricht.

[1] Fergusson, handbook, II, p. 916. — [2] Ebenda, p. 926.

4. Deutschland

Deutschland hielt länger und entschiedener als die Mehrzahl der übrigen Lande Europa's, die in der Geschichte der mittelalterlichen Architektur eine hervorragende Bedeutung haben, an den Principien des romanischen Baustyles, an den hierin beruhenden Weisen der Gliederung und der Bildung der Formen fest. Während die Entwickelung des gothischen Baustyles im nördlichen Frankreich begann und sich ihr die erste überaus reiche Blüthenepoche anschloss, während andre Nationen sich bereits anschickten, das französische Erwerbniss zu dem ihrigen zu machen, prägte man in Deutschland noch erst den romanischen Baustyl zu seinen eigenthümlichen Consequenzen aus, gab man ihm sodann eine Flüssigkeit, eine weiche Fülle, oft einen Reichthum und eine Classicität der Ausstattung, die das Bedürfniss nach Aufnahme der französischen Neuerungen minder dringlich erscheinen lassen mussten. Auch einzelne Motive, die von den letzteren herübergetragen wurden, wusste man zunächst noch dem üblichen Systeme einzuverleiben. In der That blieb der deutsch-romanische Baustyl, wie bereits früher nachgewiesen, bis in die Spätzeit des 13. Jahrhunderts in Uebung.

Daneben fand, sehr allmählig, die Einführung, die Verbreitung, die selbständige Gestaltung des gothischen Baustyles statt. Im ersten Viertel des Jahrhunderts dürfte kaum ein geringfügiger Versuch, vielleicht im Einzelnen nur eine stärkere Wendung des Uebergangsstyles nach der Richtung des gothischen, nachzuweisen sein. Das zweite Viertel ist die Epoche des Beginnens der Gothik in Deutschland, in roheren und in einigen hochbedeutenden Beispielen, aber in solchen, die immer noch erst das Gepräge vereinzelter Bestrebung tragen. Im dritten Viertel zeigt sich der Sinn mit lebhafterer Neigung den neuen Formen zugewandt, und erst im letzten Viertel des Jahrhunderts erscheinen diese als die wirklich herrschenden, zur Seite der letzten Nachzügler und Nachklänge der romanischen Kunst.

Die deutsche Gothik verläugnet ihren französischen Ursprung nicht. Urkundliche Angaben aus der Epoche der Einführung der neuen Kunstform bezeichnen dieselbe ausdrücklich als eine französische; deutsche Monumente, zumal aus der Frühzeit des Styles, folgen in einzelnen Motiven oder in der Gesammtanlage oder im Gesammtsystem französischen Mustern und bekunden die Schule, in welcher die Meister sich gebildet hatten. Aber auch hier geht die Aneignung des Fremden unter Bethätigung des volksthümlich individuellen Sinnes vor sich, wenn schon keinesswegs in dem scharf ausgesprochenen Gegensatze, wie in der

englischen Gothik. Es ist das ausgeprägt französische System,
welches Deutschland aufnimmt, nur dass die deutschen Meister
bei dessen Verarbeitung von vornherein ein selbständiges Verhalten an den Tag legen ; sie gehen rationell auf dieses System
ein, sie reproduciren es von innen heraus, streben von innen
heraus nach einer Weiterbildung desselben und lassen das Eigenthümliche, das allerdings auch ihr Ziel ist, sich im Anschlusse
an die herübergetragene Form entfalten. Sie führen das System
auf seine Grundzüge zurück, entkleiden es mancher verhüllenden
Zuthat, welche die dekorative Lust der französischen Architekten darüber gebreitet hatte, gestalten es auf's Neue in strenger,
keuscher Schlichtheit. Sie versenken sich in sein innerliches
Lebenselement, in die Tiefe seines idealen Gehaltes und geben
seinem Organismus eine flüssigere Belebung, als die französischen
Meister zu erreichen vermochten ; sie führen das Princip hiemit
in der That auf eine höhere Stufe der Entwickelung, sowohl
was die Gliederung der inneren Theile als was die Gestaltung
des Aussenbaues betrifft; sie lassen die in dem Systeme gegebenen Consequenzen sich fort und fort weiter entwickeln, bis die
letzten Probleme erledigt sind und namentlich auch in den Gipfel-
theilen des Aeusseren jene wundersame Auflösung erreicht ist,
die den höchsten staunenerregenden Triumph der Gothik ausmacht. Dabei aber macht sich nicht minder das starke Gefühl
geltend, dass all dies transcendente Wesen, wie mächtig es hin-
reisst, doch keine reine und feste Befriedigung zu gewähren im
Stande ist. Schon die Frühepoche der deutschen Gothik sieht
sich daher zu manchen mehr oder weniger durchgreifenden Modificationen der Grundzüge des Systems veranlasst. Sie wendet
sich namentlich dem bereits oben besprochenen System des
Hallenbaues mit gleichen Schiffhöhen zu, das als ein früheres
nationales Erbe vorlag; sie bildet dasselbe nach den Principien
des Styles, die sie aus Frankreich empfangen hatte und denen
sie in steter Steigerung eine selbständig klare Entwickelung gab,
zur eigenthümlichsten Wirkung aus. In den Spätepochen der
deutschen Gothik herrscht dieser Hallenbau zum grossen Theile
mit Entschiedenheit vor.

Einen Centralpunkt für die Feststellung und Ausbildung
des gothischen Styles hat Deutschland nicht; es fallen im Gegentheil die provinziellen und die lokalen Unterschiede, wie in
der Epoche des Romanismus, erheblich ins Gewicht. Von dem
grösseren Kerne der deutschen Lande scheiden sich namentlich
die nördlichen und die östlichen Districte ab, die wegen eigenthümlicher Verhältnisse in der baulichen Fassung ihrer Monumente, im Material, im Gange der Entwickelung eine gesonderte
Betrachtung verlangen. Das Uebrige erscheint, bei allen auch
hier bemerklichen Einzelunterschieden, mehr als ein Ganzes, mit
mannigfachen Wechselbezügen, in gleichartiger Entwickelung

vorschreitend. Die letztere erfolgt in zwei Hauptepochen, deren
Grenze in den Jahren oder Jahrzehnten um die Mitte des 14.
Jahrhunderts liegt.

a. Die deutsche Gothik bis zur Mitte des 14. Jahrhunderts.

Die niederrheinischen Lande.

·In den niederrheinischen Landen, [1] denen sich (wie in der
romanischen Epoche) die westlichen Districte, die Gebiete der
Mosel, der Nahe, u. s. w. anschliessen, finden sich mehrfache
und im Einzelnen sehr ausgezeichnete Beispiele einer verhältnissmässig frühen Anwendung des gothischen Baustyles. Die französische Schule tritt mit Bestimmtheit zu Tage; aber die eigenthümliche Verwendung und Behandlung der herübergetragenen
Motive macht sich im gleichen Maasse geltend. Es ist die Wechselwirkung mit den glänzenden spätromanischen Monumenten
dieser Lande, deren Ausführung zunächst noch in dieselbe Zeit
fällt; es sind anderweitige Culturbedingnisse, was bei diesen Erscheinungen mit in Betracht kommt.

Ein merkwürdiges Monument auf der Südgrenze dieses
Districts, die Kirche zu Offenbach am Glan [2] (in der Rheinpfalz, nahe bei Grumbach), enthält noch eine unmittelbare Mischung romanischer und gothischer Elemente und, im Fortschritt
des Baues, eine eigenthümliche Entwickelung von jenen zu diesen.
Die Bauzeit ist unbekannt; die Kirche wird im zweiten Viertel
des 13. Jahrhunderts begonnen und später vollendet sein. Nur
der östliche Theil ist erhalten: das Querschiff mit dem wenig
vertieften Chore, der (auffällig unregelmässigen) fünfseitigen
Hauptabsis, dreiseitigen Nebenabsiden und einem geringen Fragment des dreischiffigen Langbaues. Das innere System ist das
eines spitzbogigen Kreuzgurtengewölbes, dem durchgehend spitzbogige Fensterformen und einfach kräftige Strebepfeiler entsprechen. Die ältesten Theile, namentlich der Chor und die Absiden,
haben noch ein romanisirend übergangsmässiges Gepräge, die
Fenster schmal, ohne Maasswerk, mit zierlichen Ecksäulchen;
die Detail- und Ornamentformen zum Theil noch von graziös
phantastischer spätromanischer Erscheinung. Der südliche Querschiffflügel prägt die frühgothische Formation schon bestimmter
aus, an der südlichen Giebelwand mit einer Gruppe von drei
hochschlanken Lanzetfenstern (in der Art, wie dergleichen in der
englischen Frühgothik beliebt sind); noch entschiedener der
nördliche Querschiffflügel und der Ansatz der Langschiffe, mit

---

[1] Fr. Kugler, Kl. Schriften etc., II, S. 221, ff. — [2] Chr. W. Schmidt, Röm.
Byz. und Germ. Baudenkmale in Trier etc., Lief. III, No. 2 u. 3.

Fenstern, die schon ein in einfacher Klarheit ausgebildetes Maasswerk haben. Besonders bemerkenswerth ist der Uebergang in der Profilirung der Gurte und Rippen des Gewölbes, die in den ältesten Theilen das gothische System in einer noch streng gemessenen Weise vordeuten (den entsprechenden Gliederungen

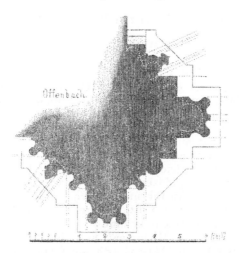

Kirche zu Offenbach am Glan.   Profil der Bogengliederungen über dem
Eckpfeiler am Choreingange.   (Nach Ch. W. Schmidt.)

in der sofort zu nennenden Liebfrauenkirche von Trier verwandt, doch von minder flüssiger Bewegung), während sie dasselbe in den jüngsten Theilen zu einer reichen und edeln Entwickelung bringen. Unter den Dachgesimsen des Querbaues ziehen sich, auch über den bereits völlig gothischen Fenstern, noch romanische Rundbogenfriese hin. Ein schlichter achteckiger Thurm über der Vierung hat später gothische Fenster, im Typus des 14. Jahrhunderts. Die technische und künstlerische Behandlung ist an allen Einzeltheilen des Gebäudes mit grosser Gediegenheit durchgeführt.

In entschieden ausgesprochener künstlerischer Absicht wird der gothische Styl an der Liebfrauenkirche zu Trier,[1] deren Beginn in das Jahr 1227 und deren Vollendung bald nach 1243 fällt, eingeführt. Das Gebäude hat in Anlage und Durchführung sehr grosse Eigenthümlichkeit. Der originelle Entwurf ist der eines Kreuzbaues, welcher in und über einen Centralbau gelegt ist. Das Motiv ist alt und schon in Anlagen der

---

[1] Chr. W. Schmidt, Baudenkmale in Trier etc., I. Gailhabaud, Denkm. der Baukunst, III, Lief. 114. Ueber das Verhältniss der Liebfrauenkirche zu den Bauten des Uebergangsstyles am Dome von Trier und dessen Nebengebäuden s. oben, Th. II, S. 345.

romanischen Epoche vorgezeichnet; es ist dieselbe Grundidee, die bereits in dem Bau von Ste. Croix zu Quimperlé in der Bretagne (Thl. II, S. 197) zu Tage getreten war; aber die Durchführung ist ungleich reicher geworden, den Bedingnissen des gothischen Systems entsprechend, im Anschlusse an französische

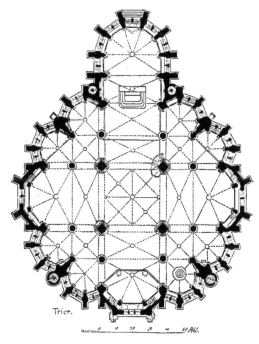

Grundriss der Liebfrauenkirche zu Trier (Nach Ch. W. Schmidt.)

Muster aus der Frühzeit des 13. Jahrhunderts. Der Kreuzbau gestaltet sich als hohes Lang- und Querschiff, in der mittleren Vierung mit vier starken Rundpfeilern, an die sich je vier Dienste lehnen und über denen sich eine abermals erhöhte Kuppel wölbt; in den Flügeln mit schlichten Säulen (je einer in jeder Flucht.) Die Kreuzflügel schliessen polygonisch, dreiseitig an der West-, Nord- und Südfront, fünfseitig an dem über den Gesammtbau hinaustretenden Chore. Die niedrigen Eckräume haben je zwei polygone Vorlagen, deren Oeffnung in diagonaler Linie dem übrigen Innenraume zugewandt ist. Die äussere Umfassung gliedert sich hienach rings in eine Folge polygonisch vorschiessender Theile. Die Maasse sind 155 Fuss innerer Länge, 31 F. Breite und 81 F. 10 Z. Höhe des kreuzförmigen Hochbaues, 48 F. 2 Z. Höhe der Eckräume, 117 F. 2 Z. Höhe der Mittel-

kuppel. Als näheres Vorbild für diese Anordnung erscheint die
Kirche St. Yved zu Braine in Isle-de-France, (S. 49); was dort
in bemerkenswerth eigenthümlicher Weise, für die Composition
des Chorraumes beliebt war, zeigt sich hier auf die gesammte
Centraldisposition übertragen. Gleichwohl ist auch das Vorbild
von St. Yved nur für das Allgemeine der Anlage von Bedeutung;
die Durchführung ist überall eine mehr oder weniger selbständige,
auf die centralisirende Wirkung des Raumes, auf die Aufgipfelung desselben nach der Mitte zu berechnet. In der Behandlung
lässt sich der Meister die weiteren Fortschritte der französischen
Gothik nicht entgehen, nimmt zugleich aber keinen Anstand,
auch Reminiscenzen der heimisch romanischen Architektur, in
überlieferter oder in umgewandelter Form, festzuhalten, während
er sorglich bemüht ist, das in seinen Grundzügen Verschiedenartige zum consequenten System zusammenzubinden. Die unteren Räume haben (wie aus den angegebenen Maassen erhellt)
ein ansehnliches Höhenverhältniss; die freistehenden Säulen sind
daher schlank, (mit Basis und Kapitäl etwa $11\frac{1}{2}$ Durchm. hoch.)
Ueber ihnen setzen leichte Schafte und, mit consolenartiger Vermittelung, Dienstbündel auf. Ueberall, an Wänden und Wandpfeilern, ziehen sich die Horizontalgesimse als Ringe um die
Dienste; entsprechende Ringe umgeben die Schäfte der freistehenden Säulen und die in der mittleren Vierung stehenden
Pfeiler. Die Basen sind attisch, in spielender Umbildung der
Form, die Kapitäle leichte Blätterkränze (diese ohne romanische
Reminiscenz). Die Scheidbögen sind hoch spitzbogig, lebhaft
gegliedert, in flüssig spielender Profilirung, die (wie es auch bei
andern Gliederprofilen der Fall) an Motive der letzten Epoche
der deutsch-romanischen Architektur gemahnt. Die Gewölbrippen haben das charakteristisch gothische birnförmige Profil,
doch ebenfalls noch in spielender Behandlung (ähnlich, wie z. B.
im Chore der Kathedrale von Bayeux, S. 84). Die Fensterarchitektur schliesst sich zumeist der in der Kathedrale von Rheims
ausgebildeten Formation an. In dem Hochbau des Lang- und
Querschiffes, ist die überwiegende Höhe des französischen Systems mit Absicht vermieden; hiemit übereinstimmend ist an den
Oberfenstern nur der Theil offen, welcher im Einschluss der
Bögen liegt, denjenigen Oberfenstern deutscher Kirchen der
Uebergangsepoche gewissermaassen vergleichbar, die aus einer
halben Rosenform bestehen; gleichwohl haben die Oberfenster
im Inneren die vollständige gothische Ausbildung, aber in ihrem
unteren Theile, wo ausserhalb die Dächer der Eckräume anlehnen, nur in reliefartiger Andeutung, nur als Wandgliederung;
das sonst übliche Triforium ist hier also nicht vorhanden. Auch
die Fenster des Kuppelraumes über der mittleren Vierung sind
ähnlich behandelt. Vollständig ausgebildete Fenster finden sich
nur in den Eckräumen und an den Stirnseiten des Hochbaues,

mit Einschluss der frei vortretenden Seiten des Chores; an diesen letzteren Theilen sind sie zweigeschossig angeordnet, der vorherrschend zweifachen Höhentheilung des Inneren gemäss. Das Aeussere ist in seiner Gesammtfassung schlicht. Auch hier macht

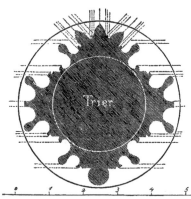

sich die centrale Aufgipfelung geltend, indem sich über der mittleren Vierung ein starker Thurm erhebt, der früher mit einer überaus hohen und schlanken Helmspitze versehen war. [1] Ein Strebebogensystem, zur Stütze des Oberbaues, ist nicht zur Anwendung gebracht. Das Mittelfeld der Westseite bildet die Façade des Gebäudes; in ihr ist das Hauptportal; Seitenportale sind an der Nord- und Ostseite. Die Portale sind sämmtlich noch rundbogig, mit Säulen und mehr oder weniger reichen Sculpturen- und Ornamentfüllungen, nach romanischem Princip geordnet, in der Detailbehandlung gothisch;

Dienst- Bogen- und Rippenprofile über den Säulen der Liebfrauenkirche zu Trier. (Nach Ch. W. Schmidt.)

ihre minder aufstrebende, in sich abgeschlossene Rundform entspricht dem beschränkteren Raume, der für sie unter den Fenstern vorbehalten war. Auffallender ist, dass auch am Obertheil der Façade breite rundbogige Flachnischen angebracht sind, innerhalb deren die Fenster liegen und dass selbst die Arkadenöffnungen im Obergeschosse des Thurms noch rundbogig sind. — Die Liebfrauenkirche zu Trier hat das seltene Interesse, dass sich in ihr nicht nur die Ueberführung eines neuen baulichen Systems in ein fremdes Land, sondern zugleich die vollste künstlerische Anstrengung darlegt, welche der Meister dieses Baues aufwandte, um jenes System für seine besonderen Zwecke und für seine nationale Sinnesrichtung sich zu eigen zu machen, um mit demselben sofort in selbständiger Kraft schalten zu können. Es ist noch etwas von jenem kühnen Uebermuthe darin, der sich so häufig in den phantastischen Compositionen der deutsch-romanischen Spätzeit ausspricht, und zugleich die entschiedene Absicht, dies Phantastische nach dem neu erworbenen Gesetze zu zügeln und zu ordnen. Freilich waren die Bedingnisse zu verschiedenartig, um zu einer naiven Organisation, um über eine nur äusserliche Consequenz hinauszukommen. Immerhin aber giebt sich schon dieses Ringen als hochbedeutender Beginn eines neuen Strebens kund, enthält die überall auf das

---

[1] Vergl. die alte Abbildung von Trier in Seb. Münsters Cosmographey, S. 106.

Kugler, Geschichte der Baukunst. III.   27

Sorglichste durchgebildete Technik das Zeugniss von dem strengen Ernste dieses Strebens, und bleibt dem Gebäude jedenfalls,
in seiner merkwürdigen Gesammt-Composition, in deren Durchführung, in der Wirkung des wundersam gegliederten Innenraumes, der eigenthümlichste Reiz.

Verwandtes Formengefühl zeigt sich an den Theilen der
alten Basilika von Echternach, (Thl. II, S. 308,) welche dem
frühgothischen Umbau dieses Monumentes angehören: an den
Gewölbgurten und den Consolen, von denen dieselben getragen
werden; besonders aber an den zierlichen, aus je drei Spitzbögen
gebildeten Fenstergruppen, die im Einschlusse der Schildbögen
des Gewölbes liegen.

Andre Werke, mit denen sich der gothische Styl in das Gebiet der niederrheinischen Lande einführt, lassen eine abweichende
Richtung erkennen. Sie sind der Formenlust, wie sie in spätromanischer Zeit vorherrschend war, abgethan; sie haben ein
schweres, fast freudeloses Gepräge. Sie gehören zunächst den
enthaltsamen, bedürfnisslosen geistlichen Orden an, die um jene
Zeit zur Geltung kamen, denen es an Mitteln gebrach, ihr Dasein durch glanzvolle Bauwerke zu dokumentiren, die es für unstatthaft hielten, das Auge durch sinnliche Reize zu fesseln.
Kinder ihrer Zeit, wandten sie sich allerdings mit Vorneigung
dem neuen baulichen Systeme zu, das in der technischen Ausführung eigenthümliche Vortheile verhiess; aber sie waren bemüht, dasselbe aller bunten Mannigfaltigkeit zu entkleiden, dazu
es nicht minder eigenthümliche Gelegenheit bot; auch wirkt ihr
Beispiel, wie es scheint, in weitere Kreise hinaus. So entstand
eine Richtung des baulichen Geschmackes, die, indem sie das
gothische System zur Anwendung brachte, dasselbe mehr oder
weniger auf die einfachen Kernmassen seiner Structur zurück-
führte, die die Formen thunlichst vereinfachte, die, schwer und
kalt in der Behandlung, wesentlich nur durch das allgemeine
Gesetz der Structur, durch die allgemeinen Verhältnisse des
Raumes und der baulichen Theile zu wirken vermochte. Zugleich ist auch hier der Wechselbezug zu der Richtung des romanischen Styles, an dessen Grenzscheide man stand, noch nicht
ganz aufgegeben; der Grundzug des Massenhaften, der dem Romanismus bei aller bunten Ausstattung und Gliederung seiner
Spätzeit eigen war, kehrte umgeformt in dem neuen Massenbau
zurück; die Schlichtheit des Details, wie sie bei dem Einen doch
in so vielen Beispielen vorlag und bei dem Andern erstrebt
wurde, verstattete nur mässige Gelegenheit zur Entwickelung
neuer Formen. Die bezüglichen Monumente sind zum Theil
mehr von culturgeschichtlicher als von künstlerischer Bedeutung;
ohne Zweifel aber waren sie auf die Ausbildung der deutschen

Gothik von erheblichem Einflusse. Sie leiteten den Sinn mit Entschiedenheit auf das Grundgesetz des Systems; sie machten das aus der Fremde Herübergenommene, dort schon in mancherlei bunten Weisen Durchgebildete abermals zu einem völlig Primitiven und schufen hiemit die Gelegenheit, die Durchbildung desselben von Neuem, minder abhängig von dem Geschmack der Fremde, in selbständig heimischer Fassung beginnen zu können.

Eines der frühsten und wichtigsten Monumente dieser Art ist die Kirche des Cistercienserklosters Marienstadt im Herzogthum Nassau (in der Nordwestecke des Landes, nördlich von Hachenburg), deren Bau, gleichzeitig mit der Liebfrauenkirche zu Trier, im J. 1227 begann. Sie hat den Plan der französischen Kathedralen, bei allerdings nicht sehr erheblichen Dimensionen (198 Fuss innerer Länge, gegen 63 F. innerer Breite und gegen 24 F. Mittelschiffbreite). Der Chor schliesst polygonisch, mit acht Säulen, von einem Umgange und einem Kranze von sieben Absiden umgeben, die letzteren im Grundrisse noch in der alterthümlich halbrunden Form. Dem einfachen Querschiff sind an der Ostseite viereckige Kapellen angefügt. In der mittleren Vierung stehen ostwärts eckige Pfeiler mit wenigen Diensten, westwärts Rundpfeiler mit je acht Diensten. Die Langschiffe haben zweimal sechs Säulen. Das Mittelschiff hat ein ansehnliches Höhenmaass im Verhältniss zu den Abseiten; die Säulen, 12 Fuss hoch, sind überaus schwer und stark, ihre Kapitäle ohne allen Schmuck, schlicht kelchförmig (nur die des Chores mit geringer Blattsculptur); die Scheidbögen haben eine roh dreiseitige Profilirung. Einfache Halbsäulen steigen über den Deckplatten der Säulenkapitäle als Dienste für das Mittelschiffgewölbe empor; im Chore Dienstbündel mit Ringen; ein triforienartiger Umgang bildet sich nur im Chor und im südlichen Kreuzflügel. Im Aeusseren ist ein völlig schlichtes Strebebogensystem angeordnet. [1]

Andre Monumente sind noch einfacher, namentlich auch ohne Anwendung des in französischer Weise reich ausgebildeten Chorplanes. So die im J. 1239 gegründete Dominikanerkirche zu Coblenz, deren innere Pfeiler, verschiedene Momente der Bauführung bezeichnend, theils roh eckig, theils rund mit Diensten, theils als einfache Rundsäulen gebildet sind, mit eckig (nach romanisirender Art) profilirten Scheidbögen; — die Karmeliterkirche zu Kreuznach, diese wiederum mit einfach schweren dicken Säulen, die Scheidbögen von demselben eckigen Profil; — die im J. 1260 gewcihte Minoritenkirche zu Köln, mit dienstbesetzten Rundpfeilern und Scheidbögen von abgeschrägt eckigem Profil, durch die Klarheit des einfachen Systems und die würdigen Verhältnisse der inneren Räume ein

---

[1] Nach Zeichnungen der v. Lassaulx'schen Sammlung. Vergl. Schnaase, Gesch. d. bild. Künste, V, I, S. 498.

vorzüglich schätzbares Beispiel der in Rede stehenden Richtung;
— die Choranlagen der Stiftskirche von St. Goar und der
Kirchen zu Hirzenach, Namedy, Unkel am Rhein; —
der Schiffbau der Kirche von Carden [1] an der unteren Mosel,
der der Kirche St. Martin zu Münstermayfeld,

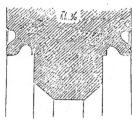

u. s. w. Im Einzelnen mischt sich, bei diesen letzteren Baustücken, der schlichten Formation allerdings wiederum ein flüssiger belebtes Profil, ein
Stück dekorativer Ausstattung ein. In dem durch
seine Verhältnisse ansprechenden Chörlein von
Namedy haben die Gewölbgurte das allereinfachste
Profil eines eckigen Bandes.

Scheidbogenprofil in
der Minoritenkirche
zu Koln. (F. K.)

Aehnliches auch in den trierschen Gegenden. [2] Namentlich
die Kirche von Tholey, die sich bei aller Einfachheit, wie
die Minoritenkirche von Köln, durch die Klarheit des Systems
auszeichnet, gleichfalls mit dienstbe-
setzten Rundpfeilern und mit Scheidbögen von einem dreiseitigen Profil,
welches durch flach concave Einziehung der Flächen einen Hauch von
grösserer Belebung gewinnt; bemerkenswerth im Uebrigen durch die wohl-
geordnete Anlage dreiseitiger Chorschlüsse am Ende des Mittelschiffes
und der Seitenschiffe, durch die zum
Theil noch rundbogige Umfassung der
sehr schlichten zweitheiligen Oberfenster
und durch ein rundbogiges Portal (mit verwittertem Sculpturenschmuck), welches den Portalen der Liebfrauenkirche von Trier
verwandt erscheint, so dass sich auch hier, trotz der im Uebrigen so abweichenden künstlerischen Richtung, eine übereinstimmende Bauzeit ergiebt. — So auch der Chor und das Querschiff
der Kirche von St. Arnual bei Saarbrücken, deren Langschiffe,
erheblich später (seit 1315), gleichwohl an der schlichten Behandlungsweise festhalten. — Die Kirche von Kyllburg, ein
geräumig einschiffiger Bau, gehört bereits der Spätzeit des 13.
Jahrhunderts (seit 1276) an und hat die bezeichnenden Typen
dieser Epoche, doch nicht minder in einfacher Behandlung und
mit der Bewahrung alterthümlichen Elemente.

Scheidbogenprofil in der Stiftskirche
zu Carden. (F. K.)

Dieselbe künstlerische Richtung, doch in sehr eigenthümlicher Ausbildung, spricht sich in der Stadtkirche, St. Lorenz,
zu Ahrweiler [3] aus. Die Hauptepoche ihres Baues ist die
Zeit zwischen 1245—74. [4] Sie ist zunächst dadurch bemerkens-

---

[1] Vergl. v. Quast, in der Zeitschrift für christl. Archäologie und Kunst, I,
S. 90. — [2] Chr. W. Schmidt, a. a. O., Lief. III. — [3] Vergl. F. H. Müller,
Beiträge zur teutschen Kunst- und Geschichtskunde, II, T. 5, 9 f., 15; S. 36.
— [4] Nach v. Lassaulx's Berichtigungen und Zusätzen zu der Klein'schen Rhein-

werth, dass sich (ohne Querschiff) dem dreiseitig schliessenden Hauptchore fünfseitige Nebenchöre, schräg über die Seitenflucht

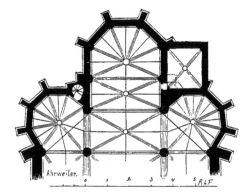

Grundriss des Chors der Stadtkirche zu Ahrweiler. (Nach F. H. Müller.)

Inneres System der Stadtkirche zu Ahrweiler. (Nach F. H. Müller.)

des Gebäudes vortretend, anlehnen, eine Anordnung, die, wie es scheint, wiederum auf Motive des französischen Chorschlusses (und ebenfalls, wie es bei der Liebfrauenkirche von Trier der Fall war, auf die bei der Kirche von Braine beliebte Anordnung) zurückzuführen ist. Die Schiffe haben schlichte Rundsäulen, mit sehr einfach dekorirten Laubkapitälen. Die Höhe der Schiffe ist gleich, das erste rheinländische Beispiel der Art, während die östlicheren Gegenden mit Ausprägung dieses Systems schon vorangegangen waren; doch ist das Höhenverhältniss nicht erheblich, das Breitenverhältniss überwiegend. Die Mittelschiffbreite beträgt 31 Fuss, die Gesammtbreite 75½, die Gesammtlänge des Inneren 151 F. Die Säulen sind 27½ F. hoch, bei 19 F. Zwischenweite, wogegen sich allerdings die Scheidbögen, mit senkrecht verlängerten Schenkeln, im Lichten bis über 24 F. erheben; die Gesammthöhe

reise, S. 480. (v. L. giebt zwar, wie überall in diesen Notizen, die Gründe für obiges Datum nicht an; doch stimmt dasselbe mit dem Charakter des Baues).

beträgt 55 F. Gen Westen, wo über dem Mittelschiff ein Thurm errichtet ist, stehen als dessen Träger sehr starke Rundpfeiler mit je vier Diensten. Die Details haben überall eine schlichte Strenge; die Scheidbögen und die Quergurte sind in der Hauptform ebenfalls noch eckig profilirt, mit kehlenartigem Ausschnitt der Ecken. Das Maasswerk der Fenster ist in einfacher Klarheit gebildet. In der Schlussepoche des gothischen Styles sind der westlichen Hälfte des Gebäudes unterwölbte Emporen eingebaut, welche die Wirkung des Inneren wesentlich beeinträchtigen. Das einfache Aeussere ist besonders durch den Thurmbau ausgezeichnet, der sich achtseitig über der Westseite erhebt, in schlicht klarer Durchbildung und Formen, welche auf das 14. Jahrhundert deuten.

Köln nimmt die Erfolge dieser Bestrebungen in sich auf und entfaltet sie zu neuer glanzvoller Blüthe. Schon vor dem Jahre 1227, in dem Oberbau des Decagons von St. Gereon, (Thl. II, S. 332) hatte sich hier eine sporadische Einwirkung des gothischen Systems geltend gemacht. Ungefähr gleichzeitig war das Langschiff der Kirche St. Maria auf dem Kapitol (Thl. II, S. 311) überwölbt worden, in interessanter, frühgothischer Art, noch mit Reminiscenzen des Uebergangsstyles.

Quergurtprofil im Schiffgewölbe
von St Maria auf dem Kapitol
zu Köln. (P. K.)

Es bildet sich nunmehr eine eigenthümliche kölnische Bauschule aus, als das Haupt der gothischen Architektur in den niederrheinischen Landen. Die schon erwähnte Minoritenkirche von Köln (S. 211) giebt das Zeugniss des Adels, mit welchem diese Schule den noch auf das Höchste vereinfachten Styl aufzufassen und zur Wirkung zu bringen vermochte. Ein in nächster Nachbarschaft belegenes Monument, welches vorerst einzureihen ist, erscheint als ein bedeutungsvolles Beispiel der weiteren Entfaltung eben dieser Richtung.

Es ist die Kirche des Cistercienserklosters Altenberg.[1] Sie wurde im J. 1255 gegründet, zunächst eifrig, später mit längeren Hemmnissen gefördert, so dass die Einweihung des vollendeten Baues erst im J. 1379 vor sich gieng. Der Plan befolgt wiederum, gleich dem der Kirche von Marienstadt, das Muster der französischen Kathedralen, aber in grossartigerer Ausbreitung und Durchbildung, mit dreischiffigem (im südlichen

---

[1] C. Schimmel, die Cistercienserabtei Altenberg bei Köln. Text von C. Becker. (Dieselben Tafeln auch in Westphalens Denkmälern deutscher Baukunst, hrsgb. von Schimmel). v. Zuccalmaglio, Geschichte und Beschreibung des Klosters Altenberg. Organ für christl. Kunst, VII, No. 3, f.

Flügel durch die Klostergebäude verkürzten) Querbau, mit fünfschiffig ansetzendem Chore und einem Kranze von sieben polygonen Absiden. Die innere Länge beträgt 246 Fuss 9 Zoll,
die innere Breite der Vorderschiffe 61 F. 9 Z., die des Mittelschiffes 30 F. 9 Z.; die Höhe des Mittelschiffes 82 F. Die Grundzüge des Systems sind auch hier durchaus schlicht, mit sparsamster dekorativer Ausstattung; die Pfeiler des Inneren einfache
Rundsäulen, von denen nur die des Chores sehr mässigen Blatt-

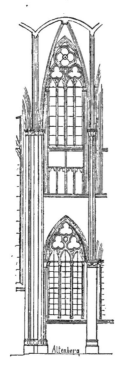

Chor und Querschiff der Kirche
von Altenberg bei Köln, vor
ihrer Herstellung. Inneres und
äusseres System. (Nach Ed.
Gerhard.)

schmuck an ihren Kapitälen haben und
über deren Deckplatten die Dienste des
Mittelgewölbes aufsetzen; aber die räumlichen Verhältnisse, bei entschieden auf-
strebendem Charakter, haben eine hohe
Würde, die Einzeltheile, welche die Haupt-
punkte des künstlerischen Organismus zum
Ausdrucke zu bringen bestimmt sind, ein
lebenvolles Profil. Namentlich gilt Letzteres von der Gliederung der Scheidbögen,
deren Profil in seiner flüssigen Bewegung
sogar einen Nachklang der in der Liebfrauenkirche zu Trier angewandten Formation verräth. Die Fenster haben ein schlicht
ausgebildetes Maasswerk; die Innenwände
unter den Oberfenstern des Mittelschiffes
sind, statt eines Triforiums, mit einem sehr
einfachen Nischenwerk versehen, welches,
der Masse zwar entschieden untergeordnet,
doch für den Rhythmus des Ganzen von
wesentlicher Wirkung ist. Die westlichen
Theile, namentlich der Oberbau des Langschiffes, gehören der jüngern Bauzeit an,
was sich besonders aus den Maasswerkformen der Fenster ergiebt; doch erscheinen
auch diese, zumal die höchst stattlichen
Fenster im Nord- und Westgiebel, noch in
klarer Behandlung. Das gesammte Aeussere
ist höchst schlicht, mit einem einfachen
Systeme von Strebepfeilern und Bögen.
(Durch einen Brand erheblich beschädigt,
ist die Kirche neuerlich in gediegener Weise wiederhergestellt
worden). — Der Chor der Abteikirche von Gladbach, (über
einer älteren Krypta, Thl. II. S. 325, und als Fortsetzung des
im Uebergangsstyle ausgeführten Schiffbaues, Thl. II. S. 338),
ohne Umgang und Absiden, schliesst sich den älteren Theilen der
Altenberger Kirche als ein gleichzeitiger und in der Behandlung
nahe verwandter Bau an.
Das grosse Meisterwerk der kölnischen Bauschule, schon vor

der Kirche von Altenberg begonnen, ist der D o m zu K ö l n. [1]
Er trat an die Stelle eines älteren ansehnlichen Gebäudes, welches sich besonders seit der Zeit (1164), da die Gebeine der heiligen Pilgerkönige des Mor-
genlandes in ihnen niederge-
legt waren, allgemeiner Verehrung erfreute. Der alte Dom
mochte baufällig geworden
sein; oberwärts gegen den
Schluss des ersten Viertels des
13. Jahrh. hatte man seine
Erneuung beabsichtigt, auch
die Vorbereitungen dazu ge-
troffen; doch war die Ausführung unterblieben. Graf Konrad von Hochstaden, Erzbi-
schof von Köln seit 1237,
einer der mächtigsten und reichsten Fürsten seiner Zeit, nahm
den Gedanken des Neubaues

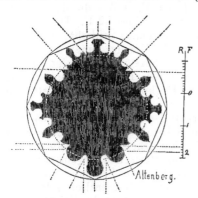

Kirche von Altenberg Dienst-, Bogen- und Rippenprofile über den Säulen des Schiffes. (Nach
Schinnnel.)

wieder auf; ein Brand im alten Dome, im Frühjahr 1248, be-
schleunigte, wie es scheint, das Vorhaben; am 14. August desselben Jahres wurde der Grundstein zu dem neuen Werke gelegt.
Zu Anfang wurde der Bau rüstig betrieben; dann traten ungünstige Zeitverhältnisse ein; ein neuer Eifer erwachte gegen Ende
des 13. Jahrhunderts, und die Weihung des vollendeten Chores
fand am 27. September 1322 statt. Die Arbeiten an den übrigen
Theilen folgten im Laufe des 14. Jahrhunderts, Weniges im
15. und im Anfange des 16. Jahrhunderts. Der Dom war der
Vollendung noch fern, als die Arbeiten völlig eingestellt wurden;
die Gegenwart ist beschäftigt, die Vollendung herbeizuführen. —
Der Bau ist das Werk einer Reihe von Generationen, die Epochen der Bauführung sprechen sich an den verschiedenen Theilen
und deren abweichender Behandlung aus. Gleichwohl hat das
Ganze das Gepräge gemeinsamen Planes und Gusses. Schon in
der ersten Anlage gicht sieh die Absicht kund, ein Gebäude zu
schaffen, welches die Ergebnisse der grossartigsten baukünstleri-

[1] S. Boisserée, Ansichten, Risse und einzelne Theile des Domes von Köln.
Ders., Geschichte und Beschreibung des Domes von Köln. Moller, die Origi-
nal-Zeichnung des Domes zu Köln. C. W. Schmidt, Facsimile der Original-
Zeichnung von dem südl. Thurm des Domes zu Köln. Gailhabaud, Denkm.
der Baukunst, III., Lief. 88. Kallenbach, Chronologie der deutschen mittelalterl. Bauk., T. 36, 39, ff., 50. Wiebeking, bürgerl. Baukunde, T. 46, 48.
Fabura, Diplom. Beiträge zur Gesch. der Baumeister des Kölner Domes. Fr.
Kugler, Kl. Schriften etc., II., S. 123, ff., 385, ff. Schnaase, Gesch. d. bild.
Künste, V, I, S. 510, ff. Monographieen von De Noël, Kiefer, v. Binzer, Pfeil-
schmidt u. A. m. *Denkmäler der Kunst, T. 54, 54 A (1—4, 9, 10, 15, 16, 18, 19,
23, 24), 54 B.*

sehen Bestrebungen jener Zeit in sich vereinigte. Der Dom folgt, mehr noch als die vorstehend erwähnten Monumente des Niederrheins, dem Muster der französischen Gothik; er schliesst sich mit voller Entschiedenheit jenem Kathedralensysteme an, welches in der ersten Hälfte des 13. Jahrhunderts im nordöstlichen Frankreich seine Durchbildung erlangt hatte; er ist der Reihenfolge jener Monumente zuzuzählen; er bildet den Schlussstein, die Vollendung der dortigen Bestrebungen. Was dort zuletzt in der Kathedrale von Amiens erreicht, was in der Kathedrale von Beauvais, ohne ein neues Entwickelungsmoment, schon zum Uebermaass und zur Ueberreiztheit fortgeführt war, findet sich in ihm mit neuer Kraft erfasst, auf eine neue, die Aufgabe noch tiefer und inniger lösende Stufe der Entwickelung gehoben. Es ist das Grundelement der französischen Gothik, — aber seine erneute Umbildung verräth das Eigenthümliche des deutschen Kunstgeistes. Die strenge Zucht, welcher die Anfänge der deutschen und namentlich der niederrheinischen Gothik unterworfen waren, die flüssigere Formensprache in der jüngsten Gestaltung der deutschromanischen Architektur, die auch in diese Zeit noch herüberreichte, gaben die Grundlage zur selbständig nationalen Behandlung und Durchbildung des Systems. Von vorneherein spricht sich in dem Gebäude der maassvollste Ernst, die edelste und erhabenste Rhythmik, die Empfindung für eine völlig organisatorische Durchdringung der Aufgabe aus; hieran wird im ganzen Laufe des Baues mit Entschiedenheit festgehalten, aber er bekundet zugleich, je nach den Stufen, welche er durchzumachen hatte, das Streben nach einer stets klareren, belebteren, reicheren Entwickelung; seine jüngeren Theile von Bedeutung zeigen die entschiedene Ablösung von der französischen Schule, in Composition und Formation ein durchaus selbständiges Gesetz. — Der Plan ist fünfschiffig, mit dreischiffigem Querbau, einem Kranze von sieben polygonen Absiden um den Umgang des Chores und mit den westlichen Thurmhallen, die sich beiderseits den Seitenschiffen vorlegen, und einer dem Mittelschiff entsprechenden Eingangshalle zwischen diesen. Die Verhältnisse stehen in völlig geläutertem gegenseitigem Einklange; in der Plananordnung des Absidenkranzes ist eine feste Rhythmik, wie in keinem anderen Gebäude dieses Systems. Die Dimensionen gehören zu den mächtigsten; die Maasse (nach dem römischen Fuss) lösen sich in die einfachsten Grundbeziehungen auf. Die Gesammtlänge des Inneren beträgt 450 röm. Fuss (421 F. rheinl.), die Gesammtbreite 150 röm. F. (140 F. rh.); die Mittelschiffbreite zwischen den Axen der Pfeiler 50 röm. F. (gegen 47 F. rheinl., — und gegen 44 F. rh. zwischen den Wänden des Mittelschiffes;) die Seitenschiffe und die Abstände der Pfeiler haben überall, ebenfalls zwischen den Pfeileraxen, die Hälfte der Mittelschiffbreite.

Die Gesammtlänge des Querbaues ist 250 röm. F. (234 F. rh.),
seine Gesammtbreite 100 röm. F. (93½ F. rh). Die Höhe des
Mittelschiffes ist 150 röm. F. (140 F. rh.), die am Seitenschiff
65 röm. F. (gegen 61 F. rh.).

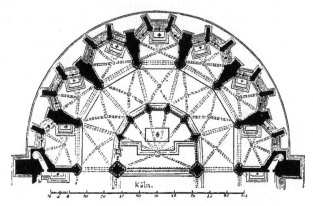

Chorhaupt des Domes zu Cöln. (Nach Boisserée.)

Ueber den Meister des ersten Entwurfes ist vielfach geforscht,
ohne ein völlig sicheres Ergebniss. Seit 1255 wird Meister Gerhard von Rile (nach dem Dorfe Riel bei Köln, aus welchem
sein Vater stammte) als Meister und Leiter des Dombaues ge-
nanut; eine Urkunde vom J. 1257 erwähnt seiner Verdienste, in
deren Anerkennung ihm vom Domkapitel ein bedeutendes Grund-
stück verehrt ward; man hält ihn, der bis gegen 1295 der Dom-
bauwerkstätte vorstand, für den ersten Meister; [1] jedenfalls wurden
unter seiner Leitung die Hauptstücke desjenigen Theils des Domes,
der der ersten Bauepoche angehört, ausgeführt. Dies ist der Unterbau des Chores, bis zum Triforium des Mittelschiffes; er bezeichnet die Richtung des Formensinnes, mit welchem ursprünglich das
Werk in Angriff genommen ward. Bei aller Erhabenheit der Conception, aller Absicht auf gegliederte Durchbildung ist die Behandlung auch hier noch vorwiegend streng und schlicht. Die Pfeiler
des Innern sind rund und, mit Rücksicht auf die Gliederungen des
Gewölbes, schon reichlich mit Diensten von wechselnder Stärke
besetzt (die des Chorschlusses in eigener Anordnung); aber kaum
erst, und nur an den Hauptpfeilern, ist die Andeutung eines
flüssigeren (kannellurenartigen) Ueberganges von den Diensten zu

---

[1] Durch Fahne (dipl. Beiträge) ist die Ehre der ersten Meisterschaft einem
Magister Henricus (Sunere), der im J. 1248 als „petitor structure maioris
ecclesie colon." erwähnt wird, zugeschrieben. Die Beweisführung erscheint
jedoch ungenügend. Vergl. die ausführlichen Streitschriften über diese Ange-
legenheit im Kölner Domblatt, 1843, Nro. 42, 50, 66; 1844, Nro. 91—95;
1849, Nro. 52, 55; 1850, Nro. 60, 61.

dem Kerne des Pfeilers gegeben; ihre Basamente ordnen sich bereits, über gemeinsamem festem Sockel, in angemessen polygoni-

Dom von Köln.   Profil der Hauptpfeiler des Chores.

schem Wechsel, doch mit Gesimsen von noch eigenthümlicher, obschon nicht reizloser Herbigkeit. Die Kapitälkränze bestehen aus schlichtem und flachem Blattwerk; die Gurtträger des Mittelschiffgewölbes laufen, unbehindert von diesen Kränzen, empor. Die vollendetste Detaildurchbildung haben die Bögen, Gurte und Rippen des Gewölbes (Stäbe von birnenförmigem Profil, tiefe Kehlungen und kleine Plättchen zwischen diesen), im Gepräge flüssigster Bewegung und das Herbe bei ihnen schon in den Ausdruck straff elastischer Kraft umgewandelt. Die Fenster, zumal die in den Seitenwänden, haben eine reichliche Maasswerk-

Dom von Köln.   Quergurt des Chorgewölbes.

füllung, doch wiederum (an die Ste. Chapelle zu Paris, Thl. III, S. 70 erinnernd) im Charakter des streng Gebundenen. Die Strebepfeiler des Aeussern, auf die Gewichte des Oberbaues berechnet, treten noch als riesige Felsglieder vor, ohne Anspruch auf irgend eine Art selbständig künstlerischer Belebung. — Der

zweiten Epoche gehört der Oberbau des Chores an. Es ist
die Zeit vom Schlusse des 13. Jahrhunderts bis zur Einweihung
im J. 1322; die Urkunden nennen uns die damaligen Meister des
Dombaues: Arnold (1295—1301) und dessen Sohn Johann
(1301—30), welcher letztere sich vorzüglichen Ruhmes und, gleich
dem Gerhard, ehrender Anerkennungen erfreute. Der Oberbau
scheidet sich in zwei Theile, die wiederum auf zwei besondere
Momente der künstlerischen Conception zu deuten scheinen. Der
eine Theil begreift den eigentlichen Baukörper; dieser hat eine
machtvolle Fensterarchitektur, mit einem Maasswerke von gediegener, in gehaltenem Style und flüssigerem Adel durchgebildeter
Formation; unterhalb mit einem Triforium, dessen Arkaden sieh
im Innern dem Fenstersysteme völlig anschliessen und demselben
auch im Aeussern analog angeordnet sind; oberwärts im Aeussern
mit Wimbergen, deren Flächen aufs Zierlichste mit Maasswerkdekorationen erfüllt sind, und mit leichten Fialen, welche zwischen
diesen über die Dachgallerie emporsteigen. Der zweite Theil ist
das gewaltige Strebesystem, welches den Aussenbau bildet. Riesige Thurmpfeiler kreuzförmigen Grundrisses und geschossweise
sich aufgipfelnd steigen über den äussern Streben des Unterbaues
und über den Pfeilern, welche im Innern die Seitenschiffe scheiden,
empor. Völlig mit Nischen- und Maasswerkdekorationen, mit
Giebeln und Fialen gegliedert, stehen sie in charakteristischem
Gegensatz gegen die fast urthümliche Schlichtheit jener unteren
Strebemassen. Doch ist diese Dekoration noch nicht zum völlig
flüssigen Organismus durchgebildet, noch einigermassen der parallelistischen Trockenheit französischer Dekorationen der Art
verwandt, noch erst eine Vorstufe zu leichter belebten Formationen
(wie diese hernach an dem Façadenbau der Westseite auf so wun-
derwürdige Weise erreicht worden); auch darin gibt sich die noch
etwas unfreie Behandlung zu erkennen, dass im Chorschlusse,
den Bedingungen des Grundrisses entsprechend, die äusseren und
inneren Strebethürme unmittelbar zusammenwirken und beide
gleichwohl ihr eigenthümliches Dekorationssystem, ohne durchgeführt gegenseitige Verschmelzung, behalten. Zwischen die Strebethürme und die Hochwände des Chores sind zweifache Strebebögen
gespannt (zwischen jedem Fensterpaar der Langseiten je vier,
am Chorschlusse je zwei), oberwärts mit zierlich durchbrochener
Rosettengallerie; der Einsatz der Strebebögen in die Wände des
Chores ergiebt sich als nachträglich bewerkstelligt, sogar mit Ein-
busse mancher dekorativen Theile, die vorher am Chore ausgeführt waren. (An der Nordseite des Chores sind die dekorativen
Theile in vereinfachter Weise zur Ausführung gebracht worden.)
Die gewaltsamen Massen dieses Strebesystems und ihre noch etwas
schwere Pracht stehen nicht ganz in Einklang zu der hohen Grazie
der Fensterarchitektur; es ist die Absicht da, jenes aus einem technisch constructionellen Hülfsmittel zu einem Organe ideal künstle-

rischen Lebens umzubilden, und der Meister verfolgt diese Absicht
mit dem Aufwande aller Kraft; aber das Endziel ist noch nicht
erreicht. — Eine dritte Bauepoche wird durch den Bau der Vorderschiffe bezeichnet.[1] Der Beginn derselben schliesst sich,
urkundlicher Angabe zufolge, der Vollendung des Chores unmittelbar an, der Art, dass ohne Zweifel die Gründung der Vorderschiffe noch unter dem schon genannten Meister Johann stattfand. Die Ausführung bekundet eine neue Stufe in der Entwickelung des Systems, zu neuen Vorzügen in den Hauptmotiven, zu
schon beginnender Abschwächung in den Nebenpartieen. An den
Pfeilern des Mittelschiffes zeigt sich eine lebenvolle Umbildung
der an den Chorpfeilern vorgebildeten Form; es ist dieselbe Composition; aber von der Cylinderfläche des Kerns sind nur noch
geringe Theile übrig geblieben, während die kanellurenartigen
Einkehlungen zwischen den Diensten schon vorherrschen, auch die
letzteren sich mit anderweitig vermittelter leichter Schwingung der
Masse anschliessen. Bei den Pfeilern zwischen den Seitenschiffen
ist eine abweichende Composition angewandt, die ihrer mehr untergeordneten Stellung und ihrer Bezugnahme zu gleich hohen Gewölben vorzüglich angemessen erscheint; aus ursprünglich vier-

---

[1] Schnaase, a. a. O., der auf Grund der neuerlich, namentlich von Lacom-
blet, angestellten urkundlichen Ermittelungen eine umfassende Geschichte des
Kölner Dombaues gibt, weist nach, dass die Vorderschiffe des alten Domes
während des neuen Chorbaues stehen geblieben waren und erst nach Vollendung des neuen Chorbaues beseitigt wurden. Er glaubt zugleich mit Bestimmtheit annehmen zu müssen, dass bis dahin überhaupt nur die Hinzufügung eines neuen
Chorbaues an die Vorderschiffe des alten Domes beabsichtigt worden, dass
damals erst der Plan erfasst sei, auch die letzteren neu zu bauen, und dass
somit auch der Entwurf zu den Vorderschiffen des neuen Domes erst in diese
Zeit falle. Ich muss gestehen, dass mich seine Gründe nicht haben überzeugen
können; alle dafür beigebrachten Einzelpunkte scheinen mir verschiedenartige
Auffassung zuzulassen, und selbst die Nachricht (S. 526), dass sich ein im J.
1306 verstorbener Thesaurar noch vor einem Altar des alten Doms habe be-
graben lassen, dürfte nicht unbedingt gegen die schon ursprüngliche Absicht
einer allmähligen Weiterführung des Neubaues sprechen. Dagegen scheint mir
diese Absicht in der Beschaffenheit des Chores selbst sehr entschieden aus-
gedrückt zu sein. Nicht nur brach er (in den Ostwänden des Querschiffbaues)
völlig fragmentarisch ab: auch in sich ist er nur Fragment. Der Innenraum
seines Mittelschiffes, der eigentliche Chorraum, 140 Fuss hoch bei nur 131 F.
Länge und 44 F. Breite, hat ein so monstroses Verhältniss, dass eine Befriedigung in demselben den schneidendsten Widerspruch gegen die in allen übrigen Beziehungen durchleuchtende künstlerische Kraft enthalten würde, dass
dieser Widerspruch nothwendig die Annahme der schon ursprünglichen Absicht
auf einen in denselben Verhältnissen fortzuführenden Langbau bedingt. Nehmen
wir ferner an, dass ohne Zweifel, wie aus jenem fragmentarischen Abbrechen
der Ostwände des Querschiffes erhellt, die Flügel des letzteren gen Nord und
Süd in demselben Maasse wie gegenwärtig vortreten sollten, so können wir auch
nur schliessen, dass der Plan schon von vornherein auf ein fünfschiffiges Vorderschiff berechnet war, indem sonst, zwischen diesem mächtigen Querbau und
einem nur dreischiffigen vorderen Langbau, ein disharmonisches Verhältniss zu
Tage getreten wäre, wie es wiederum bei all den künstlerischen Vorzügen des
Werkes kaum denkbar ist.

eckigem Kerne treten vier starke Hauptdienste hervor, während
die Ecken tief eingekehlt sind und aus diesen Kehlungen sich die

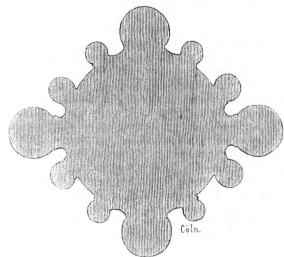

Dom von Köln. Profil der Hauptpfeiler im Vorderschiff.

vier leichten Nebendienste herausschwingen. Dies gesammte Pfeilersystem gehört seinem Princip nach zu den gediegensten Mustern der gothischen
Architektur. Ihre Ba-
samente und Kapitäle
entsprechen derselben
volleren und kräftigen
Wirkung, obgleich al-
lerdings die Glieder-
profile nicht mehr so
fein empfunden sind
wie die der Chorpfei-
ler und das Blattwerk
der Kapitäle schon die-
jenige mehr manierirte
Bildung annimmt, die
im Allgemeinen in der
spätergothischen Kunst
vorherrscht. Die Bo-
gen-, Gurt- und Rippen-
profile sind ebenfalls
ähnlich geordnet wie im

Dom von Köln. Profil der Pfeiler zwischen den vorderen
Seitenschiffen.

Chor, auch sie mit dem Streben nach vollerer Wirkung, aber ebenfalls durch eine gewisse gedunsene Breite gegen die straffe Elastici-

tät der bezüglichen Chorprofile bereits im Nachtheil stehend. Die
Oberlinie der Scheidbögen, an der Mittelschiffwand, ist mit aufsteigenden Blattknospen und auf der Spitze mit einer Blume geschmückt, ein Motiv einer schon spielenden Dekoration, welches
der Ausstattung der Giebelschenkel an den Aussentheilen der
Architektur nachgebildet und nicht mehr von ganz reiner Wirkung
ist. Die Seitenschifffenster wiederholen die Formen der oberen
Chorfenster, während die Strebepfeiler, die zwischen ihnen nach
aussen vortreten, das schwere, durch keine Gliederung aufgelöste
Gewicht der Chorstrebepfeiler völlig beibehalten. (Die Einrichtung war im alten Bau nur in den nördlichen Seitenschiffen ausgeführt, doch schon in diesen nicht ganz vollständig; die südlichen
hatten nur die Höhe der Pfeilerkapitäle erreicht.) — Endlich die
Westfaçade. Diese ist als ein doppelthürmiger Bau angelegt,
jeder Thurmtheil in der Breite der zweifachen Seitenschiffe.
Zur Ausführung sind, in der Epoche des alten Baues, nur die
beiden unteren Geschosse des südlichen Thurmes (bis zum Dach
der Kirche) und geringe Theile des Uebrigen gekommen; der
ganze Plan der Façade aber ist in den alten Baurissen auf unsere
Zeit erhalten, ein Werk von wiederum sehr gesteigerter und in
seiner Art unvergleichlicher Durchbildung, dessen Meister jedoch
unbekannt ist. Wenn beim Beginn des Dombaues ein vollständig
ausgearbeiteter Plan vorlag, so war ohne Zweifel schon damals
eine ähnlich disponirte und ähnlich machtvolle Thurmfaçade in
Aussicht genommen; aber das an den ältesten Theilen befolgte
System, überhaupt die Entwickelungsstufe der Gothik (zumal der
deutschen) in der Zeit um die Mitte des 13. Jahrhunderts, lässt
ebenso bestimmt voraussetzen, dass der Aufbau zu jener Frist in
ungleich schlichterer Strenge und Massenhaftigkeit erfolgt sein
würde, mehr oder weniger etwa der Façade der Elisabethkirche
zu Marburg (s. unten) verwandt. In den Rissen und den ausgeführten Theilen des Kölner Façadenbaues bekundet sich die
unbedingte Consequenz eines aufsteigenden, durch- und durch gegliederten, durchweg in strenger Gesetzlichkeit aufgelösten Strebesystems. Mächtige Strebemassen treten an den Ecken und an den
Hauptpunkten vor, — auch ostwärts an der Südost- und der Nordostecke, beiderseits das anstossende Seitenschifffenster halb ver-
deckend und schon hiemit die Unbedingtheit des Systems von vornherein bezeichnend; geringere Strebemassen an den Zwischenpunk-
ten. Die Façade selbst wird hiedurch fünftheilig (wie der Innenraum des Domes), mit dem Hauptportal in der Mitte und mächtigen
Spitzbogenfenstern über diesem, und mit je zwei Fenstern in den
Doppelgeschossen der Seitentheile, wobei aber in die beiden Un-
terfenster zunächst auf den Seiten des Hauptportales Nebenportale
eingeschoben sind, eine allerdings auffällige, doch wiederum durch
den Gedanken der strengen Consequenz veranlasste Maassnahme.
Höher empor erscheint über dem Mitteltheil der Façade der Giebel

des Daches, über den Seitentheilen der Freibau der Thürme, bei
denen nunmehr die Zweitheiligkeit verlassen ist; sie haben zunächst in der Mitte der Wand je ein ansehnliches Fenster, mit
schwächeren Streben zu den Seiten, welche das achteckige Obergeschoss vorbereiten, von dessen Eckseiten die über den Strebemassen des Unterbaues angeordneten Fialenthürme sich schlank
emporbauen.   Das Obergeschoss ist ein völlig luftiges Werk,
beiderseits nur aus den acht offenen Fenstern zwischen Eckpfeilern,
den Wimbergen und Fialen über diesen, den riesig aufsteigenden,
durch Querbänder und Rosettenmaasswerk verbundenen, mit em-
porlaufendem Blattwerk geschmückten Schenkeln der achtseitigen
Helme bestehend; die Gipfelblumen der letzteren sollten sich bis
zu 532 Fuss über dem Boden der Kirche erheben.   In stetiger
Folge lösen sich kleine Streben und andre Vorsprünge von den
grösseren Strebemassen ab, leicht an diesen emporschiessend, in
ihren Abschlüssen mit Giebeln und Fialen gekrönt, gleich Schalen
oder Hälsen, aus denen der Körper des Baues mit stets neuem
Ansatze und neuer Frische aufwächst.   Es ist wie ein lebender
Puls in diesen Massen und ihren sämmtlichen Einzeltheilen; im
lebhaftesten Gegensatz gegen die ungegliedert schweren Streben
der Seitenschiffe sind sie schon vom Fusse an mit Stabfüllungen

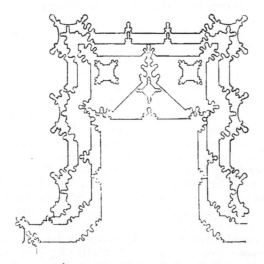

Dom von Köln. Profil des Gliederwechsels an den Hauptstrebe-
pfeilern des Thurmbaues im zweiten und dritten Geschoss.
(Nach Boisserée.)

und schlanken Maasswerknischen versehen, von freier und lichter
Bildung, in ihren Gliedern von quellend bewegter Profilirung, der
Art, dass mehrfach an feineren Vorsprüngen die Fläche selbst in
die Bewegung hineingezogen wird.   Dasselbe Gesetz drückt sich

in der durchgehend gleichartigen Fensterbildung aus, deren reiches
Maasswerk eine erneute Umbildung der Muster des Choroberbaues
enthält, in der lebhaften Gliederung ihrer Umfassung, in den
maasswerkgeschmückten Wimbergen über ihnen, von denen durchweg die Horizontalgesimse durchschnitten werden. Alles ist von
einem Rhythmus durchdrungen, Alles, wie mannigfach gegliedert, durch ein Gesetz bestimmt. Aber es muss hinzugefügt
werden, dass der Gesammteindruck dieses Erzeugnisses höchster
Folgerichtigkeit dennoch, und eben seiner Unbedingtheit wegen
etwas Unfreies hat, dass ihm Etwas fehlt, um in völlig klarer
Würde wirken zu können. Der Mitteltheil der Façade erscheint
beengt zwischen den durch die mächtigen Thürme doppelt gewichtigen Seitentheilen. Der dreitheilige Portalbau, der in die
letzteren übergreift, dient in gewissem Betracht zur Gegenwirkung; aber er macht damit fast nur um so entschiedener auf das
enge Verhältniss der Mitte aufmerksam, und die der Consequenz
zu Liebe bewirkte Tautologie der Formen (der Bögen und Wimberge der Seitenportale und der Fenster, in die sie eingesetzt
sind), bleibt unschön. Der offene Oberbau der Thürme, ein Werk
(wie alle durchbrochene Thürme) phantastisch spielenden dekorativen Zweckes, wird in seinen riesigen Dimensionen das materielle Gewicht nicht vergessen machen, wird bei dem nachdrück-
lichen Ernste, mit welchem das System an ihm durchgeführt ist,
einer rein naiven Wirkung fern bleiben; abgesehen von der dis-
harmonischen Weise, in welcher die Oeffnungen und Durchbrechungen sich fast für jeden Standpunkt des Beschauers decken
müssen. Das Innere des Façadenbaues ordnet sich hallenmässig,
in der mittleren Durchgangshalle der Höhe des Mittelschiffes entsprechend, in den Seitentheilen mehrgeschossig übereinander; mit
massigen Pfeilern, an denen die birnförmig profilirten Glieder
der breiten Bogenwölbungen und der Gewölbgurte in reichlichster
Fülle und Unterbrechung niederlaufen. Diese letztere Weise
der Behandlung entspricht den Elementen rheinischer Gothik, die
sich in der Epoche um oder gegen 1400 vorherrschend finden;
derselben Epoche gehört die reiche sculptorische Ausstattung des
südlichen Nebenportales der Façade an,[1] während die Detailformen des Aeussern mehr im Charakter der früheren Zeit des 14.
Jahrhunderts gehalten sind. Es darf hienach angenommen werden, dass zwischen Entwurf und Ausführung ein nicht ganz unbe-
deutender Zeitunterschied liegt, und es findet diese Annahme auch
insofern eine Bestätigung, als selbst im ausgeführten Aussenbau
einzelne Abweichungen von dem Entwurfe bemerklich werden,
die den Stempel der jüngeren Epoche tragen. Hiezu gehört es
namentlich, dass im Entwurfe an dem zweiten Geschoss der Haupt-

---

[1] F. K., Kl. Schriften, II, S. 264 (unten, u. folg. S.)

strebepfeiler die Anlage ansehnlicher Tabernakel vorgeschrieben
ist (noch in einer Reminiscenz an die, einer früheren Entwickelungsstufe angehörige Paçade des Strassburger Münsters, vergl.
unten), während statt solcher im ausgeführten Bau, minder frei
in einer aus dem Uebrigen mehr schematisch entwickelten Consequenz, flache Maasswerknischen mit Wimberg und Fialen erscheinen. Der Entwurf kann somit als ein Werk bezeichnet werden, welches der Ausführung des Chorbaues in nächster Frist
folgte und gewiss noch aus dem zweiten Viertel des 14. Jahrhunderts herrührt. — Verwandter Epoche wie der Façadenbau
gehört die der Nordseite des Chores angebaute grosse Sakristei
an, ein ansehnlicher quadratischer Raum mit einem Mittelpfeiler,
dessen Dienste gleichfalls das Profil der Gewölbgurte haben, doch
mit einem Kapitälkranze umgeben sind. — Einige wichtige Theile
des Domes waren in der Epoche des alten Baues völlig zurück-
geblieben, auch mag über ihre Behandlung kein durchgearbeite-
ter Plan vorgelegen haben. Namentlich fehlten die Paçaden der
Querschifflügel. Zu der Façade der Nordseite hatten sich zwar
die Grundlagen und einige Ansätze der Basamente vorgefunden;
diese aber in wenig gediegener Gestaltung und von allen übrigen
Theilen des Baues abweichend, einem mangelhaften Versuche zur
Wiederaufnahme und Fortführung der Arbeiten vom Schlusse des
Mittelalters angehörig. Die gegenwärtigen Seitenfaçaden und namentlich der Prachtbau der Südfaçade sind das Werk Z w i r n e r s,
unter dessen Leitung der Dombau neuerlich in so umfassender
Weise, in so lebendigem Verständniss seiner Systeme vorgeschrit-
ten ist. Ebenso lag Nichts über den Bau vor, der sich etwa über
der mittleren Vierung erheben sollte. Die Beschaffenheit der vier
Mittelpfeiler deutet jedenfalls darauf hin, dass hier auf einen irgend gewichtigen steinernen Thurmbau nicht gerücksichtigt war;
die gegenwärtige Bauführung hatte einen aus Eisen construirten
Mittelthurm von möglicht geringer Last in Aussicht genommen.

　　Als Werke, die unter Einfluss der Kölner Dombauhütte und
Befolgung der dort ausgeprägten Formen entstanden, sind zunächst
ein Paar kleine Monumente zu nennen: die schöne Sakristei von
S t. G e r e o n zu K ö l n, vom J. 1316, und das „Hochkreuz" bei
G o d e s b e r g, [1] unfern von Bonn, vom J. 1333. Das letztere,
ein Steinpfeiler von 27 1/3 Fuss Höhe über etwa 4 F. hohem Stufen-
Untersatze, mit Bildernischen, fialengekrönten Eckstreben und
leichter Spitze, ist ein einfaches Beispiel leicht aufschiessenden
Strebesystems, zumeist dem künstlerischen Standpunkte der Strebethürme am Chore des Kölner Domes entsprechend, in seiner klar

---

[1] Gailhabaud, l'architecture du V. au XVI. siècle, liv. 55.

gemessenen Rhythmik für ein derartiges System besonders muster-gültig.

Sodann die überaus malerische Ruine der über **Bacharach** belegenen **St. Wernerskirche.**[1] Ihr Bau war in der Spätzeit des 13. Jahrh. begonnen, nach eigenthümlichem Plane, dreichörig, d. h. die Querschiffflügel gen Süd und Nord mit demselben polygoni-sehen Schlusse wie der östliche Chor, — in Befolgung des baulichen Mo-tives, welches sich bereits seit der Kirche von St. Marien auf dem Kapitol zu Köln an dortigen roma-nischen Anlagen (mit halbrunden Conchen) festgestellt, an Bauten aus der Zeit des Uebergangsstyles, wie am Münster von Bonn, weiter aus-ausgebildet und in frühgothischer Zeit an der Elisabethkirche von Marburg (s. unten) zu neuen Er-folgen geführt hatte. In dem Plane der Wernerskirche war dies Motiv vielleicht zur geläutertsten Entwicke-lung gediehen; aber der Bau schritt nur langsam vorwärts und kam, wie es scheint, nicht zur Vollendung, Im J. 1293 fand eine Einweihung des begonnenen Baues, ohne Zwei-fel des östlichen Chores und des Altares in demselben statt; im J. 1428 waren erst die drei Chöre vor-handen und einer von diesen noch nicht unter Dach. Der Abschluss der Arbeiten scheint bald darauf erfolgt zu sein, doch in ungenügen-der Weise, ohne Ausführung eines Langbaues, was durch Terrainhin-dernisse (vielleicht im Laufe der Zeit gesteigert) veranlasst sein mochte. Spätere Verwüstungen haben nur die Umfassungen des östlichen und

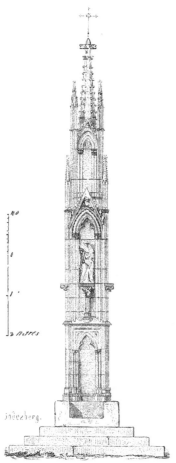

Hochkreuz zu Godesberg. (Nach Gailhabaud)

des südlichen Chores und geringe Stücke des westlichen Abschlusses übrig gelassen. Der östliche Chor zeigt in seinen Fenstern und übrigen Details die lauterste und anmuthvollste Durchbildung der Gothik, schon dem Oberbau des Kölner Domchores ähnlich,

---

[1] R. Wagner, im Kölner Domblatt, 1846, Nro. 18. Hope, hist. essay on arch., t. 86 (3).

der südliche Chor Formen, die um ein weniges jünger erscheinen;
während an der nördlichen Ecke spätere Details, an den rohen
Resten des Westbaues noch spätere sichtbar werden.

In den nördlich niederrheinischen Landen steht der Dom, St.
Victor, von Xanten[1] dem Dom von Köln als ein Monument von
ausgezeichneter Bedeutung und von eigenthümlicher Anlage gegenüber; es ist vielfach Verwandtes in der Behandlung; aber in
den Hauptformen, sowohl des Grundplanes als des Aufbaues,
kündigt sich eine wesentlich abweichende Richtung an.   Der
Thurmbau, welcher sich an der Westseite erhebt, gehört noch der
romanischen Periode an (Thl. II, S. 325); das Uebrige ist gothisch,
doch verschiedenzeitig, obschon in Befolgung eines gleichartigen
Planes: die östliche Hälfte vom J. 1263 ab und etwa bis in den
Anfang des 14. Jahrhunderts, die westliche Hälfte von 1368 ab
bis zum Schlusse des Mittelalters erbaut.   Der Dom ist fünfschiffig, ohne Querbau und ohne Chorumgang.   Das Mittelschiff
hat einen fünfseitigen Chorschluss, jedes Seitenschiff einen kleineren polygonen Schluss, auf diagonaler Grundlinie und über
die Flucht der Seitenlinien hinaustretend; es ist eine reicher
gruppirte Entwickelung der schon bei der Kirche von Ahrweiler
(S. 213) befolgten Anlage, der Anordnung der östlichen Theile
der Liebfrauenkirche von Trier (und mit diesem der Disposition

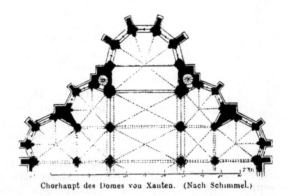

Chorhaupt des Domes von Xanten. (Nach Schimmel.)

der alterthümlichen Kirche von Braine in Isle-de-France) noch
näher stehend, doch insofern von wesentlich unterschiedener Wir-

[1] Schimmel, Westphalens Denkmäler deutscher Baukunst. Zahn, Beschrei-
bung des Domes von Xanten. Scholten, Auszüge aus den Baurechnungen der
St. Victorskirche zu Xanten. (Vergl hiezu das Organ für christl. Kunst, II.
Nro. 18, f. und Lübke, im Deutschen Kunstblatt, III, S. 426, ff.)

kung, als Chorschluss und Seitenvorlagen hier nicht durch einen
hohen Querbau von dem Uebrigen abgeschieden sind, sondern
wie in Ahrweiler, in unmittelbarem und entscheidendem Bezuge zu
den Langräumen stehen. Die innere Gesammtlänge beträgt 225
Fuss und ohne die Thurmhalle 190 F., die Gesammtbreite 115
F., die des Mittelschiffes 35 F. Gleich dem Grundplane ist auch
der Hochbau, wie bemerkt, abweichend von den Weisen französischer Gothik und der Nachfolge derselben in Deutschland angeordnet. Es fehlt jenes so oft bis zum Uebermass gesteigerte
Höhenverhältniss, indem die Scheitelhöhe des Mittelschiffes nur
75 F. beträgt, bei einer Höhe der Seitenschiffe von 40 F. Die
Oberfenster des Mittelschiffes gehen ohne Triforium oder eine
leere Zwischenwand, bis nahe auf die Scheidbögen nieder, mit der
eigenthümlichen Anordnung, dass sie, zwischen einwärts tretenden Wandpfeilern, in breiten Nischen liegen, während vor ihnen
eine Galleriebrüstung hinläuft, — eine Einrichtung, die auf älterem
heimischem Vorgange beruht,[1] und die, indem sie der Schau
im Innern des Gebäudes das Gesetz der Structur bestimmter ver-
gegenwärtigt, von wohlthuend beruhigender Wirkung ist. Die
ästhetische Organisation des Innern folgt, ohne an lebhafter Entwickelung etwas einzubüssen, diesem maassvolleren Gesetze. Die
Pfeiler und die ihnen entsprechenden Wandpfeiler sind überall
als Säulenbündel gegliedert, die Bögen und die Rippen des Gewölbes in der ausgebildeten Weise rheinischer Gothik lebhaft profilirt. Die Gallerie unter den Fenstern des Mittelschiffes und das
ansehnliche, dekorativ ausgestattete Gesims, auf welchem sie ruht,
lässt, in Uebereinstimmung mit der geringeren Gesammthöhe, die
Horizontallinie schärfer hervortreten; aber die vorderen Dienste
der Mittelpfeiler steigen, sie durchschneidend, an der Stirne jener
Wandpfeiler zwischen den Fenstern empor, indem sie jedoch schon
zeitig die Rippen des Mittelgewölbes auf ihren Kapitälen aufnehmen. Das ganze System ist in der älteren östlichen Hälfte
des Domes ebenso beobachtet wie in der jüngeren westlichen, nur
mit dem Unterschiede, dass in jenem die Joche etwas enger und
dass einerseits eine grössere Strenge der Behandlung, andrerseits
freiere und, wie besonders im Fenstermaasswerk, mehr spielend
dekorative Formen angewandt sind. Das Aeussere zeigt ein einfach behandeltes System von Strebepfeilern, Fialen und Strebebögen. Die Fenster entbehren des (französirenden) Schmuckes der
Wimberge; statt deren ist über ihnen, von Strebepfeiler zu Strebepfeiler, ein spitzer Blendbogen eingewölbt, wiederum ein alter-
thümliches Motiv, welches auch an den jüngeren Theilen des
Baues beibehalten ist. Ein Portal auf der Südseite hat eine Ausstattung in schmuckreichen Spätformen.

Die Kapitelskirche von Cleve,[2] ein Monument jüngerer

---

[1] So im Chore des Domes von Münster; vergl. Thl. II, S. 436. — [2] Grundriss und Längendurchschnitt bei Schimmel, a. a. O.

Zeit, etwa seit 1334 ausgeführt,[1] lässt den Einfluss des an der
Xantener Kirche befolgten Systemes erkennen: ein dreischiffiger
Bau, ebenfalls mit schräg vortretenden Polygonschlüssen zur Seite
des mittleren Chorschlusses (der nördliche jedoch, durch anlehnende Baulichkeiten, nicht vollständig entwickelt); im Innern
195 Fuss lang, 72 F. im Ganzen und 32 F. im Mittelschiffe breit,
61 F. im Mittelschiff hoch; das System des Innern in schlichter
und klarer Entwickelung: einfache Rundpfeiler mit je drei aufsteigenden Diensten an der Vorderseite und gleichfalls nah über
den Scheidbögen anhebende Oberfenster.

L o t h r i n g e n.

Die Monumente von Lothringen, welche der früheren Epoche
des gothischen Styles angehören, haben ähnlich verwandte Beziehungen zu der rheinischen Architektur wie die romanischen
Bauten des Landes. Die Chorumgänge und Kapellenkränze der
nordfranzösischen Gothik (die freilich auch schon in einigen Monumenten der östlichen Districte Frankreichs weggefallen waren)
kommen hier während der genannten Epoche überhaupt nicht zur
Anwendung; dagegen finden sich Anordnungen der Chorschlüsse,
die vorzugsweise den rheinischen Gegenden eigen sind. Auch im
Höhenbau machen sich Abweichungen vom französischen System
bemerklich. Doch scheint es, dass in einzelnen Fällen an den
originalfranzösischen Elementen allerdings mit grösserer Bestimmtheit festgehalten wurde. Dies erklärt sich durch das unmittelbar
nachbarliche Verhältniss, durch die zum Theil stammverwandte
Bevölkerung; zugleich aber kündigt diese Erscheinung an, dass
die Kraft des deutschen Cultureinflusses auf das lothringische
Land nachlässt, dass Frankreich sich bereits anschickt, hier mit
Deutschland die Rolle zu tauschen.

Als Beispiele der Frühgothik und einer schon überwiegenden
Beobachtung des französischen Systems werden die kleine Kirche
St. Martin zu Metz, mit schlanken Rundsäulen im Innern,
und die Kirche St. Nicolas-de-Gravière zu Verdun (vom
J. 1231) genannt.[2]

Ein bedeutendes Werk, im Wesentlichen dem 13. Jahrhundert angehörig, ist die Kathedrale von Toul.[3] Im J. 1280
handelte es sich um Ausführung ihrer Gewölbe. Sie ist dreischiffig, mit sehr ansehnlichem Querschiff, fünfseitig geschlossenem
Chor und viereckigen Kapellenvorlagen in den Ecken zwischen

[1] Fiorillo, Geschichte der zeichnenden Künste in Deutschland, II, S. 84. —
[2] Schnaase, Gesch. d. bild. Künste, V, I, S. 205. — [3] Revue archeologique, V,
p. 45, 136, 266; pl. 87, 90. v. Wiebeking, bürgerl. Baukunde, T. 86. Chapuy,
moy. âge mon., Nro. 308.

dem Chor und den Querschiffflügeln, die sich nach beiden in der
Höhe der Seitenschiffe öffnen und über denen sich im Aeussern

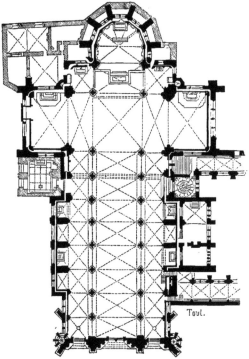

Grundriss der Kathedrale von Toul. (Nach der Revue archéologique V.)

Thürme erheben. Die Höhenmaasse sind beträchtlich, doch in
der Art; dass die selbständige Erhebung des Mittelschiffes gegen
die Höhe der Seitenschiffe (die das übliche Verhältniss überschrei-
tet) zurücksteht; womit sich die Anordnung verbindet, dass die
Oberfenster des Mittelschiffes nahe über den Scheidbögen aufsetzen, ohne Triforiengallerie oder sonstigen namhaften Zwischen-
raum. Die Gesammtlänge des Innern beträgt 270 Fuss 10 Zoll,
die Breite des Mittelschiffes 37 F., die Höhe desselben $110^3/_4$ F.,
die Höhe der Seitenschiffe $61^1/_2$ F. Chor und Querschiff, als
früheste Theile des Baues, zeigen noch einigermaassen frühgothische Behandlung; im Schiff verschwindet diese. Hier sind
sehr schlanke Rundpfeiler mit je vier Diensten, von denen die
vorderen an der Mittelschiffwand emporlaufen, angeordnet. Das
Maasswerk der Fenster hat ein einfach edles System. Das
Aeussere ist schlicht gehalten, mit schmucklosen Streben, ohne
Strebebögen und ohne Wimberge über den Fenstern. (Die Façade

ist ein glänzender Bau gothischer Spätzeit. Seiner Epoche
gebören auch die westlichsten Joche des Innern an.) — Der
Kreuzgang zur Seite der Kathedrale ist ebenfalls ein charakteristischer Bau im schlichten Style des 13. Jahrhunderts.

Die Kirche St. Gengoult zu Toul,[1] im Ganzen etwas
jünger als die Kathedrale, zeigt ein ähnliches, nur noch einfacher
geordnetes System. Bei geringeren Dimensionen unterscheidet sie
sich besonders durch auffällige Kürze der Vorderschiffe, sodann
durch die Anordnung, dass die in den Ecken zwischen dem Chor
und den Querschiffflügeln befindlichen Kapellenvorlagen eine
schrägliegend polygonische Grundform haben. Diese Anlage,
auf eine lebhaftere perspectivische Wirkung berechnet, schliesst
sich dem System der rheinischen Chorseitenkapellen an, wie zu
Ahrweiler, Xanten, Cleve, und hat (während die ursprüngliche
Anregung in dem Chorgrundriss von St.-Yved zu Braine gegeben
war) in den Kapellen der Katharinenkirche zu Oppenheim (s.
unten) ihr nächstes Vorbild.

Auch die Kirche St. Vincent zu Metz,[2] die im J. 1248
begonnen sein soll, scheint dem System der Kathedrale von Toul
zu entsprechen, namentlich was die Höhenverhältnisse und die
Lage der Oberfenster über den Scheidbögen betrifft.

Die Kathedrale von Metz[3] folgt in demjenigen Theile
ihres Baues, welcher dieser Epoche angehört, — der überwiegend grösseren östlichen Hälfte der Vorderschiffe, — einer abweichenden Richtung. Die Höhenverhältnisse sind mehr ge-
mässigt; gleichwohl schliesst sich das System wiederum mehr dem
französischen an, in der grösseren Fülle der Combinationen, welche
dem letzteren eigen sind, und in einer Weise der Uebertragung
desselben auf die Ostlande, die, wie es scheint, eine Vorstufe
zu dem System des Kölner Domes ausmacht. Das Mittelschiff
hat 43 Fuss 2 Zoll Breite und 96 F. Höhe; die Seitenschiffe sind
16 F. breit und einige 40 F. hoch; die Jochweite beträgt 18 F.
Die Schiffarkaden, von derbem Verhältniss, haben starke Rundpfeiler mit vier Diensten, mit durchgehendem Kapitälkranze abschliessend; über letzterem setzen die feinen Dienstbündel auf.
Die Fenster haben ein reich gruppirtes Maasswerk, in einer gewissen Strenge der Behandlung, welche noch der früheren Entwickelung des Styles entspricht; unter den Oberfenstern ist eine
zierliche Triforiengallerie angeordnet, deren Stab- und Maasswerk
sich dem der Fenster einordnet. Im Aeusseren ist ein anschn-
liches Strebesystem, mit aufsteigenden Thürmchen und Strebebögen; die Oberfenster haben Wimberge, doch von sehr schlichter

---

[1] Revue arch., X, p. 14, pl. 207, f. — [2] Schnaase, a. a. O., S. 206. —
[3] v. Wiebeking, bürgerl. Baukunde, III, S. 32; T. 85 und 87 (mit dem Grundriss und inneren System). De Laborde, monuments de la France. Chapuy,
moy. âge mon., 61. De Caumont, Abécédaire, Arch. rel., p. 468. Ramée,
manuel de l'hist. gén. de l'arch., II, p. 365.

Form, als volle, nur von einem einfachen Dreipass durchbrochene Giebel gestaltet, denen der Ste. Chapelle zu Paris und der Kathedrale von Amiens noch vergleichbar. Die Hauptbauzeit scheint sich hienach auf das 13. Jahrhundert zu bestimmen; für die Ausführung der Wölbungen wird die Zeit von 1327—32 angegeben. Der Schiffbau, in diesen seinen älteren Theilen, wird westwärts durch ein Thurmpaar begrenzt; der Bau des südlichen Thurmes der sich mit einem stattlichen Fenstergeschoss über den Körper des übrigen Baues erhebt und dessen Behandlung dem des letzteren entspricht, wurde 1381 abgeschlossen. (Ueber die jüngeren Theile der Kathedrale s. unten.)

Dann die im J. 1327 gegründete und in kurzer Frist vollendete Kirche von Munster [1] (Dep. Meurthe, Canton Albestroff),

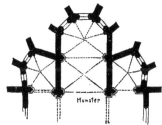

Chor der Kirche von Munster. (Nach der Revue archéologique VI.)

ein Bau von schlichter klösterlicher Strenge, dessen Schiffarkaden (wie einzelne Bauten Deutschlands, welche noch der frühgothischen Zeit angehören), einfach viereckige, doch mit Diensten besetzte Pfeiler haben und an dessen Chorseiten sich wiederum jene schrägliegenden polygonischen Kapellenvorlagen befinden, die hier aber (schon ursprünglich?) vom Mittelraum des Chores durch Wände abgetrennt und nur gegen die Querschifflügel geöffnet sind.

Hessen und Westphalen.

Den lebhaftesten Gegensatz gegen die Richtungen des gothischen Systems, die in den niederrheinischen Gegenden zur Erscheinung kamen, bildet die Ausprägung der Gothik in den östlichen Nachbarlanden der letzteren, in Hessen und Westphalen. War dort die französische Anregung, selbst im unmittelbaren Anschluss an französische Vorbilder oder Schulen, bei aller selbständigen Auffassung und Behandlung unverkennbar, so tritt hier ein wesentlich abweichendes bauliches Princip in den Vorgrund, werden die übertragenen Formen in durchaus eigenthümlichem Sinne verwandt und ausgeprägt und damit ein System der Gothik geschaffen, das als ein ausschliesslich deutsches bezeichnet werden muss.

Die Wechselwirkungen zwischen den genannten westlichen und östlichen Landen, die Einflüsse der beginnenden rheinischen Gothik auf die hessisch-westphälische, und dieser auf jene sind,

---

[1] Revue archéol., VI, p. 476, pl. 125.

trotz der örtlichen Nähe gering und vereinzelt. Ein kleines
hessisches Monument, das nach Art der rheinischen behandelt ist,
mag hier vorweg erwähnt werden. Es ist die Kirche von Geisnidda,[1] bei Nidda in der Wetterau. Einem romanischen Thurm
schliesst sich ein kurzer Schiffbau von noch halb übergangsartiger
frühgothischer Beschaffenheit an, mit niederen Seitenschiffen und
hohem Mittelschiff, an dessen kahler Oberwand die kleinen maass-
werklosen Fenster befindlich sind; mit zwei Paar kurzen, massigen
Arkadenpfeilern, zwei viereckigen und zwei cylindrischen, an
denen je vier derbe Dienste, die vorderen zum Mittelschiffgewölbe
emporsteigend, vortreten; der Chor in den einfach späteren Formen des 14. Jahrhunderts. (Hessisch-westphälischer Einfluss auf
die niederrheinische Gothik zeigt sich in der oben, S. 212 besprochenen Kirche von Ahrweiler.)

Das in der gothischen Architektur von Hessen und Westphalen von ihrem Beginn ab durchaus vorherrschende System ist
das des Hallenbaues, das der gleich hohen Schiffe, welches auf
eine so entschieden abweichende räumliche Wirkung hinausging,
welches die Bedeutung der gothischen Factoren in mehrfacher Beziehung so wesentlich verändern und nothwendig auch in der Behandlung charakteristische Besonderheiten zur Folge haben musste.
Die Grundmotive dieses Systems liegen in der westphälischen Architektur, die sich schon in der romanischen Epoche, in Bewährung einer eigenen, streng verständigen Sinnesrichtung, der Anlage gewölbter Kirchen mit gleich hohen Schiffen zugewandt hatte.
Die Schlusszeit des Romanismus, die Uebergangsepoche zählt in
Westphalen einen Reichthum derartiger Anlagen, deren System
sich durch eine Menge kleiner Zwischenstufen fast unmerklich ins
Gothische hinüberzieht. Doch dauert es hier eine verhältnissmässig längere Zeit, ehe die überkommenen romanischen Motive
abgethan sind, ehe die neue Form sich rein und bestimmt darstellt. In Hessen war man durch ein herkömmliches Verfahren der
Art nicht gebunden. Der Trieb, welcher dort aufwachte, konnte
sich rasch und unbehindert entwickeln, das neue System sofort
in volksthümlicher Entschiedenheit feststellen. Eine Rückwirkung
von Hessen scheint dann auf die weiteren Schritte der westphälischen Architektur stattgefunden zu haben, in derselben Weise,
wie von dort auch auf andere deutsche Lande anregende Einflüsse
ausgingen.

— — — —

Die hessischen Monumente sind somit voranzustellen.
Unter ihnen die Elisabethkirche zu Marburg,[2] ein

---

[1] Denkmäler der deutschen Baukunst (III), fortgesetzt von Gladbach, T.
16—18. — [2] Moller, die Kirche der heil Elisabeth zu Marburg. Grueber, die
christl. mittelalterl. Baukunst, II, T. 19, 20, 33. Wiebeking, bürgerl. Baukunde, T. 51. Zwei Blätter bei Lange, Mal. Ansichten der merkwürdigsten

Gebäude, das für den Beginn der neuen Richtung und für ihre bestimmte Ausprägung eine vorzüglich umfassende Anschauung gewährt. Sie wurde im J. 1235 gegründet, als Mausoleum der heil. Elisabeth, deren Canonisation in demselben Jahre (4 Jahre nach ihrem Tode) erfolgt war, als Kirche der zu Marburg ansässigen Ritter des deutschen Ordens, als Begräbnissstätte des hessischen Landgrafenhauses; im J. 1283 wird sie als im Wesentlichen vollendet bezeichnet; das Ganze erscheint, bis auf geringe Einzelabweichungen, als Werk e i n e s Gusses. Zunächst ist allerdings auch hier noch die ältere Grundlage, aus der die neue Richtung sich entwickelte, sind auch hier noch traditionelle Formen und Motive,

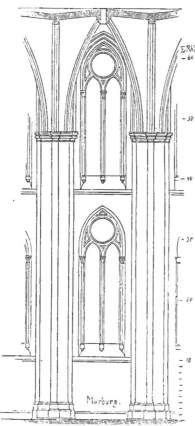

Elisabethkirche zu Marburg. Inneres System.
(Nach Moller.)

an welche diese Richtung anknüpfte, wahrzunehmen. Das Mittelschiff hat gleiche Höhe mit den Seitenschiffen, aber die letzteren haben noch die geringe (die halbe) Breite, welche der geringeren Seitenschiffhöhe im eigentlichen Basilikenschema entsprechend ist; die Pfeiler haben noch die Form des schweren Rundpfeilers mit vier Diensten, die Scheidbögen in der Längenflucht des Gebäudes noch die volle Breite, welche ursprünglich auf die Last höher emporsteigender Mittelschiffmauern berechnet war. Der Chor schliesst in fünfseitigem Polygon; ebenso die Flügel des Querschiffes, gen Nord und gen Süd gerichtete Nebenchöre bildend, wie an früheren niederrheinischen Beispielen (und wie an der jüngeren Wernerskirche bei Bacharach, S. 227), — eine Anordnung, die voraussetzlich durch die verschiedenartigen Zwecke des Gebäudes veranlasst war, und jedenfalls eine Bekanntschaft mit rheinischem Wesen verräth. Noch deutlicher werden rheinische Studien in der Formirung des

Kathedralen etc. Fiorillo, Gesch. der zeichn. Künste in Deutschland, I, S. 433. F. Kugler, Kl. Schriften, II, S. 161. *Denkmäler der Kunst, T. 53 (6, 7).*

Chorschlusses ersichtlich. Er erscheint dem Chore der Liebfrauenkirche zu Trier (S. 206 u. f.) nahe verwandt, mit ähnlicher Grunddisposition, mit ähnlich zweigeschossiger Anlage der
Fenster, mit ähnlicher Behandlung des Maasswerkes, nur dass
letzteres zumeist noch schlichter und strenger, noch mehr wie
mit einem Nachhauche des Uebergangsstyles gebildet ist. Dasselbe Fenstersystem ist sodann an der ganzen Choranlage und
nicht minder an den Langwänden der Seitenschiffe durchgeführt,
obschon die innere Räumlichkeit selbst nirgend eine zweigeschossige ist. Aber alles derartig Ueberkommene und Nachgebildete
ordnet sich der Erfüllung des neuen räumlichen Gedankens unter
und empfängt damit selbst einen veränderten Charakter. Es ist die
aufstrebende Erhabenheit des gothischen Systems, im Bewusstsein
ihres Werthes und ihres Vermögens, aber in demjenigen Gleich-
mass der Kräfte und der räumlichen Gliederung, in demjenigen
festeren Zusammenschluss der Theile, welchen der Hallenbau —
der Aufgipfelung der französischen Gothik ihrer Neigung zu einer
mystischen Wirkung gegenüber — zur Erscheinung bringen
musste; es ist diese neue Richtung der Gothik in dem Stadium
ihrer ersten, noch eigenthümlich strengen und machtvollen Bewährung, — die einer gedrungenen Majestät, in welcher diese
Hallen sich aufbauen, in Wechselwirkung mit den ausgebreiteten
Chorräumen, deren Zugänge sie bilden. Die derbe Rundform
der Mittelschiffpfeiler, in gleichartiger Masse bis zum Gewölbe
emporsteigend, dessen Gurte und Rippen über einem Kapitälkranze
aufsetzen, spricht diesen Charakter vorzugsweise aus; während
die Pfeiler der mittleren Vierung (die freistehenden Pfeiler gen
Westen und die Eckpfeiler gen Osten) und ebenso die an den
Wänden der Seitenschiffe und des Chores angeordneten Gurtträger
ein schon lebhaft flüssiges, aus Säulenschaften und tiefen Kehlungen wechselndes Profil haben, auch die Bögen des Gewölbes
mannigfach gegliedert sind. Bei den letzteren ist jedoch anzumerken, dass die Gliederung vorherrschend in den Scheidbögen
und in den Quergurten noch einen übergangsartigen Charakter
hat und erst in den Diagonalrippen das gothische Birnenprofil
zeigt; sodann: dass die Gurte und Rippen der Seitenschiffgewölbe,
über halber Breite zu gleicher Scheitelhöhe mit denen des Mittelschiffes aufsteigend, sich zunächst in vertikaler Schenkellinie erheben, was die harmonische Gesammtwirkung noch einigermaassen
beeinträchtigt. Im Uebrigen sind an diesen Theilen des Innern
einige Unterschiede wahrzunehmen, welche auf die etwas frühere
Zeit der östlichen Hälfte, die etwas spätere der westlichen deuten:
stärkere Betonung der erwähnten Uebergangsmotive in den Ge-
wölbebögen, ein minder wohl vermitteltes Aufsetzen sämmtlicher
Gewölbegliederungen über den Deckplatten der Kapitälkränze,
rundgeführte Basamente an den Diensten wie an dem Kern der
Pfeiler einerseits, — andrerseits eine mehr vorgeschrittene, mehr

principielle Entwickelung in den genannten Details, ein poly-
gonisches Basament unter den Diensten, u. s. w. Das Zwiege-
schoss der Fensterarchitektur, nach dem genannten Vorbilde
beibehalten und durchgeführt, dient dazu, die Festigkeit der
Mauerumgebung, deren grössere Durchbrechung noch bedenklich
erscheinen mochte, zu wahren; die starken Dienstbündel an den
Seitenwänden des Innern, die Strebepfeiler des Aeussern, die beiderseits ununterbrochen emporsteigen, heben die Zweitheiligkeit
thunlichst auf; äussere Mauergallerien unter den Fenstern, Spitz-
bogenwölbungen über den Oberfenstern verbinden die Strebepfeiler
und tragen zum Zusammenhalt des Ganzen, zur Totalität der Erscheinung bei. Auch jener noch übergangsmässig primitive Charakter des Fenstermaasswerkes steht in Einklang mit der Solidi-
tät des Baues; ebenso, dass ein kleines Seitenportal auf jeder
Langseite, unterhalb eines Unterfensters, wo für ein gothisch
dekoratives Werk kein Raum war, noch in rundbogig romanisirender Art gehalten ist. Der energische Massencharakter findet
endlich in dem zweithürmigen Façadenbau der Westseite seine
Vollendung. Er bildet im Innern offene Hallen, die mit den
Schiffräumen in unmittelbarer Verbindung stehen, mit sehr kolossalen Rundpfeilern, welche die innern Eckträger der Thürme
ausmachen. Aussen erscheinen diese durch ähnliche mächtige
Strebepfeiler gefestigt. Die Behandlung ist völlig schlicht, die
Massen überall ohne gliederndes Detail. Die Thürme erheben sich
in schlanken Obergeschossen und, mit eigenthümlichen Uebergängen in ebenso schlanken achtseitigen Helmen; hiebei lässt
sich jedoch (zunächst an dem Nordthurm) erkennen, dass ursprünglich ein minder schlankes Verhältniss im Plane lag, und
dass man Verschiedenartiges versuchte und zur Ausführung brachte,
bis man der straffen und kühnen Wirkung, welche dieser doppel-
thürmige Bau bei sehr einfachen Motiven hervorbringt, versichert
war. Das Portal im Zwischenbau ist ein charakteristisches Beispiel frühgothischer Dekoration in einer Sinnesrichtung, die wiederum aus eigenthümlich heimischer Weise (aus den spätromanischen Portalausstattungen deutscher Kunst) hervorgegangen und
der französirenden Ueberladung mit Sculpturen völlig abgewandt
erscheint: mit leichten Säulchen an den schrägen Gewänden, mit
reichlicher Gliederung im Bogen, darin zwei grosse Einkehlungen
vom zierlichst gearbeiteten Blattwerk erfüllt sind; mit einem Spitz-
bogenfelde, welches die einfachen Gestalten einer Maria und an-
betender Engel enthält, während der Grund von einem Wein-
und Rosengeranke bedeckt ist; mit kräftig gegliederter äusserer
Bogenumfassung, während von der Bekrönung durch einen Wimberg völlig abgesehen ist. Die Fenster haben bereits Maasswerk
des **14.** Jahrhunderts, namentlich das Hauptfenster über dem
Portale. Der kleine Zwischenbau, der über diesem Fenster den
Giebel des Langschiffes deckt, ist ein in der Spätzeit des **14.**

Jahrhunderts ausgeführtes und von dem Gesammtcharakter des Gebäudes auffällig abweichendes Dekorationsstück. Die Maasse der Elisabethkirche sind: 202 Fuss innerer Gesammtlänge, 70 F. innerer Gesammtbreite, 34 F. Mittelschiffbreite (zwischen den Axen der Pfeiler, und 29 F. zwischen den Conturen des Pfeilerkerns), 68 F. innerer Höhe, 257 F. Thurmhöhe.

Die Stiftskirche zu Wetzlar,[1] der sogen. Dom, schliesst sich zunächst an. Es ist in der Hauptsache dasselbe System, doch nicht in derjenigen gleichartigen und charaktervollen Entfaltung, welche der Marburger Elisabethkirche eine so bedeutende Stellung in der baugeschichtlichen Entwickelung giebt. Die Kirche von Wetzlar ist das Product einer ungleich längeren Bauperiode, die im Einzelnen erhebliche Unterschiede der stylistischen Behandlung zur Folge gehabt hat; wobei indess zu bemerken, dass, was dem Gebäude an machtvoll einheitlicher Wirkung abgeht, durch die belehrenden Zeugnisse der stufenweise fortschreitenden Aus- und Umbildung der Formen unter verschiedenartig mitwirkenden äusseren Einflüssen, wie dergleichen sich an einem und demselben Werke selten in ähnlicher Vollständigkeit vorfindet, immerhin ersetzt wird. Von einem fragmentarisch erhaltenen Façadenbau der romanischen Epoche ist bereits (Thl. II, S. 458) die Rede gewesen. Ein Neubau beginnt in gothischer Frühzeit, mit noch auffälligen Romanismen; hieher gehört der Chor, zunächst die westliche, dann die dreiseitig schliessende östliche Hälfte desselben. Es zeigt sich in diesen Baustücken mancherlei im Laufe des Baues eingetretene Abänderung, ein Versuchen und Tasten, welches aus alterthümlichen Motiven heraus zu dem noch unbestimmt vorschwebenden neuen Formengesetze zu gelangen sucht. Besonders bemerkenswerth ist es, dass die Fenster des östlichen Chortheiles in derselben Behandlung wie die der Elisabethkirche zu Marburg, zugleich schon eine schlankere Höhendimension haben, während über ihnen im Aeussern (an den Seiten des Chorschlusses) noch ein Consolenge

Stiftskirche zu Wetzlar. Giebel des Chorschlusses. (F. K.)

sims hinläuft, und darüber Dachgiebel mit romanisirend übergangsartigen Arkaden angeordnet sind. Dann folgt der Bau des Querschiffes und der gleich hohen Vorderschiffe, dessen Ausführung

---

[1] F. Kugler, Kl. Schriften, II, S. 165, ff. Ansichten bei Lange, a. a. O.

wiederum, in sehr eigener Vertheilung, stückweise vor sich ging. Zunächst der südliche Querschiffflügel, in Formen, die [in der

Stiftskirche zu Wetzlar. Portal des südlichen Seitenschiffes. (F. K.)

Profil des Giebels.　　　　　Profil des Bogens.

Hauptsache ebenfalls nach dem Marburger System gebildet sind, doch auch sie noch mit übergangsartigen Elementen: die Strebepfeiler nach innen stehend, über den **Eckstrebemassen** viereckige Thürmchen emporsteigend (wie am Querschiff des unfern bele-

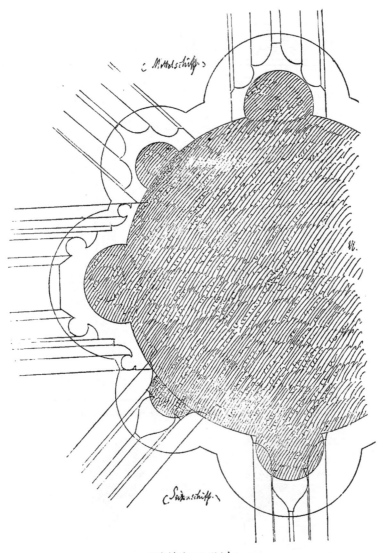

Stiftskirche zu Wetzlar.
Profil der südlichen Schiffpfeiler und der darüber aufsetzenden Bögen, Gurte und Rippen. (F. K.)

genen Domes von Limburg an der Lahn, Thl. II, S. 467 u. f.), zum Theil sogar noch mit **Lissenen** und eckig gebrochenen Friesen

(statt der rundbogigen, wie dergleichen ebenfalls zu Limburg
vorkommt,) u. s. w. Dann das südliche Seitenschiff nebst den

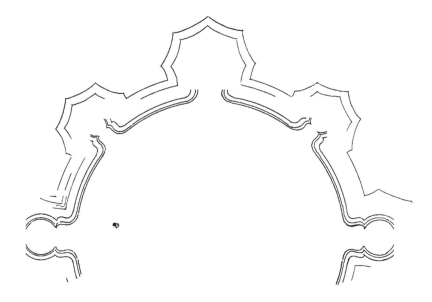

Stiftskirche zu Wetzlar. Grundriss des nördlichen Kreuzpfeilers. (F. K.)

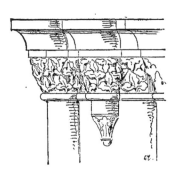

Bekrönung der südlichen Schiffpfeiler.
(F K.)

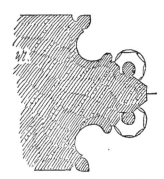

Fensterprofil im nördlichen Flügel des
Querschiffes. (F. K.)

Schiffpfeilern dieser Seite, in ähnlichem Style, durch ein nicht
zu beengtes Breitenverhältniss von günstiger Wirkung und wiederum mit einer Mischung von Elementen fortschreitender und

zurückgehaltener Entwickelung; die Pfeiler rund mit vier Diensten, aber zugleich schon mit consolengetragenen Dienst-Ansätzen

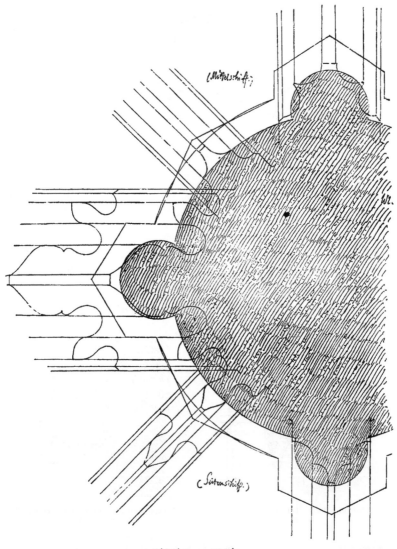

Stiftskirche zu Wetzlar.
Profil der nördlichen Schiffpfeiler und der darüber aufsetzenden Bögen, Gurte und Rippen. (F. K.)

für die Diagonalgurte; die Scheidbögen von noch mehr übergangsartigem Profil als zu Marburg; die Fenster, auch hier (wie

schon im Chore und im Querschiff) hoch schlank; ein Portal
dagegen, mit Sculpturen und mit manchen Eigenheiten der Anordnung, noch in romanisirendem Rundbogen, u. s. w. Ferner
der nördliche Querschiffflügel und der Ansatz des nördlichen
Seitenschiffes, im reich entwickelten rheinisch gothischen Style,
wie am Oberbau des Kölner Domchores und ungefähr aus dessen
Zeit. Endlich der übrige Theil dieses Seitenschiffes sammt der
Mittelschiffwölbung, der gegenüberstehenden Südseite ziemlich
analog gehalten, aber in den jüngeren Formen der Spätzeit des
14. Jahrhunderts ausgeführt. Den Vorderschiffen schliesst sich
westwärts der neue Thurmbau an, der jenen alten Façadenbau
ersetzen sollte, aber auch nur fragmentarisch zur Ausführung
gekommen ist und zum Theil erst dem 15. Jahrhundert angehört. — Im Innern der Kirche, vor dem Chore, findet sich ein
Lettner, welcher die Formen des nördlichen Querschiffflügels in
glücklich dekorativer Weise nachbildet.

Andre hessische Hallenkirchen, nach dem Vorbilde von Marburg und mit Modificationen, welche der vorschreitenden stylisti-
sehen Entwickelung und der des allgemeinen räumlichen Gefühles
im Verlaufe des 13. und des 14. Jahrhunderts angehören, sind:
die Kirche zu Grünberg, [1] mit Seitenschiffen von schon ansehnlicher Breite; die Pfeiler einfach rund mit vier starken Diensten,
zwei auch ohne Dienste; die Chorpartie etwas älter; — die Stadtkirche zu Friedberg, [2] mit noch geräumigerer Disposition der
Seitenschiffe; die Pfeiler theils rund, theils achteckig, mit je acht
Diensten, die als schlanke Säulchen vor dem Kern des Pfeilers
vortreten; auf der Westseite mit massenhafter zweithürmiger
Façade, die unterwärts eine offne Durchgangshalle enthält; —
die Klosterkirche zu Haina, [3] als eins der glanzvollsten Monumente von Hessen gepriesen, mit romanischen Anfängen (Thl. II,
S. 471), mit primitiv gothischen Theilen, in der Hauptmasse
jedoch der Zeit um den Beginn des 14. Jahrhunderts angehörig,
— die Kirchen zu Frankenberg, Wetter, Alsfeld, [4] u. s. w.
— Ein sehr schlichter Bau ist die Kirche des Nonnenklosters von
Altenberg an der Lahn, [5] unfern von Wetzlar, einschiffig, mit
einem Querschiff, der vordere Raum zum grössten Theil durch
die unterwölbte Nonnen-Empore eingenommen. Um 1267 erbaut
und im Wesentlichen der Behandlung an die Elemente von Marburg anklingend, zählt diese Kirche zu jenen klösterlichen Anlagen, welche den gothischen Styl in möglichst vereinfachten
Formen einführen. Namentlich die Pfeiler, welche die Wölbung
der Empore tragen und die an ihnen niederlaufenden Gurte von
einfachstem Profil sind in dieser Beziehung anzuführen.

[1] Moller, Denkmäler I, T. 29. – [2] Ebenda, T. 26, ff. — [3] D. Kunstblatt,
1855, S. 342. Vergl. Schnaase, Gesch. d. bild. Künste, V, I, S. 492. — [4] Moller, a. a. O., S. 40. (An näheren Mittheilungen über die genannten Kirchen
fehlt es noch.) — [5] F. Kugler, Kl. Schriften, II, S. 179.

In andrer Beziehung ist der Hauptflügel des Schlosses zu Marburg, der „hohe Saalbau“,[1] für die Ausprägung des früh- gothischen Styles von Bedeutung. Die Fensteröffnungen des Ober-

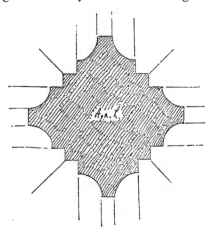

geschosses sind gruppenmäs- sig zusammengeordnet, mit kleineren und grösseren spitz- bogigen Umfassungen und mit schlichten Durchbrechungen im Bogenfelde, der Art, dass sich hier ein Beispiel der Vor- bereitung reicher Maasswerk- Composition bei allerdings noch völlig einfachen Grund- elementen findet. Die schlichte Behandlung bildet einen be- merkenswerthen Gegensatz gegen die Pracht der fürst- lichen Schlösser in der spä- teren Zeit der romanischen Epoche, für die gerade die hessischen Lande so ausge- zeichnete Beispiele besitzen.

Kirche zu Altenberg au der Lahu. Profil der Pfeiler unter der Empore. (F. K.)

— Ein sehr eignes Denkmal frühgothischer Zeit ist ferner das sogenannte Judenbad zu Friedberg,[2] ein Brunnen, an dessen Seiten Treppen bis zum Wasserspiegel hinabführen, deren Unter- wölbungen von schlanken Säulen mit leicht sculptirten Kapitälen getragen werden.

Die westphälische Gothik[3] knüpft an jene Hallenkirchen an, welche auf der Grenzscheide zwischen romanischem und gothischem System stehen und unter denen vornehmlich an den Dom von Paderborn, die Münsterkirche von Herford, die Marien-Stiftskirche von Lippstadt (Thl. II, S. 442) zu erinnern ist. Neben den besonderen Eigenthümlichkeiten, welche das unmittelbare Uebergangsverhältniss, das stylistische Zwitterwesen dieser Gebäude bezeichnen, ist hier auf Eines auf- merksam zu machen: — auf den gewichtigeren Breitencharakter, namentlich auf die grössere Breite der Schiffjoche (der Pfeiler- abstände) und der Seitenschiffe bei ansehnlichen Gesammtdimen- sionen, während die Schiffpfeiler in lebhaft durchgeführter Glie- derung bis zum Ansatze des Gewölbes emporsteigen; also auf eine räumliche Fülle, ein allerseits wirksames räumliches Gleich- maass, welches den sehr entschiedenen Gegensatz des Princips

[1] Kallenbach, Chronologie, T. 33 (2). — [2] F. Kugler, Kl. Schriften, I, S. 146. [3] W. Lübke, die mittelalterl. Kunst in Westphalen.

der französischen Gothik ausmacht, doch aber in verwandter Richtung nach belebter Durchbildung der Einzeltheile des Inneren
strebt.   In der That ist dies die Basis des eigenthümlichen Entwickelungsganges, welchen die gothische Architektur Westphalens
einschlägt. Das Aeussere ihrer Monumente ist zumeist sehr schlicht,
doch insofern von charakteristischer Physiognomie, als sie die
Querdächer über den einzelnen Jochen der Seitenschiffe, welche
dem Dachwesen des Hallenbaues angehören und die krönende
Reihe der Stirngiebel dieser Dächer gern zur Ausführung bringt.
    Einige Gebäude schliessen sich den eben genannten zunächst
an, ebenfalls noch mit Motiven des Uebergangsstyles, aber schon
mit stärkerer Neigung zur gothischen Ausbildung der Formen
oder mit bestimmterer, im Fortgange des Baues eintretender Umbildung. So die Johanniskirche zu Osnabrück, die sogar
die noch auffällig romanisirende viereckige Pfeilerform, mit eingelassenen Ecksäulchen, hat, indess in den Details bereits merklich von Romanismen zu Gothicismen vorschreitet. So die Nicolaikapelle zu Ober-Marsberg (Stadtberg), [1] welche
denselben Wechsel der Formen in überaus reizvollen und für
das bezügliche Entwickelungsverhältniss höchst charakteristischen
Bildungen zur Erscheinung bringt; so dass hier, in den älteren
Theilen dieses merkwürdigen kleinen Gebäudes, Muster des edelsten
und lautersten Dekorationsstyles romanischer Art, in den jüngeren
ebenso gediegene Muster einer fein durchgebildeten gothischen
Strenge enthalten sind. In den Fenstern zeigt sich ein nicht
minder bedeutungsvoller Uebergang von primitiv gothischer, doch
schon eigenthümlich würdig behandelter Maasswerkbildung (oder
vielmehr noch nach dem Vorbilde einer solchen) zu stattlich reichen Maasswerkformen, denen gleichwohl noch der Frühcharakter aufgeprägt ist, und zu solchen, die in einfach gesetzlicher
Weise entwickelt sind. Beide Beispiele haben noch den in der
spätromanischen Architektur Westphalens vorherrschenden viereckigen Chorraum, die Nikolaikirche dabei zugleich ein zweites
dreiseitiges Chörlein an der Westseite, dem jüngsten Theile des
Baues. — Die Kirche von Nieheim, nordöstlich von Paderborn,
ein Conglomerat aus verschiedenen Epochen, hat in ihren älteren
Theilen Verwandtes mit der Nikolaikapelle, nur in roherer Behandlung. Ebenso, in vorzüglichst schlichter Formation, die östlichen Theile der Pfarrkirche von Arnsberg (der ehemaligen
Klosterkirche Weddinghausen), deren westliche Theile etwa um
ein Jahrhundert jünger sind.
    Einige frühgothische Choranlagen nehmen die anderweit übliche Polygonform wieder auf. Besonders ausgezeichnet ist unter
diesen die Choranlage der (im Uebrigen älteren) Petrikirche
zu Soest. Hier zeigt sich eine Aneignung jenes rheinisch-loth-

---

[1] Zu den Darstellungen bei Lübke, T. 17 (auch T. 15 u. 16) vergl. ein Bl.
bei Schimmel, Westphalens Denkm. deutscher Baukunst.

ringischen Motives schrägliegender Seitenchöre neben dem Hauptchore, doch in sehr eigenthümlicher Anwendung, indem der Mittelchor, sich ausweitend und hiemit eine reichere Perspective
darbietend, aus 7 Seiten eines Zehnecks besteht und auch die Seitenchöre auf ähnliche Grundformen zurückdeuten, indem zugleich,
noch in romanisirendem Nachklange, von auswärts vortretenden
Strebepfeilern abgesehen, dabei aber im Inneren· eine kräftige
primitiv gothische Gliederformation durchgeführt ist.   Andere
Chöre derselben Epoche an der Thomaskirche zu Soest und
an der (im Schiffbau jüngeren) Pfarrkirche zu Hamm. — Auch
der in fünfseitigem Polygon geschlossene nördliche Querschiffflügel des Domes zu Paderborn, ein jüngeres Stück des
Dombaues, gehört hieher.
     Eine sehr ungewöhnliche Anlage zeigt die kleine Kirche von
Girkhausen (im Süden des Landes nahe der hessischen Grenze,
zwischen Winterberg und Berleburg).   Sie ist zweischiffig, von
ungefähr quadratischer Form (die westliche Hälfte allem Anschein
nach ein Stück eines grösseren romanischen Baues), mit einem
schlichten Rundpfeiler in der Mitte und mit zwei nebeneinander
belegenen Polygonchören. — Ein nicht minder eigenthümliches
Beispiel frühgothischer Disposition ist der Thurm der Pfarrkirche
von Brilon, ein massenhafter Bau mit saubergeschmücktem
Portale; die gewölbten Untergeschosse des Inneren, kapellenartig,
mit einem dienstbesetzten Rundpfeiler in der Mitte.

     Nach solchen Anfängen und ihnen zur Seite bildet sich so-
dann der gothische Hallenkirchenbau in eigenthümlichst charaktervoller Weise aus.   Das erste Meister- und Musterwerk, welches
diese Richtung begründet, ist der Schiffbau des Domes von
Minden, [1] zwischen dem altromanischen Thurm und dem der
Uebergangsepoche angehörigen Querbau und Choransatze (Thl. II,
S. 426 u. 436).   Hier sind jene offenen und freien Breitenverhältnisse mit Entschiedenheit ausgesprochen; die innere Gesammtbreite zu 85 Fuss, die Mittelschiffbreite zwischen den Pfeileraxen
zu 39 F. (und zwischen den Conturen des Pfeilerkerns zu 34 F.);
der Pfeilerabstand in der Längenflucht des Gebäudes (die Jochbreite) nur 4 F. weniger als die Mittelschiffbreite, die Pfeilerhöhe
zu 37 Fuss, die Scheitelhöhe des Mittelschiffgewölbes zu 69 F.,
während die Gewölbhöhe der Seitenschiffe, ihrer etwas schmaleren
Dimension angemessen, um ein Weniges geringer ist.   Die Pfeiler steigen in frischer Kraft empor, cylindrisch, durch acht Dienste,
vier stärkere und vier schwächere, glücklich belebt; Dienstbündel
an den Wänden haben die entsprechende Anordnung.   Die Gurte

[1] Zu den Darstellungen bei Lübke, T. 18 (1 u. 2) s. die Ansicht des Innern
bei Schimmel, a a. O.

und Rippen des Gewölbes setzen in regelmässiger Entfaltung über den Diensten an, in der Längenflucht bereits ohne die brei-

Innere Ansicht des Doms von Minden. (Nach Scilmmel.)

tere Scheidbogengliederung, welche auf der Reminiscenz des Basilikenaufbaues beruht, in dieser vollendeten Hallendisposition aber nicht mehr am Orte war. Alles ist von leichter Energie erfüllt, während in den schlichten Rundbasamenten, in den Kapitälkränzen, in der Profilirung der Gewölbglieder noch immer ein frühgothischer, herb jungfräulicher Charakter gewahrt erscheint und zugleich in der Räumlichkeit selbst eine freie, völlig ausathmende Bewegung ihren Ausdruck gewonnen hat. Die Schlussentwickelung der letzteren, der künstlerischen Stimmung des Ganzen, spricht sich in den grossen Fenstern [1] aus, deren Breite mit den Breitenverhältnissen der Joche in Einklang steht, ohne doch die Festigkeit des Mauereinschlusses (und den Eindruck dieser Festigkeit) zu gefährden, und die gleichwohl mit dem bewegtesten Formenspiele erfüllt sind. Es ist ein überaus reiches Maasswerk, — an Reichthum nur etwa den Maasswerken des Façadenbaues am Strassburger Münster vergleichbar, — mit dem diese Fenster, jedes in anderer Composition, ausgesetzt sind; im oberen Fenstereinschluss stets ein höchst prachtvolles, vielgegliedertes Rosengebilde, in dessen untere Theile die in mannigfach wechselnder

[1] Ein Fenster bei Lübke, auf T. 24; drei andre bei Kallenbach u. Schmitt, die christl. Kirchen-Baukunst des Abendlandes, T. 43 (1—3.)

Weise gruppirten Spitzbogenwerke eingreifen, überall freilich in
einer mehr oder weniger stark betonten dekorativen Richtung
(statt einer eigentlich organischen), die aber doch in dem Netz-
spiele, welches sie der Fülle des Lichteinflusses in die Innenräume entgegenbreitet, ihre volle künstlerische Berechtigung hat
und die wiederum, durch dieselbe frühgothische Herbheit der Detailbildung, selbst durch einzelne noch romanisirende Nachklänge,
einen strengeren Reiz festzuhalten weiss.   Die ähnliche Richtung
des Formensinnes mit der an der Strassburger Façade dargelegten
lässt für den Schiffbau des Domes von Minden auf eine im Allgemeinen übereinstimmende Bauzeit schliessen, also etwa auf das
letzte Viertel des 13. Jahrhunderts oder vielleicht auf einen, um
ein Paar Jahre zuvor eingetretenen Beginn. — Der einfach polygonische Chorschluss des Domes ist später gothisch, aus der
zweiten Hälfte des 14. Jahrhunderts.

Einige Monumente, die ungefähr gleichzeitig mit dem Schiffbau des Domes von Minden ausgeführt wurden, zeigen ein ähnliches System, nur ohne die prächtigen Stücke, welche jenen

Fenster im Schiff des Doms von Minden. (Nach Kallenbach und Schmitt.)

auszeichnen.   So die Jakobikirche zu Lippstadt, mit dreichörig frühgothischer Ostseite, im Inneren dieser Chöre mit zierlich schmuckreichen Wandarkaden (daran jedoch die Schäfte der
Säulchen nicht mehr vorhanden sind).   So die untere Stadtkirche

zu Warburg, die in ansehnlichen Maassen errichtete Stiftskirche zu Lemgo, die kleine Pfarrkirche zu Stromberg
(mit viereckig übergangsartigem Chore) und die Schlosskapelle
zu Arnsberg, die beiden letzteren von sehr schlichter Behandlung und mit einfachen Rundpfeilern im Innern. — Einige andre
erscheinen als romanische Anlagen, mit der beibehaltenen Grundform der Schiffpfeiler, die sodann, unter Einwirkung des im
Mindener Dome ausgebildeten räumlichen und formalen Systems,
mit erweiterten Seitenschiffen und neuem Chorbau versehen wurden. Zu ihnen gehören die Martinikirche und die Marienkirche zu Minden, auch die Nikolaikirche zu Lemgo.

Eine umfassendere Nachfolge, mit mancherlei Besonderheiten
der Behandlung, sowohl in den Maassverhältnissen als den Form-
bildungen, erscheint vom Beginne des 14. Jahrhunderts ab. Als
ein wichtiges Monument, von eigenthümlicher und verhältnissmässig ebenfalls noch strenger Richtung, ist die Liebfrauen-
oder Ueberwasserkirche zu Münster [1] voranzustellen. Sie
hat am Haupteingange das inschriftliche Datum des Jahres 1340,
womit das Jahr der Weihung bezeichnet zu sein scheint. [2] In
ihrem Innern herrscht die Längenwirkung mehr als sonst in der
westphälisch gothischen Architektur: mit 72 $\frac{1}{2}$ Fuss Gesammtbreite, 35 F. Mittelschiffbreite (in den Axen der Pfeiler) und
nur 19 F. Jochbreite, so dass die Seitenschifffelder ein quadratisches, die Mittelschifffelder ein doppelt so breites Verhältniss
gewinnen. Im Ganzen hat das Schiff 6 Joche, während sich dem
Mittelschiff ein besondrer Chorbau anfügt. Der Aufbau ist in
kräftiger Energie und in glücklicher Uebereinstimmung mit diesen Maassen gehalten, in noch herber Behandlung; die Pfeiler,
cylindrisch, nur mit vier starken Diensten und mit schmucklosen
Kapitälen. Doch sind die Fenster, mit stattlichem Maasswerk
versehen, die des Chores in jüngeren Bildungen als die des Schiffes.
Ein Thurm vor der Mitte der Westseite, steigt in sehr machtvoller und stattlicher Weise empor, doch von der Ausbildung
rheinischer und andrer Thurmanlagen, welche auf dem Princip
des gegliederten Strebesystems beruht, ebenso verschieden, wie
der Hallenbau des Kirchenkörpers von dem der in Stufen aufsteigenden Schiffe. Es ist die volle, ungetheilte, keiner Strebe
bedürftige Masse, welche dem Thurmbau Westphalens schon in

---

[1] Grundriss und Aufriss bei Schimmel, a. a. O. Grundr. auch bei Grueber,
christl. mittelalterl. Bauk. II, T. 31 (2). Ansichten bei Lübke, Taf. 25, und
Lange, Originalansichten von Deutschland, X. — [2] Ich glaube so das „Festum
processi“, wovon im dritten Verse der Inschrift (Libke, S. 249) die Rede ist,
deuten zu müssen.

der romanischen Epoche sein starkes Gepräge gegeben hatte; hier
nur, in mehreren Geschossen übereinander, durch eine Ausstattung
mit schlanken, edel behandelten Maasswerknischen und Fenstern
und damit übereinstimmenden, reicheren Schmuck der Vorderseite
ausgezeichnet. Das Portal der letzteren ist lebhaft gegliedert,
in seinem oberen Theile mit einem Fenstermaasswerk von edler
Composition gefüllt und von einem schmuckvollen Wimberg zwischen aufschiessenden Fialen gekrönt, während höher aufwärts,
zwischen den Fensterblenden eine Stufenfolge von Tabernakel-
statuen angebracht ist. Das oberste Geschoss ist spätgothisch
und allerdings mehr in Einklang mit jenen westlichen Motiven:
achteckig, über den vorspringenden Ecken des Unterbaues mit
Strebethürmchen und an diesen gegen den Mittelbau geschlagene
Strebebögen.

Einflüsse des Systems dieser Kirche, auch mit der nur von
vier Diensten besetzten Pfeilerform, zeigen die benachbarten kleinen Kirchen von Wolbeck und von Havixbeck, sowie die
Kreuzkirche zu Stromberg. — Aehnlich auch die Paulskirche
und die Minoritenkirche (oder schwarze Klosterk.) zu Soest,
beide jedoch wiederum mit erheblich grösseren Jochbreiten und,
namentlich die letztere, mit steigender Höhenwirkung. Ebenso
die Kirche zu Menden, etwa aus der Mitte des 14. Jahrhunderts, doch mit noch frühgothischem Chorbau. — Dann die
Pfarrkirche zu Werl, gleichfalls noch von schlichter Detailbehandlung, aber durch schlanke und leichte Verhältnisse von ungemein zierlicher Wirkung, dazu mit Besonderheiten im Einzelnen, die allerdings schon auf die zweite Hülfte des 14. Jahrh.
deuten.

Andre Kirchen derselben Epoche vereinen mit der lichtvollen
Weite des Mindener Domes, mit der lebhafteren Gliederung, die
sich hier (in den mit acht Diensten besetzten Pfeilern und den
entsprechenden Dienstbündeln an den Wänden) schon entwickelt
hatte und mit deren noch zierlicherer Durchbildung zugleich ein
ähnlich leichtes und kühnes Höhenverhältniss und führen damit
das System des Hallenbaues auf eine Stufe von abermals geste-
gerter Wirkung. Zu ihnen gehört die Marienkirche zu Osnabrück, deren Weihung bereits als im J. 1318 stattgefunden
angegeben wird und die, durch eine verhältnissmässig noch kräftigere Behandlung der Pfeiler, in der That auf eine Bauepoche
zu Anfang des 14. Jahrhunderts deutet. Ihr Schiffbau hat nur
drei Joche, bei innerer Gesammtbreite von 70 Fuss, Mittelschiffbreite von 29 F. (in den Axen der Pfeiler) und 27 ½ F. Jochbreite. Ihr Chorbau ist später. Sodann die Stiftskirche St.
Marien zu Herford, die sog. Bergerkirche, bei der eine
völlig übereinstimmende Breite der in schlanker Leichtigkeit aufsteigenden Schiffräume und ein überaus harmonisches Verhältniss
zwischen den Dienstgliederungen der Pfeiler und den Rippen des

Gewölbes erreicht ist, auch die Kapitälkränze der Pfeiler in zierlichster Sculptur, die Fenster in edelster Maaswerkfüllung erscheinen. Der Langchor dieser Kirche schliesst viereckig, obschon

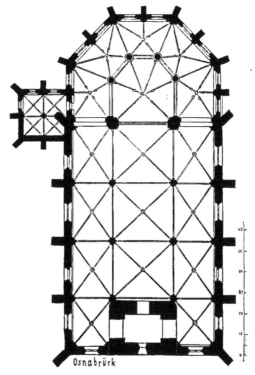

Grundriss der Marienkirche zu Osnabrück. (Nach Lübke.)

das Gewölbe (wie mehrfach in Fällen der Art) den polygonischen Ausgang beibehält; die Ostseite[1] hat drei ansehnliche Fenster und darüber, im Aeusseren, einen mit Leistenmaasswerk, Fialen u. dergl. reich geschmückten Giebel. Auch die Seitengiebel der Kirche sind mit Leistenschmuck versehen. — Die Katharinenkirche zu Osnabrück, um 1340 begonnen, und unter Einwirkung der Formen der dortigen Marienkirche ausgeführt, hat doch wiederum engere Joche und (was sonst in der westphälischen Architektur nicht gebräuchlich) Einkehlungen zwischen den Diensten, welche die Pfeiler besetzen. — Die kleine Kirche zu Alt-Lünen an der Lippe hat eine ähnliche Grundrissdisposition bei sehr anmuthvoller Durchbildung der räumlichen Verhältnisse und zierlicher Gliederung des Details. —

[1] Aufriss derselben bei Schimmel.

Verschiedene Monumente der Zeit um die Mitte des 14. Jahrhunderts lassen die eintretende Ernüchterung des architektonischen Sinnes, der später die Oberhand gewinnt, erkennen. Sie haben im inneren System einfache Rundpfeiler ohne Dienste, zumeist mit völlig schlichten Kapitälgesimsen, während die räumlichen Weitenverhältnisse ein wechselndes Verhalten zeigen. Zu ihnen gehören die Martinikirche zu Münster (mit im Unterbau romanischem Thurm und spätgothischem Chore), — die Kirche von Clarholz im Münsterlande (mit romanischem Querschiff), — die Nikolaikirche (mit späterem Chore) und die Martinikirche zu Bielefeld, die letztere ein hoher, ansehnlicher Bau, — die Stiftskirche St. Johannis zu Herford, — das Langhaus der Pfarrkirche zu Hamm, — die Pfarrkirche zu Attendorn im Gebirgsdistricte des Südens, mit ziemlich roh behandelten Details, wie durchgehend in den Bauten dieser Gegend.

Anderweit fehlt es nicht an Beispielen von schwankender, von einseitig bedingter, von völlig schlichter Anlage. Die Radewigskirche zu Herford, unter Einfluss der dortigen Marienkirche erbaut, die Minoriten- (jetzige evangelische) Kirche zu Münster, mit Anklängen an die dortige Liebfrauenkirche, beide ziemlich einfach, haben auf der einen Seite des Mittelschiffes schlichte Rundpfeiler, auf der andern dienstbesetzte. — Die Dominikaner- (jetzige katholische) Kirche zu Dortmund hat hoch aufschiessende Rundpfeiler mit je vier Diensten, doch nur ein ausgebildetes Seitenschiff; die Fenster mit edel behandeltem Maasswerk, einfacher im Chor, dessen Weihung 1353 stattfand, reicher im Schiff. — Die Klosterkirche zu Höxter hat ebenfalls nur ein Seitenschiff, das zugleich niedriger ist als das Mittelschiff, doch ohne Anordnung eines Oberlichts für das letztere, während hier zugleich, bei grosser Einfachheit, eine völlig reine Behandlung durchgeht. — Einschiffige Kirchen, aus dem Anfange und der Mitte des 14. Jahrhunderts finden sich zu Schildesche, Roxel bei Münster, Wormeln bei Warburg, Oclinghausen bei Arnsberg, Dellwig an der Ruhr.

Einige Sakristeien zur Seite kirchlicher Gebäude, deren Gewölbe von einer in der Mitte stehenden Bündelsäule mit acht Diensten getragen wird, gehören zu den Beispielen geschmackvollster Entfaltung des gothischen Styles in der Frühzeit des 14. Jahrhunderts. So die Sakristei der Johanniskirche zu Osnabrück; auch die neben dem dortigen Dome und neben der Marienkirche. Ebenso die Sakristei bei der Nikolaikirche zu Lemgo. — An gleichzeitiger Kreuzgangs-Architektur bildet der neben der Johanniskirche zu Osnabrück befindliche einen schätzbaren Beleg. —

Mit dem Ausgange der ersten Epoche der gothischen Architektur Westphalens macht sich auch im Profanbau ein reiches Streben geltend. Es sind städtische Rathhäuser, die hier vorzugsweise in Betracht kommen: eine schlichtere Anlage in einem Giebel des Rathhauses von L e m g o, — eine höchst stattliche und glänzende in der Façade des Rathhauses von M ü n s t e r. [1]

Façade des Rathhauses von Münster. (Nach Verdier)

Diese unterwärts mit offner Bogenhalle auf sehr derben Säulen; darüber mit einem Hauptgeschoss reicher und kraftvoll durch- gebildeter Maasswerkfenster; oberwärts mit kleineren Fenstern

---

[1] Schimmel, a. a. O. Lange, a. a. O. Verdier, architecture civile et dome. stique au moy. âge.

und mit breiten Giebelstufen, die von Fialen und zierlichen Maasswerkgittern (zum Theil sehon in Spätformen), bis zu' 104 Fuss Höhe sieh emporgipfelnd, gekrönt werden. — Die Anordnung der Façade von Münster hat den Rathhäusern andrer Orte zum Vorbilde gedient, wie den etwas vereinfachten Rathhausfaçaden von Beckum und Dülmen, — den mehr oder weniger veränderten, zum Theil roheren von Koesfeld, Borken, Haltern, Minden, Schwerte, Hamm, u. s. w.

Es reihen sich einige Monumente der nordöstlichen Nachbardistricte, der Grenzlande zwischen der Haustein- und der Ziegel-Architektur, an. Das System und die Technik der westphälischen Gothik wird dort hinübergetragen, während gleichzeitig bereits eine Neigung zur Aufnahme des Ziegelbaues der östlichen Lande und der in diesem üblichen Behandlungsweise hervortritt, welches Verfahren sodann, seit dem späteren Verlaufe des 14. Jahrhunderts (also in der jüngeren Epoche der Gothik) das entschieden vorherrschende wird.

Hannover [1] hat ein Paar Monumente, die sieh der westphälischen Gothik anschliessen: die kleine Nikolaikapelle aus der früheren Zeit des 14. Jahrhunderts; und die im J. 1347 begonnene Aegydienkirche, deren Inneres (vor der Bauveränderung vom Jahr 1825, welche die gesammte Einrichtung des Innern beseitigte,) völlig das Princip des geräumigen Hallenbaues befolgte, mit runden und achteckigen Pfeilern, und deren Aeusseres noch die Folge schlicht behandelter Giebel über den einzelnen Jochen wie über den Seiten des Chorschlusses hat. — Seit 1349 wurde aber ebendaselbst, in dem Gebäude der Marktkirche, sehon ein ansehnlicher Ziegelbau ausgeführt, der zwar, wie es scheint, Anklänge an westphälisches Element nicht völlig ausschliesst, doch im Wesentlichen auch in der Auffassung der Form dem in den Ostlanden ausgeprägten Systeme folgt. (S. unten.)

Bedeutender, eigenthümlicher und wichtiger für dies Uebergangsverhältniss ist der Dom zu Verden. [2] Es ist ein Hallenbau von ansehnlichen Verhältnissen, doch mit einem Umgange um den polygonisch, in 5 Seiten eines Zwölfecks geschlossenen Chor, der sich einem vortretenden Querschiffbau anfügt. Dies hat zur Folge, dass die Pfeiler im innern Chorraume wiederum in sehr engen Abständen stehen; es ist eine Reminiscenz an die Muster der südwestlichen Gothik, die auch in der Beibehaltung breiter, vielfach gegliederter Scheidbögen sieh ausspricht. Die Maasse sind: 257 Fuss innere Länge; 91 $\frac{3}{4}$ F. Gesammtbreite; 46 F. Mittelschiffbreite (in den Pfeileraxen gemessen, und 41 $\frac{3}{4}$ F.

---

[1] Mithoff, Archiv für Niedersachsens Kunstgeschichte, Abth. I. — [2] Bergmann, der Dom zu Verden.

zwischen den Scheidbögen); 65 F. Gewölbhöhe. Der Dom wurde 1290 gegründet und im Hausteinbau begonnen; 1390, nach Vollendung des Chores und Querbaues, fand die Weihung statt; ungleich später erst, 1473—90, die Ausführung der Vorderschiffe, in dem abweichenden Materiale des Ziegelbaues, doch für das innere System im Anschluss an die älteren Theile. Dies ist schlicht: Rundpfeiler mit je vier Diensten, mit einfachen Rundbasamenten und rundgeführten Deckgesimsen über den Kapitälkränzen; die Dienstbündel und besonders die Bögen und Gurte des Gewölbes lebhaft gegliedert. Die Wirkung des Inneren ist eine entschieden energische, doch im Chorschlusse, wo den verschiedenartigen Grundmotiven der Einklang, die harmonische Auflösung und Ausgleichung fehlt, nicht sonderlich befriedigend.

Die sächsischen Lande.

In den sächsischen Landen stehen die Gegensätze, unter denen die deutsche Gothik sich entwickelt, völlig unvermittelt nebeneinander. Statt einer provinziell gemeinsamen Schule zeigt sich hier die grösste Mannigfaltigkeit der Erscheinungen; jeder Ort, selbst jedes einzelne grössere Denkmal bezeichnet eine eigenthümliche Richtung. Das rheinisch-französische System wird herübergetragen und findet eine sinnvoll gedeihliche Pflege, während gleichzeitig das Schema der romanischen Gewölbe-Basilika auf eine selbständige Entfaltung einwirkt; Hallenkirchen entstehen, denen von Westphalen ähnlich, während in anderen derselben Disposition der Formensinn von vornherein eine wesentlich abweichende Richtung nimmt. Einzel-Einflüsse kreuzen sich in mannigfacher Weise; bei dem Fortschritt der Behandlung je nach den Epochen und dem gleichzeitigen Festhalten an lokalen Besonderheiten prägen sich verschiedenartige Eigenheiten des künstlerischen Geschmackes aus.

Im Allgemeinen lassen sich die Gruppen der niedersächsischen und der obersächsischen Monumente unterscheiden; doch fast ohne Ausnahme haben die einzelnen Lokalitäten ihre Bedeutung in sich.

In der Gruppe der Monumente von Niedersachsen sind zunächst die von Braunschweig [1] zu betrachten. Die Vorbedingungen für die Formation des Gothischen sind hier einerseits der eifrige Betrieb in romanischer, zumeist entschieden übergangsmässiger Spätzeit, welcher die Stadt bis tief in das 13. Jahrhundert

---

[1] Schiller, die mittelalterl. Architektur Braunschweig's.

hinab mit Architekturen jenes Styles erfüllt hatte (vergl. Thl. II,
S. 420); andrerseits die Nähe Westphalens und, wie in Hannover,
die Neigung, sich den dort gewonnenen Neuerungen anzuschliessen.
Zu selbständigen Neubauten konnte bei der beträchtlichen
Zahl eben errichteter Monumente zunächst nur wenig Veranlassung vorliegen. Als derartiges Denkmal ist hier nur die Aegydienkirche [1] namhaft zu machen. Sie ist nach dem im J. 1278
erfolgten Brande eines älteren Gebäudes errichtet. Der Chor,
noch in strengem Frühgothisch und dem Schlusse des Jahrhunderts angehörig, ist von eigenthümlicher Anlage: dreiseitig schliessend, aber mit einem Umgange, an dessen Seiten sich, zwischen
einwärts tretenden Streben, flach vierseitige Kapellen anschliessen; [2] über dem Umgange mit einer Empore. Im Innern ein
System von Rundpfeilern mit Diensten, in charakteristischen
Frühformen; die Fenster mit sehr primitivem Maasswerk: der
Oberbau durch schwere Strebebögen gestützt. Auch das Querschiff ist frühgothischer Bau und durch die in trefflich schlichter
Weise behandelte Façade des nördlichen Flügels ausgezeichnet.
Die vordern Langschiffe rühren aus der entwickelteren Zeit des
14. Jahrhunderts her; sie haben den Hallencharakter, in der
räumlichen Disposition und im Aufbau nach dem Muster der
westphälischen Architektur, mit schlanken und gleichfalls von
Diensten besetzten Rundpfeilern. (Einzeltheile gehören gothischer
Spätzeit an.)

Alles Uebrige ist Umbau und weiterer Ausbau älterer Kirchen. Namentlich zeigt sich. schon vom Ende des 13. Jahrh.
ab, das Streben, durch Erhöhung und Verbreitung der Seitenschiffe
auch bei diesen die Wirkungen des Hallensystems zu gewinnen.
So, seit der Zeit um 1290, bei der Magnikirche; so bei der
Martinikirche (deren Schiffe jedoch, wie früher bemerkt, schon
ursprünglich gleich hoch gewesen sein sollen) und bei der Katharinenkirche. Die Seitenschifffenster empfingen dabei die
späteren Maasswerkformen; im Aeusseren erhoben sich über ihnen
die Giebel der Querdachungen, mit welchen die Felder der einzelnen Joche bedeckt wurden. Diese Umänderungen setzten sich
im Laufe des 14. und noch im 15. Jahrhundert fort, so dass die
Einzeltheile in erheblich verschiedenartiger Behandlung erscheinen; die Chorschlüsse der genannten drei Gebäude gehören durchweg erst dem 15. Jahrhundert an. — Dann war man darauf bedacht, der Westfaçade, über dem älteren romanischen Unterbau,
der sich überall ebenfalls vorfand, eine eigenthümlich glänzende

---

[1] Zu dem Grundrisse bei Schiller, vergl. die Details bei Kallenbach und
Schmitt, christl. Kirchenbaukunst, T. 41 (13), und in Kallenbach's Chronologie,
T. 38 (4, 5, e). — [2] Die Anordnung hat einige Aehnlichkeit mit der des Chores von Pontigny (S. 76), doch in erheblicher Vereinfachung des Princips,
indem das Chorhaupt von Pontigny von 7, das der Braunschweiger Kirche nur
von 3 Kapellen umgeben ist.

Ausstattung zu geben; man folgte dabei einem Systeme, — dem
der Anlage eines Glockenhauses als Verbindungsbaues zwischen
den Thürmen der Façade, — welches in der romanischen Architektur der sächsischen Lande schon mancherlei Vorgänger hatte, [1]
sich hier aber in sehr eigner Weise durchbildete. Der Unterbau,
ohne Streben, verstattete nicht die Entwickelung einer auf dem
Strebesystem beruhenden Thurmanlage; man konnte bei den
Thürmen im Gegentheil nur die romanische Disposition (wie dergleichen im Einzelnen wirklich schon vorlag) beibehalten, d. h.
einfache Doppelthürme sich vom Unterbau ablösen lassen, in
erleichterter achteckiger Form, mit romanisirender, mehr oder
weniger frei gothisch behandelter Eckgliederung, mit Lissenen,
Ecksäulchen u. dergl. An den Seitenflächen der Thürme war,
je nach den Geschossen, für die Anlage von Fenstern Raum
vorhanden; aber man ging zunächst weniger darauf als auf die
schmuckreiche Formation jenes Glockenhauses aus, dessen Vor-
der- und Rückseite durch ein prächtig grosses Fenster ausgefüllt
und mit einem Wimberg, als dem Giebel seines Daches, gekrönt
ward. Mit dem Körper des Gebäudes, über dem sich dieses
ganze Stück baulicher Composition erhebt, pflegt dasselbe in
keinem sehr rhythmischen Wechselverhältnisse zu stehen; es ist
ein dekorativer Aufsatz, der auf selbständige Geltung Anspruch
macht, immerhin aber durch seine originelle Zierlichkeit von
Wirkung ist. Besonders glänzend ist dieser Aufsatz bei der
Katharinenkirche; hier haben beide Fenster des Zwischen-
baues [2] ein überaus prachtvolles Maasswerk, das in dem Princip
seiner Composition eine Nachbildung der Schifffenster des Domes
von Minden (S. 247) verräth und, bei allerdings noch festgehal-
tener frühgothischer Detailbehandlung (im Charakter der Säulchen, der Rundstäbe, der freien Einspannung der Einzelstücke),
auf eine wenn möglich noch reichere Wirkung hinausgeht. Die
Ausführung wird aber schwerlich vor den Beginn des 14. Jahrhunderts fallen; die Angabe einer neuen Weihung der Kirche
im J. 1343 bezeugt es, wie spät ihre Umwandlung nach der alten
Anlage erst zur Beendung kam. (Die Obertheile der Thürme
sind wiederum später.) Ungefähr gleichzeitig ist der Zwischenbau zwischen den Thürmen des Domes, der ebenfalls mit sehr
reichen, doch nach einem strengeren Princip geordneten Fenstern [3]
versehen ist. Erheblich später, wohl erst um den Schluss des
14. Jahrhunderts, ist dagegen der Thurmaufsatz und Zwischenbau
über der Façade der Andreaskirche [4] ausgeführt; hier zeigen
sich die jüngeren Formen dieser Zeit, doch in ebenso reicher
und in vorzüglich edler Behandlung. .

[1] Ein Beispiel der allereinfachsten Uebertragung dieses Systems auf primitiv
gothische Formen siehe in der weiter unten zu erwähnenden Paçade der Liebfrauenkirche von Aken. — [2] Kallenbach, Chronologie, T. 38 (1, 2). — [3] Ebendas, T. 38 (3). — [4] Ebendas., T. 72 (3).

In Magdeburg ist es der Dom, [1] an dessen jüngeren
Theilen das gothische System eigenthümliche Ausprägungen gewinnt. Im Uebergangsstyle, seit der Frühzeit des 13. Jahrhunderts begonnen, von merkwürdiger, sehr eigen durchgebildeter
Plananlage, schon in einigen wesentlichen Stücken nach dem
ursprünglichen Entwurfe zur Ausführung gebracht, musste der
Bau auch im weiteren Fortschritt, auch als man nicht umhin
konnte, der gothischen Zeitrichtung mit Entschiedenheit zu folgen, von jenen Anfängen abhängig bleiben. Der Chor stand in
zwei Untergeschossen vollendet da; der Hochbau seines Mittelraumes wurde zunächst in Angriff genommen. Wie jene ein
Uebergangs-Romanisch mit einzelnen im Fortgange der Arbeit
hervortretenden Neigungen zu gothischer Formenbildung zeigen,
so dieser umgekehrt ein gothisches Grundprincip mit romanischen
Reminiscenzen: schlank aufsteigende Säulendienste, hohe und
weite Spitzbogenfenster mit schlanken Ecksäulchen (und mit späterer Maasswerkfüllung), die Säulchen beiderseits mit schlanken
Schilfblattkelchen. Das Gewölbe in schmalen Kreuzgurtenfel-
dern wie im eigentlich gothischen System, aber noch ohne wahres
Verständniss des letzteren, ein besonders merkwürdiges Beispiel
für dessen vorerst äusserliche Uebertragungen: die Construction
noch tonnengewölbartig mit einschneidenden Kappen, die Quergurte zum grösseren Theil noch in Halbkreisbogen, die Rippen
noch ohne Verbindung mit der Wölbung selbst (somit nur zur
Aneignung ihrer ästhetischen Wirkung, während die Erkenntniss
ihres constructiven Sinnes noch fehlt,) die Profile der Gurte und
Rippen noch mit mancherlei Uebergangsmotiven. Dann folgte
der obere Abschluss des Querbaues, dessen Wölbung den Fortschritt zu einer vollendeteren Durchbildung bekundet, doch immer
noch mit Elementen primitiver Entwickelung, der nördliche
Querschiffflügel z. B. noch mit sechstheiligem Kreuzgewölbe.
Der ganze Querbau war höher emporgeführt als der Chor; zur
Ausgleichung wurde dem letzteren, über dem (ebenfalls noch
übergangsartig profilirten) Kranzgesims, eine krönende Nischengallerie von eigenthümlicher Wirkung aufgesetzt. Die Giebel
des Querbaues füllten sich durch ein offnes freistehendes Stab-
und Maasswerk, während die Wand hinter diesem ein reich gemustertes Rosenfenster empfing und die Frontwand unter den
Giebeln beiderseits, doch erst später, im 14. Jahrhundert, mit
einem grossen von reichem Maasswerk ausgesetzten Spitzbogenfenster versehen ward. — Den Versuchen zur Ausprägung der
neuen Richtung auf Grund der alten, den schwankenden Schrit-
ten, den dekorativen Spielen, wie diese Elemente in verschiedenartigem Wechsel an Chor und Querbau ersichtlich werden, steht

---

[1] Vergl. Thl. II. S. 417, und die dort citirten Werke. *Denkmäler der Kunst,*
T. 53 (5), 54 A (6—7², 17).

die völlig bestimmte, energisch durchgebildete und strenge Gestaltung des Baues der Vorderschiffe gegenüber. Auch hier lag
allerdings der alte Plan zu Grunde, waren Stücke romanisirenden Gepräges vorhanden, die in den Weiterbau aufgenommen
werden mussten; aber der Meister, der für diese Theile den
neuen Plan entwarf, wusste das Verschiedenartige mit wundersamer Consequenz zu einem festen, in seiner Art ganz eigenthümlichen Ganzen zusammenzuschmieden. Er änderte, für das

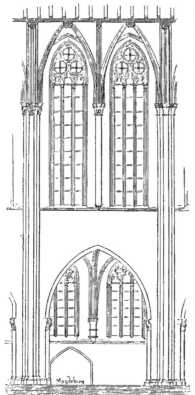

System des Unterbaues, nichts an
jenen kräftigen Weiten- und Breitenverhältnissen, an jener Wucht
der Schiffpfeiler und ihrer Gliederung, an jenem massigen Charakter der Scheidbögen, die er
in der ursprünglichen Anlage
vorgefunden hatte; er prägte nur
den Details, z. B. den Säulenkapitälen der neuen Pfeiler, den
Charakter seiner Zeit, den der
ausgebildeten Gothik, auf. Er
liess dann, im Gegensatz gegen
die gedrückten Verhältnisse dieser Untertheile, aber in wohl er-
kannter Uebereinstimmung mit
ihrer Tragekraft und mit ihrem
strengen Ernste, die Oberwände
des Mittelschiffes zu einer für
die deutsche Gothik ungewöhnlichen Höhe emporsteigen, ein
volles Licht ohne Beeinträchtigung des Massencharakters der
Wand dadurch gewinnend, dass
über jeden unteren Scheidbogen
und in mässiger Höhe über ihm
zwei hochschlanke Fenster ihre
Stelle fanden. Der Pilastervor-
sprung und die Säulchen, die
schon im ursprünglichen Plane
an der Vorderseite des Pfeilers

Systom im Schiffbau des Doms von Magdeburg.
(Nach Clemens Mellin und Rosenthal.)

vorgezeichnet waren, liess er überall, in der überkommenen Form,
aber ebenso in der gesteigerten Höhendimension und von keinem
Horizontalgesimse durchschnitten, als Hauptgurtträger des Gewölbes aufsteigen, während andre Gurtträger, consolengetragene
Wandsäulen, zwischen den Fenstern angeordnet wurden. Die
Fenster empfingen ein dreitheiliges höchst schlichtes Maasswerk,
(oberwärts, im Einschluss des Spitzbogens, nur drei ganz einfache

Kreise enthaltend), dessen Formation mit jenem Massengefüge, welches das Ergebniss der ursprünglichen Bauanlage war, in Einklang
steht und somit nicht unwesentlich dazu beiträgt, den einheitlichen Charakter des Ganzen festzuhalten. Auch die geräumigen
Seitenschiffe wurden in jedem Jochtheil mit zwei Fenstern versehen, diese mit einem um ein Weniges schmuckreicheren Maasswerke; das Gewölbe der Seitenschiffe wurde, in sinnreicher Ausgleichung der gedoppelten Fensterwand zu dem einfachen Scheidbogen, fünftheilig geordnet. Die Profilirung der Gurte und
Rippen des Gewölbes zeigt rein gothische Formation, in keuscher
Schärfe und Strenge. Im Aussenbau empfing die Mittelschiffwand mässig vortretende Strebepfeiler, breitere über den Schiffpfeilern, etwas schmalere über den Scheidbögen, beide mit einfach
schrägen Abdachungen und kleinen Fialenspitzen, — ohne Hinzufügung von Strebebögen und ohne dass deren Function sonst
durch irgend eine Nachhülfe hätte ersetzt werden müssen. Die
Seitenschiffe, mit gleichmässigen Strebepfeilern versehen, sind
mit Querdächern eingedeckt, welche an der Hinterseite, wo die
Fenster des Mittelbaues tief hinabreichen, abgewalmt sind und
an der Vorderseite die in der norddeutschen Gothik so häufige
Giebelreihe bilden. Auf der Südseite, wo sich Kreuzgang und
andre Baulichkeiten anlehnen, sind diese Giebel schlicht behandelt,
an der freien Nordseite dagegen reich und verschiedenartig mit
Reliefmaasswerk gemustert, eine schmückende Zuthat, etwas jünger als der Hauptbau, der im Uebrigen auch in seinen Aussentheilen jenen festen und strengen Massencharakter vahrt, welcher
von den Wirkungen der rheinisch-französischen Gothik so wesentlich verschieden ist. — Die Westseite ist, ihren Hauptmassen
nach, auf dieselbe Wirkung berechnet. Sie hat zwei einfach viereckige Thürme, die eine nach dem Innern geöffnete Vorhalle
zwischen sich einschliessen und in ihrer Fundamentirung und ihrem
Unterbau wiederum noch von dem ursprünglichen Entwurfe des
Dombaues herzurühren scheinen. Sie ermangeln der Strebepfeiler;
sie steigen in schlichten Massen, in den höheren Geschossen stets
nur um ein Weniges verjüngt, empor. Das Untergeschoss hat,
noch im Uebergangscharakter, breite pilasterartige, mit gegliederter Eckprofilirung versehene Wandstreifen, — das zweite Geschoss, in der Höhe des Mittelschiffes, eine Füllung mit fenster-
artigen Maasswerknischen; dann folgen zwei andre viereckige
Geschosse, schon im spätgothischen Gepräge, und zuletzt kurze
achteckige Geschosse mit kurzen achtseitigen Helmen. Im Gegensatz gegen diese im Ganzen einfache Anordnung zeigt der Mittelbau zwischen den Thürmen eine reich dekorative Ausstattung,
die jedoch, schon vom Fusse an, verhältnissmässig jünger erscheint. Unterwärts ein Portal, dessen Gewände sammt den ein-
schliessenden Strebepfeilern stark über die Vorderflucht vortreten
und schon hiemit eine spätere Zuthat zu dem baulichen Körper

ankündigen; sie sind zahlreich, aber in wenig belebtem Wechsel, mit feinen Säulchen bekleidet, deren Gliederung sich in den Geläufen des Bogens fortsetzt; ein hoher Wimberg steigt über letzteren empor, dieser, wie die beiden Streben, reichlich mit Maasswerk gemustert, das auf spätere Zeit des 14. Jahrhunderts deutet. Bemerkenswerth ist, dass auch hier von jenem bildnerischen Glanze, der der französischen Gothik eigen, ganz abgesehen ist. Ein reiches Maasswerkfenster, wiederum in jüngerer Form, erhebt sich über dem Portal; über dem Fenster sodann, völlig im Style der gothischen Spätzeit, ein die freien Thurmgeschosse verbindendes Glockenhaus, im Charakter der braunschweigischen Anlage, das schon hoch emporsteigende Kirchendach noch um ein Erhebliches überragend. — Schliesslich sind einige Nebenbauten zu erwähnen: das sogenannte Paradies, ein spätgothischer Portikus vor dem nördlichen Querschiffflügel, der sich statt der Portalbögen mit flachen Architraven öffnet und über diesen mit hochsteilen Dachgiebeln versehen ist; — der östliche Kreuzgangflügel im frühgothischen Style, der westliche im Charakter des 14. Jahrhunderts und, gleichzeitig mit diesem, ein kapellenartiger Ausbau an der Nordseite des Kreuzganges, ein Werk von edel einfacher Behandlung, dessen flache Steindecke ungemein zierlich von freien Gurtbögen und zwischen diesen und den Deckplatten eingespannten Rosetten getragen wird, im Charakter englischer Sprengwerksdecken, ein interessantes Seitenstück zu den Holzconstructionen der letzteren. — Der Bau der älteren Theile des Domes, des Chores und Querschiffes, war um 1300 beendet. Die Einweihung des Gebäudes erfolgte im Jahr 1363, mit welchem Zeitpunkte die Arbeiten am eigentlichen Körper desselben als beendet zu betrachten sind. Nur Einzeltheile der Ausstattung haben ein jüngeres Gepräge. Hiezu gehören namentlich die dekorativen Theile der Paçade, jedenfalls die vom Portale aufwärts, und die Obergeschosse der Thürme; das inschriftliche Datum des Jahres 1520 am nördlichen Thurme deutet darauf, dass der Abschluss der Arbeiten erst mit dem Ende des Mittelalters erfolgte. — Die Maasse des Gebäudes sind: innere Länge 360 Fuss, Gesammtbreite 100 F., Mittelschiffbreite 35 F., Mittelschiffhöhe 102 F., Seitenschiffhöhe 41 F., Höhe der Thürme 320 F.

Zwei frühgothische Monumente in der Umgegend von Magdeburg haben wiederum verschiedenartige Behandlungsweisen. Die Kirche von Nienburg,[1] deren Chor der Uebergangszeit angehört (Thl. II, S. 424), empfing in den vorderen Langschiffen einen Hallenbau, dem der westphälischen Frühgothik sehr ähnlich, mit runden, von starken Diensten besetzten Pfeilern. Die Liebfrauenkirche zu Aken[2] wurde mit einem Façadenbau versehen, der das altsächsische Princip in einfachst massiger Weise

[1] Puttrich, Denkm. der Bank. d. Mittelalters in Sachsen, I, I, Ser. Anhalt. — [2] Ebenda, II, II, Ser. Halle.

beibehält und nur in den höchst schlichten Oeffnungen und Blenden den gothischen Charakter erkennen lässt: zwei Thürme, die achteckig über dem ungetheilten Unterhau emporsteigen, doch unter sich bis zu ihrem obersten Geschosse durch den Zwischenbau des Glockenhauses in einer Masse verbunden bleiben.

Eine Erneuung des Domes zu Halberstadt [1] war in der ersten Hälfte des 13. Jahrhunderts ebenfalls begonnen, auch sie im fein durchgebildeten Uebergangsstyle, aber nicht, wie es scheint, nach einem fertigen Plane für das Ganze. Der Unterbau der Westfaçade ist das Werk dieser Zeit; (vergl. Thl. II, S. 415). In der zweiten Hälfte des 13. Jahrhunderts wurde die Arbeit nach einem neuen Systeme fortgesetzt, und zwar nach einem solchen, welches auf den Regeln der französischen Gothik beruhte und eine sinnvolle Wiedergabe derselben in sich schloss. Die Anlage der drei ersten Jochtheile der Vorderschiffe, von der Façade ostwärts, gehören dieser Epoche an. Sie haben Rundpfeiler mit stärkeren und schwächeren Diensten, die zum Theil (wie im Chore des Kölner Domes) frei an den Kern lehnen und die an der Mittelschiffwand zu je fünfen, für den Quergurt, die Diagonalrippen und den Schildbogen des Gewölbes, emporlaufen; anmuthvoll belebte Scheidbogen- und Gurtprofile, in denen die Birnform als die entscheidende erscheint, ohne doch dem leichten Rundstabgliede überall sein Recht streitig zu machen; hohe Fenster, die von viertheiligem, in gesetzlich reiner Strenge componirten Maasswerke ausgefüllt sind; schlichte Strebepfeiler mit Bildtabernakeln und schlichte Strebebögen. Die Verhältnisse des Innern gehören, bei nicht sehr bedeutenden Dimensionen, zu den vorzüglichst mustergiltigen, ein lebenvoll kräftiges Emporsteigen ohne allen phantastischen Ueberreiz, eine gediegene Fülle des Raumes ohne irgendwelche Gedrücktheit zur Erscheinung bringend: 65 Fuss Gesammtbreite, 31 F. Mittelschiffbreite, 86 Fuss Mittelschiffhöhe, 45 F. Seitenschiffhöhe. Nach Vollendung dieses, freilich nur geringen Stückes der Schiffanlage trat eine Pause ein; erst im 14. Jahrhundert kam es zur neuen Fortsetzung des Baues, erst um die Mitte desselben war man mit dem Anshau des Chores beschäftigt, erst 1490, ohne Zweifel nach mancherlei neuen Unterbrechungen, erfolgte die Weihung, und noch später wurde an der schliesslichen Vollendung des Werkes gearbeitet. Die bei weitem grössere Masse des Domes gehört somit jüngeren Entfaltungen des gothischen Baustyles an; aber diese betreffen nur das Einzelne, während für das Ganze das System jener ersten Jochtheile beibehalten und damit eine ungemein glückliche Totalwirkung erreicht wurde. Auf eine innere Länge von 330 Fuss dehnt sich der Dom hin; fast in der Mitte von einem einfachen

---

[1] Wiebeking, Bürgerl. Baukunde, T. 5 (Fig. VII u. VIII). Lucanus, der Dom zu Halberstadt. Kallenbach, Chronologie, T. 35; 47. F. Kugler, Kl. Schriften, I, S. 480; 489.

Querschiff durchschnitten, dreiseitig schliessend und mit dreiseitigem Umgange, an der Ostseite des letzteren mit einer hinaustretenden kleinen Kapelle. Die Pfeilergliederung ist der der älteren Pfeiler völlig ähnlich, nur die Dienste fester mit dem Kerne verbunden, die der Vorderseite durch Einkehlungen zwischen ihnen in einen lebendigeren gegenseitigen Zusammenhang gebracht. Auch die Bogengliederungen sind ähnlich behandelt, doch schon etwas dünner, einseitiger auf das Birnprofil gerichtet; (Gurten des Seitenschiffes, in nicht sehr harmonischer Anordnung, mit vertikalen Linien ansetzend.) Die Fenster haben reichere, zum Theil bunt spielende Maasswerkfüllungen, die Gurtungen des Gewölbes mehrfach Verschlingungen sehr später Art. Das Strebesystem des Aeusseren nimmt gleichfalls das ältere Motiv auf, aber auch dies in einer mehr dekorativen und nach oberwärts nicht sehr glücklich entwickelten Umgestaltung. Wimberge sind nirgend zur Anwendung gekommen.

Ein sehr schlicht gothischer Bau, doch nicht ohne einige für die erste Hälfte des 14. Jahrhunderts charakteristische Züge, ist sodann der Chor der Schlosskirche zu Quedlinburg, dessen Unterbau die alte romanische Krypta (Thl. II, S. 377) in sich schliesst. Er rührt, inschriftlich, vom J. 1320 her. [1]

Unter den Monumenten von Obersachsen sind einige Reste und Einzelstücke von Gebäuden voranzustellen, die, im Osterlande und im Saalthale belegen, für die ersten Entwicklungsmomente des gothischen Styles von Bedeutung sind.

Noch übergangsartig erscheint die Ruine der Kirche des Cisterciensernonnenklosters Roda, [2] südöstlich von Jena und ein höchst einfaches Gebäude, ein Rechteck, nur mit einem Seitenschiffe, welches von dem Hauptraum durch Pfeilerarkaden getrennt war; eine ähnliche Arkade als Träger der Nonnenempore; oberwärts schlichte gedoppelte Lanzetfenster und nur an der Ostseite, offenbar jünger als das Uebrige, die Anlage ansehnlicher Fenster mit Säulenmaasswerken frühstrengen Styls. Eigenthümlich ist, dass der Raum, ohne Wölbung, mit einem nach der Mitte aufsteigenden Zimmerwerk bedeckt gewesen sein muss. — Etwas mehr entwickeltes Detail scheint der Chor der Wiedenkirche zu Weyda [3] gehabt zu haben. — Dann der Chor der Franciskanerkirche zu Altenburg, [4] viereckig, mit einigen alten Fenstern von sehr eigner primitiver Maasswerkgliederung, (während das Fenster der Ostseite und die Ueberwölbung aus stattlicher Spätzeit herrühren und das Schiff einen rohen Bau vom Schlusse des Mittelalters ausmacht.)

[1] F. Kugler, Kl. Schriften, I, S. 561, 575. — [2] Puttrich, a. a. O. I, II, Ser. Altenburg. Zugleich nach Rissen von F. Sprenger. — [3] Puttrich, I, II, Ser. Weimar. — [4] Nach Rissen von Sprenger.

Von grösserer Bedeutung ist der Chor der Kirche von Pforte (Schulpforte), [1] namentlich durch seine völlig sichere Bauzeit, deren Anfang sich inschriftlich auf das J. 1251 und deren durch die Weihung bezeichneter Schluss sich urkundlich auf das J. 1268 bestimmt. Die Anlage ist einfach, dreiseitig geschlossen, in bereits entschieden ausgeprägter gothischer Formation, wenn allerdings auch noch im Frühcharakter des Styles und mit einzelnen Uebergangsreminiscenzen: Bündel von je drei starken Säulehen als Gurtträgern, mit Kapitälen von zierlich leichter Blattsculptur, ihre Schäfte mehrfach von Ringen umgürtet; das Fenstermaasswerk auf Säulchen, nicht reich, aber zugleich noch nicht in gesetzlicher Consequenz; im Aeussern einfache Strebepfeiler. Die Vorderschiffe bilden den sehr schlicht gothischen Umbau einer altromanischen Pfeilerbasilika, (Thl. II. S. 397) mit Strebebögen zur Festigung des Mittelbaues; die Façade, wohl aus der früheren Zeit des 14. Jahrhunderts, ist in manchen Eigenheiten ihrer Composition und ihrer Ausstattung nicht ohne malerischen Reiz.

Sodann der ungefähr gleichzeitige Westchor des Domes von Naumburg, [2] zu dessen Ausführung man im J. 1249 vorbereitende Massregeln traf und der im Laufe der folgenden Jahrzehnte ausgeführt wurde. Auch er von schlichter Anlage, dreiseitig geschlossen, mit kräftigen Bündelsäulen als Gurtträgern, an denen eine Reihenfolge von Statuen, höchst schätzbare Werke deutscher Sculptur, befindlich sind und deren Kapitälkränze durch mannigfaltiges, frei und leicht behandeltes Blattwerk gebildet werden. Die innere Architektur u. A. auch durch kleine hochspitzbogige Nischengallerieen auf Säulchen, die an den Seitenwänden angebracht sind, bemerkenswerth. Von ausgezeichneter künstlerischer Bedeutung jedoch die Fenster und ihr Verhältniss zur Aussenarchitektur. Die Fenster, hoch und kräftig zugleich, sind innen von je vier, aussen von je zwei Säulchen fest eingerahmt, deren Profil sich in der Bogenwölbung fortsetzt, mit einem entsprechenden Säulchen in der Mitte, oberwärts mit verschiedenartigem, durchweg kräftigem, ebenso fest und wohlgeordnetem Maasswerk, — das Ganze ein Architekturstück von selbständig charakteristischer Bedeutung, welches die Maueröffnung völlig angemessen füllt und zu den Massen der Strebepfeiler in entsprechendem Wechselverhältniss steht. Unter den Fenstern, um die Streben umhergeführt, läuft ein starker, von Blättern gestützter Sims hin, oberwärts ein ähnlicher als krönender Abschluss; diese entschiedenen Abgrenzungen schliessen das einzelne Fensterfeld nicht minder glücklich ab und halten alles Verlangen nach jenen Fictionen einer weiteren räumlichen Entwicklung, für welche der Wimberg angewandt wird, fern. Die Strebepfeiler schliessen mit

---

[1] Puttrich, II, I, Ser. Schulpforte. F. Kugler, Kl. Schriften, I, S. 172. —
[2] Puttrich, II, I, Ser. Naumburg. Kallenbach, a. a. O., T. 33 (b); 35 (2). —
F. Kugler, Kl. Schriften, II, S. 377, 452.

schräger Abdachung und hinterwärts, über der Mauerdicke, mit
Fialenthürmchen. Letztere erscheinen als eine Concession an den
allgemeinen Zeitgeschmack; aber sie -sind zugleich von minder
genügender Durchbildung und an ihren Seiten mit den wüsten
Thiergestalten, welche als Wasserausgüsse dienen sollen, in aben-
teuerlicher und zugleich missverstandener Anwendung überladen. —
Ein Lettner, welcher den Westchor von dem Schiffe abschliesst,
erscheint als ein unmittelbar nach jenem ausgeführtes Baustück. —
Der ersten Hälfte des 14. Jahrhunderts gehört der Ostchor des
Domes an. Er hat eine ähnliche Anlage bei etwas reicherer
Grunddisposition, die, sehr eigenthümlich, mit drei Seiten eines
Zehnecks (also mit einem Pfeiler statt eines Fensters in der Mitte)
schliesst. Gegen den stylistisch entschiedenen Charakter des
Westchores steht er erheblich zurück. — Ungefähr gleichzeitig
mit diesem Ostchore, in eigenthümlicher, zierlich dekorativer Be-
handlung, erscheint der Chor des nahe belegenen Freiburg [1]
a. d. Unstrut.

Der Dom zu Meissen [2] wurde als Neubau unter Bischof
Witigo I. (1266—93) begonnen und in seinen Haupttheilen unter
Witigo II. (1312—42) beendet. Einzelnes, namentlich in Betreff
der dekorativen Theile des Aeusseren und einiger andrer Zusätze,
ist später. Aus der ersten Bauepoche, der zweiten Hälfte des
13. Jahrhunderts, rühren der Chor, das Querschiff, die östlichen
Anfänge der Vorderschiffe her, so dass hiemit, trotz der Veränderungen des Details, welche in den späteren Theilen bemerklich werden, doch wiederum das System des Ganzen vorgezeichnet erscheint. Der Chor ist langgestreckt, dreiseitig schliessend,
ohne Seitenschiffe und Umgang, mit starken Wandsäulenbündeln
als Gurtträgern im ausgesprochen frühgothischen Charakter, in
den Fenstern aber mit einem Maasswerke, dessen zum Theil roh
parallelistische Anordnung auf Herstellungen in späterer Zeit
deutet. An den Seitenwänden, über den Chorstühlen, sind auch
hier, wie im Westchore des Naumburger Domes, ebenso im charakteristisch frühgothischen Gepräge, aber in durchgebildeterer
Behandlung, Reihen kleiner Arkadennischen. Das Querschiff hat
denselben Charakter, eigenthümlich bemerkenswerth durch das
Fenster in seiner Südfront, mit einem Maasswerke derselben
Frühform, dessen Stäbe in etwas dürftig spielender Weise seltsam verschlungen sind; darüber im Aeusseren eine Giebeldekoration, welche denen des Querschiffes am Magdeburger Dome
ähnlich und nur etwas schlichter gehalten ist. In den Vorderschiffen gehören die ersten Pfeiler zunächst denen der mittleren
Vierung zu dem ursprünglichen Bau; die übrigen, jünger, schliessen

[1] Puttrich, II, I, Ser. Freiburg a. U. — [2] Schwechten, der Dom zu Meissen.
Puttrich, I, II, Ser. Meissen. Wiebeking, a. a. O., T 8; 44. *Denkmäler der
Kunst*, *T*. 55 (*l*)

sich ihnen mit nur geringen Modificationen in der Detailgliederung
an. Es ist eine Hallenanlage von sehr eigenthümlicher, wiederum
durch ältere Reminiscenzen veranlasster Haltung: mit schmalen

Südlicher Querschiffgiebel am Dom von Meissen. (Nach Schwechten.)

Jochbreiten (die Seitenschifffelder quadratisch, die Mittelschifffelder doppelt so breit,) und mit Pfeilern von einer im Kerne
viereckigen Form. Hiedurch hat der innere Aufbau etwas Gewichtiges, fast Gedrungenes; aber zugleich vereinigt sich damit
eine lebhafte Gliederung an der Vorder- und der Hinterseite des
Pfeilers, aus Säulen und Einkehlungen bestehend, die in rhythmischem Spiele zu den Wölbungen aufsteigt, während die Ecken
der Vorderseite zierlich ausgekehlt sind und an den innern Seiten, zur Unterstützung der Unterlage des Scheidbogens, der in
der Hauptform allerdings das Breitflächige des Pfeilers beibehält,
einzelne Säulchen emporschiessen. Zugleich ist zu bemerken,
dass sich der Kern des Pfeilers in seiner oberen Hälfte leise

verjüngt. [1] Jene älteren Pfeiler charakterisiren sich durch
einfach viereckige Basamente, die jüngeren durch polygonische,
zum Theil auch (ohne Zweifel die zuletzt errichteten) durch eine

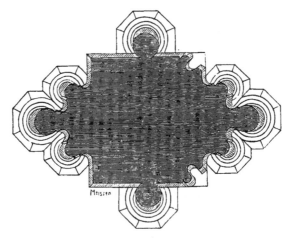

Schiffpfeiler im Dom von Meissen. (Nach Schwechten.)

etwas spielende Vermehrung der Gliederungen der Vorderseite.
Von den Fenstern hat die Mehrzahl, nach der östlichen Seite,
ein Maasswerk von gediegener Bildung, welches dem Beginn des
14. Jahrhunderts entspricht, die übrigen buntere Spätformen.
Um die Mitte dieses Jahrhunderts wurde zwischen Chor und
Querbau ein ansehnlicher Lettner errichtet. Um den Schluss
folgte die Anlage zweier, in späteren Zeiten mehrfach veränderter Thürme auf der Westseite, die eine mit dem Langschiffe ver-
bundene Halle zwischen sich einschliessen, in der ersten Hälfte
des 15. Jahrhunderts der Bau einer einem Westchore ähnlichen
Kapelle vor dieser Thurmfaçade, u. s. w. Die innere Länge, mit
Ausschluss der ebengenannten Kapelle, beträgt 241 Fuss, die
innere Gesammtbreite 63½ F., die Mittelschiffbreite 28½ F., die
Gewölbhöhe 61½ F. — Zu den Anlagen der zweiten Hälfte des
13. Jahrhunderts gehören noch zwei neben der Kirche belegene
Kapellen. Die eine ist die einfach rechteckige Magdalenenkapelle,

---

[1] Schnaase, Gesch. d. bild. Künste, V, S. 570, spricht die Ansicht aus, dass
der Dom ursprünglich auf niedrige Seitenschiffe angelegt und erst im Laufe
des 14. Jahrhunderts zur Hallenkirche ausgebaut sei. Die Gründe, welche er
dafür anführt, haben aber nichts Ueberzeugendes: weder der Grundplan noch
die Pfeilerform (die sich auch in den frühgothischen Hallenschiffen des Domes
von Frankfurt a. M., und zugleich in viel einfacherer Beschaffenheit, findet)
nöthigen zu solcher Annahme; ebensowenig, falls man darauf Gewicht legen
wollte, jene Verjüngung der Pfeiler. Die Ansicht wird auf sich beruhen können, bis sie etwa durch schlagende Einzelnachweise unterstützt wird.

die andre, in der Ecke, welche der südlichere Querschiffflügel mit
dem südlichen Seitenschiff bildet, die Johanniskapelle; diese, vom
J. 1291, ist ein eigenthümlich beachtenswerther achteckiger Bau
von zwei Geschossen, im Aeussern schlicht, im Innern des Hauptgeschosses von anziehender Entfaltung der frühgothischen For-
men- und Dekorationselemente.

Die Monumente von Thüringen reihen sich den obersächsischen an.

Erfurt[1] hat in dem Domkreuzgange ein merkwürdiges
Beispiel des Ueberganges von den gewohnten romanischen zu den
ungewohnten gothischen Eormen. Das älteste Arkadenstück ist
noch von ausgesprochen spätromanischem Charakter mit primitiv
gothisirender Zuthat, in edler und anmuthiger Bildung. Dann
folgen die Versuche selbständig gothischer Composition; diese
sind zumeist etwas ungeheuerlich, obgleich allerdings die Naivetät des Schaffens unverkennbar ist.

Einige Kirchen von Erfurt, aus der zweiten Hälfte des 13.
Jahrhunderts, haben jene schlichte Behandlung, in der die Gothik
sich unter Einfluss und nach den Gesetzen der neuen bedürfnisslosen Orden der Zeit ausprägt. So die Kirchen der Francisca-
ner und der Dominikaner: die Barfüsser- und die Prediger-
kirche, beide in ihren Langschiffen mit starken Jochbreiten bei
einfach eckiger Pfeilerbildung und mit mässig erhöhtem Mittelschiffe, dessen schmale Gewölbfelder theils von den Pfeilerdiensten, theils von kleinen, über dem Gipfel des Scheidbogens ansetzenden Diensten ausgehen. (Die Barfüsserkirche, 1838 eingestürzt,
ist seitdem hergestellt worden.) — So die Augustinerkirche,
mit geradlinig schliessendem Chore und noch einfacherer Pfeilerbildung — so auch der dreiseitige Chor der Severistiftskirche
vom J. 1273. Alle diese Beispiele zugleich, und namentlich die
letzteren, mit den schlichten Maasswerkbildungen der Frühepoche,
zum Theil in der noch etwas spielenden Anordnung, welche
diese Zeit charakterisirt. [2]

Der Mittelstufe zwischen früh- und spätgothischer Entwickelung gehört der Chor des Domes an, der sich malerisch über
mächtigen Substructionsbauten erhebt. Er wurde nach inschriftlicher Angabe im J. 1349 begonnen und soll bereits 1353 vollendet worden sein. Die Anlage ist einfach: ein fünfseitig schliessender Langbau, rings von hochaufsteigenden Fenstern umgeben,
die, von mässiger Einrahmung umfasst und oberwärts von reichem
Maasswerk erfüllt, die Räume zwischen den Strebepfeilern einnehmen. Die Bildungen des Maasswerkes zeigen mannigfachen

---

[1] Puttrich, II. II. Ser Erfurt. — [2] Kallenbach, Chronologie, T. 31.

Wechsel von Rosettenmustern, noch sehr edle neben schon spielenderen Zusammenstellungen. [1] Im Innern sind die zwischen der
Fenstergliederung aufsteigenden zierlichen Stabbündel, welche
die Gurte des Gewölbes tragen, anzumerken. — Derselben Bauepoche gehört ein Portikus an, der, in eigenthümlicher, durch die
Lokalität veranlasster Anordnung, vor der Nordostecke des Dom-
schiffes mit zwei Seiten eines Dreiecks vortritt, beide Seiten mit
einem reichen Portale versehen. Es ist etwas Französisches in
der Composition der Portale dieses Portikus, doch nicht hinreichend verstanden und nicht zur innerlichen Consequenz durchgebildet: die Gewände mit Nischen versehen, in denen Statuen
befindlich sind; darüber die entsprechende Reihenfolge kurzer
Baldachine; über diesen, ohne organische Vermittelung, die in
einem überreichen Wechsel kleiner Glieder profilirten Bogengeläufe, welche ein mit Maasswerk geschmückter hoher Wimberg
krönt. Doch sichert das bunte Formenspiel, mehr aber noch
der Reiz der Lage, über der breiten Freitreppe, welche zur Seite
des Chores die Anhöhe emporführt, dem Portikus seine Wirkung. —
Unter den übrigen thüringischen Monumenten ist zunächst
(wie bereits früher, Thl. II, S. 417) der Kirche von Stadt-Ilm [2]
zu gedenken, die, nach inschriftlicher Angabe im Jahr 1287 gegründet, an ihrer Westseite eine noch romanische, oberwärts
jedoch in gothische Formen übergehende Thurmanlage zeigt.
Im Untergeschoss ist es rein romanischer Styl; in den Mittelge-
schossen ebenfalls romanische Disposition, aber (z. B. in Form
und Anordnung der Bogenfriese) gothisch modificirt; in den
Obergeschossen ein stattliches Gothisch, mit Wimbergfenstern
und Fialen, aber in einer Anordnung und Behandlung, die nicht
bloss im Allgemeinen die Nachwirkung der unterwärts befolgten
Disposition, sondern auch in den Einzelheiten der Form eine verwandte, noch immer romanisirende Stimmung erkennen lässt.
Man sieht es: die Thurmanlage ist in stetiger Folge aufgeführt,
und die blühende Gothik, schon im Charakter des 14. Jahrhunderts, wächst hier unmittelbar aus den romanischen Grundele-
menten hervor, ein merkwürdiges und schlagendes Zeugniss für
die Zähigkeit, mit welcher die deutsche Architektur unter Umständen und in Mitten aller Neuerungen an der alten Weise
festhielt. Im Uebrigen sind von dem alten Bau dieser Kirche
nur der geradlinig geschlossene Chor und zwei vortretende Seitenportiken, in einfach gothischer Anlage der Frühzeit des 14. Jahrhunderts, der eine mit seltsam phantastischen Sculpturen, erhalten.
Dann ist die Liebfrauenkirche von Arnstadt [3] durch einige
gothische Theile ausgezeichnet. Von den Thürmen der Westseite, ihrer zierlich spielenden spätromanischen Behandlung, von

<hr />

[1] Kallenbach, Chronologie, T. 54 (1—5). — [2] Puttrich, I, I, Ser. Schwarz-
burg. — [3] Ebenda.

dem Uebergange in das Frühgothische, der am Oberbau des
Nordwestthurms stattfindet, ist schon gesprochen (Thl. II. S. 417).
Die Unterschiede zwischen beiden Stylen liegen hier in engsten
Grenzen nebeneinander; beiderseits ist eine gleichartige dekorative
Anordnung beobachtet; doch hat es die Gothik nicht unterlas-
sen, zwischen den Schenkeln der acht Giebel, welche das Ober-
geschoss krönen, sofort ihre ungeheuerlichen, weit vorspringenden
Wasserspeier einzuführen. Bedeutender ist der Neubau von Chor
und Querschiff, in einem edel ausgebildeten Style vom Anfange
des 14. Jahrhunderts. Der Chor setzt dreischiffig an, jedes
Schiff dreiseitig schliessend, (wobei der mittlere Hauptraum erheblich über die andern hinaustritt). Der Aufbau hat reinen
Hallencharakter und gehört zu den gediegensten Beispielen der
Art: die Pfeiler leicht, cylindrisch, mit Diensten besetzt, in Basis
und Kapitälen trefflich durchgebildet; die Fenster zum Theil
wiederum mit vorzüglich reichem Rosetten-Maasswerk ausgefüllt;
die inneren Durchblicke von glücklichster malerischer Wirkung.

Die wichtigsten gothischen Monumente, welche Thüringen
besitzt, finden sieh im Eichsfelde, dem nordwestlichen Districte
des Landes, namentlich in Heiligenstadt und in Mühlhausen. [1]
Hier zeigt sich ein vorherrschender Hallenbau. Die Nähe der
hessischen und der westphälischen Grenze lässt auf umfassendere
Einflüsse, welche von dort ausgegangen, auf gleichartige volksthümliche Neigungen schliessen. Doch machen sich charakteristische Eigenheiten geltend, die zunächst wiederum, wie es scheint,
von einem etwas zäheren Festhalten an der älteren Sitte ausgehen.

Heiligenstadt hat mehrere Kirchen frühgothischen Charakters. [2] Als die alterthümlichste erscheint die Stiftskirche St.
Martin. Ihr Bau rührt ohne Zweifel aus dem letzten Viertel
des 13. Jahrhunderts her, indem dazu seit 1276 Ablassbriefe er-
lassen wurden; der Chor ist Umbau nach einem Brande vom J.
1333. [3] Bei ihr ist das Hallensystem noch nicht aufgenommen
und im Schiffbau noch die Nachwirkung romanisirender Anlage
und Behandlung: mit starken eckig abgestuften Pfeilern, an deren
Flächen kräftige Halbsäulen vortreten und in deren Ecken leichtere Halbsäulchen eingelegt sind; auch mit der Anwendung phantastisch conventioneller Kapitälsculpturen zwischen solchen, welche
die Naturform nachbilden. Der vordere Pfeilervorsprung mit
seinen Säulchen steigt an der Oberwand des Mittelschiffes als
Gewölbträger in die Höhe; die Wand ist im Uebrigen unbelebt,
die Oberfenster von sehr kleiner Dimension, ohne Maasswerk.

---

[1] Puttrich, II, II, Ser. Mühlhausen. — [2] Hr. Rechtsanwalt Schlüter zu Heiligenstadt hat die Güte gehabt, mir ausführliche Mittheilungen über die dortigen Kirchen zugehen zu lassen. Die flüchtigen Notizen bei Puttrich sind
hiedurch wesentlich vervollständigt worden. — [3] Ueber die historischen Daten
vergl. J. Wolf, Gesch. und Beschreibung der Stadt Heiligenstadt, S. 128, f.

Auch die Seitenschifffenster sind gering. Der Chor hat eine
leichtere Entwickelung der Formen, in einfach durchgebildeter
Gothik.

Die Marienkirche zu Heiligenstadt ist ein ansehnlicher
Hallenbau in ausgesprochen gothischer Weise, ebenfalls noch im
Gepräge früherer Entwickelung und mit Eigenthümlichkeiten der
Behandlung. [1] Die Seitenschiffe sind breiter als das Mittelschiff,
die Pfeiler des Innern achteckig, (übereck gestellt), mit vier
stärkeren und vier schwächeren Diensten auf den Ecken und mit
Kapitälkränzen, welche figürliche und Blattsculpturen enthalten;
die Dienste an den Seitenschiffwänden von Consolen getragen, welche
auf ähnliche Weise sculptirt sind; die Chordienste als schlanke
Säulenbündel gestaltet; die Fenstermaasswerke mit verschiedenartigen einfach primitiven Mustern. Die Westseite hat die bei
den romanischen Kirchen jener Gegenden übliche Disposition,
doch in ausgebildet frühgothischen Formen: ein massiver Unterbau, über welchem sich zwei achteckige, mit starker Eckgliederung versehene Thürme erheben, oberwärts mit acht schlichten
Giebeln, hinter denen der massiv achtseitige, auf seinen Schenkeln
mit Blättern besetzte Helm emporsteigt; das Portal in der Mitte
des Unterbaues mit spielender Gliederung und Dekoration. —
Zur Seite der Marienkirche steht die kleine achteckige Annakapelle, ein Gebäude völlig verwandten Styles, in ihrer Composition den Obergeschossen der Thürme der Kirche ähnlich, nur
unterwärts durch kleine Wandarkaden und am Gipfel ihres Helmdaches durch einen laternenartigen Aufsatz, welcher die Gesammt-
form der Kapelle im Kleinen wiederholt, ausgezeichnet.

Ausserdem ist die Aegydienkirche zu nennen, deren Ostgiebel die dekorativen Elemente der Frühzeit des 14. Jahrh.
zeigt. Ihr Bau soll von 1223—30 herrühren; ihr Thurmbau hat
das inschriftliche Datum der Bauepoche von 1370; vielleicht gehört das Uebrige einer Erneuung an, welche dieser Epoche in
näherem Anschluss vorangegangen war.

Mühlhausen ist durch die reicheren Entfaltungen des
Hallenbaues, welche dem Laufe des 14. Jahrhunderts angehören,
von vorzüglicher Bedeutung. Die St. Blasienkirche, mit dem
aus der Uebergangsepoche herrührenden Façadenbau (Thl. II.
S. 417) entspricht, wie es scheint, der Frühzeit des 14. Jahrhunderts. Sie hat die übliche dreischiffige Anlage mit breitem Mittelschiff, die Pfeiler mit Halbsäulen gegliedert und mit leichten
Kapitälkränzen versehen, die hohen Fenster mit einem in einfacher
Klarheit geordneten Maasswerk. Ueber den Seitenschiffjochen
sind Querdächer angeordnet, deren Giebel mit einem leichten
Stabwerk ausgefüllt sind; der Querschiffgiebel mit ähnlicher

---

[1] Ob etwa der Brand vom J. 1333 (Wolf, 129,) auch diese Kirche betroffen
hatte und das gegenwärtige Gebäude nach diesem Ereigniss aufgeführt ist,
muss ich dahingestellt lassen.

Ausstattung, doch in reicherer Musterung. und darunter mit einem
geschmackvollen Rosenfenster.

Glänzender bildet sich dieselbe Richtung in der Marienkirche aus, einem der eigenthümlichsten Monumente des vierzehnten Jahrhunderts. Dies ist ein fünfschiffiger Bau, der Art.
dass die Aussenwand der Seitenschiffe mit der Giebelwand des
Querschiffes in gleicher Flucht liegt, während dem verhältnniss-
mässig breiten Mittelschiffe ein ansehnlich hinaustretender Langchor, den inneren Seitenschiffen zwei kleinere Seitenchöre entsprechen, sämmtliche Chöre mit dreiseitigem Schluss.   An der
Westseite sind zwei kleine Thürme eines spätromanischen Baues
erhalten; zwischen ihnen ist in spätgothischer Zeit, um der Façade
eine dem Körper des Gebäudes entsprechendere Wirkung zu
geben, ein ansehnlicher Mittelthurm errichtet. Die Maasse sind
174 Fuss innere Länge (davon 63 F. auf den Chor gehen), 93 F.
Gesammtbreite, 26 F. Mittelschiffbreite zwischen den Scheidbögen
und 29 F. in den Axen der Pfeiler, 16 F. Jochbreite in den
Pfeileraxen, 64 F. Gewölbhöhe.   Die Pfeiler haben eine gegliederte, im Grundgedanken achteckige Form, mit vier starken
Halbsäulen als Hauptdiensten, entsprechenden tiefen Einkehlungen und feineren Zwischengliedern; die Pfeiler zwischen den

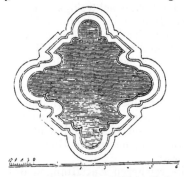

Seitenschiffen unterscheiden sich
von den Mittelschiffpfeilern durch
etwas schwächere Dimension; die
kräftigen Kreuzgurte des Gewölbes schwingen sich über leichten
Kapitälkränzen empor und begegnen einander in mannigfach
ornirten Schlusssteinen. Die innere Wirkung gewinnt durch die
Vereinigung der Gegensätze einen
sehr eigenthümlichen Reiz; bei
der vollen Ausbreitung der Vorderschiffe fühlt sich der Blick
doch ebenso auf den Mittelraum
wie an der scharfausgeprägten

Profil der Hauptpfeiler im Schiff der Marienkirche zu Mühlhausen. (Nach Puttrich)

Gliederung der Pfeiler aufwärts gezogen, während zugleich diese
vielgetheilte Räumlichkeit als ein Gemeinsames in den Querschiffbau mündet und in den Chören bestimmte Zielpunkte gewinnt. Die schlanken Fenster haben vortrefflich klare Maasswerkfüllungen. Darüber erheben sich über den Seitenschiffmauern,
hinter einer von Fialen durchbrochenen Gallerie, die Giebel der
Querdächer in schlicht abgestuften Formen. An der Chorpartie,
wo keine Querdächer anzulegen waren, ist gleichwohl ein ähnlicher Dachgiebelschmuck beibehalten, ein überall frei aufragen-
des Werk, in eigentlicher Giebelform, dreiseitig und von allerlei
durchbrochenen Rosetten ausgefüllt, — eine Art Analogon zu

dem Wimberg der rheinisch-französischen Gothik, aber allerdings
ohne die in der Rhythmik des Ganzen ruhende Bedingung des

Innere Ansicht der Marienkirche zu Mühlhausen.

letzteren und nur im Gepräge einer sehr äusserlichen und willkürlichen Zuthat. Anderweit sind noch die Querschiffgiebel durch
Eigenthümlichkeiten der Behandlung und namentlich der südliche
über dem stattlichen Portale, durch Altane und mannigfaltigen
Sculpturenschmuck ausgezeichnet.

Die Jakobikirche hat dekorative Einzelheiten und Gegenstände phantastischer Ausstattung, die ebenfalls auf den fortgeschrittenen Charakter des 14. Jahrhunderts deuten. — Die Georgenkirche ist ein schlichterer Bau derselben Zeit. Ihr zur Seite eine einfach kleine Polygonkapelle.

Von einem kleinen Holzbau der Epoche um 1300, der Kapelle des h. Jodocus,[1] die erst vor wenig Jahren beseitigt wurde, sind Fragmente und bildliche Anschauungen erhalten. Sie war oblong, hochgegiebelt, innen mit Brettern in der Weise eines spitzen Tonnengewölbes bedeckt und mit ähnlichem Vordach über der Thür versehen, das Innere reichlich mit Malerei ausgestattet. Der Styl der letzteren bezeichnet die Zeit, während es sonst an architektonischer Detailbildung fehlt. Das einfache Gebäude giebt einen Beleg für das schlicht stylistische Gefüge, welches doch auch in Fällen des blossen Bedürfnisses und Nothbehelfes zu Tage trat.

Böhmen und Franken.

Dem Kreise der sächsisch-thüringischen Monumente aus den früheren Epochen des gothischen Styles folgen zunächst die der südwärts angrenzenden böhmischen und die der fränkischen Lande.

In Böhmen[2] sind einige Denkmäler anzumerken, welche die Aufnahme der neuen Stylelemente unter dem Einflusse der benachbarten deutschen Lande erkennen lassen. Zunächst einige, die noch Motive des Uebergangsstyles enthalten. Der seit 1233 gebauten einschiffigen Kirche der h. Agnes zu Prag ist in Be-

Gurtprofil in St. Agnes zu Prag. (F K.)   Rippenprofil in St. Agnes zu Prag. (F. K.)

treff der zierlich dekorativen, noch romanisirenden Details schon gedacht (Thl. II, S. 547). Für die Frühmomente der Gothik und

[1] Tilesius von Tilenau, die hölzerne Kapelle des h. Jodocus zu Mühlhausen in Thüringen. — [2] Grueber, in den Mittheilungen d. K. K. Central-Commission, I, S. 214, ff.

deren allmählige Ausbildung kommen besonders die Gurt- und
Rippenprofile dieses kleinen Gebäudes in Betracht. [1] — Sehr
merkwürdig und eigenthümlich ist sodann der Schiffbau der
Bartholomäuskirche zu Kolin, im Hallensystem, mit fast
gleich hohen Schiffen; die Pfeiler von noch romanisirender Grundform, quadratisch, mit starken Halbsäulen auf den Seiten und
zierlich feinen, die in die Ecken eingelassen sind; die Fenster
schlank spitzbogig; das Ganze ausgezeichnet durch eine seltne
Fülle ornamentaler Sculptur, welche das mannigfaltigste Blattwerk in seinen natürlichen Formen nachbildet. Die (im Uebrigen
sehr verdorbene) Façade hat achteckige Thürme von noch übergangsartiger Behandlung. — Eine hiemit völlig verwandte Behandlung, in der Pfeilerbildung wie in der Ornamentation, zeigt
die Stephanskirche des benachbarten Kaurzim, [2] die zugleich
durch eine unter dem Chore befindliche Krypta, deren Gewölbe
von einer mittleren Bündelsäule getragen wird, bemerkenswerth
ist. — Ferner die Reste von Schloss Klingenberg an der Mol-
dau, nordöstlich von Piseck, wo besonders eine Kapelle und ein
eigenthümlicher Kreuzgang, fünfseitig und zweigeschossig, hervorzuheben sind.

Die alte Synagoge zu Prag ist ein schlicht frühgothi-
scher Hallenbau, ohne Nachklänge des Uebergangsstyles, ein
länglich rechteckiger Raum, innen mit zwei schlanken achteckigen
Pfeilern, an denen oberwärts die Rippen des Kreuzgewölbes auf
Consolen ansetzen. An den Langwänden sind je zwei Fenster,
schmal und hochliegend, in der Jochbreite angebracht. Dieser
Anordnung entsprechend sind die Gewölbfelder fünftheilig. —
Als verwandte und ungefähr gleichzeitige Monumente zu Prag
werden der gegenüber belegene sogenannte Tempel und die
Anna- und Laurentiuskirche der Templer (der sogenannte
Annahof), — als ein wenig jüngerer Bau der Chor der Wen-
zelkirche bezeichnet. [3]

Weiter vorgeschrittener Zeit gehört die Augustinerkloster-
kirche zu Raudnitz sammt dem Kreuzgange neben ihr an. Die
Kirche, nach inschriftlicher Angabe im Jahr 1330 geweiht, mit
hohem Mittelschiff, niedern Seitenschiffen und langgestrecktem
Chore scheint in der Behandlung mit den einfachen und redu-
cirten Formen der deutschen Kirchen der Bettelorden übereinzu-
stimmen, obschon als ihr Erbauer ein Meister Wilhelm von
Avignon genannt wird. Der ruinenhafte Kreuzgang hat in
seinen Arkaden Reste eines Maasswerkes im Charakter der bezeichneten Epoche, zugleich aber mit der Eigenthümlichkeit, dass
die Stäbe durch kleine Halbkreisbögen (statt der sonst üblichen

---

[1] Vergl. F. Kugler, Kl Schriften, II S. 494. — [2] Mittheilungen der K. K.
Central-Commission, II, S. 163. — [3] Nach den Notizen von F. M., in der
Wiener Bauzeitung, 1845, S. 22, f. Grueber, a. a. O., S. 222, führt dagegen
die „St. Annakirche" als einen Bau des 14. Jahrhunderts auf.

Spitzbögen) verbunden sind, ein Motiv, welches in der schottischen
Gothik (S. 197 u. f.) sein Analogon findet und auf ähnlichen Gründen wie dort beruhen dürfte. — Als namhafte Beispiele derselben
jüngeren Zeit, seit dem Anfange des 14. Jahrhunderts, werden
ausserdem die (mehrfach veränderte) Mariä-Himmelfahrtskirche
zu Kuttenberg und die ansehnliche St. Jakobskirche ebendaselbst (1310—58), sowie die Kirchen von Nimburg und von
Königgrätz angeführt. —

Den böhmischen Monumenten mag ein mährisches angereiht
werden. Es ist das kleine Schiff des Domes von Olmütz, das
als frühgothischer Bau bezeichnet wird. [1]

Franken hat in seinem nördlichen Districte, dem Saalgau,
ein kleines Stück frühgothischer Architektur, welches ein eigenthümliches Interesse gewährt. Es findet sich unter den umfang-
reichen Trümmern der Salzburg bei Neustadt a. d. Saale, —
das sogenannte Münzgebäude,[2] mit zierlich luftigen Arkaden
im Giebel, säulengetragenen Spitzbögen, sehr schlichten durchbrochenen Rosetten in den Zwickeln über den Bögen, das Ganze

Arkade im Giebel des Münzgebäudes auf der Salzburg. (Nach Heideloff.)

[1] F. v. Quast, im D. Kunstblatt. 1851, S. 102. — [2] Heideloff, Ornamentik
des Mittelalters, VI, T. 1, 2.

von Wandsäulen und einem blattgeschmückten Horizontalgesimse
umrahmt. Es ist etwas fest Geschlossenes in diesem kleinen
Schmuckbau, das an die Tüchtigkeit des westlichen Domchores
von Naumburg, dabei zugleich an die zierliche Composition der
Loggien venetianischer Palläste gemahnt, während eine klare,
herb gediegene Detailbehandlung und ein reiches Spiel mit theils
natürlichen, theils übergangsartig conventionellen Laub- und
Rankenformen dem Werke seinen eigenen Reiz giebt.

Dann ist der östliche Theil des Chores der Münsterkirche
von Heilsbronn [1] zu erwähnen, dessen Erbauung von 1263—80
fällt. Er bildet eine Verlängerung des älteren romanischen Chores (Thl. II, S. 460), ist dreischiffig wie dieser und hat im Mittelschiff den dreiseitig hinaustretenden Schluss. Die Anlage ist
schlicht gothisch, bewahrt aber in der eckigen Pfeilerdisposition,
in den breitlaibigen Scheidbögen, in dem Ornament der Kapitäle
der Dienste und deren Deckgesimsen noch immer Motive der
Uebergangsepoche.

Es folgt der Schiffbau von St. Lorenz zu Nürnberg, [2]
ein Bau mit niedern Seitenschiffen, im sehr entschieden ausgeprägten Style, wohl in der Schlusszeit des 13. Jahrhunderts begonnen. Die inneren Raumverhältnisse sind glücklich; die Pfeiler mit lebhafter Gliederung versehen, achtseitigen Kernes, an
jeder Seite mit dreitheiligem Dienstbündel; die Kapitäle in leichter (unsculptirter) Kelchform; die Scheidbögen ähnlich gegliedert.
Das vordere Dienstbündel läuft an der Mittelschiffwand empor,
die, ohne alles Detail, einen lastenden Gegensatz gegen die Pfeilerbildung ausmacht und oberwärts Fenster von kleiner Dimension
enthält. An den Aussenseiten ist ein schwerfälliges Strebebogensystem angeordnet, in seiner Wirkung dadurch zugleich entstellt,
dass die Fensterwände später, kleine Kapellenräume bildend, in
die Aussenflucht der Streben vorgerückt, die letzteren also in
das Innere gezogen sind. Die Façade steht mit dem Schiffbau
in unmittelbarem Zusammenhange, ist aber erst später vollendet
worden. Sie hat, zu den Seiten eines reich dekorirten Zwischen-
baues, zwei massig viereckige Thürme, die im Charakter der
westphälischen und der sächsischen Architektur unverjüngt in
einer Reihe von Geschossen emporsteigen, von kleinen Achteck-
geschossen gekrönt. In den dekorativen Elementen kündigen
sich zugleich oberrheinische Studien an. Die Thurmgeschosse
scheiden sich durch Gesimse und eine Art von Spitzbogenfriesen,
gothisch behandelten und verlängerten Schenkeln; die Obergeschosse

[1] R. Frhr. v. Stillfried, Alterthümer und Kunstdenkmale des Erl. Hauses
Hohenzollern, Neue Folge, Heft IV. Umrissblatt von Wagner nach Reindel.
— [2] Wiebeking, Bürgerl. Baukunde. T. 2; 5 (Fig 6); 6; 7 (Fig. 3). Wolff und
Mayer, Nürnbergs Gedenkbuch, I, T. 1, ff. v. Rettberg, Nürnbergs Kunstleben,
S. 18. Lange, Original-Ansichten der vornehmsten Städte in Deutschland, I.
Kallenbach, Chronologie, T. 48. Gailhabaud, Denkmäler d. Bank. III, Lief. 63.

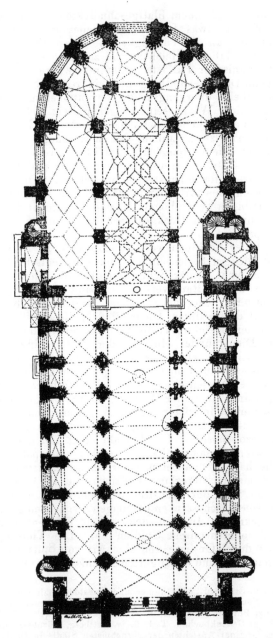

Grundriss der St. Lorenzkirche zu Nürnberg. (Aus Nürnbergs Kunstleben von R. v. Rettberg.)

haben, nach dem Motive der Strassburger Münsterfaçade, ein
luftig freies Stabwerk, hinter dem die Fenster liegen; die Acht-
eckgeschosse über diesen sind einfach behandelt. Das Portal,
unterwärts zwischen den Thürmen, ist im hochsteilen Spitzbogen
gebildet (um ein möglichst geräumiges Tympanon zu schaffen)

Westportal der St. Lorenzkirche zu Nürnberg. (Aus Nürnbergs Kunstleben von R. v. Rettberg.)

ünd im Uebermaasse, nach französischer Art, mit Sculpturen
erfüllt; doch hat es keine Wimbergkrönung. Als Vollendungs-
zeit des Portales wird das Jahr 1332 angegeben. Darüber ist

ein mächtiges Rosenfenster, nach dem französischen Motiv und
dem von Strassburg, aber ohne die strahlende Kraft der berühmten Strassburger Rose, in einem fast seltsamen Eigenwillen mit
spitzbogigen Maasswerkfenstern (die wechselnd nach innen und
nach aussen gerichtet sind) ausgefüllt [1] und reich spielend mit
Giebelarchitekturen umsäumt. Ueber der Rose ein mit zierlichen
Fensterreihen, mit Fialen und einem in der Mitte vortretenden
Thürmchen geschmückter Giebelbau, der jedenfalls schon der
späteren Epoche, etwa dem Schlusse des 14. Jahrhunderts, angehört.

Ungefähr gleichzeitig scheint die Façade der Kirche des Cistercienserklosters E b r a c h (Thl. II, S. 478) zu sein. [2] Sie hat
die schlichte Disposition des thurmlosen Baues, mit der Hoch-
front des Mittelschiffes, den niederen Seitentheilen, den einfachen
Streben dazwischen und auf den Ecken. Portal und Seitenfenster
sind einfach zierliche Stücke entwickelt gothischen Styles. An
der breiten Oberwand aber, in viereckiger Umrahmung, ist auch
hier ein grosses Rosenfenster angebracht, welches den vollen
Glanz des Styles zur Erscheinung bringt und sich in dem ausgeprägten Gesetze des Ausstrahlens der Formen von dem gemeinsamen Mittelpunkte, im Gegensatze gegen das etwas barocke
Nürnberger Exemplar, zu einem Musterbilde seiner Art entfaltet.

Mittel- und Oberrhein.

Die Monumente des Mittel- und Oberrheins zeigen wiederum
sehr verschiedenartige Erscheinungen. Neben wechselnden Einflüssen machen sich die persönlichen Eigenthümlichkeiten einzelner hervorragender Meister bemerklich.

Zunächst bildet die mittelrheinische Gegend einen Kno-
tenpunkt, in welchem sich die mannigfaltigsten Richtungen kreuzen, die Einflüsse niederrheinischer und oberrheinischer Gothik.
die Aufnahme nordöstlicher Systeme, die Verwandtschaft mit
westlicher Behandlungsweise hervortreten.

Ein frühgothischer Bau noch mit Uebergangselementen scheint
die L i e b f r a u e n k i r c h e bei W o r m s, soweit eine durchgreifende,
in der zweiten Hälfte des 15. Jahrhunderts vorgenommene Umwandelung ein Urtheil verstattet, gewesen zu sein. Es finden

---

[1] Das Motiv zu dieser etwas verwunderlichen Maasswerk-Composition lag
allerdings schon in einem der südlichen Fenster der Katharinenkirche von
Oppenheim (s. unten) vor, fügt sich aber dort noch ungleich naiver dem ra-
dianten Princip. — [2] Ansicht bei Lange, a. a. O.

sich noch die Spuren rundbogiger Fenster und namentlich solcher, die im Einschluss des Rundbogens spitzbogige Doppelöff-
nungen von schlichtester Beschaffenheit enthalten.

Der Dom zu Frankfurt am Main [1] wurde, als Neubau an
der Stelle eines älteren, um 1238 begonnen; bereits 1239 fand
die Weihung des Hauptaltares (in dem damaligen Chore) statt.
Die kurzen Vorderschiffe des gegenwärtigen Gebäudes rühren
von dem Bau her, welcher hiemit begonnen war, über dessen
Dauer jedoch keine Kunde vorliegt. Sie haben gleiche Höhe
bei schon leichten und freien Verhältnissen, im System des Hallenbaues, der zunächst in den hessischen Landen, nordwärts von
dort, seine eigenthümliche Entwickelung fand, aber in eigen
primitiver Behandlung: die Pfeiler, in romanischer Reminiscenz.

viereckig, mit abgefalzten Ecken, an jeder
Seite mit vortretendem Dienste; dazu ein
dünner Kapitälkranz, der den ganzen Pfeiler umgiebt; ein in seiner ursprünglichen
Beschaffenheit erhaltenes Fenster mit einfach dekorativem Maasswerk, in demselben
Charakter gothischer Frühzeit; ebenso die
schlichten Fialen einiger Strebepfeiler. Die
übrigen Theile des Gebäudes gehören den
folgenden Epochen des gothischen Styles
an: der einschiffig langgestreckte Chor einer
abermaligen Erneuung von 1315—38; die

Schiffpfeiler im Dom zu Frankfurt a. M. (F. K)

Querschifflügel, von ungewöhnlicher Längenausdehnung, der
Zeit nach der Mitte des 14. Jahrhunderts, beide durch reichlich
dekorirte Portale im Style der jüngeren Zeit ausgezeichnet; der
vor der Westseite angeordnete Thurm der Epoche des 15. Jahrhunderts. (Siehe unten.) — Gleichzeitig mit dem Bau des Dom-
schiffes scheint der kleine, schlicht behandelte Chor der Nikolaikirche [2] zu Frankfurt, sammt den Untergeschossen des Thurmes
neben ihm, zu sein.

· Die Stephanskirche zu Mainz [3] hat ebenfalls kurze Vorderschiffe von gleicher Höhe und einschiffigen Chorbau, aber in
näherem Anschlusse an das hessische System, mit Rundpfeilern,
die mit starken Diensten besetzt sind. Die östlichen Theile der
Kirche, die eine strengere Behandlung zeigen, rühren ohne Zweifel noch aus dem 13. Jahrhundert her; die westlichen sind etwas

[1] F. Kugler. Kl. Schriften. II, S. 349. Passavant, Kunstreise durch England
u. Belgien, S. 431. (Auch verdanke ich Hrn. Passavant einige nähere Notizen.)
Zwei Bl. bei Lange, Mal. Ansichten der Kathedralen etc. am Rhein, Main, etc.
Kallenbach, Chronologie, T. 52. (Fenstermaasswerke späterer Form, ohne An-
gabe des Gebäudetheiles, an welchem sie befindlich) v. Wiebeking, Bürgerl.
Baukunde, T. 61 (Grundriss). — [2] Kallenbach, Chronologie, T 34 (3). — [3] F.
Kugler, Kl. Schriften, II, S. 347. Moller, Denkmäler, I, T. 38. Kallenbach,
T. 54 (9. 10)

jünger. [1] (Durch die Pulverexplosion vom 18. Januar 1858 erheblich beschädigt.)

Ein merkwürdiges Stück bürgerlicher Architektur, das im Jahr 1313 vollendete Kaufhaus von Mainz, ist nur noch in Zeichnungen erhalten. [2] Es war ein zweigeschossiger Bau, beide Geschosse mit dreischiffig gleichartigen Hallenräumen, derbe Gurtengewölbe auf Reihen kurzer Pfeiler; das Aeussere in entsprechend festen Formen, mit Zinnen gekrönt.

Die Glanzformen der Gothik fanden zunächst beim Dome von Mainz Einführung, in den Kapellen, welche dem alten Bau zu beiden Seiten der Seitenschiffe zugefügt sind [3] und die in ihren Fenstern ein reiches, vielfach getheiltes und gegliedertes Stab- und Maasswerk enthalten, in gesetzlich reiner und edler Durchbildung und in mehr schematischem Formenspiel. Die frühste ist die St. Victorskapelle vom J. 1279. [4] Die Allerheiligenkapelle vom J. 1317 [5] hat in ihrer Fensterarchitektur ein Beispiel jener schon vorwiegend schematischen Behandlungsweise.

Dann ist es die Katharinenkirche von Oppenheim, [6] an der sich, bei nicht sehr erheblichen Dimensionen, die Pracht des gothischen Systems in vorzüglich ausgezeichneter, zugleich in höchst eigenthümlicher Weise entfaltet. Doch gehören die verschiedenen Theile des Gebäudes verschiedenen Zeiten an. Der Hauptbau wurde 1262 angefangen und 1317 eingestellt; westwärts begränzen ihn zwei spätromanische Thürme (Thl. II, S. 466), Reste eines älteren Baues; diesen fügt sich ein westlicher Langchor an, der im J. 1439 geweiht wurde. In dem Hauptbau erscheinen wiederum die östlichen Theile, die des Chores, als die früheren; sie sind jedenfalls zunächst nach 1262 zur Ausführung gekommen. Der Chor schliesst dreiseitig, mit jenen schrägliegend polygonischen Kapellenvorlagen zu den Seiten, die sich, den gegenüberliegenden Seitenschiffen an Höhe gleich, nach dem Chorraume und dem des Querschiffes öffnen; es ist schon darauf hingedeutet, wie

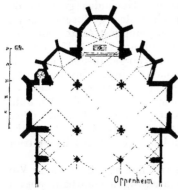

Grundriss des östlichen Theils der Katharinenkirche zu Oppenheim. (Nach Moller.)

---

[1] Die Angabe v. Lassaulx's, in den Zusätzen zu der Klein'schen Rheinreise, S. 444, dass der Bau 1317 angefangen, mag ausschliesslich auf die westlichen Theile zu beziehen sein. — [2] Moller, I, T. 39, ff. — [3] Wetter, Gesch. u Beschreibung d. Domes zu Mainz, S. 54. — [4] S. den Text zu dem von H. Emden herausgegebenen photographischen Werke über den Mainzer Dom, S 9. — [5] Moller, I, T. 44. — [6] Fr. H. Müller, die Katharinenkirche zu Oppenheim, ein Denkmal deutscher Kirchenbaukunst. Moller, I, T. 31—37, 56. Kallenbach, T. 46.

diese Anordnung, die sich in Iothringischen Monumenten wiederholt (S. 230) zunächst auf niederrheinischen Vorgängen beruht.
Der Aufbau des Chores hat frühgothische Formen von einfacher
Strenge. In um so höherem Glanze erscheint der Bau der Vorderschiffe, der in die Zeit um und zunächst nach 1300 fällt.
Das Mittelschiff ist höher als die Seitenschiffe, doch auch hier
ohne die Aufgipfelung, welche die französische Gothik liebt; die
Oberfenster des Mittelschiffes, zwar von unverkümmerter Entwickelung, haben an sich kein gesteigertes Höhenverhältniss und
gehen, eine in Xanten und an Iothringischen Beispielen, bis nahe
auf die Scheidbögen nieder. Ganz eigen ist die Anordnung eines
kleinen Kapellenschiffes zu den Seiten der Seitenschiffe, wodurch
eine gewissermaassen fünfschiffige Anlage hervorgebracht wird.
Diese Kapellen nehmen den Raum zwischen den Streben ein,
treten zugleich aber, mit einer zierlich leichten tribünenartigen
Pfeilerstellung, in das Innere der Seitenschiffe vor, der Art, dass
mitten über ihren Wölbungen die Hauptfenster der letzteren
sich erheben, während sie selbst durch kleine Fenster im Einschluss spitzbogiger Lünetten erhellt werden. Die Maasse sind:
147 Fuss innerer Länge bis zu den alten Thürmen (und 263 F.
Länge mit Einschluss der Thürme und des Westchores); 69 1/2 F.
innerer Gesammtbreite, zwischen den oberen Seitenschifffenstern,
(und 81 1/2 F. Breite mit Einschluss der Kapellen); 26 1/2 F. Mittelschiffbreite; 63 F. Mittelschiffhöhe; 41 F. Seitenschiffhöhe; 14 F.
Kapellenhöhe. Es ist in den Kapellenschiffen, die sich aus der
Structur des Baues nicht naiv ergaben, etwas von künstlicher
Berechnung, von absichtsvoller Wirkung; es zeigt sich Aehnliches
auch noch in andern Beziehungen, mit mehr oder weniger günstigem Erfolge. So an der Organisation der Pfeilerarkaden des
Hauptschiffes. Die Pfeiler sind in einem Wechsel von Rund-
schäften und tiefen Einkehlungen gegliedert, der, wie es scheint,
nicht mehr von der fest beschlossenen cylindrischen Grundform,
vielmehr von einer viereckigen ausgeht: mit starken Säulen auf
den Ecken, noch stärkeren auf den Nebenseiten und mit sehr
leichten Dienstbündeln auf der Vorder- und der Rückseite. Die
Absicht, durch starke Gegensätze zu wirken, war bei dieser Composition vorzugsweise maassgebend, weniger das wirklich organisatorische Princip. Die Hauptformen und Massen dieser Gliederung setzen sich in den Scheidbogen fort, nur durch den Kapitälkranz davon geschieden und nur insofern verändert, als jeder
Rundschaft in der Bogenwölbung eine einfach birnartige Zuspitzung empfängt; es ist die Uebertragung der Pfeilergliederung
auf das Gesetz der Bogengliederung und, ohne Zweifel, die Absicht
eines möglichst harmonischen Verhältnisses und möglichst harmonischer Wirkung zwischen beiden; aber die erforderliche grössere Flüssigkeit des Bogenprofils ist damit nicht gewonnen, dasselbe vielmehr
schwer geblieben, wie in den starreren Beispielen romanischer

Bogengliederung. Das Basament des Pfeilers hat unter den einzelnen Rundschaften polygonische Untersätze; aber eine inniger
gebundene, stufenmässig fortschreitende Entwickelung des Ganzen

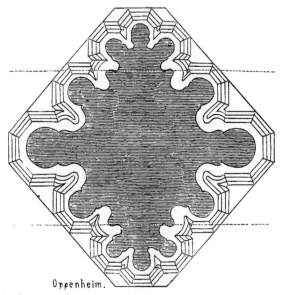

Oppenheim.

Schiffpfeiler der Katharinenkirche zu Oppenheim. (Nach F. H. Müller.)

ist ebenfalls hintangestellt. Alles dies lässt einen Meister erkennen, der gewiss völlig ernstliche Studien für die reicher ausgebildete Gothik gemacht hatte, — voraussetzlich am Oberrhein
wie am Niederrhein — der aber nicht von der Breite einer Schule
getragen wurde, nicht die nothwendige Blüthe solches Schulbe-
triebes ausmachte. Noch lebhafter bezeugt die Fensterarchitektur und die äussere Umgebung derselben (zumal die der reicher
ausgestatteten Südseite) die Studien dieses merkwürdigen Meisters,
ihre Richtungen, ihre Erfolge. Die Oberfenster des Mittelschiffes
haben ein Maasswerk, eine Bekrönung mit Wimbergen, welche
mit den Oberfenstern des Kölner Domes in nächstem Einklange
stehen und offenbar den dortigen Mustern nachgebildet sind;
auch die Fialenthürmchen über den Seitenschiffstreben, die Strebebögen bekunden ein verwandtes Element, obschon modificirt nach
den hier bestimmenden, minder aufstrebenden Verhältnissen. Anders die Seitenschifffenster, die, bei der Verkürzung durch die
unter ihnen angeordneten Kapellen, ein vorwiegend breites Verhältniss und eine vorwiegend dekorative Maasswerkfüllung haben.
Zum Theil herrscht hiebei noch das Gesetz der senkrechten Verstabung; zum Theil werden sie aber völlig von einem prachtvollen

Rosen-Maasswerke ausgefüllt, welches entschieden auf oberrheinische Studien, und zwar auf die Strassburger Bauhütte in der
Zeit um den Schluss des 13. Jahrhunderts, hinweist. (S. unten.)
Auch die Kapellenfenster — (wie schon angedeutet, von sphärischer Dreieckform, — sind mit dekorativem Maasswerk gefüllt,
und noch mehr wird dieser dekorative Charakter dadurch hervorgehoben, dass auch die Mauerzwickel über den Fensterbögen
der Kapellen und über denen der Seitenschiffe, auch die Flächen

Ansicht der Katharinenkirche zu Oppenheim, im ursprünglichen Zustande und mit restaurirter
Thurmspitze. (Nach F H. Müller.)

der Strebepfeiler zwischen den Fenstern völlig mit Leisten-Maass-
werken bedeckt sind. Das Ganze des Seitenbaues steigert sich
hiedurch zu einem wundersamen Schmuckwerke, freilich mit Beeinträchtigung der architektonischen Festigkeit und Stetigkeit, fast
mehr einem Producte der Goldschmiedekunst vergleichbar; aber
auch darin liegt, wie in schon bezeichneten Einzelheiten, das

Zeugniss für die Strassburger Studien; der Meister geht dem
nach, was Erwin von Steinbach an der Façade des Strassburger
Domes erstrebte, nur freilich mit dem Unterschiede, dass hier
der Schmuck, wie reich immerhin, doch der architektonischen
Masse untergeordnet blieb, dort sie völlig beherrscht. Der südliche Querschifftlügel, in seiner Masse schlichter gehalten und
einen glücklichen Uebergang vom Chore zum Schiffe bildend, hat
ein stattliches Fenster von kölnischer Behandlung und einen wiederum eigenthümlich schmuckreichen Giebel mit zierlich leichten,
stufenartig emporsteigenden Arkadennischen. Ueber der mittleren
Vierung erhebt sich ein achteckiger Thurm, eins der seltenen
Beispiele der Art bei deutsch gothischen Monumenten, vielleicht
in der Reminiscenz an romanische Anlagen, wie solche besonders
in den Gegenden des Mittelrheins vielfach vorhanden sind. Seine
Formen sind einfach; seine kuppelartige Bekrönung gehört moderner Zeit an. Ohne Zweifel lag es im Plane, dem Gebäude auf
der Westseite einen Abschluss zu geben, welcher dem Aufwande
von Kunst und Mitteln, den der Schiffbau bezeugt, entsprochen
hätte. Andauernd ungünstige Zustände zwangen zum vorzeitigen
Abschluss im zweiten Jahrzehnt des 14. Jahrhunderts; der zweite
Chor, der statt einer Westfaçade im 15. Jahrhundert hinzugefügt
wurde, trägt das Gepräge dieser späteren Zeit. Im J. 1689, als
die Franzosen die Rheinpfalz zur Wüste machten, kam auch über
die Katharinenkirche schweres Verderben, so dass ihre ehemalige
Pracht nur mehr fragmentarisch erhalten ist.

Am Oberrhein ist ein Beispiel frühster, noch übergangsartiger Gothik voranzustellen, die Kirche von Ruffach[1] im oberen Elsass. Der Kreuzbau hat hier noch ältere, romanische Formen, das Schiff romanische Disposition in gothischer Bildungsweise:
gegliederte Pfeiler, mit Säulen wechselnd, jene mit starken Halbsäulen auf den Seiten und mit leichten Ecksäulchen, als Trägern
der Scheidbögen und der Gurte und Rippen des Gewölbes; die
Fenster von schlichtester Spitzbogenform, zu je dreien zusammengeordnet.
    Eine namhafte Folge von Entwickelungsstufen, zum Theil in
wechselseitigen Beziehungen, tritt an den beiden grossen Domen
des Oberrheins, dem Münster von Freiburg[2] im Breisgau und

---

[1] Golbéry, antiquités de l'Alsace, I, p. 59, pl. 22, f. - [2] Denkmale deutscher
Bank. am Oberrhein, Lief. 2. Moller, der Münster zu Freiburg i. Br. Gailha-
baud, Denkm. d. Bank., Lief 12. Chapuy, Allemagne mon., liv. 4, moy. âge
mon, No. 7, 211. Kallenbach, Chronologie, T. 42. v. Wiebeking, Bürgerl.
Baukunde, T. 2; 54. *Denkmäler der Kunst*, T. 53 (1—4), 54 A (20, 25). Franz
Kugler, Kl. Schriften, II, S. 410, 520.

dem von Strassburg,[1] hervor. Beide haben noch romanische Theile: die Querschiffe, zu Strassburg die gesammte Chorpartie; in beiden rühren diese Theile wesentlich aus der letzten Spätzeit des Styles her, im südlichen Querschiffflügel des Strassburger Münsters schon mit der Einmischung primitiv frühgothischer Formen, (vgl. Thl. II, S. 485 u. f.). In beiden bilden die Langschiffe die unmittelbare Fortsetzung der älteren Anlage, der ersten Entwickelungsepoche des gothischen Styles angehörig; sie sind dreischiffig, nach gleichartigen Grundprincipien geordnet, doch schon innerhalb der Epoche, welche sich an ihnen charakterisirt, mit den Zeugnissen allmählig vorschreitender Entwickelung. Alterthümlicheren Charakter, in der Gesammtanlage und in Einzelheiten, hat das Freiburger Schiff. Es ist eine gothische Composition bei noch nachklingender romanischer Gefühlsweise, noch nicht völlig belebtem Verständniss des gothischen Princips. Für die Pfeilerbildung war das Muster der älteren Pfeiler der

Profil des Schiffpfeilers und der Bogen- und Rippengliederung im Münster von Freiburg
(Nach Moller.)

mittleren Vierung maassgebend; ihr Grundriss ist ein übereck gestelltes Viereck, welches völlig mit Halbsäulenschaften, die in der Stärke nur wenig voneinander unterschieden sind, bekleidet ist, so dass eine gewisse nüchterne parallelistische Gliederung

[1] Denkmale deutscher Bauk. am Ober-Rhein, Lief. 3. Antt. de l'Alsace, II; p. 82, pl. 18. f. Chapuy, Cathédrales françaises; moy. âge mon., No. 28, 31, 188; moy. âge pitt., No. 55. De Laborde, monuments de la France, II, pl. 193, ff. Friederich, Cath de Strasb. et ses détails. Wiebeking, T. 47; 58. C. W. Schmidt, Facsimile der Originalzeichnung zu dem mittlern Theile der Münster-Fronte zu Strassburg. Ramée, manuel de l'hist. gén. de l'arch., II, p. 354. F. Kugler, Kl. Schriften, II, S. 516. *Denkmäler der Kunst*, T. 53 (8).

entsteht; das Profil der Scheidbögen ist etwas feiner gegliedert,
aber ebenfalls ohne lebhafte Entwickelung; die vordern Halbsäulen laufen als Gurtträger an der Oberwand des Mittelschiffes
empor, die ein ansehnliches Höhenverhältniss hat, aber unter den
nicht sonderlich grossen Oberfenstern eine leere Mauerfläche bildet. Die Seitenschiffe sind auffällig breit, unter ihren Fenstern
mit kleinen Wandarkaden geschmückt, deren Anordnung und
Behandlung ebenfalls noch etwas Romanisirendes hat. Die innere
Gesammtbreite beträgt 95 $1/2$ Fuss, die Mittelschiffbreite 34 $1/2$ F.,
die Höhe des Mittelschiffes 85 Fuss, die Höhe der Seitenschiffe
42 F. Das Aeussere ist mit einem kräftigen und glücklich wirkenden System von Strebepfeilern und Strebebögen versehen. In
der Behandlung des Einzelnen unterscheiden sich die ersten Joche
zunächst dem Querschiff, die zuerst zur Ausführung gekommenen
Theile, durch grössere Einfachheit von den westlichen Jochen.
Die Fenster in jenem haben primitiv gothische Formen von
schlichter, fast barbaristisch roher Strenge, die von der spätromanischen Eleganz in den ältern Bautheilen auffällig abweicht,
die Streben eine schlichte, doch bereits auf Figurenschmuck berechnete Ausstattung. Die jüngeren Fenster haben reichen Maasswerkschmuck, in dem aber (bei zumeist dreitheiliger Disposition)
die schöne gesetzlich klare Anordnung der Kölner Schule vermisst wird; das Strebesystem dieser jüngern Theile hat eine Entwickelung von vorzüglich schönem einfachem Adel, zwischen französischer und deutscher Behandlungsweise eine glückliche Mitte
haltend. Wimberge über den Fenstern sind überall nicht zur
Anwendung gebracht. An der Westseite tritt ein Thurm, in
der Breite des Mittelschiffes vor; in seinem untern Theile schlicht
gehalten, bildet er im Innern eine anmuthvoll, mit Arkaden,
Sculpturen und reichgegliedertem Portal ausgestattete Vorhalle.
In die Westseite jedes Seitenschiffes ist, nicht ganz symmetrisch,
ein grosses quadratisches und von einer reichen Maasswerk-Rose
ausgefülltes Fenster eingelassen, ein mit einiger Willkür angeordnetes Schmuckstück. Unter den inschriftlichen Daten, die an
einem der Strebepfeiler der Vorhalle angebracht sind, findet sich
das des Jahres 1270, die Epoche bezeichnend, in welcher der Bau
jedenfalls in lebhaftem Betriebe und bereits erheblich vorgeschrit-
ten war. — Das Schiff des Strassburger Münsters hat grössere
Dimensionen (etwa 116 Fuss Gesammtbreite, 46 $1/2$ F. Mittelschiffbreite, 96 F. Mittelschiffhöhe) und eine im Ganzen höhere und
edlere Durchbildung. Die allgemeinen Verhältnisse, das Princip
der Pfeilergliederung sind allerdings denen des Freiburger Münsters ähnlich; doch drängen sich die Seitenschafte minder eng
um den Kern des Pfeilers und sind, je nach ihrem Zweck, an
Stärke mehr verschieden. Die Composition des Fenstermaasswerkes hat klaren Adel; eine nicht minder treffliche, in Einklang
mit den Fensterstäben gebildete Triforiengallerie füllt den Raum

bis zu den Scheidbögen in angemessener Weise. Es ist schon
darauf hingedeutet, [1] dass das ganze System des Innern lebhafte
Anklänge an das des Schiffbaues von St. Denis (S. 65 u. f.) hat,
und auf dortige Studien schliessen lässt. Das Aeussere hat ein
einfach ausgestattetes System von Strebepfeilern und Strebebögen.
Wimberge über den Fenstern fehlen übrigens auch hier. Als
Zeitpunkt der Vollendung des Schiffbaues wird das Jahr 1275
genannt.

  In nächstem Anschlusse daran folgt der F a ç a d e n b a u des
Münsters von S t r a s s b u r g. Eine Inschrift an dem einen Sei-
tenportal sagte: „Im Jahre des Herrn 1277, am Tage des seligen
Urban, begann dieses glorwürdige Werk M e i s t e r E r w i n v o n
S t e i n b a c h.“ Die Grundform, die bauliche Masse ist schlicht:
dreitheilig nach Maassgabe der drei Schiffe, die Theile durch starke
Streben von einander gesondert, die Geschosse durch horizontale
Gesimse und Friese bezeichnet; unterwärts drei Portale, darüber
im Mittelbau ein grosses Rosenfenster, in den Seitentheilen, die
als Thürme über dem Körper des Gebäudes emporsteigen sollten,
schlanke Spitzbogenfenster in zwei Obergeschossen. Die mächtigen Strebepfeiler nehmen geschossweise, in einfachen Absätzen,
an Stärke ab. Alles bekundet ein noch völlig einfaches Princip;
aber eine reiche, kunstvoll berechnete, in ihrer Art völlig eigenthümliche dekorative Ausstattung legt sich darüber hin. Die Portale sind lebhaft gegliedert, mit Sculpturenschmuck versehen,
mit schlanken schmuckreichen Wimbergen gekrönt, deren mittlerer gleichfalls für Sculpturausstattung angeordnet ist; der Fuss
der Streben ist mit Nischen- und Leistenmaasswerk umkleidet,
während über ihren oberen Absätzen Statuentabernakel, jedesmal
den Fuss des höher aufsteigenden Theiles deckend, angeordnet
sind; die Einrahmung und das Maasswerk der Fenster entwickeln
wohl durchgebildete Formen, die sich in der grossen Rose des
Mittelfeldes, sowohl in der reich durchbrochenen, frei vorspringenden Zackensäumung als besonders in dem strahlenvollen Maasswerke, welches ihr Inneres erfüllt, zu einer wahrhaft erhabenen
Grazie steigern; überall endlich sind luftig schlanke Arkaden,
theils z w i s c h e n diesen Baustücken, theils v o r ihnen stehend
und sie in zierlichem Spiele deckend, eingespannt, deren Pfosten
wie Fäden emporsteigen, die sich in gemusterten Bögen vereinen
und feine Giebelspitzen tragen und die der baulichen Masse den
seltensten malerischen Reiz, den einer feenhaft phantastischen
Wirkung hinzufügen. Man erkennt in allen diesen Dingen mit
Bestimmtheit französische Studien, aber der Meister hat daraus
ein Ergebniss von völlig neuem Gehalte gewonnen; es ist ein
Nachklang des Galleriewesens französischer Kathedralen, aber

---

[1] Durch Schnaase, Gesch. d. bild. Künste, V, I, S. 505.

zu einem wesentlich abweichenden Zwecke, — zu dem einer fast
ätherischen Umhauchung der starren Masse verwandt. Es ist
freilich die Masse selbst von dieser Formenmusik noch nicht

Das Rosenfenster in der Façade des Münsters von Strassburg. (Nach Chapuy.)

durchdrungen, doch überall davon umhüllt, so dass der Schwere
dennoch die Last genommen scheint. Es ist Dasjenige noch in
einer Formensymbolik, einer jugendlich virtuosischen, was etwa
um ein halbes Jahrhundert später, an dem Entwurfe und dem
Bau der Kölner Domfaçade, in gereifter, innerlich vom Geiste
bewegter Formensprache zur Erscheinung dringen sollte. Meister
Erwin führte den Aufbau der Strassburger Façade bis zu seinem
Tode im J. 1318 fort, nach ihm sein Sohn Johann, der 1339
starb. Nach dessen Tode sah man sich veranlasst, von dem
Plane des Meisters abzugehen. Man wollte bedeutendere Höhenverhältnisse gewinnen und verband zu diesem Behuf die Freigeschosse der Erwin'schen Thürme durch einen Zwischenbau, so
dass ein drittes zusammenhängendes Obergeschoss entstand. Ueber
letzterem empfing, im 15. Jahrhundert und in abweichendem
Style, der nördliche Thurm seine aufragende Spitze; (s. unten.)
Die südliche Thurmspitze ist nicht zur Ausführung gekommen.
Der Rhythmus des ursprünglichen Planes ist durch Alles dies
wesentlich beeinträchtigt worden.
    Der Thurm des Freiburger Münsters ist, wie angedeu-
tet, bis zur Höhe des Kirchendaches ein schlichter Bau, ausser
dem in seine Halle führenden Portale nur durch einfach kräftige

Eckstreben ausgezeichnet. Ohne Zweifel war auch der obere
Theil des Thurmes auf eine entsprechend einfache Behandlung
berechnet; aber als man sich anschicken durfte, ihn zur Ausführung zu bringen, genügte der Welt die Einfalt frühgothischer
Formen schon nicht mehr. Jedenfalls musste das glanzvolle Beispiel Strassburgs zum angestrengten Wetteifer reizen; doch ver-
schmähte man es, dem System, welches Meister Erwin ausgebildet hatte, nachzufolgen. Nur etwa jene Rosenfenster, welche
von der Westseite her die Seitenschiffe des Freiburger Münsters
erhellen, bezeugen eine einzelne, vorübergehende Einwirkung der
Strassburger Hütte; im Oberbau des Thurmes macht sich eine
andre Richtung geltend, und es scheint, dass man dem hiezu
entworfenen Plan um so lieber seine Zustimmung gab, als damit
dem Werke Erwin's ein Werk von eigenthümlicher Bedeutung
gegenübergestellt werden konnte. Der Meister des Freiburger
Thurmes verräth Studien der kölnischen Schule, aber ebenfalls
eine selbständig entwickelte künstlerische Kraft und wiederum
etwas von jener klugen Berechnung, welche das Gesetz der Wirkung im Auge hat. Der alte Bau schneidet schlicht ab, doch
aber in einer Weise, die ihn angemessen zum Untersatze des
Oberbaues stempelt; eine Gallerie ist die Krönung des unteren,
die Basis des oberen Theils. Dieser hat den Anschein einer ge-
waltig aufsteigenden ungetheilt achteckigen Masse, mit dreiseitigen
Eckstreben; soweit aber die letzteren, in der untern Hälfte des
Bautheiles, mit der Masse zusammenhängen, ist das Innere noch
vierseitig, sind die wirklichen Fensteröffnungen noch mässig,
wölbt sich drüber hin die Decke, die, mit fester Eindeckung
versehen, den Innenraum abschliesst; dann lösen sich die Eckstreben als Fialenthürmchen ab, das eigentliche Achteck mit
völlig luftigen Fenstern beginnt und über ihnen, zwischen den
Wimbergen der Fenster und den leichten Eckfialen, steigt ein
schlank achtseitiger Helm empor, nur aus den acht mächtigen
Rippen und den Maasswerkfüllungen zwischen diesen bestehend,
— von der Plattform über jener Gewölbdecke an ein völlig offnes
Werk, gegen 200 Fuss hoch über einer 46 F. breiten Grundfläche, die Schenkel des Helmes nebst der Kreuzblume des obersten Gipfels allein fast 150 F. hoch; die Gesammthöhe des Thurmes vom Fussboden aufwärts nahe an 386 F. Die Detailformen,
namentlich die des Maasswerkes in den Fenstern, den Wimbergen,
den Helmkappen, deuten ziemlich bestimmt auf die erste Hälfte
des 14. Jahrhunderts, in welcher Epoche der Bau ohne Zweifel
begonnen und vollendet wurde. Unter allen zur Ausführung
gekommenen gothischen Thürmen grösseren Maasstabes ist er der
einzige, der jene luftig durchbrochene Auflösung der Formen
in entschieden klarer und gesetzlicher Gliederung zur Erscheinung bringt, der von dieser Consequenz des Styles, wie sie die
Epoche des 14. Jahrhunderts (und namentlich die deutsche Kunst)

erstrebte, eine Anschauung gewährt und ihre Wirkung völlig empfinden und erproben lässt. Es ist das Siegel des Triumphes über die Masse — und freilich das Zeugniss, dass der Triumph über die Masse dennoch nicht das Grösste, nicht Dasjenige ist, was eine völlig reine Befriedigung gewährt. — Im J. 1354, ohne Zweifel nach Beendigung der Arbeiten am Thurme, wurde am Freiburger Münster der Grundstein zu einem neuen Chorbau gelegt. Die Ausführung desselben verzögerte sich jedoch über mehr als hundert Jahre; das Werk gehört spätest gothischer Zeit an. (S. unten.)

Gleichzeitig mit den besprochenen Arbeiten am Münster von Strassburg erfolgte der Neubau der dortigen Kirche St. Thomas,[1] mit Beibehaltung einiger Theile aus spätromanischer Zeit (Thl. II, S. 483). Der Chor, ein sehr schlicht gothischer Bau, wurde 1270 begonnen, der Schiffbau (angeblich) von 1313—30 ausgeführt. Dieser ist, bei mässiger Längendimension, fünfschiffig (das nördlichste Seitenschiff zwischen tief einwärts tretenden Streben oder Quermauern), mit der für jene Gegend seltenen Anlage gleicher Schiffhöhen, zu 57½ Fuss bei 29⅓ F. Mittelschiffbreite. Es wird die reizvolle Wirkung der schlanken gegliederten Pfeiler, die rings zu dem Geäste der Gurte und Rippen des Gewölbes in lebhaftem Wechselverhältniss stehen, höchlichst gepriesen.

Als andre oberrheinische Bauten der in Rede stehenden Epoche sind hervorzuheben, — im Elsass: der Münster von Colmar,[2] dessen Bau in der zweiten Hälfte des 13. Jahrhunderts im Betriebe erscheint und als dessen Hauptbaumeister (als der des Chorbaues?) der im J. 1363 verstorbene Wilhelm von Marburg genannt wird; ein schlichtes Gebäude mit niederen Seitenschiffen, dienstbesetzten Rundpfeilern und einfach wohlgeordnetem Fenstermaasswerk; die ähnlich behandelten jüngeren Theile, namentlich der Westbau der Hauptkirche von Schlettstadt; die Kirche zu Haslach, unfern von Strassburg, als deren Meister ein im J. 1330 verstorbener Sohn Erwin's von Steinbach genannt wird;[3] — auf der rechten Rheinseite: der Münster von Alt-Breisach,[4] von dem besonders der Chor, auch der Westbau, dieser Zeit anzugehören, der Schiffbau dagegen noch Reste romanischen Styles zu enthalten scheint.

---

[1] Schneegans, l'eglise de St. Thomas à Strasbourg. Antt. de l'Alsace, II, p. 87, pl. 20. — [2] Antt. de l'Alsace, I, p. 40, pl. 15, f. Schnaase, Gesch. der bild. Künste, V, I, S. 510. — [3] Schnaase, a. a. O. — [4] Chapuy, Allemagne mon., liv. 7.

Die deutsche Schweiz und Schwaben.

In die deutsch-schweizerischen und die schwäbischen Lande
wird der gothische Baustyl besonders im Geleit der neuen geistlichen Orden eingeführt, mit der bei diesen beliebten kunstlosen
Einfachheit und, wie es scheint, vorerst ohne eine sonderlich
entgegenkommende Neigung von volksthümlicher Seite. Die
früheren Epochen der Gothik zählen somit in diesen Gegenden
nur wenig Beispiele von Bedeutung.

Basel hat in dem von 1261—69 erbauten Chore seiner Dominikanerkirche[1] ein Beispiel des aufs Höchste vereinfachten
Styles. Die Kirche ist dreischiffig; der östliche Theil der drei
Schiffe bildet den Chorraum, dessen Mittelschiff ostwärts in üblicher Weise verlängert und mit fünfseitigem Schlusse versehen
ist. Die Chorschiffpfeiler sind schlicht viereckig, mit sehr einfachen Deck- und Fussgesimsen, die Scheidbögen von breiter,
ungegliederter Laibung. In der Höhe der Deckgesimse, von
Consolen getragen, setzen die Gewölbdienste auf. Auch das
Maasswerk der Fenster hat einfachste Formen. (Die Vorderschiffe,
einer späteren Erneuung angehörig, haben Rundpfeiler und gegliederte Scheidbögen, die unmittelbar aus jenen hervorgehen.)
— Die Dominikanerkirche von Zürich,[2] angeblich vom J.
1230, scheint im Schiffbau verwandte Elemente zu haben; es
werden im Innern ebenfalls viereckige Pfeiler, im Aeussern schwere
Strebebögen erwähnt. Der Chor, gleich dem vorgenannten fünfseitig schliessend, scheint etwas später zu sein. Auch der Schiffbau der Fraumünsterkirche[3] zu Zürich scheint das Gepräge roher Frühgothik zu tragen. — Ebenso gehört hieher die
Dominikanerkirche von Bern, deren Bau 1265 begann.[4]

Die Kirche des Cistercienserklosters Kappel,[5] am Südab-
hange des Albis im Kanton Zürich, scheint aus ähnlicher, noch
mehr übergangsmässiger Frühzeit herzurühren, wenigstens der
geradlinig schliessende Chor, dessen äussere Seitenwände ebenso
wie die geradlinigen Kapellenvorlagen an der Ostseite des Querschiffes mit Lissenen und Spitzbogenfriesen versehen sind. Ein
ansehnliches Maasswerkfenster in der Ostwand des Chores dürfte
später eingefügt sein.

Zu Constanz haben die Schiffarkaden der Stephanskirche
ein Gepräge, welches gleichfalls noch Anklänge an den Ueber-
gangsstyl besitzt: achteckige Pfeiler mit schlichtesten Kelch-

---

[1] L. A. Burckhardt u. Ch. Riggenbach, in den Mittheilungen d. Gesellschaft
für vaterl. Alterthümer in Basel, IV. — [2] Füssli, Zürich und die wichtigsten
Städte am Rhein, I, S. 44. — [3] Ebenda, S. 39. Grundriss und ein wenig Detail bei Wiebeking, bürgerl. Baukunde, T. 61. — [4] Grüneisen, Niclaus Manuel,
S. 53. — [5] Mittheilungen der antiquar. Gesellschaft in Zürich, II, S. 1 (mit
einer Ostansicht der Kirche).

kapitälen, attisch profilirten Deckgesimsen, schweren ungegliederten Spitzbögen. Das Uebrige ist noch spätgothisch. [1]

·Vielleicht steht das eben angeführte Beispiel noch in styli-
stischem Wechselbezuge zu den spitzbogigen Basiliken mit achteckigen Pfeilern, auch mit Rundsäulen, welche anderweit für die
schwäbische Architektur [2] der Uebergangsepoche charakteristisch
sind und von denen früher (Thl. II, S. 493 u. f.) die Rede gewesen
ist. Hier mag nochmals der Dionysiuskirche zu Esslingen [3]
gedacht werden, die ebensosehr für die letzten Ausgänge des
romanischen Styles, wie für den Anfang des gothischen, auch
für dessen spätere Ausprägung, in Betracht kommt. Ihre romanisirenden Schiffarkaden nehmen in den letzten, westlichen Jochen
ein in der That schon mehr gothisches Gepräge an, und die Fenster füllen sich mit verschiedenartigem Maasswerk früheren Charakters, während doch einer Ueberwölbung der Schiffräume
noch nicht vorgearbeitet wird. Dagegen hat der Chor ein erheblich jüngeres Gepräge, das der späteren Zeit des 14. Jahrhunderts,
mit dem Wölbesystem dieser Epoche.

Jene Uebergangsbasiliken bilden eine unmittelbare Vorbereitung zu den Kirchen des vereinfacht primitiv gothischen Styles,
den auch hier die geistlichen Orden einführten. Esslingen
hat zwei Beispiele der Art. Das eine, die für ein Dominikanerkloster erbaute Paulskirche, schliesst sich der Dionysiuskirche
zunächst an. Der Bauplatz für das Kloster wurde 1233 überwiesen, die Kirche 1268 geweiht. Es ist eine
spitzbogige Säulen-Basilika, mit Gewölben,
welche auf consolengetragenen Diensten oder
nur auf Consolen ansetzen, mit allereinfachst
gothischer Gliederung und Profilirung (die
Scheidbögen, ähnlich denen der Dionysiuskirche, mit sehr schlichten Kehlenprofilen),

Scheidbogenprofil in der
Paulskirche in Esslingen.
(Aus d. mittelalterl. Kunst-
denkmalen in Schwaben.)

die Fenster ebenso mit schlichtest primitivem
Maasswerk. Das zweite Beispiel ist die Fran-
ciskaner- oder Georgskirche, deren Schiff-
bau, neuerlich bis auf ein geringes Fragment abgerissen, dasselbe System befolgte, doch schlanker und edler in den Verhältnissen und elastischer in den Profilen des Details, so dass sich

---

[1] In den Denkmälern der Baukunst des Mittelalters am Oberrhein, I, S. 70,
wird zwar angegeben, dass der Bau der Kirche erst 1428 begonnen und 1486
beendet sei; die Beschaffenheit jener Arkaden lässt aber mit grösster Wahr-
scheinlichkeit voraussetzen, dass sie den Rest eines älteren Baues ausmachen.
— [2] Uebersicht der gothischen Monumente Schwabens, von Merz, im Kunstblatt, 1845, No. 84. — [3] Näheres über die Kirchen von Esslingen bei Heideloff u. Fr. Müller, die Kunst des Mittelalters in Schwaben, S. 52, ff. Vergl.
Lübke, im D. Kunstblatt, 1855, S. 410.

hierin ein Schritt weiterer Entwickelung aussprach. Der langgestreckte Chor dieser Kirche gehört der Mitte des 14. Jahrhunderts an.

Andre Beispiele einfach frühgothischen Styles sind: der Chor
der Regiswindenkirche zu Lauffen am Neckar, angeblich vom
Jahr 1229, — und die Kirche des im J. 1245 gestifteten Cister-
zienser-Nonnenklosters Gnadenthal bei Schwäbisch-Hall, ein
einschiffiger geradlinig geschlossener Bau, mit der üblichen Nonnenempore in der westlichen Hälfte, bemerkenswerth durch einigen Schmuck an Einzeltheilen, der noch Reminiscenzen des
Uebergangsstyles zu enthalten scheint. [1] — So auch die älteren
Theile der Hauptkirche (St. Kilian) zu Heilbronn, [2] die Partie
der Thürme am Querschiff, auch vielleicht die Schiffarkaden, die
aber, dem gesammten übrigen Gebäude entsprechend, in spätgothischer Umwandlung erscheinen.

Das bedeutendste Monument, welches aus dieser Richtung
hervorgegangen, ist die Marienkirche zu Reutlingen. Sie wurde
1247 gegründet und 1343 vollendet; ihr Charakter ist massenhaft streng und ernst, doch mit glücklichen Raumverhältnissen;
ihr Inneres ist zum Theil, in Folge eines Brandes, modernisirt.
Sie hat Schiffarkaden mit achteckigen Pfeilern, flachem Kapitäl
und schlicht, im Kehlenprofil, gegliederten Scheidbögen; die
Oberfenster von einfachster Form, mit Säulchen, stehen gekup-
pelt. Die aus den Seitenschiffen in die Querschiffflügel führenden
Scheidbögen sind noch halbrund; der Chor ist viereckig, gleichfalls mit einfach behandelten schlanken Fenstern. Im Aeussern
ist ein durchgeführtes Strebesystem: Strebepfeiler mit Statuentabernakeln und Strebebögen; unter dem Kranzgesims des Mittelschiffes noch ein Spitzbogenfries. Die Westseite hat eine etwas
reichere Ausstattung, mit drei geschmückten, doch streng gegliederten Portalen und mit einem kräftigen Thurme über der Mitte,
dessen Obertheil, achteckig, mit massivem Helme gekrönt ist.

Wesentlich abweichend, ein Werk von reicher architektonischer Belebung, ist die Stiftskirche zu Wimpfen im Thal. [3]
Sie wurde von dem Dechanten Richard von Ditensheim, somit
in der Epoche von 1262—78 erbaut, im Anschluss an das System
der französischen Gothik. Ein von dem zweiten Nachfolger des
Erbauers noch vor dem Schlusse des 13. Jahrhunderts nieder-
geschriebener Bericht spricht dies letztere Verhältniss mit bestimmten Worten aus und liefert hiemit einen wichtigen Beitrag

---

[1] Aehnlich eine Thür der ehemaligen Kirche zu Rechentshofen (zwischen
Stuttgart und Maulbronn), deren Darstellung in Eberhard's National-Archiv
für Deutschlands Kunst und Alterthum befindlich ist. — [2] Franz Kugler, Kl.
Schriften, II, S. 422. — [3] Ueber das Historische s. Dahl in F. H. Müller's
Beiträgen zur deutschen Kunst- u. Geschichtskunde, I, S. 72. An Aufnahmen,
selbst an sachkundiger Kritik des merkwürdigen Gebäudes fehlt es noch. (Ich
schreibe nach sehr frühen Erinnerungen, Kl. Schriften, I, S. 96, und nach Notizen, die ich neuerlich an Ort und Stelle machen liess.)

zur Geschichte der Verbreitung der gothischen Formen. Der
Bericht lautet also: „Das Münster, welches vor übergrossem Alter
baufällig war, so dass man sich des Einsturzes in nächster Zeit
versehen zu dürfen glaubte; brach er (Richard) ab, und nachdem
er einen in der Baukunst sehr erfahrenen Steinmetzen berufen,
der neuerlich von der Stadt Paris aus der Gegend von Franzien
gekommen war, liess er die Basilika in französischem Werk (opere
francigeno) ausgeschnittenen Steinen errichten. Derselbe Künstler
nun hat den wunderwürdigen Bau der Basilika, der mit Bildern
der Heiligen aussen und innen schmuckvoll gezieret ist, und die
Fenster und das gemeisselte Werk der Säulen mit vielem Schweisse
und mit der Aufwendung grosser Kosten gemacht, so wie es
heutiges Tages dem Gesichte der Menschen erscheint. Das Volk
aber, welches von allen Gegenden kommt, bewundert das herr-
liche Werk, preiset den Künstler, verehrt den Knecht Gottes
Richard und trägt dessen Namen weit und breit umher." Das
Gebäude selbst ist im Wesentlichen aus einem Gusse. Nur die
Westseite hat zwei schlicht romanische, von einem älteren Bau
beibehaltene Thürme. Der Neubau hat mit der Chorpartie und
den dazu gehörigen Ostthürmen begonnen, vielleicht noch vor
der durchgreifenderen Wirksamkeit jenes in Frankreich gebildeten
Meisters, indem an dem nördlichen dieser Thürme und an seiner
inneren Hülle Details von einer fast rohen Einfachheit erscheinen,
welche noch dem Style der bisher besprochenen schwäbischen
Architekturen entsprechen. Alles Uebrige hat das Gepräge einer
edlen frühgothischen Durchbildung, in Uebereinstimmung mit den
französischen Normen und der anderweit vorhandenen Uebertragung derselben nach Deutschland: die Pfeiler der mittlern Vierung von eckig abgestuftem Kerne, reich mit Säulchen besetzt,
die Schiffpfeiler rund, mit vier stärkeren und vier schwächeren
Diensten, die an der Vorderseite zum Mittelschiffgewölbe emporsteigen, und mit Kapitälkränzen von leichtem, fein ausgebildeten
Blattwerk· die Scheidbögen lebhaft gegliedert, mit breiterer Fläche
in der Mitte, auf den Ecken in Birnprofilen; die Quergurtbögen
zumeist nach ähnlichem Princip, die Diagonalrippen in einfacher
Birnenform; die Fenster mit wirksam gegliederter Umrahmung
und mit gesetzlich klarer Maasswerkfüllung; dabei aber die Wand
zwischen den Oberfenstern des Mittelschiffes und den Scheidbögen
noch leer, ohne weiteres Detail. Das Aeussere schlicht: einfach
derbe Strebepfeiler und Strebebögen, von denen aber nur ein
Stück vorhanden; der südliche Giebel des Querschiffes mit reichlicher, doch, wie es scheint, von dem Charakter des Ganzen nicht
wesentlich abweichender Ausstattung. Auch hier hat es die
neueingeführte Kunst nicht unterlassen, den ungeheuerlichen
Wasserspeiern, in launisch phantastischen und in roh gemeinen
Bildungen, die übliche Stelle zu bereiten. — Der Kreuzgang zur
Seite der Kirche ist gleichfalls bemerkenswerth, in dem Stab-

und Maasswerk seiner Arkaden verschiedene Entwickelungsmomente des gothischen Styles bezeichnend.

Für die reichere Behandlung der gothischen Formen kommen sodann noch einige Cistercienserkirchen in Betracht, deren Inhaber im Fortschritt der Zeit gern darauf bedacht waren, mit der schlichten baulichen Disposition die Ergebnisse der fortgeschrittenen Stylentwickelung zu verbinden. Dahin gehört die Kirche von Salem (Salmansweiler), unfern von Ueberlingen am Bodensee, von 1282—1311 erbaut, [1] mit einfach gerade abschliessender Ostseite ohne Kapellenvorlage, aber mit grossen, von reichem Maasswerk ausgefüllten Fenstern in der östlichen Wand und mit maasswerkartig dekorirten Streben zu ihren Seiten; [2] — dahin die Kirche des von Salem abhängigen Nonnenklosters Heiligkreuzthal, [3] unfern von Riedlingen an der Donau, v. J. 1319, ebenfalls mit stattlichem Ostfenster, (während andre Theile aus späteren Erneuungen herrühren); — dahin die ähnlich reichen Fenster, mit welchen die Chöre der älteren Kirchen von Maulbronn und von Bebenhausen [4] (Thl. II, S. 495 u. f.) versehen wurden. Zu Maulbronn erscheinen zugleich am Kreuzgange, der bereits in der Uebergangsepoche begonnen war, (Thl. II, S. 502) verschiedenartige Stufen der Entwickelung des gothischen Styles, zum Theil in sehr eigenthümlicher Behandlung.

Bayern.

In den bayrischen Landen ist vornehmlich Regensburg für die früheren Entwickelungsepochen des gothischen Styles von Bedeutung. Bei der Wechselwirkung mit lokaler Geschmacksrichtung gewinnen die überkommenen Formen hier zum Theil eine bemerkenswerth eigenthümliche Behandlung.

Die St. Ulrichskirche, die sogen. „alte Pfarr", [5] reiht sich den spätromanischen Monumenten von Regensburg (Thl. II, S. 508 u. f. u. 510 u. f.) noch unmittelbar an. Sie hält in vielen Einzelheiten noch an den Motiven des Uebergangsstyles fest, die sie in ungewöhnlicher Weise mit solchen einer schon vorgeschrittenen Gothik verbindet, während zugleich die Gesammtcomposition eine von den sonst üblichen Bauformen sehr abweichende Anlage bildet. Der Grundriss ist ein einfaches Rechteck von 174 Fuss innerer Länge und 74 F. Breite, auf allen vier Seiten von einem niederen, an der Westseite gedoppelten Umgange

---

[1] Schnaase, Gesch. d. bild. Küuste, V, S. 436. — [2] Nach v. Stillfried'schen Skizzen. — [3] Organ f. christl. Kunst, VI, S. 28. — [4] Kallenbach, Chronologie, T. 51. — [5] Popp und Bülau, die Architektur des Mittelalters in Regensburg, Heft 4.

umgeben, so dass innerhalb desselben ein rechteckiger Mittelraum
von nur 53 F. Länge und 42 F. Breite ührig bleibt; über dem
Umgange sind Emporen, niedrige auf den Langseiten, doppelt so

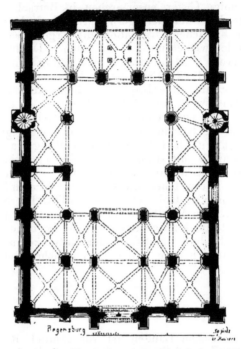

Grundriss der alten Pfarr in Regensburg. (Nach Popp und Bülau.)

hohe auf den Schmalseiten des Gebäudes. Die Umgänge und die
Emporen sind mit Kreuzgurtengewölben überspannt, der Mittelraum flach gedeckt. Die Arkadenpfeiler sind achteckig, von verschiedener (zum Theil sehr ansehnlicher) Stärke und Verhältniss,
die Bögen des Umganges flachrund, die der Emporen gedrückt
spitzbogig; die Wandpfeiler der Emporen, die Mittelpfeiler der
westlichen Emporen sind mit Säulchen besetzt, die letzteren zum
Theil auch von selbständig cylindrischer Säulenform. Die Kapitäle haben charakteristisch frühgothisches Blattornament, die
Deck- und Fussgesimse weiche Uebergangsformationen, die sich
an den Basamenten der stärkeren Pfeiler zumeist in barocker
Weise häufen. Die Gurtprofile sind frühgothisch, die Diagonalrippen in schon sehr bewusst gothischem Gepräge. Am Aeussern
treten schlichte Strebepfeiler vor. Das Portal auf der Westseite
ist rundbogig, von romanischer Composition und ausgesprochen
gothischer Bogenprofilirung. Die Fenster sind spitzbogig, die
der Langseiten in einfachster Lanzetform, die der Schmalseiten

mit schlichtem, aber völlig ausgebildetem (schon von dem Säulen-
princip ganz absehenden) Maasswerk; ein Rundfenster im Westgiebel hat eine Maasswerkfüllung, in der sich wiederum Uebergangsreminiscenzen bemerklich machen. Alles bekundet einen
Sinn, der fast abenteuerlich, zwischen den entgegengesetzten Polen alter und neuer Zeit hin und wieder getrieben wird. Die
Gesammtanlage, die von den alten Cultbedingungen so auffällig
abweicht und dafür den Emporen eine so überwiegende Ausdehnung giebt, scheint durch das im 13. Jahrhundert hervortretende städtische Bedürfniss angemessener Predigthäuser veranlasst;
ob und wie weit etwa die Doppelkapellen spätromanischer Schloss-
anlagen oder andre Vorbilder [1] auf die gewählte Disposition ein-
gewirkt, mag dahingestellt bleiben. Die künstlerische Form haftet
in den festeren Theilen an dem Altüberlieferten, wenn dasselbe
sich auch vielfach spielend umgestaltet; die beweglicheren Formen
folgen dagegen völlig den Principien des neuen Styles, und zwar
mehrfach, wie angedeutet, den schon sehr vorgeschrittenen Aus-
bildungen desselben. Das Gebäude kann daher nur, gleich manchen Uebergangsbauten an andern Orten, in die Spätzeit des 13.
Jahrhunderts fallen. Wenn gleichzeitig — und vielleicht schon
vor dem Beginne des Baues der alten Pfarr — andre Monumente
in Regensburg errichtet wurden, die dem sicher ausgeprägten
gothischen Style angehören, so widerspricht dies solcher Annahme
in keiner Weise. Gerade in den südlichen Landen hielt der
Romanismus am längsten Stand, und es liegt durchaus in der
Natur der Sache, dass derselbe auch beim Beginn der Einführung
des neuen Styles noch auf einige Zeit sein Leben zu wahren
suchte. [2]

Ein selbständig gothischer Bau ist zunächst die Dominikanerkirche, [3] die, wenigstens in ihren wesentlichen Theilen,
in der Zeit von 1274—77 errichtet wurde. Sie gehört wiederum
in die Reihenfolge jener Ordenskirchen, welche dem gothischen
System, in vereinfachter Durchbildung seiner Elemente, die Bahn
bereiteten; sie ist eins der ansehnlichsten und würdigsten Beispiele dieser Folge, im Innern 251 Fuss lang, 83 F. breit, bei
36 F. Mittelschiffbreite und gegen 90 F. Mittelschiffhöhe. Den
bedeutenden Verhältnissen entspricht die klare, ob durchweg auch
schlichte Formation des Einzelnen; besonders zu beachten ist die
Gestalt der Schiffpfeiler: achteckig, mit vier Dreiviertelsäulen
als Diensten an den vier Hauptseiten, die von polygoner Basis
aufsteigen und mit kelchförmigem Kapitäl enden, die vordere an

---

[1] Wie z. B. die Kirche S. Flaviano zu Montefiascone, Thl. II, S. 93, die
im Ganzen eine ähnliche Anlage hat. — [2] Schnaase, Gesch. d. bild. Küuste,
V, I, S. 583 nimmt an, dass die Ostseite des Gebäudes im 14. Jahrhundert
erneut und auch das Uebrige, mit Ausnahme der westlichen Theile, überarbeitet sei. Hiefür würden die überzeugenden Einzelnachweise beizubringen sein.
— [3] Grueber, christl. mittelalterl. Baukunst, II, T. 31 (1, a, b.) Kallenbach,
Chronologie, T. 32. Kallenbach u. Schmitt, christl. Kirchenbauk., T. 30 (6).

der Mittelschiffwand bis zum Hochgewölbe emporlaufend. Die
Fenster der Seitenschiffe und des Oberbaues haben die schlichtest
primitive Maasswerkfüllung, die hochschlank emporsteigenden
Fenster des Chorschlusses ein um ein Geringes reicheres Rosetten-
muster. Ausserdem sind die Fenster der Westseite mit etwas
schmuckreicherer Zuthat versehen. Das Hauptportal hat wiederum noch romanische Reminiscenz: in der Hauptform rundbogig
und im Bogen von Rundzacken umsäumt; mit zwei spitzbogigen
Oeffnungen, deren Bögen eine ähnliche Säumung, von Spitzbogen-
zacken, haben.

In dieselbe Epoche fällt sodann der Beginn des D o m e s
von Regensburg, [1] der zu den Prachtwerken des gothischen Styles
zählt, das bedeutendste, welches Süddeutschland (mit Ausnahme
der oberrheinischen Monumente) aus der frühern Zeit der Gothik
besitzt. Er wurde im J. 1275 gegründet und zu Anfang, wie es
scheint, rüstig gefördert, später indess zögernd fortgesetzt, so
dass der Abschluss der Arbeiten erst mit dem Ende des Mittelalters erfolgte; doch erscheint das Ganze (bis auf die Façade)
nach gleichartigem Entwurfe ausgeführt, der Art, dass die Zeitunterschiede sich nur in Einzelabweichungen zu erkennen geben.
Der Plan ist schlicht: ein dreischiffiger Bau, von einem einfachen
Querschiff durchschnitten, welches über die äussere Flucht der
Seitenschiffe nicht hinaustritt; dem Mittelschiffe entspricht der
gestreckte, dreiseitig schliessende Hauptchor, den Seitenschiffen
kürzere, mit demselben Schlusse versehene Nebenchöre, die sich
jenen als Kapellen anlegen. Die Maasse sind ansehnlich; die
Verhältnisse, auf Grundlage des rheinisch-französischen Systems,
aber in selbständig freier Verarbeitung desselben, haben eine gewisse freie Fülle, die mit den glücklichen Dimensionen des Aufbaues, welcher (wie im Halberstädter Dome) zwischen übermäs-
siger und ungenügender Steigerung des Höhenverhältnisses die
Mitte hält, zu einer vorzüglich gediegenen Entfaltung innerer
Räumlichkeit Veranlassung geben. Die Vorderschiffe haben allerdings keine sonderlich ausgedehnte Längenflucht (nur 5 Joche,
mit Einschluss des Raumes der Thürme, die sich über verstärk-
ten Pfeilern des Innern erheben, zusammen nur die Hälfte der
inneren Gesammtlänge;) aber die räumliche Behandlung geht
überhaupt nicht auf vorwiegende Längenwirkung aus. Die innere
Länge beträgt 286 Fuss, die innere Gesammtbreite 118½ Fuss,
die lichte Mittelschiffbreite 46 F.; in den Axen der Pfeiler gemessen beträgt die letztere 49½ F., die Seitenschiffbreite 35 F.,
die Jochbreite 27 F.) Die Mittelschiffhöhe ist 106½ F., die Seitenschiffhöhe 59½ F. — Der Beginn des Werkes, der Unterbau
der Chorpartie, zeigt noch charakteristisch frühgothische Elemente,

---

[1] Popp und Bülau, a. a. O., Heft 1, 3, 5, 8—10. Grueber, a. a. O., T. 21,
32, 45. Chapuy, Allemagne mon., liv. 8. *Denkmäler der Kunst*, T. 54 A (5,
8—8b, 12, 13, 21, 22, 26), 55 (3).

derbe Säulenbündel als Gurtträger, mit noch halb übergangsartigen Basamenten. Kleine Arkadennischen, die unter den Fenstern
angeordnet, schmuckreicher im Hauptchor, schlichter in den
Nebenchören, haben noch mancherlei primitives Element; der
ganze südliche Nebenchor charakterisirt sich durch eine früh-
strenge Behandlung; auch die ersten Dienstbündel an der Wand
des südlichen Seitenschiffes, jenseit des Querschiffes, haben noch
jene derbere Form, eins der Zeugnisse für die Ausdehnung des
Baues schon bei dessen erstem Beginne.   Bald aber, beim Vor-
rücken des Baues aufwärts und vestvärts, erscheinen die Marken
eines in leichterer Art eigenthümlich durchgebildeten Systems.
Besonders merkwürdig ist zunächst die Formation der Schiffpfeiler,
(die schon an den, zwar stärkeren Pfeilern der Vierung, auch an den
östlichen, vorgebildet ist, somit ohne Zweifel schon bald nach dem
Beginn des Baues ihre Ausprägung empfing). Sie ist, wie es scheint,
aus der achteckigen Pfeilerform der Dominikanerkirche von Regensburg hervorgegangen, doch statt der schlichten Dienste der

letzteren mit voller und flüssiger Gliederung belebt: an
jeder Seite eine Gruppe von
drei, durch starke Kehlen
geschiedenen Diensten, (von
denen aber, in deutlicher
Hinweisung auf den Pfeiler
der Dominikanerkirche, jedesmal nur der Mitteldienst
eine vortretend polygonale
Basis hat); der Art, dass
von der achteckigen Grundform nur geringe Stücke
übrig blieben, auch die
Dienstbündel der Innenseiten, welche die Scheidbögen
tragen, von den für die
Gewölbrippen bestimmten
durch stärkere Dimension
unterschieden sind.   Diese

Dom vou Regensburg. Profil der Schiffpfeiler und
der Bogen- und Rippengliederung. (Nach Popp
und Bülau)

Gliederung der Pfeiler erinnert an die der Katharinenkirche von
Oppenheim (S. 282 u. f.), und es mögen Reminiscenzen der letzteren
bei ihrer Bildung mitwirkend gewesen sein; aber es ist hier in
der That ein edleres Gleichmaass erreicht, als der Oppenheimer
Meister in seiner Composition zu entwickeln vermochte; es ist
eine gewisse logische Consequenz in dieser Bildung, — der Aus-
druck eines quellend weichen Lebens auf strengem und festem
Grunde, der seine Wirkung nicht verfehlt. Die Oppenheimer
Reminiscenz spricht sich auch in der Behandlung der Bogen- und
Gurtgliederung aus, indem sich ebenso wie dort die einzelnen

Dienste des Pfeilers, jenseit ihres Kapitäles, in den birnartig
profilirten Bogenstab verwandeln; es ist hierin gleichfalls ein
etwas äusserlicher Bezug der einen Form auf die andre, ein nicht
ganz lebendiges Verständniss des Princips der Bogengliederung;
aber auch hier, nach Maassgabe der gegebenen Form, ist die
Wirkung edler und befriedigender. Die Pfeiler der Vierung und
die unter dem Thurmbau haben eine völlig ähnliche Behandlung,
nur dass die Grundform, verstärkt und in den Schrägseiten erheblich verlängert, mehr wie ein übereck gestelltes Viereck erscheint und eine grössere Zahl von Zwischengliedern zählt. —
Vielfach Eigenthümliches hat sodann die Architektur der Fenster.
Der Raum zwischen den Oberfenstern und den Scheidbögen der
Schiffarkaden wird durch ein Triforium mit geschlossener Rück-
wand ausgefüllt; das Stabwerk des Triforiums ist Fortsetzung
des Fensterstabwerkes. Dieselbe Anordnung geht durch den
Oberbau des Chores. Die freien Seiten des Chorschlusses haben,
in Uebereinstimmung hiermit, zwei Fenstergeschosse, mit der
eigenthümlichen und malerisch wirkenden Einrichtung, dass die
unteren Fenster in tiefen Nischen liegen, während sich in die
Vorderflucht der letzteren ein freier Bogen einspannt und über
diesem die Oberfenster sammt dem Stabwerk des Triforiums angeordnet sind. Das Maasswerk der Fenster ist reich, mit verschiedenartigen Rosettenmustern im Charakter des 14. Jahrhunderts, im Detail von edler Bildung, in der Composition aber nur
ausnahmsweise von rhythmischer Gediegenheit. Das etwas stärkere
Breitenverhältniss der Oberfenster scheint der letzteren entgegengestanden zu haben; ausser parallelistischer Linienführung sind
dabei mancherlei, selbst etwas barbarisirende Aushülfen versucht
worden. Ganz eigen sind die Seitenfenster behandelt: in jedem
Jochfelde statt eines grösseren zwei schmale, lanzetartig gebildete
mit verhältnissmässig einfacherem Maasswerk und über ihnen ein
besonders kleines Rundfenster. Es scheint, dass diese Anordnung,
die auf dem System primitiver Gothik beruht, hier aber schon
mit den völlig entwickelten Details verbunden ist, gewählt wurde,
um die reicheren Oberfenster durch den Gegensatz zu jenen zu
heben; sie findet sich bereits an den ältesten östlichen Theilen
des Domes und ist an den westlichen mit einiger Modification der
Einzelform beibehalten. — Das Aeussere hat ein einfach durchgebildetes System von Strebepfeilern, Strebebögen und schlichten
Wimbergen über den Oberfenstern. Am Chorschlusse ist das
nicht unzierliche Motiv anzumerken, dass, indem das Untergeschoss in Gemässheit der Fensteranordnung etwas stärker vortritt,
die Strebepfeiler sich schon über der Höhe des letzteren fialen-
artig lösen und aufgipfeln und mit der Wand des Obergeschosses
nur durch ein eigenes Strebemäuerchen verbunden bleiben. (Von
der Westfaçade wird später die Rede sein.)

Im Anfange des 14. Jahrhunderts wurde die Minoriten-

kirche [1] zu Regensburg gegründet, ein ansehnlicher Bau,
beinahe von den Dimensionen der Dominikanerkirche. Doch
scheint dieser Epoche zunächst nur der hochschlanke Chorbau
anzugehören, der der Vorderschiffe mit Rundpfeilern aber etwas
jünger zu sein.

Ausserhalb Regensburg sind im Bayrischen nur wenig Monumente der in Rede stehenden Epoche vorhanden, diese wenigen nicht von erheblicher Bedeutung. Anzuführen sind: einige
kleinere einschiffige Monumente, [2] wie die frühgothische Afrakapelle zu Seligenthal bei Landshut, — die Levinische
Kapelle in der früher sogenannten „alten Veste" zu Amberg
in der Oberpfalz, mit reichlichen Details, darunter sich namentlich das naturalistisch behandelte Laubwerk der Kapitäle auszeichnet, und mit einem anmuthigen, erkerartig hinausgebauten
Chörlein aus der späteren Zeit des 14. Jahrhunderts, — die kleine
Kirche von Adlersberg, unfern von Regensburg, mit zierlich
sculptirten Dienstkapitälen, — und die Kapelle zu Ried, bei
Dechantsreut in Niederbayern, ein einfacher Ziegelbau mit ge-
radem Chorschluss. — Sodann einige grössere Kirchen: [3] die Johanneskirche zu Freising, 1319—21 gebaut, in der Masse
aus Ziegeln, in den Details aus Sandstein bestehend, ein schlichter Beleg für die vorschreitende Zeit und für das angedeutete
technische Verhältniss, welches für die Folge grössere Wichtigkeit gewinnt; — die Benedictenkirche, ebendaselbst, aus
der Zeit um 1345, im Innern durch Modernisirung entstellt; —
die Jodocuskirche zu Landshut, zwischen 1338—68 erbaut,
aus welcher Epoche jedoch nur das Mittelschiff und der Thurm-
unterbau herrühren, während das Uebrige einer Erneuung nach
1404 angehört. —

Unter den Monumenten des salzburgischen Landes scheint
der Chor der Stiftskirche zu Berchtesgaden, ein ansehnliches
Werk, der früheren Entwickelungszeit des gothischen Styles anzugehören. [4]

Die österreichischen Lande.

Die österreichischen Lande scheinen ebenfalls nur eine geringe Zahl von Monumenten zu besitzen, welche aus den ersten
Entwickelungsstufen des gothischen Styles herrühren.

In einer vorliegenden Uebersicht der gothischen Monumente

. [1] Augsb. Postzeitung, 1856, No. 91, Beil. — [2] Ebenda, a. a. O. — [3] Sighart,
die mittelalterl. Kunst in der Erzdiöcese München-Freising. — [4] Ich muss
dies aus der Notiz von F. M. in der Wiener Bauzeitung, 1846, S. 252, schliessen, obschon dieselbe ebensoviel Widersprüche wie bezeichnende Angaben enthält. Vergl. im Uebrigen Sighart, a. a. O., S. 90.

von Kärnten [1] wird theils bestimmt auf solche hingedeutet, theils lässt sich eine Herkunft aus frühgothischer Zeit vermuthen. Die Dominikanerkirche und die Deutsch-Ordenskirche zu Friesach, die Minoritenkirche zu Villach, der Chor der Pfarrkirche zu Maria-Wörth, am Wörther See bei Klagenfurt, und die Marienkapelle daselbst, die Helenenkirche auf dem Helenenberge (Pfarrei Ottmanach), eine Kapelle zu Strewnberg kommen hiebei vorläufig in Betracht. — In Steiermark wird der Chor der Minoritenkirche zu Pettau, [2] um 1286, als zierlich entwickelter frühgothischer Bau bezeichnet. Ebenso, schon als ausgesprochen gothisches Werk, die Deutsch-Ordenskirche St. Maria am Leech zu Gratz, angeblich vom J. 1283, — sowie die ihr in der Behandlung ähnliche und zugleich anmuthigere Kirche des Nonnenklosters Imbach bei Krems (Ober-Manhartsberg), angeblich von 1269—89. [3] — Näher eingehenden Berichten und kritischen Nachweisen wird hiebei jedoch überall noch entgegenzusehen sein.

Auch die Stadtpfarrkirche zu Murau [4] in Steiermark mag noch der Epoche der strengeren Gothik angehören. Mit Querschiff und Polygon-Chor versehen, hat sie über der mittleren Vierung einen in seinen oberen Theilen achteckigen Thurm. Strebebögen stützen das hohe Mittelschiff. Die Schiffpfeiler sind achteckig, mit schlichter Deckplatte, die Scheidbögen gedrückt spitzbogig. Die Gurtbögen des Mittelschiffgewölbes, welches der Diagonalrippen noch entbehrt, werden von Consolen getragen; eine der letzteren ist hornartig gebildet, eine Form, die zumeist der Uebergangsepoche eignet.

Anderweit kommen die schon besprochenen glanzvollen Kreuzgänge von Heiligenkreuz, Lilienfeld und Klosterneuburg [5] in Betracht, welche theils dem Uebergange aus dem romanischen in den gothischen Styl angehören, theils aber auch schon eine selbständige Frühgothik in reicher Entwickelung zeigen.

Zu Heiligenkreuz [6] folgen auf den Bau des Kreuzganges andre bauliche Anlagen, die für die Gestaltung des gothischen Systems eine besonders hervorstechende Bedeutung haben. Zunächst, obschon in wiederum schlichteren Formen, macht sich das Wechselverhältniss zwischen beiden Stylen und die schliessliche Ausprägung des gothischen in dem Bau des Dormitorinms geltend. Es ist zweigeschossig. Im Untergeschoss besteht es aus einer Halle, deren gedrückt spitzbogiges Kreuzgewölbe auf kurzen Pfeilern, 2 viereckigen und 8 cylindrischen, ruht, ohne Kapitälzierden, ohne Diagonalrippen und mit völlig einfachen

---

[1] v. Ankershofen, in den Mittheilungen der K. K. Central-Commission, I, S. 124, ff. — [2] K. Haas, Kunstdenkm. des Mittelalters in Steiermark, im Jahrbuch der K. K. Central-Commission, II. — [3] Ueber beide s. Heider, die roman. Kirche zu Schöngrabern, S. 94, f. — [4] K. Haas, a. a. O. — [5] Vergl. Thl. II, S. 525 u. f. u. 527. — [6] Heider, v. Eitelberger und Hieser, Mittelalterl. Kunstdenkmale des Oesterreichischen Kaiserstaates, I.

breiten Gurtbändern; die letzteren jedoch mit einem sehr eignen blumenförmigen Ausschnitt gegen die Pfeiler ansetzend und hierin den ähnlich ausgeschnittenen Aufsätzen über den Kapitälen des

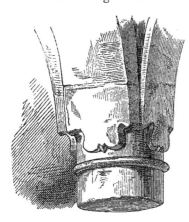

Kreuzganges (auch des Kapitelsaales), von denen dort die Gewölbrippen ausgehen, entsprechend, also auf eine nahe übereinstimmende Ausführungszeit deutend. Das Obergeschoss ist eine luftige Halle mit schlanken achteckigen Säulen und einem Kreuzgurtengewölbe; die Behandlung äusserst schlicht, wie anderweit in Monumenten des reducirt frühgothischen Styles, die Ausführung natürlich später als die des Untergeschosses, doch, wie es scheint, ohne einen irgend erheblichen Zeitabstand, — der Art, dass das Untergeschoss (sammt dem Kreuzgange und dem Kapitelsaale) etwa in das dritte Viertel des 13.

Dormitorium zu Heiligenkreuz Ansatz der Gewölbegurte über den Rundpfeilern. (Aus den mittelalterl Kunstdenkmalen des österr. Kaiserstaates.)

Jahrhunderts, das Obergeschoss in den Beginn des letzten Viertels zu setzen sein wird. — Dann folgt der Chor der Kirche von Heiligenkreuz. Der spätromanische Bau der Vorderschiffe (Thl. II, S. 524) mochte einem älteren Chore angefügt sein; am Schlusse des 13. Jahrhunderts sah man sich veranlasst, einen neuen Chor, jedenfalls von ansehnlicherem Umfange als der bisherige, zur Ausführung zu bringen; im J. 1290 wird, nach schon eingeleiteten Vorbereitungen, von dem bevorstehenden Bau dieses „neuen Chores" gesprochen; im Jahr 1295 fand die Einweihung statt. Der vorhandene Chor ist ohne Zweifel das Werk dieser Jahre. Er hat den in den Cistercienserkirchen üblichen geradlinigen Schluss (die Seitenschiffe ostwärts mit dem Mittelschiffe in gleicher Flucht), folgt aber im Aufbau dem in der norddeutschen, namentlich der hessisch-westphälischen Gothik bereits ausgeprägten Hallensystem, bei Pfeilerabständen, die auf fast durchgehend quadratische Gewölbfelder berechnet sind. Die innere Länge, vom östlichen Scheidbogen der Vierung ab, beträgt 74 Fuss, die innere Gesammtbreite 77 F., die Mittelschiffbreite (in den Pfeileraxen gemessen) 27 F., die Jochbreite ebenso wie die Seitenschiffbreite 25 F., die Höhe 62 F. In der Formation bekundet sich, im Gegensatz gegen die alterthümlichen Elemente, welche die vorgenannten Baulichkeiten noch bewahrt hatten, der Anschluss an das ausgeprägt gothische System im Charakter der bezeichneten Epoche, zugleich nicht

ohne manche bemerkenswerthe Eigenthümlichkeiten. Eine schlank
aufsteigende Gliederung herrscht vor. Die Pfeiler sind achteckig,
mit Bündeln von je drei Diensten an den vier Hauptseiten. Jedes
Joch der Seitenschiffe hat nebeneinander zwei hochschlanke Fenster, und nur die Breite des Mittelschiffes ist ostwärts durch ein
ansehnliches Fenster erfüllt, ähnlich wie diese letztere Anordnung in andern Cistercienserkirchen der Zeit beliebt ist. Das
Stab- und Maasswerk der Fenster hat, bei dreitheiliger Disposition in den Seitenschifffenstern, klar ausgebildete Anordnung,
mit vorherrschenden Rundstabprofilen, doch schon ohne Kapitälchen. Die zweifache Fenstertheilung in den Seitenschiffjochen
hat hier ein fünftheiliges Kreuzgewölbe zur Folge; die Rippen
des letzteren gehen, in entsprechendem Wechsel, von Dienstbündeln, die aus dem Kern einer stärkeren Halbsäule hervortreten,
und von einzelnen Diensten aus; Consolen unterhalb des Fuss-
gesimses der Fenster stützen die Dienste, einfache, eigen behandelte Kapitäle mit complicirten Deckgesimsen bilden ihre Krönung; die Dienste selbst haben bereits einen schmal vorspringenden
Rücken, der ihrem Profil, in Analogie mit denen der Gewölbrippen, eine Birnform gicht. Letzteres (was anderweit zwar, z. B.
in der englischen Gothik, sich bereits in entschiedener Frühzeit
vorfindet) zeichnet eine Richtung des Formensinnes vor, die im
dentsch-gothischen Style, und vornehmlich in dem von Süddeutschland, in der Spätepoche üblich wird; alles Uebrige jedoch und
die kunstvolle Combination des ganzen Systems charakterisirt eine
verhältnissmässig noch immer frühe Entwickelungsstufe. Hiemit
stimmt zugleich, wie es scheint, der Frühcharakter der Glasmalereien überein, welche in diesen Fenstern befindlich sind. —
Verwandter Epoche endlich gehört das zierliche Brunnenhaus
an, welches an der einen Seite des Kreuzganges in den innern
Hof desselben vortritt und dessen Fenster mit Glasmalereien
ähnlichen Charakters versehen sind. [1]

---

[1] Hr. Dr. Heider hatte in seinem Werke über die roman. Kirche zu Schöngrabern den Chor von Heiligenkreuz noch mit Entschiedenheit als den im J.
1295 geweihten Bau bezeichnet. Später, im Text der „Mittelalterl. Kunstdenkmale" etc., hatte er geglaubt, den Bau des Chores, ebenso wie den des Brunnenhauses und des Obergeschosses des Dormitoriums, gegen den Schluss des
14. Jahrhunderts hinabrücken zu müssen. Vermuthlich haben ihn die Erkenntniss von der längeren Fortdauer des romanischen Styles, der auffällige
Gegensatz zwischen den Formen des letzteren und denen des Chores, die scheinbaren Spätelemente in diesen zu der veränderten Annahme geführt; er dürfte
hiebei jedoch übersehen haben, dass überall, wo der romanische Styl lange
anhält, die gothische Form in mehr oder weniger schneidendem Contraste eintritt und dass die primitive Gothik in Deutschland häufig, besonders aber in
den Bauten der Orden, welche den Luxus fern halten sollten, in der Reduction ihrer Gliederungen denjenigen ernüchterten Formationen vorgreift, welche
sonst der mehr nüchternen Behandlungsweise der Spätzeit eigen sind. Solche
zeigen sich hier, und immerhin auffällig genug, in dem Birnprofil der Wanddienste; erheblich auffälliger aber würde es sein, den straffen Charakter des
Uebrigen für ein Product jener Spätzeit zu halten und wiederum, falls man

Einige Jahrzehnte jünger ist der Bau eines andern, in umfassenderen Dimensionen aufgeführten Chores, des von dem D o m e
St. Stephan zu W i e n. [1] Er wurde im J. 1340 geweiht. Der
Kern der Pfeiler, denen er sich gen Westen anfügt, der mächtige, mit breiter Laibung versehene spitze Scheidbogen über diesen Pfeilern, der ihn von dem Mittelraume des (jüngeren) Schiffes
sondert, erscheinen als Ueberbleibsel des älteren Baues, von dem
sonst nur die schon besprochenen Façadentheile (Thl. II, S. 529 u. f.)
erhalten sind. Der Chor ist, wie der von Heiligenkreuz, ein
dreischiffiger Hallenbau mit gleich hohen Schiffen und ansehnlichen inneren Weiten; jedes Chorschiff hat hier jedoch einen
dreiseitig polygonen Schluss, das mittlere einen tiefer hinaustretenden. [2] Die innere Gesammtlänge des Chores, von jenem Scheidbogen ab, beträgt 124 Fuss, die Gesammtbreite 109 F., die Mittelschiffbreite (in den Axen der Pfeiler) 39 F., die Seitenschiffbreite 35 F., die Jochbreite 23 F., die Höhe 71 F. Die Pfeiler
sind lebhaft gegliedert, die einfachere Anordnung der von Heiligenkreuz etwa nach dem Princip der Pfeilergliederung des
Regensburger Domes und in noch gesteigerter Entwickelung, in
einen sehr lebhaften und wirksamen Wechsel von Säulchen und
Einkehlungen umwandelnd; ein starker Kapitälkranz scheidet
diese Glieder von den ebenfalls stark profilirten Gurten und Rippen des Gewölbes. Die Fenster sind mit stattlich reichen Maasswerken im Charakter der angegebenen Bauzeit versehen, im
Aeussern ohne Wimberge. Die Strebepfeiler sind schlicht; zwischen

---

nur bis gegen die Mitte des 14. Jahrhunderts hinabgehen wollte, anzunehmen,
dass etwa schon nach fünfzig Jahren und ohne einen ausserordentlichen Un-
glücksfall der Neubau eines mit Eifer aufgeführten Gebäudes nöthig geworden
sei. Es kommt endlich der für die Spätzeit völlig unpassende Charakter der
Glasmalereien hinzu. Hr. H. ist allerdings der Ansicht, dass sie von dem
ältern Bau herrührten; aber er sagt nicht, dass dies zugleich durch ein verändertes Arrangement, da die älteren Fenster doch von den vorhandenen wesentlich verschieden sein mussten, bestätigt werde; während sich aus der Abbildung der alterthümlichen Glasmalereien des Brunnenhauses, welche in den
„Kunstdenkmalen" veröffentlicht ist, zu ergeben scheint, dass diese für die
vorhandene Fensterconture componirt sind.
  [1] Tschischka, der St Stephans-Dom in Wien. v. Perger, der Dom zu St.
Stephan in Wien. — [2] v. Perger, S. 14, gedenkt auf Grund einer früher vorhanden gewesenen (nicht mitgetheilten) Inschrift einer Vollendung des Mittel-
chores im J. 1474, indem derselbe wegen der Seitenchöre habe neu gebaut
werden müssen. Da jedoch die der Nordseite des mittleren Chorschlusses vor-
gebaute obere Sakristei schon zuvor ausgeführt war, so kann von einem wirklichen Neubau nicht die Rede sein und wird vielmehr, falls die Sache überhaupt sichern Grund hat, auf irgend eine partielle Herstellung oder Ausstattung
geschlossen werden müssen. Nach der kurzen baugeschichtlichen Darstellung
in dem Werke von Tschischka, S. 2, soll sich die Chorweihe vom J. 1340 auf
einen älteren Bau beziehen; dieser soll aber, nachdem inzwischen der Bau der
(vorhandenen) Vorderschiffe fertig geworden, sofort wieder abgerissen und
schon 1359 der gegenwärtige Chor gegründet worden sein, — eine Auffassung,
die an sich so unwahrscheinlich ist, wie ihr das räumliche und das stylistische
Verhältniss zwischen Chor und Schiff bestimmt widerspricht.

den Fialen, die sieh über ihnen erheben, zieht sich eine kräftige Dachgallerie als obere Krönung hin. — Der Neubau der
Vorderschiffe des Domes wurde in der zweiten Hälfte des vierzehnten Jahrhunderts ausgeführt; hievon wird im Folgenden die
Rede sein.

Ein Bau von einfach edler Behandlung ist die Kirche der
Karthause Gaming [1] (Kreis ob d. Wien. Wald), 1332 gegründet, 1342 geweiht; einschiffig, hoch, mit zwei Fenstergeschossen;
an den Wänden Bündel von je fünf Diensten mit ungeschmück-
ten Kapitälen; über dem Chore ein zierlich achteckiger, von
schlanker Helmspitze überragter Thurm. — (In ähnlicher Anlage, aber in jüngeren Formen, die Kirche der Karthause Aggsbach, unfern von Melk, vom J. 1380).

---

b. Die deutsche Gothik seit der Mitte des 14. Jahrhunderts.

Mit der Epoche um die Mitte des 14. Jahrhunderts treten
wesentlich veränderte Beziehungen im Entwickelungsgange der
deutschen Gothik ein. Hatte bis dahin das Uebergewicht auf
Seiten Norddeutschlands gelegen, so macht sich fortan das um-
gekehrte Verhältniss geltend; das reichere monumentale Schaffen
gehört nunmehr Süddeutschland an; die dortigen Schulen und
Hütten sind es, die in der künstlerischen Behandlung seit jener
Epoche zumeist den Ton angeben. Freilich ist es die Zeit der
Nachblüthe, ist es schon eine geringere Sorge um den organischen
Zusammenhang der Formen, ein grösserer oder geringerer Mangel
an Verständniss desselben, womit diese Bestrebungen beginnen;
aber in der Entfaltung freier und bedeutender räumlicher Wirkungen einerseits, andrerseits in dekorativer Composition und
deren so anmuthreicher wie glanzvoller Durchbildung wird gleichwohl noch immer das Staunenswürdige geleistet und treten bemerkenswerth neue und eigenthümliche Erfolge zu Tage. Neben
einzelnen Prachtbauten, welche das altfranzösische System in erneuter Aufnahme und Umbildung zeigen, gewinnt der Hallenbau
mit gleich hohen Schiffen eine immer steigende Verbreitung.
Neben der Ernüchterung, der oft kalten Strenge der baulichen
Haupttheile entfaltet sich an selbständigen Schmuckwerken vielfach der üppigste Formenreichthum.

---

[1] v. Sacken, Kunstdenkm. d. M. im Kr. ob d. W. W., im Jahrbuch der K.
K. Central-Commission, II.

Böhmen.

Die Umwandlung der Verhältnisse beginnt mit einem Lande, das nicht im eigentlichen Sinne zu Deutschland gehört, doch mit letzterem zu jener Frist in engster Beziehung stand und das durch seinen Herrscher in die Bewegungen der Zeit bestimmend einzugreifen berufen ward. Es ist Böhmen;[1] es ist die Regierungszeit Kaiser Karl's IV. (1346—78), der diesem seinem Erblande mit starker Anhänglichkeit zugewandt war, der die Oberherrschaft in Deutschland klug zu Gunsten Böhmens ausbeutete, der die geistigen Kräfte Deutschlands dorthin zog, der das Land mit Monumenten schmückte, welche mit Hülfe dieser Kräfte und mit den aus aller Welt zusammengetragenen Schätzen ausgeführt wurden. Es ist ein mächtig neuer Schwung, zu dem er das Kunstvermögen der Zeit aufrief; nur freilich, wenigstens soweit seine persönliche Absicht ging, kein solcher, der von einer tieferen inneren Ueberzeugung, von einer reinen und naiven Begeisterung getragen wurde. Es ist etwas Absichtsvolles, Tendenziöses darin. Auch fehlt den monumentalen Leistungen an sich die volksthümliche Unterlage, stehen sie fremd im fremden Boden, und mischt sich im Einzelnen manch ein Zug hinein, der ohne Zweifel dem minder kunstbegabten Lande, welches die Denkmäler empfing und doch auch seinen Antheil an ausführenden Händen liefern musste, angehört. So tritt die böhmische Gothik in der zweiten Hälfte des 14. Jahrhunderts in reicher Fülle auf, in einer Nachbildung der glanzvollsten Erscheinungen, welche in diesem Kunststyle vorlagen, aber mit Modificationen, die schon den Abfall einleiten.

Ein Monument von Bedeutung ist zunächst der Dom St. Veit auf dem Hradschin zu Prag.[2] Er war schon im J. 1344 durch den Vater Karl's IV., König Johann, gegründet und dann durch Karl selbst lebhaft gefördert worden; er besteht aber nur aus dem geräumigen Chore, dessen Weihung im J. 1385 stattfand, sammt dem Ansatze des südlichen Querschifflügels und dem westlich neben diesem angeordneten Thurme; eine Grundsteinlegung für den Bau der Vorderschiffe im Jahr 1392 blieb (ebenso wie ein späterer Beginn dieses Baues im J. 1673) ohne namhafte Folge. Zur Ausführung war zunächst, bereits durch König Johann, ein flandrischer Meister berufen, Matthias von Arras, der dem Bau etwa 7 Jahre lang vorstand; ihm folgte ein schwäbischer Meister, Peter Arler von Gmünd.[3] Dem

---

[1] Grueber, in den Mittheilungen der K. K. Central-Commission, I, S 217, ff. — [2] Zu Grueber vergl. Wiebeking, Bürgerl. Baukunde, T. 57 (Grundriss und Durchschnitt); Legis-Glückselig, der Prager Dom zu St. Veit. — [3] Der Erledigung der Frage, ob der Name Arler aus „Parler (Parlirer)" entstanden, wofür es allerdings nicht an Gründen fehlt, wird noch entgegengesehen. Vergl. u. A. Springer im D. Kunstblatt, 1854, S. 381; auch F. Bock, in den Mittheilungen der K. K. Central-Commission, II, S. 185.

letzteren ist der grössere Theil des Vorhandenen zuzuschreiben;
Einzelnes ist das Werk jüngerer Meister. Plan und Aufbau befolgen, in der allgemeinen Disposition, das reichentwickelte Chor-
system der französischen Gothik: fünfschiffig, mit Umgang und
vollem Kapellenkranz um den polygonen Chorschluss, mit dem
hochemporgeführten Mittelbau und dem glänzenden Werk an
Strebethürmen und Bögen, welches dessen äussere Stütze ausmacht; zugleich ist nachgewiesen, [1] dass der Meister des ursprünglichen Entwurfes sich vorzugsweise, namentlich auch in
den Maassen, an den Plan des Kölner Domchores angeschlossen
hat. Dabei aber machen sich abweichende Eigenheiten bemerklich. Der Meister hat offenbar die enge Pfeilerstellung des Chorschlusses, wie in Köln und im französischen System überhaupt,
vermieden und sich der bequemeren Weite des in Deutschland
zumeist üblichen dreiseitigen Schlusses annähern wollen; er hat
ihn daher (statt des fünf- oder siebenseitig aus dem Zwölfeck
gebildeten Kölner Schlusses) in fünf Seiten eines Neunecks construirt, was aber eine minder entschiedene und darum ebenfalls
nicht sehr günstige Wirkung giebt und was zugleich eine grössere Breite und Tiefe der Chorkapellen zur Folge hatte, die
wiederum, für das Aeussere, zu dem Hochbau des Chores in
nicht sonderlich harmonischem Verhältnisse steht. Dann kommt
vielfach Eignes in der Bildung und Behandlung des Details in
Betracht. Es unterscheiden sich die früheren Theile, die voraussetzlich von Meister Matthias herrühren, durch eine gewisse
trockne Strenge, eine flache Ausführung von den lebhaft profilirten, wirkungsreichen, mit schmückendem Leisten- und Maas-
werk ausgestatteten des Meister Peter, sowie von andern, zumal
denen aus der Schlusszeit des Baues, die eine Neigung zu einer
mehr launenhaften Willkür verrathen. Besonders wichtig ist die
Pfeilergliederung des Innern: das Profil der Scheidbögen an den
Innenseiten der Pfeiler hinabgeführt, fast überall ohne eine
Unterbrechung; auch die an der Vorderseite der Pfeiler zum
Mittelschiffgewölbe emporsteigenden Dienstbündel zum Theil im
ausgesprochenen Gurtprofil gebildet; wobei anzumerken, dass das
Hauptglied dieser birnförmigen Profilirung (wohl um eine schärfere Ausladung zu vermeiden, die allerdings am Pfeiler selbst
wenig angemessen gewesen wäre,) einen weichlich breiten Charakter empfangen hat. Ueber den Scheidbögen läuft ein Triforium hin, mit schweren Säulchen und gebrochenen Spitzbögen
in einer romanisirenden Reminiscenz, die in auffälligem Widerspruch gegen den Spätcharakter des Ganzen steht. Sehr entschieden macht sich der letztere in dem bunten Maasswerk der
Oberfenster, auch in dem Netzgewölbe des Mittelschiffes geltend.
Vorzüglich reich, mit derben Massen, die eine spielende Dekora-

---

[1] Durch Grueber, a. a. O.

tion tragen und mit etwas dünnen Einzeltheilen, gestaltet sieh
das Strebesystem des Aeusseren. — Zu bemerken ist ferner, dass
die Totalität des zur Ausführung gekommenen Domstückes durch
Einbauten, zum Theil bereits aus den ersten Jahren des Baues
und von vornherein als befremdliches Hinderniss für eine einheitliche Vollendung, beeinträchtigt ist. Namentlich gehört hiezu
die Wenzelkapelle, die auf Kaiser Karl's Befehl schon im Jahr
1347 · angelegt werden musste, an der Westecke des südlichen
Seitenschiffes und in den südlichen Querschiffflügel eingreifend,
zum Dokument seiner hingehenden Verehrung gegen den heiligen
Wenzel und zu diesem Behufe an den Innenwänden rings, in
phantastisch barbarischer Pracht, mit geschliffenen böhmischen
Edelsteinen von unregelmässigen goldgesäumten Umrissen und
darüber mit Wandmalereien bedeckt. In Folge dieser Bauveränderung musste zugleich der schon (in etwas dürftigen Formen)
angelegte Portalbau des südlichen Querschiffflügels vermauert
werden; man fügte darüber, in nicht geringerem Widerspruch
gegen das gesammte bauliche System, eine kahle Wand hinzu,
auf welcher der Kaiser im J. 1369 ein grosses Mosaikbild, nach
italischer Art, seine Verehrung vor den Personen des göttlichen
Geheimnisses darstellend, ausführen liess. Der Thurm zur Seite
der ehemaligen Portalhalle steigt einfach in mehreren Geschossen
empor, mit Strebepfeilern, die mit Leisten-Nischenwerk dekorirt
und absatzweise verjüngt sind; der Oberbau des Thurmes ist
barock modern. Ein hoher Spitzbogen, der sich von dem Hauptthurm zu einem Treppenthürmchen auf der andern Seite des
Portales hinüberwölbt, bezeichnet die Stelle, welche das grosse
südliche Querschifffenster einnehmen sollte; mit phantastischen
Dekorationen spätest gothischer Zeit reichlich umkleidet und
überhaupt wie auf einen Theatereffekt angelegt, trägt er dazu
bei, das Willkürliche und Rücksichtslose dieser ganzen Partie
des Gebäudes zu erhöhen.

Neben der Wenzelkapelle des Doms sind als Zeugnisse ähnlicher Gemüths- und Geschmacksrichtung die Kapellen auf Schloss
Karlstein, welches Karl IV. zwischen 1348 und 1357 unfern
von Prag erbauen liess, anzuführen. In der architektonischen
Gestaltung unerheblich, sind sie durch eine noch weit umfassendere Ausstattung mit Wandmalereien, Edelsteintäfelung, Gold-
zieraten u. dergl. ausgezeichnet, in letzterer Beziehung namentlich die h. Kreuzkapelle und die kleine Katharinenkapelle. Es
war eine Versenkung in ein eigen mystisches Traumleben, was,
wie es scheint, zu diesen phantastischen Einrichtungen Anlass gab. [1]

Der Hauptmeister des Prager Domes, Peter Arler, führte
gleichzeitig noch andre bedeutende Bauten aus. Namentlich den
Chor der Bartholomäuskirche zu Kolin, (1360—76). Dies ist

---

[1] F. Kugler, Kl Schriften, II, S. 496.

ein einheitliches Werk, das Erzeugniss einer künstlerischen Individualität, die — hier von keinem Vorgänger in der Bauführung, von keinem fürstlichen Machtworte beirrt — darauf ausging, die traditionelle Form zu neuen Wirkungen auszuprägen. Der Plan ist wiederum der des französischen Kathedralensystems, mit dem niedrigen Kapellenkranze um den polygonen Schluss;. aber der letztere bildet sich aus <u>vier</u> Seiten eines Achtecks, somit abermals in etwas weiterer Pfeilerstellung, doch zugleich mit der bis dahin ungewöhnlichen, einer rhythmischen Auflösung widersprechenden Anordnung, dass in der Mitte statt der Bogenöffnung und des Fensters über dieser ein Pfeiler mit seiner emporlaufenden Gliederung erscheint. Im Aufbau hat der Meister, bei allerdings nicht sehr erheblichen Dimensionen, die schwindelnd aufsteigende Wirkung der französischen Kathedralen noch zu überbieten gesucht, indem er dem Mittelbau — freilich ohne alle und jede Rücksicht auf die Verhältnisse des Baues der älteren Vorderschiffe (S. 275) — eine Höhe von 100 F. bei nur 21 F. lichter Breite gab. Die Fenster, von denen die des Oberbaues, der Anlage gemäss, in hochweiten Dimensionen gehalten sind, haben ein reich gemustertes Rosetten-Maasswerk, ohne Wimberge im Aeussern. Das Strebesystem zeigt eine einfache Dekoration mit Nischenstreifen und leichten Fialen.

Ferner gehören zu den Bauten, welche Peter Arler ausführte, das Altstädter Rathhaus zu Prag und die dortige grosse Brücke.

Auch die Karlshofer Kirche zu Prag,[1] die schon im Jahr 1355 gestiftet, deren Grundstein aber erst im Jahr 1377 gelegt sein soll, wird ihm (wiewohl ohne urkundlichen Nachweis) zugeschrieben. Es ist ein achteckiger Bau, von 72 Fuss 3 Zoll im

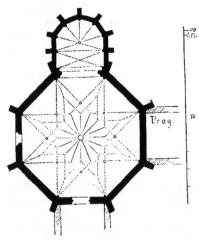

Grundriss der Karlshofer Kirche zu Prag. (Nach Grueber)

geraden, und von 78 F. im Diagonal-Durchmesser, auf leichten Mauern eine Kuppelwölbung tragend, die als die grösste in ihrer Art, welche die gothische Architektur hervorgebracht, bezeichnet werden darf.[2] Ein sternförmiges Rippenwerk, klar und kunstreich

---

[1] Vergl. Wiebeking, a. a. O. (Grundriss und Durchschnitt). — [2] Der unvollendete Kuppelbau des Mausoleums D. Emmanuels, hinter der Kirche von Batalha in Portugal (s. unten), hat nur 65 Fuss Durchmesser; ebensoviel das grosse Octogon der Kathedrale von Ely in England (oben, S. 168), dessen

geordnet, trägt die Spannung der Kuppel. Ein kleiner Lang-
ehor, der sich in eine der Seiten des Achtecks öffnet, hat den
(hier aus dem Zehneck construirten) vierseitigen Schluss, welcher
einen Wandpfeiler in die Mitte stellt. Wenn die kühne Gesammt-
construction und die Form des Chorschlusses an Meister Peters
Kunstrichtung erinnert, so deutet doch die einfach derbe Profilirung der Gewölbrippen jedenfalls auf eine etwas jüngere Ausführung, während das rohe Fenstermaasswerk einer späten Restauration anzugehören scheint.

Ausserdem werden als Bauten derselben Epoche aufgeführt:
die h. Geistkirche in Königgrätz, ein aus Ziegeln construirter
Bau von sehr mässigen Dimensionen, das Mittelschiff nicht 20 F.
breit, aber durch treffliche Verhältnisse und verständige Gliederung von edler Wirkung; — und einige schlichte Kirchen in
Prag: der dreischiffige Hallenbau des Klosters Emaus, die
einschiffigen Hallen von Apollinare und von Maria-Schnee,
u. s. w. [1]

Den böhmischen Monumenten aus der zweiten Hälfte des
14. Jahrhunderts, welche unter Leitung und Einwirkung der
fremden Meister entstanden waren, reihen sich jüngere an, die
einer nunmehr hervortretenden national-böhmischen Schule und
einheimischen Meistern von persönlicher Eigenthümlichkeit angehören. Die Hauptrichtung blieb zwar die in jenen Monumenten
vorgezeichnete; es ist derselbe, einigermaassen gesucht aufstrebende Drang, dieselbe Neigung zu überraschenden Wirkungen,
zu ungewöhnlichen Bildungen, verbunden mit einer besondern
Magerkeit des Details, doch nicht ohne eine charakteristisch eigne
Behandlung, welche aus der, auch schon früher nicht ganz un-
betheiligt gebliebenen nationellen Empfindung hervorging.

Das wichtigste Denkmal der Spätepoche ist die St. Barbarakirche zu Kuttenberg. [2] Doch schliesst sie sich, verschiedenzeitig und in mehrfach verändertem Systeme ausgeführt, mit
ihren älteren Theilen zunächst noch der durch Peter Arler begründeten Richtung an. Der Beginn des Baues fällt in die Epoche

Wölbung überdies aus Holz construirt ist. Nur Florenz hat zwei Kuppeln,
welche die der Karlshofer Kirche an Durchmesser überbieten; doch gehört die
Ausführung beider nicht der gothischen Epoche an. Die eine ist die frühroma-
nische Kuppel von S. Giovanni (Thl II. S. 58), die im geraden Durchmesser
78 Fuss misst; die andre die Kuppel des Domes, über einer Breite von 133 F.
10 Z. Aber diese, obgleich im ursprünglichen Plane vom Schlusse des 13. Jahrh.
bereits beabsichtigt, blieb unausgeführt, bis es den neuen Fortschritten der
modernen Architektur gelang, die Aufgabe zu lösen.

[1] Ueber die Annakirche zu Prag s. oben, S. 275, Anm. 3. — [2] Vgl. Wocel,
in den mittelalterl. Kunstdenkmalen des österr. Kaiserstaates, I, S. 171, ff.;
T. 28, ff Aussenansicht u. A. bei Chapuy, Allemagne mon., liv. 5.

des Jahres 1380. Der Chorplan folgte auch hier dem Muster
des französischen Kathedralensystems, doch in abermals erneuter
und gesteigert künstlicher Umbildung: der innere Chorschluss
fünfseitig; der Umgang sechsseitig (oder vielmehr, mit Hinzu-
rechnung der äussersten Schrägen, achtseitig), was für ihn wiederum die Stellung eines Pfeilers in der Mitte und zugleich
manche sonderbare Combination, namentlich in der Gewölbe-
gliederung, zur Folge hatte; die Absidenkapellen viereckig zwischen den keilförmig nach innen tretenden Strebepfeilern; die
Aussenseiten der letzteren so breit wie die Fenster, wodurch sich
das Choräussere im Unterbau dreizehnseitig, ohne hinaustretende
Streben, gestaltet. Der Gesammtbau war im Uebrigen dreischiffig
und angeblich mit einem breiten Querschiff [1] angelegt. Bis zur
Höhe der Seitenschiffe (im Chore und im Innern des Schiffes)
gehört er der ersten Bauepoche an. Die Formation der Schiffpfeiler entspricht dem Typus der jüngern schwäbischen Bauschule

St. Barbarakirche zu Kuttenberg. Profil der Schiffpfeiler. (Nach den mittelalterl. Kunstdenk-
mälen des österr. Kaiserstaates.)

---

[1] Die Risse (in den österreichischen Kunstdenkmalen) geben hierüber keinen
Aufschluss; die Anordnung der innern Pfeilerstellung, die doch ursprünglich
zu sein scheint, widerspricht vielmehr einer Querschiffanlage. Auch haben die
Strebepfeiler an dessen voraussetzlicher Nordwest- und Südwestecke nicht, wie
es an der Nordost- und an der Südostecke der Fall ist, die erforderliche
schräge Stellung.

(s. unten): breite Pfeilermassen, an deren Vorder- und Rückseite leicht gegliederte Dienste aufsteigen, während sie an den Bogenseiten in ungegliederten Flächen vortreten und aus diesen sich oberwärts ohne sonstige Vermittelung die Gliederungen der Scheidbögen ablösen. — Nach längerer Unterbrechung der Bauthätigkeit im Laufe des 15. Jahrhunderts erfolgte die Fortsetzung erst gegen den Schluss des letzteren. 1483 wurde der Oberbau des Chores begonnen, zuerst unter Leitung eines Meister Johann, seit 1490 unter Matthias Raisek, der 1499 die Einwölbung des Chores beendete. Hier erscheinen glänzende Dekorativformen: die hohen und weiten Fenster mit reichem, mannigfaltig gebildetem Maasswerk; die Wölbung in bunter Sternform; im Aeussern ein mächtiges doppelbogiges Strebewerk und die unteren Linien der Strebebögen mit zierlichem Stab- und Blattgehänge ausgestattet. Dann wurde, ebenfalls, wie es scheint, unter Raisek's Leitung, der dreischiffige Bau durch Hinzufügung breiter Aussenschiffe in einen fünfschiffigen verwandelt, wobei an den Zwischenpfeilern zwischen den Seitenschiffen, den ehemaligen Fensterpfeilern mit ihren Aussenstreben, eine Fülle spielender Gliederformen ausgemeisselt ward. — 1506 fand eine abermalige Unterbrechung des Baues

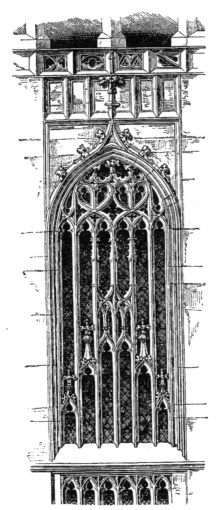

St. Barbarakirche zu Kuttenberg. Fenster im Oberbau des Chores. (Aus den mittelalterl. Kunstdenkmalen des österr. Kaiserstaates.)

statt. 1510 erfolgte die erneute Fortführung, unter Leitung oder nach den Planen des Meister Benesch von Laun. Es war der Oberbau der inneren Seitenschiffe, der jetzt zur Ausführung kam,

in höchst eigenthümlicher Anlage, indem über diesen Seitenschiffen Emporen von gleicher Höhe mit dem Gesammtraume des
Mittelschiffes errichtet wurden, der Hauptmasse des Inneren

St. Barbarakirche zu Kuttenberg   Dekoration der Strebebögen des Chores. (Aus den mittelalterl.
Kunstdenkmalen des österr. Kaiserstaates.)

Aehnlichkeit mit einem grossartigen Hallenbau gehend. Schlank
aufschiessende Pfeiler, in einem Wechsel tiefer Kehlungen und
vortretender Dienste gegliedert, bunt verschlungene Netzgewölbe,
deren Gurte in Kreislinien geführt sind, bilden die selbständig
behandelte, phantastisch wirkungsreiche Architektur dieses oberen
Schiffbaues, dessen Fensterfüllungen nicht minder bunte Maasswerkmuster enthalten, während das Aeussere ebenfalls von reichlichem Strebewerk umgeben ist. 1541 wurde der Bau eingestellt,
1548 auch die Arbeit an der Ausstattung des Inneren; auf ansehnliche Fortsetzung der baulichen Gesammtmasse gen Westen
berechnet, wurde er durch eine Nothmauer abgeschlossen. — Die
innere Gesammtlänge war auf mehr als 300 Fuss berechnet. Das
zur Ausführung Gekommene hat 186 F. innere Länge und 122 F.
Gesammtbreite. Die Mittelschiffbreite (in den Axen der Pfeiler
gemessen) beträgt 34 F., die Breite der innern Seitenschiffe 21 F.,
die Mittelschiffhöhe 100 F., die Höhe der Seitenschiffe (unter den
Emporen) 44 F.

    Kuttenberg enthält noch mancherlei andre Bauanlagen
spätgothischen Styles, besonders aus der Zeit des Meister Raisck.

Unter den Profangebäuden ist das sogen. „steinerne Haus",
eine stattliche Façade mit Erker und schmuckreichem Giebel,
und ein Brunnenhaus [1] vom J. 1497 anzumerken. Letzteres
ist ein zwölfeckiger Bau von 26 F. Durchmesser, mit geschweiftbogigen Maasswerknischen und mit Fialentabernakeln auf den
Ecken, ein Werk von sinnreicher Anlage, den schmuckreichen
Brunnenhäusern des Orients vergleichbar.

Ein namhafter Kirchenbau des 15. Jahrhunderts zu Prag
ist die Hauptpfarrkirche Maria-Himmelfahrt am Teyn. Sie
wurde von 1407—60 erbaut, dreischiffig, ohne Querbau, Chorumgang und Kapellen, das Mittelschiff jedoch wiederum mit dem
aus dem Achteck construirten vierseitigen Chorschlusse, welcher
einen Pfeiler in die Mitte stellt, die Seitenschiffe mit drei Seiten
des Achtecks schliessend. Die Raumverhältnisse sind hier, im
Gegensatz gegen die sonst übliche Disposition der böhmischen
Kirchen, überwiegend breit: 195 Fuss Länge, 92 F. Gesammtbreite, 41³/₄ F. Mittelschiffbreite (in den Pfeileraxen); bei 96 F.
Mittelschiffhöhe und halber Seitenschiffhöhe. Die Profilirung der
Pfeiler ist der des Domes entsprechend; der Oberbau des Innern
ist moderne Restauration, nach einem Brande in der Spätzeit des
17. Jahrhunderts. Die Façade hat zwei schlichte kräftig viereckige Thürme, welche einen geschmückten Giebelbau zwischen
sich einschliessen, während ihre schlanken Helme im Charakter
städtischer Vertheidigungsthürme mit Doppelreihen leichter Thurm-
erker zierlich ausgestattet sind. Ein Portal auf der Nordseite ist
durch reiche Ausstattung und zierlich rundbogige Einwölbung
seiner Aussenhalle ausgezeichnet.

Andre kirchliche Gebäude zu Prag aus der Spätzeit des
gothischen Styles, von minder erheblichem Belang, sind die Mal-
theserkirche, einer Herstellung vom J. 1503 angehörig, mit
geringen Resten eines älteren, frühgothischen Baues, — und die
Franciskanerkirche beim Rossmarkte, diese einschiffig, aber
in der ungemeinen Höhe von 115—120 Fuss. [2] — Mehr haben
einige Profanbauten der Spätzeit auf Beachtung Anspruch, insbesondere die beiden Thürme der Moldaubrücke, beide mit
leichten Erkerthürmchen, der auf der Altstädter Seite (vom Jahr
1451) durch buntes Schmuckwerk ausgestattet. — Vom Schlusse
des 15. Jahrhunderts rührt der Wladislaw'sche Saal auf dem
Hradschin her, mit barockem vielverschlungenem Netzgewölbe.
Der Saal war von dem schon genannten Meister Benesch ausgeführt.

Derselbe Meister erbaute zu Laun, seinem Heimathsorte,
im J. 1520 die Dechantcikirche, eine grossartige Halle, die
in einem ernsteren Style gehalten ist. —

Auch in dem südwestlichen Districte Böhmens tritt im Laufe

---

[1] Mittheilungen der K. K. Central-Commission, I, S. 137, T. VIII.   [2] F.
M, in der Wiener Bauzeitung, 1845, S. 33.

des 15. Jahrhunderts eine eifrige bauliche Thätigkeit hervor. Hier entwickelt sich eine eigne Schule, die einige Annäherung an die Richtungen der benachbarten Donaugegenden verräth. Die Krumauer Meister Stanko und Kreschitz werden als die Häupter dieser Schule bezeichnet. Die Maria-Himmelfahrtskirche zu Krumau, ein Gebäude von mässigen Dimensionen und einfacher Anlage, schlank ohne übertriebene hochstrebende Verhältnisse, mit Pfeilern von wechselnd achteckiger und aus vier Halbsäulen zusammengesetzter Form, und die Piaristenkirche zu Budweis werden als vorzüglichste Beispiele ihrer Thätigkeit hervorgehoben.

Wie schon in dem Fortbau der St. Barbarakirche zu Kuttenberg bis gegen die Mitte des 16. Jahrhunderts angedeutet war, so erhellt noch aus zahlreichen anderen Beispielen, dass die böhmischen Meister, neben den Anfängen der Uebertragung der modernen Architekturformen, für die Zwecke des Kirchenbaues auf geraume Zeit an den Elementen des gothischen Styles festhielten, bis zum Ende des 16. Jahrhunderts und bis in den Anfang des folgenden. Die Kirchen von Brüx und Melnik im Norden des Landes, die von Slavétin und Czaslau in den mittleren Kreisen, die von Tabor und Blattna im Süden sind Hauptbeispiele für die überall sich gleichmässig kundgebende Richtung.

Dabei ist zu bemerken, dass sich im südlichen Böhmen mehrfach die Anlage zweischiffiger Kirchen findet. Als solche werden die zierliche Marienkirche zu Gojau und die, mit rechteckigem Chorschlusse versehene Pfarrkirche zu Sobieslau hervorgehoben, — besonders aber die Dechanteikirche zu Blattna, ein sehr wirkungsreicher Granitbau, dessen schlichter Chor um 1530 und dessen zweitheiliges Schiff um 1620 vollendet wurde. Letzteres, mit drei Rundpfeilern, ist mit jenem eigenthümlichen bunten Kappengewölbe bedeckt, welches zumeist in Preussen einheimisch ist und, wie es scheint, sich nur in seltnen und vereinzelten Beispielen ausserhalb zeigt. [1] —

An Dekorativ-Architekturen des 15. Jahrhunderts sind ein grosses und reiches Tabernakel in der Kathedrale von Königgrätz und ein kleineres, von trefflicher Behandlung, in der Dreifaltigkeitskirche zu Kuttenberg [2] anzuführen.

Ueber die gothische Architektur von Mähren fehlt es an näheren Berichten. [3] Brünn hat in der St. Jakobskirche ein Gebäude von gleich hohen Schiffen, das sich durch seine schlanken

---

[1] Ein zweites Beispiel in Böhmen findet sich auf Schloss Karlstein. Auch in Mähren und Ungarn sollen Beispiele vorkommen. Vergl. Grueber, a. a. O. — [2] Mittelalterl. Kunstdenkm. des österr. Kaiserstaates, I, T. 34. — [3] Einige Ansichten in Lange's Original-Ansichten von Deutschland, VII.

Höhendimensionen, durch die Leichtigkeit seiner Fenster, das
zierlich bunte Maasswerk in letzteren auszeichnet. Die Pfeiler
des Inneren werden als Säulenbündel mit schlichten Kapitälgesimsen bezeichnet. Die Gründung der Kirche fällt bereits in das
J. 1314; die Nordseite hat das Datum d. J. 1502.[1] Die Augustinerkirche, ebendaselbst, mit niedrigen Seitenschiffen im
Vorderbau, scheint im Uebrigen eine ähnliche Behandlung zu
haben. (Ihr Inneres ist modern erneut.) — Die St. Mauritius-
kirche zu Olmütz, vom J. 1412,[2] wiederum mit gleich hohen
Schiffen. Die thurmlose St. Nikolauskirche zu Znaym u. a. m.
sind Werke verwandter Richtung.

Die österreichischen Lande

Für Oesterreich kommen zunächst und vorzugsweise die jüngeren Theile des Domes von Wien,[3] die Vorderschiffe und
die Seitenthürme, in Betracht. Sie bilden die Fortsetzung des
mit dem Chore begonnenen Neubaues, der im J. 1359 durch Herzog Rudolph IV., dem Schwiegersohn Kaiser Karl's IV., unternommen und das 14. Jahrhundert hindurch und während der
ersten Decennien des folgenden mit Eifer und Energie gefördert
ward. Es wird eines Meisters aus Klosterneuburg gedacht, den
Rudolph IV. zu dem Werke berufen habe; es wird ein Meister
Wenzel[4] als Hauptführer des Baues genannt. Der letztere erscheint im J. 1404 noch als lebend; wenn er und der Klosterneuburger (wie Einige behaupten) eine Person sind, so ist fast
alles Wesentliche sein Werk. Jedenfalls ist es wichtig, in dem
Bau selbst den Widerschein der äusseren historischen Beziehungen
wahrzunehmen. Wie zunächst der vorhandene Chorbau mit seinen Dispositionen maassgebend sein musste, wie dieser dem An-
scheine nach unter einem Einflusse des Chores von Klosterneuburg entstanden war, so sind Motive des letzteren, und
zwar in eigner Weise, auch bei dem Schiffbau bemerkbar; wie
Herzog Rudolph sich ohne Zweifel durch das Vorbild der böhmischen Unternehmungen seines Schwiegervaters angeregt fühlte,
wie der Name jenes Meister Wenzel auf böhmische Herkunft zu
deuten scheint, so verräth sich in manchen Besonderheiten des
Schiffbaues zugleich das Studium der böhmischen Gothik, namentlich der Behandlungsweise des Prager Domes. — Die Vorderschiffe des Wiener Domes sind in gleicher Breite mit dem Chore

----

[1] Vergl. Passavant, in der Zeitschrift für christl. Archäologie und Kunst, I,
S 151. — [2] Hawlik, zur Gesch. der Baukunst etc. im Markgrafthum Mähren,
S. 70. — [3] Vgl. oben, S. 307 u f. *Denkmäler der Kunst, T.* 55 (7—9). — [4] Ueber
die Schreibart „Wenzel", statt des Genitives „Wenzla" s. Springer, im Deutschen Kunstblatt, 1854, S. 382.

gegen den alten Westbau (der sich auf den Seiten durch angelegte gothische Kapellen verstärkt hatte) fortgeführt; sie nehmen
die Hallendisposition des Chores auf, doch in etwas veränderter
Anordnung, mit etwas grösserer Mittelschiffbreite, gesteigerter
Jochbreite und mit grösserer Höhe des Mittelschiffes; in dem letzteren Punkte mit einer leisen Anbequemung an das altgothische,
in Böhmen befolgte Kathedralensystem, gleichwohl ohne alle
selbständige Entfaltung der Höhenwirkung und ohne für Ober-
lichter irgend Raum zu gewähren. Die innere Gesammtbreite
beträgt hienach (wie im Chore) 109 Fuss, die Mittelschiffbreite (in
den Pfeileraxen) 42 F., die Seitenschiffbreite 33½ F., die Jochbreite durchschnittlich 31½ F., die Mittelschiffhöhe 89 F. Die
innere Gesammtlänge, vom Portal bis in den mittleren Chorschluss, misst 321 F. Die Seitenwände der Vorderschiffe haben
in jedem Jochtheile, ähnlich wie im Klosterneuburger Chore, zwei
hochschlanke Fenster, während in den Chorjochen des Domes
nur je ein Fenster angeordnet war. Die Pfeilergliederung ist
einigermaassen der der Chorpfeiler ähnlich behandelt, doch noch
reicher, in minder kräftigem Wechsel der Theile; Verhältniss
und Wirkung unterscheiden sich aber insofern sehr wesentlich,
als gleichzeitig das Prager Motiv aufgenommen und durchgeführt

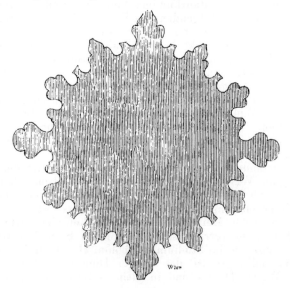

Profil der Schiffpfeiler im Dom von Wien. (Nach Tschischka.)

ist: die Scheidbogenprofilirung mit ihren zum Theil breiten birnförmigen Profilen ohne Unterbrechung an den Seiten der Pfeiler
niederlaufen zu lassen; der Art, dass nur noch die vorderen und

hinteren Glieder den Charakter von Diensten und die Kapitäl-
krönung bewahren. Die innere Gesammtwirkung hat bei alledem
eine so bequeme wie grossartige Fülle, in einer schon einigermaassen dekorativen Tendenz und hierin nicht unwesentlich dadurch verstärkt, dass die Dienste zugleich, in gewisser Höhe ihre
Functionen unterbrechend, die Träger von Statuentabernakeln
ausmachen. — Der Jochtheil der Vorderschiffe zunächst dem
Chore, das Querschiff des alten Baues, bewahrt die Reminiscenz
dieser seiner ehemaligen Bedeutung in kräftig durchgeführten
Quer-Scheidbögen. Entschiedener stellt sich die Kreuzform des
Grundrisses, zu deren Bezeichnung das Querschiff gedient hatte,
durch die nord- und südwärts angeordnete Vorlage von Thurmhallen und mächtigen Thürmen über ihnen her. Diese ungewöhnliche Anlage erinnert an altfranzösische Beispiele, wie an das der
Kathedrale von Angoulême (Thl. II, S. 183); sie giebt sich zugleich
aber (während man bei dem Beibehalten des alten Westbaues auf
ein glänzendes Façadensystem nach üblicher gothischer Weise
verzichten musste) als die reinere Durchbildung der bei dem
Prager Dome versuchten Thurmanordnung kund. Der südliche
Thurm wurde gleichzeitig mit dem Schiffbau gegründet und aufgeführt; die seiner Ostseite in eigenthümlicher Weise vorgelegte
Katharinenkapelle, ein Bau von zierlich spielender Spätform, war
bereits 1396 vollendet; im Jahr 1433, unter dem Meister Hans
von Brachadicz, wurden die Arbeiten dieses Thurmes durch
Aufsetzung seiner obersten Bekrönung abgeschlossen. Der nördliche Thurm wurde später gegründet und überhaupt nur bis zur
Schiffhöhe emporgeführt. Der fertige Thurm erscheint als ein
gleichartiges Ganzes, nach einem Plan zur Vollendung gebracht,
der ohne Zweifel bei der Gründung bereits vorlag. Er steigt
kühn und schlank zu luftiger Höhe empor, unter den ausgeführten gothischen Prachtthürmen eins der allerglänzendsten Beispiele,
mit hohem viereckigem Unterbau, achteckigem Oberbau und durchbrochener Spitze, durch mächtig vortretende Streben gefestigt,
die sich fort und fort verjüngen und vor den Nebenseiten des
Achtecks in Fialenthürmchen aufschiessen, mit mannigfachem
buntem Gliederwerk, mit Giebeln, deren Stabwerk sich keck
durchschneidet und frei vor die Massen vortritt, versehen. Mit
neuerlich (1839—42) erneuter und dabei um ein Paar Fuss erhöhter oberster Spitze hat er 435 Fuss 6 3/4 Zoll Höhe. Aber das
dekorative Princip überwuchert schon das der Massenfestigung,
und nur die riesige Gesammtdimension an sich und die Schlankheit des Ganzen halten der kleinlich spielenden Wirkung das
Gleichgewicht. In stetem Wechsel, schon nahe über der Basis,
stuft das Strebesystem sich ab, der Art, dass von unten an bereits
die pyramidale Zuspitzung des Ganzen beginnt und das Auge den
Eindruck der festen Selbständigkeit des Unterbaues vermisst. Dabei

ist im Einzelnen manches Eigenthümliche anzumerken. Den
Räumen zwischen den mächtig vortretenden Streben bauen sich
unterwärts besondre Hallen ein, auf der Südseite eine Portalhalle,
auf der Ostseite die schon genannte Katharinakapelle. Das Nischenwerk der Strebepfeilergeschosse hat, wenigstens ebenfalls in
den untern Theilen, manche lebhafte Anklänge an die Gliederung
des Strebesystems beim Prager Dom. Den Fenstern fehlt, trotz
alles angewandten Reichthums, die Wimbergkrönung der westlichen Gothik; dafür sind als selbständige Geschosskrönungen
jene schon erwähnten grösseren Giebel mit ihren reichen Stab-
gliederungen angebracht. Die Helmspitze hat bei ihrer höchst
schlanken Dimension nur sehr mässige Füllungen zwischen den
Kanten der Schenkel, bindet diese aber wiederholt durch Giebel-
kränze zusammen. Ueberall sind in den Maasswerken, charakteristisch für die Epoche des 14. Jahrhunderts, noch erst wenig
geschweifte Formen angebracht. Der nördliche Thurm ist in ähnlicher Weise angelegt, trägt aber die jüngere Detailbildung schon
deutlich zur Schau. — Der Aussenbau der Seitenschiffe des Domes
entspricht in seiner Behandlung. in dem Fenstermaasswerk, den
Streben, den Dachgiebeln. die über jedem Jochtheile angelegt
sind, dem Formencharakter des Südthurmes. Die Anordnung
dieser Dachgiebel zeigt eine Aufnahme des in der sächsisch-thüringischen Gothik mehrfach beliebten Systems und wird auf einen
dorthin bezüglichen Einfluss zurückzuführen sein; den zugehörigen Schmuck hatte im alten Bau nur einer von den Giebeln der
Südseite erhalten, mit frei eingespannten Stab- und Maasswerken
wie an den Giebeln des Thurmes und somit ohne Zweifel gleichfalls als ein Product des ursprünglichen Planes. (Die Ausstattung
der übrigen Giebel ist ein Werk der letzten Jahre.) — Noch ist
zu bemerken. dass die Wölbungen über den Innenräumen des
Schiffbaues in bunter Netzform ausgeführt sind. Sie gehören der
Epoche von 1446 an, als Meister Hans Buchsbaum den Bau
leitete. Später, durch Meister Jörg Oechsel und besonders
durch Meister Pilgram (seit 1506) wurde noch Manches an dekorativer Zuthat hinzugefügt: der Orgelfuss. die prachtvolle Kanzel, die Vorhallen zum Bischof- und zum Singerthor, u. s. w.
    Neben dem Dom ist ein Bau von einfacherer Anlage zu nen-
nen, der für die Behandlung besonders des dekorativen Elements
in der fortschreitend späteren Zeit ebenso bezeichnende Belege
giebt. Es ist die Kirche Maria am Gestade oder Maria Stiegen zu Wien, [1] ein einschiffiger Bau. dessen Chor und Schiff
nicht in gleicher Axe liegen. nicht gleiche Dimensionen haben
und verschiedener Zeit angehören. Der Chor rührt aus der Zeit

---

[1] Lichnowsky, Denkmale der Baukunst und Bildnerei des Mittelalters in dem
Oesterr. Kaiserthum. K. Weiss, in den Mittheilungen der K. K. Central-Commission, I, S. 149, 174; T. IX, X. Feil, ebenda, II, S. 10, 29. Springer und
v. Waldheim, Oesterreichs kirchliche Kunstdenkmale der Vorzeit, Lief. I.

um die Mitte und nach der Mitte des 14. Jahrhunderts her; er ist mit hohen stattlichen Maasswerkfenstern versehen und hat das Gepräge eines noch wohlgemessenen Styles; das Schiff wurde im

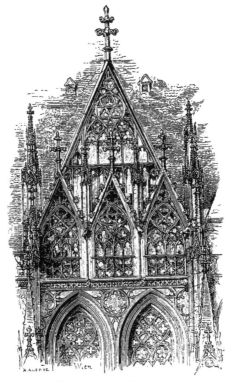

Giebel am Langschiff des Doms von Wien. (Nach einer Photographie.)

J. 1394 durch Meister Michael Weinwurm gegründet und in den nächstfolgenden Decennien ausgeführt. In der südlichen Ecke zwischen Chor und Schiff, der Bauepoche des letzteren zugehörig, [1] erhebt sich ein zierlicher Thurm, siebenseitig, mit vorspringenden Eckleisten, in den obern Geschossen mit Bogenfriesen, denen sich Fialen, Fensterschmuck, eine luftige Gallerie zugesellen, darüber ein leichtes, in bunten Maasswerkformen durchbrochenes Helmgeschoss, das aber nicht in eine Spitze ausgeht, sondern sich, oberwärts, in eigen spielender Wirkung, kuppelartig zuwölbt. Die Westfaçade des Schiffes ist mit Leistenwerk in einer schlicht

---

[1] Die bisherige Angabe, derzufolge der Thurm von 1434—37 durch Benedict Khölbl erbaut worden, beruht, (wie dies durch Feil, a. a. O., nachgewiesen ist,) auf einer Verwechslung mit einer 100 Jahre später erfolgten Restauration.

würdigen Weise geschmückt, zugleich aber das Portal derselben, ebenso wie ein Portal der Südseite, seltsam mit einem schwebend vortretenden Baldachin von geschweifter Kuppelform gekrönt.

    Der Hallenbau, für den in dem Chore der Klosterneuburger Kirche und des Domes von Wien schon so entscheidend ausgeprägte Beispiele vorlagen und der im Bau der Vorderschiffe des letzteren nur mässig modificirt war, erscheint fortan in der Architektur der österreichischen Lande vielfach verbreitet. Reichere Durchbildung findet sich aber nur an einzelnen Beispielen; schlichte Systeme, namentlich in Betreff der Pfeilerformation des Innern, sind durchaus vorherrschend.

    So bei den Monumenten des Landes unter dem Wiener Walde.[1] Hauptbeispiele von dreischiffiger Anlage sind: die sehr stattliche Pfarrkirche von Berchtholdsdorf, deren Chor dem 14. Jahrhundert angehört, während das Schiff aus dem folgenden herrührt, — die Kirche zu Kirchschlag, aus dem 15. Jahrhundert, — die Othmarskirche zu Mödling, seit 1454, ein sehr mächtiger Bau mit geräumiger Unterkirche; diese drei Gebäude mit achteckigen Pfeilern, die theils auf den Seiten, theils auf den Kanten, mit Diensten besetzt sind. — Ferner: die Kirche des Neuklosters zu Wiener Neustadt, von 1453, mit einfach achteckigen Pfeilern, — und die noch schlichtere grosse Pfarrkirche von Baden, deren Pfeiler unten viereckig, oben achteckig sind. — So auch andre, die jedoch mehr oder weniger durch Modernisirung des Innern gelitten haben, wie die Kirche von Sievering, die Minoritenkirche [2] und (wie es scheint) die Augustinerkirche zu Wien, letztere beide nach 1395 vollendet;[3] u. s. w. — Einige sind zweischiffig, wie die um 1400 von Micl. Weinwurm erbaute Wolfgangskirche zu Kirchberg am Wechsel,[4] jetzt eine malerische Ruine, und die Kirche von Sebenstein. Quadratisch, mit einem achteckigen Mittelpfeiler, ist die Kirche von Edlitz, bemerkenswerth zugleich dadurch, dass sie auf kriegerische Vertheidigung eingerichtet ist. — An Kirchen mit niedern Seitenschiffen sind nur wenige Beispiele namhaft zu machen, wie die schlichte Ruine der Kirche von Lichtenwörth aus dem 14. Jahrhundert und die Kirchen von Brunn und Heiligenstadt, beide aus dem Anfange des 16. Jahrhunderts. — Im Uebrigen kommen für die Spätepoche eine Anzahl von Chorbauten in Betracht, namentlich der ansehnliche Chor der Kirche von Deutsch-Altenburg,[5] der des Domes von Wiener-

---

[1] v. Sacken, in den Mittheilungen der K. K. Central-Commission, I, S. 103. — [2] Aussenansicht u. Portal, bei Lichnowsky, a. a. O. — [3] Heider, die Kirche zu Schöngrabern, S. 94. — [4] Vgl. Feil, in den Mittheilungen der K. K. Central-Commission, II, S. 16. — [5] Ebenda, I, S. 251, T. XIII.

Neustadt, 1449—87, der von Bromberg, der zu St. Veit
vom Jahr 1433, mit einer Krypta, deren Spitzbogengewölbe auf
einem Mittelpfeiler ruht, u. a. m.; — einschiffige Kirchen, unter
denen die Spitalkirche zu Mödling und die Kapuziner-
kirche zu Wiener Neustadt, beide noch aus dem 14. Jahrhundert, hervorgehoben werden mögen; — sowie verschiedene
Kapellen, die zum Theil durch zierlich schmuckreiche Behandlung
ausgezeichnet sind: die Martinskapelle zu Berchtholdsdorf,
neben der Pfarrkirche; die Schlosskapelle zu Ebergassing,
die Freisinger Kapelle zu Klosterneuburg, 1392—1409;[1]
— die eigenthümlich bedeutende Schlosskapelle zu Wiener Neustadt, 1449—1460, u. s. w. — Ausserdem stattlich dekorative
Werke, wie der 65 Fuss hohe, von M. Weinwurm aufgeführte
Tabernakelpfeiler bei Wiener Neustadt, der den Namen
der „Spinnerin am Kreuze" führt, und der auf dem Wienerberge
bei Wien errichtete.

Aehnliche bauliche Verhältnisse und ähnliche Weisen der
Behandlung in den Monumenten des Kreises ob dem Wiener
Walde.[2] Hallenkirchen mit achteckigen Pfeilern, zu Waid-
hofen (die Pfeiler mit je vier Diensten und Kapitälgesimsen),
Ips, Ipsitz, Purgstall; mit (modernisirten) Rundsäulen zu
Scheibbs. — Sehr eigenthümlich die Pfarrkirche St. Michael
zu Steinakirchen: ein weiter dreiseitig schliessender Raum,
rings umher mit starken Pfeilern (viereckig, mit vier Halbsäulen),
die nur auf 5 Fuss von den Wänden abstehen und flachbogige
Emporen tragen, während die obere Decke durch ein reiches
Sterngewölbe gebildet wird. — Roh zweischiffige Kirchen zu
Petzenkirchen, Wieselburg, Lunz. — Dreischiffige mit
höherem Mittelschiff, zumeist ebenfalls mit achteckigen Pfeilern:
Markt Melk (das Schiff von 1481, der Chor etwas früher), Külb,
Mank, Wilhelmsburg, Rabenstein (1490), Grafendorf,
Gresten (1482), Anzbach (1491), Traisen (nur mit einem
Seitenschiff). — Einschiffig, mit einwärtstretenden dienstbesetzten
Strebepfeilern, die Pfarrkirche zu Randegg (1498). — Ein treff-
licher Chorbau (über ursprünglich romanischer Krypta) an der
Abteikirche von Göttweih bei Mautern (um 1420).

Für die übrigen Theile des Erzherzogthums fehlt es bis jetzt
an übersichtlichen Notizen. Ein wichtiger Bau scheint die Abteikirche zu Zwetl (Ob. Manhartsberg) zu sein, deren Chor 1343
bis 1348 erbaut wurde.[3] — In Ober-Oesterreich ist die Stadtpfarrkirche zu Steier[4] als ein bedeutendes Werk hervorzuheben.
Sie wurde von Hans Buchsbaum, der später an der Leitung des

---

[1] Ernst und Oelcher, Baudenkm. des Mittelalters im Erzherzogthum Oesterreich. — [2] v. Sacken, Kunstdenkm. des Mittelalters im Kr ob d. W. W., im
Jahrbuch der K. K. Central-Commission, II. — [3] Heider. Schöngrabern, S. 94.
Feil, in den mittelalterl. Kunstdenkm. des österr. Kaiserstaates, I, S. 36. —
[4] v. Sacken, in den Mittheilungen der K. K. Central-Commission, I, S. 43.

Wiener Dombaues betheiligt war, ausgeführt und 1443 geweiht:
ihr inneres System ist dem des Wiener Domes, namentlich in der
Behandlung und Gliederung der Pfeiler, nahe verwandt. Im
Uebrigen ist sie durch breite stattliche Maasswerkfenster und
einen auf der Mitte der Nordseite vortretenden Thurm ausgezeichnet. — Die Stadtpfarrkirche zu Wels [1] hat ein beträchtlich erhöhtes Mittelschiff über sehr schlichten Arkaden mit viereckigen
Pfeilern. Der Bau gehört der ersten Hälfte des 15. Jahrh. an,
scheint aber noch auf romanischer Grundlage errichtet. — Die
Pfarrkirche zu Hallstadt [2] ist ein der jüngsten Zeit angehöriger
zweischiffiger Bau mit einer Reihe von schlanken Rundpfeilern.
— Anderweit werden als ansehnliche Gebäude der Spätzeit die
Kirche von Efferding und die von Braunau (am Inn, auf
ehemals bayrischem Gebiet,) hervorgehoben. [3]

S t e i e r m a r k [4] besitzt ausgezeichnete Hallenkirchen. Zu
diesen gehört die Wallfahrtskirche von Strassengel bei Gratz,
1346 begonnen und angeblich schon 1355 vollendet. Die Pfeiler
ihres Innern sind trefflich gegliedert und mit zum Theil vorzüglich gediegenen Kapitälzierden versehen; die Wölbung, das Maasswerk der Fenster entsprechen ebenfalls noch der um die Mitte
des 14. Jahrhunderts herrschenden grösseren Stylreinheit. Sie
hat drei polygone Chorschlüsse, von denen der mittlere stärker
vortritt; über dem nördlichen Chorschluss steigt ein achteckiger
Thurm empor, mit leichten Fenstern im Obergeschoss und mit
zierlich durchbrochener Helmspitze. — Aehnlich, doch jünger
und in minder feiner Entwickelung der Formen, mit einem Thurm
über dem westlichen Jochfelde des Mittelschiffes, die Kirche von
Maria Neustift bei Pettau. — In reicher und grossartiger
Anlage die Stiftskirche zu St. Lambrecht, der Zeit aus dem
Uebergange aus dem 14. in das 15. Jahrhundert angehörig, in
der östlichen Hälfte des Baues lebhafter durchgebildet als in der
westlichen. — Ferner: die Kirche zu Bärneck [5] vom J. 1461;
die des Cistercienserklosters zu Neuberg, [6] 1471 geweiht, noch
mit kräftiger Pfeilergliederung; das Schiff der Kirche zu St. Georgen bei Murau, 1477; die Kirche zu Schladming, 1522—32.
mit dienstbesetzten Rundpfeilern. — Zweischiffige Hallenkirchen:
U. L. Frauen zu Pöllauberg, die Ruprechtskirche bei Bruck
a. d. Mur, die Magdalenenkirche bei Judenburg, die Kirche
zu Kathrein bei Bruck und die neuerlich untergegangene zu
Lichtenwald an der Save. — Als dreischiffige Bauten mit
höherem Mittelschiff werden, ausser der Stadtpfarrkirche zu Murau

---

[1] v. Sacken, in den Mittheilungen der K. K. Central-Commission, I, S. 227.
— [2] Ebenda, III, S. 21. — [3] Ebenda, II, S. 45 — [4] K. Haas, Kunstdenkmale
in Steiermark, im Jahrbuch der K. K. Central-Commission, II. — [5] Scheiger,
in den Mittheilungen der K. K. Central-Commission, II, S. 161. — [6] Heider,
ebenda, I, S. 3. (Der Kreuzgang neben dieser Kirche, dem 14. Jahrhundert
angehörig, mit sculptirten Consolen, deren ausgezeichnete Darstellungen dem
Kreise der Thiersymbolik angehören.)

(oben, S. 304) nur die Hauptpfarrkirche von Cilli, die Stadt-
pfarrkirche zu Radkersburg und die zu Pettau hervorge-
ıoben. — Anderweit wird der Pfarrkirche zu Hartberg [1] und
der ziemlich rohen Pfarrkirche zu Aussee [2] als spätgothischer
Bauwerke gedacht. — An einschiffigen Kirchen ist eine grosse
Menge vorhanden. Einzelne davon sind durch schmuckreiche
Ausstattung und Behandlung bemerkenswerth, namentlich die
Kirche von St. Leonhard bei Murau. Auch solche in der
Umgegend von Sekkau. namentlich die Kirche von St. Mareien,
zeigen den spätgothischen Styl in liebenswürdig phantastischer
Ausbildung. [3] — Ein ganz eigenthümlicher Bau des 15. Jahrhun-
derts ist die ehemalige (jetzt als Wohnhaus eingerichtete) Heil.
Geistkapelle bei Bruck, auf dreiseitiger Grundlage aufgeführt.

Ein anziehender Profanbau spätestgothischer Art, schon aus
dem 16. Jahrhundert, findet sich an einem Gebäude am Markte
von Bruck: unterwärts eine kräftige offne Halle, darüber eine
zierliche Loggia mit achteckigen Säulen, Flachbögen und phantastischen Bogenkrönungen. Es ist, wie es scheint, die Begegnung
deutscher und italischer Gothik, was dieser Anlage ihren eignen
Reiz giebt. —

Unter den spätergothischen Gebäuden von Kärnten [4] ist
die Stadtpfarrkirche zu Völkermarkt als ein Bau mit hohem
Mittelschiff, die Stadtpfarrkirche St. Jakob zu Villach als Hallenbau zu nennen. — Die Chöre der Kirche von Lieding bei
Strassburg und der Collegiatkirche von Friesach scheinen sich
durch einen höheren Grad von Stylreinheit auszuzeichnen. —
Die Pfarrkirche zu Oberndorf [5] bei Völkermarkt hat (neben
einigen romanischen Theilen) einen Chor von ebenfalls reinerer
Forı, ein schlichtes Schiff mit leichtem Netzgewölbe aus dem
15. Jahrhundert und jüngere Nebentheile. — Die Liebfrauenkirche
zu Hohenfeistritz und die Wallfahrtskirche Maria Weit-
schals ob Hüttenberg (1495—1519) sind, wie es scheint, für
die Schlussepoche besonders hervorzuheben.

<hr />

Franken.

In den mitteldeutschen Landen ist es Nürnberg, [6] das für
die jüngeren Gestaltungen der gothischen Architektur eine vorzüglich hervortretende Bedeutung gewinnt. Die steigende Blüthe

<hr />

[1] Heider, in den Mittheilungen der K. K. Central-Commission, I, S. 178. —
[2] Ebenda, S. 63. — [3] v. Quast, im D. Kunstblatt, 1851, S. 102. — [4] v. Ankershofen, in den Mittheilungen der K. K Central-Commission, I, S. 123, 144.
— [5] Derselbe, ebenda, II, S. 44. — [6] Wolff u. Mayer, Nürnbergs Gedenkbuch.
R. v. Rettberg, Nürnberg's Kunstleben. Treffliche Einzelblätter nürnbergischer
Architektur, besonders Stiche von Geissler, Poppel u. A.

des Handels, das wachsende Selbstbewusstsein, das sich von geistlicher und weltlicher Herrschaft unabhängig fühlte und Eingriffen
von einer oder der andern Seite entschlossen zu begegnen wusste,
giebt zur Ausführung von mancherlei Werken Anlass. Auch die
kaiserliche Majestät, Karl IV., ist bedacht, der mächtigen Reichs-
stadt einen Theil derjenigen Baulust zuzuwenden, durch welche
Böhmen und besonders Prag mit Schmuckwerken versehen ward;
aber es scheint, dass diese Theilnahme doch nur mehr anregend
als bestimmend wirkte. Es ist etwas charakteristisch Bürgerliches
in der nürnbergischen Architektur, ein nüchtern verständiger
Grundgedanke, der aber nach Umständen gern auf kräftige Wirkung ausgeht und eine reiche, zugleich in übersichtlicher Ordnung
gehaltene Ausstattung zur Schau zu stellen liebt. Es prägt sich
den kirchlichen Monumenten ein Zug von dem straffen und rüstigen Wesen, von der Handwerklichkeit profaner Architektur auf,
während der Profanbau selbst sich in mannigfacher Gestaltung
entwickelt, auch, im umgekehrten Verhältniss, Einzelmotive kirchlichen Ursprunges geschickt und wirkungsreich für seine Zwecke
zu verwenden weiss.

Schon im Bau der Vorderschiffe und der Façade von St.
Lorenz (S. 277) kündigt sich diese Richtung in einigen Grund-
elementen an. Entschiedener macht sie sich seit der Mitte des
14. Jahrhunderts geltend. Wenn in der schlichten einschiffigen
Moritzkapelle[1] vom J. 1354 (hergestellt im J. 1829) weniger
Gelegenheit dazu vorlag, so erscheint der Bau der Frauenkirche.[2] 1355—61, in um so bezeichnenderer Eigenthümlichkeit.
Kaiser Karl IV. liess dieselbe an der Stelle einer jüdischen Synagoge durch die Baumeister Georg und Fritz Rupprecht
ausführen. Sie hat nur geringe Dimensionen; ihre Vorderschiffe
bilden einen fast quadratischen Raum, im Innern ungefähr 67 F.
lang und 71 F. breit, mit vier Rundsäulen, welche die durchgehend gleich hohen Gewölbe tragen, und mit dreiseitig geschlossenem Langchore von der Breite des Mittelraumes. Es ist ein
Hallenbau schlichtester Art, der nur durch die Wechselwirkung
von Chor und Vorderschiff noch ein kirchliches Element wahrt;
der Kaiser benannte ihn, mit sehr richtiger Kritik, als „Unserer
Lieben Frauen Saal." Der Schlichtheit der innern Disposition
steht die Pracht der Façade gegenüber, aber auch hier in vorwiegend weltlichem Charakter. Vor dem Portal ist eine Halle,
einen Altan tragend, von dem herab einst die Kaiserwahl ausge-
rufen ward; die Eingänge der Halle sind, ebenso wie das Portal,
reichlichst mit Sculpturen und sonstigem Schmuckwerk erfüllt.
Der Giebel steigt in zinnenartigen Stufen empor, mit Nischen-

---

[1] Zum Gedenkbuch II, S. 31, vgl. den Katalog: „der königl. Bildersaal etc.
in der St Moritzkapelle zu Nürnberg" und die darin enthaltenen Risse. —
[2] Vgl. Kallenbach, Chronologie, T. 54 (7, 8), 58. Aussenansichten mehrfach,
z. B. bei Chapuy, moy. âge mon., No. 55, und Allemagne mon., liv. 6.

gallerieen, die ursprünglich gleichfalls den vollsten Sculpturenschmuck enthielten, in der Mitte mit einem schlanken Erkerthürm-
lein. Es ist ein Gemisch von Haus und Kapelle; später empfing
die Façade noch einen eignen
Zug ins Phantastische durch
ein besondres kleines Ka-
pellchen, welches A d a m
K r a f t, der Bildhauer, im
J. 1462 über dem Altan der
Vorhalle errichtete, mit mancherlei spielender Formenbildung und ebenfalls in
erkerartiger Disposition.

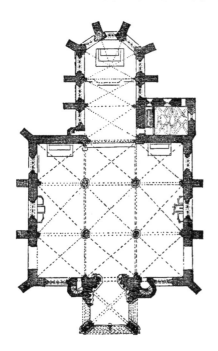

Grundriss der Frauenkirche zu Nürnberg. (Aus Rettberg, Nürnbergs Kunstleben.)

In der Nähe der Frauen-
kirche wurde gleichzeitig
und von denselben Meistern
der „s c h ö n e B r u n n e n"
errichtet, ein luftiger stattlich dekorativer Thurmbau
von 60 Fuss Höhe, mehrge-
schossig, mit Statuentabernakeln, Fialen und Wim-
bergen emporsteigend und
in schlanker Helmspitze en-
dend, von ungemein glück-
licher Wirkung des Ganzen
und der Theile zum Ganzen,
aber ohne ein eigentlich feines Gefühl für den architektonischen Organismus und
für die Bedingnisse des De-
tails, — Vorzüge und Mängel, die für den handwerklichen Theil
der nürnbergischen Kunst nicht minder bezeichnend sind. Eine
durchgreifende Herstellung ist von 1821—24 ausgeführt worden.

Dann folgt der Chorbau von St. Sebald,[1] 1361—77. Im
Gegensatz gegen die etwas gepresste Enge des Schiffes (Thl. II,
S. 472 u. f.) ist auch hier eine Hallendisposition durchgeführt, in frei
erhabenen Verhältnissen, in der Wirkung wesentlich gesteigert
durch die Anordnung eines geräumigen Umganges um den drei-
seitigen Schluss und die Verdoppelung seiner Polygonflächen, der
Art, dass ein Kranz von hochschlanken Fenstern das Ganze um-
giebt und eine Wechselfülle von Licht in das Innere sendet.
Aber wiederum erscheint in der Detailbildung des Innern eine
Ernüchterung der Form, die für die angedeutete Bauepoche fast

[1] Vergl. Kallenbach, T. 56, 57. Chapuy, moy. âge pitt., t. 166. Wiebeking,
T. 2; 6.

auffällig ist: die Pfeiler viereckig, mit je vier starken Diensten und abgeschrägten Ecken; die Gurte, von derb flachem Profil, schon ohne alle Kapitälscheidung aus ihnen heraustretend. Nicht

Der schöne Brunnen zu Nürnberg. (Aus Rettberg, Nürnbergs Kunstleben.)

minder auffällig contrastirt hiemit das architektonische System des Aeussern, das in der lebhaft durchgeführten dekorativen Gliederung der Strebepfeiler, deren vielfache Abstufung aber mit der hoch einheitlichen Form der Fenster nicht in Einklang steht, und in den, freilich sehr schlichten (durch die spätere Bedachung roh abgeschnittenen) Wimbergen über den Fenstern rheinische Studien zu verrathen scheint. Das Fenstermaasswerk selbst hat die schon spielenden Formen der Zeit. — Eigenthümlich bemerkenswerth ist die sogenannte Brautthür, [1] an der Nordseite des Chores, die sich hallenartig vertieft und im Vorbogen mit zierlich durchbrochenen Bogen- und Maasswerken geschmückt ist, ein kunstreiches Meisterstück, wie im Wettstreit mit Schnitz- und Schmiedearbeiten gefertigt und somit freilich wiederum ohne die volle Empfindung für das eigenthümliche Bedingniss des Architektonischen.

Aehnliche Anordnung hat der Chor der St. Lorenzkirche, [2] ein erheblich jüngerer, von 1439—77 ausgeführter Bau, mit einer allerdings noch roheren, noch weniger belebten Pfeilergliederung, während sich oberwärts aus den Pfeilern das Rippengeäste eines bunten Netzgewölbes löst und die Fenster, statt der hohen ungetheilten Form von St. Sebald, zwiegeschossig angeordnet sind, mit den nüchternen

---

[1] Vergl. Heideloff, Ornamentik, III, Heft 18, T. 4. Chapuy, moy. âge mon., t 59. — [2] Chapuy, Allemagne mon., liv. 9. *Denkmäler der Kunst, T.* 55 (6).

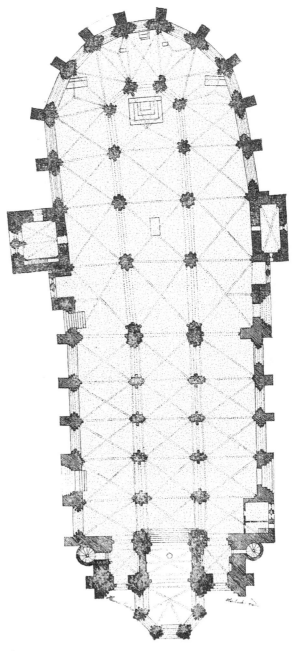

Grundriss der Sebalduskirche zu Nürnberg. (Aus Rettberg, Nürnbergs Kunstleben.)

Maasswerkverschlingungen der Spätzeit und mit der sehr eigenthümlichen Anlage einer Gallerie, welche sich am Fusse der
oberen Fenster hinzieht und die Eckpfeiler zwischen den Fenstern

Brautthür der St Sebalduskirche zu Nürnberg. (Aus Rettberg, Nürnbergs Kunstleben.)

balkonartig umgiebt; ein trockenes und kaltes Ganzes, das aber
durch die räumlichen Verhältnisse, durch das reiche Formenspiel
einzelner Theile, durch die malerischen, auf die Schau berechneten Zuthaten von lebhafter Wirkung ist.

Sehr merkwürdig und charakteristisch für die spätgothische
Architektur Nürnbergs scheint ferner die im J. 1816 abgetragene
Augustinerkirche [1] gewesen zu sein: ein Hallenbau mit einfach

---

[1] Eine Ansicht des Innern bei Wiebeking, Bürgerl. Baukunde, T. 7.

schlanken Rundpfeilern, über deren Deckgesimsen aus achteckig aufsteigendem Kerne die Gewölbrippen hervorschossen, die sich dann zur Fächerwölbung, völlig nach englischer Art, ausbreiteten. Unter den erhaltenen Beispielen einfacherer kirchlicher Gebäude mag die K a r t h a u s e vom Schlusse des 14. Jahrhunderts, die sich durch einen malerischen Kreuzgang auszeichnet, — und die um 1500 gebaute J a k o b s k i r c h e genannt werden. Die letztere, nach vielfachen Veränderungen von 1824—25 durch H e i d e l o f f gründlich erneut, ist besonders durch eine einfach klare Choranlage, mit hohen und weiten Fenstern, bemerkenswerth. — An K a p e l l e n sind anzuführen: die Kapelle auf dem Hofe des hl. G e i s t - H o s p i t a l s, [1] aus der frühern Zeit des 15. Jahrhunderts, klein, niedrig, massenhaft, mit starken Zinnen gekrönt und mit einem dekorativen Bogenfriese unter diesen; — die Kapelle des L a n d a u e r b r ü d e r k l o s t e r s (1507—8), deren Gewölbrippen in zierlicher Entwickelung von schlanken, gewunden kanellirten Säulen getragen werden, während die Scheidungspunkte der Rippen dekorativ ausgestattet sind, an einer Stelle (in einem ächten Handwerkerkunststück) mit einem Crucifix, welches innerhalb des Geästes der tiefgesenkten Rippen angebracht ist; — die H o l z - s c h u h e r ' s c h e B e g r ä b n i s s k a p e l l e auf dem Johanniskirchhofe, rund, ebenfalls mit bunter, durch hängende Zapfen ausgestatteter Gewölbformation; u. s. w. Der nürnbergische Hausbau, wo er ein monumentales Recht in Anspruch nimmt, gestaltet sich in der Masse zumeist voll und schlicht, giebt aber hervorstechenden Einzeltheilen ein um so mehr durchgebildetes und wirksames Gepräge. Zinnen, Thürmchen, Giebel fügen der Masse eine gewichtige Krönung hinzu; Portale und Thürme erhalten eine strengere oder eine mehr spielend behandelte Ausstattung und Gliederung; Erker werden gern mit reicher architektonischer und bildnerischer Dekoration versehen; Lauben, Gallerieen, Stiegenhäuser treten in die Höfe vor und entwickeln ein Bild des malerisch bewegtesten Lebens. Vor Allem sind es die Erker, denen sich eine gemüthlich liebevolle Sorgfalt zuwendet. Auf Wandstützen oder Consolen, über weit vorkragenden Gliederungen sich aufbauend, sind sie im Aeussern nicht selten den Choranlagen kleiner Kapellen ähnlich behandelt und führen daher auch den ortsüblichen Namen der „Chörlein"; es fehlt den bedeutenderen von ihnen nicht an den Symbolen einer selbständig architektonischen Belebung, an den schicklichen Plätzen für ein beredtes figürliches Bildwerk. Die reichhaltige Durchbildung des Erkerbaues ist ein eigenthümliches Verdienst der nürnbergischen Gothik.

Besonders hervorzuheben sind: das sogenannte N a s s a u e r H a u s, [2] der Façade von St. Lorenz gegenüber, etwa aus der

---

[1] Kallenbach, Chronologie, T. 66 (a, 2). — [2] Vergl. Kallenbach, T. 52.

Mitte des vierzehnten Jahrhunderts, ein massig thurmähnlicher Bau mit stattlichst reicher Zinnengallerie und Erkerthürmchen und mit einem Chörlein von schlanker Form und schlicht charaktervoller Durchbildung, welches in der Mitte der Vorder-

Das Nassauer Haus zu Nürnberg. (Aus Rettberg, Nürnbergs Kunstleben.)

seite vortritt; — das Chörlein am Pfarrhofe von St. Sebald, einem von 1513—15 ausgeführten Neubau des letzteren angehörig, das Prachtstück der Erker-Architektur und völlig einem kleinen Kapellenchore vergleichbar, von einem buntgegliederten Wandpfeiler mit Bildnissen gestützt, mit vielfachem Schmucke versehen, die kleinen Eckstreben des Hauptgeschosses von schwebenden Engelfiguren getragen, u. s. w.; — die alten Theile des Rathhauses, namentlich die im Hofe erhaltenen Gallerieen, [1]

[1] Vergl. Heideloff, Ornamentik, IH, Heft XVIII, 7, f.

zu einem Bau gehörig, der 1521—22 durch H a n s B e h a i m d. ä.
ausgeführt wurde, in eigenthümlichster Anordnung auf zierlich
geschnitzten Consolensäulchen ruhend und hiemit und mit den
bunten Maasswerkbrüstungen von
reizend phantastischer Wirkung;
— der Hof des K r a f t ' s c h e n
H a u s e s (Theresienstrasse), mit
mehrgeschossigen Lauben, Galle-
riebrüstungen, offenem Stiegenhause u. s. w., ebenfalls von lebhaftem malerischem Reize; — die
Burggrafenstube im v. S c h e u r l -
schen H a u s e [1] (Burgstrasse), ein
wohlerhaltenes Inneres aus der
Schlusszeit des gothischen Styles,
mit stattlicher Täfelung und zierliebstem Schnitzwerk in der Umfassung und Krönung der Thüren,
für das Behagen in der Behausung des reichen Patriciers nicht
minder charakteristisch.

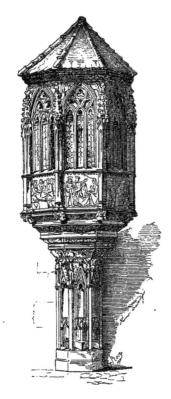

Das Chörlein am Pfarrhofe von St. Sebald zu
Nürnberg. (Aus Rettberg, Nürnb. Kunstleben.)

Das dekorative Element der
nürnbergischen Architektur bewährt sich am Schluss der Periode zugleich in selbständigen,
schmuckreichen Einzelwerken. Es
sind vornehmlich kirchliche T a -
b e r n a k e l , Arbeiten, die aus der
Werkstätte des Bildhauers her-
vorgingen und mehr oder weniger
den Stempel bildnerischer Freiheit tragen, in phantastisch bunter Verschlingung der architektonischen Formen, in der Verwendung naturalistischer Bildungen
statt der eigentlich architektonischen, u. s. w. A d a m K r a f t ,
der Bildhauer, nimmt in solchen Arbeiten eine bedeutende Stelle
ein; von ihm oder aus seiner Schule rühren die vorzüglichsten
her. [2] Es gehört zu diesen das grosse Tabernakel im Chor von
St. L o r e n z zu N ü r n b e r g , [3] das, 1496—1500 gefertigt, gegen
64 Fuss hoch zum Gewölbe emporsteigt, wo die Spitze sich hornartig umrollt, während auch sonst die hornartig gewundene Bildung der Fialenspitzen an dem Denkmal vielfach vorkommt,
Ferner, in den Kirchen benachbarter Orte, das Tabernakel zu

---

[1] Zum Gedenkbuch, T. 74, vergl. Heideloff, H. XII, 4; XIII, 6; XV, 5. —
[2] Die Nürnbergischen Künstler, geschildert nach ihrem Leben und ihren Werken, I, S. 33; IV, S. 58. — [3] Stiche von Geissler, Poppel u. A.

Schwabach vom J. 1505, 46 Fuss hoch; das zu Kalchreuth,
30 Fuss hoch; das zu Fürth, [1] 24 F. hoch; das zu Kazwang,
21 F. hoch; das im Chor der Münsterkirche zu Heilsbronn.

——————

Es schliessen sich einige andre Monumente in den fränkischen
Landen an. Einige von diesen bewahren die Anlage des hohen
Mittelbaues über niedern Abseiten. Zu ihnen gehört die Stadtkirche St. Jakob zu Rothenburg an der Tauber, [2] 1373—1453
gebaut; am Ostchore, dem älteren Theile, mit zierlich bebilder-
ten Strebepfeilern; am Beginn des Chores mit Thürmen, welche
mit durchbrochenen Helmen versehen sind; im Schiffbau jünger,
mit leichten Bündelpfeilern, von denen die Gewölbrippen ohne
Trennung durch ein Kapitäl ausgehen, während das Aeussere
das System der Strebebögen hat; noch später der stark erhöhte
Westchor, der auf mächtigem Bogen eine Gasse überbrückt. —
Ferner die im J. 1387 geweihte Ober-Pfarrkirche zu Unser
Lieben Frauen in Bamberg. [3] Bei ihm umgiebt den dreiseitigen
Chorschluss ein Umgang von gedoppelt polygonischer Anlage,
dessen Streben, den Kapellenkranz ersetzend, nach innen gezogen
sind, während sich über dem Dache des Umganges flache Strebebögen zur Stütze des Oberbaues erheben. Sonst erhellt über das
innere System, bei starker Modernisirung desselben und bei völliger Erneuung der Vorderschiffe, nichts Weiteres von Belang.
Eigenthümlich ist die dekorative Behandlung des Chor-Aeussern,
mit flachem, zierlich gemustertem Leisten- und Bogenwerk und
mit reliefartigen Fialen an Stelle der Streben. Ein einfach viereckiger Thurm, vor dem südlichen Seitenschiff, hat eine ähnliche
Leistendekoration, welche in der oberen Bekrönung ein anmuthig
reiches filigranartiges Muster bildet. — Auch die Kirche von
Schwabach [4] (1469—95) hat niedrigere Seitenschiffe, mit einfach runden Schiffpfeilern.

Die im J. 1377 gegründete Liebfrauenkapelle zu Würz-
burg [5] zeigt dagegen das ausgeprägte Hallensystem. Sie hat im
Innern achteckige Pfeiler mit je einem kräftigen Dienst an der
Mittelschiffseite, indem die schon kehlenförmigen Gewölbgurte
ohne Kapitälscheidung aus der Pfeilermasse sich ablösen. Die
hohen Fenster haben ein treffliches Maasswerk, die Strebepfeiler
der (einem offenen Platze zugewandten) Südseite zierlichen Schmuck
an Statuentabernakeln und Fialen, die Portale und insbesondere

[1] Heideloff, Ornamentik, II, 8. — [2] Wiebeking, Bürgerl. Bauk., II, S. 113;
T. 61, (Grundriss). Waagen. Kunstw. und Künstler in Deutschland, I, S. 319.
— [3] Eine Ansicht in Lange's Originalansichten. Notizen ebenda sowie in Hel-
ler's Taschenbuch von Bamberg und in dessen Geschichte der Domkirche zu
Bamberg. — [4] Wiebeking, II, S. 127. — [5] F. Kugler, Kl. Schriften, II, S. 419.
Ansicht bei Lange, a. a. O.

das Hauptportal der Westseite lebhafte Gliederungen und reiche bildnerische Füllungen. Auf der Nordwestecke steigt der von 1441—79 erbaute Thurm empor, bis zur Dachhöhe schlicht viereckig, dann mit schmuckreichen Obergeschossen, [1] zuerst gleichfalls viereckig und darüber schlank achteckig. Diese Obergeschosse sind in einem Leistencharakter und mit Maasswerkfüllungen in den schon spielend geschweiften Formen der gothischen Spätzeit, mit entsprechenden feinen Eckstreben und Fialen dekorirt, aber in einer so leichten und zugleich in einer so maassvollen und klaren Haltung, wie bei den Werken der angedeuteten Epoche selten mehr gefunden wird. (Die Krönung des Thurmes ist modern.)

Ebenso gehört der in künstlerischem Belang allerdings wenig erhebliche Schiffbau des Domes von Eichstädt [2] dem Hallensystem an, mit einfach behandelten Rundpfeilern. Die Bauzeit desselben wird auf 1365—96 bestimmt; der Westchor soll aus der Epoche von 1259—69 herrühren; der zierliche Kreuzgang zur Seite des Doms ist 1484—89 und der Ostchor 1496 erbaut. [3] — Der Chor der Kirche von Weissenburg, der nach Angabe einer Portalinschrift im J. 1527 geweiht wurde, ist gleichfalls ein Hallenbau, mit schlanken Rundsäulen und reichem Gewölbe, zugleich durch klare und verhältnissmässig reine Behandlung des Details ausgezeichnet. Die letzteren Vorzüge machen sich auch in dem zur Seite des Chores angeordneten Thurme geltend. Die Vorderschiffe sind ein späterer und roherer Bau.

Von sehr eigenthümlicher Bedeutung für die Schlussmomente der Gothik sind die älteren Theile der St. Gumbertuskirche zu Ansbach: der im J. 1523 vollendete Chor [4] und die merkwürdige Westseite. [5] Letztere steigt massenhaft auf, gekrönt mit drei Thürmen, einem stärkeren und höheren in der Mitte und kleineren auf den Seiten, alle drei mit leicht durchbrochenen Helmen. Die Seitenthürme, in spielend entwickelter achteckiger Gestalt, wurden 1493 gebaut [6]; der Mittelthurm zeigt ein, ohne Zweifel sehr viel jüngeres barockes Gemisch antikisirender und spätestgothischer Dekoration, — eine abenteuerliche Behandlung des Details, bei der von einem innerlich bedingten Formenprincip keine Rede mehr ist, die aber von einem glücklichen Sinn für das Massenverhältniss und dessen malerische Wirkung begleitet wird. (Der Schiffbau ist modern.)

---

[1] Kallenbach, T. 72 (1). — [2] Grundriss bei Wiebeking, T. 61. — [3] Becker, im D. Kunstblatt, 1853, S. 444. — [4] Frhr. v. Stillfried, der Schwanenorden, (Ausg. 2, 1846,) S. 18, n. 65; dazu eine lith. Ansicht. — [5] Kallenbach, T. 85. — [6] Stillfried, a. a. O.

Bayern.

Zu Regensburg reicht der seit 1275 begonnene Prachtbau des Domes (S. 300) grossentheils, wie bereits angedeutet, in die Spätepoche der Gothik hinab. Doch hielt man dabei im Allgemeinen, wenn auch mit Modificationen in der Behandlung des Details, an dem ursprünglichen Plane fest. Selbst die Disposition der Façade und der Beginn ihres Aufbaues stehen noch im engsten Zusammenhang mit jenem Plane; sie hat eine einfach kräftige, durch starke Strebepfeiler bezeichnete Dreitheilung, mit zwei Thürmen über den Seitentheilen, den geräumigen Breitenverhältnissen der Kirchenschiffe entsprechend und in ihrer festen Uebersichtlichkeit, die zugleich durch kräftige Horizontalgesimse und Gallerieen wesentlich gehoben wird, den Façaden französischer Kathedralen vergleichbar. Der südliche Thurm, der älteste Theil der Façade, wurde erst im J. 1404 begonnen; [1] bis zur Dachhöhe des Mittelschiffes folgt er, noch mit Entschiedenheit dem im Chor- und Schiffbau vorgezeichneten Systeme. Der Obertheil dieses Thurmes, der nördliche Thurm, der Mittelbau sind jünger; am Mittelgeschoss des letzteren ist das Datum 1482, am Giebel das Datum 1486 als Bezeichnung der Bauepoche angegeben. Hier entwickelt sich eine reiche Dekoration, mit prächtigen Maasswerken im Spätstyl, Füllungen, säumenden Bogenzacken, mit freistehendem Gliederwerk und consolengetragenen Giebeln verschiedener Gestaltung, zumeist wohl auf Studien in der Strassburger Hütte deutend, während die Behandlung des Giebels, mit einem vortretenden Erkerthürmchen, an die Frauenkirche von Nürnberg erinnert; im Einzelnen spielend und selbst barock, nicht in sonderlichem Einklange mit dem System des Südthurms, und doch durch seine kräftige Gesammtanordnung, durch seine festen Einschlüsse von sehr bedeutender Wirkung. Eine breite Stiege führt vom Platze zu dem Mittelportal, wie zu den kleinen Seitenportalen, welche unter den Thürmen befindlich sind, empor; ein eigenthümliches Schmuckstück wird durch einen zweitheiligen Portikus gebildet, der in zwei Seiten eines Dreiecks vor dem Mittelportale gegen die Stiege hinaustritt. Es ist eine Anlage, der des Portikus auf der Nordseite des Erfurter Domes (S. 268 u. f.) vergleichbar und wohl durch diesen angeregt; wobei aber zu bemerken, dass zu Erfurt die Terrainbeschaffenheit zu dieser sonderbaren Grundform einige Veranlassung gab, dass das Werk hier, zu Regensburg, noch mehr im Gepräge einer künstlerischen Laune erscheint, dass es sich gleichwohl indess durch seine völlig leichte dekorative Behandlung in höherem Maasse rechtfertigt. Von beiden Thürmen sind nur die ersten Freigeschosse, und auch diese nicht bis zu ihrem Horizontalabschlusse,

---

[1] Gumpelzhaimer, Regensburg's Geschichte, S. 203.

zur Ausführung gekommen. — Den Dekorationen der Façade ist
eine Reihe dekorativer Einzelwerke im Innern des Doms zur Seite
zu stellen: mehrere Säulen-Baldachinen über Altären, zum Theil
noch in der strengeren Form des 14., zum Theil in der mehr
spielenden Ausstattung des 15. Jahrhunderts; ein Brunnen mit
zierlicher Krönung; die Kanzel vom J. 1482, auf schlank gewundenem Fusse und mit einer von leichtem Baumgeäste gebildeten Brüstung, u. s. w.

In der Zeit, als es sich um die Fortsetzung des Baues der
Regensburger Domfaçade handelte, waren übrigens mannigfache
künstlerische Kräfte in Bewegung, um das neue Werk in möglichst erhabener und glorreicher Form, den Anforderungen der
Spätzeit gemäss, zur Entfaltung zu bringen. Zwei grosse Risse
zum Neubau der Façade, die im Domarchive von Regensburg
bewahrt werden, legen davon Zeugniss ab. Der eine [1] hat, statt
der beiden Seitenthürme des ausgeführten Baues, einen einzigen
Mittelthurm und entwickelt an diesem, während der Unterbau
sich einigermaassen den Motiven der jüngeren Theile der ausgeführten Façade anschliesst, alle Ueberschwenglichkeiten einer
phantastischen Ausstattung bei ebenso phantastischem Höhendrange: über dem Unterbau mit zwei viereckigen und zwei achteckigen Thurmgeschossen und mit einer entsprechend aufgegipfelten durchbrochenen Helmspitze, welche letztere dreimal umgürtet
und dreimal durch fialenartige Streben, die vor den Schenkeln
aufschiessen, und kleine Strebebögen scheinbar gefestigt wird.

So ist zu Regensburg nicht viel Bedeutendes aus gothischer
Spätzeit vorhanden. Doch ist die Façade des Rathhauses [2] bemerkenswerth, schlicht geordnet, durch einen offenen tabernakelartigen Erker (einen bedeckten Altan) und durch ein stattliches
Portal im vorspringenden Seitenflügel ausgezeichnet, deren Formen, den schlichteren des Domes verwandt, auf die Epoche um
1400 deuten. — Als einfache spätgothische Kirchen Regensburgs,
zum Theil in verändertem baulichem Zustande, werden St. Gilgen und St. Oswald namhaft gemacht. [3]

Einige vorzügliche Monumente der Ober-Pfalz, welche die
Anlage niedriger Seitenschiffe bewahren, scheinen unter Einwirkung der Regensburger Dombauhütte entstanden zu sein. Namentlich wird die, etwa in der Spätzeit und um den Schluss des 14.
Jahrhunderts erbaute Pfarrkirche von Nabburg als ein verkleinertes Abbild des Domes von Regensburg bezeichnet, mit lebhaft

---

[1] C. W. Schmidt, Facsimile einer Originalzeichnung zum Dom zu Regensburg. (Ein Fenster aus dem andern Risse bei Grueber, die christl. mittelalterl. Baukunst, T. 48.) — [2] Kallenbach, T. 53. — [3] Die obige Notiz und die
folgenden bis zum Schlusse des bayrischen Abschnitts grösstentheils nach den
Mittheilungen „zur Kunstgeschichte der Diöcese Regensburg", in der Augsburger Postzeitung, 1856, No. 91, ff; und nach Sighart, die mittelalterl. Kunst
in der Erzdiöcese München-Freising. Nur einiges Wenige zugleich nach eigner Anschauung.

gegliederten Schiffpfeilern und reichen Fenstermaasswerken, doppelchörig und im Aeussern besonders durch die Maasswerkzierden an den Giebelwänden der Querschifflügel von glänzender Wirkung. Ebenso soll die Behandlung der Details in der Kirche von Hohenburg bei Castel, südwestlich von Nabburg, den Styl der regensburgischen Schule erkennen lassen. — Die Pfarrkirche von Sulzbach und die St. Georgskirche zu Amberg, beide aus der zweiten Hälfte des 14. Jahrhunderts, haben mehr oder weniger durchgreifenden Veränderungen erlegen, wesshalb. das Urtheil über ihre stylistischen Verhältnisse einstweilen dahinzustellen ist. Die letztgenannte Kirche, im Innern stark modernisirt, ist durch ihre alte dreithürmige Façade ausgezeichnet. — Die Kirche zu Hanbach, nördlich von Amberg, soll im Mittelschiff aus dem 14. Jahrhundert, in den Seitenschiffen und im Chore, mit später Fensterformation und Netzgewölben, aus dem 15. Jahrhundert herrühren.

Auch einige kirchliche Gebäude in den altbayrischen Kreisen aus der zweiten Hälfte des 14. Jahrhunderts halten an der Anlage niedriger Seitenschiffe fest; doch sind sie schon ursprünglich von wenig hervorstechender Bedeutung und zugleich durch Modernisirung mehr oder weniger entstellt. Zu ihnen gehört, wohl als das werthvollste Beispiel, die Karmeliterkirche zu Abensberg; sodann die Johanneskirche zu Mosburg und die Frauenkirche zu Wasserburg. — Bedeutender ist ohne Zweifel die Klosterkirche von Kaisersheim [1] bei Donauwörth, im schwäbisch-bayrischen Grenzlande. In ihr erhebt sich der mittlere Hochbau kräftig über dem Umgange des Chores (doch ohne Strebebögen), während über der mittlern Vierung ein in zierlicher Leichtigkeit aufgegipfeltes Thürmchen emporsteigt. — Anderweit erscheint die kleine im J. 1373 geweihte Schlosskapelle von Straubing beachtenswerth, deren Chörlein erkerähnlich über die Schlossmauer hinaustritt.

Im Laufe des 15. Jahrhunderts macht sich überall in den bayrischen Landen das Hallensystem geltend, in zahlreichen Beispielen, die einen nunmehr erwachten höchst regen Schaffensdrang bekunden, in einer bewusst wirkungsreichen Erfüllung der Aufgabe. Das Bedürfniss nach belebter Durchbildung, nach reicherer Gliederung und Ausstattung tritt bei diesen Werken allerdings zurück, nicht selten in fast auffälliger Weise. Das Material besteht zum grossen Theil aus gebranntem Stein; wie durchweg in den Gegenden des Ziegelbaues, beschränkte dasselbe die freiere Bewegung der Form, welche der gothische Baustyl verlangt.

[1] Mir liegt von diesem Gebäude nur ein kleiner Stich von Quaglio vor.

Man liess es sich zwar angelegen sein, die feineren Einzelstücke
aus Haustein zu bilden; man hielt hiedurch den Zusammenhang
mit der üblichen Behandlungsweise einigermaassen fest; aber man
verlor damit zugleich die Gelegenheit zu einer selbständig stylistischen Entwickelung des Ziegelbaues (wie in den Landen des
deutschen Nordostens) und zu einem mehr oder weniger bedeut-
samen Ersatz für das aufgegebene Gesammtsystem. Man brachte
dann, ebensosehr einem allgemeinen Impulse wie den Bedingnissen des Materials folgend, dieselbe Richtung des baulichen
Geschmackes nicht selten auch da zur Anwendung, wo man sich
wiederum des Hausteins zur Aufführung des Ganzen bedienen
konnte. Es ist etwas Starres, Herbes, Trocknes in dieser bayrischen Gothik, das gegen die sonst gangbaren dekorativen Bestrebungen der Zeit, wie sie namentlich auch in der Regensburger
Bauhütte in so üppiger, — in jenen Entwürfen zur Façade des
Doms in so excentrischer Weise hervortreten, den schärfsten
Gegensatz ausmacht; dabei aber ist sie durch eine machtvolle
Disposition der inneren Räumlichkeit, eine Kühnheit der Verhältnisse ausgezeichnet, die nicht minder als das Ergebniss eines
pathetischen Dranges erscheint, nicht minder den lebhaftesten
Eindruck auf das Gemüth des Beschauers hervorzubringen vermag. Was die Besonderheiten der Formation betrifft, so sind die
Pfeiler des Innern schlicht polygonisch oder cylindrisch, selten
und nur in sparsamster Weise mit Diensten versehen; die Gewölbe in der Regel in einem bunten Spiele von Netzgurten gebildet, die sich ohne sonstige Vermittelung aus dem Pfeilerschafte
entwickeln; das Aeussere zuweilen bis zur Formenöde einfach,
und nur das Fenstermaasswerk insgemein in den herkömmlichen
spielenden Figuren gebildet.

Der Centralpunkt dieser baulichen Bestrebungen ist L a n d s-
h u t; das eigenthümlichste Meisterwerk ist die dortige Kirche
St. M a r t i n. [1] Der Beschluss zu ihrer Erbauung wurde im Jahr
1407 gefasst, die Ausführung ohne Zweifel bald darauf begonnen.
Als Meister des Baues wird, auf seinem an der Südseite der
Kirche noch vorhandenen Grabsteine, der im J. 1432 verstorbene
H a n s S t e i n m e t z genannt. Der Chor war im J. 1424 vollendet;
die Wölbungen des Schiffes wurden 1477 ausgeführt. Die Kirche
ist 315 Fuss lang, 83 F. breit, gegen 100 F. hoch; die Pfeiler
sind sechseckig und haben nur 3 Fuss Durchmesser, steigen also
in einer kühnen Schlankheit ohne Gleichen empor, die der Innenwirkung, in Verbindung mit dem leichten Netzgewölbe, welches sie spielend überspannt, einen wundersam phantastischen
Reiz giebt. Zwischen den Streben treten kleine Kapellen hinaus.
Vor der Breite der Westseite erhebt sich ein mächtiger Thurm;
das stattliche Portal an seinem Fusse hat das Datum 1432; 1495

---

[1] Wiebcking, Bürgerl. Baukunde, T. 5, Fig. 1 und 2, (Grundriss und Querdurchschnitt).

war er jedoch noch unvollendet, und erst 1580 erfolgte seine Eindeckung mit Kupfer. Auch er steigt in schwindelnder Höhe empor,
bis zu 454 Fuss, in einem vielgeschossigen viereckigen Unterhau,

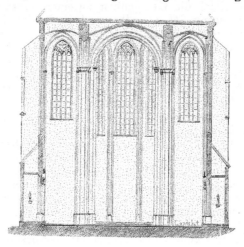

Querdurchschnitt von St. Martin zu Landshut.   (Nach Wiebeking.)

mit Streben auf den Ecken, und in einem achteckigen, ebenfalls in
eine Reihe von Geschossen zerfallenden Oberbau, mit Flachnischen
in der einfachen Weise des nordischen Backsteinbaues ausgestattet. Eine sonderlich kräftige Entwickelung der aufstrebenden
Verhältnisse findet dabei nicht statt; namentlich ist es auffällig,
dass die Streben trotz des schlichten Gesammtsystems in vielfach
wiederholtem Wechsel (der die Einzelwirkung verkleinert) .ab-
setzen; auch ist es möglich, dass der Oberbau über das ursprünglich beabsichtigte Maass hinaus erhöht und hiemit der Geschoss-
wechsel noch vermehrt ist; bei alledem aber bringt die Kühnheit
des Ganzen hier, ebenso wie im Innern, einen bewältigenden
Eindruck hervor.

Der Grabstein des Meister Hans nennt noch andre Kirchen,
welche durch ihn ausgeführt wurden. Zu diesen gehören die
Spitalkirche zu Landshut (1407—61), ein schlichter Hallenbau mit Rundpfeilern; — die Pfarrkirche zu Neu-Oetting
(1410—80), mit anmuthig behandeltem Thurme; — die St. Jakobskirche zu Straubing (1429—1512), wiederum eine der
kühnsten Hallenkirchen, von 240 Fuss innerer Länge und 75 F.
Breite, mit Rundpfeilern, die bei 3 1/2 Fuss Durchmesser bis zu
74 F. Höhe aufsteigen, im Aeussern durch einen ebenfalls bedeutenden und reichlicher geschmückten Thurmbau ausgezeichnet:
— auch die St. Jakobskirche zu Wasserburg, seit 1410,
ein Bau, dessen Vorderschiffe abweichend von den übrigen mit

niederen Abseiten angelegt wurden, zwar wie jene mit Ziegeln,
doch im Chore und dem Vorhause sammt dem Thurm, seit 1445,
wiederum in dem hier zumeist üblichen Hausteinmaterial. (Im
Innern übrigens modern verändert.)

Es reihen sich zahlreiche andre Hallenkirchen an, unter
denen die folgenden hervorzuheben sind.

In der Oberpfalz: die Frauenkirche zu Amberg, nach
1403 an Stelle einer jüdischen Synagoge errichtet, ein leichter
Bau mit schlanken Rundpfeilern; — die Martinskirche,[1] ebendaselbst, deren Chor im zweiten Viertel, deren Schiff bis zum
Schlusse des 15. Jahrhunderts und deren Thurm bis 1534 erbaut
wurde, gleichfalls mit Rundpfeilern und durch machtvolle Verhältnisse und reich wirkende Besonderheiten der Anlage, — kleine,
zwischen die Streben hinaustretende Kapellen und umlaufende
Maasswerkgallerieen über den letzteren, über welchen sodann
die stattlichen Hochfenster ansetzen, von Bedeutung; — und die
Pfarrkirche zu Eschenbach.

In Niederbayern: die Pfarrkirche. zu Eggenfelden und
die zu Dingolfing (1467—76), beide ebenfalls mit Rundpfeilern
und von kühnen Dimensionen, zugleich mit mächtigem Thurm
auf der Westseite, die erste durch reichere Ausbildung der Aussenarchitektur ausgezeichnet; — die Pfarrkirche zu Vils-Biburg,
deren Pfeiler viereckig sind, mit abgeschrägten Ecken und anlehnenden Diensten; — die Kirche zu Neustadt a. d. Donau;
— die Pfarrkirche zu Abensberg, mit ausserordentlich schlanken Rundpfeilern.

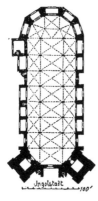

In Oberbayern: die Frauenkirche (Ober-
Pfarrkirche) zu Ingolstadt,[2] 1425—39 aufgeführt, 270 Fuss lang und 95 F. breit und
hoch; die Pfeiler rund und mit je zwei Diensten besetzt; die Innenwirkung durch zierliche
Seitenkapellchen mit schmuckreichen Gurtverschlingungen, die zumeist in der Zeit von 1510
bis 1525 zwischen den Streben erbaut wurden,
erhöht; das Aeussere schwer, aber eigenthümlich bemerkenswerth durch die Anordnung der
zwei Thürme der Façade, die übereck gestellt
(gleich denen von St. Ouen zu Rouen, S. 93)
in diagonaler Richtung nach Nordwest und

Grundriss der Frauenkirche
zu Ingolstadt. (Nach
Wiebeking.)

naeh Südwest vortreten; — die Georgskirche
zu Freising, mit sechseckigen Pfeilern und
in mehr gedrückten Verhältnissen; — die
Pfarrkirche zu Tölz, nach 1453, ebenfalls mit polygonischen
Pfeilern, (innen modern verändert); und die Frauenkirche von

[1] Vergl. Wiebeking, II, S. 103; T. 55 (Grundriss). — [2] Vergl. Wiebeking,
T. 57 (Grundriss und Querdurchschnitt). Becker, im Deutschen Kunstblatt,
1853, S. 399.

München.[1] Die letztere, 1468—88 von Meister Jörg Gan-
koffen von Halspach (gewöhnlich bezeichnet als „Georg Gang-
koffer von Haslbach") erbaut und 1494 geweiht, ist das kolos-
salste unter den Monumenten des ganzen Cyklus, ein Bau, der
ebenfalls in kühnen Verhältnissen, aber mit gewichtigen Gliedern
aufgeführt ist, in einem bemerkenswerthen Gegensatze gegen die
durch die Martinskirche von Landshut vorgezeichnete Richtung.
Sie hat achteckige Pfeiler und rings hereintretende Strebemassen;
zwischen diesen, völlig in der Höhendimension des Ganzen, einen
Kranz von Kapellen; auf der Westseite zwei Thürme und eine
Halle zwischen ihnen. Die innere Länge, mit Ausschluss der
Thurmhalle, beträgt 316 Fuss; die innere Gesammtbreite 123 F.,
die Breite zwischen den Stirnseiten der Streben 102 F. und zwischen den Schiffpfeilern 35 Fuss; die Höhe 115 F., der Durchmesser der Pfeiler 7 F. Die Massigkeit der Pfeiler, ihre gedrängte
Folge bei dem Blick die Länge der Schiffe hinab, die keine Sei-
tenschau verstattet, giebt den Eindruck einer streng beschlossenen,
schweren, fast gewaltsamen Erhabenheit,[2] während das Netzgewölbe die festen Massen wiederum in leichtem Spiele verbindet;
dagegen entfaltet sich bei den Querdurchblicken ein mannigfaltiger Wechsel malerischer Lichtwirkung, deren Motive vornehmlich in der Disposition jener Kapellen beruhen und die, eben in
dem Gegensatz der Massen, der Lichter und Reflexe, die eigenthümlichsten Reize hervorbringt. Das Aeussere ist völlig trocken
und ausdruckslos. Nur die Thürme haben einen flachen Leistenschmuck, der aber nicht geeignet ist, das Massengefüge des Ganzen wirksam zu beleben.

Unter der Zahl anderweit bedeutender kirchlicher Monumente
werden namentlich noch die um 1430 vollendete Karmeliterkirche zu Straubing und die um 1463 erbaute Frauenkirche auf dem Bogenberge in Niederbayern hervorgehoben.
Aus den vorliegenden Berichten erhellt nichts Genügendes über
das bei ihnen befolgte System. —

Neben den dreischiffigen Hallenbauten kommen — doch, wie
es scheint, nur ausnahmsweise, — auch zweischiffige vor. Als
solche werden die Pfarrkirchen zu Kirchberg und Kröning
(unfern von Vils-Biburg) und von Gottfrieding genannt. —
Die zweischiffige Stiftskirche von St. Wolfgang, zwischen Dor-
fen und Haag, scheint durch Anbau an eine ältere Kapelle diese
ihre Form erhalten zu haben. — Unter einschiffigen Kirchen

---

[1] Mehrere Monographieen: von einem Ungenannten, München, 1839; von
Sighart, Landshut 1853, u. s. w. Vgl. Wiebeking, T. 5, Fig. 4 u. 5. Chapuy,
Allemagne mon., liv. 11. — [2] Gebrochen und gemildert wird diese Wirkung
durch die triumphbogenartige Wölbung, welche im Anfange des 17. Jahrhunderts am Eingange des Chores und in halber Höhe des Innenraumes emporgeführt ist. Wenn es den mittelalterlichen Puristen gelingt, diesen Einbau,
wie sie es beabsichtigen, zu entfernen, so wird der Eindruck des Innern sich
wesentlich abkühlen.

werden die von St. Alban bei Mosburg und von Weng bei Unterbruck, — unter Chorbauten, neben vielen andern, der Spätzeit die der Münsterkirche von Mosburg (1468) und der Dominikanerkirche zu Landshut ausgezeichnet. Als Beispiele der Spätdauer des gothischen Styles werden die nach einem Brande von 1536 erbaute grosse Kirche von Frontenhausen, südlich von Dingolfing, und die Gottesackerkirche zu Freising vom J. 1545 angeführt. — An dekorativen Einzelwerken, welche zur innern Ausstattung der Kirchen dienen, ist Einiges von Bedeutung anzumerken. Nächst den schon genannten Schmuckstücken des Regensburger Domes gehören hieher: die Kanzel und der Hochaltar in der Martinskirche von Landshut, aus den Jahren 1422 und 1424; mehrere stattliche Tabernakel, in der St. Jakobskirche zu Straubing, in der Jakobskirche bei Plattling und in der Kirche von Aunkofen bei Abensberg in Niederbayern, in der protestantischen Pfarrkirche zu Redwitz in Oberbayern, u. s. w.

Salzburg und Tirol.

Im Salzburgischen [1] ist nicht Vieles von Bedeutung namhaft zu machen. Die Stiftskirche zu Laufen, in der ersten Hälfte des 15. Jahrhunderts errichtet, ist ein Hallenbau von eigenthümlich belebter Gliederung, namentlich in den achteckigen Pfeilern, welche mit Eckdiensten und Kapitälen versehen sind, während die Wölbungen noch die einfache Kreuzform haben. — Der Chor der Pfarrkirche von Salzburg, mit Umgang und Kapellenkranz zwischen den Streben, 1470 gebaut, hat wenige, überaus schlanke Pfeiler, von denen das luftige Geäste eines bunten Sterngewölbes ausgeht, das Ganze von eigenthümlich phantastischer Wirkung. — Andre Kirchen spätest gothischer Zeit, zumeist von ansehnlichen Raumverhältnissen, sind die Nonnbergkirche zu Salzburg (um 1480 erneut, mit einer Krypta, deren Sterngewölbe von sechs Säulenreihen getragen wird,) — die Zenokirche zu Reichenhall, — die Kirche von St. Wolfgang, — die zum grossen Theil modernisirte Kirche von Mondsee. — Tirol besitzt einige ansehnliche Hallenkirchen, auch geringere Gebäude der gothischen Spätzeit. Sehr eigenthümlich ist die Kirche zu Schwaz [2] am Inn, ein vierschiffiger Hallenbau vom Jahr 1502, mit einem den beiden Mittelschiffen entsprechenden, beiderseits dreiseitig geschlossenen

---

[1] F. M., in der Wiener Bauzeitung, 1846, S. 252, ff. Sighart, die mittelalterl. Kunst in der Erzdiöcese München-Freising, S. 89, ff. — [2] Nach den Angaben von K. Eggers.

Doppelchore, (für die kirchlichen Bedürfnisse der Ortsgemeinde und die davon getrennten der dortigen Knappschaft bestimmt). Die Pfeiler zwischen den Schiffen rund, mit reichen Kapitälkränzen.

Mehreres der Art in B o t z e n. [1] Die P f a r r k i r c h e ist ein bedeutender, verschiedenen Zeiten angehöriger Bau. Von ältern romanischen Resten ist bereits (Thl. II, S. 515 u. f.) die Rede gewesen. Das Schiff rührt aus der Mitte des 14. Jahrh. her, noch in einigermaassen strengerer Behandlung, mit gegliederten Kreuzpfeilern, in deren Ecken Säulchen eingelassen sind, und derber Gewölbgliederung; der Chor später, mit schlanken Pfeilern, (die aber aus der Umwandelung einer ältern, niedrigeren und ohne Umgang abschliessenden Anlage hervorgegangen sind,) und mit leichtem Sterngewölbe; das Chor-Aeussere in zierlicher Ausstattung; ein Thurm, auf der Nordseite des Chores, mit schmuckreichem, in durchbrochener Helmspitze schliessendem Oberbau, 1501—19 durch H a n s L u t z v o n S c h u s s e n r i e d ausgeführt. [2] Einfachere Hallenkirchen, mit achteckigen Pfeilern und Netzgewölben, sind die F r a n c i s k a n e r k i r c h e und die (als Magazin verbaute) D o m i n i k a n e r k i r c h e zu Botzen. Als schlicht einschiffige Gebäude gothischer Spätzeit sind einige Kapellen bei dem Kreuzgange der Franciskanerkirche und das D e u t s c h o r - d e n s k i r c h l e i n z u m h. G e o r g zu nennen. — In der Umgegend von Botzen ist, neben den minder bedeutenden Kirchen von K l o s t e r G r i e s (mit zierlicher Kapelle vom J. 1529 zur Seite des Chores und einer Krypta unter dieser), von T e r l a n und von L a n a (1483), die Pfarrkirche von S t. P a u l s hervorzuheben, eine Hallenkirche des 15. Jahrhunderts, mit Rundpfeilern, im Chore ohne Kapitäl, im Schiff mit einem Kapitälgesims von umgekehrt attischem Profil; der Thurm mit inschriftlichen Daten von 1510 bis 1556.

Die Pfarrkirche zu M e r a n [3] hat denselben Spätcharakter, mit einfachen Rundpfeilern und Netzgewölben, während die Ziegelfaçade, mit einem Rundfenster über dem Portal, mit Flachbogennischen und einfachem Stufengiebel ebenso an baltische wie an oberitalische Bauweise erinnert. Der Thurm der Kirche, ein früherer Bau aus der Epoche von 1310—35, zeigt die strengeren Stylformen dieser Zeit. Die S p i t a l k i r c h e [4] (um 1486), ebendaselbst, ist ein schlichter Hallenbau von gleicher Beschaffenheit des Innern. Die Barbarakapelle (um 1450) ist ein achteckiger Bau mit zierlichem Sterngewölbe; darunter eine Krypta.

Als ein weiter südwärts versprengtes Beispiel spätgothisch deutscher Behandlung erscheint die P e t e r s k i r c h e in T r i e n t, [5]

---

[1] Messmer, in den Mittheilungen der K. K. Central-Commission, II, S. 57, 97. Tinkhauser, ebenda. S. 322. — [2] Vgl. Lange, Original-Ansichten, VII. — [3] v. Sacken, in d. Mitth. d. K. K. Centr.-Commiss., I, S. 41. Tinkhauser, a. a. O. — [4] Lange, a. a. O. — [5] Messmer, in d. Mitth. d. K. K. Centr.-Commiss., III, S. 15.

mit achteckigen Pfeilern ohne Kapitäle und mit dem üblichen Netzgewölbe.

Ausserdem ist eine Anzahl spätgothischer Kirchen in der Gegend des Pusterthales, nordöstlich von Brixen, nachgewiesen:[1] die Expositurkirche zu P e r c h a, oberhalb Bruneck, 1525 von Meister A n s a m M a y r gebaut; — die Expositurkirche zu M ü h l-b a c h am Eingange in das Thal Taufers, vom J. 1517; — die Kirche zu U n s e r L i e b e n F r a u e n H i m m e l f a h r t im Thale Taufers, 1503—27 von Meister V a l e n t i n W i n k h l e r errichtet, ein mächtiger einschiffiger Granitbau; — die Kirche von L u t t a c h, 1496, und die von W e i s s e n b a c h, 1479; — die zum hl. Martinus in A s m, aus spätester Zeit, und die ihr völlig entsprechende von St. V a l e n t i n im Thale Pretau, deren Bau erst im J. 1589 stattfand. — Ferner:[2] die trefflich behandelte Kirche zu O b e r-m a u e r n im oberen Iselthal vom Jahr 1456; — die Wallfahrts-kirche zum heil. N i k o l a u s bei W i n d i s c h - M a t r e i von 1516 (mit romanischen Resten), — und die Pfarrkirche zu L i e n z an der Mündung des Iselthals, 1457 geweiht, bemerkenswerth besonders durch eine Krypta, deren achteckiges Sterngewölbe von einer Mittelsäule getragen wird.

I n n s b r u c k hat in dem sogenannten „goldnen Dachl"[3] ein ausgezeichnetes Schmuckstück profaner Architektur vom Anfange des 16. Jahrhunderts. Es ist ein Erker des ehemaligen erzher-zoglichen Pallastes, ein breiter und ansehnlicher Bau, im Oberge-schoss mit zierlichem Altan, dessen pfeilergetragenes Dach in reicher Vergoldung prangte.

S c h w a b e n.

Die jüngere gothische Architektur von Schwaben ist durch lebhafte und mannigfaltige Bewegungen ausgezeichnet. Mit einer gewissen Strenge der Grundformen (wobei sich besonders in der Formation der Schiffpfeiler eigenthümliche Motive ausbilden) ver-bindet sie das Streben nach reich dekorativer Entfaltung und bethätigt dasselbe ebensosehr an Werken grossartigsten wie ge-ringen Maassstabes. Eine ungewöhnliche Zahl von Meisternamen deutet auf das Individuelle der künstlerischen Fassung und Be-handlung, das sich hiemit geltend macht.

Voranzustellen ist ein Cyklus von Hallenkirchen, der, in den nördlichen Theilen des Landes belegen, mit der fränkischen und bayrischen Gothik in Wechselverhältnissen zu stehen scheint. Dahin gehören: die Heiligkreuzkirche von G m ü n d,[4] 1351

---

[1] Tinkhauser, in den Mittheilungen der K. K. Central-Commission, I, S. 200. — [2] Derselbe, ebenda. II, S. 175. — [3] Heideloff, Ornamentik, II. XVII, pl. 5. Lange, a. a. O., II. — [4] H. Merz im Kunstblatt, 1845, S. 351.

bis 1410 von **Heinrich Arler** erbaut, mit schlanken, kapitälgeschmückten Rundpfeilern, Chorumgang und Kapellenkranz; die Fenstermaasswerke reich und noch rein; die Westfaçade u. A. mit Rundfenstern ausgestattet. — Die Michaelskirche zu **Hall**,[1] 1427—92 und im Chor bis 1525 erbaut, mit schlanken Rundpfeilern ohne Kapitäle und mit ähnlicher Choranordnung. — Die St. Georgskirche zu **Nördlingen**,[2] 1427 durch Meister **Hans Felber** von Ulm gegründet, seit 1429 durch **Konrad Heinzelmann**, dann durch **Nicolaus Eseller**, unter welchem 1450 der Hauptaltar geweiht ward, und Andre erbaut. 254 Fuss lang, 63 $\frac{1}{4}$ F. im Chor und 76 $\frac{3}{4}$ F. im Schiffe breit und gegen 70 F. hoch; mit Rundpfeilern, die im Schiff mit je zwei Diensten versehen sind; überdeckt mit bunten Netzgewölben, welche 1495 bis 1505 durch **Stephan Weyrer** ausgeführt wurden; im Aeussern schlicht, doch mit ansehnlichem Thurme, der sieh, im Obergeschoss achteckig, vor der Mitte der Westseite erhebt und an den unter Meister **Heinrich Kugler** 1490 der letzte Stein gelegt ward. — Die St. Georgskirche zu **Dinkelsbühl**,[3] 1444 bis 1499 von dem ebengenannten **Nicolaus Eseller** und dessen Sohn gebaut, von vorzüglich schöner Innenwirkung bei 65 F. Höhe, angeblich mit einfachen Rundpfeilern und Sterngewölben. — Die Stadtkirche zu **Lauingen**[4] an der Donau (1518—76), mit einfachen Rundpfeilern. — Die Kirche zu **Wimpfen am Berge**,[5] deren Schiff, 1499 gegründet, gleichfalls schlichte Rundpfeiler hat und über diesem ein Netzgewölbe mit bunten Gurtverschlingungen, das aber, zumal bei der nicht bedeutenden Höhe des Raumes, einigermaassen lastend wirkt.

Der eben genannte **Heinrich Arler** soll der Vater jenes **Peter Arler** von Gmünd sein, der in demselben Jahre, in welchem die Heiligkreuzkirche von Gmünd gegründet ward, die Leitung des Prager Dombaues übernahm (S. 399); ob eine Formenverwandtschaft zwischen beiden Gebäuden, deren Anlage jedenfalls wesentliche Verschiedenheiten hat, stattfindet, erhellt aus dem Vorliegenden nicht.[6] Dagegen lässt ein kleines kirchliches Gebäude aus derselben Epoche mit Bestimmtheit Wechselbezüge zwischen Schwaben und Böhmen erkennen. Es ist die

---

[1] H. Merz im Kunstblatt, 1845, S. 361. — [2] Waagen, Kunstwerke u. Künstler in Deutschland, I, S. 343. Augsburger Postzeitung, 1855, No. 132, 141, 153. Grundriss bei Wiebeking, T. 61 (auch T. 51). — [3] Waagen, a. a. O., S. 335. Grundriss und Details bei Wiebeking, T. 61. (Die obige Angabe in Betreff der Rundpfeiler nach Waagen. Wiebeking giebt eine andre Pfeilerform: achteckig, mit vier starken Diensten und zur Seite des vorderen und hinteren Dienstes noch mit je zwei kleinen Rundstäben. Auch in den Maassen und sonst weicht Waagen von Wiebeking ab. Ich bin ausser Stande, das Richtige nachzuweisen. — [4] Wiebeking, II, S. 130. — [5] F. Kugler, Kl. Schriften, I, S. 96. — [6] Ebensowenig: ob die Chorkapellen der Heiligkreuzkirche von Gmünd polygonisch schliessen oder, wie es in Mitteldeutschland so häufig der Fall, einfache Rechtecke zwischen den Strebepfeilern bilden.

St. Veitskirche zu Mühlhausen [1] am Neckar, welche Reinhard
von Mühlhausen, Bürger zu Prag, im J. 1380 erbauen liess, ein
an sich allerdings geringfügiges Werk: ein einfach oblonges un-
gewölbtes Schiff, an das ein schlicht gewölbter Chor stösst. Die
Wanddienste des letzteren haben eine breit birnförmige Profilirung, welche dem Charakter der Profile im Prager Dome nahe

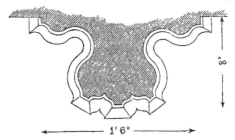

Wanddienst im Chor der St. Veitskirche von Mühlhausen. (Aus der Kunst des Mittelalters
in Schwaben.)

verwandt ist. Die Kirche ist mit Malereien ausgestattet, darunter
einige Tafeln böhmischer Schule, welche der Erbauer dahin gestiftet hatte.

Einige Gebäude des 14. Jahrhunderts, [2] voraussetzlich ebenfalls von wenig hervorragender Bedeutung, sind hier beiläufig
zu erwähnen: die noch verhältnissmässig strenger behandelte Kirche
von Nufringen und der Chor der Pfarrkirche von Leonberg;
die im Jahr 1370 begonnene, zum Theil verdorbene Pfarrkirche
von Nagold; die von Böblingen; die Chöre der Kirchen von
Liebenzell und von Heimsheim; der Chor der Heiligkreuzkirche von Rottweil (deren Schiff dem 15. Jahrhundert angehört), [3] u. s. w.

Einige andre Monumente gehören zu den wichtigsten und
charaktervollsten Monumenten der jüngeren Gothik. Zunächst
der Münster von Ueberlingen [4] am Bodensee, als dessen
Bauzeit die zweite Hälfte des 14. Jahrhunderts und als dessen
Erbauer ein Meister aus Franken, Eberhard Raben, genannt
wird. Der Münster ist fünfschiffig, zugleich noch mit Kapellenschiffen an der Flucht der Langseiten zwischen einwärts tretenden

[1] Heideloff u. Fr. Müller, d. Kunst d. Mittelalters in Schwaben, S. 35, T. IV, 4.
— [2] Vergl. die Notizen von Paulus in den Schriften des Württemb. Alterthums-Vereins, Heft 1 u. 2. — [3] Merz, a. a. O. — [4] Mir ist bis jetzt keine
sachkundige Besprechung dieses merkwürdigen Gebäudes vorgekommen, auch
Nichts von geeigneter bildlicher Herausgabe desselben. Obige Angaben sind
nach gütiger Mittheilung der städtischen Behörde von Ueberlingen an den
Verleger dieses Buches und nach einigen Reise-Notizen und Skizzen meines
Freundes, des Architekten R. Lucä, entworfen.

Strebemauern, die aber auch im Aeussern als Strebepfeiler vorspringen; mit einem dreiseitig schliessenden Langchor von der
Breite des Mittelschiffes und mit Seitenräumen neben dem Chore,
welche in der Weise von Querschiffflügeln vortreten und die Unterbauten von Thürmen bilden, von denen jedoch nur der eine
zur vollständigen Ausführung gekommen. Die innere Gesammtlänge wird etwa 216—20 Fuss betragen, die Breite des Mittelschiffes (in den Axen der Pfeiler) ungefähr 30 F. bei 20 F. Jochbreite, die der inneren Seitenschiffe je 20, die der äusseren je
12, die der Kapellenschiffe je 10 F., so dass die innere Gesammtbreite ungefähr 114 F. enthält. Der Chor und jene querschiffartige Anlage scheinen älter zu sein, als der Bau der Vorderschiffe.
Diese haben (der Kathedrale von Bourges, S. 67, vergleichbar)
eine stufenmässig aufsteigende Höhenentwickelung, so dass das
Mittelschiff die inneren Seitenschiffe ebenso überragt, wie diese
die äusseren und die Kapellenschiffe; (sämmtliche Seitenräume
sind gegenwärtig beiderseits durch ein breites Pultdach bedeckt).
Der Chor hat etwa nur die Höhe der inneren Seitenschiffe. Die
Pfeiler haben durchweg die Rundform; doch sind die des Mittelschiffes, mit Ausnahme der beiden westlichen Paare, (welche ohne
Zweifel aus der letzten Epoche des Baues herrühren) noch mit
je acht Diensten besetzt. Die Gewölbe haben schlichte Kreuzform. Die ganze Behandlung scheint noch erst den Uebergang
zu den Weisen der Spätgothik anzudeuten.

Sodann der Münster von Ulm, [1] ein ebenfalls fünfschiffiger Bau (ohne Kapellenschiffe), ebenso mit hinaustretendem Langchor und Thurmanlagen auf dessen Seiten; ausserdem durch einen
mächtigen Thurm in der Mitte der Westseite ausgezeichnet. Das
Material ist theils Haustein, theils Ziegel; doch sind die Ziegel
nur für die Massentheile des äusseren Gemäuers und für die Gewölbkappen verwandt, während alles gegliederte Detail, die Pfeiler
und Arkaden des Innern, der gesammte schmuckreiche Thurmbau der Westseite aus Haustein bestehen. Die Dimensionen gehören zu den bedeutendsten der gesammten gothischen Architektur; sie betragen 392 Fuss 4 Zoll innere Länge (rhein. Maasses,
= 429,8' württembergisch), etwas über 155 F. 2 Z. innere Breite

---

[1] E. Frick, ausführl. Beschreibung etc. des Münster-Gebäudes zu Ulm, (in
späteren Ausgaben von G. Haffner.) C. Grüneisen u. E. Manch, Ulm's Kunstleben im Mittelalter, S. 15. Verschiedene Aufsätze von Manch, namentlich im
Kunstblatt, 1848, No. 14, und im D. Kunstblatt, 1855, S. 317 u. 425. Wiebeking, Bürgerl. Baukunde, T. 2; 5, Fig. 3 u. 9 (Quer- u. Längendurchschnitt);
7, Fig. 2 (Portal.) C. W. Schmidt, Facsimile der Originalzeichnung zu dem
Thurme des Domes zu Ulm. Moller, Denkm. der deutschen Bank., I, T. 57.
F. Kallenbach, Chronologie, T. 70. Chapuy, Allemagne mon., liv. 7. Ein Grundriss von F. Thrän und ein Blatt mit Angabe der Hauptdimensionen, von demselben, sind neuerlich bei den Maassnahmen zur Herstellung des Münsters veröffentlicht worden. (Ausserdem bin ich Hrn. E. Mauch zu Ulm für briefliche
Mittheilungen und Skizzen, namentlich in Betreff der Pfeilerformation zu besonderm Danke verpflichtet.) *Denkmäler der Kunst, T. 55 (4, 5).*

(170,05' w.), beinahe 47 F. 6 Z. Mittelschiffbreite (52' w.), beinahe 133 F. 6 Z. Mittelschiffhöhe (146,2' w.), 84 F. 9 Z. Chorhöhe (92,85' w.), etwas über 66 F. 10 Z. Höhe der gleich hohen Seitenschiffe (73,25' w.) Die Gründung des Gebäudes fand im J. 1377 statt. Die Ausführung dauerte, in allmähligem Vorschreiten und bei mehrmaliger Veränderung des Plans, bis zum Anfange des 16. Jahrhunderts. Unter den Meistern des Baues, deren Namen aufbewahrt sind, erscheinen in grösserer Zahl Glieder der aus Bern stammenden Familie Ensinger. Unter Matthäus Ensinger ward 1449 das netzförmige Chorgewölbe vollendet und der Bau der Vorderschiffe und des Vorderthurms begonnen; unter dessen Sohne Moritz Ensinger ward 1471 das Mittelschiff eingewölbt. Der Chor, fünfseitig schliessend, bezeichnet wiederum einen ursprünglich auf gemässigtere Dimensionen berechneten Entwurf, zu dem auch die (über das Chordach nicht emporgeführten) Seitenthürme gehören. Im Schiffbau kündigt sich sofort die machtvolle Aufgipfelung der inneren Räumlichkeit an. Der Meister, der hiezu den Plan fertigte, steht aber völlig ausser Verbindung mit jenen Schulen, welche sonst, wie die nordfranzösische und die von dieser ausgehende am Niederrhein, in der Steigerung der inneren Höhenmaasse ihre Triumphe feierten. Die durchgehende organische Gliederung der Massen fehlt; das ganze Gewicht des Massenbaues, in ähnlichem Sinne wie in der spätgothischen Architektur von Bayern, aber anders behandelt, fast wie in unmittelbarer Reminiscenz der Massen-

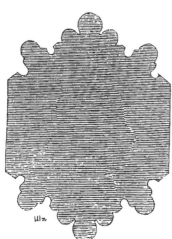

Münster von Ulm. Profil der Schiffpfeiler.
(Nach E. Mauch.)

fügungen des romanischen Styles, herrscht vor, und nur eine mässige Zahl von gegliederten Details fügt sich den Massentheilen ein und an. Die Pfeiler der Mittelschiffarkaden, viereckigen Kerns von 6 F. Stärke, stehen in gedrängter Folge, hoch, durch ungewöhnlich steile Lauzetspitzbögen verbunden; an ihrer Vorder- und Hinterseite treten Dienstbündel von je drei Halbsäulen vor; ihre Ecken sind mit Rundstäben und Kehlen gegliedert, die sich, von Kapitälchen unterbrochen, in der Einfassung des Bogens fortsetzen; die innern Seitenflächen sind ohne alle Gliederung, während sich der Laibung des Bogens noch ein breites, von Stäben eingefasstes und seltsam von einer Console getragenes Gurtband unterlegt. Die vordern Dienstbündel steigen an der Mittelschiffwand empor; diese ist schmucklos kahl und schwer,

oberwärts, unter dem Gewölbe, mit Fenstern von sehr mässiger
Ausdehnung versehen. Die Dienste haben Kapitäle, theils von
schlichter Kelchform, theils mit Blattsculptur; die Kapitäle finden sich gedoppelt, in mässiger Entfernung übereinander, als
Marke des im Laufe der Bauführung selbst gesteigerten Höhen-
plans. Die Wölbung des Mittelschiffes ist, statt der üblichen und
nur in ein Paar Feldern beibehaltenen Kreuzform mit sich durchschneidenden Gurten, als spitzbogiges Tonnengewölbe mit einschneidenden, den Mittelgrat nicht erreichenden Stichkappen gebildet. Alles zeigt hier eine Ernüchterung des Sinnes, die sich
mit den Formen von flüssiger und belebter Bildung, deren man
doch nicht entbehren zu dürfen meinte, fast widerwillig abfindet,
die vorzugsweise, wie einst jene kolossalen Pfeilerbasiliken des
11. Jahrhunderts, auf abstracte räumliche Machtwirkung hinausgeht, die aber in der That erreicht, was in ihrer Absicht lag. —
In wundersamem Gegensatze gegen dies System des Mittelschiff-
baues steht die Composition des Westthurmes. Er steigt, soweit
er ausgeführt, als mächtiger Viereckbau bis zu 237 Fuss 4 Zoll
Höhe (260′ württ.) empor, durch sehr starke Streben gefestigt,
die mit Leistenmaasswerk geschmückt und in etwas gehäuftem
Wechsel abgestuft sind. Noch reicheren Schmuck, aber in trefflich maassvoller Disposition, hat die Thurmmasse zwischen den
Streben, durchweg in jenem System, welches, ursprünglich in
Strassburg vorgebildet, den tiefer liegenden Oeffnungen eine leichte
Dekorativ-Architektur frei vorsetzt und zugleich darauf bedacht
ist, durch Verschiedentheiligkeit des Aeussern und des Innern
die malerische Wirkung zu erhöhen: — zu unterst ein glänzendes Doppelportal (mit dem Datum 1429) und ein zierlicher dreitheiliger Portikus vor diesem, zwischen den gegliederten Vorsprüngen der Streben des Thurms, mit zwei schlanken Bildpfei-
lern und mit zackig gesäumten, von Statuen bekrönten Bögen;
dann ein breites Prachtfenster mit stattlichster Maasswerkfüllung
im Spätcharakter, gegen das Innere des Mittelschiffes geöffnet,
und davor wiederum eine schlanke dreitheilige Arkade mit reichlicher geschweiftbogiger Krönung; darüber das erste selbständige
Thurmgeschoss, mit je zwei Fenstern, vor denen ein überaus
reizvolles, in der Mitte und oben durch Bogenfüllungen verbun-
denes Stabwerk eingespannt ist. Eine Gallerie schliesst diesen
Vierecksbau ab; das daran befindliche Datum 1494 bezeichnet die
Epoche ihrer Ausführung. In ähnlichem Sinne sollte der Oberbau des Thurmes ausgeführt werden. Ein alter Bauriss zeigt denselben in schlankem luftig durchbrochenen Achteck, mit ebenso
luftiger Helmspitze gekrönt, und auf dem Gipfel statt der Kreuzblume mit einer riesigen Madonnenstatue, 475 F. (520′ w.) über
dem Fussboden, versehen. Doch sind die Formen und vornehmlich ihre Verbindungen hier nicht mehr so edel wie an den unteren Theilen; es herrschen mehr phantastisch geschweifte und

barocke Formen vor, die einigermaassen an die Ornamentik gothischer Schmiedekunst erinnern, die den Helm mehrfach, in einem
seltsamen Wechsel mit den riesigen Blattkrabben seiner Schenkel,
mit kronenartigen Gurtungen versehen, welche aus verschlungenen geschweiftbogigen Giebelformen zusammengesetzt sind, u. s. w.
Es scheint hienach, dass der Riss wohl erst der Zeit nach Vollendung des Unterbaues angehört und dass der Obertheil der
Thurmdarstellung erst damals componirt ward. [1] — Das Obergeschoss des Viereckbaues war, in den späteren Jahrzehnten des
15. Jahrhunderts, durch Meister M a t t h ä u s B ö b l i n g e r ausgeführt worden. Aber der Bau ward wankend; der Meister musste
flüchten und ein andrer, B u r k h a r d E n g e l b e r g e r, unternahm
um 1500 die Arbeiten, welche zur Sicherung des Vorhandenen
nöthig befunden wurden: die Ausführung mächtiger Strebemauern
am Fusse des Thurms, die diesen mit den nächsten Schiffpfeilern
des Innern, mit den Aussenmauern der Seitenschiffe verbanden,
u. s. w. Bei dieser Veranlassung scheint überhaupt die westliche
Partie des Münsters, in der Physiognomie ihres Unterbaues, namhafte Veränderungen und erst ihr gegenwärtiges Gepräge empfangen zu haben. Noch eine andre sehr wesentliche Veränderung schloss sich daran an: die Ausführung der gedoppelten
Seitenschiffe. Vorher sollen dieselben einschiffig gewesen sein;
jetzt, in den Jahren von 1502—7 und angeblich durch den Pal-
lier L i e n h a r t A e l t l i n, [2] ward auf jeder Seite des Mittelschiffes ein zweitheiliger Hallenbau, mit je einer Flucht von hochschlanken, kapitälgekrönten Rundsäulen und mit zierlichen Sternwölbungen, ausgeführt, der die starre Majestät des Mittelschiffes
beiderseits mit einem Formenreigen von ebenso lebenvoller Anmuth wie von klarem und gediegenem Adel umgab.

In naher Beziehung zu dem Schiffbau des Ulmer Münsters
(in dessen verschiedenen Epochen) stehen einige umfassende bauliche Ausführungen zu A u g s b u r g. Zunächst die Erneuung des
dortigen D o m e s, [3] welche mit Beibehaltung des romanischen
Mittelschiffes und der westlichen Krypta (Thl. II, S. 503) erfolgte.
Sie betrifft die Anlage eines Westchores über dieser Krypta nebst
westlichem Querschiff, die Anlage eines reichen Ostchores mit
Portalen auf der Nord- und Südseite, die Einwölbung des alten

---

[1] Neuerlich sind zwei ältere Risse als der im Obigen besprochene, welcher
den bisherigen Herausgaben zu Grunde liegt, entdeckt worden. Der eine stellt
den Oberbau der Thurmarchitektur in Uebereinstimmung mit dem Systeme
des Unterbaues dar; der andre steht, dem Style nach, zwischen diesem und
dem bisher bekannten Risse in der Mitte Hr. Prof Hassler in Ulm stellt eine
Herausgabe beider Risse in Aussicht. — [2] Nach Mittheilung des Hrn Prof.
Hassler tragen jedoch die Rundsäulen der Seitenschiffe das Steinmetzzeichen
des Burkhard Engelberger. — [3] v. Wiebeking, a. a. O., I, S. 664; T. 1. 4 (Fig. 8
bis 15), 6, 44 (Fig. 17 ff. bis 35.) v Allioli, die Bronzethür des Domes zu
Augsburg, S. 43, T. 1 u. 2.

Mittelschiffes und Umwandlung seiner Stützen für diesen Behuf, die Zufügung von doppelten Seitenschiffen auf jeder Seite. — Für den Beginn dieser Arbeiten wird das Jahr 1321, für den Schluss das Jahr 1431 genannt; jedenfalls aber gehören sie überwiegend der Spätzeit des gothischen Styles an und reichen ihre jüngeren Stücke beträchtlich über das genannte Schlussdatum hinab. Der Westchor ist ein schlichter Bau, ohne sonderlich künstlerische Bedeutung. Der Ostchor ist eine stattliche Anlage nach dem Princip der französischen Kathedralen, fünfschiffig ansetzend, mit einem Kranze von sieben Kapellen; nur zugleich mit dem seltsam ungefügen Eigenwillen, dass der mittlere Hochbau des Chores sich unmittelbar bis zur mittleren Schlusskapelle erstreckt und der Umgang, welcher die übrigen Kapellen vom Mittelraume trennt, sich beiderseits schräg gegen den betreffenden Scheidbogen verlauft. Die Pfeiler des Chor-Mittelschiffes sind durchaus nach dem Princip der Schiffpfeiler des Ulmer Münsters gebildet; die ihren Scheidbögen untergelegte Gliederung wird ebenso wie dort von Consolen getragen. Die Pfeiler zwischen den Chorseitenschiffen sind in entsprechender Weise rundgegliedert; die Stirnpfeiler der Kapellen haben die Form ungegliederter Rundsäulen. Die Portale des Chores, namentlich das nördliche, haben noch ein verhältnissmässig strengeres Gepräge, doch zugleich in ihrem Oberbau, besonders in dem schmuckreichen Rundbogen, der das Südportal umfasst, das deutliche Merkzeichen später Vollendung. Die alten Pfeiler des Mittelschiffes sind, für das eingefügte Gewölbe, mit einfach massenhaften Diensten versehen, die ebenfalls den schwäbischen Charakter zeigen. Die gedoppelten Seitenschiffe machen einen entschieden spätgothischen Hallenbau aus, beiderseits mit einer mittleren Flucht von Rundsäulen, dem System der Ulmer Seitenschiffe wiederum völlig entsprechend, nur von niedrigerem Verhältniss, mit einfachen Kreuzgewölben und das äussere Seitenschiff der Nordseite, wohl aus lokalen Gründen, von geringerer Breite als die übrigen. — Dasselbe verwandtschaftliche Verhältniss, in Verbindung mit Elementen der letzten Schlusszeit des Styles, wird an der Kirche St. Ulrich und Afra[1] zu Augsburg ersichtlich. Es ist ein stattlicher Hochbau, mit einfacher Choranlage und mit entschieden berechneter Höhenwirkung; 310 Fuss lang und 94 F. breit; das Schiff von 1467 bis 1499 erbaut, der Chor im J. 1500 durch Kaiser Maximilian gegründet, das Ganze erst im J. 1607 als vollendet bezeichnet. Das System der Schiffarkaden entspricht wiederum durchaus dem des Mittelbaues im Ostchore des Domes; aber die spielend freie Entwickelung und Lösung der Gliederungen, sowohl in den Scheidbögen als in dem Rippenwerk des Gewölbes, charakterisirt die Schlussepoche. Die Mittelschiffwände steigen hoch empor,

---

[1] Waagen, Kunstw. u. Künstler in Deutschland, II, S. 64. Kallenbach, T. 78. Grundriss bei Wiebeking, II, T. 61.

mit kleinen Oberfenstern, aber dabei mit Füllungen eines fenster-
artigen Leistenwerkes, welches ihre Last erleichtert. Leichte
bunte Netzgewölbe überspannen die Räume. Das Fenstermaasswerk hat mannigfach barocke Formen; ein kleiner Portikus vor
der Südseite, im Dekorativstyl der Schlussepoche, ist ohne erhebliche Wirkung.

Ferner die Frauenkirche von Esslingen,[1] ein Gebäude,
welches durch seine Werkmeister in naher Beziehung zu dem
Münsterbau von Ulm steht, wiederum jedoch eine Erscheinung
von individuell ausgeprägter Eigenthümlichkeit. Der Bau begann
um 1406. Zuerst war die Bauführung in den Händen der Ensinger; Ulrich Ensinger wird als erster Meister genannt;
sein Sohn, der schon genannte Matthäus, war nach ihm gleichfalls dabei betheiligt. Dann waren besonders Meister aus der
Familie der Böblinger thätig, vornehmlich Hans Böblinger,
(1440—82), auch Matthäus Böblinger, der ebenfalls bereits
genannt ist. Die Vollendung erfolgte um 1522, unter einem
Stuttgarter Meister, dem Steinmetzen Marx. Das Gebäude ist
eine kleine Hallenkirche, die im Inneren, wie es bei dieser Gattung so häufig der Fall, mehr durch die anmuthige Leichtigkeit
der Verhältnisse als durch die Entwickelung einer reicheren Gliederung wirkt. Die Schiffe sind 128 Fuss im Innern lang und
65 1/2 Fuss breit, bei 29 F. Mittelschiffbreite (in den Pfeileraxen),
22 F. Jochbreite, 53 F. Höhe; mit einem dreiseitig geschlossenen
Chore von der Breite des Mittelschiffes und 43 F. Länge. Die
Pfeilerformation ist eine flach achteckige, mit je drei kräftigen,
durch Kehlenschwingung verbundenen Diensten an der Vorder-
und Hinterseite; diese Gliederung geht unmittelbar in die Scheidbögen und die Gewölbrippen über, bei letzteren jedoch sich in
das Birnprofil umsetzend. Die Chordienste haben vom Fuss aufwärts ein breites Birnprofil. Das Aeussere gestaltet sich zu einem
Zierbau von maassvoller Haltung und liebenswürdig feiner Durchbildung. Ein zart behandeltes Detail, an Fenstern, Streben, Fialen, Dachgallerie, hebt sich trefflich von den klaren Flächen und
Massen ab; schmuckreiche Portale nehmen das Auge zur nähern
Schau in Anspruch. Ein Portal der Südseite, in gebrochenem
Spitzbogen, mit zierlicher Zackensäumung und mit einer Krönung
von Bildernischen und einem Wimberg zwischen diesen, eingeschlossen von fein gegliederten Streben, ist ein kleines Meisterwerk dekorativer Kunst. Vornehmlich aber gilt dies von dem
Thurme, der sich über der Mitte der Westseite, von der Giebelwand und von einem kräftigen Pfeilerpaar im Innern des Schiffes
getragen, erhebt und dessen wesentlichste Theile, wie es aus

---

[1] Heideloff u. Fr. Müller, die Kunst des Mittelalters in Schwaben, S. 43, ff.
und die zugehörigen Tafeln. Jahreshefte des Württemb. Alterthums-Vereins,
Heft VIII; (darin 2 Blätter mit farbig lithographirtem Aufriss der Façade der
Frauenkirche, von C. Erhardt. Diese auch in selbständiger Ausgabe.)

eingeschnittenen Steinmetzzeichen und Jahrzahlen (1449, 65, 71)
erhellt, das Werk des Hans Böblinger sind. Der Viereckbau des
Thurmes steigt schlicht über den Körper des Gebäudes empor.
mit einfachen Streben, die, wie seine Obertheile, in bescheidner
Weise mit einem Leisten-Maasswerk geschmückt sind; dann folgt
der zierlich offne, doch als Glockenhaus mit einem Gewölbe ein-
gedeckte Achteckbau und die luftige, von feinsten Maasswerkmustern durchbrochene Helmspitze, in deren Innerem eine Wendeltreppe bis zu einem nahe unter dem Gipfel vortretenden
Galleriekranze emporläuft. Sie erhebt sich bis zu 240 Fuss; die
offnen und durchbrochnen Theile, das Achteck mit dem Helme,
haben 128 Fuss Höhe. Dies scheint ungefähr die Grenze des
Maasses, innerhalb welcher ein derartig dekoratives Werk seinen
Charakter mit Naivetät zu wahren vermag, innerhalb welcher das
von dem materiell Zweckmässigen abgelöste phantastische Formenspiel noch graziöse Leichtigkeit behält, während drüber hinaus, bei
gesteigerten Dimensionen, das Excentrische der Conception sich
überwiegend geltend macht und die Wirkung (wie rein die Einzelform gewahrt sein mag) mehr und mehr an Reinheit verliert. In der

That wirkt der Thurm von Esslingen mit einer Anmuth, wie
kaum ein zweites Beispiel der
Art, obgleich in den Einzelformen überall, mehr oder weniger,
schon die geschweifte Bildung
der Spätgothik sich bemerklich
macht, oder vielleicht: weil dies
der Fall ist, weil das Dekorative,
das Spielende sich geradehin als
Solches ankündigt. allerdings
aber in einer durchgängigen Beobachtung des klarsten Maasses,
in einer auf's Feinste empfunde-
nen Technik und an den geeigneten Stellen in einer sculptori-
schen Behandlung von glücklich
lebenvollem Schwunge. In letzterer Beziehung ist u. A. auf die
Kapitäle der Ecksäulchen aufmerksam zu machen, die, zum
Theil von Hans Böblinger's eigner Hand (wie aus den daran
befindlichen Steinmetzzeichen erhellt,) im Innern des achteckigen

Frauenkirche zu Esslingen. Kapital im Innern
des achteckigen Thurmgeschosses. (Nach Beis-
barth, Kunst des Mittelalters in Schwaben.)

Thurmgeschosses die stattliche Sternwölbung tragen, welche dasselbe eindeckt. Die weichgeschwungenen und gezackten Blatt-
formen des spätgothischen Styles sind hier zu so graziösen

Bildungen durchgearbeitet, dass sie dem Besten, was etwa die spätromanische Dekorationssculptur hervorgebracht hat, gleich stehen.

Ausser diesem Bau sind in Esslingen als Ueberbleibsel spätgothischer Architektur die jüngsten Theile der Dionysiuskirche und die kleine Nikolauskapelle[1] zu erwähnen, die sich malerisch über einem vorspringenden Pfeiler der innern Brücke erhebt. Ein höchst schätzbares Monument, die nach Matthäus Böblinger's Plane erbaute Hospitalkirche,[2] 1485 gegründet und 1495 geweiht, ist im J. 1811 abgerissen worden. Auch sie soll sich in dekorativer Behandlung ausgezeichnet haben. Von einem ihrer Portale ist uns, durch Heideloff,[3] eine bildliche Anschauung erhalten; es war im Flachbogen eingewölbt, mit Zackenbögen gesäumt, mit geschweiftbogiger Krönung und über dieser mit zierlichen Statuentabernakeln, ein Werk von so feiner Grazie und so zierlich phantastischem Reize, dass es etwa nur in den Schmuckwerken der spätestgothischen Architektur von Spanien seine Gegenbilder findet, ohne von diesen doch an Klarheit des Eindruckes übertroffen zu werden.

Es schliessen sich einige andre schwäbische Bauten aus gothischer Spätzeit an:[4] — Die Stiftskirche zu Herrenberg, 1336 erbaut und seit 1440 erweitert; der Chor aus der ersten, das Schiff im Wesentlichen aus der zweiten Bauepoche herrührend mit etwas erhöhtem Mittelschiff; die Pfeiler, eckigen Kerns, mit starken Diensten und Einkehlungen, ohne Kapitäle. — Die Stiftskirche zu Stuttgart, 1436—90, ein in den Hauptmomenten ähnlicher Bau; die Schiffpfeiler nach dem eben angedeuteten

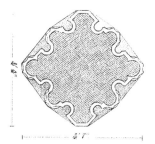
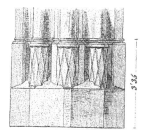

Basis und Profil des Schiffpfeilers in der Stiftskirche zu Stuttgart. (Aus der Kunst des Mittelalters in Schwaben.)

Princip in klarer Profilirung gegliedert; die „Apostelthür" auf der Nordseite der Kirche in stattlich dekorativer Anordnung, mit zwei Reihen von Statuen-Tabernakeln gekrönt. — Die

[1] Heideloff und Fr Müller, a. a. O., S. 61. — [2] Ebenda. — [3] Ornamentik, Heft VI, pl. 7. — [4] Die nächstfolgenden Beispiele bei Heideloff u. Fr. Müller, a a. O.

St. Leonhardskirche (1470—74) und die Spitalkirche (1471 bis 1493), ebendaselbst, einfache Hallenbauten; die letztere mit zierlicher Empore im nördlichen Seitenschiff und mit einem Kreuzgange aus gleicher Spätzeit. — Der Chor der Kirche zu Schorndorf,[1] unfern von Stuttgart, (1477) mit reichen Maasswerkfenstern von der späten, geschweiften Bildungsweise, zum Theil in barocker Anordnung. — Die St. Georgenkirche zu Tübingen[2] (der Chor von 1420, das Uebrige 1469—83), unbedeutend, das Innere ohne Wölbung; einige Fenster mit figürlichen Sculpturen an Stelle des Maasswerkes, wobei sich der Spitzbogen des einen, um der Composition eines St. Georg hinreichenden Raum zu geben, in orientalischer Weise hufeisenbogenartig erweitert.

Es werden ferner genannt:[3] die Kirchen von Ehningen (1400), Gerlingen (1463, hievon der Chor), Merklingen (1477), Eltingen (1487), Sulz (1489), die von Weil d. Stadt (seit 1492, Erneuung eines ehemals romanischen Baues), die von Magstatt (1511, mit befestigtem Kirchhof), die Marienkirche zu Hirschau (1508—16) u. s. w.

Es sind endlich noch einige Baulichkeiten anzuführen, die für die Schlussmomente des gothischen Styles, für seine letzten Ausgänge, für die mehr oder weniger barocken Umgestaltungen der Form, bezeichnende Beispiele enthalten. Dahin gehört Manches unter den Klostergebäuden von Maulbronn, namentlich das malerische, aus 9 Seiten eines Zehnecks gebildete Brunnenhaus am Kreuzgange, und unter denen von Bebenhausen. An letzterem Orte macht sich das tabernakelartige, nicht gar schlanke Thürmchen über der Vierung der Kirche,[4] dessen luftige Oeffnungen mit etwas dürrem Maasswerk gefüllt sind, bemerklich; ebenso die buntgemusterten Spätformen im Kreuzgang und Dormitorium,[5] wo die Sockel der Säulen in mannigfacher Schnitzmanier verziert, die Maasswerke der Fenster in seltsamen, zum Theil starr geradlinigen Mustern gebildet sind. — Dahin gehören die jüngeren Theile der Hauptkirche, St. Kilian, von Heilbronn:[6] der im J. 1480 beendete Chor, der jüngere Umbau des Schiffes, die Obertheile des Thurms. Am Schiffbau[7] ist namentlich anzumerken, dass zwischen den Streben Kapellchen hinausgeschoben sind, mit je zwei rechteckig umschlossenen, von geschweiftem Maasswerk ausgefüllten Fenstern, während an den hohen Oberfenstern, in capriciös verkehrter Originalität, der geschweift

[1] Merz, Kunstblatt, 1845, S. 362. Kallenbach, Chronologie, T. 69 (3), 76 (1—3). — [2] Merz, a. a. O., S. 361. — [3] Paulus, a. a. O. — [4] Kallenbach, T. 51. — [5] Ebenda, T. 77. — [6] Waagen, Kunstw. u. Künstler in Deutschland, II, S. 238 F. Kugler, Kl. Schriften, II, S. 422. — [7] Kallenbach, T. 71 (1).

spitzbogige Krönungsbogen in das Maasswerkmuster hinabgerückt
ist. Die Obertheile des Thurmes 1507—29 von Hans Schwei-
ner aus Weinsberg erbaut und voraussetzlich später beendet,
haben reiche Dekoration, schon mit rundbogigen Fenstern, im
Gipfel in ein fabelhaftes gothisirendes Rococo ausgehend. — Anderweit wird die Kirche zu Freudenstadt,[1] ein von 1601—8
durch Heinrich Schickard ausgeführter Bau, aus zwei im
rechten Winkel zusammenstossenden Flügeln gebildet, noch als
ein, wenn auch missverstanden gothisches Werk bezeichnet.

Die dekorative Richtung der spätgothischen Architektur von
Schwaben hat sich ausserdem in zahlreichen Einzelwerken dekorativer Kunst bevährt. Hier sind Beispiele reichster und anmuthigster Formenfülle, in selbständiger und in mehr spielender,
architektonischer Entwickelung und in Verbindung mit zum Theil
ausgedehnter figürlich bildnerischer Darstellung, vorhanden. Es
liegt in der ganzen Richtung der schwäbischen Schule, dass die
Steinarbeit sich der gefügigen Handhabung der Holzschnitzkunst
mehr anzunähern sucht; vorzüglich bedeutende Meister, die beiden Georg Syrlin von Ulm, der ältere und der jüngere dieses
Namens, in der Spätzeit des 15. und im Anfange des 16. Jahrhunderts blühend, zeichnen sich in beiden Techniken aus; einzelne Werke der Dekorativ-Architektur in Stein tragen völlig
den leichten Schwung und das Schnitzgefüge, wie es sonst nur
der Holzarbeit eigen zu sein pflegt. Es sind Werke mannigfach
verschiedener Art: — der leichte edel durchgebildete Bau eines
Lettners in der Dionysiuskirche zu Esslingen,[2] 1486
von Lorenz Lechler aus Heidelberg ausgeführt; — eine Reihe
glänzender Tabernakel: ein kolossales von 90 Fuss Höhe, 1469
angefangen, im Münster zu Ulm;[3] eins in der Dionysiuskirche
zu Esslingen, 40 F. hoch, gleichzeitig mit dem Lettner und
von demselben Meister; andre[4] zu Crailsheim (1498), in der
Michaeliskirche von Schwäbisch-Hall und in der Kilianskirche von Heilbronn (um 1500), in der Georgskirche zu Nördlingen,[5] 1515—25 von Stephan Weyrer in Verbindung mit
dem Bildhauer Ulrich Creytz gearbeitet, u. s. w. — Markt-
brunnen mit zierlichem Statuenpfeiler in der Mitte: zu Ulm,
der sogen. Fischkasten,[6] 1482 von G. Syrlin gefertigt, und zu
Urach; — Taufsteine: im Münster von Ulm (1470), in der
Dionysiuskirche von Esslingen, in der Kirche von Magstatt,

---

[1] Merz, a. a. O, S. 362 — [2] Heideloff und Fr. Müller, S. 55. —
[3] Ulm's Kunstleben, S. 28. — [4] Merz, a. a O., S. 378. — [5] Abbildung in
Eberhard's Nationalarchiv. Vgl. Waagen, Kunstw. u. Künstler in Deutschland,
I, S. 354. — [6] Grosse Abbildung bei Thrän, Denkmale altdeutscher Baukunst,
Stein- und Holzsculptur, Heft 2, f.

Kanzel in der Stiftskirche zu Stuttgart (Aus der Kunst des Mittelalters
in Schwaben)

in der Marienkirche von Reutlingen, [1] der letztere ein Werk
vorzüglich glänzender und phantastisch spielender dekorativer
Behandlung; ein heil. Grab, ein prachtvoller architektonischer
Baldachin mit Statuengruppe, in der ebengenannten Kirche von
Reutlingen [2] und in demselben schmuckvoll phantastischen
Style; — Kanzeln: in der Georgskirche von Nördlingen
(1499), in der Stiftskirche von Herrenberg und in der von
Stuttgart, beide [3] in vorzüglich edler und freier Behandlung
der schmückenden Formen; im Münster von Ulm, [4] von Burkhard Engelberger, mit hohem, zierlich aus Holz geschnitz-
tem Deckel, der wie ein schlanker Tabernakelbau aufsteigt, und
1510 von dem jüngern G. Syrlin hinzugefügt vurde. U. a. m.

t

Deutsche Schweiz, Ober- und Mittelrhein.

Schweizerische Bauten der Zeit stehen in nahem Wech-
selbezuge zu den schwäbischen. Namentlich der Münster St.
Vincenz zu Bern, [5] der im Jahr 1421 durch den Strassburger
Meister Matthias Heinz gegründet vard, an dessen fernerer
Leitung wiederum die Ensinger, insbesondere der mehrgenannte
Matthäus Ensinger, sowie verschiedene andre deutsche Meister, Steffen Pfuttrer seit 1453, Erhard Küng (König)
aus Westphalen seit 1483, u. s. w., Theil hatten und dessen Bau
bis in die ersten Decennien des 16. Jahrhunderts vährte. Die
Dimensionen des Münsters sind nicht bedeutend; das System ist
das eines höheren Mittelbaues, mit einfach polygonisch geschlossenem Chore, ohne Querschiff und Chorumgang. Die Pfeilerformation des Innern ist der der Liebfrauenkirche von Esslingen
verwandt, doch noch schlichter, indem nur die Mittelschiffseite
mit drei, zum Gewölbe emporlaufenden Diensten versehen ist
und die übrigen Seiten sich insgesammt als eckige Flächen gestalten. Die Gliederung der Scheidbögen, zum Theil in beweg-
terer Profilirung, geht unmittelbar aus den Pfeilerflächen hervor; an der Wand über den Scheidbögen ist das Stabwerk der
Fenster leistenartig herabgeführt. Das Maasswerk hat durchgängig die späteren geschweiften Formen. Das Aeussere ist durch
Strebe- und Fialenschmuck einigermaassen ausgezeichnet, vornehmlich aber durch den stattlichen Thurmbau, der sich über
der Mitte der Westseite erhebt, unterwärts mit tiefen Portalhallen,
in denen besonders das Hauptportal einen reichen Schmuck an

---

[1] Heideloff, Ornamentik, III, 7. — [2] Jahreshefte des Württembergischen Alterthums-Vereins, IV, f. — [3] Heideloff u. Fr. Müller, S. 5 u. 21. — [4] Ulm's
Kunstleben, S. 29, 73, f. — [5] Grüneisen, Niclaus Manuel, S. 54; Ulm's Kunstleben, S. 18, f. Probst, das Münster zu Bern. Wiebeking, T. 61 (Grundriss
und Pfeilerprofile). Chapuy, moy âge pitt., 31; moy. âge mon., 303.

launisch dekorativer Zurüstung und bildnerischer Ausstattung
entfaltet, oberwärts mit einem glänzenden Leisten- und Nischen-
maasswerk, welches die breiten Flächen zwischen den in buntem
Wechsel aufsteigenden Eckstreben erfüllt. Die obere Krönung
des Thurmes fehlt.

Es sind ferner zu erwähnen: die Nikolauskirche zu F r e i -
b u r g im Uechtlande, mit kräftigem, schlank aufsteigendem
Thurme auf der Westseite; — die Kirche St. Oswald in Z u g, [1]
deren Portal, vom J. 1478, sich wiederum durch phantastische
Dekoration auszeichnet; — die W a s s e r k i r c h e zu Z ü r i c h, [2]
ein schlichter, doch klar ansprechender Bau, 1479 von dem Wür-
temberger H a n s F e l d e r ausgeführt; — vornehmlich aber die
jüngeren Theile des M ü n s t e r s von B a s e l. [3] Der alte Münsterbau
war, wie bereits bemerkt (Thl. II, S. 491 u. f.), im J. 1356 durch
ein Erdbeben empfindlich beschädigt worden. Eine Herstellung
erfolgte in den nächsten neun Jahren; hiezu gehört namentlich
das Portal der Westseite, ein Baustück von einer gewissen ernsten
und männlichen Behandlung, welches sich frühgothischer Reminiscenzen noch mit glücklichem Erfolge bedient. Andres ist am
Schlusse des 15. Jahrhunderts ausgeführt, namentlich die Krönung der beiden Thürme der Westseite, mit leichten durchbrochenen, auf zierlich dekorative Wirkung berechneten Spitzen, und
das phantastisch geschweifte Maasswerk in den Arkaden des Kreuzganges. Auch bemerkenswerthe dekorative Einzelstücke gehören
in diese Spätzeit, namentlich die Kanzel v. J. 1486, von pokal-
artiger Form, mit zierlichen Maasswerkmustern übersponnen.

Verwandter künstlerischer Richtung, im Einzelnen mit der
Einmischung fremder Elemente, gehören ferner die Prachtstücke
spätgothischer Architektur an, welche sich am O b e r r h e i n vor-
finden.

Ein höchst wundersames und eigenthümliches Werk ist zunächst das freistehende Thurmgeschoss des M ü n s t e r s von
S t r a s s b u r g, über dem Unterbau des älteren nördlichen Faça-
denthurmes (S. 289 u. f.). Es wurde zu Anfang des 15. Jahrh.
durch Meister J o h a n n H ü l t z von Köln errichtet und 1439
vollendet. Die künstlerische Schule der Heimath des Meisters
war ohne Einfluss auf die Form und Composition dieses Bau-
stückes; es ist vielmehr entschieden ein Product südwestlicher
Schule, aber in ganz eigner Fassung und Behandlung: — ein
luftig schlanker Achteckbau, rings geöffnet und in zierlich rhythmischem Wechsel mit buntem Maasswerk, mit rundgezackten

---

[1] Chapuy, moy. âge pitt., 40. — [2] Füssli, Zürich und die wichtigsten Städte
am Rhein, I, S. 46. — [3] Beschreibung der Münsterkirche etc. in Basel. Chapuy, moy. âge pitt., 50.

Bogensäumungen, mit sich durchschneidenden geschweiften Bögen
und Giebeln ausgestattet; mit eben so luftigen **Erkerstiegen**, die
vor den vier **Eckseiten**, fast ohne Verbindung mit diesen, hoch

Thurmaufsatz des Münsters von Strassburg. (Nach Chapuy.)

emporsteigen; mit durchbrochenem Helme, auf dessen Schenkeln
andre kleinere Stiegen ähnlicher Art, in Absätzen übereinander
geordnet, bis zum Gipfel hinaufgeführt sind. Diese seltsame
Stiegenarchitektur, die in phantastisch spindelförmiger Weise
den schon so luftigen Kern des Baues rings umgiebt, steht freilich

in hemmender Gegenwirkung gegen das einheitlich aufstrebende
Gesetz des gothischen Thurmbaues, und auch das Ganze bildet,
ohne ein bedeutsameres Wechselverhältniss zu den unteren Theilen, einen hievon unabhängigen Aufsatz, dem der Stempel eines
willkürlichen Beliebens aufgeprägt ist. Aber das überaus Kunstreiche der Composition an sich, das tausendfältige Ineinander-
spielen der Linien, der kleinen Wege, Gänge und Verbindungen,
welche sich überall der Schau darbieten, und dies Alles auf
einem Grunde, der schon über die Bedürfnisse des gemeinen Lebens hoch emporgehoben ist, giebt dem Werke einen mährchen-
haft poetischen Reiz, der in seiner Art unvergleichlich und für
die Strebungen und die Träume der Zeit ungemein bezeichnend
ist. [1] Die Gesammthöhe des Thurmes beträgt ungefähr 480 Fuss
(rheinländisch), die des eben besprochenen Oberbaues 256 F. —
Als ein Paar glänzende Dekorativwerke der Schlussepoche des
gothischen Styles, im Innern des Münsters, sind der Taufstein
und die Kanzel anzuführen. [2]

Sodann die Kirche zu Thann[3] im Elsass, die, nach einer
älteren Weihung vom J. 1346, im Anfange des 15. Jahrhunderts
neu gebaut und in der Hauptsache 1455 vollendet wurde. Sie
hat nicht erhebliche Dimensionen, niedere Seitenschiffe und ein
etwas schweres Strebesystem. Das Fenstermaasswerk hat geschweifte Muster, die Façade, in der einfachen Giebelcomposition,
eine sehr reiche Ausstattung: ein Doppelportal, gemeinsam umfasst von einer mächtigen Spitzbogennische, Alles reichlich gegliedert und rings, in den Wandungen, den Bogengeläufen, den
Bogenfeldern, von Sculpturen erfüllt. Es ist Etwas von französischem Einflusse in dieser Anordnung; ebenso in dem Kreisfenster über dem Portal, welches innerhalb einer halbrunden
Bogennische liegt. Die Spitze des Giebels schmückt ein zierliches
Tabernakelthürmchen. Der vorzüglichste Schmuck und Ruhm
des Gebäudes besteht jedoch in dem Thurme, der sich am östlichen Schlusse des nördlichen Seitenschiffes erhebt und dessen
Oberbau im J. 1516 vollendet wurde. Seine Architektur zeigt
jenen fränzösischen Einfluss nicht. Er steigt in schlankem Viereckbau auf, unterwärts mit leichten Eckstreben, durch ansehnlich
hohe Fenster auf jeder freien Seite geöffnet und mit entsprechen-

---

[1] Vergl. C. W. Schmidt, Facsimile zweier Originalzeichnungen zu der obern
Thurmabtheilung des Münsters zu Strassburg. (Die eine dieser Zeichnungen,
dem zur Ausführung gekommenen Bau im Allgemeinen entsprechend, giebt
jenen Erkerstiegen noch reiche thurmartige Krönungen. Die andre Zeichnung
verbindet mit derselben Anordnung eine Helmspitze von der üblich durchbrochenen Anordnung, die aber weder zu dem Untersatze in glücklichem Verhältnisse steht, noch in sich eine harmonische Entwickelung hat.) — [2] Chapuy,
moy. âge mon., No. 238 u. 322. Vgl. C. W. Schmidt, Facsimile der Originalzeichnung zu der Kanzel im Münster zu Strassburg u. Facsimile des Grundrisses derselben. — [3] Antt. de l'Alsace, I, p. 79, ff., pl. 30, ff. De Laborde,
mon. de la France, II, pl. 190. Chapuy, moy. âge pitt., 49, 63.

dem Leistenwerk auf den festen Massen geschmückt; oberwärts
als schlanker, völlig offner Achteckbau, dessen Behandlung an
die Motive von Strassburg und von Esslingen erinnert und den
eine ähnlich schlanke, in zierlich geschweiften Maasswerkformen
durchbrochenen Helmspitze krönt. Auch hier sind es durchaus
die spielenden Spätformen des gothischen Styles, in denen die
Detailbildung sich bewegt; aber die leicht rhythmische Vertheilung einerseits, andrerseits das geringere Maass- und Massenverhältniss geben hier (ähnlich wie in Esslingen) der ganzen dekorativen Composition eine vorzüglich gültige Bedeutung.

Ferner der Chor des Münsters von Freiburg,[1] seit 1471
durch Meister Hans Niesenberger von Gratz erbaut, 1513
geweiht. In seine Composition und Ausführung scheint sich verschiedenartiges Element zu mischen. Er ist langgestreckt, gleich
dem Vorderhause mit hohem Mittelschiffe und niedern Abseiten,

Chorgrundriss des Münsters von Freiburg. (Nach Moller.)

im Mittelschiff noch um einige Fuss höher. Die Abseiten, schmäler als im Vorderhause, und ein Kranz von Kapellen zwischen
tief einwärts tretenden Streben umgeben rings den mittleren
Hochbau; dieser schliesst dreiseitig aus dem Achteck, der Umgang sechsseitig aus dem Zwölfeck, der Art, dass hier — nach
dem Motiv der böhmischen Gothik — ein Pfeiler in die Mitte
des Schlusses kommt. Die Aussenseiten der Kapellen treten seltsam in zwei, einen flachen Winkel bildenden Seiten hinaus. Die
Schiffpfeiler haben die schwäbische Profilirung, trefflich durchgebildet, doch mit den breiten Seitenflächen; Bögen und Gewölb-

[1] Vergl. oben, S. 292.

rippen, die letzteren in Netzform, gehen unmittelbar aus ihnen hervor. Die Fenster, mit spätestem Maasswerk, haben im Oberbau zum Theil den befremdlichen, lediglich nur einer Künstlerlaune angehörigen Wechsel breitspitzbogiger und lanzetartig steiler, in den Ecken gebrochener Wölbung. Die Strebebögen sind sparrenartig lang und dünn gebildet, dem Gefühl nicht den Eindruck völliger Kraft gewährend.

Das Mauthgebäude zu Freiburg,[1] derselben oder noch jüngerer Spätzeit angehörig, hat im Erdgeschoss eine tiefe Halle auf Rundpfeilern, im Obergeschoss hohe Fenster, mit jenen hängend teppichartigen Bögen, die besonders in Sachsen in der Schlussepoche der Gothik beliebt sind, und zierliche Eckerker von ähnlicher Behandlung.

Auch die spätgothischen Bauten des mittelrheinischen Gebiets, das zwar in dieser Epoche wie vorher sich als Uebergangspunkt charakterisirt, sind hier anzuschliessen.

Ein Hauptstück ist der Thurm des Domes zu Frankfurt am Main,[2] ein in verständiger Klarheit durchgebildetes, doch nicht vollendetes Beispiel seiner Art. Seine Gründung fällt in das Jahr 1415; erster Baumeister war Madern Gertener. Er steigt in kräftig viereckiger Masse empor, mit schlanken Fenstern und in den oberen Theilen mit leichter Leistendekoration, auf den Ecken mit einem reichen, etwas spielend behandelten Strebesystem; darüber ein wiederum schlank aufschiessendes achteckiges Obergeschoss, vor dessen Seitenflächen, über den Ecken des Unterbaues, sich die Fialenthürmchen aufgipfeln. Ohne Zweifel sollte ein Helm von entsprechender leichter Kühnheit das Ganze krönen; doch sah man sich schon in der späteren Zeit des 15. Jahrhunderts zu einer Reduction des Planes veranlasst; ein Entwurf von der Hand des Meister Hans von Ingelheim, der im Jahr 1480 die Bauführung übernommen hatte, zeichnet eine kürzere kuppelartig schliessende Spitze vor, der es jedoch an graziöser Durchbildung nicht fehlt.[3] Statt ihrer kam indess ein noch kürzerer, aller Vermittelung und Ausbildung entbehrender Kuppelabschluss zur Ausführung. Mit dem J. 1512 hörten die Arbeiten auf.

Andre Monumente von Frankfurt sind: — Die St. Leonhardskirche,[4] mit Ausnahme der Reste des älteren spätroma-

---

[1] Chapuy, moy. âge mon., 310. — [2] Vergl. oben, S. 281, Anm. 1. — [3] Eine Nachbildung dieses Entwurfs bei Moller, Denkm. I, T. 59. Darnach die Darstellung bei Kallenbach, T. 68. (Vergl. C. W. Schmidt, Facsimile der Originalzeichnungen zu dem Thurm des Doms zu Frankfurt. Drei Entwürfe, verschiedenartig modificirt; der anschnlichste ohne Kuppel und ohne Spitze.) — [4] Aussenansicht bei Lange, Mal Ansichten der merkwürdigsten Kathedralen, etc. (Ueber diese und die folgende Kirche verdanke ich wiederum der Güte des Hrn. J. D. Passavant nähere Mittheilungen.)

nischen Baues (Thl. II, S. 467). Ihr Chor, durch hohe, ungemein stattliche Maasswerkfenster ausgezeichnet, ist nach inschriftlicher Angabe von Meister Henchin im J. 1434 erbaut. Ihr Schiff bildet einen fast quadratischen Hallenbau mit einfach achteckigen Pfeilern, in eigner Weise von Abseiten und Emporen umgeben. — Die St. Nikolaikirche,[1] mit dem frühgothischen Chore und Thurm (S. 281), ebenfalls ein Hallenbau, mit einem Seiten- schiff und mit achteckigen Pfeilern; im Aeusseren später, ausser dem Obergeschoss des Thurmes, durch eine stattliche Krönungs- gallerie ausgezeichnet, die, von kräftigen Consolen und Bögen getragen, in der Ausladung der Strebepfeiler vortritt und in der Verbindung mit zierlichen Erkerthürmchen dem Ganzen einen eigenthümlichen, malerisch wirksamen Charakter giebt. — Die Halle des Heiligengeisthospitals,[2] deren Vollendung in das J. 1461 fällt und über deren Abbruch im J. 1840 lebhaft ver- handelt wurde, ein ansehnlicher langgestreckter Raum mit einer Mittelreihe von Rundsäulen als Trägern der Gewölbdecke, völlig im Charakter der zweischiffigen Kirchen spätgothischer Zeit, die weiter nordwärts, besonders im Moselgebiet, nicht selten sind; (s. unten).

Weiter sind zu nennen: die Heiliggeistkirche von Heidel- berg,[3] 1400—14, mit einfachen Rundpfeilern; — die Kirche zu Ladenburg, unfern von Heidelberg; — die von Neustadt an der Hardt; — der Chor der Kirche von Höchst, bei Frankfurt, vom Jahr 1443;[4] — die Stiftskirche von Alzey, mit dem Datum des J. 1485,[5] u. s. w.

Bei einigen Monumenten sind Besonderheiten anzumerken. Die Ruine der Kirche des Nonnenklosters Rosenthal[6] in der Hardt ist ein einschiffiger Bau, weiland mit geräumiger Empore für die Nonnen, durch ein reizvolles Thürmchen über dem West- giebel ausgezeichnet. — Die Michaelskapelle zu Kiederich[7] im Rheingau (eine Kirchhofskapelle mit einem Gruftgeschoss), ebenfalls mit zierlichem Thürmchen auf der Westseite, hat im Obergeschoss ein erkerartig hinaustretendes Chörlein und sonstige schmückende Einzeltheile in glücklicher Verwendung der Spät- formen. — Ebenso sind die Taufkapelle bei dem Dome von Worms und die Kreuzgänge beim Dome und bei St. Stephan zu Mainz, jener aus dem Anfange, dieser aus der späteren Zeit des 15. Jahrhunderts, durch ihre schmuckreiche Ausstattung be- merkenswerth.

[1] Aussenansicht bei Lange. — [2] Vergl. Fürsprachen für die Halle des Hei- ligengeisthospitals zu Frankfurt a. M. — [3] Wiebeking, Bürgerl, Baukunde, II, S. 125. — [4] Gladbach, Denkm., T. 7, ff. — [5] F. H. Müller, die Katharinen- kirche zu Oppenheim, S. 82. — [6] F. Kugler, Kleine Schriften, II, S. 738. — [7] Hochstetter, mittelalterl. Bauwerke im südwestl. Deutschland und am Rhein. (St. Michaelskapelle zu Kiederich.) Kallenbach, T. 67. Ein Blatt bei Lange, a. a. O.

Lothringen.

Die spätgothische Architektur von Lothringen reiht sich an
dieser Stelle episodisch ein. Sie bildet, wie es schon in der dortigen Frühgothik der Fall gewesen war, eine bezeichnende Zwischenstufe zwischen deutscher und französischer Art; aber der
Einfluss der letzteren, zumal in den Elementen dekorativer Ausstattung, steigert sich. Die Monumente enthalten einige schlagende
Belege für die fortschreitende Französirung des Landes.

Die allgemeine Disposition der kirchlichen Gebäude bleibt,
wie es scheint, der früheren ähnlich. Hallenbauten scheinen unter
ihnen nicht vorzukommen. Chor und Abseiten haben ihre besonderen Polygonschlüsse. Ein namhaftes Beispiel ist die Kirche St.
Martin zu Pont-à-Mousson [1] an der Mosel, 1354—1474 gebaut,
ein Gebäude von schlanker Mittelschiffhöhe bei nicht bedeutenden
Dimensionen; mit schwergegliederten Pfeilern, die ohne Kapitäle
in die Bögen und Gewölbgurte übergehen. Ein andres ist die
Kirche zu St. Nicolas-du-Port, [2] nahe bei Nancy, ein grösserer Bau, von 258 1/2 F. Länge, gegen 44 F. Breite und 95 1/2 F.
Mittelschiffhöhe; mit schlanken Rundpfeilern, denen ebenfalls
die Kapitälkrönungen fehlen. Beide Kirchen haben stattliche
dreitheilige Paçaden, mit Thürmen über den Seitentheilen und
mit einem schmuckreichen Mittelbau, in welchem sich besonders
ein prachtvolles Rosenfenster in spitzbogigem Einschluss auszeichnet. Die Façade von Pont-à-Mousson hat zierlich achteckige
Thürme, welche mit bunter horizontaler Brüstung und einem
Fialenkranze abschliessen; die Thürme von St. Nicolas haben nur
den Ansatz des achteckigen Oberbaues. Es ist auch in diesen
Paçaden noch eine deutsche Disposition, aber die ganze Behandlung zeigt mit Entschiedenheit das hereintretende französische
Element. — Noch schärfer prägt sich dies Wechselverhältniss
und die Neigung zu der französischen Richtung in der Pracht-
façade der Kathedrale von Toul [3] aus, die 1447—96 nach
dem Plane des Jacquemin von Commercy (einem westloth-
ringischen Orte) erbaut wurde. Verhältniss und Eintheilung sind
in dieser Façade ähnlich wie bei den vorigen; aber es ist durchgängig ein reicherer Schmuck angewandt, der in eigen schemati-
scher Weise, mit einem Durcheinanderschlingen und Durchkreuzen
der aufsteigenden Bogen- und Giebellinien und der horizontalen
Gallerie- und Brüstungsbänder die Flächen füllt. Die achteckigen,
ebenfalls mit Gallerieen gekrönten Obergeschosse der Thürme,
werden auf den Eckseiten von aufsteigenden Fialenthürmchen
begleitet und durch Strebebögen und Strebesparren gestützt.
Demselben Baumeister schreibt man auch die oben erwähnte

[1] Revue archéologique, X, p. 424, pl. 220, f. Chapuy, moy. âge mon., 247.
— [2] Revue arch., III, p. 805, pl. 52. — [3] Zu S. 230, Anm. 3, vgl. De Laborde,
mon. de la France, II, pl. 200, und Chapuy, moy. âge mon., 181.

Façade von Pont-à-Mousson zu, und in der That finden sich in
ihr, trotz ihrer einfachen Klarheit, manche übereinstimmende
Motive.

Der Schlussepoche der Gothik gehören sodann auch die jüngeren Theile der Kathedrale von Metz [1] an. Querschiff und
Chor wurden von 1486—98 erbaut. Hier nimmt der Chor das
französische System auf, mit Umgang und Kapellenvorlagen, doch
nicht in vollständiger Entwickelung, indem von den Umgangs-
kapellen nur die drei mittleren vorhanden sind, diese zugleich
in einigermaassen verbreiteter Disposition. Der südliche Giebel
des Querschiffes wird durch ein grosses höchst prachtvolles Spitzbogenfenster ausgefüllt, dessen Maasswerk im Einzelnen zwar
die Formen der Spätzeit trägt, aber noch in sehr edler und gemessener Weise geordnet ist. 1503—19 folgte eine Verlängerung
der Vorderschiffe gen Westen, mit der Hinzufügung von drei
neuen Jochen und mit einfachen Rundpfeilern. Einige Kapellen
wurden noch später angebaut.

Ein merkwürdiges kleines Monument ist eine Kirchhofskapelle
zu Avioth [2] im westlichen Lothringen (Dep. Meuse). Sie ist

Avioth.

Kirchhofskapelle zu Avioth. (Nach Viollet-le-Duc.)

---

[1] Vgl. oben, S. 232. — [2] Viollet-le-Duc, dictionnaire rais. de l'arch., II, p. 448.

sechseckig, von 11½ Fuss Durchmesser, mit der Hinterseite an
die Kirchhofmauer anlehnend, im Uebrigen von kurzen starken
Säulen getragen und über diesen in feiner Tabernakelarchitektur
aufsteigend und mit durchbrochener Spitze gekrönt. Der stylistische Eindruck des sehr malerischen kleinen Monuments ist,
als sei ein Oberbau deutscher Spätgothik auf die festen Träger
französischer Frühgothik gesetzt worden.

Die alten Theile des herzoglichen Pallastes zu Nancy, [1]
namentlich ein überaus schmuckreicher Portalbau, gehören der
schon vorgerückten Zeit des 16. Jahrhunderts an, in denen eine
phantastisch barocke Verwendung verschiedenartiger gothischer
Formen sich bereits mit ähnlich phantastisch behandelten der
wieder eingeführten Antike zu einer lebhaft malerischen und nicht
reizlosen Wirkung mischt. Dies ist völlig französischer Geschmack,
in der Weise, wie er sich anderweitig an fürstlichen Schlössern
Frankreichs beim Uebergange aus den mittelalterlichen in die
modernen Formen zeigt.

Niederrhein.

In der spätgothischen Architektur der niederrheinischen
Lande [2] zeigt sich — neben der Thätigkeit in den Bauhütten der
Dome von Köln und Xanten, die allerdings in diese Epoche
hinabreicht, — im Ganzen wenig Neigung zu glänzenderen dekorativen Entfaltungen. In der sehr überwiegenden Mehrzahl ihrer
Leistungen ist ein schlichter strenger Sinn vorherrschend, der
mit Absicht auf jene einfache Behandlungsweise zurückzugehen
scheint, welche sich hier schon im Beginne der Einführung des
gothischen Styles geltend gemacht hatte. Gegenwärtig findet dieselbe in dem System des Hallenbaues einen willkommenen An-
knüpfungspunkt. Nur wenige Beispiele folgen in der Weise des
Aufbaues den älteren Vorbildern.

Zu den letzteren gehört der Schiffbau von St. Severin zu
Köln, mit beträchtlich erhöhtem Mittelschiff, runden, von je
acht Diensten besetzten Pfeilern und schlichten Gesimskapitälen.
Ueber der Westseite der Kirche erhebt sich ein von 1394—1411
ausgeführter Thurm, in einfach viereckiger Masse aufsteigend,
statt alles Strebewerkes und der hievon abhängigen Gliederung
nur durch hohe Fensterblenden mit Leistenmaasswerk geschmückt,
deren schlanke Linien gleichwohl einen gefälligen Eindruck hervorbringen, oberwärts mit einem Spitzbogenfriese gekrönt, —
eine Reliefdekoration auf fester Masse, die, in solcher Art, zumeist der nordischen Gothik eigen ist und die nahen Grenzen

---

[1] Du Sommerard, les arts au moy. âge, II, S. IV, pl. VIII. Chapuy, moy.
âge pitt., 27 — [2] F. Kugler, Kl. Schriften, II, S. 221, ff.

des Backsteinbaues der nördlichen Gegenden anzeigt. — Dann die Minoritenkirche von Bonn, im Princip der älteren Kirchen der Bettelorden aufgeführt, mit Rundpfeilern, die mit je einem Dienste besetzt sind und an denen ein Theil von der einfach profilirten Scheidbogengliederung niederläuft.

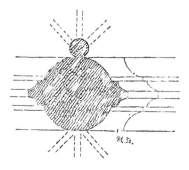

Minoritenkirche zu Bonn. Profil des Schiffpfeilers und der Bogengliederung. (F. K.)

Ein sehr umfassendes Unternehmen spätgothischer Zeit, voraussetzlich ebenfalls in einer Anlehnung an die älteren Muster, scheint der Bau von St. Willibrord zu ·Wesel (der jetzigen evangelischen Kirche) gewesen zu sein: fünfschiffig, mit Querbau und auf einen reichen Chorplan berechnet, in den Schiffräumen ungefähr 300 Fuss lang und fast ebenso breit, über der Westseite mit mächtigem Thurme, an dem ebenfalls der nordische Charakter hervorgehoben wird; aber unvollendet und in halb ruinenhaftem Zustande, der Wölbungen der Hochräume, der Strebearchitektur und der gegliederten Obertheile des Aeusseren entbehrend und ostwärts zwischen den Rundsäulen des Chores, denen sich ein Umgang und voraussetzlich ein Kapellenkranz anschliessen sollte, durch Nothmauern abgeschlossen. [1]

Einige Chöre entwickeln sich in stattlicher Anlage. Namentlich der Chor des Münsters von Aachen, der seit 1353 dem alten karolingischen Bau angefügt wurde. Leiter des Baues war der Ritter Gerhard Chorus, ein vielseitig ausgezeichneter Mann, der zugleich eine Reihe von Jahren hindurch das Bürgermeisteramt der Stadt Aachen verwaltet hatte. [2] Der Chor ist einschiffig, mit polygonem Schlusse, 63 Fuss lang und 92 F. hoch, völlig von entsprechend hohen und weiten Fenstern ausgefüllt, deren äussere Bogenwölbungen mit dekorativer Zierde versehen sind, deren ursprüngliches Maasswerk sich aber auf die neuere Zeit nicht erhalten hatte. Daneben einige Seitenkapellen des

[1] Es fehlt bis jetzt an allen näheren Mittheilungen über dies Bauwerk. Eine kurze Notiz, von Prisac, im Kölner Domblatte, 1844, No. 99 u. 100. — [2] Der Name Chorus ist (wie dies Quix, in seiner „Biographie des Ritters Gerhard Chorus“ nachgewiesen hat) kein von dem Münsterchore hergenommener Beiname, sondern wirklicher sehr verbreiteter Familienname. Der Name Schellart kommt dem Ritter Gerhard nicht zu. Die schöne Grabschrift des letzteren lautete:

Gerardus Chorus, miles virtute sonorus,
Magnanimus multum, scelus hic non liquit inultum,
In populo magnus, in clero mitis ut agnus,
Urbem dilexit et gentem splendide rexit,
Quem Deus a poena liberet barathrique gehenna.

Münsters, ebenfalls in den schmuckreichen Formen der späteren Gothik. — So auch der Chor von St. Andreas zu Köln, ein gleichfalls einschiffiger, siebenseitig schliessender Bau, um oder seit 1414 erbaut; im Innern statt der Dienste mit reichlich niederlaufenden Gurten; im Aeussern [1] mit einem System von Streben,

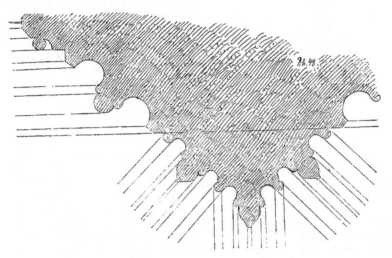

Chor der St. Andreaskirche zu Köln.   Fenster- und Dienstgliederung.   (F. K.)

deren Composition das Gesetz der aufsteigenden Theilung und Ablösung in eine Reliefdekoration verwandelt zeigt. — So der Chor und das Querschiff der Pauluskirche zu Kreuznach, in zierlicher, doch schon etwas willkürlicher Behandlung; — der Chor von St. Florin zu Coblenz (seit 1356) und der der dortigen Liebfrauenkirche (1404—31;) — und der kleine Chor der Klosterkirche von Sayn, dieser aus sechs Seiten eines Achtecks gebildet, also über die Seitenfluchten hinaustretend, mit einem Eckpfeiler in der Mitte des Schlusses und durch eigenthümliche Lichtwirkung von malerischem Reize.

———

Eine eigne Umbildung des älteren Systems (mit erhöhtem Mittelschiff) im Sinne herber Strenge zeigt der Bau der Stiftskirche zu Oberwesel. Es sind einseitig constructionelle Grundsätze, denen der Meister gefolgt ist, bei ausschliesslicher Bethätigung derselben auch vor barbaristischer Rohheit nicht zurückschaudernd. Die Strebepfeiler sind mit Consequenz in das Innere

---

[1] Ansicht bei Lange, Mal. Ansichten der merkwürdigsten Kathedralen, etc.

des Baues gelegt, sogar bei dem Mittelschiffe, wo sie vor den
schlicht sechseckigen Pfeilern als massige Vorlagen in den Innenraum vortreten, an den Oberwänden emporsteigend und sich
vor den Oberfenstern zu tiefen Nischen zusammenwölbend. Alle
Detaildurchbildung ist verschmäht, und nur die Fenster haben

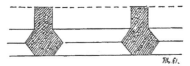

Anordnung der Schiffpfeiler in der Stiftskirche zu Oberwesel. (F. K.)

später spielend bunte Maasswerkfüllungen. Das Aeussere [1] gestaltet sich, als natürliche Folge dieses Systems, völlig kahl;
doch ist der kräftige Thurm vor der Mitte der Westseite, der
sich oberwärts, in glücklich energischer Durchführung, in einen
achteckigen Bau mit Giebeln und fester Helmspitze auflöst, von
anziehender Wirkung. Die Ausführung wird der früheren Zeit
des 15. Jahrhunderts angehören. [2]

Auch anderweit und in grösserem Umfange macht sich in
jener Gegend eine auffällig nüchterne Behandlung geltend. Ein
Paar Beispiele, die zunächst hieher gehören, sind die Kirche St.
Martin zu Oberwesel, bemerkenswerth dadurch, dass sie nur
ein (niedriges) Seitenschiff und auf der Westseite wiederum einen
energischen Thurmbau, in festungsartigem Charakter, hat, [3] —
und die Pfarrkirche von Bingen, die später mit gedoppeltem
Seitenschiffe auf der Nordseite versehen ist.

Für den Hallenbau kommen (nach Maassgabe des bis jetzt
Vorliegenden) die südwestlichen Lande, das weiland trier'sche
Gebiet und die angrenzenden Districte, vorzugsweise in Betracht.
Er findet hier eine sehr umfassende und charakteristisch ausgeprägte Anwendung, in der eine einfach klare Behandlung des
Details und leichte, freie räumliche Verhältnisse sich nicht ganz
selten zu einer glücklichen, harmonisch befriedigenden Wirkung
der inneren Räumlichkeit vereinigen; dies um so mehr, als in den
meisten Fällen die Dimensionen nicht sehr beträchtlich sind, das
Ganze mithin schon in den Massen mehr zusammengehalten, einer
vervielfältigten Gliederung minder bedürftig erscheint. Die Pfeiler des Innern haben zumeist die einfach runde oder achteckige
Form, ohne Kapitälschmuck, und die schlicht profilirten Rippen

---

[1] Ansicht bei Lange, a. a. O. Chapuy, moy. âge mon., 226. — [2] v. Lassaulx,
in den Zusätzen zu der Klein'schen Rheinreise, S. 453, spricht von einer Einweihung der Kirche im J. 1331, was auf den vorhandenen Bau nicht passen
kann. — [3] Ansicht bei Lange.

des leichten Netzgewölbes, welches insgemein die Decke bildet, treten ohne weitere Vermittelung aus ihnen hervor. In einzelnen Fällen wird die Einfachheit allerdings wiederum zur Rohheit.

Schon die Pfarrkirche von A h r w e i l e r (S. 212), aus dem 13. Jahrhundert, gehört hieber; doch kommt in ihr das leichtere räumliche Gefühl noch nicht zur Entwickelung. Aus dem vierzehnten Jahrhundert rührt die J e s u i t e n k i r c h e (früher M i n o r i t e n k i r c h e) zu T r i e r her; sie hat (gleich den hessischen

Innenansicht der Kirche zu St. Wendel. (Nach Chr. W. Schmidt.)

Hallenkirchen des 13. und 14. Jahrhunderts) noch die kräftig aufsteigenden dienstbesetzten Rundpfeiler der anderweit üblichen Systeme, mit umherlaufenden Kapitälkränzen, so dass auch hier die leichtere Wirkung der Innenräume noch nicht erreicht

ist. [1] Bemerkenswerth ist sie im Uebrigen durch ein zierlich ausgestattetes Portal auf der Westseite im Typus der Spätzeit des
14. Jahrhunderts. [2]

Die eigentliche und selbständige Entwickelung des Systems
ist, wie es scheint, ein Ergebniss des 15. Jahrhunderts. Ein bezeichnendes und vorzüglich schätzbares Beispiel ist zunächst die
Kirche von St. Wendel, [3] unfern von Tholey. Sie ist verschiedenzeitig, der Chor aus der Mitte des 14. Jahrhunderts und 1360
geweiht, das Schiff aus der ersten Hälfte des 15. Jahrhunderts; [4]
dreischiffig, im Mittelschiff um ein Geringes höher als in den
Seitenschiffen, mit leichten, sehr schlanken Rundsäulen, aus denen
sich, ursprünglich ohne Kapitäl, die Rippen des Netzgewölbes
leicht und glücklich lösen, während sie an den Wänden der
Seitenschiffe noch von Dienstbündeln getragen werden. Die inneren Durchblicke sind von grossem Reiz, die Höhenverhältnisse
entschieden vorwiegend, aber bei der überall freien und offenen
Räumlichkeit von unbeengter Wirkung. Alles dies freilich im
Einklang mit den nicht bedeutenden Dimensionen: 46½ F. Gesammtbreite, 18½ F. Mittelschiffbreite (20½ F. in den Axen der
Säulen), 54 F. Mittelschiffhöhe. Der Abstand der Säulen (die
Jochbreite) beträgt 14 F., ihr Durchmesser 2⅔ F., ihre Höhe
bis zum Ansatz der Gewölbrippen 39 F. (= c. 14½ Dm.)

Verschiedene Denkmälergruppen derselben Epoche reihen
sich an. In den Gegenden der Nahe und des Hundsrück: die
Kirche von Meisenheim, seit 1479 gebaut, im Innern, wie es
scheint, von ähnlichem System, im Aeussern mit einem Thurm
vor der Westseite, dessen leichter achteckiger Oberbau mit einem
zierlich durchbrochenen Helme gekrönt ist; — die Kirche von
Kirchberg, ebenfalls von ähnlicher Anlage, doch minder edel
als die von St. Wendel; — die Kirche von Sobernheim und
die Pfarrkirche von Simmern, beide mit achteckigen Pfeilern
im Innern und von geringer Bedeutung. — In den untern Mosel-
gegenden: die Kirche von Mayen, ein ziemlich ansehnlicher,
der Kirche von St. Wendel nahe verwandter Bau; — die Schwanenkirche [5] bei Forst, unfern von Carden, in geringen Dimensionen und von der Höhenwirkung ganz absehend, vielmehr
auf eine lichte Breitenwirkung berechnet, aber in der Klarheit

---

[1] Nach Chr. W. Schmidt, Baudenkm. etc. in Trier, III, S. 22. wäre das eine
Seitenschiff dieser Kirche erst nach 1609, doch in ursprünglich schon beab-
sichtigter Anlage, erbaut worden. (Der Chor ist modernisirt.) — [2] Ebendas.,
T. 5. — [3] Ebendas., T. 8, 9. — [4] So zahlreiche Gründe für einen früheren
Bau der Kirche beigebracht sind, (vergl. das von mir in den Kl. Schriften, II,
S. 226 Anm., ff., mitgetheilte Schriftstück,) so widersprechen die baulichen
Formen dennoch zu entschieden einer solchen Annahme. Ich kann hienach
die im J. 1360 erfolgte Einweihung nur auf den vorhandenen Chor beziehen,
während ich annehmen muss, dass der vorhandene Schiffbau später an die Stelle
eines älteren getreten und dass dies, nach den in jenem Schriftstück aufgeführten
Daten, am Wahrscheinlichsten zwischen 1405 und 1440 geschehen ist. —
[5] Reichensperger, vermischte Schriften über christl. Kunst, S. 111.

der Verhältnisse für kleinere Anlagen besonders mustergültig; die Säulen schlank und mit selbständigen Kapitälgesimsen, über denen, in eigenthümlicher Weise, die Rippen des Gewölbes ansetzen; die Maasse: $63\frac{1}{2}$ Fuss Schifflänge (94 F. Gesammtlänge,

Querdurchschnitt der Schwanenkirche bei Forst   (Nach Reichensperger.)

mit Einschluss des Chores); $35\frac{1}{2}$ F. Gesammtbreite der Schiffe; 16 F. Mittelschiff- und Jochbreite, (in den Axen der Säulen gemessen); 15 F. Säulenhöhe; 26 F. Scheitelhöhe des Gewölbes; — die alte Kirche zu Treis und die zu Beilstein, beide an der Mosel; — die Kirche zu Obermendig unfern von Laach, mit achteckigen Säulen im Innern und mit besonders graziöser Behandlung des Netzgewölbes. — Am Rhein: der Schiffbau der Stiftskirche von St. Goar, 1441—69, gross und in ansehnlichen Verhältnissen, roh in den Haupttheilen (die Pfeiler achteckig und ohne Zwischengesims in die Scheidbögen übergehend), doch nicht ohne dekorativen Aufwand in den Nebentheilen; eigenthümlich bemerkenswerth durch geräumige Emporen, gleichfalls von trefflichem Verhältniss, welche in den Seitenschiffen angeordnet sind; — die Kirche von Unkel (mit Ausnahme der geringen frühgothischen Theile), mit Rundpfeilern, daran je ein Gewölbedienst emporläuft, einem Umbau der Kirche aus der Zeit um 1502 angehörig. — Dann die Kirche von Rheinbach, südwestlich von Bonn, wiederum mit achteckigen Pfeilern; u. s. w.

Einige Kirchen, von einfacher und zum Theil roher Behandlung, haben nur ein in gleicher Höhe mit dem Mittelschiff gehaltenes Seiteischiff. So die Franciskanerkirche zu Andernach, aus der ersten Hälfte oder der Zeit um die Mitte des 15. Jahrhunderts; die Ruine der sehr rohen Franciskanerkirche zu Oberwesel; — die Karmeliterkirche zu Boppard, (deren Seitenschiff später?), — die Wallfahrtskirche zu Clausen, in der Gegend des obern Mosellaufes, deren Chor 1474 geweiht wurde.

Andre sind gleichfalls zweischiffig, aber in der Art, dass ein Hauptraum durch eine Stellung runder oder achteckiger Säulen in der Längenaxe sich in gleiche Langräume theilt. Auch hier finden sich, durch die Anmuth der Verhältnisse und die Leichtigkeit der Behandlung bei überall geringen Dimensionen, eigenthümlich ansprechende Beispiele. Zu nennen sind, mit drei achteckigen Säulen: das Schiff der Kirche von N a m e d y am Rhein, die Kirche von K l a p e n i c h, östlich von Adenan, die Kirche von C a r t e l, an der Saar, oberhalb Saarburg, (mit rundbogigen Fenstern, die schon das 16. Jahrhundert bezeichnen); — mit zwei Rundsäulen: die Kirchen von K e l b e r g und von W a n d e r a t h, südlich und südöstlich von Adenau; die von C l ö t t e n und von E d i g e r, an der mittleren Mosel, u. a. m. — Noch andre haben ein quadratisches Schiff, mit einer Säule in der

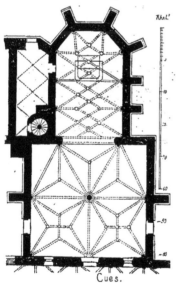

Mitte, die in der Regel ein zierliches Sterngewölbe trägt, und mit einem kleinen, mehr oder weniger gestreckten Chorbau. Zu diesen Anlagen, die eine vorzüglich graziöse räumliche Wirkung hervorzubringen pflegen, gehören die kleine Kirche des im J. 1458 gestifteten Hospitals von C u ë s, [1] sowie die von Z e l t i n g e n, T r a b e n, M e r l (abgerissen?), sämmtlich an der mittleren Mosel; die von U e l m e n (1538 eingewölbt) und D r i e s c h, nordwärts von ihnen; die von H a t z e n p o r t an der untern Mosel; u. s. w. —

Das Netzgewölbe, welches einen zumeist wesentlichen Theil der Eigenthümlichkeiten der eben besprochenen Monumentenkreise bildet, ist für die Ausgangsepoche des gothischen Systems in denselben Gegenden auch anderweit, als reich gegliederte Ueberdeckung ansehnlicher

Kirche des Hospitals von Cués. (Nach Chr. W. Schmidt.)

Räume, von Bedeutung. Namentlich bei der Ueberwölbung älterer Kirchengebäude, wo es sich den vorhandenen massigen Formen insgemein in sehr glücklicher Weise fügt. So über dem Mittelschiff von St. C a s t o r zu C o b l e n z (1498) und über dem der Liebfrauenkirche, ebendaselbst; — in der Kirche von

[1] Chr. W. Schmidt, Baudenkm. etc. von Trier, III, T. 10.

Linz, im Verein mit andern Herstellungen, welche dort um
1512 ausgeführt wurden; — in der sehr stattlichen Ueberwölbung
der Hochräume von St. Matthias bei Trier, vom Jahr 1513,
einer Herstellung angehörig, bei welcher auch der dreiseitige
Chorschluss dieses romanischen Gebäudes und der sehr merkwürdige (schon antikisirende) Thurmaufsatz über der westlichen
Façade zur Ausführung kamen. — So auch in der sonst nicht
erheblichen Kirche St. Gervasius zu Trier, — und in der
kleinen Kirche von Münster an der Nahe, unweit von Bingen,
die im Uebrigen zugleich durch eine zierlich durchbrochene
Thurmspitze (über romanischem Unterbau) bemerkenswerth ist.

In den nördlich niederrheinischen Landen [1] beginnt der Bau
mit gebranntem Stein, der weiter abwärts, in der holländisch
gothischen Architektur, mit Entschiedenheit vorherrscht. Er bedingt, wie überall, eine schlichte Anlage, welche das Gesetz der
Masse zur Geltung bringt und das Detail mehr als ein der letzteren aufgelegtes Relief behandelt. Doch wird damit (wie in der
bayrischen Gothik) zugleich das Material des Hausteins verbunden, namentlich für die dekorativen Einzelheiten, das Stab- und
Maasswerk der Fenster, u. s. w. Im innern System finden sich
einfache Rundpfeiler, zum Theil mit anlehnenden Diensten, oder
noch schlichtere viereckige Pfeiler mit ausgekehlten Eckglieder-
rungen. In der Anordnung der Langschiffe zeigt sich wirklicher
Hallenbau oder das Streben darnach, mit geringer Erhöhung
des Mittelschiffes. Die Gefühlsrichtung, die sich in diesen Monumenten ausspricht, ist im Wesentlichen dieselbe, wie die der
Hallenbauten der südwestlichen Districte; die Unterschiede beruhen, wie es scheint, vorzugsweise im Material.
    Uebergangsmomente vereinigen sich auf eigenthümliche und
bemerkenswerthe Weise in der St. Salvatorkirche zu Duisburg; [2]
die im J. 1415 gegründet wurde. Sie ist aus Ziegeln aufgeführt,
ahmt aber den Hausteinbau durch umfassendere Verblendung mit
Tuffstein nach, (was für die Dauerbarkeit kein günstiges Resultat
gewährte). Das Mittelschiff ist höher als die Seitenschiffe, mit
eignen aber niedrigen Oberfenstern. Die Pfeiler sind länglich
achteckig, mit je zwei Diensten als Trägern der Gewölbgurte,
während die Scheidbögen ohne Trennung aus den Seitenflächen
der Pfeiler hervorgehen. Die Fenstermaasswerke und andre Details sind in reichen Spätformen gebildet. Der Thurm, in der
Mitte der Westseite, ist einfach mit Fenstern und Fensterblenden
ausgestattet.
    Anderweit werden als Hauptbeispiele genannt: die Kirche

[1] Vergl. Kinkel, im Kunstblatt, 1846, Nro. 37, ff. — [2] Ich verdanke Hrn.
Prof. Wiegmann in Düsseldorf einige nähere Mittheilungen über diese Kirche.

St. Algund zu Emmerich (mit dem Datum 1483 am Portal),
deren Mittelschiff die Seitenschiffe nur um ein Geringes überragt
und deren Westseite sich durch einen mächtigen, ganz aus Tuff
aufgeführten Thurm mit achteckigem Obergeschoss auszeichnet;
— die ähnlich behandelte kleine Kirche von Elten; die Kirche
von Calcar und die Klosterkirche von Cleve, beide mit
gleich hohen Schiffen, die erstere „das zur grössten Harmonie
vollendete Modell des (niederrheinischen) Backsteinbaues." [1]

Auch die Langschiffe der durch ihre hochalterthümlichen
Reste (Thl. II, S. 304 u. f.) ausgezeichneten Münsterkirche von
Essen [2] sind hier anzuführen, obgleich sie sich vielleicht mehr
der spätergothischen Architektur Westphalens anschliessen. Sie
scheinen aus dem 14. Jahrhundert, der östliche Chor vielleicht
noch aus dem Schlusse des 13. herzurühren. Die Schiffe sind
gleich hoch, aber von geringer Höhendimension (40 Fuss, bei
27 F. Mittelschiffbreite), mit völlig schlichten Rundpfeilern, die
mit einfachen Deck- und Fussgliedern versehen sind.

Aehnliche bauliche Verhältnisse zu Aachen, — wo die
Dominikanerkirche und die Franciskanerkirche als
Hallenbauten mit Rundpfeilern anzuführen sind, — und im jülich-
schen Lande. Hier wird die Stiftskirche St. Gangolph zu Heins-
berg [3] als eine Hallenkirche des 15. Jahrhunderts namhaft gemacht, ein Backsteinbau mit viereckigen Schiffpfeilern, deren
polygone Dienste an der Vorderseite noch mit Kapitälen versehen
sind, sonst jedoch in die Bögen und Gewölbgurte unmittelbar
übergehen. — Der stattliche Kirchthurm von Düren ist, ähnlich dem von St. Severin zu Köln, ein Beleg für die angegebene
nordische Behandlung.

Aus der letzten Schlusszeit der gothischen Architektur rührt
die Kirche St. Peter zu Köln her. Sie ist um 1524 gebaut und
charakterisirt die schon beginnende Umwandelung des Systems
durch die Anwendung rundbogig unter- und überwölbter Emporen, über viereckigen Pfeilern mit ausgekehlten Ecken.

Der nüchterne Ernst in der Spätepoche der niederrheinischen
Gothik giebt mehrfach auch den auf dekorative Wirkung berechneten Bauten ein bezeichnendes Gepräge. Namentlich den Kreuz-
gängen. Unter der, allerdings nicht erheblichen Zahl derartiger Anlagen hat der Kreuzgang von Kyllburg, ein Werk
des 14. Jahrhunderts, noch die allgemein üblichen Typen der

---

[1] Kinkel, a. a. O., S. 150. — [2] v. Quast, in der Zeitschr. f. christl. Archäologie und Kunst, I, S. 13, T. 3. — [3] Lindemann, im Organ f. christl. Kunst,
III, S. 143, ff.

Zeit, ohne hervorstechende Eigenthümlichkeit. Mit Entschiedenheit
dagegen macht sich letztere in den, dem 15. Jahrhundert angehörigen Kreuzgängen neben der Minoritenkirche zu Köln
(gegenwärtig zum Hofraume für das neue städtische Museum bestimmt) und neben St. Severin, ebendaselbst, bemerklich, jener

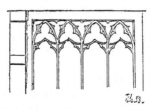

Arkadenmaasswerk der Kreuzgänge neben der Minoritenkirche und neben St. Severin zu
Köln   (F. K.)

mit flachbogigen, dieser mit horizontalgedeckten Oeffnungen, die
beiderseits mit schlichten, doch in klarer Ruhe wirkenden Maasswerkgittern ausgesetzt sind. Geringer sind die ebenfalls späten
Reste des Kreuzganges der ehemaligen Karthanse zu Köln,
sowie die neben der Kirche von Ravengiersburg auf dem
Hundsrück, diese schon in spätester Rundbogenform. — An dekorativ ausgestatteten Kapellen sind nur wenig Beispiele, und
auch diese als Zeugnisse einer nur mässigen Anwendung schmückender Zuthat, namhaft zu machen: die Kapelle Hardenrath (1466)
und die Kapelle Hirsch (1493), beide an der Kirche St. Maria
auf dem Kapitol zu Köln, sowie die Sakristei der dortigen
Rathhauskapelle, diese mit verschlungenen, zum Theil freistehenden Gewölbgurten.

Im Uebrigen fehlt es nicht an dekorativen Einzelwerken.
Mehrere Lettner und Orgelbühnen zeichnen sich durch die
leichte Behandlung letzter Spätformen und zum Theil durch
glücklich graziöse Verhältnisse aus: in der Stiftskirche von Oberwesel, in der Karmeliterkirche von Boppard, in St. Florin
zu Koblenz, in der Jesuitenkirche zu Trier. — Unter den
architektonisch ausgestatteten Grabmonumenten sind zwei
Sarkophagnischen in St. Castor zu Koblenz [1] hervorzuheben,
von denen die des Erzbischofes Cuno von Falkenstein (gest. 1388)
in sehr würdiger und harmonischer Weise noch mehr im Gepräge
der reicher durchgebildeten Gothik gehalten ist, die mit dem
Grabe des Erzbischofes Werner (gest. 1418) einen Uebergang zu
mehr nüchternen Elementen, zugleich in schwankender Geschmacksrichtung, schwer und willkürlich, bekundet. — Dann sind schmuckreiche Tabernakel von üblicher Art in nicht ganz geringer
Zahl zu nennen: in St. Severin zu Köln, vom J. 1378 und

[1] Moller, Denkm., I, T. 46 u. 55.

nach dem edlern Style dieser Epoche gemäss behandelt; in der
Kirche zu Altenberg bei Köln; in der Sakristei des Domes
von Köln; im Domkreuzgange zu Trier; in der katholischen
Kirche von Remagen, den Kirchen von Mayen und von Linz,
der Pfarrkirche von Münstereiffel, das letzte 1480 von Friedrich Roir gefertigt; in der Kirche von Calcar, sowie nordwärts
von dort in denen von Till, Griethausen,[1] Goch, Qual-
burg, Ober-Millingen, u. s. w. Auch zierliche Kanzeln,
wie in der Kirche von St. Wendel[2] (1462), in der Kirche von
Kirchberg; u. a. m.

Eben jenes Gesetz spricht sich schliesslich auch in der dekorativen Ausstattung bürgerlicher Bauten von hervorragender Bedeutung aus. Es ist wiederum die bauliche Masse, die vorherrscht,
und der sich, ohne irgend eine Aufnahme durchgebildeter Strebe-
gliederung, das Schmuckwerk nur reliefartig, zumeist nur in der
Weise eines Leistenmaasswerkes anfügt. Dies Gepräge tragen
manche Gebäude in Köln. So der dortige, von 1407—14 ausgeführte Rathhausthurm, der auf allen Seiten seiner fünf
Geschosse reich geschmückt ist, doch völlig in dem ebenbezeich-
neten Charakter und ohne dass der letztere, in der ursprünglichen
Erscheinung des Thurmes, durch die zierlich leichte Ausstattung
von Fialen über seinen oberen Ecken und die entsprechend
schmuckreiche Bekrönung des Helmdaches aufgehoben ward.[3]
So die Façade des Hauses Gürzenich,[4] 1441—74, in einem
schlichteren, mehr nüchternen Leistencharakter, oberwärts durch
Zinnen und zierliche Erkerthürmchen ausgezeichnet. Aehnlich
manche Privathäuser zu Köln. Aehnlich auch die Rathhäuser zu
Wesel, Rees, Calcar, — sowie das von Gerard Chorus, dem
Erbauer des Münsterchores, ausgeführte Rathhaus zu Aachen,
in seiner ursprünglichen Verfassung.[5] Zu besonders zierlichen
Dekorationen erscheinen dieselben Motive an dem Schöffengerichts-
hause von Koblenz,[6] vom J. 1530 durchgebildet, besonders
an dem schmuckreichen Erker, den dieses Gebäude der Mosel
zuwendet. U. s. w.

---

[1] Abbildung der drei letztgenannten Tabernakel bei Schimmel, Westphalens
Denkmäler. Dieselben und die folgenden zugleich bei E. aus'm Weerth, Kunst-
denkmäler d. christl. Mittelalters in den Rheinlanden, I. — [2] Chr. W. Schmidt,
Baudenkmale in Trier etc., III, 8. — [3] Darstellungen des Thurms in dieser
seiner früheren Beschaffenheit auf der von Anton von Worms in Holz geschnit-
tenen und auf der von Wenzel Hollar in Kupfer gestochenen Ansicht von
Köln. (Eine Copie des Thurms aus dem grossen Holzschnitt in der Schrift
von Sotzmann über diesen.) — [4] Kallenbach, T. 66 (1). — [5] S. die Darstellung
desselben bei M. Merian, Topographia Westphaliae. — [6] Lithogr. Blatt von
A. F. v. Minutoli.

Hessen und Westphalen.

In Hessen blieb, wie es scheint, das dort so eigenthümlich ausgeprägte System der Hallenkirchen auch für die spätere Zeit maassgebend. Die Marienkirche (lutherische Pfarrkirche) zu Marburg [1] lässt eine bestimmte Nachbildung des Systems der dortigen Elisabethkirche, nur mit weiterer Räumlichkeit (geringerer Pfeilerhöhe bei grösserer Jochbreite) erkennen; der Chor, etwas später, mit nach innen vortretenden Streben von eigenthümlicher Anordnung. — Die Franciskanerkirche (protestantische Kirche) zu Fritzlar [2] ist ein rohes Beispiel der Spätzeit, nur mit einem Seitenschiffe. — Die Martinskirche zu Cassel, [3] 1364 begonnen und 1434 vollendet, ist ein Hallenbau von ansprechenden Verhältnissen, mit lebhafter gegliederten Pfeilern, in deren Profilirung sich frühes und spätes Element auf eigne Weise mischt; im Aeussern schlicht, auf zwei Thürme berechnet, von denen aber nur der eine, mit Obertheilen aus späteren Epochen, zur Ausführung gekommen.

Profil der Schiffpfeiler in der Martinskirche zu Cassel. (F. K.)

Eine besondre Gruppe von Monumenten findet sich im Waldeck'schen. Die Kilianskirche zu Korbach [4] wird als deren vorzüglichst charakteristisches Beispiel bezeichnet. Sie hat, ähnlich der Frauenkirche zu Nürnberg, ein fast quadratisches, 87 1/3 Fuss breites und 75 Fuss tiefes Schiff, mit vier schlanken Rundsäulen im Innern, mit ostwärts hinaustretendem Chore und westwärts vorgelegtem Thurme. Das Innere, 53 F. hoch, hat in den

[1] F. Kugler, Kl. Schriften, II, S. 164. — [2] Ebenda, S. 161. — [3] Ebenda, S. 155. Lange, Originalansichten. — [4] Berliner Zeitschrift für Bauwesen, 1856, Sp. 495; Bl. 60.

räumlichen Verhältnissen und in der Behandlung der Details das Gepräge eines schlichten Adels. Nach vorhandenen Daten scheint der Chor 1335, das Schiff 1420 begonnen und 1450 beendet.

Anderweit sind die Baulichkeiten der Stadt Büdingen, nördlich von Gelnhausen, für die gothische Schlussepoche von Interesse. Namentlich das dortige Jerusalemer Thor,[1] mit zwei mächtigen Rundthürmen, die auf sehr eigne Weise mit Kuppeln eingewölbt und, gleich dem Zwischenbau des Thores selbst, mit stattlichen Gallerieen eines Reliefmaasswerkes von geschweifter Bildung gekrönt sind. Daran das Datum 1543, dem auch die Gliederung des Thores entspricht.

Umfassendere Mittheilungen über die spätgothische Architektur von Hessen liegen bis jetzt nicht vor.

An Werken dekorativer Kunst ist ein Tabernakel von der üblichen Behandlung der Spätzeit in der Stiftskirche zu Fritzlar[2] anzuführen.

Die Architektur Westphalens,[3] seit der zweiten Hälfte des 14. Jahrhunderts, folgt der früher eingeschlagenen Richtung. Es ist derselbe Hallenbau, nur, abgesehen von den bezeichnenden Spätformen des Details, vorherrschend, ebenfalls in einer ernüchterten und trockneren Behandlung. Doch wird gleichzeitig dem dekorativen Princip der Spätzeit, in verschiedener, zum Theil sehr bemerkenswerther Weise, Rechnung getragen.

Ein eigenthümlich werthvolles, schmuckreich behandeltes Mittelglied zwischen der früheren und der späteren Gothik Westphalens ist die Lambertikirche zu Münster.[4] Ihre Bauzeit fällt in die Schlussepoche des 14. und in die ersten Decennien des 15. Jahrhunderts. Ihr Inneres, schlank und licht, hat Rundpfeiler mit je vier Diensten und Blattkapitälen, denen sich ein mittleres Paar dienstloser Rundpfeiler von stärkerem Durchmesser einreiht, und leicht gemusterte Netz- und Sternwölbungen, mit der eignen, auf perspectivisch malerische Wirkung berechneten Anordnung, dass die Jochbreiten sich nach dem Chore zu verringern. Die innere Gesammtbreite des Schiffbaues ist 78½ F., die Mittelschiffbreite (in den Pfeileraxen) 34 F., die Jochbreiten 27, 25, 20 F. Der Chor, in der Breite des Mittelschiffes hinaustretend, schliesst in fünfseitigem Polygon, während am Ende des südlichen Seitenschiffes ein Nebenchor in diagonaler Lage stark über die Seitenflucht des Gebäudes vortritt. Das Fenstermaasswerk hat geschweifte Formen, aber von reizvollster, vorzüglichst

---

[1] Gladbach, Denkmäler, T 49, ff. — [2] F. Kugler, Kl. Schriften, II, 159. — [3] Lübke, die mittelalterl. Kunst in Westphalen. — [4] Ueber diese Kirche und die folgenden Monumente von Münster sind zu Lübke einige Blätter bei Schimmel, Westphalens Denkmäler, und bei Lange, Originalansichten, X, zu vergleichen.

ähnlich anmuthvolle und reiche Verwendung der Spätformen. Es gehören dahin: der Chor der Ludgerikirche, der, auf·eine volle und gesammelte Lichtwirkung berechnet, in rotundenartiger Ausweitung mit sieben Seiten eines Zehnecks schliesst und dessen Fenstermaasswerke denen der Lambertikirche ähnlich gebildet sind, und die zierlich luftigen Obergeschosse des Ludgerithurms; — das Obergeschoss des Thurmes der Liebfrauenkirche; — die jüngeren Theile im Aussenbau des Domes, namentlich der zwischen den Thürmen der Westfaçade vortretende Mittelbau, mit ungemein prachtvollem Portale und Fenster, deren Verhältniss und Ausstattung wiederum dem Princip der Lambertikirche folgt, nur in noch reicherer Verwendung, und mit ebenso reicher, von Fialen durchbrochener Brüstung der Dachschräge; auch der ähnlich glänzende Südgiebel des östlichen Kreuzarmes, der, ein Zeugniss für die lange Dauer der gothischen Formen, das Datum 1568 trägt; — die jüngeren Theile der Rathhaus-Façade, u. s. w.

Dann ist die Marienkirche zur Wiese in Soest anzuführen, ein Hallenbau von ansehnlichen Dimensionen bei beschränktem Längenverhältniss, der Anordnung jener Kirchen [1] mit fast quadratischem, durch eine Stellung von vier Pfeilern ausgefülltem

[1] Der Frauenkirche in Nürnberg und der Kilianskirche in Korbach.

Schiffraume einigermaassen entsprechend, doch mit dreifachem Chor
auf der Ostseite, und zugleich durch eine dreitheilige Thurmhalle, mit sehr starken Thurmpfeilern, westwärts verlängert; das
Innere im Ganzen 150 Fuss lang und 80 F. breit, bei 35 F. Mittel-
schiff- und Jochbreite (in den Pfeileraxen) und 76 F. Höhe. Die
Gründung hatte, inschriftlicher Angabe zufolge, schon im Jahr
1331, durch Meister Johannes Schendeler, stattgefunden;
der Bau war aber so langsam vorgerückt, dass die Thürme,
gleichfalls nach inschriftlichem Datum, erst seit 1429 zur Ausführung kamen.. Es ist somit ein ähnliches Uebergangsverhältniss wie bei der Lambertikirche von Münster. Die Choranlage
zeichnet sich dadurch aus, dass der Mittelchor wiederum durch
7 Seiten eines Zehnecks gebildet wird, während die kleineren
Seitenchöre aus 5 Seiten eines Zehnecks bestehen, (also eine Gesammtcomposition, die zunächst, wie es scheint, an das Vorbild
des Chores der Petrikirche von Soest, S. 245, anknüpft.) Die

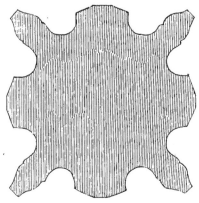

Profil der Schiffpfeiler in der Wiesenkirche zu
Soest. (Nach Lübke.)

Formation des Innern hat das
in der westphälischen Gothik
ganz ungewöhnliche Princip
einer nach dem Systeme der
Bögen und Gurte durchgeführten und in die letzteren unmittelbar übergehenden Gliederung der Pfeiler, mit mehrfach abgeschrägten Ecken, tiefen Kehlungen und stark vorspringenden Birnstäben. Es
ist in der Weise dieser Profilirung eine augenscheinliche
Berechnung auf spielende Licht-
und Schattenwirkung, die sich
auch in der Chordisposition,
in der Behandlung der luftig
schlanken Fenster zeigt. Die
Maasswerke der letzteren haben im Chore noch ein trockener
strenges Gefüge, im Schiff bunte geschweifte Formen; ihre dünnen Stäbe sind in halber Höhe durch ein horizontales Maass-
werkband zierlich gefestigt. Es ist ferner als eine Abweichung
von dem sonst üblichen Verfahren der westphälischen Gothik
anzumerken, dass der Westbau auf zwei Thürme (von denen
aber nur die Untertheile zur Ausführung gekommen) angelegt
war. Das zierliche Südportal, [1] das sich, wie bei der Lambertikirche von Münster, der Fenster-Architektur unterschiebt, ist in
seinen oberen Theilen (gleich dem Westportal der Liebfrauenkirche
zu Münster, S. 249 u. f.) mit einem Fenstermaasswerk ausgefüllt.

[1] Ansicht bei Lange, a. a. O., VIII.

Kugler, Geschichte der Baukunst. III.   49

Der Chor der **Reinoldikirche** zu **Dortmund**, 1421—50 durch einen Meister **Rozien** oder **Rozier** (Rogier?) erbaut, zeigt verwandtes Element. Er ist einschiffig, mit dreiseitigem Schlusse; die Dienstbündel im Profil der Gewölbgurte und unmittelbar in diese übergehend; die hohen und breiten Fenster des Chorschlusses mit geschweiftem Maasswerk von glänzender Composition, ihre Stäbe zweimal durch horizontale Maasswerkbänder verbunden. — Aehnlicher Zeit und Geschmacksrichtung gehört auch der ansehnliche, seit 1396 erbaute Thurm der **Petrikirche** von **Dortmund** an.

Einige Chöre der in Rede stehenden Epoche, dreiseitig schliessend, sind von breitem, gleichfalls dreiseitigem Umgange umgeben, wobei das Verhältniss der innern zu den äussern Seiten sich in verschiedener Weise löst. Zu ihnen gehört, als früheres Beispiel, der Chor der Katharinenkirche von **Unna** (1389 bis 1396), mit schlanken dienstbesetzten Rundpfeilern, während die Aussenwände des Umganges je ein breites Fenster haben. Das Schiff, das etwas älter zu sein scheint, hat schlichte Rundpfeiler. — Sodann der Chor der Marienkirche von **Osnabrück** (erstes Viertel des 15. Jahrhunderts), mit schlichten Rundpfeilern und je zwei Fenstern in den Aussenwänden des Umganges, womit man ein mehr übereinstimmendes Verhältniss zu den innern Arkaden und eine leichtere Entwickelung der Reihungen des Gewölbes herzustellen suchte. Zu bemerken ist jedoch, dass hier der Umgang niedrig gehalten und der Mittelraum, von dem Hallensystem abweichend, als Hochbau mit selbständigen Fenstern emporgeführt ist; auch dass das gegenwärtig schmucklose Aeussere ursprünglich mit reichster dekorativer Ausstattung, dem bei solcher Anlage üblichen (und hier ohne Zweifel auf auswärtigem Einflusse beruhenden) Strebesysteme entsprechend, versehen war. — Ein dritter Chor ist der der grossen **Marienkirche** zu **Lippstadt** (1478—1506), von derselben Disposition wie der ebengenannte, doch wiederum von gleicher Höhe des Umganges mit dem Mittelraume.

Der Kirche von Unna reihen sich einfache Hallenkirchen in grösserer Folge an. Zunächst, durchgängig mit einfachen Rundpfeilern, verschiedene münsterländische Kirchen: die von **Beckum** (mit früherem Chore, die Schifffenster mit ähnlich schönem Maasswerk wie das der Lambertikirche zu Münster), die Marien- und die Bartholomäuskirche von **Ahlen**, die Pfarrkirche von **Borken**, die von **Woltrop**, die roheren von **Haltern** und von **Lünen**; ebenso die nach 1460 gebaute Kirche von **Blomberg** bei Detmold. — Bei einigen sind die Seitenschiffe etwas niedriger als das Mittelschiff, doch ohne zur Anlage von Oberfenstern Raum zu gewähren. Bei der Kirche von **Rheine**, einem Gebäude von ansehnlicher Länge mit zierlich schlanken Rundpfeilern, bei der von **Stadtlohn**, einem Ziegelbau (mit Hausteindetails), bei der ähnlichen Kirche von Ahaus ist nur eins der Seitenschiffe niedriger. Vollständige Durchbildung des Systems zeigt die Kirche von Bochold,[1] deren Chor 1415 und deren Westthurm 1472 angefangen wurde, mit runden Schiffpfeilern, deren Vorderstück an der Oberwand aufsteigt und über einem Laubkapitäle die Gewölbgurte aufnimmt, während aus ihren Seiten die Scheidbögen frei vortreten und nur der mittlere Theil des Profils der letztern am Pfeiler hinabläuft. Minder bedeutende Beispiele sind die Kirchen von Ramsdorf, Senden, Dülmen, verbaute und verschiedenzeitige die von Liesborn und Geseke. — Andre, wiederum mit gleich hohen Schiffen, haben achteckige Pfeiler. Hiezu gehören einige Gebäude im Wesergebiet: die Kirche von Mölleubeck bei Rinteln, mit dem Datum 1493, ein Bau von hohen und lichten Verhältnissen, bemerkenswerth zugleich durch eine, wie es scheint, gleichzeitige Krypta mit achteckigen Säulen und einem Complex zugehöriger Klosterbaulichkeiten, und die minder bedeutenden Kirchen von Oldendorf und Obernkirchen. Sodann im Paderborn'schen: der stattliche Schiffbau der Kirche von Wiedenbrück; die Kirchen von Bustorf, Enger, Gütersloh und die wenig bedeutenden von Rietberg und Dringenberg, sämmtlich mit älteren romanischen Theilen oder der Umbildung von solchen.

Einige Monumente, die aus den letzten Decennien des 15. und dem Anfange des 16. Jahrhunderts herrühren, zeichnen sich durch ein schlankes und zugleich gestrecktes Verhältniss der innern Räumlichkeit und durch reichgemusterte Wölbungen, welche von hohen und schlichten Rundpfeilern getragen werden, aus. Die bedeutenderen finden sich im Münsterlande. Als solche sind anzuführen: die Pfarrkirche zu Vreden, in ihrer östlichen Hälfte etwas älter als in der westlichen, die das Datum 1478 trägt; — die Lambertikirche zu Koesfeld vom Jahr 1483, als Umbau und Erweiterung einer spätromanischen Anlage, von der im westlichen Theile noch die Reste; — die kleine Kirche von Everswinkel bei Münster; — die im J. 1489 begonnene Kirche von Notteln, ein Bau von besonders edlen und glücklichen Verhältnissen, mit vorwiegender Längenwirkung des Innern und durch zierliche Netz- und Sternmuster der Wölbungen ausgezeichnet, 65 1/2 Fuss im Innern breit bei 31 F. Mittelschiffbreite (in den Pfeileraxen), 17 1/2 F. Jochbreite und Seitenschiffbreite und 146 F. Länge mit Ausschluss des noch aus der Uebergangsepoche herrührenden Thurmes, der vor der Mitte der Westseite vortritt; — die Kirche von Lüdinghausen, 1507—15 erbaut, der vorigen ähnlich, doch wiederum mit grösseren Jochbreiten und mehr nüchterner Detailbehandlung, bemerkenswerth durch die Seitenchöre, die in diagonaler Lage, aber nicht über die

---

[1] Einige Blätter bei Schimmel.

Seitenschiffwände hinaustretend (und, eigentlich nur, ebenfalls in einer Bewährung nüchternen Sinnes, durch einen Abschnitt der Nordost- und Südostecke) gebildet sind; mit einem, von starken Innenpfeilern getragenen, 1558 vollendeten Westthurme; — die Kirche zu Ascheberg, von ähnlicher Anlage, mit dem Datum 1524; — die rohere Kirche von Datteln.

Die hieher gehörigen Kirchen ausserhalb des Münsterlandes sind weniger bedeutend. Zu nennen sind: die katholische Kirche zu Bochum; — die (katholische) Klosterkirche zu Hamm, 1510—12, erheblich lang und nur mit einem schmalen Seitenschiffe, im grossen Westfenster mit einer eignen Combination strenger und geschweifter Maasswerkformen; die obere Stadtkirche zu Iserlohn und die Kirche zu Schwerte, Beides Conglomerate aus verschiedenen Epochen.

Endlich ist eine Anzahl einschiffiger Kirchen zu erwähnen, bei denen sich, im Gegensatz gegen die früheren Bauten der Art, das ernüchterte Princip der Zeit darin ausspricht, dass die Gewölbgurte nicht mehr von Diensten, sondern zumeist nur von Consolen getragen werden: — die vor 1400 gebaute katholische Kirche zu Hörde bei Dortmund; die zierlich behandelten Kirchen von Falkenhagen im Detmold'schen, Benninghausen bei Lippstadt, Herzebroch; die von Burlo, von Albachten, und die Kapelle neben dem Dome zu Münster, welche den Namen des alten Domes führt; die Ziegelkirchen von Wedderen und von Borken, die letztere 1401 gegründet und durch zierliche Durchbildung des Ziegelbaues bemerkenswerth.

Die dekorative Lust der gothischen Spätzeit, die an den Gebäuden selbst und vornehmlich an dem Aeussern derselben nur in geringem Maasse, nur ausnahmsweise zur Erscheinung kam,[1] entfaltete sich um so reicher und lustiger an den eigentlichen Schmuckarchitekturen, welche die Ausstattung des Inneren erforderte. In der That besitzt Westphalen an Werken der Art, an einfacheren und an Beispielen zierlichst kunstvoller Durchbildung, eine Fülle, wie kein andres der deutschen Länder. Es ist eine kleine Kunstwelt für sich, in welcher die gothische Unermüdlichkeit im Hervorgehenlassen von Form aus Form, die mit dem beharrenden Ernste des eigentlichen Architekturwerkes doch

---

[1] Lübke hat, S. 301, f., sehr richtig nachgewiesen, von wie bedeutendem Einflusse hierauf die Beschaffenheit des Materials, eines besonders weichen Sandsteins, sein musste. Gleichwohl ist zu bemerken, dass davon doch die Formenleerheit in der inneren Architektur auf keine Weise bedingt sein konnte, dass diese sich auch anderweit im ausgedehntesten Maasse findet und dass somit jene Erscheinung mindestens ebensosehr auf die allgemeine geistige Stimmung der Zeit und des Lokales zurückzuführen sein wird.

nicht ganz in Einklang steht, ihre eigentliche Befriedigung sucht
und findet.

Besonders an Tabernakeln, für die Monstranz oder Reliquien, und an tabernakelartigen Wandschreinen ist eine fast
übergrosse Menge vorhanden; wobei es bezeichnend erscheint,
dass doch nur Weniges aus dem 14. Jahrhundert, und etwa nur
eins, ein noch schlichtes Werk in der Kirche von Cappenberg,
aus dem Anfange desselben herrührt. Die höchst überwiegende
Mehrzahl gehört dem 15. und dem Anfange des 16. Jahrhunderts an. Soest hat eine ganze Reihenfolge: ein höchst prachtvolles in der Paulskirche; ein ähnliches, zwei geringere und einen
Wandschrein in der Wiesenkirche; eins in der Höhenkirche.
Dortmund hat wiederum eins der prachtvollsten in der Dominikanerkirche, zwei in der Reinoldi-, eins in der Marienkirche.
Osnabrück hat in der Johanniskirche ein Tabernakel von wundersam harmonischer Durchbildung, ein andres im Dome. Dann
sind die in den Kirchen zu Unna, Castrop, Aplerbeck,
Borken, Dülmen, Havixbeck, Sünnighausen, Marienfeld, Wiedenbrück, Lippstadt, Lemgo, Loccum, Wun-
storf u. s. w. zu nennen. Bunte Spätformen zeigen die in der
Grossen Marienkirche zu Lippstadt, in der Stiftskirche
Bustorf zu Paderborn, in den Kirchen von Nieheim, Steinheim, Schildesche, in der Bergkirche von Herford, in der
Bartholomäuskirche von Ahlen, mit der Jahrz. 1512; spielende,
mehr oder weniger barocke Formen des 16. Jahrhunderts, die in
den Kirchen von Bochum, Recklinghausen, Datteln, Lüdinghausen, Senden; üppigen Glanz, schon mit der Ein-
·mischung moderner Elemente, die im Dome von Münster, in
den Kirchen von Everswinkel, Warendorf, Freckenhorst,
u. s. w., u. s. w.

Auch Altäre, in der Kirche zu Unna, in der Wiesenkirche
zu Soest, dem Dome von Paderborn, der Bergkirche von
Herford, sind mit ähnlicher Tabernakelkrönung versehen.

Ebenso glänzende Ausstattung an den Chorschranken, wie
an denen der Kirche von Marienfeld, und am Lettner-
bau, davon aber nur ein Beispiel, doch eins der glänzendsten
und edelsten, in dem sogenannten Apostelgange des Domes
von Münster[1] vorhanden zu sein scheint; ein Werk, das sich
nach der Innenseite des Chores fast wie eine dekorative Schloss-
façade gestaltet, mit zierlicher Zinnenkrönung und mit reizvollen
Treppenthürmchen auf den Ecken, während die Schiffseite eine
rundbogige Pfeilerhalle bildet, die an Pfeilern, Bogensäumungen,
Krönungen mit feinster Gliederung und mit der reichsten Fülle
schmückender, harmonisch vertheilter Zuthat versehen ist.

---

[1] Einige Blätter bei Schimmel, a. a. O., und bei Lange, a. a. O.

Für den Profanbau kommen ein Paar, in kräftiger Massenwirkung gehaltene Rathhausfaçaden in Betracht, vie die zu O s-
nabrück, mit Erkerthürmchen und die trefflich geordnete zu
Unna, mit der Jahrzahl 1489. — An Façaden von Wohnhäu-
seru hat besonders Münster stattliche, zumeist schon dem 16.
Jahrhundert zugehörige Beispiele, welche nach dem Vorbilde der
dortigen Rathhausfaçade mehr oder weniger frei, zum Theil mit
der Einmischung von Renaissance-Elementen, angeordnet sind.
Andre zu Lemgo, Herford, u. s. w. — Als ein ansehnliches
Beispiel städtischer Thor- und Thurmbauten ist das Osthofer-
Thor zu Soest, mit zierlichen Erkern und mit der Jahrzahl
1535, hervorzuheben.

<hr>

Die sächsischen Lande.

Die spätgothischen Monumente der sächsischen Lande ordnen
sieh nach den Districten in verschiedene Gruppen.

In Niedersachsen kommen zunächst die Monumente von
Braunschweig [1] in Betracht.

Einige kirchliche Gebäude stehen im Uebergange zwischen
früherer und späterer Richtung, namentlich die Pauliner- (Do-
minikaner-) Kirche und die Brüdern- (Franciskaner-) Kirche.
Beide haben, abweichend von dem Hallensystem, welches sich in
Braunschweig schon in der ersten Periode der Gothik in so ein-
dringlicher Weise geltend gemacht hatte (S. 256), den (im Chore
fortgesetzten) Hochbau mit niederen Seitenschiffen, d. h. diejenige
Anlage, welche bei den Kirchen der bezeichneten Orden her-
kömmlich war und erst spät anderen Dispositionen wich. Bei
beiden sind die Schiffpfeiler einfach achteckig, in der Paulinerkirche mit Laubkapitälen, in der Brüdernkirche mit schlichten
Deckgesimsen versehen. Für jene wird das Jahr 1343 als das
der Einweihung angegeben; vielleicht bezeichnet dasselbe aber
nur die Chorweihe; wenigstens kommen in den Scitenschiff fenstern
Maasswerkbildungen von geschweifter Form, die auf eine spätere
Zeit zu deuten scheinen, vor. Von der Brüdernkirche wird ausdrücklich berichtet, dass ihr Chor 1345 geweiht, dagegen das
Schiff erst von 1375 bis 1449 erbaut worden sei. (Die Paulinerkirche, etwas kleiner als die andere, dient gegenwärtig als Zeug-
haus). — Die Petrikirche, von mehrfachen Bränden heimge-
sucht und verschiedenen Epochen angehörig, hat ebenfalls achteckige Schiffpfeiler.

Neben diesen Neubauten schritt die Umvandelung und schmuckvollere Ausstattung der älteren braunschweigischen Kirchen fort.
Hierauf ist schon früher hingedeutet. Das Glockenhaus am

<hr>

[1] Schiller, die mittelalterl. Architektur Braunschweigs. Mehrere Blätter in
Lange's Original-Ansichten der Städte von Deutschland.

Façadenbau der Andreaskirche,[1] der Zeit um den Schluss
des 14. Jahrhunderts angehörig, zeigt in seinen grossen Fenstern
Prachtbeispiele von complicirten, zum Theil geschweiften Maasswerkformen; der zierliche Oberbau des Südthurmes neben diesem
Glockenhause wurde erst seit 1518 durch Barward Tafel-
maker erbaut. — Die Martinikirche empfing glänzende
Schmucktheile in dem Bau der Annakapelle, 1434, und in den
östlichen Seitenschifftheilen und dem Chorschlusse, die, der zweiten Hälfte des 15. Jahrhunderts angehörig, ausserhalb rings mit
hohen Dachgiebeln umkränzt und in den Flächen der Giebel mit
zum Theil barock spielendem Reliefmaasswerk ausgefüllt sind. —
Die Chorschlüsse der Katharinen- und der Magnikirche
fallen in dieselbe Epoche. — Besonders eigenthümlich und bemerkenswerth sind die Umwandlungen des Domes, dessen Anlage, mit verdoppelten Seitenschiffen, in eine fünfschiffige umgestaltet wurde. Doch hat die Veränderung des südlichen Seitenschiffes, mit dem Datum 1346, ein geringeres Interesse, indem
hier die vorhandene Aussenmauer einfach durchbrochen und die
anderweit nöthige Einrichtung ohne erheblichen künstlerischen
Aufwand hinzugefügt wurde. Anders der Umbau des nördlichen
Seitenschiffes,[2] mit dem Datum 1469. Hier wurde als selbständiger Neubau eine Doppelhalle angelegt, mit einer Flucht von
Rundsäulen in der Mitte, wie dergleichen auch sonst vorkommt,
aber zugleich in sehr eigner Ausstattung: die Rundsäulen mit je
vier Diensten, welche sich spiralisch um den Schaft winden;
darüber ein zierliches Netzgewölbe; die Fenster ganz flach eingewölbt, dem englischen Tudorbogen ähnlich, und statt der Bogen-
krümmung des letzteren mit fast scharf eckigem Bruch, während
die Verstabung nur bei ein Paar Fenstern in bunte Maasswerkmuster, bei den übrigen in die einfachsten Verbindungsbögen
ausgeht. Wie die dem Tudorbogen ähnliche Formen, so scheint
auch jene Umschlingung der Säulenschafte mit Spiraldiensten
(die von den gewundenen Säulenschaften spätromanisch deutscher
und anderer Architektur wesentlich verschieden ist) auf englischen
Einfluss zu deuten.

Dann ist zu Braunschweig ein vorzüglich ausgezeichneter
Profanbau anzuführen: das Altstadtrathhaus,[3] welches zur
Seite der Martinikirche belegen ist und mit dieser einen Theil
des Altstadtmarktes umschliesst. Es ist verschiedenzeitiger Bau,
seine Ausstattung im Wesentlichen der Epoche um 1400 und
späterer Zeit des 15. Jahrhunderts angehörig. Es sind zwei im
rechten Winkel zusammenstossende Flügel, vor deren inneren
(dem Markte zugewandten) Seiten zweigeschossige Arkaden hinlaufen: die untern schlicht; die obern hoch, in der Weise von

---

[1] Kallenbach, Chronologie, T. 72 (3). — [2] Vgl. Kallenbach, a. a. O., T. 73
(1, 2). — [3] Kallenbach, T. 49. Verdier, architecture civile et domestique au
moy. âge.

Kirchenfenstern geordnet, mit Maasswerkfüllungen, die aber von einem eingespannten Halbkreisbogen aufgefangen werden, mit ansehnlichen Wimbergen und mit einem Schmuck von Statuentabernakeln an den dazwischen geordneten Strebepfeilern. Wie die Halbkreisform jener Bögen, welche die Unterhälfte der obern Arkaden geöffnet hatten, so sind, eigenthümlicher Weise, auch in den darüber befindlichen Maasswerkfüllungen (wenigstens im ältern Theile des Baues) halbkreisrunde Verbindungen angebracht. Merkwürdiger als diese Besonderheit ist aber die ganze stattliche Anlage an sich und noch mehr das augenscheinlich wohl überdachte Wechselverhältniss zwischen ihr und der Ausstattung der gegenüberstehenden Kirchentheile, was hier eine bauliche Gruppirung, eine Totalwirkung derselben hervorbringt, die im Mittelalter selten genug und hiemit doppelt anerkennenswerth ist.

Als einfachere, doch ebenfalls bemerkenswerthe Profanbauten vom Schlusse des Mittelalters sind daneben das Rathhaus zu Goslar und das dortige Gebäude der „Worth," beide gleichfalls mit Arkaden, mit Statuen- und Giebelschmuck, zu nennen. [1]

Der Fortführung der Bauten an den Domen von Magdeburg und von Halberstadt bis zur Schlussepoche des Mittelalters, ihrer für die Spätzeit charakteristischen Theile ist ebenfalls bereits (S. 258, ff.) gedacht. Es ist daran zu erinnern, dass namentlich der Oberbau der Façade des Magdeburger Domes, mit dem Datum 1520 am Nordthurme und mit dem, in bunt spielenden Leisten- und Maasswerkformen reich geschmückten Glockenhause, hieher gehört. Im Halberstädter Dome machen sich u. A. die grossen Fenster in den Giebelseiten des Querschiffes durch glänzendes Maasswerk von geschweifter Formation als bezeichnende Beispiele der Spätzeit bemerklich, während die Ausführung der Thürme der Westfaçade, in einer rohen Nachahmung der Uebergangsmotive des Unterbaues (Thl. II, S. 415), tief in das 16. Jahrhundert hinabreicht, wie dies aus dem Datum 1574 an dem südlichen Thurme erhellt. — Beide Dome sind im Innern zugleich mit Lettnern, reich dekorativ im Style der Spätzeit, ausgestattet; der Magdeburger Lettner mit dem Datum 1458. der Halberstädter mit dem Datum 1510.

Die andern spätgothischen Kirchen beider Orte folgen vorherrschend, wenn nicht durchgehend, wiederum dem Hallensystem. In Halberstadt [2] ist die Martinikirche vorzüglich bedeutend, zwischen den Thürmen mit zierlichem Glockenhause, das in der Weise der braunschweigischen Glockenhäuser behandelt ist; anderweit im Maasswerk, namentlich dem der Fenster, mit Mustern, welche seltsam, jedenfalls die Schlusszeit des Styles bezeichnend, aus rechtwinklig gebrochenen Stäben gebildet sind. [3]

[1] Büsching, Reise durch einige Münster des nördl. Deutschlands, S. 271, f. — [2] Büsching, S. 265, ff. Lucanus, Wegweiser durch Halberstadt. — [3] Kallenbach, a. a. O., T. 66 (6, 7).

Ausserdem sind an dortigen Kirchen die Andreaskirche (1399) und die Katharinenkirche, jene weiland einem Franciskanerkloster, diese einem Dominikanerkloster zugehörig, zu nennen. — Magdeburg [1] hat in dem Schiff der Sebastianskirche einen Hallenbau von wundersamer Zierlichkeit: Pfeiler von runder, viereckiger oder achteckiger Grundform, die letzteren mit tief ausgekehlten Flächen, an deren Ecken oder Mitten feinprofilirte Dienste, schlicht oder in schraubenförmiger Drehung, emporstei-

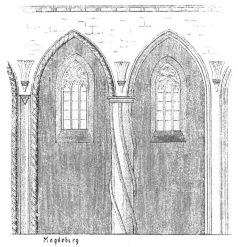

Sebastianskirche zu Magdeburg. Inneres System des Schiffes. (Nach v. Quast.)

gen, an den eckigen Pfeilern in die Scheidbögen durchlaufend, an den Rundpfeilern, die sie in Spirallinien umschlingen, durch Deckgesimse abgeschlossen. Es ist eine Behandlung, die mehr den Systemen des Ziegelbaues eignet und die Nachbarschaft des letzteren ankündigt. Rippenansätze über Consolen deuten auf die Absicht einer Gewölbdecke; im Chore ist eine solche, bei gleichen Ansätzen, trefflich aus Holz ausgeführt. Die übrigen Kirchen von Magdeburg, die Augustinerkirche, die Ulrichskirche, Peterskirche, Jakobikirche, Katharinenkirche, heil. Geistkirche zeigen im Schiffbau spätgothische Aussenarchitektur (die der Augustinerkirche, 1366 geweiht, noch von reineren Formen), während das Innere, mit viereckigen Pfeilern, durchgängig einer Herstellung nach dem Verderben der Stadt im dreissigjährigen Kriege angehört. An der Peterskirche und der Jakobikirche sind Vorhallen im Ziegelbau, nach der

[1] v. Quast, in der Zeitschrift für christl. Archäologie und Kunst, I, S. 250.

Weise der ostwärts belegenen Lande, anzumerken. Unter mehreren
Kapellen ist die St. Gangolphskapelle, ehemals die erzbischöfliche Hauskapelle, durch ein kunstvoll spätgothisches Gewölbe
mit reichsten, zum Theil frei hervortretenden Rippenverschlingungen ausgezeichnet. (Sie dient gegenwärtig als Registratur der
k. Regierung.)

Ueber die spätgothischen Kirchen andrer Orte Niedersachsens
(mit Ausschluss derer, welche den Kreisen des Ziegelbaues angehören), fehlt es an aller genügenden Vorlage. Nur das Schiff
der Kirche zu Nikolausberg bei Göttingen [1] ist noch als
Beispiel schlichten Hallenbaues mit gegliederten Pfeilern, aus
dem 15. Jahrhundert herrührend, anzuführen. —

Eigenthümlichstes Interesse gewährt der Häuserbau der
niedersächsischen Districte, namentlich in den Vorlanden des Harzes. Es ist ein Fachwerkbau, — ein Holzgerüst mit leichten
Steinfüllungen, jedes obere Geschoss zumeist über das untere ein
wenig vortretend und seine Schwelle von dem Pfosten- und Balkenwerk des unteren consolenartig gestützt. Das einfache System
hat hier zu einer reich ausgebildeten Schnitzkunst Anlass gegeben, indem jene vorspringenden Schwellen von Stütze zu Stütze
an ihren Ecken mannigfach ausgekehlt, die consolenartigen Vorsprünge eben so reich gegliedert, beide Theile und andre Holz-
stücke des Baues auch sonst mit ornamentistischen und bildnerischen Darstellungen erfüllt wurden. Die Erscheinung derartiger
Baulichkeiten ist oft von grösstem malerischem Reize, den auch
die nächstfolgende Renaissance-Epoche klug auszubeuten wusste.
Halberstadt und andre Orte in der Nähe des Harzes haben
mannigfache Beispiele der Art. Auch in Magdeburg ist einiges Bemerkenswerthe erhalten. [2]

In Thüringen sind zwei eigenthümlich behandelte Hallenbauten an Kirchen von Erfurt hervorzuheben, beide, wie es
scheint, in den letzten Decennien des 15. Jahrhunderts ausgeführt, nach einem Brande, welcher die Stadt im Jahr 1472 verwüstet hatte. Der eine ist der Schiffbau des Domes, [3] von nicht
ganz regelmässiger (wohl durch Lokalverhältnisse bedingter) Anlage, auffällig durch eine Breite der Seitenschiffe, welche die des
Mittelschiffes übersteigt, von freier, offner Raumentwickelung, die
durch dieses Verhältniss nicht beeinträchtigt wird. Die Pfeiler
sind achteckig, mit starken Diensten auf den Ecken und zumeist
mit ebenso starken Einkehlungen zwischen diesen, eine kraftvolle

---

[1] Die mittelalterl. Baudenkmäler Niedersachsens, herausgegeben von dem
Architecten-Verein für d. Königr. Hannover, Heft II, Sp. 65, Bl. 16. — [2] Vergl.
Kallenbach, a. a O., T. 81, f. — [3] Puttrich, Denkm. d. Bauk. in Sachsen, II,
Ser. Erfurt. F. Kugler, Kl. Schriften, II, S. 27. Kallenbach, T. 74 (e, e).

Gliederung, die in gutem Einklange mit jenen räumlichen Maassverhältnissen steht, wenn es im Uebrigen auch an innigerer organischer Durchbildung fehlt. — Das andre Beispiel ist der Schiffbau der St. Severikirche, [1] ein fünfschiffiges Werk mit breiterem Mittelschiff und gleichmässig schmaleren Seitenschiffen. Hier

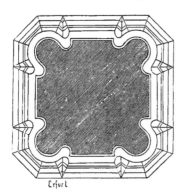

haben die Pfeiler eine ganz eigne,
aus viereckigem Kerne gebildete
Gestalt: die des Mittelschiffes mit
einer Ausarbeitung der Ecken in
Rundstabdienste und tiefgeschwun-
gene Einkehlungen; die zwischen
den Seitenschiffen, sehr schlank,
mit starken Diensten, welche auf
den Ecken vortreten; die Basamente der Dienste beiderseits,
und besonders die letzteren, mit
gegliederten achteckigen Sockeln. [2]
Derselben Spätzeit gehören
noch einige andre Baustücke zu
Erfurt [3] an: eine zum Dom-
Kreuzgange gehörige Halle
mit einer Flucht von schlichtest

Profil der Mittelschiffpfeiler in der Severikirche
zu Erfurt. (Nach Kallenbach.)

achteckigen Pfeilern und die daran anstossende Kilianskapelle,
ein kleines Werk eigenthümlich dekorativer Behandlung, — ein
zierliches Thürmchen auf der Augustinerkirche, — und ein
in üppig blühenden Spätformen gebildetes grosses Tabernakel
über dem Taufstein der Severikirche.

Sodann die jüngeren kirchlichen Gebäude von Nordhausen, [4]
wiederum, wie es scheint, ein Hallensystem; namentlich der Schiffbau des Domes, mit gegliederten Pfeilern, deren Gliederungen
in die Rippen des reichgemusterten Gewölbes übergehen.

Die spätgothische Architektur von Obersachsen [5] bekundet sich in mannigfaltigen Erscheinungen, zum Theil von charakteristischer und für die Richtung der Zeit eigenthümlich bezeichnender Ausbildung. Die kirchlichen Gebäude folgen durchweg
dem Hallensystem, dem Princip nach in sehr einfacher Behandlung, mit schlicht achteckigen Pfeilern, zumeist mit dem üblichen
Spiel der Netzgewölbe. Damit vereinigen sich besondre Elemente:
theils eine schmückende Zuthat im Aeusseren, mit zierlichen

---

[1] Kallenbach, a. a. O. — [2] Gemeinschaftlicher Grundriss des Domes u. der
Severikirche bei Wiebeking, Bürgerl. Baukunde, T. 61. — [3] Zu den Blättern
bei Puttrich vergl. Kallenbach, T. 76 (4, 5), 75 (5). — [4] Büsching, a. a. O.,
S. 303, ff. — [5] Puttrich, Denkmale der Baukunst d. Mittelalters in Sachsen.
a. a. O.

Säumungen, Füllungen, Ausbauten und dergl., theils eine Sorge
für reichere oder belebtere Wirkung der inneren Räumlichkeit, durch mancherlei kunstvolle Führung der Reihungen des
Gewölbes, die leicht aus den Pfeilern hervorspringen, durch eine
flach concave Einziehung der Pfeilerflächen, die dem Spiele der
Schatten und Lichter eine leise Bewegung, der erstarrten Form
wiederum einen Lebenshauch giebt, durch die Anordnung schmuckreicher Emporen an den Wänden der Seitenschiffe u. s. w. Oder
es wendet sich, auch wenn der Bau in seiner Gesammtwirkung
eines feineren Reizes entbehrt, die künstlerische Sorge der dekorativen Durchbildung eines oder des andern Einzelstückes zu.
Hiebei tritt eine Wechselwirkung mit der Profanarchitektur ein,
welche gleichzeitig in den obersächsischen Gegenden zu hervorstechender Bedeutung gelangt, Formen phantastischer Neigung
mit sinnreicher Consequenz zu einer festen Norm ausprägend.
Es ist zunächst eine eigne Schnitzmanier, die sich, unter Einwirkung und Nachwirkung des im Holzbau Ueblichen, an den
Umfassungen der Thür- und Fensteröffnungen geltend macht, sie
mit allerlei Stabwerk umgehend, welches sich in mannigfacher
Weise kreuzt und schneidet. Verschiedenartige Bogenlinien geben
solcher Einfassung eine bunt wechselnde Formation. Namentlich
sind es jene gesenkten und gebrochenen Bögen, die, einem hängenden Teppich- oder Gardinenwerk vergleichbar, hiezu in Anwendung kommen; vorzugsweise bei den Fenstern, wo der Tep-
pichvorhang vielleicht den ursprünglichen Anlass zu solcher
Bildung gegeben hatte, dann aber auch bei den Portalen, hier
zumeist im Wechsel der hängenden mit steigenden Bogenlinien,
mehr oder weniger wie eine Auflösung des geschweiften Spitzbogens in seine einzelnen Bestandtheile. Es ist in dieser ganzen
dekorativen Manier, in dieser zierlich launischen Schnitzkunst,
die in einzelnen Schlussbeispielen selbst auf naturalistische Nachbildung hölzernen Flecht- und Rahmenwerkes ausgeht, ein charakteristisch verwandtschaftlicher Zug mit jener ältesten schnitzartigen Behandlung, die als ein besondres Merkzeichen schon in
der frühromanischen Architektur von Sachsen hervorgetreten war;
und es scheint, dass auch die in andern Gegenden vorkommenden
Beispiele der Art, die sich in der That nur vereinzelt finden,
auf sächsische Schule oder sächsische Muster zurückzuführen
sind. — Zu bemerken ist übrigens, dass die eben angedeuteten
Eigenthümlichkeiten hauptsächlich erst in der Ausgangsepoche der
Gothik, am Schlusse des 15. und im Anfange des 16. Jahrh. und
bis zur Mitte des letzteren hinab, zur Ausbildung gelangen.

Den Anfang macht die Stadt Halle mit einer ansehnlichen
Folge von Monumenten. Als solche sind zu nennen: die Moritzkirche, deren Chor, nach inschriftlicher Angabe seit 1388 erbaut, [1]

---

[1] Dreyhaupt, Beschreibung des Saalkreises, I, S. 1082.

sich durch zierlich dekorative Behandlung des Aeussern, gegliederte Strebepfeiler, feines Leistenwerk an den Mauerflächen, Zackenbogensäumungen und Bogenkrönungen an den Fenstern, auszeichnet, während das Innere des (jüngeren) Schiffes ein reiches Netzgewölbe mit hängenden Zapfen hat, auch andre Einzelausstattung anzumerken ist; — die im J. 1510 vollendete Ulrichskirche, nur mit einem Seitenschiff; — die Domkirche, 1523 geweiht und 1589 hergestellt, sehr schlicht durch die Anordnung von Rundgiebeln am Aeussern, die ohne Zweifel jedoch erst der angedeuteten Herstellungsepoche angehören, von eigner Wirkung; — die Liebfrauen- oder Marktkirche.[1] Diese hat auf der West- und der Ostseite Thurmpaare, welche von früheren Gebäuden herrühren und zwischen welche sie hinein gebaut wurde. Die schlicht gothischen Westthürme von der ehemaligen Gertrudenkirche, die spätromanischen Ost- oder Hausmannsthürme von einer ältern Frauenkirche. Der Bau der neuen Frauenkirche ward 1530—54 durch Nicolaus Hoffmann ausgeführt; sie ist das edelste Beispiel der bezeichneten letzten Ausgestaltung der gothischen Architektur: die Pfeiler des Innern schlank und leicht mit jenen concaven Seitenflächen; das flachbogige Netzgewölbe mit reichverschlungenen Gurten, die zum Theil, von der Masse gelöst, frei übereinander vorspringen und sich in der Mitte traubenartig senken; die in den Seitenschiffen angebrachten Emporen mit eben so reichen Maasswerkbrüstungen; das ganze Innere von heiter bewegtem, klingendem Eindrucke. Ostwärts von der Kirche der sogenannte rothe Thurm, der isolirt erhaltene Glockenthurm der alten Frauenkirche, 1408—70 und bis 1506 gebaut, etwa den Prager Thürmen der Zeit vergleichbar. — Dann ein höchst machtvoller Profanbau: die Moritzburg, deren Hauptbau zwischen 1484 und 1503 fällt, die theilweise jedoch erheblich jünger ist und die, im dreissigjährigen Kriege verwüstet, jetzt zumeist eine kolossale Ruine bildet: ein grosses Viereck mit einem Rundthurm auf jeder Ecke; der Hauptflügel über mehreren Geschossen gewölbter Substructionen, welche den Hang zum Ufer der Saale füllen; in dem einen Seitenflügel eine ansehnliche Schlosskapelle; das Einzelne, soviel davon erhalten, in den schmückenden Formen der bezeichneten Art, besonders in den Spätbauten der Eingangsseite, dem Thorthurme v. J. 1550 und der leichten flachbogigen Säulenhalle mit zierlichem Obergeschoss neben dem Thurme, vom J. 1584, (die sich übrigens, verbaut und verflickt, im übelsten Zustande befindet). — So auch das Rathhaus von Halle, das, im Ganzen von geringerer Bedeutung, doch mit Einzeltheilen des Aeussern und des Innern charakteristische Belege für dieselbe Spätzeit bietet.[2]

---

[1] Wiebeking, T. 54 (Grundriss); T. 57 (Längen- und Querdurchschnitt). —
[2] Ein Paar Details der Moritzburg und des Rathhauses bei Kallenbach, Chronologie, T. 79 (2, 3).

Einige Monumente in den Elbdistricten nordwärts von Halle reihen sich zunächst an. Zu Zerbst, auf der Ostseite der Elbe und schon im Grenzgebiete zwischen Hausteinbau und Ziegelbau, die Nikolaikirche, in der üblichen Hallenform, mit hohem Umgange um den Chor, wobei das glückliche Wechselverhältniss zwischen beiden (der Chor fünfseitig aus dem Achteck, der Umgang neunseitig aus dem Achtzehneck schliessend) zu bemerken ist; der Chor 1446 vollendet, das Schiff 1488 ausgebaut und die Wölbungen mit dem Datum 1494 versehen; das innere System im Gepräge jener schlichten und ernsten Kraft, welche den Ziegelbauten eigen zu sein pflegt; am Schlusse des Chor-Aeussern eine zierliche Ausstattung wie an der Moritzkirche von Halle; auf der Westseite über dem (älteren) Thurmbau ein Aufsatz von drei achteckigen Helmspitzen, die mittlere höher als die beiden andern, vom Jahr 1530, nach dem Muster der Thurmspitzen des Magdeburger Domes gebildet. — Zu Bernburg die Marienkirche, deren Chor (ohne Umgang) im Aeussern eine ähnlich

Nordportal des Doms zu Merseburg. (Nach Kallenbach.)

schmuckreiche Ausstattung hat. — Zu Wittenberg die Stadtkirche und die Schlosskirche, beide im Zustande baulicher Veränderung und Entstellung: an der Stadtkirche ein interessantes

Portal, zweitheilig, mit geraden Sturzen, ohne Bogenwölbungen,
gleichwohl mit Wimbergen, Streben, Fialen in eigen dekorativer
Gesammtcomposition ausgestattet; die Schlosskirche, 1493—99
erbaut, einst mit reicher Ausstattung versehen, von der in einem
kleinen Holzschnitt des Cranach'schen Heiligthumsbuches von
Wittenberg [1] noch eine Andeutung erhalten ist.

Ferner: die völlig schlicht behandelten Kirchen von Eis-
leben, St. Andreas und St. Peter und Paul; das Schiff des
Domes von Merseburg, vom Anfange des 16. Jahrhunderts,
1517 geweiht, mit einem barock gothisch dekorirten Portal an
der westlichen Vorhalle und einem andern im nördlichen Querschiffflügel, [2] letzteres zu den vorzüglichsten Beispielen jener
zierlich phantastischen schnitzartigen Behandlung gehörig; die
Stadtkirche zu Weissenfels; [3] das Schiff der Kirche von Freiburg an der Unstrut, vom Ende des 15. Jahrhunderts; die
Wenzelkirche zu Naumburg, ein Bau von seltsam corrum-
pirtem Plane; u. s. w. — Sodann verschiedene Monumente des
oberen Saalgebietes, mehr oder weniger durch bedeutende Theile
dekorativer Ausstattung bemerkenswerth: die Stadtkirche von
Jena, mit den inschriftlichen Daten 1472 und 1486, und die
von Saalfeld; — das Rathhaus zu Neustadt an der Orla,
mit sehr reicher, durch das stattlichste Leistenmaasswerk ausgestatteter Erkerzier und sonstigen schmuckreichen Einzelheiten;
und die ebenfalls ansehnlichen Rathhäuser von Pösneck und
von Saalfeld (1534), letzteres mit hinzugefügten Renaissance-
stücken. Den schönen Details des Rathhauses von Neustadt an
der Orla werden die von Schloss Ober-Kranichfeld an der
Ilm gleichgestellt; eine schnitzumrahmte Thür in letzterem [4] ist
wiederum ein Hauptbeispiel derartiger Dekoration.

Mit der Ausbreitung thüringisch-sächsischer Herrschaft (der
des Hauses Wettin) auf die nördlichen Districte von Franken,
(Koburg u. s. w.), die seit der Mitte des 14. Jahrhunderts stattfand, scheint die spätgothisch sächsische Bauart auch dort hinübergetragen. Die Stadtkirche von Schmalkalden; [5] die Kirche
von Eisfeld; die von Koburg, an dem stattlichen Nordthurme
mit dem Datum 1450; die Stiftskirche von Römhild, [6] 1450—70
durch Meister Albertus erbaut, mit einem eignen, von einer Empore ausgefüllten Chore auf der Westseite, geben sich als Belege
für diese Erscheinung. Ebenso, und vielleicht in noch entschei-
denderer Weise, die Klosterbaulichkeiten von Münchröden, [7]
unfern von Koburg, in der dem sächsischen Profanbau eignen
Behandlungsweise.

<hr />

[1] „Dye zaigung des hochlobwirdigen heiligthums der Stifftkirchen aller heiligen zu Wittenburg" mit einer Menge von Abbildungen von Reliquiarien und
figürlichem Bildwerk; der Holzschnitt mit Ansicht der Kirche auf der Rückseite des Titels. — [2] Vgl. Kallenbach, T. 79 (1). — [3] Wiebeking, II, S. 101.
— [4] Bei Heideloff, Ornamentik, Heft XVI, T. 4. — [5] Wiebeking, II, S. 127.
— [6] F. Kugler, Kl. Schriften, II, S. 648. — [7] Heideloff, a. a. O., XVI, 3.

Unter den spätgothischen Bauten des Osterlande ist einiges Wenige zu Leipzig namhaft zu machen, namentlich die Paulinenkirche, ehemals einem Dominikanerkloster angehörig, von der aber der Chor sammt den anstossenden Klosterhallen, deren bunte Gewölbe auf kurzen achteckigen Pfeilern ruhten und deren Aussenwand mit zierlich gemustertem Ziegelwerk geschmückt war, neuerlich abgerissen ist. — Zu Altenburg die Bartholomäihirche, ein gewöhnlicher dreischiffiger Bau, und die Schlosskirche, ein Gebäude von schlichter, nicht ganz regelmässiger Anlage, aussen mit dekorativer Behandlung der Streben, im Innern durch ein in reichen Rosettenmustern verschlungenes Netzgewölbe ausgezeichnet, dessen glänzende Erscheinung den Prachtwölbungen spätgothischer Architektur in England füglich zur Seite zu stellen ist.

Endlich die Monumente des Meissner Landes. In Meissen selbst die jüngeren Theile des Domes:[1] jener westliche Thurmbau der Epoche um und nach 1400, dessen Flächen in eigner Behandlung mit breiter Leistentheilung und zierlichen Maasswerkfüllungen ausgestattet sind und in dessen Fensterwölbungen ein schon phantastisch geformtes Zackenbogenwerk eingespannt ist; die diesem Thurmbau vorgelegte Begräbnisskapelle vom Jahr 1423—25, in Form eines kleinen Chorbaues, und das dekorativ behandelte, mit reich bildnerischer Umrahmung und Krönung versehene Portal, welches aus dieser Kapelle in das Schiff des Domes führt; der Aufsatz des südöstlichen Thurmes, mit zierlich schlanker durchbrochener Spitze, die, in günstigem Wechselverhältniss von Maass, Form und Zweck, von anmuthigster Wirkung ist; auch sonst manche Einzeltheile, namentlich ein freies Tabernakel im Innern. — Sodann die zur Seite des Domes seit 1471 erbaute Albrechtsburg, das kurfürstliche Schloss von Meissen, wohl der mächtigste Fürstensitz der Zeit, mit malerisch von Altanen umgebenem Stiegenhause und luftigen Dacherkern, in den Fenstern und deren Verstabung überall von der Form jener hängenden und gebrochenen Bögen, in den innern Räumlichkeiten (soweit deren ursprüngliche Beschaffenheit seit ihrer Ueberweisung an die Porzellanmanufactur, 1710, erhalten ist) durch mancherlei Formenspiel in Stützen und Wölbungen, u. A. auch durch Anwendung der in Preussen üblichen Wölbung kleiner Zellenkappen, bemerkenswerth.

Einige ansehnliche Kirchen des Meissner Landes im System der Liebfrauenkirche zu Halle. mit Pfeilern, deren Seitenflächen concav eingezogen sind und mit Emporen, die an den Seitenwänden vorspringen: die Domkirche (Frauenkirche) zu Freiberg[2] im Erzgebirge, nach einem Brande von 1484 erbaut, in überaus schlanken Verhältnissen und mit palmenartig über den Pfeilern

---

[1] Vgl. oben, S. 265. — *Denkmäler der Kunst, T.* 55 (2). — [2] Vgl. Wiebeking, II, S. 124; T. 57 (Grundriss u. Durchschnitte). Kallenbach, T. 73 (Details).

sich ausbreitendem Netzgewölbe; die innere Höhe zu 70 Fuss,
die Pfeilerhöhe 53 F. bei 4 F. Durchmesser; (an dieser Kirche
die berühmte, aus spätromanischer Zeit erhaltene „goldene Pforte"
Thl. II, S. 409); — die Annakirche zu Annaberg, 1499—1525;

Innenansicht des Doms zu Freiberg im Erzgebirge. (Nach Puttrich.)

— die Marienkirche zu Zwickau,[1] deren Chor, in schlichter
gothischem Style, 1453—70 und deren Schiff 1506—36 erbaut ist.
letzteres besonders durch sehr reiche Dekoration des Aeussern,

[1] Zu Puttrich, I, II, Ser. Reuss etc. vergl. Bernewitz, die St. Marienkirche
zu Zwickau. Ein Paar Details bei Kallenbach, T. 83 (6).

mit mannigfachem Tabernakel- und Leistenwerk, mit rundbogigen
Friesen von spielender Formation, mit naturalistisch behandeltem
Baumgeäste, welches sich den Schnitzgliederungen der Oeffnun-
gen einmischt, u. s. w., ausgezeichnet.

Die Kunigundenkirche zu Rochlitz, ein minder erheblicher Bau, ist im Innern erneut, hat aber im Aeussern noch
schmückende Details von charakteristischer Spätform, z. B. auf
dem Giebelbogen, der das Südportal krönt, kleine Engelfiguren

Portal der Klosterkirche zu Chemnitz. (Nach Kallenbach.)

statt der Blattzacken. Der Chorschluss der Schlosskapelle
zu Rochlitz hat zierlichst luftige Fenster, deren spielende Verstabung ebenfalls die Schlussepoche bezeichnet. — Das Portal

der Klosterkirche zu Chemnitz, [1] rundbogig zwischen barock behandelten Spitzbogenfenstern, hat eine Umrahmung und hoch emporgeführte Krönung, die durchaus von rohem Baumwerk und Gezweige aufgebaut scheint, Statuen und andre Sculpturen in ihre Füllungen einschliessend, eine Composition, in der ein gaukelnd malerisches Spiel völlig an die Stelle des architektonischen Gesetzes getreten ist.

Für den Profanbau kommt das Kaufhaus von Zwickau, 1522—24, mit barock phantastischer Giebelzierde, und mancher Einzeltheil an Wohngebäuden, z. B. in Freiberg, [2] in Betracht. — Die sächsischen Monumente des Ziegelbaues werden in Folgendem besprochen werden.

Die Monumente der Ober-Lausitz zeigen den Einfluss böhmischer und sächsischer Bauweise.

Unmittelbar zur böhmischen Bauschule scheint die Kirche des Cölestinerklosters zu gehören, welche Karl IV. im J. 1369 auf dem Oybin [3] bei Zittau stiftete und welche 1384 vollendet war. Peter Arler von Gmünd, jener in Böhmen so vielfach thätige Meister, soll auch diesen Bau geleitet haben. Es ist eine einfach einschiffige Anlage, von schlanker Höhendimension, gegenwärtig eine überaus malerische Ruine. Ueber die Detailbehandlung fehlt es an näherer Mittheilung.

Vorzüglich bedeutend sind die spätgothischen Gebäude von Görlitz. [4] Die älteren sind von geringerem Werthe: die Nikolaikirche, mit der erhebliche Umänderungen vorgenommen sind; und die im J. 1234 angelegte und 1381 vergrösserte Franciskanerkirche, ein sehr einfacher, nur mit einem niedrigen Seitenschiffe versehener Bau. — Das Hauptmonument ist die Petrikirche. Sie enthält die Ueberbleibsel einer ausgezeichneten spätest romanischen Anlage, im Westbau (Thl. II, S. 416), auch, wie es scheint, in den Umfassungsmauern der Krypta unter dem Chore. Ein sehr umfassender Neubau wurde im 15. Jahrhundert ausgeführt, für die Krypta von 1417—32, für den Oberbau von 1423 bis zur Einweihung im J. 1457 und bis zur schliesslichen Beendung der Arbeiten im J. 1497. Es ist ein fünfschiffiger Bau, 255 1/2 Fuss lang, 104 1/2 F. breit bei einer Mittelschiffbreite von 38 F.; im Mittelschiff und den innern Seitenschiffen von gleicher Höhe (82—86), auch jedes derselben mit polygonem Chorschlusse versehen; in den beiden äussern, nicht ganz regelmässig angelegten Seitenschiffen etwas niedriger, doch so, dass die Hochräume keine besondern Oberfenster haben. Sehr eigen-

---

[1] Kallenbach, T. 84. — [2] Beispiele bei Kallenbach, T. 79 (4), 83 (5). — [3] Puttrich, I, II, Ser. Reuss etc. — [4] Puttrich, II, II, Ser. Lausitz. Büsching, die Alterthümer der Stadt Görlitz.

thümlich, in einer bestimmten Reminiscenz der böhmischen Schule, erscheint die Gliederung der Schiffpfeiler: mit vier Hauptstäben eines unförmlich breiten Birnenprofils und vier, aus weicher Kehlung hervortretenden Eckrundstäben; die Gliederung entwickelt sich aus achteckigem Sockel, während die Gurte des reichen Netzgewölbes sich ohne Kapitäl aus dem Pfeiler lösen. Die grosse Krypta ist als seltne Anlage der Art in gothischer Epoche, noch mehr aber durch die Besonderheiten der Behandlung: achteckige Pfeiler und achteckige Säulen in eigner Combination und seltsam geordnete, consolenartig über den Schäften oder deren Krönungen vorspringende Gewölbgurte, von eigenthümlichem Interesse. — Die

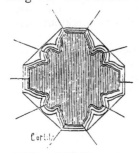

Profil der Schiffpfeiler in der Petrikirche zu Görlitz. (Nach Puttrich.)

Frauenkirohe, 1449 oder 1458 gegründet, 1473 geweiht und später vollendet, ist ein schlichter Hallenbau mit einfach achteckigen Pfeilern, bemerkenswerth u. A. durch eine prächtige Orgelempore und die geschweiften Spätformen des Doppelportales der Westseite. — Dann sind ein Paar kleine Monumente der Schlussepoche anzumerken: die von 1481—89 erbaute heilige Kreuzkapelle, mit allerlei abbildlich dargestellten jerusalemitanischen Erinnerungen und mit der zur Seite stehenden Nachbildung des heiligen Grabes von Jerusalem; — und die St. Annenkirche,[1] 1508—12 durch Meister Albrecht Stieglitzer erbaut, ein nicht unansehnliches Werk, einschiffig, von 82½ F. innerer Länge, 39 F. Breite und 52 F. Höhe; die Gewölbe, in eigner Gurtverschränkung, von achteckigen Halbpfeilern getragen; aussen ohne Streben, doch statt dieser mit zierlichen Wandsäulchen und Statuentabernakeln geschmückt. — In der Mauerumgebung von Görlitz ist der „Kaisertrutz" vom J. 1490, ein mit Thürmen gefestigtes Thor, von so machtvoller wie malerischer Erscheinung.

Die Ruine der alten katholischen Kirche von Lauban, an sich von geringer Bedeutung, ist doch durch den leicht achteckigen Thurm bemerkenswerth, dessen Obergeschoss, in Friesen und Fenstern, ein einfach tüchtiges, noch frühgothisches Gepräge hat.

Die Petrikirche zu Bautzen[2] ist ein grosser Hallenbau von unregelmässiger Grundrissform, mit achteckigen Pfeilern und Netzgewölben, 1441—97 erbaut.

---

[1] Die St Annenkirche zu Görlitz, 1845. — [2] Puttrich, I, II, Ser. Reuss etc.

5. Die Niederlande.

Die gothische Architektur der Niederlande steht in einem eigenthümlichen ˙Wechselverhältniss zwischen französischer und deutscher Art. Sie nimmt die Grundprincipien des französischen Systems in häufig sehr entschiedener Weise auf, aber sie behandelt sie ebenso entschieden in deutschem Sinne. Ihre kirchlichen Monumente gehören zum grössten Theil dem Hochbau an (mit über die Seitenschiffe erhabenem Mittelschiffe); sie haben nicht selten die reiche Planform der französischen Kathedrale; aber sie gehen zugleich überwiegend auf eine hallenmässige Wirkung aus. Die Abstäude der Schiffpfeiler, unter sich oder von den Wänden, sind insgemein beträchtlich, die Pfeiler selbst vorzugsweise und bis in die Spätzeit des Styles hinab in den Formen der Rundsäule gebildet, mit welcher die französische Gothik begonnen hatte. Der Durchbildung der aufsteigenden Gliederung wenden die Monumente eine im Ganzen geringere Sorgfalt zu, hierin dem Grundprincip der englischen Gothik vergleichbar. Die gothischen Kirchen der Niederlande zeigen einen zumeist ungelösten Widerspruch zwischen den phantasievollen und phantastischen Grundzügen des überkommenen Systems und einer nüchtern verständigen Sinnesweise; ein neues und selbständiges Product (wie z. B. im eigentlichen kirchlichen Hallenbau der deutschen Gothik, dem ein geringer Theil der niederländischen Monumente folgt, namentlich in den östlichen Districten,) geht aus diesen Gegensätzen nicht hervor, wenn es auch den von der Architektur umschlossenen Räumen, bei mancherlei Wechsel in Licht- und Luftspielen, an malerischen Effekten nicht fehlt. Es liegt ein gewisser Indifferentismus in dem Verhalten des nationalen Sinnes, welcher vorzugsweise den äusseren Beziehungen des Lebens zugewandt erscheint, zu dem überlieferten baulichen Systeme. Wo aber jener Sinn sich selbständig geltend machen kann, in den für die äusseren Zwecke des Lebens bestimmten baulichen Unternehmungen, da bekundet er sich allerdings in bedeutender, grossartiger, glanzvoller Weise. Die überaus rüstige Thätigkeit des Volkes in Handel und Wandel, die Blüthe der nationalen Existenz, welche sich hieraus entwickelt, führt zu Baulichkeiten von öffentlich volksthümlicher Bestimmung, denen der Stempel der nationalen Eigenthümlichkeit, einer hohen monumentalen Würde nicht fehlt.

Auf gemeinsamer Grundlage scheidet die niederländische Gothik sich nach den beiden Hauptunterschieden von Land und Volk in zwei Richtungen: eine belgische und eine holländische. Sie haben den übereinstimmenden Familienzug, aber die individuelle Physiognomie ist eine abweichende. Jene behält, zumal in den westlichen Districten, die grössere Verwandtschaft mit

dem französischen System, verschmäht es auch nicht, bei der
späteren politischen Verbindung mit Spanien, künstlerische Elemente von dort aufzunehmen; diese nähert sich entschiedener
der deutschen Architektur und hat im Einzelnen zugleich unmittelbar Anklänge an die englische. Jene entwickelt sich vorzugsweise als Urkunde eines glanzreichen volksthümlichen Auf-
schwunges, und ihr namentlich gehören die Monumentalbauten
des städtischen Verkehrs an, auf welche im Vorigen hingedeutet
wurde; diese hat eine einseitigere Strenge, Herbheit, Nüchternheit. Jene gebietet zumeist über ein bildsameres Haustein-Mate-
rial; diese ist grossen Theils auf den Ziegel angewiesen, dem sie
indess für das architektonische Detail wiederum den Haustein
einzufügen liebt. Die vollere Entfaltung beider gehört den Spätepochen des gothischen Styles an; Holland besitzt nur äusserst
geringe Reste frühgothischer Zeit.

----

a. B e l g i e n.

K i r c h l i c h e   M o n u m e n t e.

Belgien [1] besass zwei, wie es scheint, vorzüglich ausgezeichnete Monumente frühgothischen Styles, die im J. 1793 unter den
Revolutionsstürmen zu Grunde gegangen sind. Das eine war die
Kathedrale von A r r a s , im französischen Flandern. Sie hatte,
einer älteren Ansicht [2] zufolge, im Chor-Innern schlanke gekuppelte Säulen mit Eckblattbasen, Schaftringen und stark ausladenden Knospenkapitälen unter gemeinschaftlichen Abakus; die darüber aufsetzenden Dienste mit eignen kleinen Basen; die Fenster
in einfachster Lanzetform; das Ganze des Chores (während über
die sonstigen Bautheile eine nähere Kunde nicht vorliegt) im
unmittelbaren Anschluss an französische Frühgothik. — Das andre
war die Kathedrale St. Lambert zu L ü t t i c h , das Schiff ebenfalls im entschiedenen Frühcharakter, die Pfeiler kreuzförmig
und strengen Styles, darüber ein Triforium mit Lanzetbögen und,
wie es scheint, noch halb übergangsartige Fenster; der Chor
und die zweithürmige Façade in etwas reicher entwickeltem Style;
Einzeltheile aus jüngerer Zeit.

Die erhaltenen Reste zeigen zunächst verschiedenartige, zum
Theil spielende Weisen der Umbildung und des Ueberganges
von romanischen zu gothischen Formen bis ziemlich tief in das
13. Jahrhundert hinab. Hierauf ist bereits früher (Thl. 11, S. 360)

----

[1] Schayes, histoire de l'arch. en Belgique. Baron, la Belgique monumentale.
Schnaase, Niederländische Briefe. Burckhardt, die Kunstwerke der belgischen
Städte. Einiges (über Antwerpen, Gent, Brügge, Oudenaarde) im Organ für
christl. Kunst, VI, No. 19, ff — [2] Annales archéologiques, VIII, p. 183.

hingedeutet worden. Die daselbst schon erwähnten Ruinen der Abtei von Villers in Südbrabant sind ebenso für den Schluss des Romanismus als für die Anfänge der Gothik von Bedeutung. Das Schiff der Kirche von Villers, zwischen 1271 und 76 vollendet, hat ein primitiv gothisches Gepräge, mit sehr schlichten, doch in mehrfacher Beziehung charakteristischen Formen. Die

Villers
Abteikirche von Villers Schiffsystem.
(Nach Schayes.)

Arkaden desselben haben einfache Säulen mit Rundbasen und schmucklosen achteckigen Kapitälen, und noch übergangsartig gegliederte Spitzbögen. Die Dienste für das (etwas spätere) Mittelschiffgewölbe setzen erst in grösserer Höhe an; zwischen ihnen sind blinde, triforienartige Wandarkaden und darüber einfache Lanzetfenster. — Das Grundsystem der gesammten niederländischen Gothik ist in dieser Anordnung bereits vorgezeichnet. — Aehnlichen Charakter, doch um eine Stufe weiter entwickelt, (mit einfachen Maasswerkfenstern) hat die malerische Ruine der Abteikirche von Alnes im Hennegau, südwestlich von Charleroi.

Gleichfalls noch mit Elementen des Uebergangsstyles erscheint die alte Kirche Notre Dame zu Dinant (Namur). Besonders alterthümlichen Charakter haben die Säulen des Chorschlusses, mit Schäften von ungleicher Höhe, Eckblattbasen und eigenthümlichen, an ägyptischen Geschmack erinnernden Kelchblattkapitälen. Auch das Schiff hat Säulenarkaden und über diesen ein kleines Triforium. Im Aeussern des Schiffes ist ein Spitzbogenfries anzumerken. Einzeltheile gehören späterer Zeit an.

Dann sind als Monumente frühgothischer Kunst anzuführen: die älteren Theile der Frauenkirche zu Diest (Südbrabant) aus der Epoche um 1253, besonders am Chore, mit einfachen Lanzetfenstern; — der Chor von St. Léonard zu Léau (Südbrabant). schon reichlicher durchgebildet, besonders bemerkenswerth durch eine gebrochen spitzbogige Dachgallerie, einer gothischen Nachbildung der in niederrheinisch-romanischem Style üblichen und auch nach Belgien übertragenen Krönungen des Aeussern durch Gallerie-Arkaden; — die Kathedrale Notre Dame zu Tongern (Limburg), seit 1240 erbaut; das Schiff theils mit kreuzförmigen Pfeilern, theils mit Rundsäulen; darüber ein zierliches gebrochen

spitzbogiges Triforium; in den Oberfenstern mit der einfachen
Anordnung, dass schlichte Lanzetbögen (je drei im Schiff, je zwei
im Chore) von einem grössern Spitzbogen umfasst werden; Einzelnes in reicher durchgebildeten Formen; (der Thurm der Westseite vom J. 1441;) — die unvollendete Kirche Ste. Walburge
zu Furnes (Veurnes) in Westflandern, ein Säulenbau mit der
hervorleuchtenden Absicht bedeutungsvoller Durchbildung, die
sich u. A. auch in dem Strebebogensystem des Aeussern ankündigt; — das Schiff der Kathedrale St. Martin zu Ypern,[1] das,
in unmittelbarem Anschluss an den Chorbau (Thl. II. S. 361)
und angeblich von 1254—66 erbaut, eine kräftige und belebte
Entfaltung desselben Systems zeigt; den frühgothischen Kirchen
Frankreichs, deren Schiffe durch derbe Säulen-Arkaden gebildet
werden, vergleichbar; die Quergurte des Hauptgewölbes theils
von Diensten, welche über den Säulenkapitälen aufsteigen, theils
von Consolen getragen, (also ursprünglich auf eine sechstheilige,
zwei Joche überspannende Anordnung berechnet?); Einzeltheile,
wie der Giebel des südlichen Querschiffes mit prächtigem Rosenfenster, später (Anfang des 14. Jahrhunderts); Westthurm und
Portal vom Jahr 1434, u. s. w. — Ein Paar Dominikaner-
kirchen, in der schlichten Weise, wie die Kirchen dieses Ordens
bei seinem ersten Auftreten ausgeführt zu werden pflegten, reihen
sich an: die von 1240 bis nach 1270 erbaute Dominikanerkirche
zu Gent, ein einschiffiges, holzgewölbtes Gebäude, — und die
zu Löwen, angeblich schon um 1230 angefangen, doch 1251
noch in der Arbeit, dreischiffig mit schweren modernisirten Säulen-Arkaden.

Einige Monumente zeigen das Bestreben, die Elemente einer
reicheren Entfaltung des gothischen Styles, wie diese sich in
Frankreich im Laufe des 13. Jahrhunderts ausprägte, aufzunehmen, in der Anordnung eines Chorplanes mit Kapellenkranz, in
einer mehr oder weniger reichen Gliederung der Schiffpfeiler mit
Diensten u. s. w., wobei jedoch, wie es scheint, eine eigentlich
gesetzliche Durchbildung nicht erreicht wird. Hieher gehört der
Chor der Kathedrale St. Bavo (ursprünglich St. Johann) zu
Gent,[2] seit 1274 über der zum Theil älteren Krypta (Thl. II.
S. 354) erbaut. Er hat einen Kranz von fünf Chorkapellen mit
einigen auffälligen Besonderheiten in ihrer Disposition; Rund-
pfeiler, mit Diensten (in moderner Verkleidung), ein leichtes
Triforium, stattliche Oberfenster. — Die Kathedrale von St.
Omer[3] im französischen Flandern, mit drei fünfseitig schliessenden

---

[1] Eine Innenansicht bei Coney, architectural beauties, liv. 3. — [2] Der Grundriss bei Wiebeking, Bürgerl. Baukunde, T. 86, scheint nach den Bemerkungen
im Organ für christl. Kunst, VI, S. 230, f., und der zugehörigen Bildtafel erhebliche Unrichtigkeiten zu haben. — [3] Grundriss bei Wiebeking, ebenda.

Chorkapellen, deren mittlere, stark hinaustretend, dem Mittelraume an Breite fast gleich, aber durch den Umgang und die
inneren Chorpfeiler davon getrennt ist, mit sehr breitem, vier-
schiffigem Querbau (an der Ostseite mit gedoppelten Seitenräumen); im Schiff mit Rundpfeilern, die von vier Diensten besetzt
sind; — und die Ruine der Abteikirche St. Bertin, ebendaselbst,[1] mit schlanken gegliederten Pfeilern, der früheren Zeit
des 14. Jahrhunderts angehörig. — Sodann, als vorzüglich glanz-
volles Beispiel, der im J. 1338 geweihte Chor der Kathedrale
von Tournay (Doornik).[2] Er fügt sich den älteren Bautheilen
in einer Länge von 182 Fuss bei 114 Fuss Gesammtbreite und

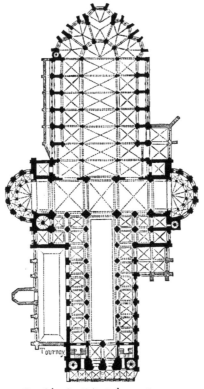

Grundriss der Kathedrale von Tournay.

101½ Fuss Höhe des Mittelraums an. Seine Behandlung, sehr
eigenthümlich, geht auf erdenkbar leichteste Innenwirkung aus;
aber dem Eindruck ist dabei die sänftigende Gegenwirkung des

[1] Chapuy, moy. âge .pitt., No. 38. — [2] Vergl. Thl. II, S. 356 u. f.
Kugler, Geschichte der Baukunst. III.   52

Gesicherten,. ruhig Beharrenden genommen, und es ist nicht zu
umgehen gewesen, technische Nachhülfen zur Festigung des Werkes noch während des Baues zur Anwendung zu bringen. Der
Chor schliesst fünfseitig und hat einen Kranz von fünf Kapellen;
die festen Mauertheile zwischen diesen sind völlig nach aussen
gelegt (als stark hinaustretende Strebemassen), während sie selber
von dem Raume des Umganges nicht geschieden und Kapellen
und Umgang mit gemeinsamer Wölbung bedeckt sind, [1] — also
eine absichtliche Beseitigung der festen räumlichen Gliederung,
was den Abschlüssen der räumlichen Bewegung hier etwas Ver-
flüchtigtes, Haltungsloses giebt. Die Pfeiler, mit Diensten besetzt,
sind überaus schlank, der Art, dass die im Langbau des Chores,
unfähig, ihre Lasten zu tragen, an den Hinterseiten mit ansehnlicher Verstärkung versehen werden mussten. Die Fenster des
Unter- und des Oberbaues füllen die Räume zwischen den Diensten und den Schildbögen völlig aus, so dass nichts von der Mauerumgebung übrig bleibt; von dem prächtigen Maasswerk der
Fenster sind aber kaum ein Paar Reste erhalten. Ein kleines
zierliches Triforium läuft unter den Oberfenstern hin. Das Aeussere ist schlicht; namentlich auch die den Oberbau stützenden
Strebebögen sind sehr einfach behandelt. — Auch die Frauenkirche zu Brügge [2] ist unter den baulichen Anlagen derartiger
Richtung zu erwähnen. Doch gehört sie sehr verschiedenen Bauzeiten an und fehlt ihr eine befriedigende Entwickelung. Die
Hauptverhältnisse sind schwer, die Polygone des Chorumganges
flach und charakterlos.

Die überwiegende Zahl der gothischen Kirchen von Belgien
gehört den späteren Epochen des Styles an. Bis auf einige (und
allerdings sehr erhebliche) Ausnahmen halten sie insgesammt an
dem Princip der französischen Frühgothik fest, welches als Träger der Schiffarkaden die einfache Rundsäule anwendet. Mit
dieser in sich abgeschlossenen Form ist, obgleich die Kirchen
fast durchgängig dem System des mittleren Hochbaues folgen,
das Hallenmässige des inneren Eindruckes gewahrt; dies um so
mehr, als die Abstände der Säulen unter sich und von den Wänden insgemein sehr ansehnlich sind. Im Uebrigen ist die Behandlung je nach den Bauzeiten nach der lokalen Geschmacksrichtung oder der individuellen des Baumeisters verschieden:
schwere und leichte Verhältnisse, vollere und dürftigere Gliederung, räumliche Leere und schmuckreiche Ausstattung wechseln
in mannigfacher Weise; die Verhältnisse des Raumes bringen oft

----

[1] Es ist das merkwürdigste Gegenstück zu den kapellenartigen Ausbauten,
welche die Chorumgänge französirender Kirchen in den deutsch - baltischen
Küstenlanden umgeben. — [2] Grundriss bei Wiebeking, a. a. O.

eine günstige Wirkung hervor, während sich eine tiefere künstlerische Durchbildung nur selten bemerklich macht. Planvolle Grundanlage, durchgebildeter Aussenbau gebören namentlich zu den Ausnahmen. — Für die folgende Uebersicht erscheint eine Zusammenordnung der bezüglichen Monumente nach einfach lokaler Gruppirung als das Zweckmässigste.

Zunächst sind einige Kirchen von Brüssel anzuführen. Das bedeutendste Gebäude ist hier die Kathedrale Ste. Gudule.[1] Ihres noch im Uebergangsstyle, in der Frühzeit des 13. Jahrhunderts, ausgeführten Chorumganges ist schon (Thl. II, S. 354) gedacht. Der Weiterbau erfolgte in der zweiten Hälfte des Jahrhunderts, (der Chor war 1273 noch in der Arbeit,) und so hat auch hier der Kern der Anlage wiederum noch ein frühgothisches Gepräge; aber die Vollendung gieng langsam und sehr allmählig vor sich, indem der Unterbau des mittleren Vorderschiffes im 14., der Oberbau, die Seitenschiffe, ein Theil des Querschiffes, die Façade im 15. Jahrhundert, andres Charakteristische noch später ausgeführt wurden. Die inneren Arkaden haben starke hohe, massenhafte Rundsäulen, über deren Kapitälen die Gewölbdienste aufsetzen; auch in der mittleren Vierung stehen derartige Säulen, doch von mächtig verstärktem Durchmesser, und die Dienste laufen an ihnen, die Kapitäle durchbrechend, herab. Ueber den Schiffarkaden sind hohe Triforien angeordnet, im Chor (noch alterthümlich) mit unförmlich dicken Säulchen, im Schiff mit nüchtern gebildeten Pfeilern. Der Massenhaftigkeit der unteren Theile entspricht die dünne Gliederung der oberen nicht sonderlich, ohne dass hiedurch jedoch die räumliche Gesammtwirkung wesentlich beeinträchtigt würde. Die Façade ist von bedeutender Anlage, in den Hauptmotiven nach deutsch-rheinischem Princip: zweithürmig, mit drei Portalen, mächtigem Spitzbogenfenster über dem Mittelportal, leichteren Fenstern in den Seitentheilen, gedoppelten in den Obergeschossen der Thürme. Aber es mangelt dabei, in auffälligster Weise, alles Gefühl für eine irgendwie durchgeführte Organisation der aufsteigenden Theile; die Strebepfeiler, ohne eine namhafte Verjüngung, obschon vielfach abgetheilt, haben eine völlig nüchterne Leistendekoration. Gleichwohl ist auch hier das Ganze, bei den glücklichen Massenverhältnissen, von grossartiger Wirkung. Die Spitzen der Thürme fehlen. — Die Kirche Notre Dame du Sablon (oder Notre Dame des Victoires) ist dagegen ein, in der Hauptanlage gleichartiges Werk der Spätepoche, der zweiten Hälfte des 15. Jahrhunderts und dem Anfange des folgenden angehörig. Hier haben die Theile der innern Architektur ein mehr rhythmisches Wechselverhältniss, worauf ebensosehr die leichtere Formation der Schiffsäulen wie die mehr gehaltene

---

[1] Vergl. den Grundriss bei Wiebeking, a. a. O. und die Seitenansicht bei Chapuy, moy. âge pitt., No. 158.

Entwickelung der Obertheile von Einfluss ist. — Dann sind das
Schiff von Notre Dame de la Chapelle, ebenfalls 15. Jahrhundert, und die Kirchen St. Jean Baptiste und Ste. Cathérine zu nennen. — In der Nähe von Brüssel schliesst sich, als
ein Gebäude verwandten Styles, die Kirche von Anderlecht
an, 1470—82 über der älteren Krypta (Thl. II, S. 354) erbaut.
    Die Kathedrale St. Rombaut zu Mecheln[1] wurde nach
einem Brande im J. 1341 neu gebaut. Einige wenige Reste, frühgothischen Styles, scheinen aus dem älteren Bau beibehalten zu
sein; der Schiffbau gehört zum grössten Theil der zweiten Hälfte
des 14. Jahrhunderts an, doch wurde die Wölbung des Mittelschiffes erst 1487 beendet; der Chor rührt aus der ersten Hälfte
des 15. Jahrhunderts her. Das innere System ist klar und von
verhältnissmässig reiner und edler Durchbildung, u. A. durch
reiche Fenstermaasswerke ausgezeichnet; der Chor ist im Grundrisse nach französischer Art trefflich entwickelt, mit sieben Um-
gangskapellen. Auch das Aeussere ist von ansehnlicher Wirkung,
besonders durch den machtvollen Thurm,[2] der sich, 1452 gegründet, der Mitte der Façade vorlegt, im Kern der Breite des
Mittelschiffes gleich, aber durch kolossale Strebemassen verstärkt.
Er hat am Fusse eine schmuckvolle Portalhalle und darüber in
verschiedenen Geschossen je zwei, durch eine Zwischenstrebe ge-
trennte Fenster mit glänzenden Maasswerken in den Formen der
Spätzeit. Mannigfaches Nischen- und Fialenwerk ist oberwärts
zur Dekoration der Strebenabsätze angewandt. Die Masse ist
viereckig, 300 Fuss emporsteigend; die Ausführung eines achteckigen Obergeschosses, eines reichen durchbrochenen Helmes,
welche die Gesammthöhe fast auf das Doppelte gesteigert haben
würde, ist unterblieben. — Die Kirche Notre-Dame zu Mecheln,
aus der zweiten Hälfte des 15. Jahrhunderts und bis zur Mitte
des folgenden, zeigt im innern System eine Nachahmung der Kathedrale, in den charakteristischen Formen der Spätzeit.
    Andre hieber gehörige Monumente der brabantischen Lande
sind: die Kirche von Aerschot, ein gutes Gebäude des vierzehnten Jahrhunderts, der Chor inschriftlich im Jahr 1337 von
Jean Pickart erbaut; — die Kirche St. Sulpice zu Diest,
seit 1416, als ein vorzüglich durchgebildetes Werk gepriesen; —
die Kirche St. Gommaire zu Lierre (Lier), 1425 gegründet,
1515 vollendet, in zierlich reicher Behandlung; — einige Kirchen
zu Löwen: St. Quentin, St. Jacques, Ste. Gertrude,
die letztere durch einen ansehnlichen Façadenthurm ausgezeichnet; — einige zu Antwerpen: St. Jacques, 1429—1560, ein
geräumiger Bau, gleichfalls mit bedeutendem Vorderthurme; St.
Paul, St. André, diese beide völlig aus dem 16. Jahrhundert.
— Auch die Kirche von Hoogstraeten, nordöstlich von

---

[1] Grundriss bei Wiebeking, a. a. O. — [2] Wiebeking, a. a. O., T. 117.

Antwerpen, ist hier zu erwähnen. Sie rührt ebenfalls aus dem 16. Jahrhundert her. Völlig aus Ziegeln gebaut, bildet sie indess bereits einen Uebergang zu den Systemen der holländischen Architektur. Ihr Thurm ist ebenso durch seine kolossale Masse wie durch die glücklichen Verhältnisse seiner Theile von Bedeutung.

In den östlichen Provinzen ist eine geringere Zahl von Monumenten namhaft zu machen. Zu Lüttich: St. Paul, ein der Anlage nach noch frühgothischer Bau, in seinen oberen Theilen jedoch der Spätzeit angehörig; Ste. Croix, eins der in Belgien seltenen Beispiele von gleicher Höhe der Schiffe, mit sehr schlanken Rundsäulen auf hohem runden Untersatze; St. Nicolas; St. Remacle du Pont. — Zu Maestricht: St. Nicolas und St. Jean. — Zu Huy die Collegiatkirche Notre-Dame, ein Gebäude des 14. Jahrhunderts, doch nach einem Brande von 1499 in durchgreifender Weise erneut. Hier läuft an den Schiffsäulen ein Gewölbdienst nieder.

Umfassender wiederum sind die Beispiele in den flandrischen Landen. Oudenaarde besitzt in der Kirche Ste. Walburge (Schiffbau und Ansatz des Querschiffes) ein zwar nüchternes, doch in mächtigen Dimensionen, zu 100 Fuss Mittelschiffhöhe, durchgeführtes Gebäude dieser Gattung. — Gent hat in St. Jacques eine schwere, durch Modernisirung des Innern entstellte Bauanlage, in St. Michel (1440—80) einen Säulenbau von auffällig leichten und weiten Verhältnissen. — In Brügge sind die Kirchen St. Jacques und St. Gilles zu nennen, jene mit schlanken Rundsäulen, diese mit gleich hohen (in Holz ausgeführten) Gewölben. — In Alost (Aalst) die 1498 begonnene und nicht vollendete Kirche St. Martin. — In Courtray die Kirche St. Martin (1390—1439 und später) mit schlanken Rundsäulen bei gleich hohen Schiffen und mit bedeutender Thurmanlage; und die modernisirte Kirche Notre-Dame, mit der anstossenden bemerkenswerthen Katharinenkapelle („'s Graven Kapelle") vom Jahr 1374. — Ferner: die Kirche von Werwick, nach einem Brande von 1382, in einfach edeln Verhältnissen; — die Kirchen von Lille (Ryssel): St. Sauveur, St. Maurice, Ste. Cathérine, sämmtlich hallenartig, mit gleichen oder nur wenig unterschiedenen Schiffhöhen; — die zu Valenciennes: St. Géreon und St. Nicolas; — endlich die Kirche St. Vast zu Bethune,[1] ein Gebäude zierlich klaren Grundrisses; jedes Schiff mit besonderem Chorschlusse; die Wölbungen (ähnlich wie die von St. Sauveur zu Lille) in ausgebildeter Sternform.

---

[1] Grundriss bei Wiebeking, a. a. O., T. 86.

Den Gegensatz gegen das System der Schiffarkaden mit Säulen und der hievon abhängigen Behandlung bildet dasjenige, welches Pfeiler von stärkerer eckiger Grundform und an diesen eine lebhaft wechselnde, in die Scheidbögen und die Gurte und Rippen der Gewölbe durchlaufende Gliederung zur Anwendung bringt. Indem hiebei aber in der Anordnung der unteren Räumlichkeit der offene hallenartige Charakter beibehalten wird, indem sich damit zugleich, unter besonderen Einflüssen, eine grössere oder geringere Vorliebe für eine reich gegliedert schmückende Ausstattung verbindet, treten wiederum Erscheinungen von charakteristischer Eigenthümlichkeit zu Tage. Die Zahl der auf solche Weise gestalteten Monumente ist nicht erheblich, aber sie gehören zu den beachtenswerthesten der jüngeren belgischen Gothik.

Eins der frühsten ist die Kirche Notre-Dame (früher St. Martin) zu Halle, südwestlich von Brüssel. Sie ist von 1341—1409 erbaut. Die klaren und leichten Gesammtverhältnisse geben diesem Gebäude eine sehr glückliche Wirkung; ebenso die zierlichen Details, namentlich die der unter den Fenstern hinlaufenden Gallerieen, welche besonders im Chor eine sehr reizvolle Behandlung zeigen.

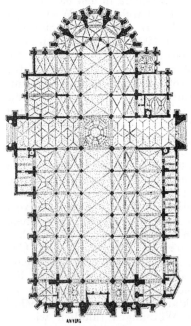

Grundriss der Kathedrale von Antwerpen.
(Nach Wiebeking.)

Ihr folgt die Kathedrale Notre-Dame zu Antwerpen,[1] der Stolz der belgischen Gothik. Der Chor wurde 1352 begonnen und im Anfange des 15. Jahrhunderts vollendet, das Uebrige im Laufe des letzteren und bis in den Anfang des 16. Jahrh. ausgeführt. Die Kathedrale ist in ihrer ursprünglichen Anlage ein klar geordneter fünfschiffiger Bau, mit einschiffigem Querschiff; der Chor mit einem Kranze von fünf Kapellen, die Façade mit zwei Thürmen. Die Vorderschiffe empfingen aber im Fortgange des Baues durch Hinzufügung von noch zwei anderen äusseren Seitenschiffen (in grösserer Breite als die inneren) eine siebenschiffige Anlage. Die innere Länge beträgt hienach gegen 360 Fuss, die Breite der Vorderschiffe 160 F. Ausserdem

[1] Risse bei Wiebeking, a. a. O., T. 85; 117; 120. Aeussere Ansicht u. A. bei Chapuy, moy. âge monumental, No. 139.

wurden theils den letzteren, theils den Abseiten des Chores noch
Kapellen angelegt. Das System ist völlig auf die Hallenwirkung,
auf die Entfaltung der räumlichen Bewegung nach den Breitsei-
ten, auf den steten Wechsel der in diesem Sinne sich ergebenden
Durchblicke, auf die in gleichem Maasse wechselnden Licht- und
Lufteffekte berechnet. Die ungemeine Weite der Pfeilerabstände
in den Längenfluchten (im Verhältniss zur Scheidbogenhöhe), die
feinen Gliederungen der Arkaden, die jeden Durchblick und jedes
Stück eines solchen in zierliche, flüssig bewegte Rahmen einfassen, die Unterschiede des Lichteinflusses in die verschiedenen
Räume und ihr spielendes Gegeneinanderwirken, Alles trägt dazu
bei, jene Effekte zur entscheidenden Geltung zu bringen. Aber
der Bau selbst ist allerdings nur das Gerüst, welches diese malerischen Erscheinungen umschliesst; seinen eignen Rhythmus, seine
eigne Kraft und Entwickelung hat er der Erzeugung dieser Reize
geopfert. Namentlich fehlt dem Hochbau des Mittelschiffes, trotz

Antwerpen.
Kathedrale von Antwerpen. System
des Langschiffes. (Nach Wiebeking.)

der breiten Fülle seiner Fenster (oder
vielmehr, zum wesentlichen Theile,
wegen dieser in der Gesammtdisposition
beruhenden Anordnung) der Ausdruck
eines selbständig belebten und gegliederten Emporsteigens; er hat vorzugsweise eben nur darin seine Bedeutung,
dass er den Wechselspielen des Lichtes
im Innern der Kathedrale den volleren Strom zuführt. — Das Aeussere
hat, bis auf die Paçade, keine erhebliche Bedeutung; letztere bekundet die
Absicht, ein möglichst glänzendes Werk
zu schaffen. Sie folgt, wie die der Kathedrale zu Brüssel, dem Systeme der
deutschen zweithürmigen Façaden; aber
das Ergebniss ist auch hier ein sehr
wenig befriedigendes. Es fehlt an allem
edleren Rhythmus, an aller gesetzlich
fortschreitenden Entwickelung. Dem, in der Spätform des Styles
ausgeführten Portale, welches sich im Mittelbau befindet, dem
sehr breiten Prachtfenster über diesem, dem Leistenmaasswerk
des Giebels entspricht die trockne Behandlung der Thurmseiten
wenig. Der südliche Thurm hat nur die halbe Höhe erreicht;
der nördliche, 1422 nach dem Plane des bolognesischen Architekten Joh. Amelius (flämisch: Appelmans) begonnen, wurde
1518 in einer Höhe von 380 Fuss beendet. Das System ist, soweit der viereckige Bau reicht, monoton zweitheilig; das hohe
Achteck setzt darüber in künstlich gesuchter und verkehrt wir-
kender Verschiebung auf, mit der Kante über der Mitte der
Fronte des Viereckbaues, (unstreitig einer äusseren Consequenz

zu Gefallen, um die monotone Anordnung des unteren Strebe-
pfeilersystems ebenso auch oberhalb fortzuführen;) der Helm
gehört zu dem Barocksten, was die Gothik erschaffen hat.

Zwei Kirchen schliessen sich dem System der Kathedrale von
Antwerpen zunächst an, ohne aber so ausschliesslich auf die
malerische Wirkung des Innern auszugehen, ohne ihr die sonstigen Erfordernisse des architektonischen Werkes so entschieden
zum Opfer zu bringen. In beiden sind die Verhältnisse fester,
strenger, mehr in sich gebunden; in beiden kommt der Körper
der Architektur, kommt die Erhabenheit seiner aufsteigenden
Entwickelung wiederum zu ihrem Recht. Die eine ist die Kirche
St. Pierre zu Löwen, an deren Chor im Jahr 1433 gearbeitet
und deren Schiff später, doch im unmittelbaren Anschlusse an
jenen ausgeführt wurde. Eigenthümliche Schicksale hatte die
Façade dieses Gebäudes. Nach früheren Zerstörungen und liegen
gebliebenen Anfängen wurde sie im J. 1507 nach neuem mächtigem Entwurfe begonnen: dreithürmig, mit kolossalem, auf 535 F.
altlöwenschen Maasses berechneten Mittelthurme und mit niedrigeren Thürmen über den (wiederum zweitheiligen) Seitentheilen;
die Ausführung gelangte indess nur bis zum Ansatz des Frei-
baues der Thürme. Der Pergamentriss des Entwurfes wird im
Stadthause zu Löwen bewahrt. (Eine hohe Holzspitze, welche
später statt der drei errichtet war, wurde durch einen Sturm im
J. 1604 niedergeworfen.) — Die andre Kirche ist Ste. Waudru
(Waltrudis) zu Bergen (Mons) im Hennegau. Sie befand sich
im J. 1450 in der Arbeit und gelangte erst später, im J. 1582,
zur Einweihung. Ihre vorzügliche Erhabenheit der Verhältnisse
ist hier zugleich durch die reiche Ausstattung, besonders den
Maasswerken der Fenster und den damit übereinstimmenden Wand-
füllungen unter den Fenstern ausgezeichnet. Sie hat einen ansehnlichen, aber nur bis zur Schiffhöhe ausgeführten Thurm vor
der Mitte der Façade. — Auch die erheblich jüngere Abteikirche
von St. Hubert (Luxemburg), 1526 begonnen und in der zweiten Hälfte des Jahrhunderts beendet, scheint ähnliche Beschaffenheit und ähnliche Vorzüge zu haben. Es ist ein ansehnlicher,
reich ausgestatteter Bau, fünfschiffig und mit einem Kapellenkranze um den Chor.

Noch einige Monumente gehören derselben Richtung an. So
die jüngeren, nach einem Brande von 1358 ausgeführten Theile
von St. Sauveur zu Brügge, namentlich das Vorderschiff und
die zierlich malerischen, statt der Zwischenwände durch offne
Pfeilerstellungen gesonderten Kapellen des Chorumganges, diese
v. J. 1526; — das Vorderschiff von St. Bavo zu Gent, 1533—50
erbaut; — die Kirche der hl. Elisabeth zu Bergen. — So
vornehmlich die Kirche St. Jacques zu Lüttich,[1] 1513—38

---

[1] Grundriss bei Fergusson, Handbook, II, p. 726. Innere Ansichten bei Chapuy, moy. âge mon., No. 32; 74. Details bei Hope, hist. essay on arch., t. 90.

mit Beibehaltung des romanischen Thurmbaues (Thl. II, S. 351) ausgeführt, ein sehr eigenthümlicher Bau, in dessen Behandlung

Innenansicht von St. Jacques zu Lüttich (Nach Chapuy)

sich zugleich eine Nachahmung der Dekorationsweise spätgothisch spanischer Architektur anzukündigen scheint. Der Chor hat einen

Kapellenkranz ohne Umgang, d. h. es fügen sieh dem Chorschlusse unmittelbar, zwischen den Streben, die Kapellen an. Die Scheid-bögen haben hängende, durchbrochen filigranartige Säumungen, wie mehrfach in der spanischen Architektur dieser Epoche; unter den Fenstern laufen doppelte Galleriedekorationen hin; die Gewölbe sind in bunten Stern- und Netzformen ausgeführt, mit einer Menge sculptorisch ausgestatteter Medaillons in den Schneide-punkten. Der Gesammteindruck ist ein berauschender, üppig phantastischer, ohne aber durch ein feineres Gefühl in der Bearbeitung des Details eine sonderlich fesselnde Kraft zu entfalten. — Schlichter und von mehr gehaltener Wirkung ist die gleichzeitige Kirche St. Martin, ebendaselbst, als deren Architekt Paul de Rickel genannt wird und die im J. 1542 beendet wurde. Sie geht auf die strengere Form des Rundpfeilers mit (acht) Diensten zurück. —

Als ein fast wunderwürdiges Werk spätestgothischer Architektur wird die einstige Abteikirche von Lobes im Hennegau bezeichnet. Sie war von 1568—76 erbaut worden, 200 F. lang und 80 F. breit, dreischiffig mit gleich hohen Wölbungen, die Pfeiler fein gegliedert, 3 Fuss stark und 90 Fuss hoch, oberwärts in spielender Weise sich in die Rippen des flach geschwungenen Gewölbes verästend. Im Jahr 1793 wurde sie, nebst den ebenfalls sehr ausgezeichneten Klosterbaulichkeiten, zerstört.

Für die Spätzeit der belgischen Gothik kommt hier ferner eine Anzahl dekorativer Werke kirchlichen Zweckes in Betracht. Zunächst ein Paar Kapellen: die Kapelle des hl. Bluts zu Brügge,[1] mit ihren jüngeren glänzenden Schmucktheilen, namentlich dem Seitenportikus vom J. 1533, der dreigeschossig, in zierlich spielenden und schon der Renaissance ein wenig zugeneigten Formen ausgeführt ist; — und die „Chapelle du S. Sacrement des Miracles," an der Nordseite des Chores der Kathedrale von Brüssel, 1533—39 nach dem Plane des Architekten Pieter van Wyenhoven erbaut, ebenfalls in modernisirend gothischen Formen.

Sodann verschiedene Kreuzgänge: bei der Kathedrale von Ypern, in einem verhältnissmässig schlichten Pfosten - Maasswerke, welches den Eindruck eines kräftigen Gitters gewährt; — bei St. Paul, St. Barthélemy, St. Jean-en-Isle zu Lüttich; — und bei St. Servais zu Maestricht, dieser vornehmlich in glänzend reichen Formen der Schlussepoche.

An Tabernakeln scheint nicht Vieles von Bedeutung vorhanden zu sein. Das wichtigste ist eins in St. Pierre zu Löwen

---

[1] Vergl. Thl. II, S. 352 und Hope, t. 89.

vom J. 1433, in seinem Aufbau den deutschen Werken dieser Epoche vergleichbar.

Am Merkwürdigsten sind einige Lettner: zu St. Pierre in Löwen, in der Kirche von Aerschot (nördlich von Löwen), in der von Tessenderloo (nördlich von Diest), in St. Gommaire zu Lierre (mit dem Datum 1534), in der Kirche von Dixmuiden (Westflandern). Sie sind — am meisten vielleicht der letztere — in einem überaus üppigen und phantastischen Style componirt, in mannigfachen Bögen, gedrückten, gebrochenen, geschweiften, mit Zackenwerk gesäumt, von bunten Säulen getragen, mit allerlei Fialen- und Sculpturenschmuck versehen. Der Geschmack entspricht völlig dem der spanischen Dekorativ-Architektur dieser Zeit und scheint mit Bestimmtheit auf eine Uebertragung von dort zu deuten.

Monumente des Profanbaues..

Den kirchlichen Monumenten von Belgien stehen die weltlichen in eigenthümlichster Bedeutung zur Seite. Die glanzvolle Entwickelung des Städtelebens, die umfangreiche Thätigkeit in Gewerbe und Handel, der feste genossenschaftliche Sinn, die Wehrhaftigkeit, das Bewusstsein der auf Besitz und Macht ruhenden Würde, alles dies gab den Anlass zu einer Fülle von Bauausführungen öffentlichen Zweckes, die in Kraft, in monumentaler Grösse, im Adel der Verhältnisse, in prachtvoller Ausstattung zu den ausgezeichnetsten des Mittelalters gezählt werden müssen. Sie sind es, die bei Betrachtung der gothischen Architektur der belgischen Lande vorzugsweise Befriedigung gewähren.

Das ursprüngliche Wahrzeichen der städtischen Selbständigkeit ist der städtische Glockenthurm (Beffroi, Belfried), der die Bürger zur Versammlung rief und den Urkunden der städtischen Freiheit festen Verschluss gewährte. Er wurde als einzelstehender Bau aufgeführt oder in Verbindung mit andern Gebäuden von hervorstechender öffentlicher Bedeutung, in letzterer Weise als Motiv einer machtvoll aufgegipfelten baukünstlerischen Anlage. Unter den vorhandenen Glockenthürmen ist der von Tournay einer der ältesten; er stammt aus dem 13. Jahrhundert, ein einzelstehender, ursprünglich schlichter viereckiger Bau mit runden Eckthürmchen, bei späterer Herstellung in der untern Hälfte verstärkt. — Ihm folgt der von Gent, vom Anfange des 14. Jahrhunderts, auf eine schon stattlichere Anlage berechnet, doch ohne den ursprünglich beabsichtigten schmuckreichen Oberbau, dessen Plan in einer alten Bauzeichnung erhalten ist. — Andre, zunächst zu nennende Glockenthürme, neben Stadthäusern stehend, sind die von Lierre (1369—1411), einfach viereckig

mit Erkerthürmchen, von Nieuwpoort (1480), von Alost (1487),
dieser wiederum mit schmückenden Zuthaten. — Ein einzelstehender Glockenthurm aus spätester Zeit, im letzten Nachlange mittelalterlicher Behandlung, ist der zu Furnes vom J. 1629, aus
Ziegeln, unten viereckig, oben achteckig, durch seine klaren
Verhältnisse ansprechend.

Dann sind es die Hallen für gemeinsamen umfassenden
Gewerbebetrieb, in deren Bau sich, schon frühzeitig, das bürger-

Halle zu Ypern. (Nach Chapuy.)

liche Selbstgefühl ausspricht und mit denen auch der Glockenthurm als zugehöriger, das Werk grossartig krönender Theil gern

verbunden wird. Die Halle der Tuchmacher zu **Ypern**[1] (Halle-aux-draps, — das gegenwärtige Stadthaus) ist eine kolossale Anlage solcher Art, angeblich schon 1200 gegründet, 1304 vollendet. Die Masse des Gebäudes besteht aus Ziegeln. Die Façade ist 410 Fuss lang. Das Erdgeschoss hat eine Folge schlichter, ursprünglich (wie es scheint) durchweg offner Zugänge zu den Innenräumen; darüber sind zwei Geschosse ebenso dichtgedrängter Fensterreihen von strengem frühgothischem Styl. Zinnen über einem von zierlichen Wandsäulchen getragenen Spitzbogenfriese bilden die Mauerkrönung; kräftige, schmuckreich gegliederte Erkerthürme erheben sich über den Ecken, der breite Glockenthurm, mit mehreren Fergeschossen und ähnlichen Erkerthürmchen, über der Mitte des Gebäudes. Das Ganze, in den gleichartig behandelten Längenfluchten, in der einigermaassen schweren Thurmmasse, hat noch etwas Monotones, aber zugleich den entschiedenen Ausdruck des Zweckvollen und der sicheren Majestät vereinigter Kräfte. — Die Halle zu **Brügge**[2] wurde 1284 begonnen und im Lauf der folgenden Jahrhunderte, je nach ihren Theilen, zur Ausführung gebracht und ausgestattet. Sie bildet ein Viereck von 258 1/2 Fuss Länge und 134 Fuss Breite, einen Bau von ziemlich schlichter Erscheinung, doch durch Zinnen, Erkerthürmchen und spätgothisch schmuckreiche Dekoration des Erdgeschosses ausgezeichnet. Ueber der Mitte der Façade erhebt sich auch hier der Glockenthurm, in eigenthümlich machtvoller Anlage: unterwärts in kraftvollen viereckigen Geschossen von burgartiger Behandlung, oberwärts in einem schlanken Achteck edeln spätgothischen Styles, dessen Fuss durch Fialenthürmchen und Strebebögen gefestigt wird und das, in einer Höhe von 272 F., mit zierlich durchbrochener Krönung versehen ist. Eine darüber aufsteigende Spitze, 60 F. hoch, ist nicht mehr vorhanden. Für den Eindruck des Ganzen erscheint hier der Thurm als die Hauptsache, kühn, stolz und fest, während die Halle mehr nur den Charakter einer breiten Basis hat. (Die Halle wird gewöhnlich als „Tuchhalle" bezeichnet; doch war die eigentliche Tuchhalle, — auch „Wasserhalle" genannt, weil ein Kanal die Waaren unmittelbar in das Gebäude führte, — ein im J. 1789 abgetragener Bau des 15. Jahrhunderts, von jener getrennt.) — Andre Hallen des Tuchmachergewerkes sind die zu **Löwen**, 1317 gegründet, doch nur ein Untergeschoss, mit zierlicher Arkadenkrönung über demselben, ausgebaut; (1424 der Universität überwiesen und von dieser 1680 mit einem modernen Obergeschoss versehen;) — die verbaute Halle zu **Mecheln** vom Jahr 1340; die minder bedeutenden zu **Diest** (1346, jetzt Fleischhalle,) und zu **Gent** (1424.)

Daneben die Hallen für den Betrieb anderer Gewerke.

---

[1] Chapuy, moy. âge mon., No. 199. — [2] Ebenda, No. 117.

Namentlich ein Paar ausgezeichnete Fleischhallen: zu Ypern, mit energisch behandelter Façade, unterwärts frühgothisch, oberwärts, mit schmuckreichem Doppelgiebel, spätgothisch; — und zu Antwerpen (1500—3), in Wechsellagen von Ziegel und Haustein aufgeführt, ebenfalls mit stattlichem Giebelbau. — Ebenso mannigfache Innungs- und Gildenhäuser; z. B. das stattliche Haus der Schiffer zu Gent vom J. 1531. —

Der Bau der Stadthäuser, der Sitze der bürgerlichen Behörden, gewann erst in verhältnissmässig später Zeit, nachdem der Gestaltung der zunächst dringenden Bedürfnisse bereits fürgesorgt war, eine bedeutungsvolle Erscheinung. Aber man war nunmehr bemüht, diese Werke mit gediegenstem Aufwande auszuführen, ihnen das Vollendetste an künstlerischer Kraft zuzuwenden; der Art, dass sie, die den Kern und Begriff des gemeinsamen städtischen Daseins in sich fassten, auch in der That die vollste künstlerische Erscheinung desselben ausmachen.

Als frühstes derartiges Gebäude wird das ehemalige Stadthaus von Alost (jetzt Fleischhalle), dessen ältere Theile noch dem 13. Jahrhundert angehören, genannt; doch ist es zweifelhaft, ob dasselbe ursprünglich schon zu solchem Zwecke bestimmt war. — Sicherer, doch aus schon viel späterer Zeit, steht das im Jahr 1377 gegründete Stadthaus von Brügge voran. Es hat mässige

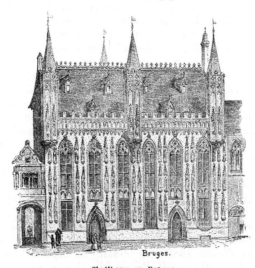

Bruges.

Stadthaus zu Brügge

Dimensionen, die Breitenfaçade zu 81 Fuss, die Firsthöhe des Daches gegen 60 F., aber um so edler sind die Verhältnisse, um so reizvoller ist die Durchbildung. Hohe kirchliche Fenster-Nischen, in die sich die doppelgeschossigen Fenster einlegen, gliedern die Wandfläche, in den oberen Bögen von Blattwerk umsäumt; gedoppelte Bildtabernakel, dreifach übereinander, füllen die Räume zwischen den Fenstern; Bogenfriese und Zinnen krönen das Ganze, Erkerthürmchen springen oberwärts an den Ecken und in der Mitte des Gebäudes empor, während das Dach selbst durch kleine Erkerfenster und einen zierlichen Blumenfirst belebt ist. Das Ganze ist ein in sich beschlossenes Schmuckwerk, bei dem sich die reiche Ausstattung den würdigen Hauptlinien auf das Glücklichste einordnet. Im Innern ist der grosse Saal des ersten Geschosses (jetzt Bibliotheksaal) durch das künstliche Gewölbe mit zierlich sculptirten Schlusssteinen ausgezeichnet, angeblich ein Werk von 1398 und durch Pieter van Oost ausgeführt. — Dann folgt das Stadthaus von Brüssel,[1] welches 1401 gegründet wurde und als dessen Architekt im Jahr 1405 J. van Thienen genannt wird, ein mächtiger Bau von 250 Fuss Länge und (ohne die späteren Zufügungen an der Hinterseite) 50 Fuss Breite. Es ist mit dem städtischen Glockenthurm verbunden, der sich, ein wenig vorspringend, über der Façade und bis zu einer Höhe von 340 Fuss erhebt. Die beiden Flügel der Façade zu den Seiten des Thurms sind von ungleicher Länge; der westliche Flügel (erst 1444 begonnen) ist kürzer als der östliche. Im Erdgeschoss legt sich beiden, dem Thurmvorsprunge entsprechend, ein spitzbogiger Portikus vor; darüber erheben sich die reichgetheilten, durch eine durchlaufende Arkade von Wandnischen gesonderten Fenstergeschosse und über diesen eine luftige Zinnenkrönung. Erkerthürmchen schliessen die Façade zu beiden Seiten ab. Der Glockenthurm schiesst gleichfalls mit Erkerthürmchen empor und wandelt sich dann in ein schlankes (aber ebenso wie bei der Kathedrale von Antwerpen, S. 414, übereck gestelltes) Achteck, welches von kräftigen Fialen und Strebebögen gefestigt ist und mit durchbrochener Helmspitze schliesst. Im Jahr 1448 wurde J. de Ruysbrock mit der Vollendung des Thurms, welche 1455 erfolgte, beauftragt. Das Stadthaus von Brüssel ist ohne Zweifel das grossartigste Monument solcher Art, welches Belgien besitzt; seine Gesammtwirkung, zumal im Wechselverhältniss des Portikus und des Thurms zu der inneren Masse des Baues, ist von so gemessener Kraft, wie reicher und malerischer Fülle. Aber eine gewisse Trockenheit des Details, eine leistenartige Behandlung desselben, (einigermaassen an das bei der Façade der Kathedrale von Brüssel befolgte System erinnernd) beeinträchtigt die Nachhaltigkeit des Eindrucks. — Das Stadthaus von Löwen[2] wurde 1448 begonnen und im Aeusseren 1459. im Inneren 1463 beendet. Architekt war Math. de Layens. Ungefähr 100 Fuss lang und hoch und 50 F. breit, nähert es sich, seiner Anlage nach, der Architektur des Stadthauses von Brügge,

[1] Chapuy, moy. âge pitt., No. 157. Hope, hist essay, t 81. *Denkmäler der Kunst*, T. 51 (6). — [2] Chapuy, moy. âge mon., No. 9.

bildet diese jedoch zur erdenkbar reichsten Entfaltung um. Die
Fenster ordnen sich in drei Geschossen, die von aufsteigenden
Strebepfeilern durchbrochen werden; Erkerthürmchen krönen die
vier Ecken des Gebäudes und die Spitzen der Seitengiebel. Das
System ordnet sich in klarer Besonnenheit; aber eine Fülle von
Dekoration, die das Gebäude allerdings zu dem glänzendsten
Schmuckwerk von ganz Belgien macht, hebt die Grösse und die
Ruhe des Eindruckes auf. Alles Einzelne wandelt sich in ein
spielendes Ornament; die Streben sind völlig mit Bilderblenden
und Tabernakeln, jede leere Stelle zwischen den Fenstern und
den Streben mit buntem Leistenwerk erfüllt; Thürmchen, Fialen,
Zinnen, Gallerieen, Dacherker und Dachfirst ranken durchweg
in blumigen Spielen in die Luft hinaus. Doch geht dabei durch
das Ganze ein Zug geheimer Monotonie; er wird durch die Consequenz der Grunddisposition veranlasst, aber er hemmt zugleich
die Entfaltung kühnerer Laune, die einen so phantastischen Aufwand vielleicht mehr gerechtfertigt hätte. Die unzweifelhaft bedeutenden Vorzüge des Werkes werden durch das Uebermaass
erstickt.

Einige Stadthäuser, die sich geringeren Ruhmes erfreuen,
bringen durch maassvollere Behandlung doch eine ungleich
edlere Wirkung hervor. Zu ihnen gehört namentlich das Stadthaus von Bergen (Mons), seit 1458 gebaut, dessen Paçade,
einfach durch zwei fortlaufende Fensterarkaden ausgefüllt und
in dem Raume über den oberen Fenstern mit zierlichem Leistenwerk bedeckt, ein vorzüglich gereinigtes Beispiel des künstlerischen
Styles der Zeit ausmacht; (in ihrer Wirkung leider nur durch
die rohe Bedachung und den schlicht modernen Dachthurm gehemmt.) — Ebenso das Stadthaus von Oudenaarde,[1] 1527—30
von Hendrik van Peede aus Brüssel gebaut. Der Architekt
war ausdrücklich veranlasst gewesen, die gefeierten Stadthäuser
von Brüssel und von Löwen zum Muster zu nehmen und das
Beste von beiden in seinem Entwurfe zu vereinen; und es ist
ihm in der That, freilich in freier und selbständiger Verwendung
der Studien, gelungen, ein neues und zugleich maassvoll durchgebildetes Meisterwerk zu liefern. Die Dimensionen sind nicht
bedeutend; die Vorderfaçade hat nur 77 F. Länge. Das Hauptsystem folgt dem des Stadthauses von Löwen, doch so, dass die
dort vorgezeichneten Grundzüge fester hervortreten, dass trotz
ebenfalls reicher Ausstattung das Ueberschwängliche fern gehalten
blieb. Begünstigt wurden diese Vorzüge freilich durch die dem
Brüsseler Stadthause entnommenen Elemente: einen stattlichen
Portikus, der vor dem Erdgeschosse vortritt, über dessen Mitte
eine Erkerhalle und darüber der in verschiedenen Geschossen
leicht aufsteigende Glockenthurm sich erhebt. Der letztere, 123 F.

[1] Chapuy, moy. âge mon., 45.

hoch, hat an sich allerdings mit dem mächtigen Glockenthurm
von Brüssel nichts gemein, aber um so günstiger fügt er sich

Stadthaus zu Oudenaarde. (Nach ChapuV.)

in das Gesammtsystem des Gebäudes. Es ist, trotz seiner Spätformen, vielleicht die gediegenste Anlage unter der Gesammtzahl
der belgischen Stadthäuser.

Ausserdem sind zu nennen: das Stadthaus von Gent,[1] 1481
nach dem Plane von Eustache Posseyt begonnen, oft unter-

---

[1] Hope, hist. essay on arch., t. 78.

Kugler, Geschichte der Baukunst. III.   54

brochen, erst 1580 abgeschlossen und im 17. Jahrhundert in
abweichendem Style fortgebaut; die älteren Theile in prächtigen,
aber schon barock phantastischen Formen, in denen wiederum
eine Einwirkung spanischer Spätgothik zu erkennen sein möchte;
— das zierlich einfache Stadthaus von Courtray (1526—28);
— das zu Arras,[1] in späten, nicht sehr harmonisch durchgeführten Prachtformen; — das zu Léau, aus dem weitern Verlauf
des 16. Jahrhunderts, dessen ansprechende kleine Façade mit
rundbogigen Fenstern versehen und schon in lebhafter Hinneigung zum Renaissancegeschmack ausgeführt ist. —

Unter den für die Zwecke des Handels aufgeführten Bau-
ten werden die vier grossen Niederlaghäuser der Hansa, der
Spanier, der Florentiner und der Genueser zu Brügge, vom
Ende des 15. Jahrhunderts, besonders gepriesen. Sie sind nicht
mehr vorhanden. Alte Abbildungen lassen malerisch phantastische
Anlagen im Charakter dieser Spätzeit erkennen.

Eins der Gebäude dieses Zweckes, schon im Style des Ueberganges aus der Gothik in die Formen der Renaissance und hierin
von eigenthümlich hervorstechender Bedeutung, ist erhalten: die
seit 1531 erbaute Börse zu Antwerpen.[2] Sie bildet einen Hof
von 157 Fuss Länge und 123 F. Breite, rings nach Art der klösterlichen Kreuzgänge von einem gewölbten Säulengange umgeben. Die Säulen haben eine schlanke spielende Form, bunt
gemustert, in einer Weise, die den Beginn des Renaissancege-
schmackes ankündigt. Sie werden durch leicht gespannte gebrochene Bögen, welche auf der Hofseite mit Blattwerk umsäumt
sind, verbunden, während eine flache Wölbung mit netzartig
bunten Rippen den Gang überdeckt. Der Eindruck hat etwas Luftiges, Leichtes, Heitres, abermals nicht ohne Anklänge an die
entsprechende Uebergangsepoche der spanischen Architektur.

Das merkwürdigste Seitenstück zu diesem Bau bildet der
Hof des bischöflichen Pallastes zu Lüttich.[3] Er wurde
von 1508—40 erbaut, 181½ Fuss lang und 129 Fuss breit und
gleichfalls von einer überwölbten Säulenhalle umgeben; über
letzterer ein Obergeschoss mit stattlicher Fensterarchitektur. Der
Styl ist gleichfalls Uebergang zur Renaissance, lässt nicht minder
auf spanische Einflüsse schliessen, kündigt dabei aber einen Meister von sehr abweichender Sinnesrichtung an. Es ist etwas Ge-
waltsames, schwülstig Barockes in diesen Formen. Die Säulen,
stets wechselnd, haben allerhand schwere und bauchige Kande-
laberformen, deren derbe Details der Renaissance angehören,
während sie im Ganzen fast der altindischen Kunst entstammt
zu sein scheinen. Die Bögen, welche diese Säulen verbinden,
haben die Form eines äusserst gedrückten Spitzbogens. Darüber

---

[1] Chapuy, moy. âge pitt., No. 14. — [2] Hope, t. 82. *Denkmäler der Kunst*,
T. 51, 7. — [3] Gailhabaud, Denkm. der Baukunst, III, Lief. 36. Hope, t. 91. —

ist die Aussenwand mit Leistenmaasswerken und mit schweren Fenstern, ebenfalls in flachbogigem Einschlusse versehen. [1]

Es fehlt den belgischen Städten Y p e r n , B r ü g g e, [2] T o u r n a y , L ö w e n , A n t w e r p e n u. s. w. endlich nicht an mancherlei ansehnlichen bürgerlichen W o h n h ä u s e r n gothischen Styles, mit mehr oder weniger ausgestatteten Façaden, aus den früheren wie aus den späteren Epochen des Styles.

b. H o l l a n d.

Der gothische Kirchenbau von Holland [3] besitzt sehr wenig Monumente aus den Frühepochen des Styles; seine eigenthümliche Ausbildung gehört entschieden der' späteren Zeit desselben an, seit der Mitte des 14., vornehmlich jedoch dem folgenden und der Frühzeit des 16. Jahrhunderts. Er entwickelt sich in Wechselverhältnissen zu den Nachbarsystemen, denen der belgischen, der deutsch-niederrheinischen, der westphälischen Architektur. Er vereinigt hienach verschiedene Richtungen; er hat einerseits die aus der französischen Gothik überkommenen Elemente, die reiche Choranlage, den aufsteigenden Höhenbau, andrerseits das strenger geschlossene System des Hallenbaues mit gleichen Schiffhöhen; er hat in den Arkaden des Innern Pfeiler von eckiger Grundform mit mehr oder weniger belebter Gliederung oder Rundsäulen, die theils mit Blattkapitälen versehen sind, theils solcher ermangeln. Im Allgemeinen charakterisirt er sich durch eine, im National-Charakter beruhende Ernüchterung des Sinnes; er hat, zumal im Innern, zumeist etwas Trockenes und Herbes, doch wiederum mit jenem Streben nach einer freien und offnen Wirkung der innern Räumlichkeit, welche zu malerischen Licht- und Luft-Effekten führt. Aeussere Umstände kommen hinzu, ihm ein charakteristisch eigenthümliches Gepräge zu geben. Das Ziegelmaterial findet eine ausgedehnte Anwendung und macht im Allgemeinen den Massencharakter vorherrsehend. Indess entwickelt sich kein selbständiger Ziegelbau; vielmehr wird für das Detail, sowohl für die Rundsäulen des Innern

---

[1] Ueber dies Gebäude und über das Stadthaus von Brügge sind die Aussprüche zweier grosser Fürsten aufbehalten, für ihre Sinnesrichtung vielleicht von charakteristischer Bedeutung. Kaiser Karl V. soll den Pallast von Lüttich für das prächtigste Gebäude der Christenheit erklärt haben, und Napoleon soll es bedauert haben, dass er jenes Stadthaus nicht auf Rollen setzen könne, um es nach Paris überzuführen. — [2] Hope, t. 88. — [3] Eijk tot Zuylichem, kort overzigt van den bowtrant der middele euwsche Kerken in Nederland, (in den Berigten van het Historich Gezelschap te Utrecht, II, I.) Bericht „über einige mittelalterliche Kirchen in den Niederlanden", im Organ für christl. Kunst, VI, No. 1—18. Einiges (über Rotterdam, Delft, Haag, Leyden) bei Schnaase, Niederländische Briefe.

(wo man deren System aufnimmt) und das Maasswerk der Fenster, als namentlich auch für denjenigen Theil von Gliederung, mit welchem man das Aeussere ausstattet, fast durchgängig Haustein angewandt. Dann tritt, wie es bei einem seefahrenden und schiffbauenden Volke natürlich war, das Material des Holzes in sein Recht. Die Bedeckung der Räume wird häufig in Holz ausgeführt. Es ist ein ähnliches Verhältniss, wie in der englischen Spätgothik, und Einzelnes scheint auf unmittelbare Einflüsse von dort hinzudeuten. Gleichwohl bildet sich auch diese Technik (so wenig wie die des Ziegelbaues) zu keinem eigentlich selbständigen Systeme aus, indem die Holzwölbungen grösstentheils (soweit sie nicht jüngeren Restaurationen angehören) in den Dispositionen des üblichen Steingewölbes gehalten sind. Dabei aber war das Material des Holzes, welches geringere Tragkraft und keinen Gegendruck erforderte, auf die Weite und Leichtigkeit des innern Raumes von wesentlicher Einwirkung; allerdings auch auf die grössere Nüchternheit des Systems, sowie in einzelnen Fällen auf die Entfaltung eines zierlichen Formenspieles. Letzteres gab endlich, wie es scheint, den Anlass zu einigen Steingewölbe-Constructionen von kühner Leichtigkeit, deren Beispiele in der Ausgangsepoche sich geltend machen.

Als frühgothische Anlage gilt der Chor des Domes St. Martin von Utrecht, oder zum Mindesten der polygone Schluss desselben, der mit einem Kranze von fünf Kapellen versehen ist. Er wird als ein gleich nach der Mitte des 13. Jahrhunderts (angeblich von 1251—67) ausgeführter Bau bezeichnet. Der Grundriss [1] lässt dies als nicht unglaublich erscheinen; über den Aufbau fehlt es an genügender Angabe; der Umstand, dass die Chorkapellen vom Umgange nicht gesondert, vielmehr mit demselben durch einheitliche Wölbungen bedeckt sind (wie beim Chor der Kathedrale von Tournay und bei den bezüglichen Kirchen der baltischen Küstenlande) macht es unwahrscheinlich, dass die Vollendung schon dieser Untertheile in die angedeutete Zeit falle, während der Langbau des Chores entschieden den Charakter der späteren Gothik trägt. Es mag somit etwa nur der Grundbau des Chorschlusses jener Frühepoche angehören.

Die sogenannte „Buurkerk" (Nachbarkirche) zu Utrecht, die auch, gleich jener abgebrochenen romanischen Kirche (Thl. II,

------

[1] Bei Wiebeking. Bürgerl. Bauk., III, T. 113. (In dem dort gegebenen Risse hat die Anordnung der Strebepfeiler der Ostseite die übliche und regelrechte Anordnung stärkerer Strebemassen zwischen den Kapellen und schwächere auf den Ecken der letzteren. Im Organ für christl. Kunst, VI, S. 98, wird jedoch angegeben, dass das Gegentheil stattfinde und die Streben an beiden Stellen gleiche bedeutende Stärke hätten.)

S. 362), den Namen der Marienkirche führt, hat gleich hohe
Schiffe, deren Pfeiler rund und mit je 4 Diensten, welche frühgothische Kapitäle tragen, besetzt sind. Hier scheint sich also
ein verhältnissmässig zeitiger Einfluss deutscher Architektur, von
östlicher Seite her, anzukündigen. Später sind noch äussere Seitenschiffe hinzugefügt und ist der Chor abgebrochen.

Einige Notizen, die mit einiger Zuversicht auf die Frühzeit
des 14. Jahrhunderts deuten, scheinen eine zu dieser Zeit noch
ziemlich schlichte Handhabung des gothischen Systems zu verrathen. Dahin gehört die Kirche St. Martin zu Bommel (Gelderland, an der Waal), ein, auch in dem niedrigen Chore dreischiffiges Gebäude mit sechseckigen Pfeilern, die an den Gewölbseiten mit Diensten besetzt sind. Sie soll 1300 begonnen und
1304 geweiht sein, was vom Chore zu gelten scheint, während
das Schiff wohl etwas später sein wird. Ebenso die Martinskirche
zu Thiel (ebenda), vom J. 1326, und die Katharinenkirche zu
Heusden (Nord-Brabant, bei Herzogenbusch) vom Jahr 1328,
beide mit schlicht achteckigen Pfeilern und mancher späteren
Bauveränderung. — Die Nikolaikirche zu Ysselstein (südlich
von Utrecht), 1310 geweiht, ist ein einfacher Ziegelbau, mit gleich
hohen holzgewölbten Schiffen auf sehr schlichten Rundsäulen. —
Als andre Ziegelkirchen, ungefähr aus derselben Epoche, sind zu
nennen: die Walburgskirche zu Arnheim vom Jahr 1328
und die Bartholomäuskirche zu Delft,[1] diese mit erheblichen Bauveränderungen, u. A. mit späteren Theilen in Haustein.

Die grosse Masse der holländischen Kirchen, in mehr oder
weniger bestimmt ausgesprochenen Spätformen, ordnet sich nach
den Hauptsystemen in Grund- und Aufbau. Zunächst sind die
Kirchen des mittleren Hochbaues zu nennen, und unter diesen
die des vollentwickelten Chorplanes, mit Umgang und Kapellenkranz, voranzustellen.

Die Reihenfolge beginnt mit dem Dome von Utrecht.[2]
Der Anordnung seines Chorschlusses ist so eben bereits gedacht.
Der Gesammtbau hatte sehr bedeutende Verhältnisse; die Mit-
telschiffhöhe beträgt 119 Fuss (utrechtischen Maasses), die der

---

[1] Nach den vorliegenden Schilderungen muss ich voraussetzen, dass die mit
diesem Namen bei Eyk, p. 35, bezeichnete Kirche dieselbe ist, welche im Organ, a. a. O., S. 148, f., als „Oude Kerk, früher St. Hippolyt" angeführt, auch
bei Schnaase, S. 176, als „alte Kirche" benannt ist. Eyk hat zugleich das
Datum 1240, welches jedoch auch für die älteren Theile des Baues nicht zu
passen scheint. (Hiebei ist zu bemerken, dass der holländische Protestantis-
mus die alten Bezeichnungen der Kirchen nach den Namen der katholischen
Heiligen insgemein ausser Gebrauch gesetzt hat und dass sie im gewöhnlichen
Leben zumeist als „alte, neue, grosse" Kirche u. dergl. — oude Kerk, nieuwe
Kerk, groote Kerk, — benannt werden.) — [2] Wiebeking, a. a. O., T. 113; 120.

Seitenschiffe 70 Fuss; doch sind von den Vorderschiffen, deren
Mittelbau der Strebebögen entbehrte und die, angeblich in Folge
dieses Mangels, bei einem Sturme im J. 1674 zusammenbrachen,
nur noch geringe Reste vorhanden. Die innere Behandlung des
Erhaltenen hat ausgeprägten Spätcharakter: eckige Pfeiler, an
denen die Bogengliederungen niederlaufen, doch dazwischen noch
mit Diensten für die Gurte des Gewölbes. Die Oberfenster des
Chores sind weit, den Schildbogen völlig ausfüllend, mit reichem,
verschiedenartigem Maasswerk versehen, im Aeussern mit Maass-
werk-Wimbergen gekrönt. Die Giebelwände des Querschiffes werden ebenfalls von kolossalen und nicht minder reichen Fenstern
völlig ausgefüllt. Ein Strebebogensystem umgiebt den Hochbau
des Chores. Das Material ist Haustein (Sandstein und Trachyt).
Vor der Mitte der Westseite des Doms, ohne unmittelbare Verbindung mit dieser, wurde von 1321—81 ein ansehnlicher Thurm
aufgeführt. Dieser steht noch, unterwärts ein schlichter Ziegelbau, oberwärts ein schmuckreicher Hausteinbau, mit luftig achteckigem Obergeschosse, dem jedoch die Helmspitze fehlt.

Dann die ähnlich machtvolle Anlage der Nikolaikirche
zu Kampen (Overyssel, an der Zuider-See), um 1369 gegründet.
Der Chor wird in Plan und Aufbau als dem des Utrechter Domes entsprechend bezeichnet; auch er besteht aus Sandstein,
doch fehlen ihm die Strebebögen. Die Vorderschiffe sind fünfschiffig. Es scheint aber, dass bei ihrer Ausführung die Mittel
minder reichlich flossen, als beim Chorbau; das Material ist
Tuffstein und die Mittelschiffpfeiler haben eine schlichte viereckige Form mit je vier Halbsäulen, während zwischen den Seitenschiffen Rundpfeiler mit Diensten angeordnet wurden.

Ein dritter Prachtbau verwandten Styles, im Wesentlichen
ebenfalls aus Sandstein aufgeführt, ist die Johanniskirche zu
Herzogenbusch. [1] Sie ist fünfschiffig, auch im Chor, und hier
noch durch anliegende Seitenkapellen verbreitet; die Gesammtlänge beträgt 323 Fuss, die Chorbreite 160 F., die Vorderschiff-
breite 117 Fuss. Der Bau ist jünger als der der eben genannten
Kirchen, doch hat er an der Westseite einige ältere Theile: der
dem Mittelschiff vorliegende Thurm, dessen Unterbau noch romanisch ist (Thl. II, S. 363), und andre Theile zu dessen Seiten,
welche von umfassenden, in der Spätzeit des 13. Jahrhunderts
begonnenen Bauten herrühren. Das Uebrige ist ein nach einem
Brande des Jahres 1419 in langsamem Fortschritt aufgeführter
Neubau. Der Chor, wohl mit Einschluss des Querschiffs, wurde
1492 vollendet, der Vorderbau 1497 begonnen; als Leiter des
Baues in diesen Jahren wird Alart Duhamel genannt. Im
Innern herrscht durchaus ein System starker Pfeiler, an denen
die feinen Gliederungen der Bögen und Gurte niederlaufen; das

---

[1] Vergl. den Aufsatz von Hermans, im Organ f. chr. Kunst, IV, No. 3, ff.

Aeussere ist mit einem ansehnlichen System schmuckreicher Strebepfeiler und gedoppelter Bögen umgeben. Der Chor unterscheidet sich von den Vorderschiffen durch straffere und noch verhältnissmässig edlere Formen.

Eine schon abweichende Richtung auf ähnlicher Grundlage bekundet die Liebfrauenkirche (Groote Kerk) zu Dortrecht. Ihr innerer Aufbau hat eine einfache Strenge, dem in der belgischen Kunst vorherrschenden Systeme entsprechend: kräftige Rundsäulenarkaden; die Säulen mit Laubkapitälen, über denen die dreitheiligen Gewölbdienste aufsetzen; einfache Oberfenster innerhalb tief niedergehender Wandnischen. Bei den Kapellen

Liebfrauenkirche zu Amsterdam. Inneres System. (Nach d. Organ f. chr. Kunst, VI.)

des Chorumganges ist zu bemerken, dass ihre Zwischenwände durch leichte Säulen ersetzt sind und sie somit in offner gegenseitiger Verbindung stehen. Chor und Vorderschiffe sind verschiedenzeitig; jener besteht in der Masse aus Haustein, dieser aus Ziegeln. Der Bau soll aus der Frühzeit des 14. Jahrhunderts herrühren; ob diese Angabe auch nur, wie man annimmt, auf den Chor zutrifft, muss dahingestellt bleiben. — Die Lorenzkirche (Groote Kerk) zu Rotterdam, 1412 oder 1449 bis 1472 erbaut, scheint ein Gebäude von im Wesentlichen gleicher Anordnung zu sein. Doch unterscheidet sie sich von der ebengenannten Kirche (wie von den vorigen) dadurch, dass Mittelschiff und Querschiff bereits, und voraussetzlich schon der ursprünglichen Absicht gemäss, mit hölzernen Kreuzgewölben bedeckt sind.

Es folgt die Liebfrauenkirche (Nieuwe Kerk) zu Amsterdam, 1408 bis nach 1470, ein Hausteinbau von grossartiger Anlage und eigenthümlicher Behandlung. Der Chor ist fünfschiffig, mit Umgang und regelmässig geordnetem Kapellenkranz; das Schiff setzt in zwei Jochen fünfschiffig an (dazu noch mit äussern kapellenartigen Seitenräumen), hat dann drei Joche eines dreischiffigen Baues und schliesst auf der Westseite unvollendet ab. Das innere System nähert sich auffällig dem der englischen Spätgothik. Es sind gegliederte Pfeilerarkaden

von edlem Verhältniss, die Pfeiler aus einem Bündel von acht
Säulenstäben zwischen tiefen Kehlungen bestehend, mit reichem
Blätterkapitäl, die Scheidbögen ebenfalls, in charakteristischer
Spätform, lebhaft gegliedert. Ueber den Arkaden läuft eine Gal-
lerie hin und erst mit deren Ansatz beginnt an der Oberwand

Liebfrauenkirche zu Amsterdam   Scheidbogenprofil.   (Nach dem Organ für christl. Kunst, VI.)

eine Art von Diensten, in Pilasterform, die sich sofort als Träger
einer Holzwölbung ankündigen. Die vorhandene Holzdecke ist
jedoch nicht mehr die ursprüngliche, sondern einer Erneuung
nach einem Brande von 1645 angehörig. Die niederen Räume
sind sämmtlich mit regelmässigen Steingewölben bedeckt.

Endlich die Stephanskirche (Groote Kerk) zu Nimwegen. Sie hat einen Chor, aus Haustein und Ziegel, mit reichem Kapellenkranz, doch von ernüchterter Grundanlage (einigermaassen an den Chorplan des Münsters zu Freiburg im Breisgau erinnernd;) die Formen zierlich im Charakter des 15. Jahrh.
Der dreischiffig geordnete Querbau hat spielende Formen etwas
jüngerer Art, das vordere Langschiff (ganz in Ziegeln) eine rohere
Behandlung, die auf frühere Zeit zu deuten scheint. Das Mittelschiff in Lang- und Querbau ist, ohne Erhöhung über die andern
Theile, (was aber nicht der ursprünglichen Absicht entsprechen
dürfte), mit einer hölzernen Tonnenwölbung im Renaissancegeschmack versehen.

Die grössere Zahl der Kirchen erhöhten Mittelschiffes hat
eine einfachere Plananlage, in der Regel mit einfachem Umgange
um den Chor, dazu mit Rundsäulen in den Schiffarkaden, mit
dünnen Diensten, die über dem Kapitäl der letzteren aufsetzen.
Bei einigen wenigen sind die Hochräume wiederum mit Steinwölbungen bedeckt, wobei insgemein das äussere System der
Strebebögen beibehalten ist; bei der Mehrzahl erscheinen auch
hier Holzwölbungen, theils bei ursprünglich auf Steingewölbe berechneter Anlage, theils ohne solche. Ein sehr ansehnliches Beispiel ist die Liebfrauenkirche (Groote Kerk) zu Breda, ein

Bau von consequenter Durchbildung, völlig aus Haustein ausgeführt und überwölbt, mit reichen Details versehen, namentlich·
was das Maasswerk der Fenster und die leistenartige Hinabfüh-
rung desselben an den Innenseiten der Oberwände betrifft. Als

Liebfrauenkirche zu Breda.
Inneres System. (Nach dem
Organ-für christl. Kunst.)

Datum der Chorweihe wird das J. 1410 genannt; der Chor schliesst fünfseitig, ursprünglich ohne Umgang und erst mit jüngerer
Hinzufügung eines solchen. — Die Kirche
St. Bavo (Groote Kerk) zu Haarlem, dem
Laufe des 15. Jahrhunderts angehörig, ist
gleichfalls ein Bau von bedeutender Anlage,
doch von ungleich trocknerer Durchführung.
Sie hat an den inneren Hochwänden dünne
Dienste, die oberhalb der Schiffarkaden beginnen; Ansätze zu (unausgeführt gebliebenen)
Strebebögen bezeugen die ursprüngliche Absicht auf steinerne Ueberwölbung der Hochräume; statt solcher wurden indess, 1518 im
Schiff, 1532 im Chor, Holzwölbungen in zierlicher Sternform ausgeführt, durch Pieter
Bagijn, gleichwohl der mittlern Vierung
1535 ein steinernes Sterngewölbe gegeben. —
Ebenso die Peterskirche zu Leyden (Chorweihe angeblich schon 1321 oder 39), von
ziemlich trockner Architektur, doch durch
die fünfschiffige Anlage des vorderen Langbaues und den Wechsel stärkerer Säulen im
Mittelschiff und schlankerer zwischen den
Seitenschiffen mit malerisch wirkenden Durch-
blicken; in den Hochräumen, statt des zuerst auch hier beabsichtigten Steingewölbes,
mit schlichter Holzwölbung; — und die Pancratius- oder
Hochländische Kirche, ebendaselbst, (Einweihung vor 1315?),
ein stattlicher Säulenbau, mit zumeist sternförmigen Holzwölbungen in den Mittelräumen. — So auch die Ursulakirche
(Nieuwe Kerk) zu Delft, im Schiff seit 1412, im Chor seit 1453
gebaut und 1476 geweiht, bis auf den Chorumgang und einen
Theil der Chorseitenschiffe völlig mit (späten) Holzwölbungen
bedeckt. — Anderweit sind zu nennen: die Kirchen von Naar-
den (Nordholland), um 1380, und von Elburg (Gelderland),
um 1398; — die Maria-Magdalenenkirche zu Goes (Zeeland,
auf der Insel Zuid-Beveland), in ihren westlichen Theilen 1422
geweiht; — die Eusebiuskirche (Groote Kerk) zu Arnheim,
seit 1452; — die Nikolaikirche zu Deventer, mit älteren
Theilen eines romanischen Baues; — die Brüderkirche zu
Zütphen; — die Lorenzkirche zu Alkmaar, seit 1470; —

die Jakobinerkirche (Groote Kerk) zu Leuwarden in
Friesland.

Einige Bauten der Schlusszeit des gothischen Styles zeigen
die Wiederaufnahme der Construction der Steinwölbungen, zum
Theil in bemerkenswerth kühner Ausführung. Hiezu gehören
der Chor der Martinskirche zu Gröningen, dessen sehr
hohes Mittelschiffgewölbe ohne ein Strebebogensystem errichtet
wurde, (was freilich vielfache Verankerung nöthig gemacht hat;)
— die Reste der Martins- oder Liebfrauenkirche zu Harderwyk
(Gelderland, an der Zuider-See) und die unfertige Kirche von
Wyk-by-Duurstede (Utrecht), beide aus dem Anfange des
16. Jahrhunderts. — Die Katharinenkirche zu Utrecht
vom J. 1524, — und der Chor der dortigen Johanniskirche,
mit dem Datum 1539.

Sehr eigenthümlich ist die Johanniskirche zu Gouda, 1485
gegründet und nach einem Brande von 1552 erneut; ein fünfschiffiger Bau mit weiten Säulenabständen; die Säulen durch
Rundbögen verbunden bei noch spitzbogiger Fensterform; sämmtliche Räume mit halbrunden Tonnenwölbungen aus Holz bedeckt,
die äusseren Seitenschiffe mit querliegenden, welche stichkappen-
artig in die Wölbungen der mittleren Seitenschiffe eingreifen.

Unter den Hallenkirchen mit gleich hohen Schiffen finden
sich einige, die, mit Steingewölben versehen, eine dem System
des Hochbaues entlehnte Pfeiler- und Bogengliederung haben:
Pfeiler von eckiger Grundform mit an den Zwischenseiten niederlaufenden Bogenprofilen und mit Diensten an den Gewölbseiten.
Als solche sind zu nennen: die Michaelskirche zu Zwolle, 1406
bis 1446; — der Schiffbau der Martinskirche zu Gröningen,

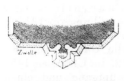

Michaelskirche zu Zwolle.
Profil der Schiffpfeiler. (Nach
dem Organ f christl. Kunst.)

(in deren oben schon erwähnten, ohne
Zweifel jüngeren Chore Rundsäulen angeordnet sind); — die Cunerakirche zu
Rheenen (Utrecht); — die Jakobskirche zu Utrecht. — Verwandtes System zeigen die Nikolaikirche und die
Gertrudenkirche zu Utrecht, jene
mit Resten eines romanischen Baues, diese
durch Umbau eines einschiffigen Gebäudes
entstanden und holzgewölbt; — so auch die katholische Kirche
zu Zütphen. — Die Neuseits-Kapelle (Nieuwezijds Kapel)
zu Amsterdam, nach einem Brande von 1452, zeigt eine Verwendung der Schiffarkaden der dortigen Liebfrauenkirche (S. 431)
auf gleiche Schiffhöhen, mit Holzwölbungen; — die Marienkirche
zu Vianen (Südholland, am Leck), eine einfache Pfeilerformation, ebenfalls mit Holzwölbungen.

Zahlreicher sind die Hallenkirchen mit Rundsäulen. Doch sind hier die Steinwölbungen selten. So bei der Liebfrauenkirche zu Kampen, seit 1369; — bei dem östlichen Theil der Georgskirche zu Amersfort (nordöstlich von Utrecht), seit 1430; — auch, wie es scheint, bei der rohen Martinskirche zu Bolsward (Friesland), seit 1446. — Die Mehrzahl hat Holzwölbungen und, solcher Anlage entsprechend, ein schlankes Säulenverhältniss. So die Nikolaikirche (Oude Kerk) zu Amsterdam; — die Johanniskirche zu Hoorn (Nordholland), im Chor seit 1405, im Schiff seit 1429, doch 1838 abgebrannt; — die Johanniskirche zu Schiedam (Südholland, westlich von Rotterdam); — die Martinskirche zu Franeker (Friesland, westlich von Leuwarden); — die Jakobskirche im Haag, 1434; — die Lorenzkirche zu Weesp (Nordholland, unfern von Amsterdam), 1462 geweiht.

Die Walburgskirche zu Zütphen ist nach einem Brande v. J. 1446 aus der älteren romanischen Anlage (Thl. II, S. 363) und mit Beibehaltung von Theilen derselben in eine gothische Hallenkirche umgewandelt. — Ebenso die Lebuinuskirche zu Deventer.

Endlich sind einige zweischiffige Hallenkirchen entsprechenden Systems anzuführen: die Minoritenkirche und die Bethlehemskirche zu Zwolle; — die katholische Kirche zu Deventer (aus der Erweiterung eines einschiffigen Baues entstanden); — die Klosterkirche im Haag.

Die Liebfrauenkirche zu Zwolle ist eine einschiffige Kreuzkirche von schlicht ansprechender Behandlung.

---

6. Die deutschen Nordostlande

mit Einschluss der polnischen und anderer Nachbardistricte.

Sehr durchgreifenden Umgestaltungen unterlag der gothische Baustyl in den nordöstlich deutschen Landen. Es sind dieselben Elemente einer herberen, kampfgestählten Sinnesrichtung, eines mehr nur die bauliche Masse und deren Dekoration als den Organismus selbständiger Glieder begünstigenden Materials, darauf diese Wandlungen, wie schon die des romanischen Styles, beruhten. Es gilt in allgemeiner Beziehung dasselbe, was hierüber bereits bei der Betrachtung des Romanismus jener Gegenden (Thl. II, S. 549 u. f.) gesagt ist. Die abweichenden Elemente mussten aber beim gothischen Baustyl um so mehr ins Gewicht fallen, als dieser, wenigstens in den Principien, welche er in den

westlichen Landen befolgt hatte, ursprünglich so entschieden auf
eine durchgeführte Theilung und Gliederung der Masse hinausging.
Das Material ist nunmehr, in durchaus vorwiegender Weise,
der gebrannte Stein. Granit wird für das bauliche Ganze nur
noch in völlig untergeordneten Fällen, wo eine irgend bedeutendere Wirkung nicht mehr in der Absicht lag, verwandt. Doch
weiss man die Vorzüge des Granits im Einzelnen sehr wohl zu
benutzen und namentlich in ansehnlichen Hallenräumen ihn zu
schlanken und leichten Gewölbstützen zu verwenden, deren Kühnheit den überraschendsten Eindruck hervorbringt. Sandstein,
Kalkstein u. dergl. werden, wie in der romanischen Epoche, nur
selten, zumeist nur für ein einzelnes Detail, dessen sculptorische
Behandlung dieser Stoff begünstigte, verwandt; mit Ausnahme
gewisser Nachbar-Districte, die, minder arm an solchem Gestein,
gleichwohl im Ziegel ein leichter zu beschaffendes Material fanden, die sich dem allgemeinen Systeme des Ziegelbaues gerne
anschlossen, demselben aber, in grösserem oder geringerem Umfange, Hausteindetails einmischten und somit ein Zwittersystem
schufen, welches sich dem anderer Gegenden (der bayrischen
und niederrheinischen) mehr oder weniger verwandt zeigt.
    Es ist somit der stoffliche Charakter des Ziegels, welcher
fortan als das vorzüglichst entscheidende äussere Bedingniss für
das Gesetz und die Behandlung der baulichen Anlage erscheint.
Der Massencharakter herrscht durchgängig vor; freie Vorsprünge,
stärkere Ausladungen werden thunlichst vermieden. Auch das
freie Spiel der Fensterverstabung wird insgemein, sofern die
Mischsysteme der Grenzdistricte nicht eine andre Behandlung
vorziehen, auf das Nothdürftige zurückgeführt; von den reicheren
Maasswerkfüllungen wird grösstentheils ganz abgesehen, der Art,
dass sich gerade hier zumeist eine überschlichte, nicht selten eine
barbaristische Formation geltend macht, eine rohere in der That,
als nach dem künstlerischen Grundgefühle und dem stofflichen
Bedingniss nöthig gewesen wäre. (Zumeist findet sich die Anordnung, dass die Fensterstäbe, unter der Linie der grossen Bogenumfassung, in einfachsten Spitzbögen verbunden werden.) Dagegen wendet sich der Sinn gern einer dekorativen Abtheilung,
Ausstattung, Belebung der Masse zu: durch Anordnung von Ni-
schenreihen oder von grösseren Bogennischen, welche andre Theile
(Thüren, Fenster u. dergl.) in sich einschliessen; durch das Spiel
wechselfarbiger und wechselglänzender Steine, welche die breite
Fläche mit einem Muster versehen; durch aufgelegte Muster
durchbrochener Friese, Rosetten und mannigfach andrer, ebenfalls farbig glänzender Füllstücke. Wobei aber zu bemerken,
dass diese Farbenwirkung, zumeist im Gegensatze schwarz glasirter zu unglasirt rothen Ziegeln, auf sehr schlichten und zugleich sehr ernsten Grundtönen zu beruhen pflegt. Ferner giebt
die bequeme Beschaffung eines gegliederten Profils (im Modell

des Thons- vor dem Brande) das Motiv, die Kanten mit zierlichem Formspiele der Art zu versehen; am Häufigsten bei den Wandungen der Portale, wo es nicht an den kunstreichsten, durch Wiederholungen allerdings mehr oder weniger monotonen Combinationen fehlt. Lebhafter Farbenwechsel, hier auch in grünen, gelben und anderen Tönen erhöht die Wirkung dieser Spiele von Formen, Lichtern und Schatten, bald jedoch — ein Ergebniss des handwerklichen Gefüges — in der barbarisirend widerspruchvollen Weise, dass die Farbenschichten die aufsteigende Gliederung fort und fort durchschneiden. Im Innern, in der Formation von Pfeilern, Wandpfeilern, Bögen, Gurtungen, zeigt sich zu Anfange allerlei Formenwechsel, später auch hier das Gesetz der Massenwirkung. Letzteres macht sich in ähnlicher Schlichtheit und Strenge geltend, wie freilich auch anderweit so häufig in den Innenräumen spätgothischer Monumente der deutschen Architektur; und strebt in ähnlichem Sinne nach einer Gegenwirkung durch die Einführung bunter Gewölbformationen. Aber beides steigert sich im Ziegelbau. Die stützenden und tragenden Theile sprechen nicht selten, auch bei machtvoll kühnen Verhältnissen und räumlichen Rhythmen, den Charakter des Massenbaues noch rücksichtsloser aus; die Maurerkunst führt in den Wölbungen nicht selten zu noch phantastischerer Anordnung. Das Sterngewölbe, an Stelle des einfachen Kreuzgewölbes, tritt in den nordöstlichen Gegenden schon mit der Frühzeit des vierzehnten Jahrhunderts ein; die Gurtendurchschneidungen häufen sich, und es bildet sich schliesslich, bei sehr complicirter Gliederung, durch Weglassung der vortretenden Rippen und scharfe Vertiefung der Kappen, ein „Zellengewölbe" aus, welches diesen Landen, zumal den östlichsten (den preussischen), ganz eigenthümlich ist und sich anderweit nur in seltensten Beispielen findet.

Neben den materiellen Factoren kommen aber nicht minder die geistigen in Betracht. Im Allgemeinen ist der Gang der Entwickelung des Ziegelbaues der nordöstlichen Lande der Art, dass zu Anfang in der That das ideelle und erst später das stoffliche Gesetz vorherrscht. Es zeigt sich zu Anfang das vorwiegende Bestreben, einen formalen Organismus, mehr oder weniger nach Maassgabe der überlieferten Systeme, durchzuführen und diesem Zwecke das Material dienstbar zu machen. Die künstlerische Absicht übt dabei einen strengen Einfluss auf die Technik aus; das Material des Ziegels wird mit äusserster Sorgfalt geformt, mit ebenso grosser Sorgfalt verbunden; es finden sich in der Frühzeit des Styles Ziegel von einer marmorähnlichen Textur, in den profilirten Theilen von einer Grösse, dergleichen man sonst nur im Haussteinbau zu erwarten berechtigt ist. Aber das Auseinanderfallen des künstlerischen und des handwerklichen Theils der Ausführung (der Umstand, dass die Kunstarbeit schon vor dem Brande der Steine abgethan sein musste, während der Aufbau selbst eigentlich

nur Sache des Handwerkers war), gab bald und um so mehr zu
einer Vernachlässigung des strengeren künstlerischen Bedingnisses
Veranlassung, als mit der schnell gesteigerten Blüthe jener Lande
und ihrer Städte und Schlösser auch das Baubedürfniss sich
mächtig steigerte und somit eine mehr und mehr fabrikmässige
Beschaffung des Nothwendigen die natürliebe Folge war. Nun
nahm sich der Stoff sein selbständiges Recht; nun ward die
Maurertechnik das Entscheidende und trat mit ihr die Uebergewalt der Masse, die spielende Combination bunter Profilirungen,
bunter Füllungen, bunter Farben und Glasuren,· bunter Gewölbmuster ein. Dennoch war auch dies freiere Schalten der handwerklichen Technik wiederum nur das Mittel, einem Allgemeinen
Ausdruck und Bethätigung zu geben. Die stolze Kühnheit, welche
sich in diesen Bauten trotz ihrer oft barbaristischen Herbheit
ausspricht, die Majestät ihrer inneren räumlichen Verhältnisse,
die geschlossene, oft kriegerische Festigkeit ihres Aeussern, der
mannigfaltige und eigenthümliche Schmuck, dem sie, wo es darauf ankommt, die angemessene Stätte zu bereiten wissen und die
tiefen Töne dieses Schmuckes, von dem das Auge ähnlich berührt wird wie das Ohr von dem tiefen Molltone des altnieder-
sächsischen Volksgesanges, — alles dies ist doch kein Produkt
des einzelnen Maurers oder der einzelnen handwerklichen Innung,
sondern jenes grossen geschichtlichen Processes, welcher den
Herren von der Hansa die nordischen Meere unterthänig machte
und in ihre Hand die Geschicke der nordischen Königreiche
legte, welcher dem geistlichen Kriegerstaate des deutschen Ordens im baltischen Küstenlande ein glanzvoll fürstliches Dasein
bereitete.

Der Ziegelbau der nordöstlichen Lande, in der romanischen
Epoche auf engere Kreise beschränkt, vergrösserte in der gothischen sein Gebiet auf umfassende Weise. In Deutschland schlossen sich ansehnliche Districte des Nordwestens und die schlesischen
Lande an. In Osten drang er durch Preussen und, wie es scheint,
überall in den baltischen Küstenlanden, soweit sich deutsche Colonisation erstreckte, vor. Nicht minder, wie es scheint, folgte
Polen seinem Systeme. Soweit uns bis jetzt die Monumente bekannt geworden, ist die Entwickelung des Systems im Grossen
und Ganzen dieselbe, doch nicht ohne einige erhebliche Unterschiede für ihre Einzelmomente. In den Gegenden, denen ein
geeignetes Hausteinmaterial minder fern lag, mussten sich, wie
bereits angeführt, gemischte Stylbildungen ergeben. In einzelnen
Fällen fehlte es nicht an der Nachbildung der reicheren Formen-
bildungen rheinisch-französischer Gothik, denen man, so gut es
das widerstrebende Material zuliess, gerecht zu werden bestrebt
war. Dies sind, soweit es sich um Einzeltheile bandelt, Ausnahmen, Versuche, die eine sonderliche Folge nicht gewinnen konnten.
Aber es fehlte zugleich nicht an den Fällen, in welchen die

umfassendere Plananordnung und der gegipfelte Aufbau des
französischen Kathedralensystems als eine bestimmte Norm zu
Grunde gelegt und nach den allerdings beschränkenden Bedingungen des Materials umgearbeitet wurden, mehr oder weniger
reich, mit dem einfachen Hochbau des Mittelschiffes und niedern
Seitenschiffen, mit Anwendung eines Strebebogensystems, mit
niederem Chorumgange, mit der gegliederten Ausbreitung des
letzteren in kapellenartig vortretenden Polygonen. Dies ist eine
Erscheinung, die als eine doppelt auffällige bezeichnet werden
muss, indem sie dem norddeutschen Geiste ebenso sehr wie dem
beschränkten Materiale zu widersprechen scheint; vielleicht erklärt
sie sich durch den Vergleich mit Böhmen, wo ebenfalls das System
der französischen Gothik so umfassende und schliesslich mit selbständig nationaler Kraft behandelte Pflege fand. Es war voraussetzlich
mehr das slavische als das deutsche Element, was in Böhmen (in der
Spätzeit der Gothik, wo in Deutschland der Hallenbau so entschieden
vorherrschte,) zu dieser überwiegenden Hinneigung zur französischen Form führte; und es ist in den nordöstlichen Landen, wo
deutsche Colonisation und deutsche Cultur auf slavisches Volks-
thum übertragen waren, vielleicht ebenfalls ein Zug lebendiger
Rückwirkung des letzteren, was zu der verwandten Erscheinung
Anlass gab. Auch hat diese Vermuthung, wie es scheint, um so
mehr Grund, als da, wo das Slaventhum entschiedener zurück-
gedrängt war oder völlig fehlte, wie namentlich in Preussen,
die Erscheinung überhaupt nicht vorhanden ist.

Die Unterschiede des Entwickelungsganges je nach den einzelnen Landen und Districten lassen es angemessen erscheinen,
in der Einzelbetrachtung die lokalen Gruppen (soweit über dieselben einstweilen nähere Mittheilungen vorliegen) gesondert
vorzuführen.

a. Schlesien.

Schlesien bildet für die Epoche der gothischen Architektur
zwischen den Landen des reinen Haustein- und des reinen Backsteinbaues eine Uebergangsstufe. Es hat einzelne Bauten, die
noch ganz aus Haustein durchgeführt sind; es hat eine häufige
Verwendung von Hausteindetails, besonders im Fenstermaasswerk,
in den Fialen und dergl., wodurch sich seine Monumente von
denen des reinen Backsteinbaues zumeist wesentlich unterscheiden.
Der politische Anschluss Schlesiens an Böhmen, seit der Frühzeit des 14. Jahrhunderts, lässt dabei einen Einfluss der böhmischen Architektur auf die schlesische voraussetzen. Zugleich aber
herrscht der Ziegelbau nicht nur in den Massen vor, sondern

hat nicht minder auch auf die Einzelbehandlung vielfach bestimmenden Einfluss, in näherer Verwandtschaft mit der in den nördlichen Landen üblichen Behandlungsweise. · Indess ist zu bemerken,
dass der Mangel an umfassenderen Mittheilungen über die monumentalen Verhältnisse des Landes [1] ein erschöpfendes Gesammt-
urtheil noch unthunlich macht.

Einzelne Reste, zumeist aus der Schlusszeit des 13. Jahrhunderts, tragen das charakteristisch frühgothische Gepräge. Als
solche sind unter den Monumenten von Breslau anzuführen:
die ältesten Theile der Dominikanerkirche, St. Adalbert,
namentlich am Unterbau des Querschiffes, auch des Langschiffes,
wo besonders im Aeussern ein zierlicher Bogenfries von gebrannten
Steinen Beachtung verdient, übergangsartig aus sich durchschneidenden Spitzbögen gebildet, die auf lilienförmigen Consolen aufsetzen
und wechselnd diamantirt und parallelstreifig verziert sind; — die
ältesten Theile der St. Martinikirche (der ehemal. Schlosskapelle), mit trefflichen strenggothischen Blendarkaden von Sandstein; — der Oberbau im Chore des Domes, St. Johann, dessen
Ostfenster den vollentwickelt frühgothischen Styl zeigt. — Ebenso
die Schlosskapelle von Ratibor, [2] ein oblonger Bau, dessen
Inneres, in den Wanddiensten und den Kapitälen, im Gewölbe,
in dem reichen Fenstermaasswerk, in einer Reihe kleiner Wandnischen mit mannigfach zierlichen Giebelkreuzen gleichfalls eine
wohlausgebildete Frühgothik bekundet. — Anderweit soll vornehmlich Beuthen mancherlei Reste derselben Epoche enthalten:
in der katholischen Pfarrkirche, der Minoritenkirche, dem Octo-
gonbau der heil. Geistkirche. Auch die Dominikanerkirche
zu Ratibor und die Minoritenkirche zu Troppau werden
als Werke des 13. Jahrhunderts bezeichnet.

Als Hauptmonument der schlesischen Frühgothik gilt insgemein die heil. Kreuzkirche zu Breslau. [3] Sie wurde 1288
gegründet und 1295 geweiht. Wenn diese historische Notiz auf
das vorhandene Gebäude Anwendung findet, so scheint sie doch
etwa nur dem Chore gelten zu können; [4] das Uebrige ist jedenfalls erheblich später. Die Kirche hat viel Eigenthümliches in
der Anlage. Bei einer Gesammtlänge von 203 Fuss ist der Chor
ebenso lang wie das Vorderschiff, während ein Querschiff, beide
durchschneidend, ebenfalls erheblich ausladet und an der Stirn-

---

[1] Ich weiss zunächst nur anzuführen: „Stilbezeichnung und Datirung einiger
Kirchen Schlesiens", von Luchs, (wenige Seiten im Heft 2 der Zeitschrift des
Vereins für Gesch. u. Alterth. Schlesiens); „über einige mittelalterliche Kunst-
denkmäler in Breslau", von demselben, (im Osterprogramme der h. Töchter-
schule zu St. Maria-Magdalena in Breslau) und Lange's Original-Ansichten,
VIII. Die wichtigsten Mittheilungen, über Breslau, verdanke ich meinem
Freunde W. Lübke. (Einige Einzelnachweise im Folgenden.) — [2] Cuno, in
der Berliner Zeitschrift für Bauwesen, II, Sp. 210, Bl. 43. — [3] Durchschnitte
und Grundrisse bei Wiebeking, Bürgerl. Baukunde, T. 44 (Fig. 41, f.) und
T. 27 (Fig. 33, f.) — [4] Meine Vorlagen verstatten kein bündiges Urtheil.

seite seiner Flügel in derselben Weise polygonisch (dreiseitig)
geschlossen ist wie der Chor. Unter dem gesammten Kirchenbau,
auch dem dreischiffigen Vorderschiffe, erstreckt sich eine Krypta,
die sog. Bartholomäuskirche; mit der besondern Einrichtung, dass

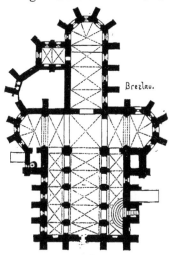

die Arkaden ihrer Schiffjoche eng
stehen, die der Oberkirche, mit
Pfeilern über dem je zweiten Un-
terpfeiler, doppelt so weit und nur
am Westende (bei ungleicher Joch-
zahl der Unterkirche) in dem engeren Abstande, während die Fenster überall diese engeren Abstände
befolgen, (also je zwei auf den
breiteren Jochtheil kommen). Die
Vorderschiffe des Oberbaues bilden
sich, in Uebereinstimmung mit dieser Anlage zum weiten Hallenbau
aus; ihre Pfeiler sind viereckig,
mit lebhaft profilirter Eckgliederung, die in die Scheidbögen überläuft; ihre Wölbungen haben die
Sternform, in den Seitenschiffen
auf dreiseitiger Grundlage, dem

Grundriss der Krypta der h. Kreuzkirche Wechselverhältniss der Fenster zu
zu Breslau. (Nach Wiebeking.) den Scheidbögen entsprechend.

Die Fensterfüllungen zeigen im Querschiff schon späte geschweifte
Formen. Der Bau scheint hienach sehr allmählig und nach wechselndem Plane zur Ausführung gekommen: zuerst, wie schon
bemerkt, der Chor; dann die Vordertheile der Krypta, die nach
Allem voraussetzen lassen, dass auch der Oberbau ursprünglich
auf dieselbe engere Pfeilerstellung und dieser gemäss wohl auf
niedere Seitenschiffe berechnet war; dann, schon im ausgesprochenen Spätcharakter, die Vordertheile des Oberbaues.

Breslau erfreute sich besondrer Vergünstigungen von Seiten
Kaiser Karl's IV., schon vor dessen Berufung zum Throne. Zwei
grosse Brände, in den Jahren 1342 und 1344, gaben Veranlassung
zu erheblichen Neubauten. So scheint die Mehrzahl der dortigen
kirchlichen Monumente in der That der nächstfolgenden Zeit,
d. h. der zweiten Hälfte des 14. Jahrhunderts anzugehören. Die
Systeme sind verschieden. Einige Kirchen befolgen das System
des Hallenbaues. So, wie eben angegeben, die Vorderschiffe der
hl. Kreuzkirche, die ohne Zweifel in diese Epoche fallen. So
die Liebfrauenkirche auf dem Sande, die sogen. „Sand-
kirche“, für deren Bauzeit im Allgemeinen die Epoche von
1330—72, für deren Chorweihe das Jahr 1369 angegeben wird.
Sie hat an jedem ihrer Schiffe einen polygonen Schluss, sehr

breite Schiffpfeiler mit ausgekehlter, in die Scheidbögen über-
laufender Eckgliederung, consolengetragenem Sterngewölbe, und
im Verhältniss der Fenster zu den Schiffjochen und die Seitenschiffgewölbe dieselbe Einrichtung wie die Kreuzkirche. So die
Dorotheenkirche (Minoritenkirche), deren Stiftungsbrief von
1351 datirt, von völlig ähnlicher Beschaffenheit, nur mit mehr
achteckigen Schiffpfeilern und geradlinig schliessenden Seitenschiffen. — Andre haben ein ansehnlich hohes Mittelschiff und
niedere Seitenschiffe, während die Behandlung der Details im
Wesentlichen dieselbe ist: die Elisabethkirche,[1] deren östlicher Theil, mit engen Pfeilerabständen, dem 14. Jahrhundert
angehört, während der (neuerlich durch Einsturz beschädigte)
westliche Theil aus dem 15. herrührt; die Maria-Magdalenenkirche, diese auf der Chorseite geradlinig schliessend und
im Aeusseren mit schweren, schmucklos einfachen Strebebögen
versehen; die kleinen Kirchen Corpus Christi, St. Vincenz.
St. Bernhardin, (die letztere aus der Zeit von 1464—66), die
zum Theil mit feineren Einzelheiten ausgestattet, zum Theil roher
behandelt sind. Die Kirche Corpus Christi ist durch einen zierlichen Backsteingiebel ausgezeichnet, wie ein solcher auch die
Dominikanerkirche, als Theil ihres jüngeren Umbaues,
schmückt.

Auch anderweit enthalten die Städte Schlesiens namhafte
Kirchengebäude aus derselben jüngern Zeit und in entsprechender Behandlung. Anzuführen sind: die Nikolaikirche zu Brieg
(1370—1415), ein Bau mit niederen Seitenschiffen, und die ehemalige Schlosskirche zu St. Hedwig. ebendaselbst; — die Peterskirche und die Marienkirche zu Liegnitz (die letztere nach
einem Brande vom J. 1822 wesentlich erneut); — die katholische
Kirche zu Schweidnitz, deren ansehnliche Façade wiederum
mehr an die Muster südwestlicher Architektur anklingt; — die
Jakobikirche zu Neisse, ein kräftiger Hallenbau, dessen bunt
dekorativer Backsteingiebel nach einem Brande im J. 1542 durch
phantastische Kupferverkleidung ersetzt wurde, während ein isolirter Thurmbau zur Seite in Sandstein und nach dem Princip
der südwestlichen Gothik ausgeführt ist; — die evangelische
Pfarrkirche zu Steinau, ein schlichter Hallenbau; — die katholische Pfarrkirche zu Gleiwitz (1504); die katholische und die
evangel. Pfarrkirche zu Ratibor; die Kirchen zu Freiwaldau,
zu Troppau. U. a. m., wobei die ursprüngliche Anlage jedoch
wiederum, wie es scheint, häufig späteren Veränderungen unter-
legen ist. —

Ein spätmittelalterlicher Profanbau von ausgezeichneter Bedeutung ist das Rathhaus von Breslau, in seiner baulichen
Masse aus der zweiten Hälfte des 14. Jahrhunderts, in den reichen

---

[1] Vergl. Schmeidler, die evangel. Haupt- u. Pfarrkirche zu St. Elisabeth.

dekorativen Einzelheiten, den maasswerggeschmückten Erkern, Giebeln und Thürmen, deren Gruppirung dem Gebäude einen phantastisch malerischen Reiz gewährt, aus der Spätzeit des 15. Jahrhunderts herrührend.

b. Klein-Polen.

Der schlesischen Gothik scheint sich die der benachbarten polnischen Districte, namentlich Klein-Polens, anzuschliessen, in derselben Verbindung von Ziegel und Haustein, in ähnlicher, zum Theil völlig übereinstimmender Behandlung der Einzelformen. Doch liegt einiges Nähere nur über die Hauptmonumente von Krakau vor.

Frühgothisches zeigt sich an der dortigen Dominikaner-kirche:[1] in einem ornamentirten Bogenfriese am Aeussern des geradlinig geschlossenen Langchores, welcher das Muster des alten Bogenfrieses an der Dominikaner-kirche zu Breslau (oben, S. 442) aufs Genaueste wiederholt; und in dem Portal der Westseite, das sich

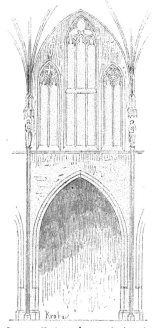

Dom zu Krakau. Inneres System des Schiffes. (Nach Essenwein.)

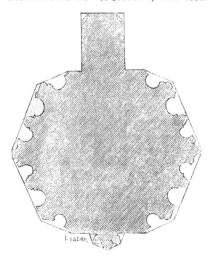

Dom zu Krakau. Profil der Schiffpfeiler. (Nach Essenwein.)

durch fein profilirte Gliederung und zwischen dieselbe eingelegte Ornamentik auf sehr bemerkenswerthe Weise auszeichnet.

[1] Mittheilungen der K. K. Central-Commission, II, S. 17.

Die andern Kirchen [1] scheinen den gothischen Spätepochen anzugehören. Von Bedeutung ist namentlich der Dom, ein Hochbau, dessen inneres System, soweit es nicht durch Modernisirung verdunkelt ist, eine feingegliederte Durchbildung zeigt: die Schiffpfeiler von polygoner Grundform, doch an den Seitenflächen mit lebhaft wechselndem Gliederprofil, welches in die Scheidbögen durchläuft, und an den Vorderseiten mit aufsteigenden Diensten in feinem Rippenprofil; die Oberwände sehr eigenthümlich belebt, durch schmuckreiche Fensterblenden zu den Seiten des wirklichen Fensters, dessen Verstabung und Einrahmung an der Oberwand niedergeführt sind, mit jenem eine gemeinsame Gruppe bildend. Der langgestreckte Chor schliesst geradlinig, wobei das Gewölbe des letzten Chorfeldes (wie auch an andern Orten, z. B. in Preussen) die polygone Auflösung beibehält. Hinter dem Chorumgange die viereckige königliche Kapelle mit zierlicher Gewölbbildung; zwei andre schmuckreiche Kapellen, aus der Spätzeit des 15. Jahrhunderts, auf der Westseite; die südliche von diesen mit voller polychromatischer Ausstattung in einem eigenthümlichen, ernst gemessenen Style. — Die Frauenkirche erscheint als eine Anlage von schlichterer Strenge, bemerkenswerth durch Kapellenschiffe, die sich, zu den Seiten der Seitenschiffe, zwischen den stark nach innen hereintretenden Streben bilden. — Das (neuerlich sehr beschädigte) Schiff der Dominikanerkirche und die übrigen Kirchen haben ähnliche Behandlung. Zu bemerken ist eine, wie es scheint, durchgehende Eigenthümlichkeit in der Bildung der Schiffpfeiler, die sich auch beim Dome (auch in einzelnen Kirchen Schlesiens) findet, dass nämlich an ihrer Rückseite Vorsprünge vortreten, die, an der Obermauer emporgeführt, dem Mittelschiff als Strebepfeiler dienen. — Die kleine hl. Kreuzkirche, aus der Zeit um 1500, hat einen quadratischen Schiffraum, dessen zierliche Wölbung von einer Mittelsäule getragen wird, während sich ostwärts ein schmaler oblonger Chor anschliesst.

Ausserdem hat Krakau manche schätzbare Reste spätmittelalterlichen Profanbaues. Besonders ausgezeichnet ist das Floriani-Thor, [2] vom J. 1498, das mit dem Vorbau eines mächtigen Rundzwingers, mit dem schweren Thurme über dem eigentlichen Thore, mit andern auf den Seiten eine charaktervolle und anziehend malerische Architekturgruppe ausmacht.

---

[1] Essenwein, im Organ für christl. Kunst, VIII, No. 1, f. — [2] Derselbe, in den Mittheilungen der K. K. Central-Commission, II, S. 315.

c. Niedersächsische Districte und Mecklenburg.

Der gothische Ziegelbau der niedersächsischen und mecklenburgischen Lande, [1] vom Wesergebiet bis zum nordwestlichen Pommern, ist als ein Ganzes zusammenzufassen. Er prägt sich in verschiedenartigen Richtungen und Systemen aus; doch gehen diese nebeneinander hin, in gleichzeitigen Entwickelungen und nicht ohne gegenseitige Einflüsse. Hochbau und Hallenbau finden gleich umfassende Anwendung. Der erstere hat, wenn nicht die grössere Zahl von Monumenten, so doch diejenigen, welchen eine vorzüglich eingehende Pflege und Durchbildung zugewandt wurde. Diese zeigen die im Vorstehenden (S. 438) besprochene Annäherung an die Grundformen des französisch gothischen Systemes. Voranzustellen ist ein Denkmal charakteristisch frühgothischen Styles, das, wie es scheint, den zumeist westlichen Vorläufer des norddeutschen Backsteinbaues ausmacht, die höchst malerische Ruine der Cistercienserklosterkirche von Hude, [2] unfern von Berne, im Oldenburgischen. Sie hatte ein ansehnlich hohes Mittelschiff und den bei Cistercienserbauten häufigen geradlinigen Chorschluss. Das System des Schiffbaues zeigt kräftige Pfeilerarkaden, die Pfeiler viereckig mit eingelassenen Ecksäulchen, die Scheidbögen in entsprechender Weise gegliedert; darüber eine triforienartige Gallerie flacher Blendnischen, mit feiner Profilirung und zierlichen Consolen als Trägern der Nischenbögen; über der Gallerie die Ansätze der Wölbung, deren Gurte und Rippen wiederum von Consolen entsprangen, und im Einschluss der (je zwei untere Arkaden umfassenden) Schildbögen die Oberfenster, nebst aufsteigenden, ebenfalls fein profilirten Blendnischen zu ihren Seiten. Das ganze System, ziemlich einzig in seiner Art, scheint mehr an Vorbilder der englischen als der französischen Frühgothik zu erinnern; die Behandlung wird als überaus reizvoll geschildert, besonders in den mit zierlichst mannigfaltiger Sculptur versehenen Consolen. Die Epoche des Baues wird in die Spätzeit des 13. Jahrhunderts fallen. [3]

[1] Ausflug zu den Alterthümern mehrerer norddeutschen Städte, von G. K. G., im Organ für christl. Kunst, 1, S. 58, ff. Eine Reise in Mecklenburg, von W. Libke, im D. Kunstblatt, 1852, S. 297, ff. Schlösser·n. Tischbein, ·Denkmale altdeutscher Baukunst in Libeck. — [2] H. A. Müller, im D. Kunstblatt, 1854, S. 257. II. Allmers, ebendaselbst, 1856, S. 19. Hrn. Allmers verdanke ich ausserdem die Mittheilung einiger Skizzen. Gründliche Aufnahmen und Darstellungen der erhaltenen Reste und ihrer Details erscheinen überaus wünschenswerth. (Ein Referat über die Ruine von Hude, nach einem Vortrage v. Quast's im Berliner Verein für mittelalterl. Kunst, hatte bereits der Preuss. Staats-Anzeiger v. J. 1850, No. 60, Beilage, gebracht. Dort war der Ort aber, durch einen Druckfehler, „Stade" benannt. Hierauf scheint die Angabe über Stade in Otte's kirchl. Kunst-Archäologie d. deut. Mittelalters, Ausg. 3, S. 161, zu beruhen.) — [3] Schnaase, Gesch. d. bild. Künste, V, 1, S. 436, Anm., bezeichnet die Kirche als wahrscheinlich in den Jahren von 1236—72 erbaut,

Dann sind ein Paar hallenartige Kirchen zu Lübeck, mit
nur wenig erhöhtem Mittelschiffe, zu nennen, die ebenfalls, wie
es scheint, einen sehr primitiven Charakter haben, die Aegydienkirche und die Jakobikirche. Doch ist das System hier,
vermuthlich im Anschlusse an das der alten Theile des Domes
von Lübeck (Thl. II, S. 561) ein höchst schlichtes: einfach viereckige Pfeiler, die bei der Aegydienkirche nur eine Pilastervorlage an der Rückseite haben,
während sie bei der Jakobikirche mit Säulchen auf den
abgeschrägten Ecken versehen
sind.

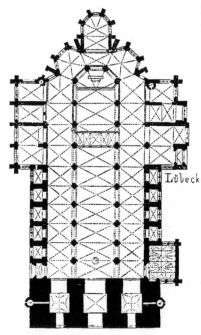

Lübeck

Stolzen Wetteifer mit der
Aufgipfelung der Massen, wie
sie das französische Kathedralensystem liebt, zeigt zunächst
die Marienkirche zu Lü-
beck. [1] Bei 295 Fuss innerer
Länge (ohne die kolossalen
Massen der Thürme), 113 F.
innerer Gesammtbreite, 44 F.
Mittelschiffbreite, hat sie 134 F.
Mittelschiffhöhe und 73 Fuss
Seitenschiffhöhe. Der Chor, im
innern Raume dreiseitig schliessend, ist mit einem Umgange
und mit drei kapellenartigen
polygonischen Ausbauten (der
mittlere von stärkerer Ausdehnung und förmlich als Kapelle
vortretend) versehen; eine Einrichtung, die ebenfalls auf das
französische System zurückdeutet. Aber die Behandlung ist
die einer fast rohen Einfachheit, was, wie an den beiden eben
genannten Kirchen, auf lokaler Geschmacksrichtung zu beruhen
scheint: viereckige Pfeiler mit halb-achteckigen Diensten und
mit Pilastervorlagen an den Innenseiten, welche als Bogenunterlage

Grundriss der Marienkirche zu Lübeck.   (Nach
Schlösser und Tischbein.)

wohl auf Grund einer Angabe in der von ihm citirten, mir unbekannt gebliebenen Schrift von Muhle, (das Kloster Hude, 1826.) Später, S. 599, f., deutet
Schnaase bestimmter auf die Bauepoche bald nach 1234, vermuthlich auf Grund
einer Aeusserung in dem Aufsatze von H. A. Miller, was jedoch ein zu frühes
Datum zu sein scheint. Dagegen wird die Angabe von Allmers,, a. a. O., dass
die Kirche im J. 1538 gerade erst 100 Jahre alt gewesen sei, jedenfalls auf
ein zu spätes Datum hinausgehen.
   [1] Zu Schlösser u. Tischbein etc. vergl. Merkwürdigkeiten der Marienkirche
zu Lübeck; Fiorillo, Gesch. d. zeichn. Künste in Deutschland, II, S. 125.
Wiebeking, Bürgerl. Baukunde, T. 61 (Grundriss).

in die Scheidbögen übergehen; über den letzteren tiefe Fenster-
nischen zwischen einwärts tretenden Wandpfeilern; die Kapitäle
der Dienste mit Blattschmuck, in jener Nachbildung natürlicher
Laubformen, welche der frühgothischen Epoche eigen ist; die
Verstabung der Fenster von schlichtester Anordnung; im Aeusseren ein System von Strebebögen, das ebenfalls die kunstloseste
Behandlung zeigt. Auf der Westseite zwei Thürme, die als mächtige viereckige Massen in einer Folge einfacher Fenstergeschosse
emporsteigen. Ausserdem verschiedene Kapellen, namentlich die
sogenannte „Briefkapelle,“ die am südlichen Seitenschiff neben
dem Südthurme vortritt, bedeckt mit höchst zierlichem Sterngewölbe, welches von zwei schlanken achteckigen Granitschaften
von 30 Fuss Höhe (rheinl. Maasses, = 32½ F. lübisch) getragen
wird. Andre Kapellen scheinen die Flügel eines Querschiffes ersetzen zu sollen, steigen aber nicht zur Höhe eines solchen empor, während auch die innere Schiffarchitektur keine Vorbedin-
gung eines Querschiffbaues anzeigt. — Der im J. 1276 erfolgte
Brand eines älteren Kirchengebäudes gab Anlass zu dem Bau des
gegenwärtig vorhandenen. Doch fehlt es für die Haupttheile desselben an näheren Daten. Nur für die westlichen Theile liegen
solche vor. Nach inschriftlichen Angaben ist der nördliche Thurm
im Jahr 1304, der südliche im J. 1310 angefangen, und in der
letztgenannten Zeit zugleich die Briefkapelle erbaut. Dies Datum
ist somit namentlich auch für den Eintritt des bezeichneten
Wölbesystems von Wichtigkeit.

Eine Reihe mecklenburgischer Kirchen schliesst sich ebenfalls dem französischen Kathedralensystem an, aber in reicherer
Durchbildung und in sinnigerer Behandlung nach den, vom Gesetz des Ziegelbaues gegebenen Motiven. Das frühste und zugleich edelste Werk dieser Folge, überhaupt eins der Meisterstücke nordischen Ziegelbaues, ist die Cistercienserklosterkirche
von Doberan. [1] Ihr Bau folgt auf den Brand eines älteren
Gebäudes im J. 1291, (mit Beibehaltung einiger Reste von jenem,
(Thl. II, S. 561); ihre Einweihung fällt in das J. 1368. Sie hat
den Chorumgang mit ausgebildetem Kranze kapellenartig polygonischer Ausbauten, vortretende Querschifflügel und eine maassvolle Höhenentwickelung. Ihre Hauptdimensionen werden [2] zu
200 Fuss Länge, 88 F. Gesammtbreite, 36 F. Mittelschiffbreite,
90½ F. Mittelschiffhöhe, — nach andrer Bestimmung [3] zu circa
250 F. Länge und 96 F. Höhe angegeben. Die gesammte Technik ist völlig gediegen, das System des Innern durch eine klare
Gliederung belebt. Die Pfeiler der Schiffarkaden sind viereckig,

---

[1] Zu Lübke, D. Kunstbl., 1852, S. 314, s. die Notizen von demselben im
Organ für christl. Kunst, III, S. 38 No. 5 und die artistische Beilage. Auch:
Nipperdey, goth. Rosetten altdeutscher Baukunst aus der Kirche zu Doberan
nebst deren Ansicht u. geschichtl. Beschreibung. An einer Veröffentlichung
gründlicher Aufnahmen fehlt es noch. — [2] Von Nipperdey. — [3] Von Lübke.

mit Ecksäulchen und mit birnförmig profilirten Dienstbundeln auf den Seiten, als Trägern der Scheidbogengliederung und der Gewölbgurte. An den Pfeilern der östlichen Hälfte gehen die

Gurtträger bis auf den Boden hinab, während sie an den übrigen von Consolen getragen werden. Consolen und Kapitäle bestehen aus einer Stuckmasse, welche mit zierlich plastischem Ornament, in stylvoller Nachahmung natürlicher Laubformen bedeckt ist. Die Fenster, von gegliederter Einfassung umrahmt, haben jenes schlichte Stabwerk, welches sich in einfachsten Spitzbogen verbindet. Auffällig, aber in mehreren der andern Kirchen dieser Folge wiederholt, ist die Einrichtung des Querschiffes, indem dasselbe in der Architektur des Mittelschiffes nicht eigentlich vorbereitet erscheint, seine Flügel

Kirche zu Doberan. Profil der Schiffpfeiler
(Nach Lübke.)

sich vielmehr in der Weise von Kapellen, doch dem Mittelschiffe an Höhe gleich, zweien Jochen des letzteren vorlegen und ihre Gewölbe beiderseits von einem Mittelpfeiler gestützt werden. Das Aeussere entbehrt des Strebebogensystems, für dessen künstlerische Gestaltung der Ziegel überall ein wenig günstiges Material ist; statt dessen ist der Oberbau des Mittelschiffes durch ansehnliche Strebepfeiler, die von den Schiffarkaden getragen werden, gefestigt. Die vortretenden Polygone des Chorumganges haben keine besonderen Dächer, (sind somit nicht als selbständige Kapellen behandelt); vielmehr streckt sich die Bedachung des Umganges, in etwas roher Entwickelung auch über sie hin. Ein krönender gebrochenbogiger Fries, in der Beibehaltung von Motiven des Uebergangsstyles, dient den verschiedenen Theilen des Gebäudes zur zierlichen oberen Krönung.

Die übrigen Kirchen dieser Reihen folgen dem Muster der von Doberan, mit wiederum mehr und mehr gesteigerter Höhenwirkung, und mit minder feinem Sinne für eine gereinigte und harmonische Durchbildung des Einzelnen. Zu ihnen gehört zunächst der Dom von Schwerin, [1] ein schon erheblich jüngerer Bau, vermuthlich in der Epoche von 1365—75 (Regierungszeit des Bischofes Friedrich II. von Bülow) begonnen, im Gewölbe

[1] Zu Lübke, D. Kunstbl., 1852, S. 298, vergl. die von ihm gegebenen Risse auf der artistischen Beilage zum Organ für christl. Kunst, III, No. 5 (Fig. 8 u. 16), u. Lisch, Geschichte der hl. Bluts-Kapelle u. des Domes von Schwerin.

des Mittelschiffes 1430 vollendet. Die Länge beträgt 339 Fuss, die Mittelschiffbreite 39 F., die Mittelschiffhöhe 100 Fuss. Plan und Disposition, namentlich auch das Pfeilersystem, ähneln der

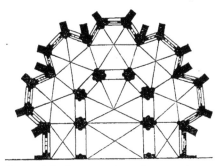

Chorhaupt des Domes von Schwerin. (Nach Lübke.)

Doberaner Kirche, mit einigen Detailunterschieden in den älteren östlichen und den jüngeren westlichen Theilen und ohne den Reiz der dekorativen Stücke jenes Gebäudes. Das räumliche Verhältniss des Innern ist von so kühner wie harmonisch gemessener Wir-

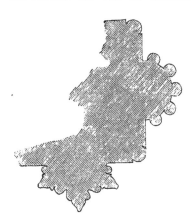

Dom von Schwerin. Profil der Schiffpfeiler. (Nach Lübke.)

kung. Das Querschiff hat hier die volle principmässige Ausbildung, das Vorderschiff im Aeussern das barbarisirende Strebebogensystem wie die Marienkirche von Lübeck. — Sodann die drei Kirchen von Wismar: die Marienkirche, deren Chor von 1339 bis 1354 gebaut sein soll, das Uebrige später, bis ins 15. Jahrhundert; 109 Fuss im Mittelschiffgewölbe hoch bei geringeren Breiten als der Dom von Schwerin; in der Durchbildung zumeist roher, die Schiffpfeiler z. B. achteckig, mit schwachen stabartigen Einkerbungen auf den Ecken; mit einer Anordnung der Querschiffflügel wie zu Doberan und mit mächtiger querschiffartiger Westhalle, über deren Mitte der Thurm emporsteigt; — die Georgenkirche, etwa seit der Mitte des 14. Jahrhunderts, im Mittelschiff 118 Fuss hoch, bei niedrigerer, geradlinig geschlossener Choranlage und ähnlicher Behandlung des Innern (doch mit ausgebildetem Querschiff); — die Nikolaikirche, wesentlich dem 15. Jahrhundert angehörig und 1460 geweiht, genau nach dem Vorbilde der Marienkirche angelegt, aber in reicherer und feinerer Ausbildung des Details und in abermals schon wachsenden Höhen, die indess, bei den engen Breitenverhältnissen, von entschieden unschöner gespreizter Wirkung sind; (das Mittelschiffgewölbe, das jedoch nur im Chorpolygon zur Ausführung gekommen, auf 128 F. Höhe angelegt;) im Aeussern, besonders an den Giebeln der Querschiffflügel und der Westhalle reichlich mit dekorativen Füllungen und Mustern aus schwarz glasirten Steinen bedeckt. — Ferner die Marienkirche zu Rostock, verschiedenzeitig, von 1398 bis nach 1472 erbaut, ebenfalls auf eine gewaltsame Höhenwirkung (bei 110 F. Mittelschiffhöhe) berechnet; in den älteren östlichen Theilen mehr nach dem Doberaner und Schweriner Muster ausgeführt, in den jüngeren roher; in den riesigen Massen der letzteren aussen völlig mit glasirten Steinen bekleidet, der Art, dass durchgängig schwarze und gelbe in Doppellagen wechseln.

Eben demselben Systeme folgen auch einige Monumente ausserhalb der mecklenburgischen Grenzen. Einerseits schliesst sich ihm die Nikolaikirche zu Lüneburg an, von deren innerem Bau anzumerken ist, dass die Schiffpfeiler achteckig sind, mit etwas eingezogenen Seiten und je drei Stäbchen auf den Ecken; andrerseits die Nikolaikirche zu Stralsund. Die letztere ist weiter unten, bei der gothischen Architektur in Pommern, näher zu besprechen, indem überhaupt die Monumente von Stralsund, trotz lebhafter Annäherung an die mecklenburgische Richtung, doch die pommersche Grundlage nicht verleugnen.

Ein eigenthümlicher Bau ist die Katharinenkirche zu Lübeck, einem Minoritenkloster angehörig, für deren Gründung das Jahr 1335 angegeben wird. [1] Sie schliesst im Chore dreiseitig, ohne Umgang und hat an den Seitenschiffen, nach rheinischlothringischer Art, besondre schräg hinaustretende Chorschlüsse. Die Mittelschiffhöhe beträgt 97 Fuss, bei 35 F. Mittelschiffbreite. Die östliche Hälfte, etwas mehr durchgebildet, hat achteckige Pfeiler mit vier Diensten; die westliche Hälfte ungegliedert achteckige Pfeiler und über diesen schlichte Pilaster als Gurtträger. Der gesammte Chorraum ist (wie anderweit, in Nonnenklosterkirchen, der westliche Theil des Gebäudes) durch eine Empore ausgefüllt, von 16 Säulen und den entsprechenden Wandsäulen getragen und nach vorn geöffnet, was einen reichen Eindruck hervorbringt. Bemerkenswerth ist, dass die Säulen, an Basen (sogar mit Eckblättern) und Kelchblattkapitälen noch ein frühgothisches Gepräge haben.

Zwei Kirchen von Rostock, die Petrikirche und die Jakobikirche, beide dem 14. Jahrhundert angehörig, haben ebenfalls noch das erhöhte Mittelschiff, doch beide in sehr mässiger

---

[1] Fiorillo, II, S. 131. (Im Organ für christl. Kunst, I, S. 92, wird das Jahr 1351 genannt.)

Betonung des aufstrebenden Charakters, mit kleinen Oberfenstern und mit ansehnlichen Breitenverhältnissen, auch in den Schiffjochen, der Art, dass hier ein Element des Ueberganges zum Hallenbau sich ankündigt. Auch sind ihre Chorschlüsse einfach,

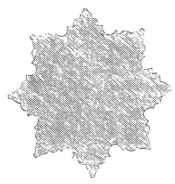

Jakobikirche zu Rostock. Profil der Schiffpfeiler. (Nach Lübke.)

ohne Umgang und kapellenartige Ausbauten. Die Petrikirche ist die schlichtere von beiden, ihre Pfeiler achteckig mit vier Bündelsäulchen; die Jakobikirche hat in geschmackvoller Zierlichkeit gegliederte Pfeiler[1] und eine zierlich dekorirte triforienartige Nischengallerie über den Schiffarkaden.

Im Uebrigen breitet sich das System des Hallenkirchenbaues über das Gesammtgebiet der niedersächsischen Gothik hin, einigermaassen im Anschluss an die westphälische Architektur, im Innern mit Rundpfeilern, welche mit zumeist schlichten Diensten besetzt sind. Als Hauptbeispiele sind anzuführen: der Chor des Domes von Lübeck, unter Bischof Heinrich II. von Bokholt (reg. 1317—41) erbaut,[2] von sehr schlichter Architektur und bemerkenswerth besonders dadurch, dass er zugleich den Umgang mit kapellenartigen Polygonen hat; — die Petrikirche zu Lübeck, fünfschiffig (doch die äusseren Seitenschiffe wohl jüngerer Zusatz), in trefflichen Verhältnissen, die Pfeiler mit acht Diensten und leichten Kapitälkränzen; — die Nikolaikirche zu Rostock, gleichfalls mit acht Diensten an den Pfeilern; — die fünfschiffige Johanniskirche zu Lüneburg (Pfeiler mit vier Diensten), sowie die Michaelskirche und die Lambertikirche ebendaselbst, die letztere mit roh eckigen Pfeilern; — die Wilhadikirche zu Stade; — die (neuerlich hergestellte) Peterskirche, die grosse aber in schwerfälligen Verhältnissen ausgeführte Katharinenkirche und die kleine, sehr schlichte Jakobikirche zu Hamburg; — die Marktkirche (St. Georg) zu Hannover,[3] seit der Mitte des 14. Jahrhunderts erbaut, bemerkenswerth durch Aufnahme jener malerisch wirkenden Choranordnung, mit sich ausweitendem Mittelchore zwischen den kleineren Chorschlüssen der Mittelschiffe, welche in Westphalen an der Petrikirche und der Wiesenkirche zu Soest vorgebildet war, sowie im Allgemeinen durch den Umstand, dass mit diesem Gebäude der Ziegelbau an einem der Orte eintritt, wo bis dahin der Hausteinbau geherrscht hatte und wo

---

[1] Pfeilerprofil auf der artist. Beilage zu Nro. 5 des Org. für christl. Kunst, III, (Fig. 7.) — [2] Becker, Lüb. Geschichte, I, S. 257. — [3] Mithoff, Archiv für Niedersachsens Kunstgeschichte, Abth. I, T. 1, ff. —

dieser zunächst (namentlich in der Beendung des Baues der **Aegy-dienkirche**) noch in Anwendung blieb. [1] — Die **Johannis-kirche zu Bremen**, [2] welche in derselben Weise die Einführung des Ziegelbaues an Stelle des älteren Hausteinbaues bezeichnet; — der Schiffbau des **Domes zu Verden**, von 1473—90, der noch entschiedener, als Fortsetzung einer im Hausteinbau begonnenen Anlage, ebendasselbe Verhältniss bezeichnet. [3]

Verwandtem System scheint auch die ansehnliche kirchliche Vorhalle des **heil. Geist-Hospitals zu Lübeck**, die sich mit drei Giebeln und Portalen der Strasse zuwendet, anzugehören. — Anderweit sind die Baulichkeiten von Kloster **Wienhausen** [4] bei Celle hervorzuheben, von deren älterem Kirchenbau (1307—9) noch der einschiffige Nonnenchor erhalten ist. —

Ein Paar Werke **dekorativer** Architektur, beide in Kirchen von **Lübeck**, geben stattliche Belege für die Aushülfe, die man in Ermangelung des bildnerisch bequem zu behandelnden Gesteins zu finden wusste. Das eine ist der **Lettner** („Singechor") im **Dome**, mit Granitsäulen und zierlich reich in Holz geschnitzter Brüstung. Das andre ist ein in Erz gegossenes **Tabernakel** in der **Marienkirche**, etwas über 31 Fuss hoch, kunstreich mit gewundenen Säulchen, Baldachinen, geschweiften Bögen und schlanker Spitze aufgebaut und mit figürlichem Bildwerk erfüllt. Es trägt das inschriftliche Datum des J. 1479 und die Meisternamen **Nicolaus Rughesee** und **Nicolaus Gruden**.

Der **Profanbau** findet in der Schlussepoche der Gothik, in mehr oder weniger reicher Verwendung all derjenigen dekorativen Mittel, welche die Ziegeltechnik darbietet, eine sehr umfassende Bethätigung. Die Giebel der Häuser bauen sich, in abgestufter Schräge, ausehnlich empor, mit Spitzblenden erfüllt, in denen die Fensteröffnungen liegen und die, zumal bei schlichterer Behandlung, dem Werke ein grosses und kräftig ernstes Gepräge zu geben geeignet sind. Pfeilerartige Vorsprünge, zumeist als Stabbündel gestaltet und fialengleich emporschiessend, theilen die Giebelflächen schärfer; reichere Fensterbildung, Maasswerkfriese und Rosettenfüllungen, verschiedenartigste Anwendung farbig glasirter Steine kommen hinzu, dem Ganzen ein bunt phantastisches Gewand zu geben. **Hannover**, [5] **Lüneburg**, **Lübeck**, **Rostock**, [6] **Wismar** u. a. O. haben noch mannigfache Beispiele der Art. Am Mächtigsten entfaltet sich diese Weise der Ausstattung an den Paçaden der **Rathhäuser**; die (abgerissene?) Rathhausfaçade von **Hannover**, [7] die mehr oder weniger verbauten und veränderten Façaden der Rathhäuser von

---

[1] Vergl. oben, S. 254. — [2] F. Kugler, Kl. Schriften, II, S. 644. — [3] Vergl. oben, S. 254. — [4] Mithoff, a. a. O., Abth. II. — [5] Abbildungen und Risse bei Mithoff, a. a. O., Abthlg. I, und bei Moller, Denkmale, I, T. 49, ff. — [6] Ein Beispiel im Organ für christl. Kunst, II, Beilage zu Nro. 5. — [7] Mithoff, a. a. O.

Lübeck[1] und Rostock sind als bezeichnende Beispiele anzuführen.

An einzelnen Orten, wie in Hannover,[2] macht sich, im
Verlaufe des 16. Jahrhunderts, neben dem reinen Ziegelbau auch
jener Fachwerkbau geltend, der besonders den Harzorten
eigenthümlich ist und der in mehr oder weniger ausgebildeter
Schnitztechnik ebenfalls zu lebhaften dekorativen Wirkungen gelangt.

Die gothischen Bauten von Holstein dürften denen der
eben besprochenen Gruppe anzureihen sein. Doch ist hier, wie
es scheint, nur wenig Namhaftes vorhanden. Die Nikolaikirche
und die Klosterkirche zu Kiel, die Marienkirche zu Rendsburg
werden als schlichte Bauwerke, noch im Gepräge der früheren
Entwickelungsstufen des Systems, genannt. — Es ist anzumerken,
dass weiter nordwärts, in Schleswig und Jütland, dem Ziegelbau
wieder ein Hausteinmaterial (Tuff, auch Sandstein) entgegentritt,
und dass erst in der gothischen Spätzeit auch dort der Ziegel
und die eigenthümliche Behandlung seines baulichen Systems
umfassendere Verbreitung findet.

d. Die Mark Brandenburg.

Die Mark Brandenburg[3] besitzt einige bemerkenswerthe
Monumente frühgothischen Styles, für die Entwickelung des letzteren in den nordöstlichen Landen von eigenthümlicher Bedeutung.

Zunächst fehlt es für den, in der Epoche des romanischen
Styles häufig beliebten Granitbau nicht ganz an Beispielen. Aber
es wird die, wenn auch sehr einfache Detailbehandlung des Granits nicht mehr bequem gefunden; es wird statt dessen, z. B. als
Säumung der Oeffnungen, ein Ziegelmauerwerk eingesetzt. In
solchem Betracht sind u. a. die Franciskaner- (Johannis-) Kirche
und die Jakobikirche zu Prenzlau, die erstere im inneren Bau
noch mit Uebergangsmotiven, und die Baulichkeiten des im Jahr
1250 gegründeten Cistercienser-Nonnenklosters zum hl. Kreuz in
Zehdenick[4] (Südwestecke der Uckermark) anzuführen. Hier
ist der östliche Klosterflügel ein Granitbau, mit langen, in der
angedeuteten Weise behandelten Fensterreihen. Der nördliche
Flügel, mit gewölbten Säulen und vorliegendem Kreuzgangsreste,

[1] Chapuy, moy. âge mon., 332. — [2] Mithoff, a. a. O. — [3] Kurze Uebersicht
von v. Quast, im D. Kunstblatt, 1850, No. 31. — [4] Kirchner, Geschichte der
Klöster in der Mark Brandenburg. (I. Das Cistercienser-Nonnenkloster zu
Zehdenick.)

der Epoche um 1300 angehörig, ist dagegen bereits ausgebildeter
Ziegelbau. (Die Kirche ist nicht mehr vorhanden.)

Mit dem letzten Viertel des 13. Jahrhunderts, vielleicht schon
ein Paar Jahre vorher, beginnt den Monumenten zufolge die
charakteristische Ausbildung des märkisch gothischen Ziegelbaues.
Zumeist alterthümlichen Charakter hat die nach 1271 erbaute
(Franciskaner-) Klosterkirche zu Berlin, [1] ein Gebäude von
mässigen Dimensionen, 166½ Fuss lang, 66 Fuss breit, 50 und
einige Fuss im Mittelschiff hoch. Der Schiffbau hat in der Gesammtfassung und in einzelnen Details noch Motive des Uebergangsstyles; es sind kurze, derbe Pfeiler, die durch breite Spitzbögen verbunden werden und mit diesen die nicht sonderlich
hohe Oberwand des Mittelschiffes tragen; die Pfeiler theils viereckig, theils achteckig, (die gegenüberstehenden stets ungleich),
mit Halbsäulen auf jeder Seite, deren vordere an der Mittelschiffwand emporlaufen, und mit Kapitälen von einer breiten wellenartig

---

[1] J. J. Bellermann, das graue Kloster in Berlin. (Kleine Schulprogramme von
1824—26.) F. Kugler, Kleine Schriften, I, S. 102, ff. *Denkmäler der Kunst*,
T. 56 (7). Die älteste Nachricht über das Kloster besteht in langen, aus dem
15. Jahrhundert herrührenden Inschrifttafeln, welche sich über den Chorstühlen
der Kirche befinden. Hierin wird gesagt, dass die Markgrafen Otto und Albert
dem Orden im J. 1271 den Platz geschenkt hätten, auf welchem das Kloster
erbaut wurde, und dass später, im J. 1290, durch den Ritter Jakob v. Nebede
das Geschenk einer zwischen Tempelhof und Berlin belegenen Ziegelei hinzu-
gekommen sei. Letztere Angabe hat neuerlich dazu geführt, den Bau bestimmt
erst nach 1290 zu setzen; eine Behauptung, die besonders durch den Schluss
der bezüglichen Inschrift: „Sicque dictus miles et principes praefati extiterunt
istius claustri fundatores" gerechtfertigt sein sollte. Ich habe dagegen das
Folgende zu bemerken. So wenig Grund vorhanden ist, den thatsächlichen
Inhalt der Inschrift zu bezweifeln, so wenig hat die Schlussbemerkung das
Gepräge der Wiederholung einer urkundlichen Vorlage; sie erscheint vielmehr
lediglich als die dankbare Aeusserung der um einige Jahrhunderte jüngeren
Nachkommenschaft des Ordens. Das Geschenk der Ziegelei war unbedenklich
dem Kloster sehr wichtig, schon als andauernde Erwerbsquelle und gewiss
vorzugsweise aus diesem Grunde. Es folgt daraus aber durchaus nicht, dass
der Orden ohne diese Besitz nicht im Stande gewesen sei, seine Kirche zu
bauen; und es würde die zwanzigjährige Zögerung um so befremdlicher sein,
als, wie Bellermann nachgewiesen, schon geraume Zeit vorher, schon 1250,
Franciskaner in angesehenen Verhältnissen eine Niederlassung in Berlin hatten.
Es kommt ferner hinzu, dass der Bau der Kirche von Chorin, der doch schon
weitere Entwickelungsmomente zeigt, höchst wahrscheinlich in kürzester Frist
nachfolgte, da dessen Gründung im Jahre 1273 durch die Vereinigung zweier
älterer klösterlicher Anlagen, welche bis dahin an andern Orten bestanden
hatten, veranlasst wurde, somit ebenfalls kein Grund vorhanden zu sein scheint,
wesshalb man irgend auf längere Frist mit dem Kirchenbau gesäumt haben
sollte. Es kommt hinzu, dass nächstjüngere Monumente des Ziegelbaues von
urkundlich gesichertem Datum, wie die im J. 1309 gegründete Jakobskirche
in der Neustadt von Thorn (s. unten), wie die Briefkapelle an der Marienkirche zu Lübeck vom Jahr 1310 (S. 447), in Form und Behandlung so erhebliche Fortschritte zeigen, dass nothwendig auf Zwischenräume von mehreren Jahrzehnten geschlossen werden muss. In der That wird jenen beiden
Gebäuden von Berlin und von Chorin, für das Ganze des kunstgeschichtlichen
Entwickelungsganges, eine angemessenere Gründungsepoche als die oben angedeutete nicht zugeschrieben werden können.

geschwungenen Grundform, ausgestattet mit kräftigerem oder
flacherem Blattwerk in theils romanisirend conventionellen, theils
natürlichen Bildungen; die Bögen in flacher Laibung, mit breitem
untergelegtem Gurtbande; die Gurten und Rippen des Gewölbes

Klosterkirche zu Berlin. Kapitäle an den Schiffpfeilern. (F. K.)

dagegen durchgehend bereits in scharf birnartigem Profil. Der
Chor, in der Breite des Mittelschiffes fortgeführt, hat den malerisch wirkenden Schluss von sieben Seiten eines Zehnecks; sein
System ist das einer einfach klaren und strengen Gothik, wobei
jedoch zu bemerken, dass die Wanddienste auf Consolen aufsetzen
und diese neben figürlicher Sculptur auch Blattwerk im Charakter der Schiffkapitäle haben. Das Aeussere ist sehr schlicht und
zumeist nur durch das Portal der Westseite, mit lebhaft und
scharf gegliederten Wandungen und einer Mittelsäule, deren
Kapitälschmuck wiederum den Ornamenten des Innern entspricht,
ausgezeichnet. Eine im Chor befindliche, zur Sakristei führende
Thür hat ähnliche Gliederungen wie das Westportal. Der Bau
giebt sich somit, trotz der bemerkenswerthen Unterschiede zwischen Schiff und Chor, doch als ein entschieden gleichzeitiges
Ganzes und hierin als das lebendige Zeugniss einer Epoche, die

sich eben aus veralteten Traditionen zu neuer Gestaltung hinaus-
ringt. (Eine jüngst erfolgte Restauration hat der Façade den
widersprechenden Schmuck glänzenderer
gothischer Theile hinzugefügt.)

In ähnlichem Verhältniss, aber von der
Tradition schon etwas weniger bedingt und
zu reicherer Ausbildung des gothischen Systems vorschreitend, erscheint die nach 1273
erbaute Kirche des Cistercienserklosters
Chorin [1] (nördlich von Neustadt - Ebers-
walde). Es ist ein gestreckter Langbau,
von 215 Fuss innerer Länge, während die
übrigen Dimensionen allerdings ebenfalls
nicht bedeutend sind: 61 F. Gesammtbreite,
29 Fuss Mittelschiffbreite, ungefähr 57 F.
Mittelschiffhöhe. Der Chor schliesst in fünf
Seiten eines Zwölfecks; einem schlichten
Querschiffbau legten sich, wie so häufig bei
den Cistercienserkirchen, östliche Kapellen
an, die jedoch gleich dem südlichen Seitenschiff abgerissen sind. Die Schiffarkaden
haben das engere und kräftigere Verhältniss,

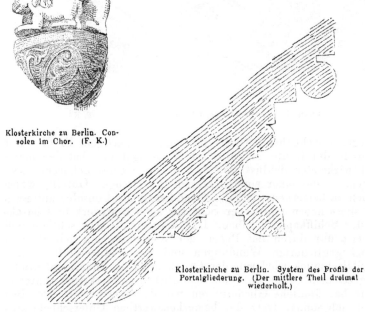

Klosterkirche zu Berlin. Consolen im Chor. (F. K.)

Klosterkirche zu Berlin. System des Profils der
Portalgliederung. (Der mittlere Theil dreimal
wiederholt.)

[1] Brecht, das Kloster Chorin. (Vergl. die vorige Anmerkung.)

Klosterkirche zu Berlin. Kapital-Ornament an der Mittelsäule des Portals.

welches der Gothik eigen ist. Die Pfeiler sind theils viereckig, mit leicht ausgekanteten Ecken, theils Bündel, die aus stärkeren und schwächeren Halbsäulen oder Pfeilerecken und einem flachen Pilaster an der Vorderseite bestehen, wobei in der östlichen Hälfte des Schiffes die viereckige Grundform mit der Bündelform wechselt, in der westlichen Hälfte allein angewandt ist. Deck - und Fussgesimse der Pfeiler haben noch das attische Profil; unter dem Deckgesimse zieht sich um die Bündelpfeiler ein roh bauchiges Kapitälglied, welches mit etwas sparsam aufgelegtem Blattwerk (zumeist in einer Uebergangsform zwischen conventioneller und natürlicher Bildung) geschmückt ist. Höher empor setzen die Gurtträger auf verschiedenartig dekorirten Consolen auf. Die Scheidbögen haben ein derb rohes Profil, aus geradliniger und ausgekehlter Gliederung bestehend; die Rippen des Gewölbes, soweit dasselbe vorhanden, zeigen ein scharfes Birnprofil. Die Fenster enthalten die Reste mannigfaltigen Maasswerkes, seltne Beispiele für die Ziegeltechnik, gleichfalls aus derben Formsteinen zusammengesetzt. Im Aeussern ist besonders die Westseite, mit hohen Fenstern, vortretenden Treppenthürmchen, Rosetten, Blendnischen und verschiedenartiger Giebelkrönung, von phantastisch malerischer Wirkung. — An den erhaltenen Klosterbaulichkeiten kommen ebenfalls stattliche Giebel, zum Theil allerdings aus späterer Zeit, in Betracht.

Andre klösterliche Monumente reihen sich an, in ähnlicher Weise die Anfänge des gothischen Styles und sodann die erste Stufe seiner selbständig bestimmten Durchbildung bezeichnend. Zu nennen sind: die evangel. Klosterkirche zu Guben [1] (Nieder - Lausitz),

[1] Mittheilung von v. Quast.

einem Cistercienser - Nonnenkloster angehörig, höchst einfach,
früher nur durch die übliche unterwölbte Empore und ein Fenster auf der Ostseite, welches mit ansehnlichem Ziegelmaasswerk

Westgiebel der Kirche von Choriu. (Nach Brecht.)

versehen gewesen zu sein scheint, von einiger Bedeutung; — das
alterthümliche Refectorium des Domklosters zu Havelberg; —
die schlicht frühgothische Klosterkirche zu Neuendorf in der
Altmark; — die Johanniskirche und die Paulinerkirche (Franciskaner und Dominikaner) zu Brandenburg; — die in streng
gothischem Style durchgebildete Klosterkirche zu Neu-Ruppin
(mit Ausnahme geringer romanischer Reste); — die Klosterkirche
zu Königsberg in der Neumark; — das schwarze Kloster (Dominikaner) zu Prenzlau; — die Klosterkirche zu Neu-Brandenburg im Lande Stargard (Mecklenburg-Strelitz), welches damals
zur brandenburgischen Mark gehörte; — die Ruine der Klosterkirche zu Gramzow (Uckermark), der Rest eines westlichen

Polygonbaues von stattlich gothischer Anlage und gegenwärtig
sehr malerischer Erscheinung. [1]

An städtischen Pfarrkirchen sind aus der Anfangsepoche der
Gothik, d. h. aus den letzten Jahrzehnten des 13. Jahrhunderts,
nur sehr wenig Beispiele oder Reste von solchen nachzuweisen.
Zu ihnen gehören die kleine Maria-Magdalenenkirche zu N e u -
s t a d t - E b e r s w a l d e , in deren Formen man den Einfluss des
benachbarten Choriner Baues wahrnimmt, und die N i k o l a i k i r c h e
zu F r a n k f u r t an der Oder, ein dreischiffiger Hallenbau mit
noch hervorstechenden Elementen des Uebergangsstyles. Auch
die in schlicht derben Formen gehaltene Façade der Nikolaikirche
zu L ü c k a u [2] (Nieder-Lausitz), wenigstens der untere Theil,
scheint in diese Epoche zu fallen, von einem im letzten Jahrzehnt des 13. Jahrhunderts ausgeführten Bau herrührend, (während das Uebrige im Wesentlichen spätere Erneuerung ist).

————

Seit dem Eintritt des 14. Jahrhunderts gewinnt dagegen der
Bau dieser städtischen Kirchen mehr und mehr das Uebergewicht.
An ihnen prägt sich die Ziegel-Gothik zu den landesüblichen
Normen aus. Das Hallensystem wird hier das entschieden vor-
herrschende.

Schon die Nikolaikirche zu F r a n k f u r t an der Oder hatte,
wie bemerkt, dieses System aufgenommen. Bedeutender entfaltete
sich dasselbe an der M a r i e n k i r c h e , ebendaselbst. [3] Historische
Andeutungen lassen auf einen lebhaften Baubetrieb im Anfange
und in den ersten Decennien des 14. Jahrhunderts schliessen.
Die Kirche hat einen gestreckten, dreiseitig schliessenden Chor
mit breitem Umgange, der in sieben Seiten eines Vierzehnecks
schliesst; ein einfacher Querbau trennt den Chor von den Vorderschiffen, die sich von jenem durch stärkere Jochbreiten unterscheiden. Die Pfeiler im Chor sind achteckig, mit Eckstäben;
die im Schiff werden durch kräftigere Bündel von Halbsäulen
und Pfeilerecken gebildet. Die Gesammtlänge, mit Ausschluss
des westlichen Thurmbaues, beträgt 219 Fuss, die Mittelschiffbreite (in den Pfeileraxen) 30 F., die Gewölbhöhe 68 F. Spätere
Veränderungen und Zusätze haben den Vorderbau fünfschiffig
gemacht (160 F. breit) und dem nördlichen Querschiffflügel eine
polygonisch schliessende Kapelle vorgelegt. Die letztere verdeckt eine noch in zierlicher Strenge durchgebildete Giebeldekoration. Die äusseren Seitenschiffe sind mit hohen Brüstungsmauern

---

[1] v. Minutoli, Denkmäler mittelalterl. Kunst in den Brand. Marken, Titel-
vignette. — [2] Puttrich, Sächs. Denkm., II, II, Ser. Lausitz. — [3] Spieker, Beschreibung und Geschichte der Marien- oder Oberkirche zu Frankfurt a. O.
Einige Details bei Kallenbach, Chronologie der deutsch-mittelalterl. Baukunst,
T. 59 (7, 10, 13—15.)

gekrönt, gegen die ihre rückwärts abfallenden Pultdächer lehnen,
die Brüstungsmauer der Nordseite mit fensterartig gegliedertem
Leistenwerk, [1] das als eine seltsam willkürliche Zuthat im Style
der Spätzeit zu dem sonst schlichten Aeussern erscheint. — Etwa
gleichzeitig sind, wie es scheint, die Marienkirche von Gransee,
deren Pfeiler gleichfalls achteckig und mit Ecksäulchen versehen
sind, — das Schiff der Marienkirche zu Wittstock und das der
Jakobikirche zu Perleberg. Der Chor der letzteren, vom Jahr
1361, charakterisirt wiederum den Eintritt jüngerer Elemente.

Als der bedeutendste Bau des 14. Jahrhunderts, durch die
Kühnheit der Construction ebenso ausgezeichnet wie durch den
Reichthum der Dekoration, erscheint die Marienkirche zu
Prenzlau. [2] Ihre Schiffpfeiler bilden sich durch einen maassvollen Wechsel von eckigen und weichen Verbindungs-Gliedern
und von Säulendiensten. Der Chor hat eine sehr eigenthümliche
und allerdings nicht sonderlich schöne Verbindung polygoner

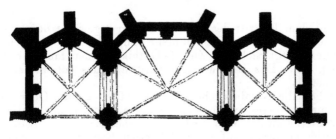

Chorschluss der Marienkirche zu Prenzlau. (Nach Kallenbach.)

Schlüsse (eines dreiseitigen für das Mittelschiff und zweiseitiger
für die Seitenschiffe) mit einer im Aeusseren geradflächigen Anordnung, indem die Tiefen zwischen den einzelnen Schlüssen und
zu ihren Seiten durch strebepfeilerartige Vorsprünge ausgeglichen
werden. Die Fenster haben ein, in zum Theil reiche Maasswerkformen übergehendes Stabwerk. Der Giebel, der in gleichmässiger Fläche über der abgeglichenen Ostwand und dem krönenden
Rosettenfriese der letzteren emporsteigt, ist mit einer dekorativen,
der Wandfläche vorgesetzten Fensterarchitektur ausgefüllt, welche
sich, von fialenartigen Strebethürmchen getrennt, über- und nebeneinander gruppirt, welche das Spiel zusammengesetzter Maasswerk-Composition, wie dieses sich in den Landen des Westens

---

[1] Kallenbach, T. 71 (3). — [2] Aufriss der Ostseite und Details bei Kallenbach, Chronologie, T. 58, 59 (1, 4, 5, 6, 8, 9, 11, 12). Einzelne Notizen, von
demselben, im Kölner Domblatt, 1845, No. 1; auch im Organ für chr. Kunst,
II, S. 88, 104. (Ich bedaure, dass umfassendere Mittheilungen über diese
Kirche, die ich nicht selbst gesehen habe, nicht vorliegen. F. v. Quast, im D.
Kunstblatt, 1850, S. 242, hat für sie das Datum von 1325—39, was aber für
die voraussetzlich jüngeren Dekorationen der Ostseite nicht gelten dürfte.)

entwickelt hatte, mit den Mitteln der Ziegeltechnik auf das Reichliebste nachahmt, auch überall dem Gesetz des Wimberg - Abschlusses gerecht zu werden sucht und in solcher Weise eins der seltensten und glanzvollsten Beispiele des gesammten Ziegelsystems ausmacht. Die Langseiten sind ebenfalls mit dekorativem Giebelwerk versehen. — Der Ostgiebel der Marienkirche zu Neu-Brandenburg wird als ein ähnliches Werk bezeichnet. [1] Andre Bauten des 14. Jahrhunderts, zumal aus dessen späterer Zeit, haben ein einfacher handwerkliches Gefüge. Hieher dürfte zunächst, ihrer Anlage nach, die Kirche von Bernau gehören, die im Chore noch strenge Rundpfeiler mit je drei oder vier Diensten, glatten oder schräg gereiften, im Schiff achteckige Pfeiler mit je acht Halbsäulen hat. Im Schiffbau ist jedoch spätere Bauveränderung eingetreten, die u. A. auf der Nordseite gedoppelte Seitenschiffe zur Folge hatte. Eine Inschrift am Gewölbe bezeichnet das J. 1519 als das der Beendung des Baues. — Sodann die Marienkirche und die Nikolaikirche zu Berlin. [2] Beide haben ältere Granitreste; [3] beide scheinen nach einem Brande der Stadt im Jahr 1380 neugebaut zu sein. Sie haben kräftige, schlicht behandelte achteckige Schiffpfeiler mit je acht Halbsäulen. Die Choranlagen sind verschieden, indem der Chor der Marienkirche nur die Breite des Mittelschiffs hat und fünfseitig schliesst, die Nikolaikirche mit einem siebenseitigen Chorumgange versehen ist. Ueber beide Kirchen sind spätere Erneuungen ergangen, sehr umfassende über die Nikolaikirche, seit 1460. —

Um den Beginn des 15. Jahrhunderts fällt der Bau der Katharinenkirche zu Brandenburg. [4] Eine Inschrifttafel bezeichnet das Jahr 1401 als das des Baues (der Grundsteinlegung?) dieser Kirche und nennt Heinrich Brunsberg aus Stettin als den Meister. Sie hat achteckige Schiffpfeiler mit Eckrundstäben, fünfseitigen Chorumgang und rings in das Innere hineintretende Strebepfeiler. Im Aeussern ist die Stelle der letzteren nur durch geringen Vorsprung, aber durch eine reich dekorative Ausstattung desselben, mit dreigeschossig doppelten Bildernischen, welche durch zierliche farbig glasirte Formsteine gebildet werden, ausgezeichnet. Der Gegensatz dieser dekorativen Vorsprünge zu den schlichten Mauern und den einfachen Fenstersystemen ist von lebhaftester Wirkung; ein unter dem Dache durchlaufender Rosettenfries schliesst das Ganze oberwärts in angemessener Weise ab. Noch reicherer Schmuck entfaltet sich

---

[1] v. Quast, in der Berl. Zeitschrift f. Bauwesen, I, Sp. 155. — [2] Historische Notizen u. A. bei Nicolai, Beschreibung von Berlin u. Potsdam, und in Monographieen. — [3] Ueber die Nikolaikirche s. Thl. II, S. 555. Die Marienkirche hat einen Unterbau von Granit und in diesem, auf der Nordseite, einen niedrig alterthümlichen vermauerten Portalbogen. — [4] Büsching, Reise durch einige Münster des nördl. Deutschlands, S. 11. Organ für christl. Kunst, II, S. 88. v. Minutoli, a. a. O. (H. 1) Kallenbach, Chronologie, T. 63.

an kapellenartigen Ausbauten, welche auf der Nord- und der
Südseite der Kirche vortreten. Sie sind mit frei aufsteigendem
Fialen- und Giebelwerk gekrönt, welches von den reichsten

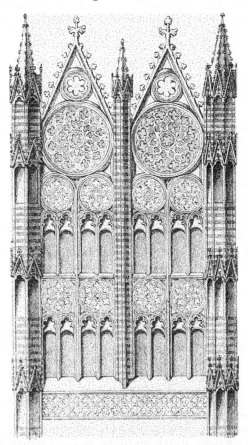

Von der äusseren Dekoration der Kapellen der Katharinenkirche zu Brandenburg.
(Nach Kallenbach.)

Maasswerkmustern, Alles in schwarzer Glasur und zum Theil in
freien Durchbrechungen gegen die Luft sich absetzend, erfüllt ist.
— Die Marienkirche zu Königsberg in der Neumark,[1] 1407
geweiht, ist in ähnlicher Weise durch die üppigste Entfaltung
durchbrochenen Flächenschmuckes von Bedeutung. — In jüngerer, nicht minder reicher und zierlicher Durchbildung zeigt sich
dasselbe dekorative System an der Schlosskirche von Ziesar

[1] v. Quast, im D. Kunstblatt, 1850, S. 242.

(1472), unfern von Brandenburg, und an der mit ihr nahezu übereinstimmenden Schlosskapelle von Wolmirstädt [1] (1480), unfern von Magdeburg.

Zu Brandenburg ist ausserdem noch des gothischen Umbaues des ursprünglich romanischen Domes (Thl. II, S. 559), aus der Epoche des 14. und 15. Jahrhunderts, zu gedenken, — sowie der kleinen zur Seite des Domes belegenen Peterskirche. [2] Die letztere ist aus Granit gebaut, mit schmalen kleinen Fenstern, was eine ursprünglich ältere Anlage vermuthen lässt. Die Wölbung dagegen, von drei Pfeilern getragen, rührt aus letzter gothischer Spätzeit her, indem sie jene bunte, in Preussen zumeist vorkommende Zellenbildung hatte. — Dem Umbau des Brandenburger Domes steht der des Domes von Havelberg [3] parallel, der 1411 geweiht wurde. Er zeichnet sich durch den kühn aufsteigenden Hochbau des Mittelschiffes aus. —

Verschiedene Kirchen in den westlichen Districten der Mark, [4] zu beiden Seiten der Elbe, der Epoche des 15. Jahrhunderts angehörig, haben die gemeinsamen Vorzüge eines hohen schlanken Hallenbaues, verbunden mit maassvoller Anwendung und Durchbildung des Details. Die reichste und bedeutendste ist die zu ihrer Zeit gefeierte Wallfahrtskirche zu Wilsnack in der Priegnitz, deren Vollendung gegen die Mitte des 15. Jahrhunderts fällt. Ihr Mittelschiff ist im lichten 37 $\frac{2}{3}$ Fuss breit und 83 F. hoch. Die Schiffpfeiler sind rund; mit schräg hinauf laufenden Bändern von glasirten Ziegeln und mit je vier senkrecht aufsteigenden Dienstbündeln, deren Hauptglied eine schräg kanellirte Säule ist. Basen und Kapitäle reich ornamentirt, die letzteren mit Bilderblenden in je zwei Reihen bekrönt. Aussen um die Kirche zog sich in sehr eigner Anordnung, zwischen den Strebepfeilern und dieselben durchbrechend, eine überwölbte Gallerie herum, ohne Zweifel für feierliche Umzüge bestimmt. — Sodann der Dom zu Stendal, [5] ein Bau von ähnlich kühnen Verhältnissen und ähnlichem Systeme des Innern, obschon von etwas geringeren Maassen (Mittelschiffbreite von 33 Fuss bei 72 Fuss Höhe) und minder schmuckreich behandelten Pfeilern; — die Marienkirche zu Stendal, im Gewölbe 1447 beendet, der Chor mit den Resten eines stattlichen Zinnenkranzes; — der im Jahr 1470 begonnene Chor der Stephanskirche zu Tangermünde; [6] — die Kirche zu Werben, u. s. w.

Anderweit sind zu nennen: die Marienkirche zu Fürsten-

---

[1] v. Quast, in der Zeitschrift für christl. Archäologie und Kunst, I, S. 260. — [2] Büsching, a. a. O., S. 49. (Der im Organ für christl. Kunst, II, S. 80, enthaltene Bericht über den Abbruch dieser Kirche beruht auf einem Irrthum.) — [3] v. Quast, im D. Kunstbl., a. a. O. — [4] Derselbe, in den Märkischen Forschungen, III, S. 132, ff. Einige Notizen und kleine Risse bei Büsching, a. a. O. Einige Ansichten bei Strack und Meyerheim, Arch. Denkmäler der Altmark Brandenburg. — [5] *Denkmäler der Kunst*, T. 56 (3, 4). — [6] Vergl. *Denkmäler der Kunst*, T. 56 (6).

walde (seit 1766 ohne Gewölbe), die zu Beeskow, die Unterkirche zu Frankfurt an der Oder, die Kirchen zu Anger-
münde, u. a. m.

Endlich einige spätgothische Hallenkirchen in der Nieder-
Lausitz und den sächsischen Grenzdistricten: die Marienkirche
von Sorau, mit stattlichem Sandsteinportal vom J. 1404 unter
einer Ziegelfaçade, (vor dem Portal ein jüngerer Portikus); —
die Pfarrkirche von Cottbus, [1] deren Thurm durch kräftige
Blendnischengeschosse (die Nischen durch eine Art von Lissenen,
die Geschosse durch Maasswerkfriese getrennt,) von glücklichster
Wirkung ist; — die Kirche zu Herzberg an der schwarzen
Elster; — die Nikolaikirche zu Jüterbog, [2] zum Theil
noch dem 14., zum Theil dem 15. Jahrhundert angehörig und
die (Barfüsser-) Mönchenkirche, ebendaselbst. —

An Dekorativ-Architekturen kirchlicher Ausstattung
ist nicht Vieles namhaft zu machen. Der Dom zu Havelberg
hat einen Sandstein-Lettner, der Dom zu Stendal einen solchen
von Ziegeln. — Die Marienkirche zu Fürstenwalde hat ein
Sandsteintabernakel [3] vom J. 1510, in etwas derber Behandlung,
zugleich in den charakteristischen Barockformen der Schlussepoche. — Im Dome zu Stendal befand sich weiland ein eher-
ner Taufbrunnen, mit hohem Tabernakel überbaut.

Der Profanbau erfreut sich in der Schlussepoche des Styles eines vorzüglich reichen dekorativen Fördernisses. Façaden
mit zierlich gegliederten Strebethürmchen, mit mannigfachem
Nischenwerk, mit Maasswerkfüllungen in Friesen und Flächen,
mit gruppenmässig hoch über die Dachlinie aufsteigenden Giebeln,
die von durchbrochenen Mustern schwarzglasirter Formsteine erfüllt sind, schmücken die ansehnlichsten städtischen Gebäude.
Das Rathhaus zu Tangermünde [4] enthält ein Hauptbeispiel
der Art; ein andres das zu Königsberg in der Neumark. (Auch
bei dem, später verbauten und veränderten Rathhause zu Frankfurt an der Oder lässt sich eine ursprüngliche Anlage der Art
erkennen.) Oder sie gliedern sich phantastisch in Zinnenabsätzen,
mit gewundenen Säulchen, die an den Eckpfeilern emporschiessen, mit allerlei Fenster-, Fries- und Rosettendekoration; wie —
in das Gebiet des Sandsteinbaues hinein — an den Giebeln, mit
denen in einem fast barocken Uebermuthe das Rathhaus zu
Zerbst [5] in den Jahren 1479 und 1481 geschmückt wurde, —
wie an dem mehr harmonisch behandelten des Rathhauses zu
Jüterbog, [6] dessen Rathsstube wiederum ein bemerkenswerthes

----

[1] Puttrich, Sächs. Denkm., II, II, Ser. Lausitz. — [2] Ebenda, Ser. Jüterbog.
— [3] Kallenbach, Chronologie, T. 80. — [4] Strack u. Meyerheim, a. a. O. —
[5] Puttrich, a. a. O., I, I, Ser. Anhalt. — [6] Ders., II, II, Ser. Jüterbog.

Beispiel jenes bunten Zellengewölbes enthält, u. s. w. Andre vorzüglich beachtenswerthe Giebelbauten der Art finden sich namentlich an den Abteigebäuden von Zinna,[1] bei Jüterbog. —

Rathsstube zu Jüterbog. (Nach Puttrich.)

Nicht minder sind es die städtischen Thore und die Thürme über und neben ihnen, an denen sich ein dekoratives Element in zum Theil eigenthümlichster Durchbildung entfaltet. Vorerst in einer schlichteren, strenger gemessenen Weise, wie an dem Mühlthor-thurme zu Brandenburg,[2] der nach inschriftlicher Angabe im Jahr 1411 von Martin Nicolaus Craft aus Stettin ausgeführt wurde, achteckig, mit hohen Fensterblenden von sehr charakter-voller Wirkung. Dann in einem mehr und mehr gesteigerten

---

[1] Puttrich, II, II, Ser. Jüterbog. — [2] Kallenbach, Chronologie, T. 64.

malerischen Reize, in verschiedenartig abgestufter Aufgipfelung,
mit Erkern, Zinnen, vorkragenden bedeckten Gängen u. dergl.,
mit Blendnischen und allerlei Schmuck an bunten Formsteinen.
Königsberg in der Neumark, Prenzlau, Gransee haben
beachtenswerthe Beispiele der Art. Die glänzendsten finden sich
in altmärkischen Städten, zu Werben, Tangermünde, Stendal.[1] Farbige Ziegellagen, in gewundenen und in Zickzack-
Streifen, mustern hier die Flächen, die sich zugleich mit feinen

Uenzlinger Thor zu Stendal. (Nach Meyerheim.)

Reliefarchitekturen gliedern; die Massen selbst sind entweder
cylindrisch, in verschiedenen Geschossen absetzend, oder unterwärts viereckig, von leichten Erkerthürmchen eingefasst, während
ein leichter cylindrischer Oberbau aus der Mitte emporsteigt,
u. s. w. Des Uenzlinger Thor zu Stendal ist ein vorzüglich

---

[1] Strack u. Meyerheim, a. a. O. *Denkmäler der Kunst*, *T. 56* (5).

gediegenes Beispiel dieser Art. Mit anderen stattlichen und reichen Thorbauten schliesst sich Jüterbog an. [1]

e. Pommern.

Pommern, [2] in der Mitte zwischen den mecklenburgischen Landen, den brandenburgischen Marken, den Gebieten des deutschen Ordens in Preussen, nimmt auch mit seiner Architektur eine derartig vermittelnde Stellung ein. Es spricht mit einer Reihe seiner Monumente denselben machtvollen und zum Theil gewaltsamen Höhendrang aus, den die stolzen Hanseatenkirchen des westlichen Nachbarlandes bekunden; es fügt sich mit andern dem maassvolleren Wesen, welches das märkische Binnenland in seinen kirchlichen Hallenbauten bewahrt, und dem Behagen einer schmuckreichen Ausstattung, welches dort vielfach zu Tage tritt; es hat zugleich Etwas von dem derben, kriegerisch gefestigten Charakter der preussischen Architektur. Doch auch an selbständigen Elementen und an selbständiger Durcharbeitung fehlt es nicht; und wie die sprachlichen Dialekte des Landes verschieden genug klingen, so machen sich ähnliche Verschiedenheiten auch im Gesetz der Formenbildung bemerklich. Schliesslich kommt es zu sehr eigner dekorativer Entwickelung.

Zu den Beispielen frühster Gestaltung des gothischen Elements, im Laufe des 13. Jahrhunderts, gehört der Schiffbau der Klosterkirche von Colbatz. Es ist bereits (Thl. II, S. 563) näher darauf hingedeutet, wie hier die primitive Gothik im Fortgange des Baues unmittelbar aus den romanischen Grundlagen herauswächst und wie die Westseite, in Verbindung mit ausgeprägt gothischen Formen, noch einen zierlich romanischen Rundbogenfries bewahrt. — Ein zweites Beispiel ist der Schiffbau des Domes von Cammin, als Fortsetzung des romanischen Chor- und Querschiffbaues. Hier tritt ein neues System dem der älteren Theile gegenüber; doch deutet die allgemeine Disposition auch hier noch auf den Romanismus zurück. Es ist ein hohes Mittelschiff mit niederen Seitenschiffen und zweitheiligen Jochen: starke viereckige Pfeiler mit feiner Eckgliederung, an der Mittelschiffwand in halber Stärke aufsteigend und sich oben zur breiten Nische zusammenwölbend, während an ihrer Vorderseite ein kräftiger Säulendienst für die Rippen des Gewölbes vortritt und je zwei Scheidbögen, über einem leichten achteckigen Zwischenpfeiler, die Träger des einzelnen Feldes der Mittelschiffwand ausmachen.

In der selbständigen Gestaltung des gothischen Styles scheiden sich die vorpommerschen von den hinterpommerschen Districten.

---

[1] Puttrich, a. a. O. — [2] F. Kugler, Pommer'sche Kunstgeschichte, in den Balt. Studien, VIII, Hft. 1, und in den Kl. Schriften, I.

Es ist für die übersichtliche Darstellung zweckmässig, ihre Monumente, — zunächst die kirchlichen, — gesondert zu betrachten.

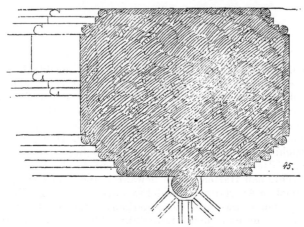

Profil der Schiffpfeiler im Dom zu Cammin. (F. K.)

Jene zeigen eine grössere Beweglichkeit in Anlage und Form,
fallen jedoch in der Schlussepoche einem vorherrschend starren
und herben Gesetze anheim; diese sind zumeist massig und
schwer, wissen sich aber nicht minder zur Grösse und Erhabenheit aufzuraffen und schliesslich ein reiches und mannigfach bewegtes Formenspiel zur Entfaltung zu bringen. In beiden Districten finden Hallenbau und Hochbau gleichmässige Anwendung.

Einige vorpommersche Monumente, in charakteristisch frühgothischen Formen, sind Beispiele schlichten Hallenbaues. Dahin gehören: die als Arsenal verbaute Katharinen-Kloster-
kirche zu Stralsund, deren Bauzeit auf die Epoche von 1251
bis 1317 angegeben wird und bei der die Behandlung der Dienste
im Chore, die der Rundpfeiler im Schiffe (denen sich achteckige
zugesellen) der Zeit um 1300 entsprechen; — die Jakobikirche
zu Greifswald, ebenfalls mit schlichten Rundpfeilern, zugleich
bemerkenswerth durch ein in einfachen scharfen Formen gegliedertes Thurmportal, dessen Gliederungen wechselnd in rother
und schwarzer Farbe erscheinen, während die Kapitälzierden aus
Sandstein gearbeitet sind; — die Marienkirche, ebendaselbst,
mit verschiedenartiger Pfeilerformation, zumeist auf Grundlage
des Achtecks und im Sinne des Bündelpfeilers mit mässig aus-
ladendem Detail behandelt; — die Marienkirche zu Pasewalk,
in schlichter Durchbildung, aber im Gepräge eines klaren Adels,

mit achteckigen Pfeilern, an deren Ecken Doppelstäbe und an
deren vorderer und hinterer Seite kräftige Säulendienste vortreten,
zugleich mit eigenthümlicher, sehr wirksamer Anordnung der
inneren Wandseiten. Hier tre-
ten nemlich die Strebepfeiler
mässig in das Innere vor, schlicht
gegliedert und ebenfalls mit
dem Säulendienste besetzt,
oberwärts zur kräftigen Nische
zusammengewölbt, in deren
Einschluss das Fenster liegt,
während unterwärts ein Arka-
dengang eingebaut ist.

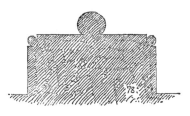

Profil der Wandpfeiler in der Marienkirche zu
Pasewalk. (F. K.)

Jüngere Hallenkirchen des-
selben Districts, dem Verlauf des 14. Jahrhunderts angehörig
und in das folgende hinüberreichend, haben einfach achteckige
Pfeiler, verschiedenartige Chorschlüsse, mehrfach eine unmittelbare, grossartig wirkende Verbindung der Thurmhalle mit dem
Mittelschiff (in dessen ganzer Höhe) und zum Theil, in den Wand-
gliederungen, ein Spiel weich quellender Profile, auch sonst
mancherlei bemerkenswerthes Detail. Als solche sind zunächst
zu nennen: die Bartholomäuskirche zu Demmin, bei der
ein jedes Schiff dreiseitig schliesst, die Petrikirche zu Treptow an der Tollense, mit dreiseitigem Chorumgange, die
Nikolaikirche zu Anclam, wieder mit besonderm Schlusse
für jedes Schiff, die der Seitenschiffe jedoch schrägliegend und

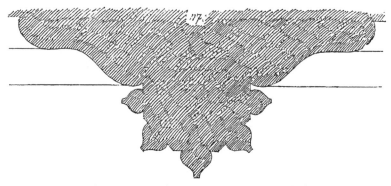

Profil der Dienste und Wandnischen in der Nicolaikirche zu Anclam. (F. K.)

über die Seitenfluchten vortretend.[1] Diese Gebäude haben in
einzelnen Theilen jene weich quellende Profilirung, besonders
an den Gurtträgern, welche an den Wänden vortreten. Hier

---

[1] Vergl. Kallenbach, Chronologie, T. 59 (3).

sind volle Birnprofile beliebt, die sich gruppenmässig zusammen-
ordnen, am Reichsten in der Nikolaikirche von Anclam, wo sich
dem Gurtträgerbündel ein Wandnischenprofil von eigenthümlichst
weichem Linienschwunge anschliesst. Die Petrikirche zu Treptow
an der Tollense hat zugleich Manches von Dekorationsformen,
die in andrer Beziehung auf eine freiere Bewegung hinausgehen.
So ist in einem ihrer Fenster eine schlichte Maasswerkfüllung,
mit gutem Rundstabprofil, vorhanden, in einer Behandlung, die
dem Ziegel-Material vorzüglich
angemessen zu sein scheint. Ebenso ist ihr Thurmportal und das
Innere der (mit der Kirche nicht
in unmittelbarer Verbindung stehenden) Thurmhalle mit verschiedenartiger Ausstattung versehen.
— Einfach derbere Hallenkirchen
sind die zu Barth, zu Grimme
und die Marienkirche zu
Anclam. Die letztere hat im
Innern ihrer östlichen Hälfte noch
die Stücke eines frühgothischen
Baues; sie schliesst im Mittelschiff geradlinig ab, mit grossem
Ostfenster, in den Seitenschiffen
mit einfach schrägen Abschnitten,
womit für das Ganze in allerdings sehr barbarisirender Weise

Fenstermaasswerk in der Petrikirche zu Treptow an der Tollense. (F. K.)

ein dreiseitig polygoner Schluss erreicht wird. In der westlichen
Hälfte hat sie achteckige Pfeiler mit eckigen Eckstäben.
    Auch zwei Kirchen zu Stettin gehören hieher: die (Fran-
ciskaner-) Johanniskirche, mit langgestrecktem Chore, der
(wie der Chor der Klosterkirche zu Berlin) mit 7 Seiten eines
Zehnecks schliesst,[1] in einfach derber Behandlung, das mittlere
Langschiff mit (späterem) Sterngewölbe bedeckt, — und die Jakobikirche, ein massig kolossaler Bau von sehr einfach derben
Formen, mit späterer Erweiterung der Seitenschiffe: einem zweiten Seitenschiff auf der Nordseite mit eingewölbter Empore, und
einer kapellenartigen Vertiefung des südlichen Seitenschiffraumes,
gleichfalls mit Emporen; (die Gewölbdecken nach 1677 erneut).
    Andre Kirchen von Vorpommern folgen den Systemen des
Hochbaues. So die seit 1311 gebaute Nikolaikirche zu Stralsund. Sie schliesst sich, wie bereits bemerkt, dem Cyklus
der mecklenburgischen Kirchen an, welche das französische
Kathedralensystem in seiner Umwandlung nach den Bedingnissen
des Ziegelbaues zur Anwendung bringen, und bildet eins der

[1] Vergl. Kallenbach, T. 59 (2).

edelsten Beispiele dieses Kreises. Sie hat — das einzige Beispiel in Pommern — die kapellenartig vortretenden Polygone an dem fünfseitigen Chorumgange und im Aeussern die massig schweren Strebebögen zur Stütze des mittleren Oberbaues. Die räumlichen Verhältnisse des Inneren stehen in glücklichstem Gleichmaasse. Chor und Schiff, zwar durch keinen Querbau getrennt, unterscheiden sich durch die Behandlung der Pfeiler. Die Chorpfeiler

Profil der Chorpfeiler und Scheidbögen in der Nikolaikirche zu Stralsund. (F. K.)

sind lebhaft gegliedert, nach einem Princip, welches der strengeren Wandgliederung entspricht, mit vorherrschend birnförmigen, aber noch scharf zugespitzten Stäben; ein Deckgesims mit zierlichem

Blattkranze legt sich den Scheidbögen unter, deren Gliederung
in ähnlicher Weise profilirt ist. Die Schiffpfeiler sind einfach
achteckig, mit eingelassenen Ecksäulchen: Ueber den Scheidbögen zieht sich ein Blätterfries hin; über diesem bilden sich
tiefe Nischen, in deren Einschluss die Fenster und unterhalb
dieser eine Gallerie befindlich sind. Der Westbau, mit zwei massenhaften Thürmen (an der Stelle ursprünglich eines Mittelthurmes) ist aus der Spätzeit des 14. Jahrhunderts.

Ungefähr gleichzeitig mit der ebengenannten ist die Nikolaikirche zu Greifswald, als deren Vollendung (?) bereits
das Jahr 1326 angegeben wird. Eine durchgreifende Modernisirung verstattet kein Urtheil über die Detailbehandlung, während auch die trefflich harmonischen Verhältnisse des Innern und
zugleich derselbe barbarisirende Chorschluss wie an der Marienkirche zu Anclam anzumerken sind. Der vor der Westseite aufsteigende Thurm, aus der Spätzeit des Jahrhunderts, ist durch
ein in kriegerisch burgartigen Formen gebildetes Mittelgeschoss,
durch reiche Maasswerkdekorationen in den Fensterblenden des
leichten Obergeschosses, auch durch die phantastisch moderne
Kuppelspitze von eigenthümlich energischer Wirkung. — Etwas
jünger, ebenfalls in guten Verhältnissen und in einfach tüchtiger
Behandlung, erscheint die Petrikirche zu Wolgast. — Wiederum später, schon vom Schlusse des Jahrhunderts, ist die Jakobikirche zu Stralsund. Sie hat eine bereits auffällig
rohere Behandlung bei einseitig gesteigerten, den innern Rhythmus aufhebenden Höhenverhältnissen, mit gerade abschliessender
Ostseite und mit barbaristisch verkümmerten Oberfenstern, die
nur noch im Spitzbogen geöffnet und in diesem Bogen flach und
eckig gebrochen sind. Dagegen ist die nach innen geöffnete
Thurmhalle von grossartiger Wirkung und das Aeussere des
Thurmes in so kräftig aufsteigender Weise entwickelt, wie mit
reichster Dekoration an schwarzglasirten Maasswerken, in Friesen
und Fensterblenden, ausgestattet.

Dann folgt die von 1416—78 erbaute Marienkirche zu
Stralsund. Hier ist Alles auf höchst gesteigerte räumliche
Verhältnisse, auf kolossale Aufgipfelung der Massen berechnet.
Im Innern, in den Seitenschiffen wie im Mittelschiff, macht sich
ein gewaltsamer Höhendrang geltend, gefestigt, vermehrt, auf
das Aeussere übergetragen durch seitlich vorspringende Theile:
die Flügel eines östlichen dreischiffigen Querbaues, über dessen
Mitte ein starker Dachreiterthurm angeordnet wurde, und die
eines andern Querbaues auf der Westseite, über dessen Mitte
der Hauptthurm emporsteigt. Giebel, Treppenthürme u. dergl.
tragen dazu bei, die machtvolle Wirkung des Aeussern zu erhöhen; der Hauptthurm stieg mit schlanker Spitze (die im Jahr
1647 abbrannte und durch eine barocke Haube ersetzt ward)
überhoch in die Lüfte empor. Aber es ist in diesem Bau von

allem Kunst-Element eben nur die Massenwirkung übrig geblieben; das Einzelne ist fast durchweg roh, starr, zum Theil sehr barbaristisch. Kleine Kapellen, zwischen die Strebepfeiler der Seitenschiffe hinaustretend, sind flachgewölbt und mit schlichtesten flachbogigen Fenstern versehen; die Oberfenster des Mittel-

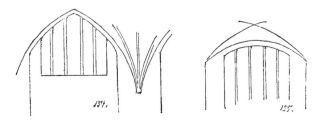

Marienkirche zu Stralsund.
Fenster der Seitenkapellen.   Oberfenster des Mittelschiffes.

schiffes, auch die Mehrzahl der übrigen, haben die hässliche eckig gebrochene Form; der Chorumgang ist, dem innern Chorschlusse parallel, dreiseitig und an jeder Breitseite mit drei Fen-

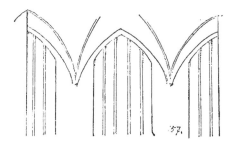

Fenster des Chorumgangs der Marienkirche von Stralsund. (F. K.)

stern versehen, von denen aber nur das mittlere ein ganzes, jedes der beiden Seitenfenster ein halbes ausmacht. U. s. w.

Einige kleinere Monumente reihen sich an: die Johannis-Klosterkirche zu Stralsund, ein schlichtes Gebäude, bemerkenswerth durch die seltne Anlage eines Vorhofes, der mit Arkaden umgeben ist, achteckigen Pfeilern, welche durch breite gedrückte Spitzbögen verbunden werden; — die Apollonienkapelle, neben der Marienkirche, ebendaselbst, ein zierlich schlichter achteckiger Bau; — und die Gertrudskirche bei Wolgast, ein zwölfseitiger Bau, mit einem starken Rundpfeiler

in der Mitte, auf dessen einfachem Deckgesims die Rippen eines
sehr reichen und zierlichen Sterngewölbes aufsetzen, eins der

Wölbung der Gertrudskirche bei Wolgast (F K)

edelsten Beispiele solcher Anlage, der Detailbehandlung nach
aus der besten Zeit des 14. Jahrhunderts herrührend.

In Hinterpommern sind zunächst ebenfalls einige Hallenkirchen zu nennen. Unter ihnen erscheint als das Werk frühsten Beginnes die Marienkirche zu Colberg. Im Jahr 1321
wird der Abhaltung des Gottesdienstes in ihr gedacht, womit die
Vollendung des langgestreckten, in der Breite des Mittelschiffes
hinaustretenden Chores, dessen innere Anordnung und Behandlung den in der Marienkirche zu Pasewalk angezeichneten Elementen entspricht, gemeint sein dürfte. Der Schiffbau ist fünfschiffig, die drei mittleren Schiffe aus nächstfolgender Epoche,
mit achteckigen Pfeilern, an deren vier Hauptseiten Bündelsäulchen vortreten, das südliche äussere Seitenschiff aus der Spätzeit
des 14. Jahrhunderts, das nördliche (mit eingewölbten Emporen)
aus dem Anfange des folgenden. Sämmtliche fünf Schiffe wurden
im J. 1450 durch ein hochgegiebeltes, noch erhaltenes Kupfer-
dach bedeckt. Die Westseite bildet eine schwere felsähnliche
Thurmmasse. Ein Lettner, aus achteckigen Kalksteinpfeilern und
halbrunden Bögen von schwarzen und rothen Ziegeln und ähnlich behandelter Brüstung gebildet, scheidet den Chor von den

Vorderschiffen. — Die Marienkirche zu Treptow an der Rega (1303—70), die zu Greiffenberg reihen sich als Gebäude von einfacherer und im Ganzen von ähnlich schlichter Anlage an,

Profil der Wanddienste im Chor der Marienkirche zu Treptow an der Rega (F. K.)

Seite des Schiffpfeilerprofils in der Marienkirche zu Greiffenberg. (F. K.)

jene im Chore mit edel behandelten Gurtträgern und mit einfach achteckigen Schiffpfeilern, diese mit (je vier) eckig profilirten Diensten an den Pfeilern des Schiffes.

Der östliche Theil von Hinterpommern hat eine Reihe von Kirchen, welche dem System des Hochbaues angehören: die Marienkirchen von Belgard, Cöslin, Schlawe, Rügenwalde, Stolp. Ihre Behandlung hat im Allgemeinen eine ähnliche Schlichtheit wie die der vorgenannten Hallenkirchen, wobei die mässigen Unterschiede einer etwas belebteren und einer starreren Profilirung des Details auf die frühere und die spätere Zeit des 14. Jahrhunderts gedeutet werden dürfen. Ihre Anlagen stimmen insofern überein, als der Chor bei jeder einen gesonderten, in der Breite des Mittelschiffes hinaustretenden Bautheil ausmacht, der Thurmbau sich als hohe Halle gegen das Mittelschiff öffnet, die inneren räumlichen Verhältnisse durchgehend wohl abgewogen sind, die Pfeiler schlicht achteckige Form mit mässigstem Dienstansatz oder sonstiger Gliederung haben und, was besonders bemerkenswerth, über den Deckgesimsen der Pfeiler sowohl das Profil der hohen Wandnischen, welche die Masse der Oberwände verringern, als das der Scheidbögen ansetzt; auch auf dem mehrfach wiederholten Unterschiede einer etwas lebendigeren Profilirung auf der Nordseite, einer starreren auf der Südseite. Die Kirche von Belgard erscheint als die von edelster Behandlung der einfachen Formen; — die Kirche von Cöslin folgt ihr zunächst, schon mit sehr trockner Behandlung der Bogenprofile auf der Südseite; — die Kirche von Schlawe hat zierlich profilirte Säulchen auf den Ecken der schweren Pfeilermassen; — die Kirche von Rügenwalde hat an der Südwand, über den Scheidbögen, eine Art von Triforiennischen; — die Kirche von Stolp, in wiederum sehr ansehnlichen Dimensionen, steigert die durch die letzteren erzielte Wirkung durch die Anlage eines westlichen Querschiffs (dem der Marienkirche von Stralsund ähnlich). — Verwandt, und zwar den früheren Gebäuden dieser Reihe, erscheint ferner die Moritzkirche zu **Pyritz**, doch mit der abweichenden Einrichtung, dass der Oberbau des Mittelschiffes, nur mässig erhöht, keine Fensteröffnungen hat. (Später hat sie manche Veränderung erlitten.)

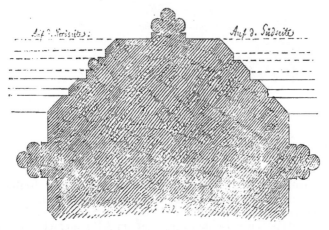

Profil der Schiffpfeiler in der Marienkirche zu Cöslin   (F. K.)

Die **Marienkirche** zu **Stargard** war, ihrer ursprünglichen Anlage nach, ein Hallenbau, welcher den vorgenannten des 14. Jahrhunderts entsprach, mit achteckigen Pfeilern, die auf vier

Ecke des Schiffpfeilerprofils in der Marienkirche zu Schlawe. (F. K.)

Seiten mit Dienstbündeln versehen waren. Dieser Anlage gehört noch der Kern des Baues der Vorderschiffe an. Im 15. Jahrhundert wurde sie durch eine umfassende Bauveränderung, über den beibehaltenen Schiffarkaden und mit Hinzufügung eines neuen ausgedehnten, mit einem Umgange versehenen Chores, dem Systeme des Hochbaues einverleibt. Die räumlichen Verhältnisse dieses umgewandelten Gebäudes sind wiederum sehr kolossal, die Höhenrichtung entschieden vorwiegend, aber das Ganze ist dabei von edlem Gleichmaasse erfüllt, die Wirkung eine wohlthuend befriedigende. Am Schiffbau kommt hier für das Einzelne wenig Andres in Betracht, als die Oberfenster mit dem allerdings unschönen eckigen Bruch, dessen Form für die Spätzeit charakteristisch ist. Ein selbständiges, sehr kräftiges System entfaltet sich dagegen im Chore: die Pfeiler achteckig, schlank, mit eingelassenen Ecksäulchen, oberwärts mit kleinen Tabernakelnischen gekrönt; die Scheidbögen, zwischen denen leichte Gurtträger ansetzen, in stark überhöhter Linie aufsteigend; über ihnen ein sehr reicher Rosettenfries, eine Triforiengallerie mit einfachen Pfeilern und darüber das Oberfenster in der üblichen Schlichtheit. Die Strebepfeiler des Chores treten nach innen hinein, im

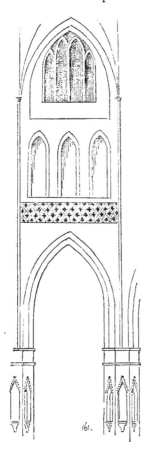

Marienkirche zu Stargard. Anordnung der Obertheile des Chor-Innern.
(F. K.)

Aeussern flache Wandpfeiler bildend, die (ähnlich denen der Katharinenkirehe von Brandenburg, S. 461) mit sehr reicher Dekoration ausgestattet sind: dreigeschossige, fensterartige Blendnischen zwischen vorspringenden gegliederten und mit kleinen Bildnischen versehenen Eckvorsprüngen, in den Haupttheilen rothe und schwarze Steine wechselnd, alles Maasswerk und sonstige Verzierungsstücke dagegen aus schwarz glasirten Steinen, das Ganze, bei allerdings barbaristischer Zusammenstellung der Stücke, von hoher phantastischer Pracht. An einer, auf der Nordseite des Chores vortretenden achteckigen Kapelle sind die Strebepfeiler aus vier Seiten eines Sechsecks gebildet, mit Stabbündeln auf den Ecken und völlig aus schwarz glasirten Steinen bestehend, was einen wundersamen, tief ernsten Eindruck hervorbringt. Der Westseite der Kirche legt sich sodann ein machtvoller zweithürmiger Bau vor, dessen Mitteltheil sieh als mächtig hohe Halle gegen das Mittelschiff öffnet. Die Thürme steigen in einfach viereckigen Massen empor, reich belebt und gegliedert auf jeder Seite durch drei hochschlanke Fensternischen mit schlichtem Relief-Stab- und Maasswerk. Der nördliche Thurm hat einen kleinen achteckigen Oberbau zwischen Eckthürmchen, dessen Behandlung jedoch schon an sich den unteren Theilen nicht ganz entspricht und der eine moderne Kuppelbedachung trägt; der südliche Thurm bricht bereits in geringerer Höhe ab; — die ursprünglich beabsichtigte Gesammtwirkung liegt somit nicht klar vor.

Dem ebengenannten Bau schliessen sich einige Hallenkirchen an: die Johanniskirche zu Stargard, angeblich 1408 gegründet, deren ursprüngliche, etwas rohe Anlage älter zu sein scheint, mit verwandten dekorativen Theilen, besonders an dem

hohen Thurme vor der Mitte der Westseite, dessen Spitze ebenfalls
fehlt; und die Marienkirche des nahe belegenen Freienwalde, von deren äusserer Ausstattung dasselbe gilt, und deren
Thurm unterwärts, mit reich gegliederten Pfeilern und Bögen,

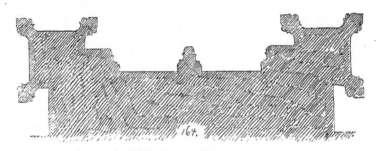

Marienkuche zu Stargard. Profil der Wandpfeiler am Aeussern des Choies. (F. K)

eine offne Durchfahrt bildet; — auch (in Vorpommern) die Stephanskirche zu Garz an der Oder, — und die einschiffige
Petrikirche zu Stettin.

Ausserdem einige kleine Polygonbauten: die Gertrudskirche
bei Rügenwalde, zwölfeckig, mit erhöhtem (doch nicht durch

 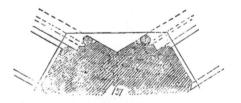

Marienkirche zu Stargard. Profil der   Gertrudskirche bei Rügenwalde. Profil der Bogen-
Strebepfeiler der achteckigen Kapelle   gliederungen im Mittelraum. (F K.)
auf der Nordseite des Chores. (F. K.)

eigne Fenster beleuchtetem) sechseckigem Mittelraume und zierlichen Sternwölbungen, zugleich mit einer Gliederung der Scheidbögen und der über diesen aufsteigenden Wandnischen, welche
das bei den hinterpommerschen Hochbau-Kirchen befolgte System
der Wandgliederung aufnimmt; eine achteckige Kirchhofkapelle
zu Cöslin, — und die gleichfalls achteckige Kapelle des Geor-
gen-Hospitals zu Stolp.

Ein eigenes Prachtstück der Spätzeit findet sich noch am
Dome von Cammin, eine Giebelreihe, welche das südliche Seitenschiff krönt. Glänzende Rosetten über buntem Stab- und Maasswerk füllen diese Giebel; Fialenthürmchen steigen zwischen ihnen

empor, durch kleine durchbrochene Architekturen verbunden. Es
ist einer der reichsten Versuche zur Nachbildung der Dekorationsweisen des Hausteins im Ziegelbau, allerdings zwar in dem handwerklichen Betriebe des letzteren, doch um so mehr von phantastisch malerischem Reize, als er hier an den übrigen Theilen
des merkwürdigen Gebäudes eine charakteristische Gegenwirkung
findet.

Unter der grossen Zahl andrer kirchlicher Gebäude ist in
künstlerischem Belang nichts Bemerkenswerthes hervorzuheben.
Dem System des Hochbaues reiht sich unter diesen nur noch
die Marienkirche zu Naugardt an. Die übrigen sind Hallenkirchen oder einschiffige Anlagen.

Für den Profanbau gilt im Allgemeinen dasselbe, was von
dem der Mark gesagt ist. An stattlichen Mauer- und Thorthür-
men ist Mancherlei erhalten, zu Cammin, Pyritz, Stargard,
Demmin, u. s. w. Ebenso von ansehnlichen Hausgiebeln, die,
in mehr oder weniger reicher Ausstattung, verschiedene Weisen
der Anordnung befolgen. Greifswald hat am Marktplatze eine
Gruppe derartiger Hausgiebel, von denen der eine, in gleichartiger Masse emporgeführt, mit Zinnen gekrönt und von hohen
Blendnischen erfüllt, ein fast kastellartiges Aussehen hat, ein
zweiter,[1] stufenförmig zwischen Fialenthürmchen aufsteigend, eine
Fülle reichen, fast kirchlichen Fensterschmuckes entwickelt, ein
dritter den anderweit üblichen Formen, doch ebenfalls in bedeutender Fassung, folgt, u. s. w. Andre Momente der Ausbildung
zeigen die Rathhausgiebel von Grimme, Anclam, Lauen-
burg. Aeusserst stattlich, aber durch Modernisirung beeinträchtigt, ist die Façade des Rathhauses von Stralsund, mit einer
Reihe von sieben frei aufragenden, luftig durchbrochenen Giebeln
zwischen schlanken Thürmchen. Aehnlich war, alten Abbildungen und Berichten zufolge, die Façade des Rathhauses von
Stettin.

Eine sehr zierliche und glanzvolle Façadendekoration entwickelt sich um die Mitte des 16. Jahrhunderts. Sie besteht in
einem aus der Combination mannigfacher Cirkelschläge bestehen-
den Reliefwerk, welches stabartig aus der Fläche vortritt,
diese gliedernd, ihre Krönungen, Säume, Füllungen bildend. Ein
vorzüglich edles Beispiel der Art zeigt sich an einem Flügel des
Schlosses zu Ueckermünde vom J. 1546; eine Wiederholung
desselben an dem oberhalb des Schweizerhofes zu Stettin belegenen Hause; Aehnliches an den jüngeren Theilen der malerischen Schlossruine von Daher. Drei hohe Giebelfaçaden zu

---

[1] Kallenbach, T. 60.

Stargard, die des Rathhauses [1] und andrer Gebäude, sind um den ganzen Hochbau des Giebels mit derartigem Formenspiele

Giebeldekoration des Rathhauses zu Stargard.   (F. K.)

wie mit einem phantastischen Netzwerk, dem sieh die kleinen Fenster einreihen, übersponnen. Die Gesimse dieser Façaden haben indess sehon Form und Profil der Renaissance-Epoche.

[1] Vergl. Kallenbach, T. 83.

Die gothische Architektur von Gross-Polen dürfte der von
Pommern zumeist entsprochen haben. Hier ist einstweilen jedoch
nur ein erhaltenes Monument namhaft zu machen: Die Kirche
S. Maria in Summo zu Posen, ein Chorbau von der Disposition der Hallenkirchen mit theils acht-, theils sechseckigen
Pfeilern, deren Ecken ein gegliedertes Profil haben, etwa dem an
den Pfeilern der Kirche von Sehlawe (S. 475) vergleichbar.

---

f. Preussen.

Die preussische Architektur [1] unterscheidet sich von der der
übrigen Lande des Ziegelbaues durch bestimmte Eigenthümlichkeiten. Diese sind in den historischen und in den materiellen
Verhältnissen begründet. Die planmässige Germanisirung des
Landes durch das Schwert des deutschen Ordens, die Herrschaft
des letzteren und seine durchgeführte kriegerische Verwaltung
des Landes, der sich erst spät das städtische Bürgerthum als
selbständige Macht gegenüberstellte, haben in Anlage und Behandlung der baulichen Monumente ihre Spuren zurückgelassen.
Das Gefühl kriegerischer Standfähigkeit und Sicherung erscheint
durchgängig als das maassgebende, nicht bloss, wie es sich von
von selbst versteht, bei dem Bau der Burgen und Schlösser, wel-
eher für die Zwecke der klösterlichen Ritterschaft eifrig und
nach bestimmter Norm betrieben wurde, sondern auch bei den
kirchlichen Monumenten. Durchgängig hat die Anlage einen in
sich gefestigten und abgeschlossenen Charakter, ein rüstig derbes
Gefüge, ohne doch auf die Entwickelung reicheren Schmuckes
an geeigneter Stelle zu verzichten. Es mischen sich dem deutschen
Grundelement zunächst einige eigenthümlich orientalische Klänge
ein, Reminiscenzen, welche der deutsche Orden aus den Landen
seines Ursprunges und früheren Verweilens mitgebracht hatte;
später verschwinden sie, aber die ansehnliche Ausstattung des
Innern bei der derben Schlichtheit der äussern Erscheinung hat
auch in der späteren Zeit noch Etwas, das an das Verhältniss orientalischer Architektur gemahnt. Eine bemerkenswerthe Uebertragung orientalischen Elements besteht in der Verwendung von Inschriften für die Zwecke baulichen Schmuckes; der Technik und dem
nordischen Geiste angemessen gestaltet sie sich so, dass der einzelnen Ziegelplatte der einzelne Buchstabe aufgepresst ist und hieraus fortlaufende Friese zusammengereiht werden. Zur Ausstattung
der Innenräume trägt in vorzüglichstem Maasse das Gewölbe bei,

---

[1] Aus Büsching's Nachlass, im Museum, Bl. für bild. Kunst, 1835, No. 6, ff.
F. v. Quast, in den Neuen Preuss. Provinzialblättern, IX, S. 1, ff.; XI, S. 3, ff.
Lübke, im D. Kunstblatt, 1856, S. 84, ff.

welches sich in mannigfaltigen, zum Theil höchst kunstreichen
Weisen ausbildet. Das Sterngewölbe findet zeitig Aufnahme und
vielfache Anwendung; des phantastischen (wiederum einigermaassen orientalisirenden) Zellengewölbes, das aus dem complicirten
Sterngewölbe entsteht, ist als einer der preussischen Architektur
vorwiegend eigenthümlichen Erscheinung bereits wiederholt gedacht; ein erhabenes Palmengewölbe, von kühn schlanken Pfeilern getragen, findet in Preussen seine edelste Durchbildung. —
Von einem etwaigen Geltendmachen slavischer Nationalität in
der architektonischen Production, wie eine derartige Erscheinung
in den bisher besprochenen Kreisen des Ziegelbaues mehrfach
vorauszusetzen war, scheint in Preussen keine Rede zu sein.

Profanbau.

Die Betrachtung des Schloss- und Burgenbaues ist voranzustellen. Das ganze Land war mit Werken der Art übersät, zum
Schirm gegen feindlichen Angriff von aussen, zur Erhaltung des
Regiments im Inneren. Anlage und Einrichtung ergaben sich
naturgemäss aus der Verfassung des Ordens. Wie in diesem sich
Mönchthum und Ritterthum vereinigten, so auch in seinen Niederlassungen: es waren kriegerisch gefestigte Klosterbauten; sie
hatten die Versammlungsräume der letzteren, die Kirche oder
Kapelle, den Kapitelsaal, den Remter, die zur freieren Bewegung
bestimmten Hallen, die Räume des sonstigen Bedürfnisses, aber
Alles — statt der bequemeren Ausbreitung, welche der Kloster-
bau liebte, — eng zusammengelegt und von festem schützen-
dem Aussenwerk umgeben. Die Burg gestaltete sich hienach als
ein geschlossenes Viereck, welches innen einen von Kreuzgang-
hallen umgebenen Hof hatte, in dessen Flügeln sich jene Lokale
vertheilten, und dessen Aeusseres von Zinnen und Mauergängen,
Eckthürmchen, Gräben u. dergl. vertheidigt ward. Je nach der
Bedeutung der einzelnen Niederlassung waren natürlich die Ausdehnung, die Befestigung, die Ausstattung verschieden. Grösseren Burgen und Schlössern gesellten sich mancherlei Aussenwerke,
auch besondre Vorburgen und diese zum Theil von ansehnlicher
Ausdehnung, hinzu. — Die Verhältnisse brachten es mit sich,
dass die Besitzungen der Landesbischöfe und ihrer Kapitel in gleichem Maasse mit Burgen und Schlössern versehen werden mussten.
Die Anlage der letzteren wiederholte vollständig das Muster der
Ordensburgen.
In dem Allgemeinen der formalen Behandlung machen sich
einige von jenen Elementen bemerklich, welche an Orientalisches
anklingen und, wie es scheint, auf eine Uebertragung von dort
entnommener Motive deuten. Dahin gehört die gelegentlich vor-

kommende Theilung der Aussenwände durch hochemporlaufende Spitzbogenblenden, was lebhaft an die Erscheinung sicilischer Schlossbauten muhamedanischen Styles, namentlich an die Kuba bei Falermo (Thl. I, S. 512) erinnert. Dahin, noch entschiedener, die eigenthümliche Anordnung der Hauptportale, die im Grunde einer breiten und tiefen, ebenfalls bis zur Krönung des Gebäudes emporsteigenden Spitzbogennische zu liegen pflegen. Dahin die schon erwähnte Anwendung der Inschriftfriese, die, wie aus verschiedenen Resten erhellt, gern als Bogensäumungen an Fenstern und Portalen angewandt wurden. Doch sind es eben nur einzelne derartige Reminiscenzen, welche auf die frühere Heimath des Ordens zurückdeuten. Im Grossen und Ganzen ist die baukünstlerische Gestaltung eine durchaus selbständige, von dem nächstliegenden Zwecke, von dem nordischen Ziegelmaterial, von der kühlen Frische des nordischen Volksgeistes bedingt. Die wechselnde Farbe und Glasur der Ziegel, in den üblichen tiefen Tönen, wird auch hier gerne zur Anwendung gebracht, die Mauerfläche mit mancherlei Mustern, welche sich daraus bilden, bekleidet. Daneben wird für verschiedene Einzelzwecke, wo eine grössere Härte oder eine grössere Bildsamkeit des Materials erwünscht war, auch Granit und Kalkstein verwandt, was in das allgemeine System einige nicht ganz unwesentliche Modificationen hineinträgt. Die Wölbekunst bringt es in den Prachträumen ausgezeichneter Schlösser zu vorzüglich glänzenden Erfolgen. Die Schlosskapellen, gewöhnlich einer Ecke des grossen Vierecks eingefügt, entbehren insgemein des polygonischen Chorschlusses und begnügen sich, ebenfalls im Ausdrucke der kriegerisch gefestigten Räumlichkeit, mit einfach oblonger Grundform.

Von der übergrossen Menge der Schlösser und Burgen des Ordens ist nur eine sehr geringe Zahl, und auch diese fast durchgängig in entstellten und verstümmelten Resten übrig geblieben. Die erhaltenen Theile von charakteristischer Formation deuten zumeist auf die Epoche um die Mitte des 14. Jahrhunderts, während Einzelnes allerdings früher, Andres später ist. Dahin gehören, im westlichen Districte des Landes: das Schloss von Gollub, an der polnischen Grenze, mit noch wohl erhaltener Kapelle; — die ansehnlichen Reste des Schlosses von Kowallen (Schönsee), nördlich von dort; — die von Poppowo, zwischen Culmsee und Culm, mit den Fragmenten zierlicher Prachträume; — die des Schlosses von Rheden, eins der bedeutenderen Gebäude, welches u. A. auch durch eine stattliche Portalanlage der oben angedeuteten Art ausgezeichnet ist; — die des Schlosses von Marienwerder, — die von Mewe, — vor Allem aber das ehemalige Haupthaus des Ordens, die Marienburg, von der im Folgenden die Rede sein wird. — Im östlichen Theile des Landes: das Schloss von Rössel, wiederum mit jenem hohen Portalbau; — die erhaltenen Stücke des Schlosses von Lochstädt,

nordwärts am frischen **Haff**, unter denen besonders die Kapelle von Bedeutung ist, ein Gebäude, welches in Behandlung
und Ausstattung den früheren Anlagen der Marienburg würdig
zur Seite steht und mit diesen zu den edelsten und zierlichsten
Beispielen der früheren Entwickelungsstufe des gothischen Baustyles in Preussen gehört; — das Schloss von **R a g n i t** im fernen
Nordosten am Ufer der Memel, ein eigentlicher Festungsbau von
vorzüglich grossartiger Anlage, zugleich eins der jüngsten Werke
des Ordens, erst um den Beginn des 15. Jahrh. ausgeführt. U. s. w.

Ferner ist das bischöfliche Schloss von **H e i l s b e r g** [1] zu erwähnen. Dies ist im Wesentlichen seiner Anlage, seiner räumlichen Disposition, seiner Einzeltheile erhalten und giebt somit,
den Ordensbauten völlig entsprechend, ein vorzüglich charakteristisches Beispiel des üblichen Systems. Der Bau begann unmittelbar naeh der Mitte des 14. Jahrhunderts und dauerte bis

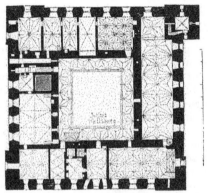

Grundriss des bischöflichen Schlosses von Heilsberg. (Nach v. Quast.)

gegen den Schluss desselben; Reparaturen am Ausgange des Mittelalters haben nur Einzelheiten bètroffen. Es ist ein Viereck
von etwa 153 zu 157 Fuss Ausdehnung, mit einem starken Thurm
auf der Nordostecke und thurmartigen Vorsprüngen auf der andern; die Mauern massiv aufsteigend, 7 bis 8 Fuss stark; innen
im Hof von 65 zu 71 F., durch einen zweigeschossigen Kreuzgang auf 44 zu 50 Fuss lichten Raumes eingeschränkt. Die unteren Arkaden des letzteren haben kurze stämmige Granitpfeiler,
die oberen schlanke achteckige Säulen aus schwedischem Kalkstein, Kapitäle und Basen beiderseits von einfachster Formation.
Die Räume durchgängig, und besonders wo sie nicht der späteren
Reparatur anheimgefallen sind, mit geschmackvollen Sterenge-
wölben bedeckt, deren Rippen eine zierlich belebte Profilirung

[1] F. v. Quast, Denkmale der Baukunst in Preussen, Heft 1.

haben; der Kreuzgang mit halben Sterngewölben, die sich in einem eigenthümlichen Wechselrhythmus hin und wider schieben.

Das schon genannte Schloss M a r i e n b u r g, [1] der Sitz der Hochmeister des Ordens, unterscheidet sich durch grössere Ausdehnung und Pracht von den übrigen Ordensschlössern. Es ist eine mächtige dreitheilige Bauanlage: das Hochschloss oder alte Schloss, das Mittelschloss und die Vorburg. Doch erwuchs das Ganze erst im Laufe der Zeit zu solcher Ausdehnung; seine verschiedenen Theile gehören verschiedenen Epochen an und gewähren, soweit sie völlig oder in Resten erhalten sind, bezeichnende und zumeist vorzüglich gediegene Beispiele für die verschiedenen Stufen der Entwickelung. Ursprünglich war es ein gewöhnliches Ordenshaus und von der einfachen Anlage der übrigen: der Raum des „H o c h s c h l o s s e s," welcher eine Ausdehnung von 160 zu 190 Fuss und im Inneren einen Hofraum von 85 zu 102 Fuss, und nach Abrechnung des umlaufenden Kreuzganges, von 65 zu 82 Fuss lichter Weite hat. Der Bau begann im J. 1280. Der älteste Theil ist der N o r d f l ü g e l, im Obergeschoss mit dem Kapitelsaal und der Kapelle, ursprünglich durchweg in streng gothischen Formen; im Aeussern, unter einem bedeckten Zinnengange von einem Rundbogenfriese gekrönt, der noch das Gepräge des Uebergangsstyles trägt, in feinster Profilirung und von zierlichem, zum Theil schon in frei natürlicher Form gebildetem Laubornament umgeben. [2] Die übrigen Theile der ursprünglichen Anlage waren dem Nordflügel untergeordnet; die Arkaden des Kreuzganges (vorerst ohne Obergeschoss) hatten schlichte Granitpfeiler. Im J. 1309 ward die Hochmeister-Residenz nach Marienburg verlegt. Wie es scheint, war dies Ereigniss bereits durch einige bauliche Einrichtungen von Bedeutung vorbereitet worden, namentlich durch den Bau des grossartigen Hauptportales, in welchem sich, nach Maassgabe des erwähnten Portalsystems, die orientalische Reminiscenz in vorzüglich bezeichnender Weise geltend macht. Andres folgte; namentlich die „g o l d n e P f o r t e," eine reizvoll geschmückte Thür, welche von einer Gallerie über den Arkaden des Hofes in die Kapelle führte, ein Werk zierlichst feiner Gliederung und reichlicher dekorativer und figürlicher Ausstattung, ein höchst vollendetes und vielleicht ohne Ausnahme das gediegenste Beispiel organisch durchgebildeter Architektur, welches der gesammte Ziegelbau hervorgebracht

[1] F. Frick, Schloss Marienburg in Preussen. (Die Hauptblätter dieses, von 1799 bis 1803 erschienenen Prachtwerkes von Gilly u. Rabe; der historische Text von Lewezow) Büsching, das Schloss der deutschen Ritter zu Marienburg. F. v. Quast, in den Neuen Preuss. Provinzialblättern, XI, S. 3—74, 115—145, 180—223. (Ich folge im Obigen mit Ueberzeugung der auf gründlichster Lokalforschung und Einsicht in die allgemeinen baugeschichtlichen Verhältnisse beruhenden Darstellung, welche v. Quast von den Eigenthümlichkeiten des Schlosses und von den Zeitunterschieden der einzelnen Theile desselben giebt.) — [2] Derselbe Fries findet sich auch in der Schlosskapelle von Lochstädt.

hat. — Einige Jahrzehnte später, unter dem Hochmeister Dietrich von Altenburg (reg. 1335—41), sah man sich zur Erweiterung und Umwandlung dieser Anlage, zur Hinzufügung neuer Bauten veranlasst. Die Flügel des Hochschlosses erhielten insgesammt gleiche Höhe und gewölbte Decken, der Kreuzgang des Hofes ein Obergeschoss mit leichten Arkaden, der Prachtflügel der Nordseite eine neue Bereicherung und Ausstattung. Seinem Erdgeschosse ward auf der Ostseite eine Gruftkapelle, die sogenannte St. Annenkapelle, vorgelegt, über dieser die obere Kapelle — die nunmehrige Schlosskirche oder Marienkirche — in gleichem Maasse ostwärts erweitert, der gesammte Bau der letzteren und ebenso der des mit ihr in Verbindung stehenden Kapitelsaales neu eingerichtet. Die Räume empfingen edle vollentwickelte Sterngewölbe und mannigfach schmückende Zuthat; als Träger der Gewölbrippen der Oberkirche und zugleich als Krönung von Statuen wurden hohe baldachinartige Consolen von sehr eigner Composition, stattlich und reich verziert, doch nicht

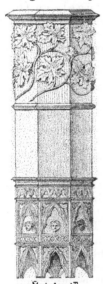

Marienburg.i.Pr.

Baldachinconsole in der Schlosskirche zu Marienburg.
(Nach Rabe)

in völlig rhythmischem Verhältnisse zum Ganzen, angeordnet, [1] während die Untertheile der Wände mit Blendarkaden, die Westseite der Kirche mit zierlichem Sängerehor, die St. Annenkapelle mit lebhaft (doch schon in mehr ernüchterter Profilirung) gegliederten und zum Theil wiederum mit figürlicher und ornamentaler Ausstattung versehenen Portalen geschmückt wurden. Ausnahmsweise ward dieser vortretenden kirchlichen Anlage, (der Annenkapelle wie der Oberkirche,) ein dreiseitig polygoner Schluss gegeben; statt des Ostfensters der Oberkirche ward eine einfache Wandnische angeordnet und diese auf der Aussenseite durch ein 26 Fuss hohes musivisch incrustirtes Reliefbild der Himmelskönigin ausgefüllt, dessen riesig erhabene Erscheinung wundersam in das Land hinausleuchtete. (Die Maasse der Oberkirche sind 131 Fuss Länge, 30 Fuss Breite, 45 Fuss Höhe.) — Gleichzeitig mit dem Umbau des Hochschlosses wurden aber auch schon die Bauten des Mittelschlosses begonnen. Hier befanden sich bis dahin ohne Zweifel die Räumlichkeiten einer Vorburg; die wachsenden Bedürfnisse machten es nöthig, statt letzterer ein

---

[1] Dies erscheint, worauf schon v. Quast hingedeutet, als eine jüngere, reichere, aber in der That etwas willkürlich spielende Umbildung des wenige Jahre vorher im Chore des Domes von Königsberg (s. unten) zur Anwendung gekommenen Motivs.

zweites Schloss zu gründen und die Anlagen der Vorburg weiter hinauszurücken. Zu diesen neuen Schlossbauten gehören eine (nachmals umgeänderte) Kapelle und der grosse Conventsremter, sammt den mit beiden in nothwendiger Verbindung stehenden Baulichkeiten. Der Remter[1] ist ein Saal von 96 F. Länge, 48 Fuss Breite und mässiger Höhe; seine Wölbung ruht auf drei leichten achteckigen Granitsäulen, von $10^{1}/_{3}$ Fuss Höhe und 15 Zoll Dicke. Kapitäle und Basen der Säulen bestehen aus

Grundriss des Conventsremters auf Schloss Marienburg. (Nach Rabe.)

Kalkstein, sind ebenfalls achteckig und mit theils figürlicher, theils ornamentaler Sculptur sowie mit Gesimsen von wiederum etwas nüchterner Profilirung versehen. Es ist in der ganzen Composition dieser Säulen, trotz der feinen und sorglichen Arbeit, kein tieferer künstlerischer Lebenspuls; um so wunderwürdiger aber, ein in seiner Art unvergleichliches Werk, ist die Wölbung, die von ihnen ausstrahlt, ist die hievon bedingte Gesammtwirkung der Räumlichkeit. Je 24 Rippen sind es, die von dem Kapitälgesims jeder Säule aufsteigen, nach allen Seiten sich hinauswölben, den Wänden entgegen sich in derselben Weise senken und dort von mannigfach verzierten Consolen aufgenommen werden. Es sind weitgebreitete Palmfächer, an ihren Säumen sternförmig ineinandergeschränkt, deren elastische Kraft, mit welcher sie die Räume überspannen, kaum der leichten Stütze zu bedürfen scheint, — ein strahlenvoll bewegtes, von dem ruhigen Wohllaut eines gleichartigen Rhythmus erfülltes Werk, das dem Auge ringsum sich darbietet. — Die eben genannten Räumlichkeiten befinden sich im Westflügel des Mittelschlosses. Ihnen wurde, wiederum etwas später, ein weiter gen West vorspringender Theil mit der Hochmeisterwohnung[2] hinzugefügt. Ohne Zweifel

---

[1] *Denkmäler der Kunst*, *T. 56 (1)*. — [2] Vgl. Kallenbach, Chronologie, T. 43, ff.

gehört dieser Bau der glanzvollen Regierungszeit des Hochmeisters
Winrich von Kniprode (1351—82) an. Er steigt in verschiedenen
Geschossen empor, in den oberen die Prachträume, namentlich
zwei ansehnliche Säle enthaltend, jeder mit einer Säule in der
Mitte. Der bedeutendere von diesen, „Meisters-Remter“ genannt, hat 45 Fuss im Quadrat; seine Säule ist 13 ½ Fuss hoch
und 20 Zoll stark; das Gewölbe erstreckt sich bis auf 29 ½ F.
Höhe. Das Princip der Anordnung ist dasselbe wie bei dem
grossen Conventsremter und die Wirkung steigert sich zu noch
grösserer Geschlossenheit und Erhabenheit; doch macht sich in

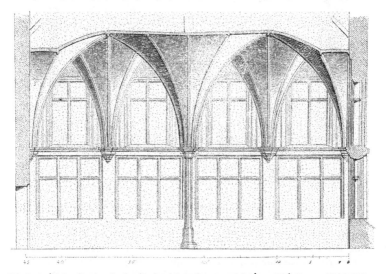

Durchschnitt des Remters in der Hochmeisterwohnung auf Schloss Marienburg. (Nach Rabe.)

gleichem Maasse eine mehr künstliebe Berechnung des Effektes
und ebenso eine wachsende Abschwächung des Sinnes für die
feinere künstlerische Durchbildung bemerklich. Die Gewölbrippen
sind nicht in demselben klaren Flusse vertheilt wie im Conventsremter; die Fenster, in dem letzteren einfach hochspitzbogig,
haben hier bereits viereckige Umrahmungen und eine eigen zweigeschossige Anordnung, Beides mehr dem Aeusseren als der
gleichmässigen Rhythmik des Inneren zu Liebe; die Details sind
überall noch trockner und zugleich ohne weitere ornamentale
Ausstattung gebildet. Um so kühner, zu überraschend phantastischer Wirkung geneigt, macht sich die Technik geltend. Es gewährt ihr eine stolze Genugthuung, den strebenden Stützen einen
Theil der Masse zu rauben und damit dem Lichte, das durch
jene gehemmt ward, freieren Zugang zu verstatten. So hat der
Corridor, der zu Meisters Remter führt, statt der zwischen den

Fenstern einwärts vortretenden Streben schlanke Granitpfosten,
je zwei übereinander, welche durch einen zwischengelegten Binde-
stein mit der Fensterwand verbunden werden, und einen andern
Träger oberwärts, von dem der Bogen der Fensternische in die
Gurte des Gewölbes ausgehen. So sind die starken Strebepfeiler,
von denen Meisters Remter aussen umgeben ist, in der Fenster-
höhe durchschnitten und durch je zwei leichte Granitschäfte ersetzt, welche, fast zu wagehalsig, die Lasten tragen und die
Continuität des Druckes und Gegendruckes herstellen. Das gesammte Aeussere der Hochmeisterwohnung, wie es vor die übrigen Gebäudemassen frei vortritt, gewinnt durch alle diese Einrichtungen einen eigen phantastischen Reiz, der sich durch die
überaus stattliche Krönung — gedoppelte Flachbögen, welche
die Streben verbinden, schmuckreiche Zinnen über diesen und
glänzende, von vielfachem Bogen- und Consolenwerk getragene
Zinnenerker über den Eckmassen — zur stolzen Majestät erhebt.
— In späteren Jahren folgten nur noch einzelne Ausschmückun-
gen, untergeordnete Zuthaten,· Herstellung verdorbener Theile.
Die Macht des Ordens hatte ihren Gipfel erreicht und sank
schnell abwärts. Bald nach der Mitte des 15. Jahrhunderts fiel
die Marienburg mit den westpreussischen Landen unter polnische
Herrschaft; im J. 1772 wurde sie mit diesen dem preussischen
Staate vereint. Vielfach vernachlässigt, verfallend, roh für gemeine
Bedürfnisszwecke verbaut, hatte sie mehr und mehr von ihrem
Glanze verloren; umfassende Zerstörungen bereiteten sich namentlich im Anfange des 19. Jahrhunderts, als gleichzeitig der Sinn
für die monumentale Bedeutung dieser Räume, die Sorge für ihre
Erhaltung erwachte. Die letzten Jahrzehnte sind für diese Zwecke,
für Conservation, Herstellung, Erneuung, mit lebhaftem Eifer
thätig gewesen. Vieles, namentlich im Innern des Hochschlosses,
ist verloren, Vieles, durch älteres und durch jüngeres Thun, entstellt; aber Vieles auch, und jedenfalls die grossartigsten Theile der
Gesammtanlage, ist erhalten, ein steinernes Abbild eins der wun-
dersamsten geschichtlichen Erscheinungen, ein ebenso beredtes,
ebenso ergreifendes, wie das gefeierte maurische Königsschloss,
das in denselben Jahren auf der Felshöhe über Granada erbaut
ward. [1] —
    Einige städtische Profanbauten sind, als Werke verwandter
Richtung, zunächst anzuschliessen: das Rathhaus der Stadt
Marienburg, [2] dessen (durch üble neue Herstellung entstellte)
Façade, besonders mit ihrer Zinnenkrönung, an die Behandlung
der Hochmeisterwohnung auf dem Mittelschlosse von Marienburg
erinnert; — das Rathhaus der Rechtsstadt von Danzig, ein
fester, ausnahmsweise aus Haustein aufgeführter Bau, dessen

---

[1] Vergl. Thl. 1, S. 525. — [2] Kallenbach, a. a. O.

Giebel, horizontal abgeglichen mit jenen hohen Spitzbogenblenden versehen und mit schlanken Erkerthürmchen eingefasst ist und dessen Thurm, oberwärts mit ähnlichen Erkerthürmchen und mit phantastischer, malerischer barocker Spitze (1559—61) kühn und verwegen in die Luft emporsteigt; — und der Artushof zu Danzig, eine höchst stattliche Kaufhalle mit modernisirter Façade (1552), das geräumige Innere mit vier hochschlanken Granitsäulen, von deren schlichten Kapitälen luftige Palmenfächer-

Das Innere des Artushofes zu Danzig. (Nach C. Schultz.)

gewölbe aufschiessen, ein Werk, das nicht ganz die klare Rhythmik jener Säle von Schloss Marienburg, aber einen noch stolzeren und kühneren Schwung hat und das, mit fast all der phantastischen Ausstattung versehen, welche die Jahrhunderte darin aufgehäuft, von ebenso lebhaft malerischem wie dichterischem Reize ist. [1]

Im Uebrigen fehlt es den preussischen Städten nicht an mancherlei alterthümlich charakteristischen Hausfaçaden, Thoren, Thürmen und dergl.

[1] Mehrere Blätter mit Darstellungen der genannten Danziger Gebäude bei J. C. Schultz, Danzig und seine Bauwerke, etc.

Kirchliche Monumente.

In der kirchlichen Architektur von Preussen ist zunächst die Eigenthümlichkeit eines, statt der polygonischen Form, vorherrsehend geradlinigen Chorschlusses hervorzuheben. Ohne Zweifel war auf solche Anordnung der Bau der Ordensschlösser, mit seiner einfach geradlinigen Beschlossenheit und der hiedurch zumeist auch bedingten Kapellenform, von Einfluss; doch ist es vielleicht nicht so sehr das Vorbild dieser Anlagen, als die allgemeine Sinnesrichtung, die aus den Verhältnissen hervorgegangene herbere Strenge, was das eigentliche Motiv ausmacht und, auch ohne jene Vermittelung, zu der verwandten Erscheinung führte. Durchgängig ist der preussische Kirchenbau seiner Anlage nach völlig schlicht und streng; doch gesellt sich auch ihm, in einer und der andern Weise, wiederum eine reichere Ausstattung zu. Namentlich giebt der geradlinige Chorschluss Veranlassung zu einer stattlich entwickelten Giebelkrönung; sie erscheint (wenn sich auch kein so glänzendes Beispiel findet wie das der Marienkirche zu Prenzlau, S. 460) als eine der vorzüglichst charakteristischen Eigenthümlichkeiten der gothischen Kirchen dieses Landes.

Nur sehr Weniges hat noch das Gepräge der früheren Gothik. Dahin gehören die älteren Theile im Chore der (Dominikaner-) Marienkirche zu Elbing, einem angeblich im Jahr 1284 vollendeten Gebäude angehörig; mit welcher Kirche später jedoch sehr umfassende Veränderungen vorgenommen sind. — Dahin gehört, als Hauptbeispiel, obschon der reiflichen Entwickelung des Styles vorwiegend zugeneigt, die Jakobskirche in der Neustadt von Thorn. [1] Sie ist mit verschiedenen jener ornamentalen Inschriftfriese versehen, deren einer das Jahr 1309 als das ihrer Gründung bezeichnet. Im Aufbau hat sie noch die, für jene Gegend sonst sehr ungewöhnliche Anordnung eines hohen Mittelschiffes zwischen niedrigen Seitenschiffen; mit breiten Pfeilern, die in grossen Abständen voneinander stehen und an deren Vorderseite zierlich gegliederte Dienstbündel, oberwärts mit Kapitälen, zum Gewölbe emporlaufen. Der Chor, in der Breite des Mittelschiffes, schliesst jedoch schon geradlinig, während das Gewölbe noch das polygonische Motiv festhält. Die Chorfenster haben Maasswerkfüllungen. Das Aeussere des Chores ist sehr stattlich entwickelt, mit fialengekrönten Streben, über und zwischen denen sich die durch Blendnischen und Rosetten ausgestattete Giebelarchitektur in vorzüglich klarer Weise entwickelt.

Einen Uebergang zu den üblichen Kirchenformen bildet der Dom von Königsberg. [2] Als seine Bauepoche ist das zweite Viertel des 14. Jahrhunderts zu bezeichnen, indem nach urkundlichen Angaben die Fundamente des Chores im J. 1333 gelegt

[1] v. Quast, in der Berliner Zeitschrift für Bauwesen, I, Sp. 153, Bl. 18. —
[2] Gebser u. Hagen, der Dom zu Königsberg in Preussen.

waren, der Kirchenbau im J. 1339 noch im Gange war, das Gebäude aber im J. 1362 als bereits vorhanden erwähnt wird. Der
Chor, ein einfach oblonger Langbau und vermuthlich in den
nächsten Jahren nach 1333 aufgeführt, ist mit einem Sterngewölbe bedeckt, dessen derbe Gurte von einfach eckigen Diensten
ausgehen; die letzteren ruhen auf kleinen Baldachinen, unter
denen Statuen befindlich sind. Im Schiff ist der Mittelbau um
ein Weniges höher als die Seitenschiffe; die Pfeiler sind achteckig, mit in Stäben und Kehlen lebhaft gegliedertem Profil auf
den Eckseiten, welches, ohne Unterbrechung, theils in die Scheidbögen überläuft, theils in die höheren Schildbögen, denen das
Mittelschiffgewölbe angelegt ist. Das letztere ist gleichfalls sternförmig und auch seine Rippen werden von kurzen Diensten getragen. Das Aeussere des Domes hat eine überschlichte Einfachheit.

Mit der Zeit um die Mitte des 14. Jahrhunderts gewinnen
die Kirchenanlagen ein übereinstimmendes Gepräge, indem sich
jenem Chor- und Gewölbemotiv der Hallenbau der Vorderschiffe
und die Anordnung einfach achteckiger Pfeiler, mit Diensten oder
ohne solche, zugesellt. Ein vorzüglich bemerkenswerthes Beispiel
ist zunächst der Dom zu Frauenburg, als dessen Urheber
Bischof Johann I. (1350—55) genannt wird. Das Verhältniss des
Innern ist schwer und niedrig, doch die Innenwände durch eine
Bekleidung mit gemusterten Formsteinen belebt. Bedeutender
sind Anordnung und Ausstattung des Aeusseren, mit schlanken
Thürmchen auf den Ecken, mit lebhaft gegliederter und gemuster-
ter Portalhalle, mit sonstigen schmückenden Theilen und Füllungen. — Sodann die Marienkirche zu Thorn,[1] die sich
durch das hochschlanke Verhältniss des Inneren (85 Fuss) und
den mit einem stärkeren Mittelthürmchen und leichteren Eckthürmchen malerisch aufgebauten, doch wohl schon etwas jüngerer Zeit angehörigen Ostgiebel auszeichnet. — Ferner die Pfarrkirche zu Culm, — der Dom zu Culmsee, ein ansehnlicher
Bau, doch wiederum von gedrückten Innenverhältnissen, — und
der Dom zu Marienwerder, mit erhöhtem, aber nicht durch
eigne Fenster beleuchtetem Mittelschiff; u. s. w. — Schlichte,
zum Theil durch spätere Veränderungen entstellte Beispiele sind
die Kirchen von Graudenz, Dirschau, Stadt Marienburg,
Heilsberg; die Marienkirche zu Elbing, deren jüngere
Theile vom Ende des 14. und vom Anfange des 16. Jahrhunderts
herrühren; die nach inschriftlicher Angabe im J. 1405 erbaute
heil. Leichnamskirche, ebendaselbst; u. a. m.

Das Haupt der preussischen Städte war Danzig.[2] Seine

---

[1] v. Quast, a. a. O., Sp. 323, Bl. 33. — [2] J. C. Schultz. Danzig und seine
Bauwerke in malerischen Original-Radirungen mit geometrischen Details und
Text Vergl. auch den Vortrag desselben „über alterthümliche Gegenstände
der bildenden Kunst in Danzig."

Bedeutung spricht sich, wie in den schon erwähnten ansehnlichen
Profanbauten (dem rechtsstädtischen Rathhause und dem Artus-
hofe), so in der Zahl seiner Kirchen, in den zum Theil sehr

Thorn
Ansicht der Marienkirche zu Thorn. (Nach v. Quast.)

bedeutenden Dimensionen und der Ausstattung der letzteren aus.
Das Bedeutendere hievon gehört allerdings erst dem fünfzehnten
und selbst noch dem folgenden Jahrhundert an; indess war dies
eben die Epoche, in welcher sich, beim Sinken und beim Falle
des deutschen Ordens, die städtische Macht selbständiger und
stolzer erhob. Das allgemeine System des preussischen Kirchenbaues empfängt hiebei einige nicht unwesentliche Modificationen.
Die architektonische Masse wird für die Gesammterscheinung des
Aeusseren noch schwerer, noch starrer, indem namentlich die
Strebepfeiler zumeist völlig nach innen hineintreten; auch in
charakteristischen Details spricht sich dieser Charakter in auffälliger Weise aus, indem z. B. die Fensterstäbe fast durchgängig

ohne alle Maasswerk-Reminiscenz, ohne alle Bogenverbindung und sonstige Vermittelung, in den einwölbenden Bogen einsetzen. Gleichwohl fehlt es nicht, scheinbar im sehr bewussten Gegensatz gegen solche Entäusserung künstlerischer Durchbildung in den tragenden Bautheilen, an der Anwendung reichlichster Gliederung in den getragenen. Die Gewölbdecken der Danziger Kirchen haben ein phantastisch buntes Formenspiel, wie es anderweit kaum vorkommt; die Giebel des Aeussern entfalten ebenso eine Fülle stattlichster Krönungen. Erhöht wird die malerische Wirkung der letzteren besonders dadurch, dass in der Regel jedes der (gleich hohen) Kirchenschiffe ein besonderes Dach hat und diese Construction, in der Giebelanordnung vorgedeutet, für diese das Motiv einer besonders reichlichen Gruppirung gewährt.

Als älteste der vorhandenen Kirchen Danzig's gilt die Dominikaner- oder Nikolaikirche. Sie hat im Innern schlanke Verhältnisse und eine Gliederung, welche noch der Epoche um die Mitte des 14. Jahrhunderts zu entsprechen scheint: achteckige Pfeiler mit Eckrundstäben und fein profilirten Scheidbögen, sowie kurze, im Chore von Baldachinen getragene Diensthündel, von denen die Rippen der Sterngewölbe ausgehen. Dabei sind aber die Strebepfeiler schon nach innen gezogen und ist im Aeusseren eine trefflich durchgebildete Giebelarchitektur zur Anwendung gebracht. — Ihr schliesst sich, als dem Schlusse des Jahrhunderts (1394) angehörig, die kleine Hospitalkapelle St. Elisabeth an, die durch ein zierliches Erkerthürmchen über dem alten Westportal ausgezeichnet ist.

Ein Paar andre Kirchen gehören der Anlage nach ebenfalls noch dem 14. Jahrhundert an, haben aber im Laufe des 15. eine mehr oder weniger durchgreifende Umwandelung erhalten. Die eine ist die Katharinenkirche, bei der die Haupttheile des Innenbaues, mit verschiedenartig feinerer Pfeilerprofilirung, noch aus der Epoche des 14. Jahrhunderts (seit 1326) herzurühren scheinen, während im 15. Jahrhundert Erweiterungen stattfanden und sowohl die charakteristischen Giebel der Ostseite als der durch kräftig straffe Fensterblenden ausgezeichnete Oberbau des Westthurmes (1484—86) eben dieser jüngeren Zeit angehören. — Die andre ist die Marien- oder Ober-Pfarrkirche, [1] das grossartigste der kirchlichen Gebäude Danzigs. Der ältere, im J. 1343 gegründete Bau hatte die Ausdehnung des gegenwärtigen Vorderschiffes. Von ihm rühren, wie es scheint, der massig schwere westliche Thurm und die untern Stücke der Schiffpfeiler mit feiner Eckstabgliederung und den Resten horizontaler Deckgesimse her, welche letzteren auf damals niedrigere Seitenschiffe schliessen lassen. Seit 1400 wurde der Bau sodann beträchtlich, nach dem System der Hallenkirchen, erhöht und erweitert, mit

---

[1] Vergl. Hirsch, die Ober-Pfarrkirche von St. Marien in Danzig. *Denkmäler der Kunst*, T. 56 (2).

Hinzufügung eines dreischiffigen (nur auf der Nordostseite un-
vollkommenen) Querbaues, eines dreischiffigen Chores und rings
umhergeführter Kapellenschiffe zwischen den weit in das Innere
vortretenden Streben. Die Maasse sind 275 Fuss innere Länge
(ohne den Thurm), 124 F. innere Gesammtbreite, 95 F. innere
Breite zwischen den Stirnseiten der Streben, 29 F. lichte Mittelschiffbreite, 90 F. Höhe. Alle Pfeiler- und Fensterformation ist
durchaus schwer und massenhaft und die, an den älteren Pfeiler-
stücken vorhandene Eckgliederung in nur rohen Nachbildungen
fortgesetzt. Dafür sind die räumlichen Durchblicke überall von
grösster Erhabenheit und spannen sich drüberhin die buntesten
Gewölbmuster, in reichlicher Stern- und Netzform über den Mittelräumen, in phantastischem Zellenwerk über den Seitenräumen,
während das Ganze zugleich einer Welt von künstlerischen Einzelwerken und künstlerischem Geräth zur Behausung dient. Das
Aeussere ist an allen vorspringenden Theilen mit Eckthürmchen,
mit pfeilartig schlanken Spitzen und mit aufragenden Giebelbauten zwischen diesen versehen.

Völlig gehören der Spätzeit an: St. Peter und Paul, seit
1425, besonders bemerkenswerth durch den seit 1486 gebauten
Westthurm, der in der derben Kraft städtischer Mauerthürme

Giebel der Trinitatiskirche und der Annakapelle zu Danzig. (Nach C. Schultz.)

gehalten ist; — St. Johann, ein Bau von einfach klarer Consequenz, 1463—65 gewölbt, mit einem Querbau und nach dem
Aeussern vortretenden Streben, zugleich mit reichlichem Giebelschmuck: — St. Trinitatis, deren Chor von 1482—95 gebaut

und deren Schiff nach einem theilweisen Einsturz in der Zeit von
1503—14 hergestellt wurde, vorzüglich ausgezeichnet durch zierlich phantastische Westgiebel mit geschweiften Bögen und Gie-
belchen zwischen Fialen, und durch den ähnlich behandelten
Giebel der südwestlich vorliegenden St. Annenkapelle; — St. Bar-
tholomäi, einschiffig, nach 1500, doch mit älterem Thurme; —
St. Birgitten, eine sehr späte, der Epoche von 1587—1602
angehörige, aber noch in mittelalterlicher Technik ausgeführte
Anlage. U. s. w. —

Es lag in der Verfassung und in der ganzen Richtung des
deutschen Ritter-Ordens, dass die eigentlich klösterlichen
Niederlassungen in jenem Gebiete wenig Begünstigung fanden.
So gewinnen diese und ihre Bauten erst in der Schlussepoche
einige Bedeutung. Doch macht das westliche Grenzland, Pome-
rellen, hievon eine Ausnahme. Hier finden sich einige namhafte
Klosteranlagen, in ihren Baulichkeiten indess ebenfalls erst der
Spätzeit angehörig. Vorzüglich berühmt war das Karthäuser-
kloster Mariaparadeis (Carthaus), westwärts von Danzig.
Die sehr charakteristische Anlage dieses Klosters, mit seinen nach
der Regel des Ordens in isolirter Folge belegenen Zellen ist erst
in jüngster Zeit errichtet worden und ausser einigen Fragmenten
nur die sehr wenig bedeutende Kirche erhalten geblieben. Ausserdem ist die Kirche des Nonnenklosters von Zarnowitz, in
der Nordwestecke des Landes, ein einschiffiger, aber wiederum
mit reichem Sterngewölbe versehener Bau, zu nennen. — Dabei
sind auch die jüngeren Ausführungen der Cistercienserklosterkirche von Oliva,[1] unfern von Danzig, zu erwähnen: die zum
Theil noch dem 14. Jahrhundert angehörigen Bauten des Chores
und die im 15. Jahrhundert ausgeführten Schiffwölbungen.

g. Litthauen, Kurland, Esthland.

Burgen und Kirchenbau, nach dem Muster des preussischen,
fanden ohne Zweifel auch weiter nordostwärts, soweit das Element
deutscher Cultur vorrückte, seine Anwendung; indess fehlt es
bis jetzt (soviel dem Verfasser bekannt) noch an aller umfassenderen Mittheilung über diese Verhältnisse.[2]

Zu erwähnen ist Einiges in den angrenzenden litthaui-
schen Landen. Das gegenwärtig verfallende Schloss von
Christmemel an der Memel, entspricht in der Anlage und,
was den Aufbau betrifft, wenigstens in seinen stattlichen Ziegel-
thürmen, den Schlössern des deutschen Ordens. Ein ähnlicher
Thurm steht einige Stunden weiter ostwärts, zu Raudonen, zur

---

[1] Vgl. Thl. II, S 567. — [2] Einige Angaben verdanke ich Hrn. R. v. Keudell.

Seite einer modernen Schlossruine. — Dann hat die alte Ordens-
stadt K a u e n (K o w n o), am Zusammenfluss des Wilia und der
Memel, in der Bernhardiner Klosterkirche einen sinnreich be-
handelten Ziegelbau der Spätepoche und an dem Giebel eines
Wohngebäudes (welches man seltsamer Weise als „Perkunos-
Tempel" benannt und in dem sich gegenwärtig das Theater der
Stadt befindet) ein reich behandeltes Zierwerk, den Giebeln der
Trinitatiskirche zu Danzig ähnlich. [1]

In K u r l a n d gilt als das älteste Schloss des dort ansässigen
Schwertbrüder-Ordens das von D o n d a n g e n, nordöstlich von
Pilten. Es hat ebenfalls die Anlage preussischer Ordensschlös-
ser, doch, wie es scheint, nichts Sonderliches mehr von alter
Einzelformation.

In E s t h l a n d werden als kirchliche Ziegelbauten von Bedeutung die des B r i g i t t e n k l o s t e r s bei Reval und die des
P a d i s k l o s t e r s, zwischen Reval und Hapsal, genannt.

---

7. Ungarn und Siebenbürgen.

Die Notizen, die über die gothischen Monumente von Ungarn vorliegen, lassen auf eine nicht unerhebliche bauliche Thätigkeit schliessen, geben einstweilen aber über das Besondre der
darin ausgesprochenen Richtung keine befriedigende Auskunft.
Es ist vorauszusetzen, dass sie sich zum grossen Theile (wie die
spätromanischen Monumente Ungarns) dem gothischen Style der
benachbarten österreichischen Lande anschliessen werden; es
scheinen sich im Einzelnen aber auch andre Einflüsse, von den
ferneren Westlanden her, anzukündigen.

O b e r - U n g a r n besitzt in dem der hl. Elisabeth geweihten
Dome von K a s c h a u [2] ein Gebäude von eigenthümlicher Anlage.
Eine Kirche der h. Elisabeth bestand daselbst schon im J. 1283;
die Gründung des vorhandenen Domes soll im J. 1324 stattge-
funden haben; seine Vollendung erfolgte spät, indem aus dem
Laufe des 15. Jahrhunderts mannigfache Zeugnisse fortlaufender
Bauthätigkeit erhalten sind. Die Anlage des Façadenbaues scheint
in der That noch der Epoche des 13. Jahrhunderts anzugehören;

---

[1] Nach Mittheilungen über Kowno von Hrn. Prof. B. Podczaszynski zu War-
schau. — [2] K. Weiss, in den Mitth. der K. K. Central-Commission, II, S. 236,
275; nach dem unvollendet gebliebenen Werke von Henszlmann über die Kirchen zu Kaschau, Kassa városának etc., vom J. 1846.

mit drei Portalen versehen, zeigt er sich auf ein dreitheiliges
Inneres von geringer Breitenausdehnung (54 Fuss) berechnet,
während sich zu den Seiten starke viereckige Thürme anlehnen,
in einer Anordnung, die zumeist nur in Monumenten des Nordwestens, z. B. dem Façadenbau der Kathedrale von Rouen, vorkommt. Der nördliche von diesen beiden Thürmen, oberwärts
achteckig, scheint noch übergangsartige Formen zu bewahren,
Rundbogenfriese bei einfach gothischen Fenstern; wie viel von

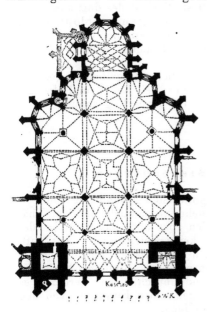

Grundriss des Domes zu Kaschau. (Nach Henszlmann.)

dem Uebrigen aus derselben
Frühzeit herrührt, muss einstweilen dahingestellt bleiben.
Die Kirche selbst fügt sich
der Façade in abweichender
Disposition an; sie hat (vom
Portal bis zum Chorschluss)
eine innere Länge von 163 F.
und 90 F. Gesammtbreite. Im
Wesentlichen ihres Systems erscheint sie als ein Kreuzbau
mit niedrigen Seitenräumen.
Die Ostseite ordnet sich nach
dem Muster der Liebfrauenkirche zu Trier, mit hinaustretendem, fünfseitig schliessendem Chore und mit zweifachen, schräg vortretenden
Seiten - Absiden, doch dabei
mit grösserer Ausweitung der
Seitenräume; die Westseite
schliesst sich dem Thurmbau
der Façade mit geradlinigen
Seitenmauern an, scheint aber
in der Einrichtung ihrer Sei-
tenräume den östlichen Theilen zu correspondiren. Die Hauptraume des Kreuzbaues haben 30 Fuss Breite (in den Axen der
Pfeiler gemessen); ob der nördliche und der südliche Flügel
desselben die grössere Höhe der Mittelräume haben, erhellt aus
den Vorlagen nicht; der Plan erscheint jedenfalls auf eine solche
Erhöhung berechnet. Die vier Mittelpfeiler haben die Form übereck gestellter Quadrate, mit einer Gliederung, welche an die der
Schiffpfeiler des Regensburger Domes erinnert; die übrigen Pfei-
ler und Wandpfeiler des Innern sind leichter gegliedert. Der
Aussenbau des Chores zeigt eine glänzend dekorative Behand-
lung, welche der Spätzeit des 14. Jahrhunderts zumeist entspricht.
Die Ausstattung der Façade, namentlich das Prachtportal in der
Mitte und der Giebelbau über demselben, hat die dekorativen
Formen des 15. Jahrhunderts, ebenso das in sehr eigenthümlicher

Anordnung ausgeführte reiche Portal der Nordseite, während das
der Südseite die Spätformen des schon vorgeschrittenen 16. Jahrhunderts zeigt. Näheren Aufschlüssen über die bauliche Beschaffenheit dieses merkwürdigen Gebäudes und hiemit über sein Verhältniss zu dem allgemeinen Entwickelungsgange der gothischen
Architektur, namentlich in den Landen des Westens, ist noch
entgegenzusehen.

Anderweit werden als gothische Monumente in Ober-Ungarn [1]
genannt: die Kirche von Bartfeld; — die Ruine der Klosterkirche von Szent-Lélek (H. Geist), unweit von Diós-Györ,
aus der zweiten Hälfte des 14. Jahrhunderts, mit schlanken,
reichgegliederten Pfeilern, und die noch spätgothische Kirche von
Miskolcz, beide im Borsoder Comitat; — der Dom von Leut-
schau, der von Szepesvárallya (Kirchdorf), dessen Chor
1462—78 erbaut wurde, die Kirche zu Donnersmark, ein reicher Kapellenbau des 15. Jahrhunderts mit einer Unterkirche
und einer Gruft unter dieser, die Kirche zu Kesmark, von
1444—86, sämmtlich in der Zips.

An Dekorativ-Architekturen ist ein glänzendes Tabernakel
im Dome zu Kaschau, [2] 1472 von Stephan Crom gefertigt,
und ein andres in der Kirche von Kesmark anzuführen.

Unter den Monumenten des südwestlichen Ungarns, [3]
zwischen Donau und Drau, wird die Pfarrkirche von Készthely
am Plattensee als ein dem 14. Jahrhundert angehöriger Bau im
gothischen Frühcharakter bezeichnet, einschiffig, mit polygoni-
sehen Wanddiensten und mit einem mächtigen Radfenster an der
Westseite. Aber auch die kleine Annakapelle zu Stuhlweis-
senburg, ein zierliches Gebäude aus der Spätepoche des Styles,
hat ähnlich geformte Wanddienste. Dann ist der Dom zu Wesz-
prim, im Oberbau erneut, durch eine gothische Krypta mit achteckigen Pfeilern bemerkenswerth. — Ein Hauptbau der Spätzeit
ist die St. Michaelskirche zu Oedenburg, [4] mit inschriftlichen Daten von 1482—89, dreischiffig, mit schlichten Rundpfeilern im Innern und, wie es scheint, mit höherem, doch nicht
durch Fenster erhelltem Mittelschiff. Aus verwandter Zeit die
dortige Benedictinerkirche und die Kapelle Johannis
des Täufers. — Anderweit werden der Dom zu Pressburg, [5]
1452 geweiht, die dortige Franciskanerkirche und die Pfarrkirche zu Ofen als bezeichnende Monumente namhaft gemacht.

----

[1] Vergl. besonders die Mitth. der K. K. Central-Commission, II, S. 217, 245.
— [2] A. Schmidt, Kunst und Alterthum in Oesterreich, Heft I. — [3] Notizen
von v. Eitelberger, im Jahrbuch der K. K. Central-Commission, I, S. 91, ff.
— [4] Mittheilungen der K. K. Central-Commission, I, S. 107. — [5] Ebenda, II,
S. 186.

— Im Eisenburger Comitat, der österreichisch-steirischen Grenze benachbart, werden die zierlich durchgebildete Kirche von Mariasdorf und die schlichtere von Hannersdorf (Sámfalva), beides einschiffige Gebäude, hervorgehoben. [1]

Im Warasdiner Comitat, zu Nord-Croatien gehörig, — gleichfalls der steirischen Grenze benachbart, ist eine grössere Zahl von Monumenten gothischer Schlusszeit nachgewiesen. [2] Es sind sämmtlich einschiffige Kirchen. Der bedeutendste, durch reiche Fenstermaasswerke ausgezeichnete Bau ist die Paulinerklosterkirche zu Lupaglava, 1415 geweiht und 1491 hergestellt. Dann die Kirchen von Nedelisce (um 1460, mit rundbogigen Chorfenstern), von Pomorje (1468), von Strigovo, von Macinec (1477), von Remetinec (um 1490), von Krizovljan. Die Pfarrkirche von Krapina ist zweischiffig, doch das eine Schiff nicht der ursprünglichen Anlage zugehörig. — Zu Warasdin ist ausserdem der Kirchthurm vom Jahr 1494 und im Schlosse Varasd, ebendaselbst, die alte gothische Kapelle des Thurmes anzumerken.

Eigenthümlich beachtenswerth sind die Monumente im siebenbürgischen Sachsenlande. [3] Freilich nicht in Rücksicht auf eine sonderlich reiche oder durchgebildete Entfaltung des architektonischen Systems; im Gegentheil haben sie das hervorstechende Gepräge eines strengen, zumeist selbst herben Ernstes, — als ein materielles Ergebniss, da an Hausteinen kein Ueberfluss war und man, wenigstens für die bauliche Masse, oft zum Ziegel greifen musste; zugleich aber und ebensosehr als ein Ausdruck des geistigen Wesens dieser Stämme, die, ein äusserster Vorposten deutschen Volksthums, hier eben auf sich allein gestellt waren. Es ist schlichte, auf einfach bestimmte Grundzüge zurückgeführte deutsche Gothik, zumeist im Hallenbau, was den Charakter dieser Bauten ausmacht; dass sie ihn so sicher bewahrt, darin vor Allem liegt ihr Interesse.

Als eins der wichtigsten Beispiele ist zunächst die evangelische Pfarrkirche zu Mühlbach [4] zu erwähnen. Ihr Thurm scheint im Unterbau noch romanisch, ihr Schiff in einem rohen Frühgothisch erbaut zu sein, mit höherem Mittelschiffe, dessen Oberfenster jedoch später, als alle drei Schiffe unter ein Dach gebracht wurden, ihr Licht verloren haben; der Chor dagegen, aus der Spätzeit des 14. Jahrhunderts, in erhabener Hallenanlage,

---

[1] Mittheilungen d. K. K. Central-Commission, I, S. 139. — [2] v. Kukuljevic, ebenda, S. 232. — [3] Fr. Müller, ebenda, I, S. 38. — [4] Derselbe, ebenda, S. 60, 111.

mit schlanken Pfeilern, die, was später kaum noch der Fall, lebhaft gegliedert und mit Kapitälkränzen versehen sind. — Dann die Hauptkirchen von Kronstadt (1385—1425), von Reps (1400), von Klausenburg (bis 1414), von Schorsch bei Mediasch (1422). — Eigene Anlage hat die evangelische Kirche von Hermannstadt,[1] zwischen 1431 und 71 und bis in den Anfang des 16. Jahrhunderts gebaut, mit niederen Seitenschiffen, aber mit geräumiger Empore auf der Südseite, die hiedurch dem Mittelschiffe an Höhe gleich wird und über der im Aeusseren sieben Giebel emporragen, denen es für das siebenbürgische Volk nicht an symbolischer Deutung fehlt. — Ferner die Bergkirche zu Schässburg,[2] deren Hauptbau im J. 1488 beendet und die im J. 1511 geweiht wurde, ein luftiger Hallenbau mit schlanken einfach achteckigen Pfeilern und bunten Sterngewölben.

Mit der schlichten Strenge des architektonischen Systems vereinigt sich im Aeussern der siebenbürgischen Landkirchen häufig zugleich ein völlig kastellartiges Gepräge.[3] Die den feindlichen Angriffen ausgesetzte Lage des Landes und seiner Bewohner, besonders seit dem Beginne der türkischen Einfälle (1420, 1479, 1493), nöthigten zu solcher Schutzwehr. Der Kirchplatz ward mit starken Befestigungswerken, mit Mauern, zuweilen doppelten und dreifachen, mit Thürmen, Basteien, Graben, Thorbauten und dergl. umgeben, die Kirche selbst zur mehr oder weniger festen Burg umgestaltet. Theils erscheint sie von starken Thürmen beschützt: zu Homorod (Bezirk Reps), zu Zied und Neithausen (Bez. Agnetheln); — theils erhöht sich der Chor, mit Schiessscharten zur Abwehr versehen: zu Jakobsdorf (Agnetheln), Pretai und Gr. Kopisch (Mediarch); oder förmlich zum Thurme umgestaltet: zu Bulkesch (Blasendorf), Bonesdorf und Baassen (Mediasch); oder die ganze Kirche erscheint von aussen als massiver Thurmbau, mit einer Doppelreihe von Schiessscharten: zu Schweischer (Reps); — theils entwickelt sieh ein eigenthümlich durchgebildetes System, indem die stark vortretenden Strebepfeiler oberwärts durch Halbkreisbögen verbunden sind und über diesen einen verdeckten Gang, mit Schiess- und Pechscharten, tragen. In der Mehrzahl ist es nur der Chor, dessen Aeusseres auf solche Weise eingerichtet ist, während auf der Vorderseite der Thurm das Vertheidigungswerk bildet: zu Denndorf (Schässburg) v. J. 1451, zu Martinsberg (Grossschenk), Grosscheuern (Hermannstadt), Roseln und Neustatt (Agnetheln), zu Meschen (Mediasch), dies ein im Innern besonders stattlicher, selbst einigermaassen gesucht kunstreicher Hallenbau vom J. 1498), und zu Marktschelken v. J. 1562. Die Kirche zu Radeln (Schässburg), vom J. 1526, hat diese

---

[1] Fr. Müller, in den Mittheilungen der K. K. Central-Commission, I, S. 158. — [2] Ebenda, S. 167. — [3] Derselbe, ebenda, II, S. 211, 227, 262.

Einrichtung am Schiffbau. In stattlichster Durchbildung, rings
um den ganzen Kirchenbau umhergeführt, zeigt sich das System
zu Kaisd (Schässburg), von 1493—96; ebenso, doch geringer
und roher, zu Klosdorf, vom J. 1524, und zu Trapold, von
1522, (beide in demselben Bezirk). —

Im Uebrigen ist der inneren Ausstattung des kirchlichen Gebäudes, durch mannigfache Werke dekorativer Architektur, eine
lebhafte Sorge zugewandt. Zierliche Tabernakel werden namentlich in der Bergkirche von Schässburg und in den Kirchen
von Meschen und Grossprobstdorf erwähnt.

8. Die skandinavischen Lande.

Die gothische Architektur der skandinavischen Lande entwickelt sich, wie die des romanischen Styles, in Wechselwirkung
mit auswärtigen Systemen, einerseits namentlich mit dem der
englischen, andrerseits mit dem der deutschen Gothik. Ihre
Monumente sind nicht zahlreich, doch einzelne derselben allerdings von erheblicher Bedeutung.

a. Norwegen.

Norwegen hatte schon in der Epoche des romanischen Styles
die bedeutenderen Kunstformen, wenigstens diejenigen, welche in
den dortigen Steinmonumenten zur Erscheinung gekommen waren,
von England empfangen. Im unmittelbaren Anschluss an diese
Uebertragung wurden auch die gothischen Formen, seit dem
Beginne ihrer eigenthümlichen Ausprägung in England, von dort
herübergeführt. Es ist bereits erwähnt worden (Thl. II, S. 583),
dass die Fragmente des Klosters von Hovedöen im Christianiafjord die Spätformen des romanischen und die Frühformen des
gothischen Styles nach bestimmt englischer Art zeigen; es ist
hinzuzufügen, dass sich diese Formen in nächstem Entwickelungs-
grade aneinanderreihen, dass sich, namentlich im Ornamentistischen, neben Formen des Uebergangsstyles auch solche finden,
die das völlige Gepräge englischer Frügothik haben, in der so
ganz eigenthümlichen Manier conventionell behandelten Blattwerkes, welches den englischen Styl kennzeichnet. In durch-
greifenderer Weise giebt sich dasselbe Verhältniss an anderen
Beispielen kund.

Der Neubau des Domes von Drontheim[1] war, wie früher (Thl. II, S. 582) erwähnt, in der Spätzeit des romanischen Styles begonnen. Sein älterer Theil, das Querschiff, war als eine bedeutungsvolle Anlage dieser Epoche, in bezeichnend englischen Formen und mit ebenso charakteristischen Uebergangsmotiven, die jedenfalls auf eine Bauführung von der Spätzeit des 12. Jahrhunderts ab bis in den Anfang des 13. hinein deuten, geschildert worden. Der übrige Bau schloss sich unmittelbar an jenen an, im Wesentlichen durchaus noch der Epoche des 13. Jahrhunderts angehörig. Es ist zunächst der Langbau des Chores, dem sich als Schluss ein merkwürdiger achteckiger Kuppelbau anfügt, sodann das vordere Langschiff; jener, allen stylistischen Kennzeichen seiner ursprünglichen Anlage gemäss, als ein Werk aus dem zweiten Viertel des 13. Jahrhunderts, dieser, für dessen Grundlegung (völlig wahrscheinlich) das J. 1248 genannt wird, als ein Werk aus dessen späterer Hälfte. Doch sind in nachfolgender Zeit, in den Jahren 1328, 1431, 1531 (auch später), grosse Brände über das Gebäude ergangen, die zu Verderbnissen und Zerstörungen, sowie zu Herstellungen geführt haben, welchen letzteren gewisse Einzeltheile und Einzelformen jüngeren Charakters, die sich den ursprünglichen anfügen und einmischen, zuzuschreiben sind. Der Gesammtbau erstreckte sich hienach auf eine Länge von 350 Fuss. Gediegene Materialien verstatteten eine Behandlung von ausgezeichneter technischer Vollendung: ein schwarzgrauer Marmor für die Hauptmassen; ein weisser Marmor von äusserster Festigkeit für die Herstellung schlanker, kühner und leichter Stützen; ein trefflicher weicher Talkstein für die Ausführung kunstreicher Ornamente, namentlich im Innern, denen farbiger Schmuck und Vergoldung zugefügt ward. — Der frühste Theil der gothischen Baufortsetzung ist der Langbau des Chores, bis zum Octogon, ein Hochbau mit niederen Seitenschiffen. Von der ursprünglichen Anlage sind aber nur die Wände der Seitenschiffe nebst geringem Eckansatz der oberen Mittelschiffwand erhalten; die gegenwärtige Oberwand ist rohe spätest mittelalterliche Erneuung; die Wölbungen fehlen. [2] Bemerkenswerth sind die Fenstergruppen der Seitenschiffe: je zwei leichte, von Säulchen eingefasste Lanzetfenster mit einem Rund darüber, im Innern von einem gemeinsamen Bogen umfasst, im Aeussern ohne solchen; sodann, als besonders charakteristisches Merkzeichen,

---

[1] A. v. Minutoli, der Dom zu Drontheim etc. Gaimard, Voyages en Scandinavie etc., I, pl. 83—92. (Wenn die baugeschichtlichen Ansichten des Verfassers des erstgenannten Werkes, wie bereits in Bd. II, S. 583, Anm. 1 geschehen, abgelehnt werden müssen, so ist die Fülle von Belehrungen, welche sein Werk in der bildlichen Darstellung der gothischen Theile des Domes und ihrer verschiedenartigen Einzelheiten bietet, mit um so vollerem Danke entgegenzunehmen. — [2] Die Innenansicht des Chores bei v. Minutoli, T. VI, ist (mit Ausnahme des Zuganges in das Octogon) Herstellung von der Hand des Verfassers. Den wirklichen Zustand giebt die Innenansicht bei Gaimard, pl. 86.

die Anordnung einer noch lissenenartigen Wandtheilung zwischen
den Fenstern, mit Bündeln schlanker und zierlicher Säulchen auf
beiden Seiten jeder einzelnen Lissene, oberwärts durch einen
Fries von seltenster Eigenthümlichkeit, in der Form des antiken
Wellenornaments, verbunden. In dieser Anordnung ist noch eine
romanische Reminiscenz, die Frühzeit des Werkes bestimmt bezeichnend; das antikisirende, wenn allerdings auch spielend an-
gewandte Wellenornament ist auffällig genug, entspricht seinem

Dom zu Drontheim. Vom Aeussern des Chor-Seitenschiffs. (Nach v. Minutoli.)

wesentlichen Gehalte nach aber doch nur den klassisch antikisirenden Elementen, die anderweit so häufig in der Uebergangsepoche hervortreten und denen Aehnliches auch noch an andern
Stücken des Drontheimer Domes zu nennen sein wird. [1] — Dann
folgt der Kuppelbau des Octogons, der vorzüglichst erhaltene
Theil des Domes. Er fügt sich mit fünf Seiten seiner äusseren
Umfassung, im inneren Gesammtdurchmesser etwa 53 Fuss breit,
dem 39 F. breiten Mittelschiffe des Chores an. Der innere Hauptraum ist ein nicht ganz regelmässiges (nach dem Chor-Mittel-
schiffe zu etwas verbreitetes) Achteck; ein durchschnittlich 9 F.
breiter Umgang scheidet dasselbe von den Umfassungsmauern,

---

[1] Auch ist die Hypothese vielleicht nicht allzukühn, in der Anwendung dieses Ornaments eine Begegnung alteinheimischen Dekorationssinnes mit dem
antikisirenden Geschmacke der Uebergangsepoche zu finden. Jenes Wellenornament kommt nicht selten auch in den urthümlichen Arbeiten des Nordens
(des skandinavischen wie des keltischen) vor und war bei der Kathedrale von
Tuam in Irland (Thl. II, S. 295) sogar als Architekturzierrath, wenn auch in
geringerem Maassstabe, aufs Neue verwandt worden.

die sich auf drei Seiten in kleine viereckige Nebenkapellen öffnen. Schlanke, mit Säulendiensten besetzte Rundpfeiler bezeichnen den Raum des innern Achtecks, durch reichverzierte Brüstungswände verbunden; noch schlankere Säulenbündel schiessen zwischen ihnen empor, den reichgegliederten Hauptscheidbögen eine andre leichte Bogentheilung (concentrisch mit jenen) unterlegend. Darüber ein stattliches Maasswerktriforium und über diesem Lanzetfenster-Gruppen, von Säulehen und Bögen umfasst. Dünne Säulendienste, an den Pfeilern aufsteigend und von den verschiedenartigen Horizontalgesimsen ringartig umkröpft, tragen die vollprofilirten Rippen des achttheiligen Gewölbes, welches den Mittelraum deckt, — das ganze System vollständigst im Charakter der englischen Frühgothik. — Auch die Dekoration der Seitenräume des Octogons hat diesen Charakter, im Einzelnen mit wundersam phantastischen Umprägungen. Wandarkaden mit durchschlungenen Spitzbögen, in den üppigsten Weisen englischer

Dom zu Drontheim. Von den Wandarkaden im Umgange des Octogons. (Nach v. Minutoli.)

Frühgothik ornamentirt, umgeben den Fuss der Seitenmauern. In den Ecken sind Dienste, von denen sich andre wie die Arme eines Leuchters abzweigen, der Theilung der Gewölbe des Umganges, bei den breiteren Aussen- und den schmaleren Innenseiten seiner einzelnen Felder, überall die erforderlich scheinenden Stützen zu geben. Ganz seltsame Pracht erfüllt die Zugänge zu jenen kleinen Nebenkapellen, mit Säulen und mit Kapitälen, die statt der Säulen von vorspringenden Consolenschaften getragen werden, mit den Ornamenten von Bögelchen, Vierblattblumen

(dem „Hundszahn" der Engländer), mäanderartigen Zinnen u. dgl.
Innen sind die Wände dieser Arkaden mit gebrochenbogigen
Arkaden geschmückt, denen sich eine reiche Ornamentik, hier in
den Formen reinster Classicität, zugesellt. — Ein andres Stück
phantastischer Pracht ist die Arkadenwand, welche den Zugang
vom Chor-Mittelschiff in das Octogon ausmacht. Zwei der Hauptpfeiler seines Mittelraumes (in breiterem Abstande als an dessen
übrigen Seiten) zählen zu den Gliedern dieser Wand; aber anderweitige Arkaden, zum Theil mit übermässig schlanken Stützen,
oberwärts offne Gallerieen, Ornamentfüllungen, sculpturenge-
schmückte Bogenöffnungen treten hinzu, dem Ganzen den Anschein
der reichsten Lettner-Architektur gehend. Indess ist dies einer der
Theile des Baues, wo sich den frühgothischen Formen entschieden spätgothische einmischen, der Art, dass hier eine durchgreifende Ueberarbeitung der ursprünglichen Anlage wird angenommen werden müssen. — Das Aeussere des Octogons ist nicht

Oestliche Ansicht des Domes zu Drontheim. (Nach v. Minutoli.)

minder durch seine Ausstattung bemerkenswerth. Am Unterbau
Fenstergruppen, ähnlich wie am Langbau des Chores. Auf den
Ecken aber schon Strebepfeiler, doch zu deren Seiten wiederum
schlanke Säulchen, als Träger eines Dachfrieses von sich durchschneidenden Spitzbögen, während unterwärts, unter den Fenstern,

phantastisch verzierte Blattgesimse hinlaufen. Die Giebel der
kleinen Kapellen mit Bogenzierden von fast maurischer Art; ein
Seitenportal von schwerbarocker Umgestaltung der üblichen frühgothischen Formen. Die Streben höher emporgeführt, mit schlichten Satteldächern und mit spielend leichten Strebebögen zur
Stütze des aufsteigenden achteckigen Mittelbaues. Dieser mit
schlanken Lanzetarkaden, zwischen denen die kleinen Lanzetfenster liegen, und mit Giebeln über jeder Seite; darüber, statt
des ursprünglichen Helmes, mit einer schwerbauchigen, kupfer-
bekleideten Holzkuppel, welche einer Herstellung aus der Zeit
des vorigen Jahrhunderts angehört. — Endlich der vordere
Langschiffbau, der völlig nur als Ruine, in seinem Innenraume seit geraumer Zeit als Begräbnissplatz dienend, erhalten
ist. Nur die Seitenschiffwände, nur die Untertheile des Façadenbaues sind erhalten. Jene einfach, mit regelmässiger Anordnung
von Streben, die jedoch (nach englischer Art) nur mässig vortreten, und mit Fenstergruppen, die wiederum denen an Chor
und Octogon entsprechen, doch in engerem Zusammenhang ihrer
Theile. Die Façade, 130 Fuss breit, mit der Anlage viereckiger
Thürme von sehr mässiger Dimension, die, wie mehrfach an englischen Monumenten, über die Fluchten der Seitenschiffe vorspringen, und mit zweigeschossigen Wandarkaden, deren ganze
Behandlung, in der Composition der Bögen, in dem gesammten
Systeme der angewandten Profilirungen, in dem üppigen, phantastisch conventionellen Ornament, welches in den Kapitälen und
den Bogenfüllungen in reichlichen Massen erscheint, ebenfalls
noch das entschiedene Gepräge englischer Frühgothik hat, hiemit
aber, als zu den unzweifelhaft jüngsten Theilen des Domes gehörig, die Epoche des Ganzen und den verhältnissmässig zeitigen
Beginn des gothischen Baues um so bestimmter sichert. — Es
giebt sich in dem ganzen Bau, soviel nur von der ursprünglichen
Anlage erhalten ist, um es nochmals zu wiederholen, auf's Ent-
schiedenste die Uebertragung der charakteristischen Elemente und
Motive des englisch gothischen Styles in dem Stadium von dessen
erster Ausprägung zu erkennen. Aber es muss hinzugefügt werden, dass nichtsdestoweniger die Verarbeitung dieser übertragenen
Motive einen selbständigen Charakter hat. Wie viel Uebereinstimmung im Einzelnen vorhanden sein mag, so ist doch kein besonderes Monument der englischen Architektur zu nennen, als dessen,
wenn auch modificirte Nachahmung der Dom von Drontheim erscheint. Und wie sehr die englische Frühgothik in ihren dekorativen Combinationen zum Seltsamen geneigt erscheint, so hat die
künstlerische Phantasie, welche sich in dem Gefüge dieses Bauwerkes ausspricht, doch einen abweichenden und eigenthümlichen
Grundzug. Es ist, wenigstens in der Composition des Kuppel-
baues und seiner Verbindung mit dem Uebrigen, ein fast mystisches Element, das einer, aus dem Inneren heraus sich geltend

machenden, nicht willkürlich angeeigneten Stimmung des Gemüthes
zum Ausdrucke dient; es ist in den Combinationen des Einzelnen
ein phantastischer Reiz, der seine Wirkung nicht verfehlt und
der trotz alles Abenteuerlichen um so tiefer dringt, je mehr er
sich, und zwar in künstlerisch sehr wohl bewusster Weise, mit
Formen von edelster klassischer Bildung verschwistert. Wie es
sich mit den künstlerischen Kräften zur Beschaffung des Werkes
verhalten haben möge, jedenfalls erscheint es in seiner Ganzheit
als ein neues und machtvolles Aufathmen des alten Geistes nordischer Poesie, der schon in den Zierden der alten Holzbauten
von Norwegen einen künstlerischen Widerhall gefunden hatte
und der hier die Fremdform in neuer, eigenthümlicher, mähr-
chenhaft tiefsinniger Verklärung durchdringt.

    Einige andre Beispiele norwegischer Architektur [1] zeigen
ebenfalls die Aufnahme frühgothischer Formen unter Anleitung
des englischen Systems, doch freilich von geringerer künstlerischer
Bedeutung. Dahin gehört der östliche, gerade abschliessende
Theil der Marienkirche von Bergen, der ohne Zweifel nach
einem Brande vom J. 1248 ausgeführt wurde. Das Innere hat
schlicht spitzbogige Kreuzgewölbe, mit einfach massigen Gurt- und
Rippenbändern, die auf Consolen ansetzen. Ebenso schlicht sind
die Fenster und nur ein Doppelfenster auf der Ostseite ist durch
reichere Gliederung, in den Profilen englischer Frühgothik, ausgezeichnet. — Dahin gehört der Westbau des Domes von Bergen,
mit Fenster [2] von verwandter, noch um ein Weniges reicherer
Behandlung, während das Schiff desselben, wie es scheint, ein
roh spätgothischer Bau ist. — Dahin der Chor des Domes von
Stavanger, in stattlicherer Behandlung des frühgothischen Styles, die Fenster mit verschiedenartigem Maasswerk, namentlich
das grosse Fenster der gerade abschliessenden Ostseite [3] in glänzender Durchbildung, wiederum nach Maassgabe des englischen
Princips. — Auch die Portale der Kirche von Dale in Sogn
gehören, in einer phantastischen, noch übergangsartigen Behandlung, dieser Zeit und Richtung an, — während Andres, wie die
Marienkirche zu Tönsberg (Tunsberg) am Christianiafjord,
ein einschiffiger flachgedeckter Bau, aller künstlerisch durchgebildeten Einzelheiten entbehrt.

    Die jüngere Zeit der gothischen Architektur scheint in Nor-
wegen nur äusserst wenig von Bedeutung hervorgebracht zu haben.
Die Reste des Lyze-Klosters (Söndhordeland) werden als ein
Beispiel zierlicher Spätgothik genannt.

---

[1] Verschiedene Risse waren mir durch den norwegischen Architekten Hrn.
G. Bull mitgetheilt worden. — [2] Jahresbericht des Vereins zur Erhaltung der
norwegischen Denkmäler für 1854, T. XI. — [3] Kleine Ansicht bei v. Minutoli.
S. 13.

b. Schweden.

Die wenigen Monumente gothischer Architektur in den mittleren Landschaften Schwedens, über die einige Anschauung vorliegt,[1] scheinen ebenfalls den früheren Epochen des Styles, doch zumeist in sehon vorgeschrittener Ausbildung desselben, anzugehören.

Die Kirche zu Strengnäs am Mälar-See hat den Anschein eines, in den Grundmotiven seiner älteren Theile noch übergangsartigen Baues: mit gleich hohen Schiffen und viereckigen Pfeilern, zugleich aber mit erheblicher Umgestaltung in späterer Zeit.[2] — Die ehemalige Franciskanerkirche auf dem Riddarholm zu Stockholm[3] zeigt eine gewisse Verwandtschaft mit deutschen Franciskanerkirchen der Epoche um 1300, namentlich in dem polygonisch sieh ausweitenden Chorschlusse. Das mittlere Langschiff ist mässig über die Seitenschiffe erhöht, ohne Oberfenster; seine Arkaden werden, seltsamer Weise, einerseits von viereckigen Pfeilern mit je einem Dienst an der Mittelschiffseite, andrerseits von schweren Rundsäulen, über deren Deckgesims ein dicker Dienst aufsetzt, gebildet. — Die Kathedrale zu Linköping (Oester-Götland) erscheint, ihrer äusseren Ansicht zufolge, als ein Bau mit noch romanischen Resten, mit wenig erhöhtem Mittelschiff, ohne westlichen Thurmbau, aber mit einer Ausstattung in sehon reich behandelten gothischen Theilen, besonders an der Eaçade, in denen sich eine französisirend englische Behandlung anzukündigen scheint. — Die Kathedrale zu Nyköping (Södermannland), die kleine Kirche zu Engsö am Mälar-See schliessen sich an.

Als der vorzüglichst bedeutende gothische Bau des Landes gilt die Kathedrale von Upsala.[4] Eine französische Urkunde vom Jahr 1287 giebt an, dass der Meister Etienne de Bonneuil mit Gehülfen naeh Upsala gegangen sei, den Bau zu leiten. Der Plan ist insofern dem französischen Kathedralensystem analog, als der Chor mit Umgang und hinaustretenden Polygonkapellen von kräftiger Anlage versehen ist; der Chor, dessen Mittelraum sich durch dünne Pfeiler von den Seitenräumen sondert, scheint älter zu sein als das Schiff, in welchem ungleich breitere Arkadenpfeiler angeordnet sind. Sonst erhellt aus den Vorlagen

---

[1] Ich kann nur nach wenigen Blättern, besonders in der Suecia antiqua et hodierna und bei Gaimard, voyage en Scandinavie, urtheilen. — [2] Die in der Suecia antiqua et hodierna gegebene Innenansicht kann aber auch täuschen und das Ganze in der Thnt spät sein. -- [3] Gaimard, II, pl 182, ff. — [4] Monumenta Uplandica, II, p. 16, 24; (wiederholt bei d'Agincourt, T. 43, Fig. 20, f.; der Plan auch in den *Denkmälern der Kunst*, II, T. 56, *Fig. 8*, und bei v. Minutoli, der Dom zu Drontheim, T. I, Fig. 17.) Ansichten des Aeusseren im früheren und im gegenwärtigen Zustande in der Suecia ant. et hod., (danach in den *Denkmälern der Kunst, a. a. O., Fig. 9.*) u. bei Gaimard, II, pl. 195, f.

nichts über die Behandlung des Innern. Das Aeussere zeigt einen
ansehnlichen und massenhaften Hochbau, der im Ganzen mehr
an die gothischen Kirchen des 14. Jahrhunderts in den deutschen
Ostseeprovinzen, namentlich in der mecklenburgischen Gruppe,
als an die französischen Monumente erinnert. Ein System einfacher Strebebögen stützte den Oberbau des Mittelschiffes; bei
einer Bauveränderung im vorigen Jahrhundert sind dieselben
durch Strebemauern concaven Bogenprofils (wie dergleichen auch
anderweit in der Rococo-Periode vorkommen) ersetzt. Einzelheiten
des Aeusseren zeigen allerdings einige Nachklänge französischer
Gothik: die Portale der Westseite und der Querschiffgiebel, die
grossen Rosenfenster über dem westlichen und dem nördlichen
Portal, eine kleine Arkadengallerie über letzterem. Der Westbau hat zwei einfach viereckige Thürme, in ihren Obergeschossen
mit einigen bunten Zierden, wiederum etwa der Art, wie in der
Thurmausstattung der deutschen Ostseelande.

Die Stadt Wisby [1] auf der Insel Gotland scheint, wie für
die romanische, so auch für die gothische Architektur der Nordlande von namhafter Wichtigkeit zu sein. Einiges, z. B. die
Ruine der Clemenskirche und die der Nikolaikirche,
dürfte noch aus frühgothischer Zeit herrühren. Die höchst malerische Ruine der Katharinenkirche lässt einen Hallenbau
mit leichten achteckigen Pfeilern, völlig nach Art der spätgothischen Hallenkirchen von Deutschland, erkennen. — Die höchst
stattliche Mauerumgebung des Ortes, mit zahlreichen Vertheidi-
gungsthürmen, scheint zu den bedeutungsvollsten Beispielen des
städtischen Festungsbaues aus der Epoche des gothischen Styles
zu gehören.

Die Monumente von Schonen [2] geben einige Belege für die
verschiedenen Epochen der gothischen Architektur. Sie schliessen
sich wesentlich dem Baustyl der deutschen Ostseelande an, auch
mit dem vorherrschenden Material des Ziegels und mit der eigenthümlichen Weise in dessen Behandlung.
Ein Bau frühster, noch übergangsartiger Gothik ist die Kirche
des im J. 1267 gestifteten Graubrüderklosters zu Ystad. —
Aehnlichen Charakter scheint die kleine Kirche von Skanör, mit
einer Krypta unter dem Chore, zu tragen. — Stattliche Durchbildung des gothischen Frühstyles, doch in schlichter Strenge,
zeigt die Liebfrauenkirche (Vårfrukyrkan) zu Helsingborg. [3]
Sie ist im Mittelschiff mässig über die Seitenschiffe erhöht, ohne
Oberfenster; im Chor dreiseitig geschlossen und mit dreiseitigem
Umgang; die Pfeiler einfach viereckig mit Pilastervorlagen; die
Fenster, ohne Stabwerk, ebenso wie die Thüren mit gegliederten

---

[1] Gaimard, II, pl. 202, ff. — [2] Brunius, Skånes konsthistoria för medeltiden.
— [3] Brunius, T. 4, f.

Einfassungen von schwarzglasirten Steinen. Ihre Länge beträgt
171 Fuss, ihre Breite 68 $^1/_2$ F., die Mittelschiffbreite 28 $^1/_2$ F., die
Mittelschiffhöhe 50 F., die Seitenschiffhöhe 30 $^1/_2$ F. — Das grösste
Gebäude des Landes, im Style des 14. Jahrhunderts, ist die Peterskirche zu Malmö. [1] Ihr System entspricht, wie es scheint,
schon entschieden dem der Marienkirche zu Lübeck (S. 446); der
Chorumgang hat die polygone Vorlage, die, in unregelmässiger
Grunddisposition, mehr mit dem Chore des Domes von Lübeck
als mit dem der Marienkirche gemein haben. Die Länge beträgt
247 Fuss, die Breite 71 F., die Mittelschiffbreite 28 F., die Mittelschiffhöhe 60 F., die Seitenschiffhöhe 16 F. Sie hat im Aeusseren Strebebögen und wiederum- Details aus schwarzglasirten
Ziegeln. — Andre Kirchen, zumeist aus spätgothischer Zeit, sind
von geringer Bedeutung. Als dreischiffige, sehr einfach behandelte Beispiele sind die Marienkirche zu Ystad (mit älteren
schlicht romanischen Theilen) und die Kirche zu Båstad hervorzuheben. Die von Ahlstad bildet ein Gemisch verschiedener
Theile. Die zu Engelholm hat einfache Kreuzform. Die Klosterkirche zu Lund [2] ist ein einschiffiger Bau von einfachster
Art. U. s. w. — Einige Landkirchen, von schlicht oblonger
Form mit rechteckigem Chorraume, scheinen die Spätformen der
dortigen Landkirchen romanischen Styles mit den einfachsten
Typen des gothischen zu wiederholen.

---

c. Dänemark.

In Dänemark ist der Dom St. Clemens zu Aarhuus für
den Frühbeginn nordischer Gothik und zugleich für die Behandlung späterer Zeit von Bedeutung. Neben älteren romanischen
Theilen (Thl. II, S. 590) trägt er im Bau der Vorderschiffe noch
schweren übergangsmässigen Charakter, während der schlank erhabene Chor dem entwickelten Style des 14. Jahrhunderts folgt.
Seine Gesammtlänge beträgt 300 Fuss. — Die St. Knudskirche
zu Odense auf der Insel Fünen scheint ein schlicht strenger
Bau frühgothischen Styles (angeblich nach einem Brande von
1247) zu sein. [3]

Ueber das etwaige Wechselverhältniss zwischen dänischer
und deutscher Art in den Bauten des schleswigschen Landes,
wofür vielleicht auch die Unterschiede des Baumaterials in
Betracht kommen, wird näheren Mittheilungen entgegen zu
sehen sein. Der Dom zu Schleswig, ein geräumiger, verschiedenzeitiger Bau, dessen Schiffe, wie es scheint, gleich hoch und

---

[1] Brunius, T. 6, f. — [2] Sjöborg, samlingar för Nordens fornälskare, III, pl.
46, Fig. 149, f — [3] Nach Notizen von Hrn. Prof. Fabricius zu Aarhuus. (Die
Schriften von Prof. Höyen über beide Kirchen sind mir unbekannt geblieben.)

mit schlanken Pfeilern versehen sind, ist in Tuff aufgeführt, somit voraussetzlich von dem baulichen Charakter der Monumente
der deutschen Nordostlande abweichend. Die Marienkirche zu
Hadersleben und die Kirche von Lygumkloster haben ein
erhöhtes Mittelschiff und scheinen aus der früheren Zeit der
gothischen Architektur herzurühren. [1]

d. Faröer-Inseln.

Als ein entlegenes Beispiel nordländischer Gothik mag endlich ein nicht uninteressantes Monument der Faröer-Inseln genannt werden. Es ist eine Kirchenruine zu Kirkeböe, [2] unfern
von Thorshavn auf der Südostküste der Insel Strömöe. Die
Ruine deutet auf einen Bau von schlichter Anlage, dabei aber,
besonders in der Behandlung der Fenster, auf eine gewisse Energie und Fülle des Styles, die zumeist an englisches System, etwa
in der früheren Zeit des 14. Jahrhunderts, erinnert.

9. Die spanische Halbinsel.

a. Spanien.

In ihrer Uebertragung auf den spanischen Boden, unter den
Einflüssen, welche sich aus der dortigen Sinnesrichtung, aus den
dortigen volksthümlichen Verhältnissen, aus der noch immer an-
dauernden Wechselwirkung mit der eingedrungenen Cultur des
Orients ergeben mussten, hat die gothische Architektur eine Fülle
eigenthümlicher und bedeutender Monumente hervorgebracht. Es
fehlt uns nicht an Nachrichten über das Vorhandene, an Notizen
über die wesentlichen Entwickelungsmomente, welche der gothische
Baustyl in Spanien durchgemacht hat; [3] aber wir entbehren auch
hier, wie in Betreff der romanischen Architektur Spaniens, zu-
reichender Aufnahmen und bildlicher Darstellungen. Zumal für
die früheren Epochen der Gothik, für ihre erste Einführung, für
die Begründung ihrer Richtung als einer lokal eigenthümlichen
sehen wir uns bis jetzt auf einzelne zerstreute Beobachtungen
beschränkt, während die Spätzeit des Styles uns wiederum in
reichlicherer Anschauung vorliegt. Für jene erscheint zunächst

---

[1] Notizen von Hrn. Dr. Thygesen in Rendsburg. — [2] Gaimard, a. a. O., I,
pl. 31. — [3] Caveda, ensayo hist. sobre los div. generos de arquitectura en
España, cap. XV, etc. (Deutsche Uebers.: Geschichte der Baukunst in Spanien,
Kap. XIV, ff.)

das allgemeine politische Verhältniss eines nahen Anschlusses der spanischen Interessen an die französischen, um den Beginn des 13. Jahrhunderts und in den nächstfolgenden Zeiten, von Wichtigkeit. Dasselbe darf als die Grundlage einer umfassenden Einbürgerung der baulichen Composition und der Formenelemente, wie diese im Beginne der französischen Gothik sich ausgeprägt hatten, betrachtet werden. Es scheint aber, dass dem aus der Fremde Aufgenommenen die Richtung des nationell spanischen Geschmackes schon zeitig gegenübertrat und zur Umprägung desselben mannigfach Veranlassung gab.

Epoche des 13. Jahrhunderts.

Eins der Hauptmonumente der Frühgothik Spaniens ist die Kathedrale von Burgos. [1] Sie wurde im J. 1221 gegründet. Der Plan, ringsum zwar durch jüngere Anbauten entstellt, entspricht dem französischen Kathedralensystem, im Chore fünfseitig geschlossen, mit fünfseitigem Umgange und mit polygonen Absidenkapellen, die letzteren (soweit sie überhaupt erhalten) von auffällig grosser und weiter Anlage. [2] Die Länge bis zu der (später veränderten) mittleren Absidenkapelle beträgt 300 Fuss, die innere Gesammtbreite 93 F., die Mittelschiffbreite (in den Axen der Pfeiler gemessen) 40 F., die Seitenschiffbreite (ebenso) 20 Fuss. Das innere System hat durchgängig Rundpfeiler mit

---

[1] Ponz, viage de España, XII, p. 26. Zahlreiche Ansichten bei Villa-Amil, España artistica, von denen hier besonders in Betracht kommen: II, liv. 1, pl. 3; liv. 6, pl. 2; liv. 8, pl. 4. Guhl, in der Zeitschrift für Bauwesen, VIII, (1858), Sp. 63, ff., nebst vortrefflichen Rissen auf Bl. C. — [2] Hr. Prof. Guhl glaubt das System der Kathedrale von Burgos auf einen Einfluss von Seiten deutscher Gothik zurückführen zu müssen und findet ihr Vorbild im Dome von Magdeburg. In der That hat die Anordnung des Chorschlusses beider Kirchen eine ferne Aehnlichkeit; doch reicht dieselbe zur Begründung einer solchen Annahme in keiner Weise aus; noch weniger, was sonst als verwandt anzuführen ist, findet noch bei vielen andern Gebäuden seine Analogieen noch. Die ganze Bezugnahme passt um so weniger, als Deutschland zur Zeit der Gründung der Kathedrale von Burgos (1221), überhaupt noch keine Gothik besass und auch der Magdeburger Dom in seinen älteren, hier allein in Betracht zu ziehenden Theilen noch ebenso entschieden romanisch ist, unter erst beginnender gothischer Einwirkung, wie die Kathedrale von Burgos gothisch mit romanischen Reminiscenzen. Im Uebrigen ist, was die Absidenkapellen der letzteren betrifft, zu bemerken: dass die zwei, welche sich von diesen erhalten haben, ihrem Plane nach ungleich mehr an gewisse eigenthümliche Anlagen späterer französischer Gothik, z. B. an die Absidenkapellen von St. Ouen zu Rouen und namentlich an die von Notre-Dame-de-l'Epine bei Chalons s. M. erinnern. Spätere Besucher der Kathedrale von Burgos wollen daher festzustellen suchen, ob diese Form hier schon als wirklich frühgothischer Zeit angehörig erscheint oder ob auch die beiden erhaltenen Kapellen bereits einer jüngeren Bauveränderung zuzuschreiben sind.

anlehnenden Säulendiensten, 8 Dienste im Chorschluss, 12 an den
übrigen Pfeilern. Die Dienste der Chorpfeiler sind an ihren
Schaften bunt dekorirt, noch in romanisirender Art, mit gebrochenen Bändern, mit Diamantmustern und dergl., während die
Kapitäle reiches Laubwerk im Charakter des Uebergangsstyles
haben. Die Seitenschiffe haben ein gedrücktes Höhenverhältniss;
die Hochwände des schlank aufsteigenden Mittelschiffes sind durch
reiche Triforiengallerieen primi-
tiv gothischen Charakters belebt,
in gedrückt spitzbogigem Einschluss, der von kleinen Rosetten
ausgefüllt wird. Die Horizontalgesimse, welche sich dabei ergeben, laufen über die aufsteigenden Dienste hin. Die Oberfenster zeigen überall eine schlichte
Anordnung, die des Chores an
ihrem äusseren Bogen die maurische Reminiscenz einer zierlichen
Zackensäumung. Die Profile der
Gewölbgurte haben durchweg
noch den Typus der Uebergangsepoche. Die Paçade ordnet sich
völlig nach nordfranzösischem
Princip, zweithürmig, mit drei

Kathedrale von Burgos. Kapitäle und Schaft-
ansätze im Chorumgange. (Nach Villa-Amil.)

Portalen, mit einfach übersichtlicher Vertikal- und Horizontal-
theilung, mit dem grossen, spitzbogig überwölbten Rosenfenster
über dem Mittelportal u. s. w. Doch haben die Portale zu Ende
des 18. Jahrhunderts fast ihre gesammte Ausstattung verloren
und gehören die Obertheile des Ganzen, namentlich die Freibau-
ten der Thürme, der gothischen Spätepoche an. Dagegen bewahren die Portal-Paçaden der Querschiffflügel noch das Wesentliche ihrer alten Anordnung, mit reichem sculptorischem Schmuck,
wenn auch nicht in sonderlich verstandener Durchbildung des
Architektonischen. Ausser dem Oberbau der Westfaçade sind in
der Schlussepoche des gothischen Styles noch andre ansehnliche
Stücke, Erneuungen der alten Anlage oder Zusätze zu derselben
zur Ausführung gekommen; (vergl. unten).

    B u r g o s hat noch einige andre, minder bedeutende Monu-
mente aus der ersten Entwickelungszeit des gothischen Styles:
die Klosterkirche S. C l a r a, angeblich im Jahr 1218 oder doch
bald darauf gegründet, hochgewölbt (wie es scheint) über kurzen
Pfeilern; die Kirche der b e s c h u h t e n T r i n i t a r i e r; die Pfarrkirchen S. G i l und S. E s t e b a n. Die letztere [1] hat stark gegliederte Bündelpfeiler, um welche die Horizontalgesimse noch

[1] Villa-Amil, I, liv. 11, pl. 2.

als Ringe umhergeführt sind, und einfach niedrige Oberfenster bei hohen Seitenschiffarkaden. — An andern Punkten der nördlichen Lande Spaniens gehören in dieselbe Epoche: die Klosterkirche von Samos (S. Jul. de Samos, südöstlich von Lugo in Galizien?), um 1228, die wegen der edlen Verhältnisse des Baues gerühmt wird; die Stiftskirche von Ampudia bei Palencia; die Klosterkirche von Piedra in Aragon (südwestlich von Catalayud), eine einschiffige Kreuzkirche aus der Frühzeit des Jahrhunderts; die Kirche S. Maria zu Cervera in Katalonien, noch mit Uebergangsmotiven; S. Francisco zu Balaguer (nordöstlich von Lerida) vom J. 1227; S. Martin zu Huesca, v. J. 1250; Nuestra Señora del Carmen zu Barcelona, vom J. 1287. Ferner: die Façade der Kathedrale von Tarragona, mit stattlichem Portalbau; der Kreuzgang des Klosters von Veruela in Aragon, (südöstlich von Tarazona), der mit romanischen Reminiscenzen ein zierliches, wohl einigermaassen moresk behandeltes Spitzbogenmaasswerk verbindet; und der Kreuzgang des Klosters von Huerta[1] (auf der Poststrasse von Madrid nach Zaragoza, an der Grenze der Provinz Soria), der ein schlicht gothisches Gepräge hat, mit sehr hohen Spitzbögen, während seine Obergeschosse der zierlich phantastischen Renaissance-Architektur des 16. Jahrhunderts angehören. —

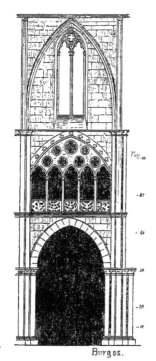

Kathedrale von Burgos. Inneres
System. (Nach Gühl.)

Wie die Kathedrale von Burgos im nördlichen, so bildet die von Toledo[2] im südlichen Spanien das Hauptmonument für die Einführung des gothischen Styles. Sie wurde im Jahr 1227 gegründet; als ihr erster Baumeister wird Pedro Perez genannt. Sie hat noch mächtigere Verhältnisse als die von Burgos; sie ist fünfschiffig, in einer Länge, die auf 404 Fuss angegeben wird, bei 204 F. Breite (Querschifflänge?). Der allgemeine Plan des inneren Aufbaues folgt dem der Kathedrale von Bourges in Frankreich (oben, S. 67), mit jener Aufgipfelung der Räume,

---

[1] Villa-Amil, I, liv. 6, pl. 3. — [2] Unter den Darstellungen bei Villa-Amil s. I, liv. 1, pl. 3; 2, pl. 2; 12, pl. 4; II, liv. 11. pl. 4; 12, pl. 3; III, liv. 1, pl 2; 2, pl. 2. Vergl. Chapuy, moy. âge mon., 391; moy. âge pitt., 86, 87. *Denkmäler der Kunst*, T. 58 (1).

welche von niederen äussern zu höheren inneren Seitenschiffen
und zu dem auch diese überragenden, 120 F. hohen Mittelschiffe
emporsteigt. Auch die Formenbildung scheint insofern der von
Bourges zu entsprechen, als ein System starker Rundpfeiler angewandt ist, welche mit einer reicheren Folge von schlanken
Säulendiensten, einfachen oder dreifachen, besetzt sind. Zugleich
aber sind auch hier (wenigstens in den älteren Theilen, namentlich der Chorpartie.) Reminiscenzen des romanischen Styles und
neben ihnen Elemente des maurischen Systems, welches sich in
Toledo an so mannigfach bedeutenden Werken bewährt hatte,
beibehalten, so dass sich der Majestät und der organischen Gliederung des gothischen Baues hier ein sehr eigenthümlich phantastischer Reiz zugesellt. In den Chorkapellen sieht man an den
Dienstbündeln romanisch gemusterte Säulenschafte (gleich denen
des Chorumganges der Kathedrale von Burgos); starke Ringe
umfassen mehrfach die Pfeiler und die Dienste. Die Scheidbögen
des Chores erscheinen ebenfalls noch, im Nachklange des Romanischen, spielend ornamentirt. Darüber ist ein zierliches Triforium: gekuppelte Säulchen mit mehrfach übereinandergesetzten
Bögen nach völlig maurischer Art; zwischen den Säulchen sind
Statuen angebracht; andre Sculpturen in den oberen Bogenlücken.
Ueber dem Triforium zeigen sich kleine spitzbogige Fenstergruppen, ohne Maasswerk. Auch die inneren Seitenschiffe haben ein
gebrochenbogiges Triforium; darüber Rundfenster, die mit einem

Choitriforium der Kathediale von Toledo. (Nach Villa-Amil.)

Achtpass ausgesetzt sind. Das Aeussere der Kathedrale ist in
schlichter Massenhaftigkeit gehalten. Die Westseite war, wie es
scheint, im ursprünglichen Entwurfe auf zwei starke Thürme angelegt; ob und wie viel das Vorhandene, namentlich der reichen
Portale, der ersten Bauführung angehört, muss dahingestellt
bleiben. Das Portal des nördlichen Querschiffflügels gilt als Werk
des 13. Jahrhunderts. Auch der Bau dieser Kathedrale umfasst
den Raum mehrerer Jahrhunderte, und auch er enthält Stücke,

die besonders für die Schlussepoche der Gothik von Bedeutung
sind. (S. unten.)

Andre frühgothische Monumente im südlichen Spanien sind:
die Kathedrale von Badajoz in Estremadura, ein düster massenhafter Bau, wiederum noch mit Uebergangsmotiven; die

Innenansicht der Kathedrale von Toledo. (Nach Villa-Amil.)

von Coria, ebendaselbst (südwestlich von Plasencia); und
die von Segorve in Valencia, in ernster und strenger Behandlung, — alle drei Gebäude mit jüngeren Theilen und Zusätzen.
Sodann einige Reste der alten Kathedrale von Baeza in Anda-
lusien, und die Façade von S. Marcos zu Sevilla, [1] die ein
lebhaft gegliedertes gothisches Portal hat, die Bogengeläufe von
einem diamantirten Ornament umfasst; oberwärts mit einer kleinen maurischen Arkadennischengallerie und über dieser mit einem
von starken Consolen getragenen Gesims. (Zur Seite der Façade
der schon früher, Thl. I, S. 524, erwähnte Thurm, der durch
eine Nachahmung der maurischen Ausstattung der Giralda bemerkenswerth ist.)

---

[1] Chapuy, moy. âge mon., 147.

Die Architektur des 14. Jahrhunderts zeigt in der spanischen
Gothik dieselbe flüssigere Beweglichkeit, dieselbe leichtere Kühnheit, wie gleichzeitig in anderen Ländern. Sie weicht im Con-
structionsprincip, in dem keeken Strebesystem, auch, wie es scheint,
in dem dekorativen System der freien Giebel oder Wimberge
weniger von den Gesetzen des Styles ab, als es sonst in den
Ländern des Südens der Fall zu sein pflegt. Sie schliesst sich
in der Detailbildung, in der gesammten Dekoration den nordischen Mustern an und weiss das phantastische Vermächtniss des
maurischen Geschmackes, das sich etwa nur in zierlich leichten
Zackenbogensäumungen oder derartigen Füllungen kund giebt,
dem Ganzen wohl unterzuordnen. Sie ist an Denkmälern, die
sich durch harmonische Verhältnisse und reine Wirkung auszeichnen, nicht arm.

Das Hauptmonument dieser Epoche ist die Kathedrale
von Leon. [1] Ihre Gründung fällt bereits in das J. 1199, und
geringe Theile ihres Baues scheinen in der That noch dem
13. Jahrhundert anzugehören; das Wesentliche indess rührt aus
dem 14. Jahrhundert her, während die Vollendung wiederum in
das folgende und in den Anfang des 16. Jahrhunderts fällt. Der
Plan ist etwa dem der Kathedrale von Rheims vergleichbar (nur
von geringerem Längenverhältniss), dreischiffig im Vorderbau,
fünfschiffig im Choransatze und mit fünf Absidenkapellen versehen. Der Aufbau zeichnet sich durch ungemein schlanke und
leichte Verhältnisse aus, mit weiten, hohen, von feinem und gra-
ziösem Maasswerk ausgefüllten Fenstern und mit dem System
leichter Strebebögen, welche das Gewölbe des hohen Mittelschiffes stützen. Es ist, naeh Allem, was die erstaunten spanischen
Berichterstatter darüber mittheilen, wesentlich nordische Gothik,
von der festeren Lagerung der Monumente des Südens, von dem
bei diesen üblichen Gesetze der engeren Oeffnung bestimmt unterschieden; der ganze Bau scheint insbesondre der Kirche St. Ouen
zu Rouen verwandt zu sein; nordische Berichterstatter haben ihn
kurz als das St. Ouen Spaniens bezeichnet. Die Westfaçade hat
drei Portale und ein reiches grosses Rosenfenster über diesen,
zwischen zwei Thürmen. Ihre unteren Theile gebören zu den
älteren Stücken des Gebäudes, in noch strengerem gothischen
Style; auch der nördliche Thurm ist in schlichteren Formen
emporgeführt und mit einfacher Pyramidalspitze gekrönt. Der
südliche Thurm, der Oberbau des Mitteltheiles der Façade, die
Querschiffgiebel sind jünger.

Unter den gleichzeitigen Monumenten des nördlichen Spa-

---

[1] Grundriss und Façade, wenig genügend, bei Fouz, viage de España, IX,
p. 200, 204.

niens, die sich durch ihre leichten Verhältnisse, durch die klare
Anmuth ihres Baues, durch ihre graziöse Ausstattung auszeichnen,
sind zunächst die Kathedrale von Palencia (seit 1321), die
dortige Dominikanerkirche, die Kirche des unfern belegenen
Torquemada, die Klosterkirche von Benevivere (1382 gegründet) zu erwähnen. — Vorzüglicher Preis wird der Kathedrale
von Oviedo (vom J. 1388) zu Theil, sowohl in Betreff der einfach edeln Anlage, als der Durchbildung ihrer dekorativen Theile,
namentlich auch ihres schlanken, anmuthig behandelten Thurmes,
der indess schon der gothischen Spätzeit angehört; sie gilt als
das zumeist klassische unter den gothischen Gebäuden Spaniens. —
In den Districten der baskischen Lande folgen: die Kirche
Santiago zu Bilbao, von deren energischer Innenarchitektur,
mit kräftigen Diensten, stattlichen Oberfenstern und einem wirksameren Wandmaasswerk unter diesen (statt des Triforiums), wir
eine nähere Anschauung besitzen;[1] die Kirche von Guetaria;
S. Sebastian zu Azpeitia; S. Maria zu Vitoria, mit prächtigem
Portal; S. Maria zu Olite,[2] ebenfalls mit reich ausgestattetem
Portal und mit den leichten Arkaden eines Vorhofes. Sodann
die Kathedrale von Pampelona (1390), ein Gebäude von
schlichter und reiner Majestät, obschon ihrer Bauzeit nach mehr
der Schlussepoche der spanischen Gothik angehörig. Die Kirchen
S. Bartolomé und Santiago zu Logroño (jene mit ansehnlichem
Portal, diese schmucklos), die Klosterkirche S. Maria la Real
zu Nájera (unfern von Logroño) reihen sich an. — Wiederum
ein Hauptbau dieser Epoche ist die Kathedrale von Barcelona,[3] 1299 begonnen, in ihren wesentlichen Theilen 1388
vollendet, doch erst im 15. Jahrhundert zum Abschlusse gebracht.
Sie hat im Innern kräftige Säulenbündel mit halbkreisrunden
Scheidbögen, während das Gewölbe massenhaft spitzbogig ist.
Gleichzeitige kirchliche Monumente zu Barcelona sind: S. Maria
del Mar (1329) mit stattlicher, doch unvollendeter Façade,[4]
die durch schlanke achteckige Eckthürme eingefasst ist; S. Francisco (1334); S. Maria de las Junqueras (1345); S. Maria
del Pino[5] (1380). An andern Orten Kataloniens: die Klosterkirche S. Domingo zu Monresa (1318); die Stiftskirche zu
Balaguer (1351); und die Kathedrale von Tortosa (seit 1347),
ein Bau von mässiger Ausdehnung, aber wegen der feinen und
geschmackvollen Behandlung vorzugsweise gerühmt. — Weiter
gen Süden: die Kirche von Castellon und die (im Inneren
modernisirte) Kathedrale von Valencia. Die letztere, schon
1262 gegründet, zumeist jedoch dem 14. Jahrhundert angehörig,
hat in ihrem Aeussern Theile von reinster und edelster Durch-

---

[1] Villa-Amil, III, liv. 9, pl. 2. — [2] Ebendas., III, liv. 11, pl. 1. — [3] De Laborde, voy. pitt. de l'Espagne, I, pl. 7. Laurens, souvenirs d'un voy. d'art. à
l'île de Majorque, pl. 11. — [4] Chapuy, moy. âge mon., 220. Laurens, pl. 13.
— [5] Laurens, pl. 14.

bildung, in einer Weise der Behandlung, welche das entschiedene
Gepräge nordischer Gothik trägt. [1] Der Thurm der Kathedrale,
welcher den Namen „el Micalete" führt, 1381 begonnen, wurde
von dem Meister Juan Franch, ohne Zweifel einem Nord-
länder, erbaut. In den südlich kastilischen Landen sind wenig Monumente
dieser Epoche namhaft zu machen. Es gehören hieher: die
malerischen Ruinen der Kapelle S. Escolastica zu Avila; das
Kloster von Lupiana (1354, — unfern von Guadalajara); das
Kloster S. Catalina zu Talavera; die Klosterkirche von Guadalupe (1342); und die Kathedrale von Murcia (1353—1462),
ein Gebäude, dessen dekorative Ausstattung schon einen Uebergang zu der Richtung der jüngeren spanischen Gothik zu bezeichnen scheint.

Auf der Insel Majorca ist die Kathedrale von Palma [2] als
ein ansehnlicher Bau des 14. Jahrhunderts hervorzuheben: im
Inneren mit hohen, schlicht achteckigen Pfeilern; das Fenstermaasswerk reich im Charakter der Zeit; das Aeussere in impo-
santer Masse, indem die Façade, von Eckthürmchen eingeschlossen,
in gleichmässigen Horizontallinien abschliesst; das südliche Portal
in der Weise nordischer Gothik und mit geschmackvoller Sculptur
versehen. —

Als Werke von vorwiegend dekorativer Behandlung sind
verschiedene Kreuzgänge zu nennen, deren Mehrzahl den Adel
des 14. Jahrhunderts wiederum in vorzüglich glänzender Entfaltung zeigt. So die Kreuzgänge neben den Kathedralen von
Burgos und von Toledo. Der letztere, seit 1389, besitzt zugleich in der Thür der h. Katharina, [3] welche aus ihm in die
Kirche führt, ein so fein gegliedertes wie reich geschmücktes
Werk, das in eigner Weise an normanische Gothik erinnert. So
der stattliche Kreuzgang der Kathedrale zu Pampelona, [4] der
von Santiago zu Bilbao, der der Kathedrale von Vieh (westlich von Gerona, 1380—1440), der von Ripoll, der in schlichterer Strenge gehaltene des Klosters Sion zu Barcelona, [5] der
des Klosters S. Domingo zu Valencïa, [6] der von S. Francisco
zu Palma [7] (Majorca). Der letztere, sehr ausgedehnt, ist von
zierlich leichten und anmuthvollen Arkaden umgeben, während
seine Bedeckung aus flachem Balkenwerk besteht. —

Endlich zwei bemerkenswerthe Gebäude festungsartigen Charakters. Die Puerta de Serranos zu Valencia, [8] ebenso
durch mächtige Anlage wie durch eigenthümliche Ausstattung
ausgezeichnet: ein Thorbau mit gewaltigen achteckigen Thürmen

---

[1] Vergl. Chapuy, a. a. O., 136; u. Passavant, die christl. Kunst in Spanien,
S. 10. — [2] Laurens, souvenirs d'un voy. d'art. à l'ile de Majorque, pl. 23, ff.
— [3] Villa-Amil, III, liv. 5, pl. 2. — [4] Ebenda, liv. 10, pl. 1, ff. — [5] Laurens,
a. a. O., pl. 16. — [6] Chapuy, moy. âge mon., 394. — [7] Laurens, pl. 28, ff.
— [8] De Laborde, voy. pitt. de l'Espagne, I, II, pl. 90.

auf den Seiten; oben eine von Consolen und Bögen getragene
Gallerie, und Zinnen an den höheren Theilen; im Zwischenbau,
über der in schwerem Halbrund gewölbten Thoröffnung, eine
zierlich schlanke Reliefgallerie, die völlig in der Weise venetianischer Loggien behandelt ist. — Und das Schloss von Belver
bei Palma [1] (Majorca), in seiner Hauptmasse ein Rundbau, dessen
runder Hof mit stattlichen Arkaden, rundbogigen im Untergeschosse und spitzbogigen in einer einfach kräftigen Ausbildung
des gothischen Systems im Obergeschosse, umgeben ist.

Epoche des 15. und 16. Jahrhunderts.

In der Schlussepoche der spanischen Gothik, der des 15. und
der Frühzeit des 16. Jahrhunderts, machen sich, wie es scheint,
die beiden Gegensätze geltend, die auch anderweit, z. B. in der
deutsch-gothischen Architektur, zu bemerken sind: eine gewisse
Nüchternheit in der grossen architektonischen Composition, welche
mehr auf die Wirkung der Räume und Massen als auf organisch
gegliederte Durchbildung hinausgeht, und eine Lust an glänzender,
oft überschwänglicher Dekoration bei denjenigen Werken kleineren
Umfangs, bei denjenigen Einzelstücken der grösseren, deren Zweck
eine reichere Ausstattung wohlgefällig oder nöthig erscheinen
liess. Die erstgenannte Richtung erscheint indess, zum grossen
Theile wenigstens, noch unter unmittelbarer Nachwirkung der
glücklichen künstlerischen Bestrebungen des 14. Jahrhunderts,
so dass auch die grossen Monumente der Spätzeit noch an dem
Adel, an der maassvollen Klarheit der letzteren mehr oder
weniger Theil nehmen. Im Einzelnen finden sich, wie auch
anderwärts (namentlich in Deutschland), kirchliche Monumente,
welche dem System des Hallenbaues angehören oder sich demselben annähern, d. h. solche, die entweder gleich hohe Schiffe
haben oder doch, bei minder kühn emporsteigendem Mittelschiff,
eine ruhigere, mehr in sich beschlossene Höhenwirkung des gesammten Innenraumes erstreben. Die Richtung auf das Dekorative
zeigt sich zunächst als das Ergebniss fortgesetzter Einwirkungen
der nordischen Gothik, der schematischen Formenspiele, welche
bei dieser beliebt wurden; mehrfach waren es wiederum nordische
Meister, von denen derartige Uebertragungen ohne Zweifel unmittelbar ausgingen. Dann aber fand der phantastische Sinn,
welcher dem Lande durch die arabische Invasion und durch die
Kunst der Araber eingeimpft war, in solcher Richtung willkommene Gelegenheit, sich aufs Neue geltend zu machen; und

---

[1] Laurens, pl. 41, f.

fast übergewaltig drang er herein, als am Schlusse des 15. Jahrhunderts das letzte Reich spanisch-maurischer Herrschaft, Granada,
den christlichen Waffen erlegen war, als die letzten blühendsten
Werke maurischer Kunst den christlichen Herrschern anheim-
fielen, ihre Meister, soweit sie nicht den europäischen Boden ver-
liessen, diesen dienstbar wurden. Es bildete sich ein dekorativer
Geschmack aus, welcher die Elemente der Gothik, halborienta-
lischen Sinnes, in übermüthig gaukelnder Weise zu stets neuen
und neuen Combinationen verwandte, alle Bogenformen — halbrunde, gedrückte, elliptische, spitze, spitzgeschweifte, mannigfach
gebrochene — zur Verwendung brachte und in sich oder mit
ebenso bunt gestalteten Giebeln durcheinanderschlang, wundersame Gehänge an Stelle des organisch Erwachsenen hervorgehen
liess, wundersame Pflanzenmuster mit den architektonischen Formen verband, die Räume mit derartigen Bildungen durchbrach
oder reliefartig überdeckte, welcher im Einzelnen eigenthümlich
Arabisches dem Gothischen einmischte, welcher ebenso, als aus
Italien die antiken Formen der Renaissance herübergeführt wurden, auch diese dem phantastischen Formenspiel einverleibte und
mit alledem Werke schuf, die oft freilich in ein abenteuerliches
Wirrsal ausgehen, oft aber auch den eigenthümlichsten traumhaften Reiz hervorbringen. Die ganze dekorative Arbeit ist nicht
selten eine mehr bildnerische als architektonische, und so hat
häufig auch das figürliche Bildwerk, welches aus den Dekorationen
hervorwächst oder von ihnen umrahmt wird, einen wesentlichen
Antheil an ihren Wirkungen. Dieser künstlerische Geschmack
wurde nach andern europäischen Ländern hinübergetragen; er
hat ohne Zweifel, wenn auch mehr oder weniger in Zwischenstufen, in grösserer oder geringerer Umschmelzung, einen wesentlichen Einfluss auf den Gesammtcharakter des dekorativen Ele-
mentes in der Ausgangsepoche des gothischen Styles hervorgebracht.

Das wichtigste Gebäude des 15. Jahrhunderts, das grösste
des christlichen Mittelalters in Spanien, ist die Kathedrale
von Sevilla.[1] Der Bau wurde im J. 1403 begonnen, an Stelle
der grossen Moschee, die im J. 1250 zur christlichen Kirche
geweiht war, und mit Beibehaltung einiger Theile des Aussenbaues der letzteren.[2] 1507 wurde die Kuppel über der mittleren
Vierung geschlossen; 1511 stürzte dieselbe ein; ihre Herstellung
wurde jedoch schon 1517 vollendet. Die Kathedrale ist fünfschiffig, mit gleich hohen Seitenschiffen und Kapellenreihen neben
diesen, 398 Fuss lang, und 291 F. mit Einschluss der Kapellen
breit. Die ursprüngliche Grundform ist ein reines Parallelogramm;
das Querschiff tritt über die Seitenmauern nicht hinaus; auch

[1] Villa-Amil, II, liv. 8, pl. 2, 3. Chapuy, moy. âge pitt., 41, 44. Fergusson,
handbook of arch., II, p. 831. Ponz, viage, IX, p. 2. *Denkmäler der Kunst*,
T. 58 (2). — [2] Vergl. Thl. I, S. 523.

die Ostseite schloss in gerader Linie ab; doch ist ein hinaustretendes Sanctuarium, in Renaissanceformen, hinzugefügt worden.
Kräftige Bündelsäulen, Rundpfeiler mit Diensten und scharf-
eckigen Gliedern zwischen diesen, von starken Kapitälkränzen

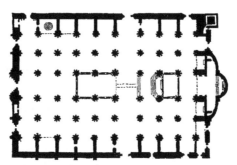

Grundriss der Kathedrale von Sevilla. (Nach Fergusson.)

bedeckt, scheiden die Schiffe. Die Wirkung des Inneren hat,
trotz ansehnlicher Höhe, die Ruhe eines grossartig erhabenen
Hallenbaues. Das Mittelschiff steigt zwar, im Gegensatz gegen
diese Wirkung, über die Seitenschiffe empor, doch nicht in beträchtlich erhöhtem Maasse und mit Fenstern von nicht erheblicher Dimension; auch sondern sich seine oberen Theile durch
jene Kapitälkränze, welche die Mittelschiffpfeiler ebenso wie die
übrigen rings umgeben, völlig von den unteren ab und empfangen
sie, durch eine Galleriebrüstung unter den Oberfenstern (statt
eines Triforiums), einen noch bestimmter abgeschlossenen Charakter. Im Aeussern macht sich das reiche System der Fialen und
der Strebebögen, welche sich über die Seitenschiffe dem Gewölbe
des Mittelschiffes entgegenspannen, geltend; zugleich dient dasselbe zur Bekrönung der Seitentheile der Façade, die ohne Thurm
angelegt ist und deren Mittelbau horizontal abschliesst. (Die
Dekoration der Façade ist erst in neuerer Zeit, nicht ganz in
Harmonie mit ihren älteren Theilen, vollendet worden. Der
maurische Thurm der Giralda steht neben der Nordostecke des
Gebäudes).

Als andre kirchliche Gebäude dieser Epoche sind die folgenden hervorzuheben. In Katalonien: die Kathedrale von
Gerona (seit 1416), ein ansehnlicher einschiffiger Bau, in drei
Schiffe auslaufend; und der zierliche Thurm von S. Felix, ebendaselbst, (s. unten). — In Aragon: die Kathedrale „la Seu"
zu Zaragoza,[1] mit gleich hohen Schiffen, einigermassen im

[1] Villa-Amil, III, liv. 12, pl. 3. (Caveda, p. 305, — deutsche Ausg., S. 151 —
bezeichnet dies Gebäude als im Jahr 1350 fast vollendet. Die Innenansicht,
welche Villa-Amil giebt, scheint dagegen sehr entschieden den Charakter des
15. Jahrhunderts auszusprechen.)

Geschmack der Kath. von Sevilla behandelt, doch schwerer in
den Formen, was besonders auch von den verschlungenen Gewölbgurten gilt; die Kathedrale von Huesca (seit 1400); die
Pfarrkirche von Daroca (1441). — In den baskischen Landen:
die Hauptkirche S. Maria la antigua zu Fuenterrabia, [1] mit
wenig erhöhtem Mittelschiff und in einem System des Innenbaues,
das, vielleicht unter unmittelbarer französischer Einwirkung, jene
spielende, ohne Kapitältrennung in die Gewölbgurte übergehende
Pfeilergliederung hat, wie an der Kirche von Brou; die Klosterkirche von S. Vicente und S. Sebastian, beide in Guipuzcoa;
die Pfarrkirche von Cascante (1476), im Süden von Navarra. —
Im nördlichen Kastilien: die Kirchen S. Pablo und S. Francisco
(beide vom J. 1415), de la Merced und S. Lesmes zu Burgos;
die Klosterkirche S. Clara zu Briviesca und die von Oña (seit
1470), beide nordöstlich von Burgos. Die Kirche des Klosters
de la Estrella in Rioja. S. Benito el Real (1499) und S. Pablo
zu Valladolid, (die Façade der letzteren Kirche [2] mit buntgeschweiften Spätformen überladen). Die Klosterkirchen S. Clara
zu Toro, Santacruz zu Segovia (mit zierlichem Thurm, s. unten),
die von Villacastin (unfern von Segovia), S. Tomás zu Avila.
Sodann zwei vorzüglich bedeutende Monumente des 16. Jahrhunderts: die neue Kathedrale von Salamanca, 1513 nach
Plänen des Alonso Rodriguez und Anton Egas begonnen,

Pfeilerkrönung in S. Juan de los
Reyes zu Toledo (Nach Villa-
Amil.)

mit gleich hohen Schiffen; und die Kathedrale von Segovia, seit 1522, nach
dem Plane des Juan Gil de Ontañon,
ein ansehnlicher Bau, der wiederum das
französische Kathedralensystem aufnimmt,
mit der dort üblichen Aufgipfelung der
Räume, doch im Aeusseren mit der im
Süden vorherrschenden festeren Lagerung
und den horizontalen Abschlüssen der
Massen, [3] im Innern mit der Einmischung
von Dekorations-Elementen des Renaissancestyles. — Im südlichen Kastilien die
Klosterkirche S. Juan de los Reyes
zu Toledo, [4] (eine einschiffige Kreuzkirche, wie es scheint,) 1494—98 von
Ferdinand und Isabella erbaut, eins der
Pracht- und Glanzstücke der gothischen
Spätzeit Spaniens, bei dem gleichwohl
das Uebermaass von Dekoration durch
ein strenges formales Gesetz gezügelt wird; überall, zumal im
Innern, ein gothisches Täfel- und Leistenwerk, das auf eigene

[1] Villa-Amil, III, liv. 3, pl 2. — [2] De Laborde, a. a O., II, II, pl. 30. —
[3] De Laborde, II, II, pl. 21. — [4] Villa-Amil, I, liv. 12, pl. 3. Einige Details
bei Gail, Skizzen aus Spanien.

Weise in den Renaissancegeschmack übergeht; der letztere zugleich durch reichdekorirte Horizontalgesimse, durch mehr runde als spitze Bogenformen, durch rundbogiges Maasswerk in den Fenstern vorgebildet. Ferner: die Kirche des Nonnenklosters S. Juan de la Penitencia,[1] ebenfalls zu Toledo (1511), einschiffig, mit zierlicher Holztäfeldecke und mit Elementen des moresken Geschmackes; die Stiftskirche von Talavera; die des Klosters la Mejarada, unfern von dort, (1409); S. Justo y Pastor (bis 1509) zu Alcala de Henares; S. Francisco zu Torrelaguna, nordwestl. von Guadalajara (seit 1512); u. s. w. — Endlich die Klöster Santiago und S. Francisco in Granada und die Karthause von Xerez de la Frontera, unfern von Cadiz.

—————

Die grossen Kathedralen, deren Bau seit dem 13. Jahrhundert im Werke war, besitzen namhafte Theile, welche der Schlussepoche des Styles angehören. Es sind Aussenbauten, für die mehr oder weniger durchgeführte Vollendung ihrer Façaden, Herstellungen beschädigter Einzeltheile, Prachtkapellen, die dem Hauptkörper des Gebäudes hinzugefügt wurden. Die dekorativen Richtungen der Spätzeit, in ihren verschiedenen Weisen, kommen hiebei zur vorzüglich glanzvollen Erscheinung.

Zunächst ist die Kathedrale von Burgos[2] zu besprechen. Ihre Westseite bildet die prachtvollste gothische Façade, welche Spanien besitzt, mit zwei in der Hauptsache gleichen, bis zum Gipfel vollendeten Thürmen. Der Anlage, der in neuerer Zeit erfolgten Dekorationen des Unterbaues ist schon (S. 513 u. f.) gedacht. Der Oberbau entfaltet sich in schmuckreicher Pracht. Das Giebelgeschoss des Mittelbaues füllen zwei grosse Spitzbogenfenster, die mit reichstem Maasswerk ausgesetzt sind; über ihnen bildet eine zierliche Gallerie einen horizontalen Abschluss. Die Thürme steigen in viereckigen Geschossen empor und sind (ohne vermittelndes achteckiges Geschoss, wie in der deutschen Gothik,) mit hohen, völlig aus durchbrochenem Maasswerk construirten achteckigen Helmen gekrönt. Als Meister der jüngeren Theile des Façadenbaues wird ein Deutscher, Johann von Köln, seit 1442, genannt; er scheint jedoch nur gewisse allgemeinere Erinnerungen des in der Bauhütte seiner Vaterstadt gepflegten Styles bewahrt und sich schon geraume Zeit vor Ausführung des Baues von Burgos in der Fremde umgetrieben zu haben. Der Detailbehandlung zumal fehlt das feinere Verständniss der in der rheinischen (wie auch in der nordfranzösischen) Bauschule üblichen Formen, — jenes

—————

[1] Villa-Amil, I, liv. 8, pl. 2 — [2] Vergl. Villa-Amil, I, liv. 7, pl. 2; 10, 3; II, 2, 4; 4, 2; 6, 2; 8, 4. Chapuy, moy. âge mon., 223. De Laborde, a. a. O., II, II, pl. 10, f Waring, architectural etc studies in Burgos. *Denkmäler der Kunst*, *T. 58 (3, 4)*.

von innen heraus Gewachsene, statt dessen hier in gröberer Weise
mehr nur auf den äusseren Effekt gearbeitet ist; so dass anzunehmen sein wird, dass einheimischen, mit der Sache selbst nicht
sehr vertrauten Werkleuten die Ausführung überlassen war. —

Ansicht der Kathedrale von Burgos. (Nach Chapuy.)

Der Hinterseite des Chores wurde seit 1487 die Kapelle „del
Condestable" angebaut. die achteckige Grabkapelle des Condestable von Castilien, D. Pedro Hernandez de Velasco und seiner
Gemahlin. Sie bildet eins der Prachtstücke des üppigen, originell
spanischen Dekorativstyles der Spätzeit. Arkaden, deren Bögen
vielfach mit hängendem durchbrochenem Zackenwerk umsäumt
sind, führen aus dem Chor in die Kapelle. Sie selbst hat Wandnischen mit gedrückt geschweiften Bögen und ähnlich durchbrochenen Säumungen, und Fenster, deren Maasswerk in den
Formen des Flamboyantstyles gebildet ist. Die Gurtträger zwischen

den Fenstern sind stark, halbsäulenartig, kanellirt. Aussen erheben sich über den Eckstreben der Kapelle schlanke Fialen, mehrfach von baldachinartigen Krönungen umgeben. Auch andre Kapellen, wie die der hl. Anna, haben zierliche Schmucktheile, hängende Bogenzacken an den Gewölbrippen u. dergl. — Noch später sind wesentliche Theile im Mittelbau der Kathedrale. Hier war die Kuppel über der mittleren Vierung im J. 1539 zusammengestürzt, was einen Herstellungsbau veranlasste, der im Jahr 1567 vollendet wurde. Es scheint, dass der letztere nicht blos die mittlere Vierung, sondern auch die obern Theile der Flügel des Querschiffes in sich begriffen hat; wenigstens haben die letzteren hohe Triforien-Arkaden in einem phantastischen Flamboyantstyl, mit moresken und mit Renaissance-Elementen, und sind die Oberfenster in ähnlicher Weise behandelt. Der Innenbau der neuen Kuppel selbst, sammt den Pfeilern der Vierung und den grossen Schwibbögen, auf denen die Kuppel ruht, sind in schon überwiegender Umbildung des gothischen Systems in dem Renaissancegeschmack ausgeführt, die Pfeiler rund, kanellirt, mit barocken Kapitälkränzen. In dem starken Thurme dagegen, der sich aussen, horizontal abschliessend, über der Kuppel erhebt, sind die gothischen Formen beibehalten, in phantastischer Verwendung, mit buntgeschweiften Details, mit thurmartig aufschiessenden Fialen, welche den Fialenschmuck der Kapelle del Condestable in mächtigerer und üppigerer Weise wiederholen. — Das Aeussere der Kathedrale, die schon durch ihre Lage am Bergabhange eigenthümlich wirkt, (obgleich für die näheren Standpunkte durch umgebende Gebäude grossentheils verdeckt,) gewinnt durch diese verschiedenartig aufragenden Theile ein überaus malerisches Profil. Das Vorhandensein zweier gleichartiger Façadenthürme mit durchbrochenen Spitzen ist immerhin, welchem Bedenken auch die Ausführung unterliege, im höchsten Grade beachtenswerth.

Des mehr schlichten Aeusseren der Kathedrale von Toledo [1] ist bereits gedacht worden. Ihre Hauptfaçade bildet kein gleichartiges Ganzes. Dem Mittelbau, mit gothischem Portal, fehlt die gesetzlich klare Entwickelung der oberen Theile; über dem Unterbau des südlichen Flügels erhebt sich eine in moderner Form schliessende Kuppel. Ueber dem nördlichen Flügel steigt ein sehr ansehnlicher Thurm empor, durch seine schlanke Masse von entscheidender Wirkung, doch ohne dekorativen Luxus; unterwärts viereckig und mit Leistenmaasswerk geschmückt, oberwärts im luftigen Achteck und mit leichter barocker Spitze gekrönt. Er wurde von 1380 bis 1440 ausgeführt; die Spitze gehört einer Restauration aus der Zeit des 17. Jahrhunderts an. Der südliche Querschifflügel ist durch das „Löwenportal" (seit 1459)

[1] Vergl. Villa-Amil, I, liv. 1, pl. 3; 5, 2; 12, 4; II, 3, 3: 5, 1; 11, 4; 12, 3; III, 1, 2. Chapuy, moy. âge pitt., 86; moy. âge mon., 374.

ausgezeichnet, ein gemessen spätgothisches, reich mit Sculpturen geschmücktes Werk, im nordöstlich-französischen Style. Als Meister desselben wird Annequin de Egas aus Brüssel genannt. Die Krönung des Portalbaues hat moderne Formen; eine Reihe von Säulen, auf denen Löwen sitzen, quer vor den Stufen des Portals, hat diesem seinen Namen gegeben. — Um so glanzvoller

entfaltet sich der spätgothische Dekorativstyl an den Schmuckwerken, welche dem Innern der Kathedrale hinzugefügt wurden. Die von D. Alvaro de Luna gegründete Kapelle Santiago, vom Schlusse des 15. Jahrhunderts, ist mit reichstem Leisten- und Flamboyant-Maasswerk an Wänden, Bogeneinschlüssen, Lünetten, mit hängenden Zackenbögen an den Gurten geschmückt. Aehnlich der Lettner des Chores (Trascoro). Die im Mittelschiff belegene „Capilla mayor," vom Anfange des 16. Jahrhunderts, hat an ihren Einschlüssen, an dem Altaraufsatze, an den Grabmonumenten, die sich ihrer Architektur einfügen, die überreichste Ausstattung spätestgothischer Art, im Einzelnen mit Elementen des Renaissancestyles: flache, gedrückte, geschweifte Bögen, mit durchbrochen hängender Zackensäumung und mit solcher, die wie eine Stickerei niederhängt; bunt ornamentistische Bogenfüllungen; Maasswerke, deren Theile von schwebenden Consolen getragen werden. Statuennischen;

Thür des Kapitelsaals in der Kathedrale von Toledo. (Nach Villa-Amil)

hochaufgegipfelte, in geschweiften Formen phantastisch aufgebaute Tabernakelkrönungen, u. s. w. Aehnlich, zum Theil wieder mit moresken Elementen, ist die Thür des Kapitelsaales. Aehnlieh die Kapelle Nuestra Señora la antigua. U. s. w.

Im Aussenbau der Kathedrale von Leon, an der westlichen Hauptfaçade wie an den Querschiffgiebeln, gesellen sich im Fortschritte des Baues zu den noch strenggothischen Formen (am Unterbau der Westfaçade), zu den leichteren des 14. Jahrhunderts die zierlichen spätgothischen und die des Renaissancestyles, eine eigenthümlich reizvolle malerische Wirkung hervorbringend. Der südliche Thurm der Westfaçade, ein Werk des 15. Jahrhunderts, steigt fünfgeschossig schlank empor, in den glanzvoll durchgebildeten Formen der Spätzeit, seine Spitze mit leichtem Maasswerk geschmückt.

Ausser den Thürmen der eben besprochenen Kathedralen sind noch andere Thürme der Epoche des 15. Jahrhunderts

hervorzuheben, die in ihrem leichten Emporstreben, in ihrer Gliederung, in dem Maasswerk, in den durchbrochen gearbeiteten Helmen eine Aufnahme von Elementen nordischer Gothik bezeugen,
wie sie sonst im Süden nicht häufig ist. Es ist eben die eigne
phantastische Neigung des Landes, die in den phantastischen
Formenspielen des Nordens das verwandte Element erkannte und
sie für die eignen Zwecke zu nutzen wusste. Der Art ist der
Thurm der Karthause von Miraflores bei Burgos, als dessen
Meister derselbe Johann von Köln genannt wird, welcher die
Thurmfaçade der Kathedrale von Burgos baute; der Thurm der
Klosterkirche Santacruz zu Segovia; der von S. Felix zu Ge-
rona; die Thürme der Kathedrale von Barcelona; und als
vorzüglichst gepriesenes Werk der Thurm der Kathedrale von
Oviedo, dessen Spitze „wie ein Flor ist, der im Winde spielt."
Unter anderen schmuckreichen Einzeltheilen der Spätzeit
mögen schliesslich noch die Capilla mayor in der Kathedrale von
Plasencia (seit 1498) und die Capilla Marquesa an der Kathedrale von Murcia [1] hervorgehoben werden. Die Innenwände der
letzteren sind wiederum aufs Reichste verziert, mit einem eignen
System verschlungenen Stabwerkes, spätestgothisch, aber völlig
in einer Gefühlsweise, die an maurischer Tradition grossgezogen.
Dann sind es die Kreuzgänge, welche, wie in allen Epochen, so auch in dieser, zur Anwendung glänzenden Formen-
schmuckes Veranlassung geben. Dahin gehört der des Klosters
S. Salvador zu Oña, [2] unfern von Burgos (1495—1503), zwischen
dessen Arkaden die Aussenstreben mit ihren Fialen am Obergeschoss emporlaufen, während die Fenster des letzteren schon einfach zierliche Renaissanceform haben; der von S. Francisco el
Grande zu Valencia; der der Kathedrale von Segovia, [3] dessen Arkaden mit prächtigem Flamboyant-Maasswerk ausgesetzt
sind; der ebenso reiche von S. Juan de los Reyes zu Toledo; [4]
der Kreuzgang der Kathedrale von Siguenza (1507) und der
von S. Francisco zu Torrelaguna, beide in der Provinz Guadalajara; der der Kathedrale von Leon, der mit den spätgothischen Formen schon Elemente des Renaissancestyles verbindet.
U. a. m.

Dann giesst sich dieselbe Fülle dekorirender Form über andre
Prachtbauten, des öffentlichen wie des Privatlebens, aus; wobei
die charakteristisch südliche Anlage der Arkadenhöfe (gleich der
der Kreuzgänge) gerne beibehalten, im Einzelnen mit vorzüglichst glänzender Opulenz ausgestattet wird. Es sind grossartige

---

[1] Chapuy, moy. âge mon., 207, 282, 356; („Chapelle Marquise.") — [2] Villa-
Amil, II. — [3] Chapuy, moy. âge mon., 273. — [4] Villa-Amil, I, liv. 6, pl. 2.
Chapuy, moy. âge pitt., 37, 47.

Stiftungen für die Zwecke geistiger Bildung, wie das Collegium
von S. Gregorio zu Valladolid, 1488—96 durch Macias Car-
pintero erbaut, dessen Façade [1] in dem phantastisch bunten
Dekorativstyl der letzten Gothik gehalten ist, während die Arkaden des Hofes die eigenthümlichste Mischung mittelalterlicher
und moderner Elemente enthalten und schon mehr der modernen
Architektur zuzuzählen sind; und das Universitätsgebäude zu
Salamanca; von Ferdinand und Isabella gebaut (um den

Portal des Collegiums S. Gregorio zu Valladolid. (Nach Villa-Amil.)

Schluss des 15. Jahrhunderts), mit zierlichst reicher Façade; —
Gebäude öffentlichen Nutzens, wie das Findelhaus zu Cordova,[2]
dessen Portal nicht minder reich dekorirt ist; die „Audiencia
Real" zu Barcelona,[3] die sich besonders durch einen Hof mit
zierlich leichten Spitzbogen-Arkaden auszeichnet; die gefeierte
Börse von Valencia (1482); die „Seidenhalle," [4] ebendaselbst,
ein schöner, mächtig hoher Hallenbau, dreischiffig, mit schlanken
Rundpfeilern, um die sich flache Stäbe leicht emporwinden, in
den Gewölbgurtungen etwas schwer und die Schneidepunkte der
Gurte und Rippen mit starken Medaillons bezeichnet; — Palläste,

---

[1] Villa-Amil, II, liv. 8, pl. 1. — [2] Chapuy, moy. âge pitt., 57. — [3] Ebenda.
151; moy. âge mon., 107. Laurens, voy. d'art. à l'île de Majorque, pl. 17. —
[4] Chapuy, moy. âge mon., 200

wie die Casa de Abbala [1] zu Valencia, deren Façade maurische
Anklänge hat, Fenster mit überaus schlanken Säulchen und blumig ausgeschnittene Bögen; ein Pallast und Thurm zu Segovia,[2]
deren Wandflächen (ebenfalls nach dem Princip maurischer Ornamentik) teppichartig mit flachen Maasswerkmustern bedeckt sind;
ein Pallast zu Zamora,[3] an der Plaza de los momos, dessen
Portal, rundbogig, in Bogen aus ungemein langen Keilsteinen
gebildet und der sonst durch prächtige spätestgothisch - moreske

Arkade im Hof des Collegiums S. Gregorio zu Valladolid. (Nach Villa-Amil.)

Ausstattung, besonders der Fenstereinfassungen, ausgezeichnet ist.
U. s. w.

Zu den Gebäuden dieser Gattung gehört auch, als eigenthümlich bemerkenswerthes Beispiel, die Börse von Palma,[4] auf
der Insel Majorca, ein fester kastellartiger, von luftigen Zinnen
gekrönter Bau, mit Erkerthürmchen über Wandstreben und stärkeren, höher ragenden polygonischen Zinnenthürmen auf den
Ecken; Portal und Fenster im prächtigen Flamboyantstyl, der
Masse in glücklich dekorativer Wirkung eingefügt; das Ganze
von ritterlich stolzem Charakter. Im Innern eine mächtige Halle,
deren Gewölbe von schlanken Pfeilern getragen wird; diese mit
gewundenen Kanellirungen (von dorischem Profil), die in der
obersten Schwingung in die starken Gurte des Gewölbes übergehen.

[1] Chapuy, moy. âge mon., 144 — [2] Gailhabaud, mon. de l'arch. du V. au
XVI. siécle etc. (liv. 3). — [3] Villa-Amil, II, liv. 9, pl. 2. — [4] Chapuy, moy.
âge mon., 183. Laurens, voy. d'art. à l'ile de Majorque, pl. 30, f. ·

Es ist mehrfach der Elemente des Renaissancestyles gedacht, die sich den spätest gothischen Architekturen oder Dekorationen Spaniens einfügen. In der That war dieser Styl seit dem Ausgang des 15. Jahrhunderts dem gothischen bereits zur Seite getreten; indem er mehr und mehr geltend in den Vordrund trat, indem die Vertreter beider Style oder diese selbst (denn nicht selten bewegten sich die Meister je nach Laune oder Erforderniss in beiden) alle Mittel aufwandten, sich geltend zu machen, zeigt sich in den ersten Decennien des 16. Jahrhunderts das Bild eines überaus lebhaften und anziehenden Wettkampfes. Die allgemeine Stimmung der Zeit machte den Renaissancestyl zum Sieger; doch erhielt sich der gothische Styl in seiner charakteristischen Eigenthümlichkeit tief in das 16. Jahrhundert hinab. Die späte Gründungszeit der Kathedralen von Salamanca und von Segovia (oben, S. 524) giebt dafür zunächst ein sehr bemerkenswerthes Zeugniss. Auch noch andre kirchliche Gebäude sind schliesslich zu nennen, die die lange Andauer des gothischen Styles bekunden. Es sind: die Kathedrale von B a r b a s t r o, im nördlichen Aragonien; die Kirche des Klosters Nuestra Señora de la Victoria, unfern von S a l a m a n c a, seit 1522. Die Kirche S. Marcos zu L e o n, ein leichter und stattlicher einschiffiger Kreuzbau (mit prächtiger Renaissancefaçade); und die Kirche des Dominikanerklosters zu O v i e d o, 1553 von J u a n d e C e r e c e d o erbaut, von derselben Anlage und von edler Durchführung, obschon ohne dekorative Ausstattung.

b. P o r t u g a l.

Unsre Kenntnisse der gothischen Architektur von Portugal sind wiederum äusserst gering. Wir wissen nur von wenigen Monumenten des 14. Jahrhunderts, die überdies durch neuere Restaurationen zumeist entstellt zu sein scheinen, und von einer kurzen Glanzepoche im Anfange des 16. Jahrhunderts, in welcher sich eine ähnlich phantastische Richtung des dekorativen Geschmackes wie in der Schlusszeit der spanischen Gothik, ebenfalls unter den Nachwirkungen maurischen Formensinnes, geltend macht. Es sind besonders die Regierungen D. João's I., um den Schluss des 14., und D. Emmanuel's d. Gr., um den Beginn des 16. Jahrhunderts, die sich durch bauliche Unternehmungen auszeichnen.

Nur e i n Monument, soviel wir wissen, ist von wahrhaft hervorragender Bedeutung: die Kirche des Klosters B a t a l h a, im nördlichen Theile der Provinz Estremadura, mit den an sie anlehnenden Baulichkeiten; sie ist um so beachtenswerther, als sich hier beide genannte Epochen in ausgezeichneten Werken

vertreten finden, keine verderbende Modernisirung darüber hin-
gegangen ist, und treffliche Aufnahmen des Ganzen veröffentlicht
sind. [1] Der Bau der Kirche fällt in die Regierungszeit D. João's I.,
ihre Gründung in die Jahre 1386 oder 87. Sie ist dreischiffig,
mit erhöhtem Mittelschiff und ansehnlich vortretendem Querbau,
dem sich der fünfseitig geschlossene Chor und an jedem Flügel
des Querschiffes zwei kleinere, dreiseitig geschlossene Nebenchöre
anfügen. Die innere Gesammtlänge ist 264 Fuss, die Gesammtbreite der Vorderschiffe 72 F. 4 Zoll. Die Seitenschiffe haben ein
kräftiges Höhenverhältniss; das Mittelschiff steigt in mässiger
Erhöhung über ihnen empor, indem die Fenster desselben — bei
der Anordnung flacher Steindachungen im Aeusseren — nah
über den Scheidbögen ansetzen. Die Behandlung der inneren
Gliederungen verräth einen Einfluss nordischer Gothik; die Pfeiler, von eckiger Grundform und mit ausgekehlten Ecken, sind

Batalha.

auf jeder Seite mit einem stärkeren und zwei schwächeren Diensten versehen; die vorderen Dienste laufen, den starken Kapitälkranz des Pfeilers durchschneidend, zum Mittelschiffgewölbe empor; die Profile der Bögen und Gurte sind aus Kehlen und
Rundstäben zusammengesetzt, in den Scheidbögen mit vorherr-
sehendem Breitenverhältniss. Die Fenster sind reich mit Säulchen
besetzt, ihre Maasswerke innerhalb des Bogens derb, mehr in der
Weise durchbrochener Platten behandelt. Das Aeussere ist in

[1] Murphy, plans, elevations, sections and views of the church of Batalha.
Wiebeking, Bürgerl. Bauk. I, t. 3, 4, 7, 44. *Denkmäler der Kunst*, T. 58 (5, 6).

strenger Klarheit gehalten, mit charakteristisch durchgeführten
Horizontallinien; über den Kranzgesimsen und den krönenden
Gallerieen steigen rings die Fialen der Strebepfeiler empor; stattliche Strebebögen sind von den Seitenschiffen gegen das Mittelschiff geschlagen. Die Façade, ohne Thurm, ist das anschauliche
Profil solcher Anordnung, in ihrem mittleren Theile reich ausgestattet, mit einem lebhaft gegliederten Portal, einem Spitzbogenfenster über diesem, (welches, in eigen phantastischer Weise,
ganz mit Maasswerkdurchbrechungen ausgefüllt ist,) und mit
einem Leistenmaasswerk auf den Wandflächen. — Neben der Façade,
auf der Südseite der Kirche, liegt das Mausoleum D. João's I.,
ein viereckiger Bau mit achteckigem erhöhtem Mittelraume. Der
Styl desselben entspricht dem der Kirche. — Gegenüber, auf der
Nordseite, ist ein geräumiger Kreuzgang. — An die Ostseite der
Kirche, durch einen Zwischenbau mit ihr verbunden, stösst das
Mausoleum D. Emmanuel's, vom Anfang des 16. Jahrhunderts,
an. Es ist das gefeierteste Prachtstück der Spätepoche: ein achteckiger Kuppelbau, an sieben Seiten (die achte ist die des Ein-
ganges) mit absidenartig hinaustretenden Kapellen. Das Mausoleum ist unvollendet geblieben; seine Kuppel, von 65 F. Durchmesser, würde, wenn vollendet, eine der ansehnlichsten Kuppeln
der gothischen Architektur geworden sein. In der Behandlung
herrscht der Massencharakter vor, indem sich die grösste Fülle
zierlichster Details, in einem höchst phantastischen Gemisch
gothischer (zum Theil wiederum nordischer) und maurischer Elemente, über die Massen legt.

Als andre Monumente des 14. Jahrhunderts werden, im Norden Portugals, die Kathedralen von O p o r t o und B r a g a (Entre
Minho e Duero) und die Kirche von E s p a d a c i n t a (Tras os
montes, an der spanischen Grenze,) angeführt. Auch die Kathedrale von L i s s a b o n scheint ihrer Anlage nach dahin zu gehören. Alle diese Gebäude sollen jedoch wenig von ihrer ursprünglichen Beschaffenheit erhalten haben. — Ausserdem werden die
K r e u z g ä n g e bei den Kathedralen von Oporto und Lissabon
gerühmt.

Ein vorzüglich bemerkenswerthes Gebäude aus der Epoche
D. Emmanuel's ist die Kirche des Klosters S. Geronymo zu
B e l e m, [1] unfern von Lissabon. Sie wurde 1499 gegründet. Nach
gothischem Systeme angelegt, aber schon mit vorherrschendem
Halbkreisbogen, auch mit der Anwendung von Hufeisenbögen,
ist dies Gebäude durch zierlichste Ornamentik, wiederum in
einem moresk gothisirenden Style, ausgezeichnet. — Aehnlicher
Spätzeit gehört der kleine Hof des Pinha-Klosters zu C i n t r a [2]
bei Lissabon an. Er ist mit doppelgeschossigen Arkaden umgeben,
unterwärts rundbogigen auf achteckigen Säulen, deren Kapitäle

---

[1] Select views of the principal cities of Europe. (Batty, London, liv. 3.) —
[2] Vivian, Portugal and Spain.

und Basen einfach gothischen Gesimscharakter haben, oberwärts flachbogigen auf kleineren Säulchen von ähnlicher Behandlung. Die Wände beider Geschosse sind reichlichst, naeh moresker Art, mit bunten glasirten Ornamentplatten bedeckt. Ein Paar starke aufsteigende Pfeiler sind mit barock gothischen gewundenen Fialen gekrönt. — Andre Monumente sind: die Kirche von Setubal, ebenfalls unfern von Lissabon; das Hospital von Caldas (Estremadura, nördlich von Alemquer); die Kirche Santa Cruz zu Coimbra, vom J. 1515; S. Maria dos Anjos zu Caminha (Entre Minho e D., nordwestlich von Braga); die Kirche von Freixo de Espada-a-Cinta (Tras os montes, unfern von Moncorvo); und die Kirche von Villa Nova de Foscoa (unfern von dort, am Duero, Prov. Beira).

10. Italien.

In Italien [1] fand das gothische Bausystem, was das innere Bedingniss seiner Gestaltung betrifft, den geringsten Grad von Hingabe und Verständniss. Es wurde zögernd aufgenommen, während der Romanismus auf die ganze Dauer des gothischen Styles, in allgemeineren Grundzügen oder in charakteristischen Einzelmotiven, eine mitwirkende Kraft behielt. Dem italienischen Volksgeiste sagte weder das räumliche Gefühl noch der gegliederte Organismus der Gothik zu; nur in Ausnahmefällen, nur unter entschieden fremder Einwirkung zeigt sich eine Annäherung an die Systeme des Nordens. Eine offne Weite des Raumes, ein einfaches Massengefüge, welches nur von mässigen Oeffnungen durchbrochen wird und dessen Verhältniss das Auge des Beschauenden leicht und sicher erfasst, machte sich als wesentliches Erforderniss geltend; aber man konnte gleichwohl nicht umhin, dem allgemeinen Zeitgeschmacke ein Zugeständniss zu machen; man fühlte sich von der feinen Beweglichkeit in den Detailbildungen der Gothik, von den Zierformen, die aus ihrem quellenden Organismus hervorgegangen waren, zu lebhaft angezogen, um sich derselben entschlagen zu können; man wandte beiden Elementen eine um so grössere Vorliebe zu, je weniger man auf eine eigentlich organische Behandlung ausging. Das ganze System musste hienach nothwendig einen zwitterhaften Charakter gewinnen. Es sind einerseits die schlichten Hauptformen, deren

[1] D'Agincourt, hist. de l'art, etc.; architecture. Wiebeking, Bürgerl. Baukunde. H. Gally Knight, the ecclesiast arch. of Italy, II. Th. Hope, an hist essay on arch. Street, brick and marble in the middle ages: notes of a tour in the north of Italy. F. H. von der Hagen, Briefe in die Heimat. J. Burckhardt. der Cicerone. U. A. m.

Einfachheit sich nicht selten, besonders im Innenraume, zur
Starrheit steigert, andrerseits die graziösen Spiele einer auf das
Dekorative gerichteten Phantasie. Die eigenthümlichen Reize,
deren die italienische Gothik allerdings nicht entbehrt, beruhen
zunächst vornehmlich in diesem dekorativen Elemente, in der
feinen Durchbildung desselben, in dem Maasse und Gleichge-
wichte seiner Austheilung. Die Form des Halbkreisbogens, eine
der Traditionen des Romanismus, wird häufig beibehalten; aber
er eignet sich, in einem flüssigen Gliederspiel, das Feinste aus
der gothischen Gefühlsweise an. Der Wimberg-Giebel wird nicht
verschmäht, aber er ordnet sich den abschliessenden Hauptlinien
ein. Rosenfenster, ebenfalls in zarter Gliederung und zugleich
mit glänzender Maasswerkfüllung, sind beliebt, zumeist nicht
minder im Einschluss der Hauptlinien; strebenartig aufsteigende
Theile (freilich ohne alles Dasjenige, was die Entwickelung des
nordischen Strebepfeilers charakterisirt), Horizontalgesimse, zierliche Bogenfriese bilden die charakteristischen Abtheilungen der
Masse. Vorzüglich gediegene Materialien begünstigen die feinere
Durchbildung des Details; daneben wird, in ansehnlichen Kreisen, die Ziegeltechnik mit Vorliebe gepflegt; die wechselnde Verwendung der Baustoffe giebt Gelegenheit, auch durch Farbenwechsel
den dekorativen Eindruck zu erhöhen, zum Theil allerdings in
der aus der romanischen Epoche herrührenden und dem gothischen Princip sehr auffällig widersprechenden Weise eines Durch-
schneidens aufsteigender architektonischer Formen durch verschiedenfarbige Schichten. Ein Zug klassischen Gefühls, wie fern
die gothisirende Composition an sich auch vor der antiken stehen
möge, geht unverkennbar durch diese ganze Weise künstlerischer
Production; er gehört wesentlich mit zu den Reminiscenzen des
Romanismus, der in Italien so vielfach eine klassische Richtung
bekundet und im Einzelnen die merkwürdigsten Erzeugnisse der
Art hervorgebracht hatte; er führt nicht selten zu einer bestimmt
antikisirenden Behandlung des ornamentistischen Details; er veranlasst in jüngeren Monumenten eigenthümliche Mischungen
gothischer und antikisirender Formen. Er gewinnt schliesslich
eine so starke Uebergewalt, dass er, schon im 15. Jahrhundert,
ein volles Jahrhundert früher als in andern Landen, Dasjenige,
was sich Italien überhaupt aus der Gothik angeeignet hatte, vernichtet und in Form und Composition das völlig antike Princip
— das der sogenannten Renaissance — an dessen Stelle setzt.

     Das innere Gefüge des baulichen Körpers und seine dekora-
tive Ausstattung pflegen in nur mässig bedingtem Wechselverhältnisse zu stehen; die letztere wird zumeist sehr selbständig
behandelt und ist etwa nur von dem allgemeinen Gesetze des
Rhythmus, welcher die bauliche Gesammtanlage erfüllt, mehr
oder weniger abhängig. Bei den Kirchen zumal bildet die Façade
insgemein einen Zierbau von ziemlich selbständiger Entfaltung,

während der Thurmbau eines Wechselbezuges zu der Gesammt-
Composition völlig zu entbehren pflegt; Beides in ähnlicher Weise,
wie schon so häufig in der romanischen Epoche Italiens. Bei
den Bauten, welche für Zwecke des bürgerlichen Lebens errichtet wurden, konnte jene Selbständigkeit nicht in gleichem Maasse
erreicht werden; hier blieb die Anordnung der Aussenfläche
nothwendig abhängiger von den complicirteren Verhältnissen des
Innern. Aber gerade diese Abhängigkeit war für die künstlerische
Gestaltung von entschieden wohlthätigen Folgen, indem sie eine
innigere Uebereinstimmung zwischen dem Nothwendigen und der
schmückenden Zuthat hervorrief. Die Conception erscheint naiver,
die Ausstattung, auch wenn sie sich sehr reicher Mittel bediente,
in mehr gesetzlicher Weise gebunden. So gehören in der That
die vorzüglich gediegenen und befriedigenden Werke der italienischen Gothik gerade dieser Classe von Bauwerken an, und
namentlich in der nördlichen Hälfte des Landes, wo das Städteleben sich zu so glanzvoller Blüthe entwickelte, sind sowohl die
für öffentlich städtische Zwecke als die für das Privatbedürfniss
der Reichen und Mächtigen errichteten Gebäude den Meister-
werken dieser Gattung zuzuzählen.

Noch ist anzumerken, dass in vielen Fällen die Persönlichkeit der Meister des Baues bedeutsam in den Vordergrund tritt.
Dies beruht nicht sowohl in dem schon zeitig erwachten historischen Bewusstsein der Italiener, welches das Gedächtniss des
Persönlichen gern bewahrt, als in der Stellung der Meister.
Minder gebunden von den zünftischen Verhältnissen, erscheinen sie
schon zeitig als Künstler, die eine individuelle Berechtigung in Anspruch nehmen; sie sind grossentheils zugleich Meister verschiedener Kunstfächer, Bildhauer, Maler, welche die Architektur in
ähnlichem Sinne behandeln, wie diejenige Kunst, der sie sich
anderweitig gewidmet haben. Es liegt in der Natur der Sache,
dass solche Stellung zu einigen nicht unwesentlichen Modificationen
im architektonischen Schaffen führen musste, dass die Meister —
selbst unwillkürlich — auch dem architektonischen Produkt mehr
etwas von einem persönlich individuellen Gepräge gaben; dass
sie keine übergrosse Neigung tragen konnten, sich der Strenge
eines architektonischen Grundsystems durchweg zu fügen; dass sie
in der Architektur von Haus aus weniger auf einen innerlichen
Organismus als auf die Wirkung, zumal die der ausstattenden
Theile, ausgingen. Das persönliche Verhältniss der Meister för-
derte also nur, was schon in der allgemein volksthümlichen
Stimmung gegeben war. Indess war dasselbe noch nicht so stark,
dass es die Unterschiede des Volksthümlichen sofort überwunden
hätte. Die gothische Architektur Italiens, eines festen und ste-
tigen Grundprincips entbehrend, entfaltet überaus wechselvolle
Erscheinungen, die sich gleichwohl in einzelne landschaftliche

Gruppen zusammenziehen. Wenn innerhalb dieser Gruppen die
Persönlichkeit der Meister sich bemerklich macht, so scheint es ·
kaum, dass ihr Uebergreifen aus einer Gruppe in die andre schon
von irgend einflussreichen Folgen auf den Gang der architektonischen Entwickelung gewesen wäre.

a. Toskana.

Als erste Gruppe von hervorragender Bedeutung sind die
gothischen Monumente von Toskana und einigen angrenzenden
Distrikten namhaft zu machen. Auch in ihr treten sehr verschiedenartige Grundrichtungen hervor; dennoch hat sie am Meisten
von einem gemeinsam bewussten Streben, von einer fortschreitenden
Entwickelung. Es sind die klassischen Traditionen der romanischen Epoche der toskanischen Architektur, die man auch in
der gothischen Epoche beizubehalten und auf eine oder die andre
Weise mit den Anforderungen des gothischen Styles in Einklang
zu bringen bemüht ist; es ist der Entwickelungsgang der bildenden
Künste Toskana's, der hierauf einen wesentlichen Einfluss hervorbringt. Die Namen vorzüglichst ausgezeichneter Meister, zum
grossen Theil in Lokalschulen vereinigt, sind hier zu Hause.
Ein fremder Meister, ein Deutscher, Jakobus, erscheint in der
Frühzeit des 13. Jahrhunderts von hervorragendem Einfluss; einige
Klostergeistliche, welche den Bau von Ordenskirchen leiten, auch
andre Künstler erscheinen als Nachfolger seiner Richtung. Die
berühmte Bildhauerschule von Pisa bethätigt sich lebhaft im Fache
der Architektur. Zunächst der grosse Nicola Pisano, (um die
Mitte des 13. Jahrhunderts blühend), der schon als Meister einiger
Bauten romanischen Styles genannt wird, dem man sehr verschiedenartige Bauten in verschiedenen Gegenden Italiens zuschreibt und dessen Wirksamkeit in diesem Fache der Kunst
einstweilen allerdings noch einen halb mythischen Charakter hat.
Dann dessen Sohn Giovanni Pisano (geb. um 1240, gest. 1320),
der als Architekt ein hohes, reich glänzendes Streben bekundet.
Ihm schliessen sich die Sieneser Lorenzo Maitano (um 1280)
und die Brüder Agostino und Angelo an; ebenso Andrea
Pisano (geb. um 1280, gest. 1345). In Florenz tritt gegen
Ende des 13. Jahrhunderts Arnolfo di Cambio (oder A. da
Colle, fälschlich A. di Lapo genannt, gest. 1320), als höchst
einflussreicher Meister auf; er ist eigentlicher Architekt und vorzugsweise dem technischen Theil seiner Kunst, der grossartigen
Erfüllung constructiver Gesetze zugethan. Ihm folgt der berühmte Maler Giotto di Bondone (1276—1336), der den Reiz
durchgebildeter Dekoration im malerischen Sinn hinzufügt. Giotto's Schüler Taddeo Gaddi und dessen Sohn Angelo Gaddi

setzen seine Richtung fort. A n d r e a d i C i o n e, gewöhnlich
A n d r e a O r e a g u a genannt, (1329—80), ein tiefsinniger Meister
der Malerei und nicht minder ausgezeichneter Bildhauer, fasst
als Architekt die Strebungen Arnolfo's und Giotto's zu vorzüglich gediegener Wirkung zusammen.

———

Kirchliche Monumente.

Das frühste Monument der toskanischen Gruppe, eins derjenigen, welche auf die Einführung gothischer Form in Italien
von gewichtigstem Einflusse waren, ist die Kirche S. F r a n c e s c o
zu A s s i s i. [1] Sie wurde 1228 gegründet und (nach angeblicher
Vollendung des Wesentlichen im J. 1230, was aber nur auf einen
geringen Theil des Ganzen zu deuten sein dürfte), 1253 geweiht.
Als Meister des Entwurfes und erster Leiter des Baues wird ein
Auswärtiger genannt; jener deutsche Meister J a k o b u s. Nach
ihm hatte ein gewisser P h i l i p p u s d e C a m p e l l o, der in das
Kloster von S. Francesco eingetreten war, die Leitung des Baues.
Die Schule des Jakobus kann aber nicht Deutschland gewesen
sein, welches sich in der Epoche der Gründung von S. Francesco
selbst erst, in wenigen Einzelfällen, mit der ersten Aneignung
der Elemente des gothischen Styles beschäftigt zeigt; die vorzüglichst charakteristischen Details lassen eine französische Schule
voraussetzen, während gewisse Besonderheiten in Anlage und Behandlung einen bedachten Anschluss an das bis dahin in Italien
Uebliche zeigen. Der Bau war durch den Zweck, als Mausoleum
des erst zwei Jahre vor der Gründung verstorbenen Titel-Heiligen
und als Kirche seines Ordens zu dienen, sowie durch die lokalen
Verhältnisse bedingt. Es ist eine Doppelkirche, eine über der
andern. Die untere, mit dem Grab des Heiligen (gegenwärtig
eine besondere, abermals tiefer belegene Gruftkapelle von moderner Architektur), ist ein geräumiger Bau, mit einer Rundabsis,
einem östlichen und einem westlichen Querschiffe und zwischen
diesen mit seitenschiffartigen Nebenräumen, Alles jedoch in gedrückten Verhältnissen und kryptenartig behandelt, noch in der
Weise des Ueberganges aus dem romanischen Style mit Kreuzgewölben von vorherrschend rundbogiger Form und schlichtestem
Detail; Gurte und Rippen des Gewölbes in einfach massigem,
rechteckigem Profil; Einiges (auch die schmalen spitzbogigen
Durchgänge zu den Seitenschiffräumen?) jüngerer Bauveränderung
angehörig. Die Oberkirche, von leichterem räumlichen Verhältniss, ist einschiffig, mit östlichem Querschiff und ebenfalls halb-

---

[1] Gailhabaud, Denkm. d. Bauk,. III, Lief. 58. Wiebeking, Bürgerl. Baukunde,
II, t. 51; 75. D'Agincourt, t. 36 (39—46); 37; 42 (7); 68 (36); 70 (19). H. G.
Knight, II, t. 19, f. *Denkmäler der Kunst*, *T*. 57 (*1*).

runder Absis. Sie hat starke Halbsäulenbündel mit frühgothischen Blattkapitälen als Wanddienste und spitzbogige Kreuzgewölbe, deren Gurte und Rippen ebenfalls ein massig eckiges, doch polygonisch gebrochenes Profil haben. Die Dienste stehen in quadratischen Abständen, breite Wandfelder zwischen sich einschliessend, in deren Obertheil schmale Spitzbogenfenster mit einfach primitiver Maasswerkfüllung enthalten sind. Breitere und etwas reicher behandelte Fenster in den Querschiffflügeln. Die Länge der Oberkirche beträgt 232 Fuss, ihre Breite 40 F., ihre Höhe 60 F.; die Unterkirche ist, bei gleicher Breite des Mittelraumes, 33 1/2 F. hoch. Das gesammte Innere beider Kirchen ist mit Wandmalerei erfüllt, höchst schätzbare Werke aus den Zeiten des ersten jugendlichen Aufschwungs der italienischen Malerei enthaltend. Auch das architektonische Detail ist dabei mit bunter polychromatischer Ausstattung versehen worden:[1] die Säulenschäfte der Wanddienste mit gewundenen oder eckig gebrochenen Bändern u. drgl.; die Gurte und Rippen des Gewölbes, zur Auflösung ihrer starren Form, mit mannigfach zierlichen Mustern, denen sich als breiterer Einschluss der Gewölbkappen reiche Ornamentbänder anlegen, — dies Alles (ähnlich und in noch stärkerem Maasse wie bei Prachtkapellen der französischen Gothik) zur Gewinnung einer festlich phantastischen Wirkung, aber zugleich zur wesentlichen Beeinträchtigung des Wenigen, was an plastisch organischer Form gewonnen war, und als eins der frühsten und entschiedensten Musterbeispiele, gewiss zur Hemmung desjenigen Sinnes für organische Formengestaltung nach den Anforderungen des gothischen Systems, der im Lande doch vielleicht hätte hervorgerufen werden können. Auch an selbständig architektonischer Formenbezeichnung fehlt es den Wandmalereien nicht; namentlich ist es die untere Hälfte der Wände der Oberkirche, die durch solche in einzelne Bildfelder zerfällt; aber hier sind es völlig antikisirende Formen: römische Säulen mit gewundenen Schäften, die ein horizontales Consolengebälk tragen, ein schlagendes Zeugniss dafür, dass die gothische Formbildung dem allgemein künstlerischen Bewusstsein noch völlig fremd und unbegriffen gegenüberstand. — Das Aeussere hat, an der Oberkirche, halbrund vortretende Strebepfeiler, gegen die vor den starken Strebemassen der Unterkirche schlichte Strebebögen gespannt sind. Ein auf der Nordseite in die Unterkirche führendes Portal, ein Portal auf der Westseite der Oberkirche und ein Rosenfenster über dieser haben charakteristisch frühgothische Formen, zum Theil von zierlicher Composition. Der einfache Giebel der Oberkirche überragt das flache Dach, welches statt des hölzernen Dachstuhls von gemauerten Bögen getragen wird.

---

[1] Darstellung der farbigen Dekorationen in S. Francesco (wie in einigen andern italienischen Kirchen) besonders bei Gruner, specimens of ornamental art. —

Der Thurm aus dem nördlichen Seitenschiff der Unterkirche aufsteigend, ist ein Nachbild schlichtester Thurmbauten der romanischen Epoche. — Die Kirche S. Chiara[1] zu Assisi, jünger als
S. Francesco, zeigt bei gothischer Anlage vorwiegend noch Thür-
und Fensteröffnungen im Halbkreisbogen nach romanischer Art
und nur einige Stücke von reicherer gothischer Behandlung, dabei auch den anderweit in Toskana üblichen Wechsel heller und
dunkler Steinschichten.

Der Dom von Arezzo[2] soll gleichzeitig mit S. Francesco
und nach dem Plane desselben deutschen Meisters gegründet sein;
die Vollendung erfolgte im letzten Viertel des 13. Jahrhunderts
unter Leitung des Aretiners Margaritone. Es ist ein Bau von
einfach klarer gothischer Anlage und günstiger räumlicher Wirkung: dreischiffig, ohne Querschiff, mit dreiseitigem Chorschlusse;
die Seitenschiffe in leichtem Verhältniss zum Mittelschiff; die
Pfeiler aus vier polygonischen und vier halbrunden Diensten zu-

Areszo.

Im Dom von Arezzo. Profil
der Schiffpfeiler. (Nach
Wiebeking.)

sammengesetzt; die vorderen Dienste ununterbrochen (in der italienischen Gothik eine seltne
Ausnahme) an der Oberwand des Mittelschiffes
emporlaufend; in diesem schlichte Rundfenster.
Das Aeussere von fast roher Einfachheit. —
Aehnlich die Dominikanerkirche S. Maria
Novella zu Florenz, deren Bau 1278 unter
Leitung der Mönche Fra Sisto und Fra Ri-
storo begonnen wurde. Raumverhältniss und
bauliches Princip sind im Ganzen dasselbe;
doch ist das Pfeilerprofil schon in eigentlich
italienischer Weise vereinfacht: eine viereckige Grundform mit
abgekanteten Ecken und mit vier (nach romanischer Art) vortretenden starken Halbsäulen. Michelangelo, dessen Aussprüche
die Kunstgeschichte bewahrt, hat diese Kirche, ohne Zweifel
durch den einfach klaren Adel der inneren Räumlichkeit veranlasst, seine „Braut“ genannt. Das Aeussere ist in seinen älteren
Theilen sehr schlicht, die Façade ein Schmuckbau aus der Frühzeit der Renaissance.

Einige verwandte Klänge hat auch S. Domenico zu Prato,[3]
ein einschiffiger Bau, dessen Aeusseres in schlicht harmonischer
Weise mit breiten Lissenen und Spitzbogenfriesen, mit schlanken
Spitzbogenfenstern von einfach edler Maasswerkfüllung, mit rundbogigem Giebelportal und zu dessen Seiten mit vortretenden spitzbogigen Wandarkaden, darin Grabmäler befindlich sind, ausgestattet ist.

[1] Ruhl, Denkmäler der Baukunst in Italien, T. 25. — [2] Wiebeking, Bürgerl.
Baukunde, II, t. 76. — [3] Ebendas., t. 73. Runge, Beiträge zur Backstein-
Architektur Italiens, t. 26 (1, 2;) t. 37.

Der Dom von Siena, [1] eins der frühsten Glanzwerke der
gothischen Epoche Italiens, zeigt eine wesentliche Umbildung der
mit den erstgenannten Werken eingeführten architektonischen
Richtung; es mischen sich stärkere romanische Reminiscenzen
hinein; es entwickeln sich aus der Mischung des Verschiedenartigen eigenthümliche Weisen der künstlerischen Fassung und Behandlung. Seinen Haupttheilen nach scheint er in die zweite Hälfte
des 13. Jahrhunderts zu fallen; doch erfolgte die Ausführung
nicht ganz nach einheitlichem Plane; auch gehören einige Theile
der Ausstattung, gehören die Anfänge eines Vergrösserungsbaues
nach kolossalem Maassstabe den ersten Decennien des 14. Jahrh.
an. Der Dom ist dreischiffig, mit ansehnlicher Verbreiterung
nach Art eines Querschiffes, die aber nicht zu der regelmässigen
Anlage und zu dem Hochbau eines solchen führt, mit mächtigem
sechsseitigem Mittelraum an dieser Stelle, über dem in unregelmässiger Grundform eine zwölfseitige Kuppel emporsteigt, und
mit dreischiffig fortgesetztem, im Aeussern gerade abschliessenden
Chore, unter dem sich dem hier tief abfallenden Felsboden entsprechend, die Taufkirche S. Giovanni als selbständige Unterkirche
wölbt. Die Maasse sind: ungefähr 268 Fuss innerer Gesammtlänge, 74 F. Breite der Vorderschiffe, etwas über 29 F. Mittelschiffbreite, 86 F. Mittelschiffhöhe. Der innere Aufbau ist leicht
und verhältnissmässig schlank, die aufsteigende Bewegung durch
vorherrschende Horizontallinien unterbrochen. Das Schiffsystem
hat eckig abgestufte Pfeiler mit je vier starken Halbsäulen und
antikisirend behandelten Blattkapitälen , durch Halbkreisbögen
verbunden; darüber ein durchlaufendes, stark vortretendes Consolengesims, über welchem Pilaster als Träger der Gurte des
Mittelschiffgewölbes aufsetzen. Die Fenster sind schlicht spitzbogig; die in den Oberwänden des Mittelschiffes mit einfach edlem
Maasswerk gefüllt. Die Chorpartie, zu den jüngeren Theilen
des Domes gehörig, hat noch schlankere und leichtere Verhältnisse als der Bau der Vorderschiffe. Sehr auffällig ist ein, das
gesammte Innere erfüllender Wechsel weisser und dunkler Mar-
morschichten, der dem Auge überall das horizontale Element
entgegendrängt und aus dem sogar auch, in verwunderlichem
Widerspruch gegen ihr formales Gesetz, die Schiffpfeiler aufgebaut sind. Jenes mächtige Consolengesims, dessen Wirkung durch
zwischengesetzte Köpfe, welche die päpstliche Tiara tragen, noch
verstärkt wird, steht nur im Einklange mit dieser Anordnung,
sondert aber den Unterbau völlig von dem Oberbau ab. — Die
Eingangsfaçade des Domes (seit 1284) bildet einen prachtvollen

---

[1] Wiebeking, I, t. 1; II, t. 56, 75. D'Agincourt, t. 42 (10), 67 (11), 73 (49).
H. G. Knight, II, t. 24. Chapuy, moy. âge mon., No. 3, 25. Ueber das Historische vergl. besonders v. Rumohr, Ital. Forschungen, II, S. 123, u. J. Burckhardt, Cicerone, S. 132. (Ich schliesse mich den Ausführungen des letzteren,
gegen Rumohr mit Ueberzeugung an.)

Zierbau; ihr Entwurf wird dem Bildhauer Giovanni Pisano
zugeschrieben. Sie hat einen höheren Mittelbau und niedrigere
Seitenbauten, drei stattliche, giebelgekrönte Rundbogenportale
mit Säulen; darüber zu den Seiten em schlankes Säulennischen-
werk (einigermaassen im Sinne französischer Gothik) und in dem

Ansicht des Domes von Siena   (Nach Chapuy.)

höheren Mittelfelde ein grosses, reich umrahmtes Fensterrund;
über jedem Theile ein aufsteigendes Giebeldreieck zwischen den
Fialen der Pfeiler, welche die Façade zu den Seiten einfassen
und ihre Theile sondern. Die Behandlung ist überall voll und
kräftig, die Wirkung belebt und entschieden. — Eine zweite
Façade schmückt die Chorseite; diese ist jünger, (gegen die Mitte

des 14. Jahrhunderts); ihr Entwurf wird den Bildhauern Agostino
und Angelo von Siena zugeschrieben. Sie hat ebenfalls drei
Portale, ein rundbogiges und zwei spitzbogige, welche in die
Unterkirche S. Giovanni führen, und darüber drei schlanke Spitzbogenfenster, die dem Chor des Domes Licht geben. Die Fassung
des Details folgt im Einzelnen mit Feinheit, wenn durchgängig
auch im dekorativen Sinne, den eigentlichen Formbedingnissen
des gothischen Systems. Der Obertheil ist unausgeführt geblieben. [1] — Ein mächtiger Erweiterungsbau war schon einige
Zeit vor dem Beginn dieser Hinterfaçade begonnen. Man hatte
den Plan gefasst, den querschiffartig vorspringenden Theilen des
Domes einen neuen, höchst geräumigen Langbau anzufügen, der
Art, dass der bisherige Dom den Querbau des neuen Werkes gebildet haben würde. Dies Werk wurde auf eine innere Gesammtbreite von ungefähr 110 Fuss angelegt, im Aufbau mit überaus
kühnen und luftig schlanken Verhältnissen. Aber es war, wie
es scheint, von vornherein weder den schwierigen Bedingnissen
des Terrains noch den Erfordernissen der fast übermüthigen
Construction genügende Rechnung getragen; es kam (1348) das
öffentliche Unglück der Pest hinzu, und so blieb das Angefangene
liegen. Doch bezeugen die Fragmente der einen Seitenhalle den
grossartig verwegenen Sinn des Unternehmens.

Andres aus der Spätzeit des 13. Jahrhunderts lässt ebenfalls
das noch entschiedne Geltendmachen der romanischen Tradition,
der neuen Zeitrichtung gegenüber, erkennen. So die kleine
Kirche von S. Quirico, südöstlich von Siena, mit drei zierlichen
Rundbogenportalen, [2] von denen die beiden kleinern jedoch wiederum mit gothisirenden Giebeln gekrönt sind. Das eine von
diesen hat das inschriftliche Datum 1288. — So namentlich der
Dom von Orvieto, [3] als dessen Gründungszeit das J. 1290, als
dessen Meister der Sieneser Lorenzo Maitano genannt wird.
Die Anlage ist die einer schlicht romanischen, ungewölbten Basilika, mit rechteckig abschliessendem Chore, doch von ansehn-
lichen Verhältnissen, 266 $\frac{1}{3}$ Fuss im Innern lang, 101 $\frac{1}{2}$ F. im
Ganzen und 53 $\frac{1}{2}$ F. im Mittelschiffe breit. Kräftige rundbogige
Säulenarkaden scheiden die Schiffe, die Säulen mit flachen Blattkapitälen, die Bögen energisch profilirt; darüber ein Consolengesims und hohe Lanzetfenster. An den Langwänden sind, den
Intercolumnien entsprechend, kleine Absidennischen angeordnet,
aussen mit schlanken Säulenstäben und Bogenfriesen. Ein Schichtenwechsel hellen und dunklen Steines geht auch hier überall durch,

---

[1] Eine Herstellung dieser Façade von F. Arnold, auf Grund des Vorhandenen und des im Dom-Archive zu Siena bewahrten Original-Entwurfs, in der
Berliner Zeitschrift für Bauwesen, VII, Bl. 12. — [2] H. G. Knight, II, t. 29.
— [3] Della Valle, storia del duomo di Orvieto. Wiebeking, II, t. 51. D'Agincourt, t. 42 (11), 64 (18), 70 (16), 73 (50). H. G. Knight. II, t. 25. Du Sommerard, les arts au moy. âge. I, S. I, pl 7. *Denkmäler der Kunst, T. 57 (6).*

an den äussern Langseiten wie im Innern, und selbst die Säulenschäfte der Schiffarkaden folgen diesem eigenwilligen Gesetze
ebenso unbedingt, wie die Arkadenpfeiler des Sieneser Doms. —
Ein hochgefeiertes Meisterwerk ist die Façade von Orvieto, ein
Nachbild der Eingangsfaçade des Sieneser Doms, mit spitzbogigen
Seitenportalen, mit noch gleichmässigerer Austheilung der Einzelstücke, mit erdenkbar feinster Durchbildung des Details und der
schmückenden Ausstattung. Die Composition ordnet sich in vorzüglich ruhigen und klaren Haupttheilen; die Gliederung an den
Portalen und Giebeln, der Fensterrose des mittlern Oberbaues,
der kleinen Zwischengallerie, der Streben und Fialen zeigt über-
all den zartesten Meisel; jede, auch die schmalste Gliederfläche
ist mit musivisch farbigen Mustern bekleidet, während bildnerische
Sculptur und namentlich Mosaikgemälde alle übrigen Theile des
Werkes erfüllen. Das Ganze ist vollständig, in so erschöpfender
Weise wie vielleicht an keinem zweiten Werk der architektonischen
Kunst, in Dekoration aufgelöst; aber es ist gleichzeitig auch eine
Auflösung seines architektonischen Gehaltes. Aller feste Körper,
alle Kraft eines solchen fehlt, und das rhythmische Verhältniss
der Massen und Linien entbehrt trotz seines Wohllauts durch-
aus der bedingenden Grundlage.

Einige Werke zu Pisa und von Meistern der pisanischen
Schule reihen sich an. Von Giovanni Pisano wurde der
Campo Santo [1] gebaut, am Domplatze von Pisa, der die Gruppe
der dort vorhandenen Prachtbauten abschliesst. Er trägt den
inschriftlichen Namen des Meisters und das Datum 1283. Er
bildet eine Halle, welche den Friedhof umgiebt, dessen Erde aus
dem gelobten Lande herübergeführt war, 354 Fuss lang, 114 F.
breit, 24 1/2 F. tief. Eine Wand mit rundbogigen Pilasterarkaden,
noch dem System des Doms und der andern Nachbargebäude
entsprechend, schliesst die Halle nach aussen ab; gegen den Hof
öffnet sie sich durch gleichfalls rundbogige Pfeilerarkaden, die
in der Weise der Kreuzgänge mit leichten Säulen und mit Bogen-
maasswerk ausgesetzt sind; die mannigfaltige streng gothische
Bildung des letzteren fügt sich in trefflicher Weise dem Halbrund
des Hauptbogens. Der Wechsel schwarzer und weisser Marmor-
schichten wiederholt sich auch hier, doch in einer glücklich
maassvollen Anordnung. Das Innere der Halle ist mit Wandmalereien und Denkmälern erfüllt. — Von demselben Meister,
ebendaselbst, das Kirchlein S. Maria della Spina, [2] ein
kleiner Bau, im Innern ungewölbt und ohne Bedeutung, an den
freistehenden Seiten des Aeussern mit spielend dekorativer Ausstattung bedeckt: Rundbogenarkaden mit Portalen oder gothischer

---

[1] Grandjean de Montigny, architecture toscane, pl. 109. Quatremère-de-Quincy,
Leben der berühmtesten Architekten, I, S. 35. Wiebeking, II, t. 69. Chapuy,
moy. âge pitt., No. 110. — [2] H. G. Knight, II. t. 33. Chapuy, moy. âge mon.,
No. 127. Wiebeking, II, t. 73.

Füllung; seltsam geordnete Wandgiebel, luftig aufgegipfelte Tabernakelnischen in reicher Folge, u. s. w. — Anderweit werden als architektonische Werke des Giovanni Pisano bezeichnet: der Ausbau des Doms von Prato, [1] (eines Gebäudes aus romanischer Zeit, vgl. Thl. II, S. 56) namentlich die in schlichter Klarheit behandelte Façade, und die Kirche S. Domenico zu Perugia, von deren damaliger Anlage aber nur der viereckige Chor erhalten ist. — Dann gehört hieher das Baptisterium zu Pistoja, [2] S. Giovanni Rotondo, zu Anfange des 14 Jahrhunderts nach dem Entwurfe des Andrea Pisano erbaut. Es ist ein einfach achteckiger Bau, aber sein Aeusseres durch maassvollen Adel besonders ausgezeichnet: mit Streben auf den Ecken, die von Fialen gekrönt sind, mit rundbogigem Giebelportal, schlank spitzbogigen Fenstern, und gekrönt von zierlich gothischen Wandarkaden. Der an der Masse durchgehende Schichtenwechsel von schwarzem und weissem Marmor ist hier, bei der Schlichtheit der Anlage, am Wenigsten störend.

Andre Weisen des baulichen Systems und der künstlerischen Behandlung bildeten sich in Florenz aus. Zunächst, unberührt von der edleren Auffassung, die in S. Maria Novella (S. 541) hervorgetreten war, in einer kalten Strenge, welche wesentlich nur das constructionelle Princip ins Auge fasste.

Schon ein älterer Bau, die (modernisirte) Kirche S. Trinità, [3] um 1250 nach dem Plane des Nicola Pisano ausgeführt, scheint hiezu eine Anregung gegeben zu haben; sie hat einfach viereckige Pfeiler und tiefe Kapellenreihen neben den Seitenschiffen.

Vornehmlich ist es ein am Schlusse des 13. Jahrhunderts blühender werkthätiger Meister, der oben genannte Arnolfo di Cambio von welchem diese Richtung ausgeprägt ward. Er erbaute seit 1294 die kolossale Minoritenkirche S. Croce, [4] die sich, bei einer Länge von beinahe 440 Fuss und einer Breite von 128 F., lediglich nur als Constructionsbau geltend macht und in den Schiffarkaden achteckige Pfeiler mit hohen Blattkapitälen, durch hohe und breite Spitzbögen verbunden; schmale, dienstartig emporlaufende Pilaster, von einer Consolengallerie über den Spitzbögen unterbrochen; statt der Wölbungen überall nur das rohe Sparrenwerk des Daches: in den Seitenschiffen spitze Querbögen von den Pfeilern nach den Seitenwänden, als Träger der dort angebrachten Querdachungen. Eigenthümlich ist der schmale, im Halbkreise schliessende Chor, dem sich beiderseits, an den Ostseiten des Querbaues, je fünf kleine Kapellen in gleicher Flucht anreihen. — Verwandten Styl haben S. Maria Maggiore

---

[1] Wiebeking, II, t. 26. — [2] Ebenda, t. 73, 75. — [3] Ebenda, t. 74. — [4] Ebenda, t. 71.

und S. Remigio, beides Gewölbkirchen, von denen wenigstens
die erstere dem Arnolfo zugeschrieben wird. — Die Gesammtfülle
seines technischen und künstlerischen Vermögens, soweit letzteres
überhaupt vorhanden, war dem Hauptgebäude der Stadt gewidmet,

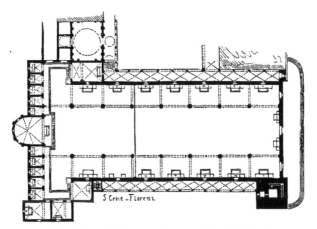

Grundriss von S. Croce zu Florenz. (Nach Wiebeking.)

an dessen Vollendung jedoch zahlreiche jüngere Kräfte mit-
wirkten. Dies ist der Dom [1] von Florenz, S. Maria del Fiore.
Er trat an die Stelle jener alten Kirche S. Reparata, (Thl. II,
S. 58) die seit dem Anfange des 12. Jahrhunderts den Titel des
Florentiner Domes geführt hatte. Ein Dekret des Senats der
florentinischen Republik vom J. 1294 hebt folgendermassen an,
Zweck und Gestalt des Unternehmens mit stolzen Worten vor-
zeichnend: „In Erwägung, dass die grösste Klugheit eines Volkes
von grossem Ursprunge darin besteht, in seinen Unternehmungen
also zu verfahren, dass aus seinen öffentlichen Werken sich ebensosehr sein weises wie sein hochherziges Handeln kund gebe, wird
Arnolphus, der Baumeister unseres Gemeinwesens, beauftragt,
für den Wiederaufbau der Kirche der h. Reparata ein Modell
zu machen, und zwar in jener höchsten und erhabensten Gross-
artigkeit, wie solche von der Kunst und Macht der Menschen
nicht grösser noch schöner erfunden werden kann.“ Dieses höchst
Erhabene zu erreichen, erschien die Ausführung eines Kuppel-
baues von Dimensionen, wie sie bis dahin unerhört waren, in

---

[1] La Metropolitana Fiorentina illustrata. Gailhabaud, Denkm. d. Bank., III,
Lief. 93. Quatremère-de-Quincy, a. a. O., I, S. 17; 27. Runge, der Glockenthurm des Domes zu Florenz, (mit grossen, meisterhaft in Farbendruck ausgeführten Blättern). Wiebeking, II, t. 56. D'Agincourt, t. 42 (12), 67 (16), 68
(49), 70 (24, f.), 73 (52). Chapuy, moy. âge mon., No. 70. H. G. Knight, II,
t. 27. Denkmäler der Kunst, T. 57 (2—5).

Verbindung mit einem Langschiffe von entsprechenden Maassen
als das vorzüglich Geeignete. Vielleicht auch gab die Kuppelkirche S. Giovanni, welche bis dahin den Stolz von Florenz aus-
gemacht hatte und der gegenüber die Façade des Domes sich
erheben sollte, das Motiv zu jenem System, der Art, dass das
dort Gewonnene in riesigster Ausdehnung wiederholt und überboten ward. Der Kern des Doms ist (wie S. Giovanni) ein achteckiger Kuppelbau; aber er öffnet sich in Seitenflügel, die, nebst
dem Schiffbau als gegenwirkende Construktionen dienend, dem
Ganzen die übliche Gestalt des lateinischen Kreuzes geben. Jene
Flügel gehen in fünf Seiten eines Achtecks aus, mit fünf niedrigen
Kapellen umgeben, zwischen denen sich feste Strebemassen dem
Drucke der Kuppel entgegenlagern. Die Hauptmaasse sind:
486 Fuss 6 Zoll (rheinländisch) innerer Gesammtlänge, 292 F.
6 Z. Querschifflänge mit Einschluss der Kapellen, 135 F. 2 Z.
Kuppeldurchmesser, 133 F. 10 Z. Gesammtbreite des Langschiffes.
In der That ist für das Innere des Domes eine überaus machtvolle Wirkung gewonnen; zunächst und vornehmlich im Chore,
durch jene erhabene Weite des (in seinen Obertheilen und in
seiner Wölbung höher, als ursprünglich beabsichtigt war, emporgeführten) Kuppelraumes, durch die Einfachheit der Massen, die
ihn bilden, durch die Ueberleitung des Blickes von den niedrigen
Seitenflügeln zu der Erhabenheit jenes Mittelraumes; im Schiffbau durch die kühne Weite der Pfeilerstellungen, welche gleichwohl der Last der Wölbungen mit fester Kraft begegnen. Aber
nur das constructiv Ausserordentliche, nur das Allgemeine solcher
Wirkung lag im Vermögen des Meisters; räumlicher Wohllaut,
künstlerische Beseelung fehlen seinem Werke. Im Kuppelraum
stehen (auch abgesehen von den jüngern Theilen) Massen und
Oeffnungen in einem wenig rhythmischen Verhältnisse; die Durchgänge von den Seitenschiffen des Langbaues schneiden, in geradezu
unschöner Weise, schräg in die tragenden Kuppelwände ein. Im
Langschiffe herrscht ein System von fast herber Kälte. Das
Mittelschiff, 58 Fuss 10 Zoll breit und 139 F. 5 Z. hoch, hat
Pfeilerstellungen in quadratischen Abständen; die Pfeiler, viereckig, mit in die Ecken eingelassenen Polygondiensten, mit
schwerem, aus dreifacher Blätterreihe gebildetem Kapitäl, sind
ungefähr 40 Fuss und die im breiten Spitzbogen gespannten Scheidbögen ungefähr ebenso hoch; über den Pfeilern setzen Pilaster
auf, querdurchschnitten von einem Gesims, welches die Scheidbögen umfasst; über den Pilastern und dem Gipfel der Scheidbögen läuft eine mächtig vorkragende Consolengallerie hin, und
hinter dieser steigen sofort die Gurte und Rippen des Gewölbes
empor, — eine Composition, der es an Harmonie, Einheit, innerer
Entwicklung völlig fehlt. Die Rundfenster im Oberschiff, die
kleinen Spitzbogenfenster, die verloren und ohne alle architektonische Gesammtbeziehung in den Seitenschiffwänden angebracht

sind, erhöhen nur das Kahle und Harte des Eindrucks. — Bei
Arnolfo's Tode (1320) war das Langschiff eingewölbt, die Chorpartie noch verhältnissmässig im Rückstande, die Ausstattung des
Aeusseren nur erst in einzelnen Thei-
len begonnen. Die letztere erscheint
von vornherein wiederum als eine Arbeit von entschieden dekorativer Art,
in einem bunten und glänzenden Formenspiel, welches gegen die kalte Strenge
des Innern den merklichsten Gegensatz ausmacht. Es ist auch hier der
Wechsel hellen und dunkeln Marmors;
aber die einfach schichtenweise Lagerung ist verschmäht, vielmehr, wie
schon an den romanischen Glanzbau-
ten von Florenz, eine Anwendung in
der Weise eines zierlichen Täfelwerkes

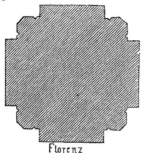

Florenz

Dom von Florenz. Profil der Schiffpfeiler. (F. K.)

zur Ausführung gebracht. Dies steht allerdings in einem mehr
geeigneten Verhältniss zu den plastischen Linien der Architektur, doch ist die Wirkung ebenfalls nicht als eine sonderlich
günstige zu bezeichnen. Die Masse zerfällt in ein kleinliches
Nebeneinander von wechselnder Farbe und Form, und der Gesammteindruck ist (wie schon vielfach mit Recht bemerkt) mehr
der einer schreinermässigen Virtuosität. Portale und Thüren
haben indess, für sich betrachtet, eine reizvolle Ausstattung, mit
gewundenen Säulchen, mit blattgeschmückten Giebeln und figürlicher Zuthat, mit zierlich gemusterten Füllungen. Das Beste
dieser Art ist ohne Zweifel Composition des Malers Giotto, der
von 1332—36 den Dombau leitete und sich vornehmlich durch
zwei selbständige Ausführungen für denselben Ruhm erwarb.
Die eine war der zur Seite stehende Glockenthurm, (s. unten)
die andre die Façade. Schon unter Arnolfo und nach dessen
Plan war eine Domfaçade begonnen, doch nur zu geringen Anfängen gediehen. Giotto liess das Begonnene, welches wenig
Beifall hatte, wegbrechen und ein neues Werk nach seinem Plan
beginnen. Diese Arbeit wird als vorzüglichen Preises werth bezeichnet; aber auch sie kam nicht zur Vollendung und theilte
im J. 1588 das Schicksal ihrer Vorgängerin. — Um 1360 erhielt
Andrea Orcagna die Leitung des Dombaues. Ihm scheint
besonders das bei der äussern Ausstattung der Chorpartie befolgte
System, in welchem sich (wie in andern seiner Werke) der Rundbogen wiederum geltend macht, anzugehören. — Die Kuppel
wurde erst im 15. Jahrhundert erbaut. Es hatte an dem Meister
gefehlt, das Unternehmen, welches der Kräfte der Menschen zu
spotten schien, zur Ausführung zu bringen. In Filippo Brunellesco fand sich dieser Meister. Auf seinen Rath wurde zunächst eine Tambour von ungefähr 37 F. Höhe, mit runden

Oberfenstern aufgesetzt; von 1420—34 leitete er den Bau der
Kuppel, ein zweitheiliges Werk (die eine Kuppel als Hülse und
Festigung der andern), achtseitig, in der Weise eines Spitzbogen-
gewölbes bis zu 283 F. 10 Z. über dem Fussboden aufsteigend.
Im J. 1435 erfolgte die Einweihung des Doms, später noch Einiges
zur Ausstattung der Kuppel, namentlich der Bau der Laterne
über ihrem Gipfel. Aber Brunellesco hatte seine technischen
wie seine künstlerischen Studien bereits an den Monumenten des
römischen Alterthums gemacht; mit ihm begann, auch schon an
der Kuppel des Doms, die Neubelebung der antiken Form. Ihre
Wirkung für das Innere ist nachmals, durch eine wüste Fresko-
malerei, mit welcher sie Federigo Zuccaro in den siebziger
Jahren des 16. Jahrh. bedeckt hat, so gut wie vernichtet worden. —
Die Façade des Doms sollte im J. 1588 mit einem Werke im
Style der damaligen Zeit ausgestattet werden; dies ist unterblieben.
Neuerlich hat man die lebhafte Absicht gehabt, sie mit einer
Bekleidung im ursprünglichen Style zu versehen; es sind mannig-
fache Entwürfe [1] dazu gefertigt worden; aber es ist bis jetzt eben-
falls zu Nichts gekommen.

Der Glockenthurm des Doms steht isolirt zur Seite der
Façade. Er ist, wie schon angedeutet, nach dem Plane Giotto's,
und zwar seit dem J. 1334, erbaut, mit Ausnahme der Spitze,
vollständig nach demselben zur Ausführung gekommen. Die
architektonische Disposition ist überaus einfach: eine schlichte
viereckige Masse, am Unterbau 42 Fuss breit und 264 F. hoch,
die Ecken strebenartig (in 5 Seiten eines Achtecks) verstärkt,
durch starke, rings umlaufende Gesimse in fünf Hauptgeschosse
zerfallend. Eine rhythmische Bewegung ist insofern in dem
Ganzen vorhanden, als die beiden unteren Geschosse in einfacher
Masse gehalten sind, die beiden folgenden mit je zwei Fenstern
durchbrochen, von denen die des vierten um ein Weniges höher
sind als die des dritten, das oberste Geschoss endlich, ansehnlich
höher als die übrigen, je ein grosses, hohes und mehrfach getheiltes Fenster enthält. Daneben ist das Ganze, von unten bis
oben, mit schmuckreicher Ausstattung versehen, die sich in ge-
messenster Weise den architektonischen Grundformen fügt und
in sich auf das Graziöseste durchgebildet ist. Die Fenster, mit
Säulchen, Maasswerk, Giebeln und musivischen Füllungen, haben
die anmuthvollste und edelste Gliederung, wenn auch immer
(z. B. in dem gewundenen Stabwerk) in dekorativ spielender
Weise; die Flächen des übrigen Baues sind mit einem sehr wohl
gemessenen Täfelwerk mehrfarbigen Marmors erfüllt, dem sich
in den Untergeschossen, neben Streifen mit reizvollen Mosaik-
mustern, Reliefs und Statuen einreihen, welche zu den Meister-
schöpfungen der ältern florentinischen Sculptur gehören. Das

---

[1] Namentlich von Nic. Matas, von Joh. Georg Müller und von L. Runge.

ganze Werk ist ohne Zweifel das bei Weitem gediegenste der bezüglichen Richtung des dekorativen Geschmackes und, wenn ihm auch die Energie nordischen Thurmbaues durchaus fehlt, doch in der anspruchlosen Einfalt der Gesammtcomposition nur

Obergeschoss des Domthurmes von Florenz. (Nach Runge.)

um so schätzbarer. Nach dem Plane Giotto's soll noch ein Spitz-dach von etwa 90 Fuss Höhe (vermuthlich mit kleinen Thurm-spitzen über den Eckstreben) beabsichtigt gewesen sein; die Aus-führung desselben ist unterblieben. Die jetzt stumpf abschneidende Masse (die, um in sich gerechtfertigt zu sein, einer unmittelbaren Verbindung mit einem grösseren Baukörper bedurft hätte), würde durch jene leichter aufschiessende Krönung erheblich gewonnen haben.

Von andern Werken Arnolfo's, von jüngern florentinischen Bauten, die nur in bedingter Weise dem Kreise der kirchlichen zuzuzählen sind, wird in Folgendem die Rede sein.

Ausserhalb Florenz schliessen sich hier, als verwandter Richtung angehörig, noch an: die jüngern Theile des Doms von Lucca [1] (Langschiff und Querschiff-Inneres), in einem System, welches die Verhältnisse des Sieneser Doms mit der Formenbildung des von Florenz zu eigenthümlich ansprechender Wirkung verschmilzt; — die Façade des Doms von Carrara, [2] eine Anlage altpisanischen Charakters, der sich in den oberen Theilen auf zierlich reiche Weise in gothische Formation umsetzt; — der Dom von Perugia, [3] ein einfacher breitraumiger Bau mit achteckigen Pfeilern, bemerkenswerth als ein in Italien seltenes Beispiel gleicher Schiffhöhen und durch den Beginn einer teppichartigen Marmor-Incrustation des Aeussern; — die Façade von S. Salvatore zu Fuligno, [4] eine grosse rechteckige Masse mit breiten Streifen hellen und dunklen Steins, frühspitzbogigen Portalen und ein Paar kleinen Fensterrosen; — die Façade des Domes von Spoleto, [5] ursprünglich, wie es scheint, aus der Zeit des Uebergangsstyles, im oberen Theil mit altspitzbogigen Wandnischen, in deren mittlerer sich ein Mosaikbild byzantinischen Gepräges mit dem Namen des Meisters, Solsernus, und mit dem Datum 1207 befindet; [6] dann mit zierlich spätgothischer Ausstattung, einem von Säulchen getragenen Spitzbogenfriese und zahlreichen grösseren und kleineren Rosenfenstern; (unterwärts mit moderner Vorhalle). U. A. m.

Profanbau.

Der toskanische Pallastbau hat einen kastellartigen Charakter. Es sind zunächst feste burgähnliche Steinhäuser, welche das vielfach wiederkehrende Bedrängniss städtischer Wirren nöthig machte. Der Grundgedanke blieb, auch als ein erhöhtes Wohlgefühl zu einer reicheren künstlerischen Ausstattung Veranlassung gab: eine strenge und machtvolle Gesammtanlage, im Untergeschosse zumeist schlicht, in den Obergeschossen zumeist mit stattlichen Arkadenfenstern, die wiederum, den Eindruck des Festen zu wahren, von kräftigen Bögen umschlossen werden;

[1] Burckhardt. Cicerone, S. 145. Wiebeking, II, t. 76. — [2] Ruhl, Denkmäler der Baukunst in Italien, T. 30. — [3] Wiebeking, II, t. 76. — [4] Ruhl, a. a. O., T. 17. — [5] Ebenda. T. 13. Wiebeking, II. t. 70. — [6] v. Rumohr, Ital. Forschungen, I, S. 332.

als oberer Abschluss Zinnen und Bogenkränze. Derselbe energische Sinn spricht sich dann auch an andern Gebäuden öffentlich städtischen Zweckes aus. Anlagen, an denen die schmückende Ausstattung als das Ueberwiegende erscheint, sind unter den Bauten dieser Gattung (im Gegensatz gegen das bei den Kirchen Beliebte) nicht häufig.

Unter den bürgerlichen Bauten von Florenz ist der Palazzo vecchio [1] ein vorzüglich charakteristisches Beispiel derartigen Kastellbaues. Er wurde seit 1298 als Pallast der Signorie, der kurz zuvor eingeführten Oberbehörde der Republik, die zur kriegerischen Befestigung ihres Sitzes allen Grund hatte, durch Arnolfo erbaut: eine völlig burgähnliche Masse, oberwärts mit Spitzbogenfenstern von mässiger Grösse und nicht regelmässiger Anlage, bekrönt von einer geschlossenen Gallerie, die, zur Vertheidigung bestimmt, über Consolenbögen vortritt, überragt von einem schlanken, mit ähnlicher Gallerie versehenen Thurme. Alte Rundbogenarkaden im Hofe (von Arnolfo oder von Orcagna?) entsprechen der Pfeilerformation im Mittelschiffe des Domes. — Jünger, doch ebenfalls nur ein malerischer Kastellbau, ist der Palazzo del Podestà (oder del Bargello), 1345 nach dem Plane des Malers Angelo Gaddi gebaut.

Ein eigenthümliches Gebäude ist Or S. Micchele [2] zu Florenz. Es war als städtischer Kornspeicher (Horreum, — abgekürzt in „Or"), durch Arnolfo aufgeführt, 1304 durch Brand erheblich beschädigt und darauf, zunächst unter Leitung des Malers Taddeo Gaddi, erneut worden: von nicht erheblicher Grundfläche, dreigeschossig, im Parterre mit offner Rundbogenhalle, darüber mit zwei Geschossen ansehnlicher Spitzbogenfenster. Die Fest des Jahres 1348 gab Veranlassung, die untere Halle zur Kirche, unter dem oben angeführten Namen, umzuschaffen; dies geschah durch Orcagna. Die offnen Bögen der Halle wurden durch reiche Maasswerkarkaden über schlanken eckigen Säulen, doch zugleich mit Mauern zwischen den letzteren, ausgesetzt; das Maasswerk in zierlich reicher Verschlingung seiner Bögen, etwa nach giotteskem Muster, aber durch Blattfüllungen in sehr eigenthümlicher Behandlung. Spitzbogige Tabernakelnischen am Aeussern der Zwischenpfeiler fügten der Anlage einen noch reicheren Schmuck hinzu.

Dem Pallast der florentinischen Signorie gegenüber ward seit 1376 eine grossartige offne Halle zur Vollziehung derjenigen öffentlichen Acte, welche vor dem versammelten Volke geschehen mussten, errichtet. Dies ist die später sogenannte Loggia de'

---

[1] Grandjean de Montigny, arch. toscane, pl. 31. Wiebeking, II, t. 67. —
[2] Wiebeking, II, t. 70. Hope, essay on architecture, t. 79. Runge u. Rosengarten, arch. Mittheilungen über Italien, Heft II, Bl. 6.

Lanzi [1] (Halle der Lanzknechte); Meister des Baues war Orcagna. Ihre Vorderfront erhebt sich in drei mächtigen Halbkreisbögen, welche von vier Pfeilern getragen werden; ein Fries
mit Wappen, ein von Consolen getragener stark ausladender
Bogenfries, eine schlichte Maasswerkbrüstung bilden die obere
Bekrönung; Kreuzgewölbe, deren Gurte und Rippen ornamen-
tistisch gesäumt sind, decken den inneren Raum. Die Pfeiler
haben die Bildung der Schiffpfeiler des Domes, deren an sich

Loggia de' Lanzi zu Florenz. (Nach Gailhabaud.)

nicht sonderlich schöne Form hier doch in trefflichem Verhältnisse zum Ganzen und namentlich zu den Bogenlinien steht. In
der Profilirung und Behandlung der Gesimse und der Consolen
zeigt sich eine Aufnahme antikisirender Elemente. Auch der Gesammteindruck hat, in dem schlichten Gleichgewicht der Theile,
in der ruhigen Erhabenheit des Werkes, mehr von dem Gebahren
antiker Kunst, als sonst der des Mittelalters eigen ist; der Art,
dass man dasselbe nicht mit Unrecht als den ersten charakteristischen Vorläufer der Epoche der Renaissance zu bezeichnen
pflegt. Es ist, in seiner Totalität, das Meisterwerk der toskanischen Architektur dieser Zeit, seinem Zwecke als Repräsentant
der Staatsgewalt der Republik in würdevoller Weise entsprechend.

Ein reizvoller Dekorativbau ist die Façade des Bigallo,
des Hauses einer frommen Bruderschaft von Florenz, dem Dom-
thurme gegenüber. Es sind die von Orcagna beliebten Formen
in zierlich reicher Ausstattung, ohne Zweifel von einem Nach-

---

[1] Grandjean de Montigny, pl. 85. Gailhabaud, Denkm. d. Bauk., III, Lief.
143. Wiebeking, II. t. 67. D'Agincourt, pl. 42 (25), 68 (50, 70 (27).

folger seiner Richtung entworfen. Stattliche, weitausladende
Consolen tragen das vorragende Schattendach. [1]

Durch eine ähnlich schmuckreiche, doch in mehr wechselnden Uebergängen ausgeführte Façade ist das Haus der Frater-
nità della Misericordia zu Arezzo ausgezeichnet.

Siena hat verschiedene Palläste der vorbezeichneten Art,
in denen sich, bei machtvoller Gesammterscheinung, jenes System
spitzbogiger Fensterarkaden in stattlicher Weise entfaltet. Doch
halten die Formen des Einzelnen zumeist an der Strenge der
frühgothischen Behandlungsweise fest. Dahin gehört der Palazzo
pubblico,[2] der sich in wirksam malerischem Aufbau dem offenen Platze entgegenbreitet; der Palazzo Buonsignori,[3] das

Palazzo Buonsignori zu Siena. Ein Theil der Obergeschosse. (Nach Verdier.)

[1] Vergl. Burckhardt, Cicerone, S. 144. — [2] Grandjean de Montigny, pl. 103.
Verdier, architecture civile et domestique au moy. âge. H. G. Knight, II, t. 31.
Wiebeking, II, t. 75. — [3] Darstellungen bei Verdier.

reichste und edelste dieser Werke; der Pal. Tolo͞mei, der
Pal. Saracini, u. a. m. — Die Loggia degli Uffiziali
am Casino de' Nobili (1417) ist ein verkleinertes Nachbild der
Loggia de' Lanzi, zumeist von dieser durch mehr säulenartige
Gliederung der Pfeiler unterschieden. [1] — Eigenthümliche Anlage haben die Brunnenhäuser von Siena. Es sind offne Spitz-
bogenhallen, allerdings von sehr schlichter Beschaffenheit. Das
merkwürdigste ist die Fonte-Branda, [2] deren Bau man als aus
dem J. 1193 herrührend betrachtet; da jedoch zahlreiche spätere
Herstellungen angezeichnet sind, [3] so darf diese Annahme, soweit
sie den gothischen Formen gelten soll, dahingestellt bleiben.

Andre bemerkenswerthe Palläste an andern Orten. In Lucca
der Pal. Guinigi, [4] alterthümlich, im Parterre mit rundbogiger
Pfeilerhalle, in den Obergeschossen mit ansehnlichen Fensterarkaden, frühgothisch. in rundbogigem Einschluss. — In Orvieto
der Pal. del Podestà, in ähnlicher Behandlung, und der bischöfliche Pallast, mit spitzbogigen Fenstereinschlüssen. [5] — In Perugia der Pal. del Commune, wiederum mit zierlich romanisirenden Theilen und mit kleinen Fensterarkaden in viereckiger
Umfassung. [6] — In Pistoja der Pal. del Commune und der
Pal. de' Tribunali, beide mit den üblichen Spitzbogenfenstern. —
In Pisa das Gebäude der Dogana und eine Pallastfaçade am
Lungarno; [7] jene ein strengeres Werk; diese, ein durchgebildeter Ziegelbau, in sehr reichen und zierlichen Spätformen: die
Hauptbögen abermals halbrund, aber die Fenster mit schmuckvoll spitzbogigen Arkaden, die Geschosse durch Spitzbogenfriese
begrenzt, die Flächen mit Füllungen und Säumungen von Blattwerk in zartem Relief, dessen Motive schon fast mehr der Renaissance als der Gothik angehören.

Dekorative Werke.

Eine Anzahl dekorativer Werke, zumeist nur den Träger
und das Gerüst für bildnerische Darstellungen ausmachend,
schliesst den Kreis der toskanischen Gothik ab.

Sie beginnen mit zwei reichen Werken des Nicola Pisano:
der im Jahr 1260 vollendeten Kanzel des Baptisteriums von
Pisa [8] und der seit 1266 ausgeführten Kanzel des Domes von
Siena. Beides sind stattliche säulengetragene Ambonen: die

---

[1] Burckhardt, a. a. O., S. 160. — [2] D'Agincourt, t. 36 (17), 72 (2, 3). —
[3] St. A in Marco Ferri's Guida di Siena. — [4] Darstellungen bei Verdier. —
[5] Beide Palläste ebendaselbst. — [6] H. G. Knight, II, t. 28. Runge u. Rosengarten, a. a. O., H. I, T. 4. — [7] Runge, Beiträge zur Backstein-Architektur
Italiens, Neue Folge, Bl. 12, 19 (4—7). — [8] D'Agincourt, sculpture, t. 32.

Säulen mit frühgothischen Blattkapitälen und durch Kleeblatt-
bögen in halbrundem Einschluss verbunden; darüber eine Brüstung
mit kleinen Säulenbündeln auf den Ecken und horizontalen Gesimsen; Alles von plastischem Bildwerk erfüllt. Der Eindruck
ist trotz der gothischen Einzelformen der einer ruhigen Classicität; nur der Umstand erscheint als eine, und zwar sehr em-
pfindliche Störung dieses Eindruckes, dass ein Theil der Säulen
— in einer Aufnahme des barbaristischen Motivs, welches bei
italienischen Dekorativ-Architekturen romanischen Styles beliebt
ist, — kürzere Schäfte hat, deren Basen von schreitenden Thierfiguren, sogar von Gruppen plastischer Sculptur getragen werden.

Dann folgen Werke des Giovanni Pisano. Der öffentliche Brunnen auf dem Domplatze von Perugia, gegen 1280,
hat gleichfalls noch etwas Classisches in der Composition; er
besteht aus weiten, übereinandergebauten Becken, an denen jedoch
das Architektonische von geringerer Bedeutung ist. Ebenso die
Kanzel in S. Andrea zu Pistoja, vom J. 1301, welche die
Anordnung der ebengenannten Arbeiten des Nicola wiederholt.
Dagegen nimmt das Grabmal des Papstes Benedict XI. (gest.
1304) in S. Domenico zu Perugia [1] eine entschiedener gothische
Formation auf, aber nicht in glücklicher Gesammtcomposition;
es ist ein breit spitzbogiges Tabernakel, welches von überschlan-
ken gewundenen Säulen getragen wird und den Sculpturen des
Sarkophages zum Einschluss dient. — Andres von geringerer
Bedeutung hat ähnliche Tabernakelformen. So z. B. das Grabmonument einer Königin von Cypern in S. Francesco zu Assisi, [2] das einem gewissen Fuccio zugeschrieben wird.

Das Grabmal des Bischofes Guido Tarlati im Dome von
Arezzo, [3] um 1330 von Agostino und Angelo zu Siena ausgeführt, nimmt in seiner Tabernakelumfassung wiederum die
Form des Rundbogens auf, in der Behandlung des letzteren und
in den schlanken Pfeilern, die ihn tragen, zu einer Wirkung von
klassischer Art zurückkehrend.

Aehnlich das Altartabernakel, welches Andrea Oreagna
im J. 1359 für Or S. Micchele zu Florenz [4] fertigte, eine
Arbeit, die sich in ihrer Composition durch den gemessenen Adel
auszeichnet, welcher überall die Werke dieses Künstlers charakterisirt, und dabei mit einer so reichen Fülle musivischer Dekoration und figürlicher Darstellung ausgestattet ist, dass sie unter
den Schmuckwerken toskanischer Kunst in erster Reihe mitzählt.

---

[1] Cicognara, storia della scult., I, t. 31. — [2] Ebenda, t. 19. — [3] Ebenda,
t. 24. — [4] Gailhabaud, Denkm. der Bauk., III, Lief. 116.

b. Ober-Italien.

Kirchliche Monumente.

Der gothische Kirchenbau der oberitalischen Lande umfasst eine Fülle der verschiedenartigsten Erscheinungen, nach den Districten, den Orten, den Zeiten des Baues, den Persönlichkeiten der Meister wechselnd. Einiges Gemeinsame beruht theils in der romanischen Tradition, besonders für die Anordnung des Aeusseren, theils in dem mit Vorliebe angewandten Material des Ziegels, welches zu zierlichen, in den Grundmotiven allerdings mehr oder weniger übereinstimmenden Formenspielen Veranlassung gab und mehrfach auch auf die Behandlung des gediegneren Materials, des Marmors' namentlich, eine Rückwirkung äusserte.

———

Zwei Kirchen in Piemont (beide bereits früher, Thl. II, S. 86) erwähnt), verbinden mit romanischen Elementen primitiv gothische und lassen in diesen eine nordische Einwirkung erkennen. Die eine ist S. Andrea zu Vercelli, [1] im J. 1219 gegründet. In den wesentlichen Formen des Aeusseren noch romanisch, zeigt sie im Innern ein spitzbogiges System, das, in den schlank durchlaufenden Säulendiensten, in der Profilirung der Gewölberippen u. dergl., auch in den Lanzetfenstern des gerade abschliessenden Chores und dem kleinen Rosenfenster über diesen das Gepräge derjenigen nordischen Monumente hat, welche im unmittelbaren Uebergange aus dem romanischen in den gothischen Styl stehen. — Die andre Kirche ist der Dom zu Asti. [2] Sein System ist, in der Hauptsache, wie es scheint, noch bestimmter frühgothisch; die Pfeiler in der Grundform viereckig, mit stärkeren Halbsäulen auf den Seiten und feinen eingelassenen Eckdiensten; die Fenster durchgehend in schlanker Lanzetform; aussen vortretende Strebepfeiler, und dazu ein reiches Kranzgesims mit Bögen, welches sich um die letzteren verkröpft; die Façade unterwärts mit spitzbogigen Portalen und Arkaden, oberwärts in lombardischer Disposition, mit Fensterrosen. Doch hat die über der Vierung aufragende Kuppel noch ein mehr romanisches Gepräge und erscheint ein Thurm zur Seite der Kirche, der nach inschriftlicher Angabe erst im J. 1266 angefangen ist, noch als ein völlig romanischer Bau.
Eine andre Weise des Einflusses nordischer Frühgothik zeigt

---

[1] F. Osten, die Baudenkmale in der Lombardei vom 7. bis zum 14. Jahrhundert, T. 7, ff., u. Literaturblatt der Wiener Bauzeitung, III, S. 86. Innenansicht bei H. G. Knight, II, t. 18. — [2] Osten, a. a. O., T. 17, f., S. 82. Aussenansicht bei Chapuy, moy. âge mon., Nro. 93.

die Paçade des Domes S. Lorenzo zu Genua.[1] Sie hat drei
Spitzbogenportale in zierlich reicher Ausstattung, welche auf das
Muster französischer Kathedralen zurückweisen; darüber kleine
Arkaden. Zugleich aber modificirt sich jenes Vorbild unter den
Einwirkungen toskanischer Bauweise, die schon in der romanischen Epoche an den Bauten von Genua bemerklich gewesen
war; es herrscht der dort übliche Farbenwechsel vor; es zeigen
sich mehr spielend dekorative Bildungen, wie solche in Toskana
beliebt sind. Der minder charakteristische Oberbau der Paçade
verlässt später jenes Muster. Der gothischen Umwandlung des
Innern, vom J. 1307, ist bereits früher (Thl. II, S. 90) gedacht.

In den Kirchen des altmailändischen Gebietes pflanzen sich
die Traditionen der romanischen Epoche in sehr ausgedehntem
Maasse fort. Ziegelbau erscheint hier zumeist vorherrschend; die
handwerkliche Technik desselben trägt wesentlich dazu bei, in
der Gesammtanlage, in der Anordnung der Façade, in der Behandlung des Details an dem Ueberkommenen festzuhalten. Nur
allmählich weicht man davon ab, setzt man gothische Formen
an die Stelle der älteren. Es finden sich zahlreiche Beispiele
einer reich dekorativen Ausstattung.

Namentlich die Stadt Mailand selbst hat eine bedeutende
Zahl kirchlicher Gebäude, in denen jenes nähere Verhältniss zum
Romanismus, jener zum Theil noch unmittelbare Anschluss an
denselben zur Erscheinung kommt. Sie sind zumeist in späteren
Zeiten erheblich umgewandelt, bewahren indess verschiedenartig
charakteristische Einzeltheile der ursprünglichen Anlage. Zu
nennen sind: S. Giovanni in Conca, mit schlicht lombardischer Façade, dreitheilig unter einem Flachgiebel, mit Rundbogenportal, Fensterrose, Bogenfriesen, das noch romanische Element in feinere gothisirende Profilirungen umsetzend; — S. Maria in Brera, angeblich vom J. 1229, in den alten Theilen der
hier aus Marmor und in wechselnden Farbenschichten ausgeführten Façade gleichfalls mit der vollen Reminiscenz des Romanismus; — S. Eustorgio,[2] ebenso das romanische Element wahrend, mit zierlich spitzbogigen Friesen; der schlicht alterthümliche Thurm erst 1309 beendet; — S. Marco,[3] wahrscheinlich
vom Anfange des 14. Jahrhunderts; die Façade wiederum von
altlombardischer Disposition und mit vorherrschendem Rundbogen,
aber in den Details schon von glänzend gothischer Behandlung;
— S. Gotardo, 1336 gebaut, besonders durch den Thurm[4]

---

[1] H. G. Knight, II, t 32. Chapuy, moy. âge pittoresque, No. 118; ders.,
moy. âge mon, No. 168. Wiebeking, II, t. 75. — [2] Hope, essay, t. 96. Runge,
Beiträge zur Backst.-Arch. Italiens, Neue Folge, Bl. 23 (6, 8, 9). — [3] Runge,
erste Folge, Bl. 28, 29 (2—4). — [4] Hope, t. 65 (1, 2).

ausgezeichnet; der, in fast überreicher Composition nach spätromanischer Art, hiemit nicht minder zierliches gothisches Detail
verbindet; — S. Simpliciano, als ein Bau von vorzüglich
edlem Style bezeichnet; — S. Maria della Scala, vom Jahr
1381; — S. Maria del Carmine, in der alten dreischiffigen
Innenanlage mit kurzen schweren Rundsäulen und breiten Spitzbögen; — endlich S. Maria della Grazie, [1] die Kirche eines
im J. 1463 gegründeten Dominikanerklosters. Die letztere giebt
in den Vorderschiffen ein charakteristisches Beispiel für die Grundzüge italienischer Gothik, rücksichtlich der weiträumigen Anordnung und der unlebendigen Durchführung des Innenbaues. Die
Schiffe sind etwa 140 Fuss lang und im Ganzen gegen 100 F.
breit; das Mittelschiff hat 31 F. Breite; schmale Seitenschiffe und
tiefe Kapellenschiffe schliessen sich an. Das System besteht aus
kurzen Säulen, die durch breite Spitzbögen verbunden werden,
und kurzen Pilastern als Trägern der Gewölbgurte des Mittelschiffes; die nicht hohen Oberwände des letzteren sind ohne Fenster; die Kapellen haben je zwei weit auseinanderstehende Lanzetfenster und oberwärts kleine Kreisöffnungen. Die Façade,
breit, unter einem Flachgiebel, ist schlicht fünftheilig, doch
mit reichem, von sich durchschneidenden Spitzbögen getragenem
Kranzgesimse. Der Chor der Kirche ist eins der reichsten und
edelsten Beispiele der Frührenaissance. — (Ueber den Dom von
Mailand s. unten.)

Ausserhalb Mailand ist zunächst die Kirche S. Antonio zu
Padua zu erwähnen, soweit an diesem Werke, das eine völlige
baugeschichtliche Anomalie bildet und besonders an der Chorpartie gothische Elemente hervortreten. (Vgl. Bd. II, S. 87 u. f.)

In Pavia kommen einige ansehnliche Kirchenfaçaden in
Betracht. Die der Augustinerkirche [2] hat im Ganzen noch
romanischen Charakter, in der Disposition wie in der Strenge der
Behandlung, doch wiederum mit eingemischten gothischen De-
tails, namentlich in der zierlichen oberen Krönung. — Die von
S. Francesco [3] hat dieselbe alterthümliche Anlage, verbunden
mit einem phantastischen schachbrettartigen Täfelwerk; in der
oberen Hälfte entfaltet sie sich jedoch in glänzenden gothischen
Dekorationsformen, die besonders durch eine reich umrahmte
Spitzbogennische, welche die gesammte Oberhälfte des Mittel-
stückes füllt, eine kräftige Wirkung gewinnt. — Die Façade von
S. Pantaleone [4] wandelt die altlombardische Composition durch
Spitzbogenportale, schmuckreiche Spitzbogenfenster, eine glänzende Fensterrose u. dergl. entschieden nach den Principien des
gothischen Styles um, ohne allerdings eine tiefer gebundene
rhythmische Wirkung zu erreichen.

---

[1] Runge, Neue Folge, Bl. 7, f. Wiebeking, II, t 63. Hope, t. 49, A. —
[2] Hope, t. 50. — [3] Ebenda, t. 93. Street, brick and marble, p. 208. —
[4] Street, p. 206.

In Piacenza sind die Kirche S. Francesco, ein mächtiger Bau mit ausgebildetem Strebesystem des Aeusseren, und S. Antonio, mit hoher, im weiten Spitzbogen geöffneter Vorhalle, bemerkenswerth. Cremona hat in den jüngeren Theilen seines Domes, (vergl. Thl. II, S. 82) namentlich im Querschiff, [1] die Elemente einer ungemein edlen, so gehaltenen wie anmuthvollen Ausstattung: Arkadenfenster, die im südlichen Querschiffflügel von höchst

Fenster des Domes von Cremona. (Nach Runge.)

schmuckreichen Rundbögen und in deren Einschluss von Bogen-zacken und zierlich gemustertem Bogenfelde umgeben sind, wäh-rend im nördlichen kräftigere Spitzbogenformen vorherrschen; [2] glanzvolle Fensterrosen, u. dergl. Der Thurm des Domes von Cremona (Thl. II, S. 82) gehört zu den stattlichsten Beispielen romanisch-gothisirender Anlage. — Die Façade von S. Francesco zu Brescia [3] ist durch ein reichgegliedertes Rundbogenportal,

---

[1] Street, p. 196, 271. Runge, Backst.-Arch., Neue Folge, T. 6 (6—9). — [2] Es ist hierin ein verwandtes Princip mit der Fensterausstattung der lombar-dischen Palläste und ohne Zweifel eine Wechselwirkung mit diesen. Vergl. unten. — [3] Street, p. 69, 262. Runge, erste Folge, T. 47 (3).

welches einen selbständigen Bau mit hohem, spielend romanischem
Krönungsgesimse ausmacht, und durch ein grosses, nicht minder
reiches Rosenfenster über demselben ausgezeichnet. — Die Façade von S. Agostino zu Bergamo,[1] einem einschiffigen Gebäude, hat ein mässig behandeltes Rundbogenportal, zwei schlanke,
mit reichem Maasswerk (von einigermaassen venetianischer Behandlung) ausgesetzte Spitzbogenfenster, und andre geringere
Theile gothischer Ausstattung, die aber auf Totalität keinen sonderlichen Anspruch macht.

Ein eigenthümliches Prachtstück dekorativer Architektur ist
das Nordportal der Kirche S. Maria maggiore zu Bergamo:[2]
zierlich rundbogig, mit säulengetragenem Vorbau, die Säulen
nach altlombardischer Weise auf Löwen ruhend, der Bogen von
gothischem Bogenwerk umsäumt; darüber luftig spitzbogige Tabernakel-Architekturen mit Statuen.

Monza besitzt zwei Monumente der jüngern lombardischen
Gothik, die, von verschiedenartiger Beschaffenheit, beiderseits eine
vorzüglich charakteristische Bedeutung haben. Das eine ist die
kleine Kirche S. Maria in Strata[3] vom J. 1357, mit einer
in glänzendem Reichthum dekorirten Ziegelfaçade. Der untere
Theil ist roh erneut; in geschossartiger Folge sind über demselben
eine kleine spitzbogige Nischengallerie, eine grosse Fensterrose
und Spitzbogenfenster mit Maasswerk zu ihren Seiten, der Giebelbau mit Spitzbogennische, kleinen Rundfenstern und voller
Krönung angeordnet. Ein innerliches Princip, auch nur ein wahrhaft rhythmisches Verhältniss ist in dieser Composition nicht
wahrzunehmen; alle Sorge ist statt dessen nur dem Detail zugewandt; aber dieses ist dafür in einer so glänzenden und feinen
Weise durchgebildet, dass das Werk in diesem Belang als das
Meisterstück der lombardischen Ziegeldekoration bezeichnet werden
darf. — Das zweite Gebäude ist der Dom,[4] ein dreischiffiger
Bau mit Kapellenschiffen, im inneren System mit Säulen, doch
durch Modernisirung entstellt. Die Paçade ist ein prächtiger
Marmorbau, fünftheilig nach Maassgabe der innern Anlage, in
dem Wechsel dunkler und heller Schichten, welche durch die
Dekoration des Portales, der Spitzbogen- und Rosenfenster, zier-
lichen Täfelwerks, kleiner Gallerien, u. drgl. unterbrochen werden.
Auch hier ist, in der Austheilung dieser Stücke, ein dekoratives
Gefühl das allein Maassgebende, mit vollerer Gesammtwirkung,
obgleich ebenfalls ohne sonderlich durchgeführte Rhythmik. In
den Mustern, welche jene Täfelungen füllen, sind die in der
Ziegeltechnik (wie bei S. M. in Strata) vorgebildeten Motive
nachgeahmt.

---

[1] Runge u. Rosengarten, arch. Mittheilungen über Italien, Heft II, Bl. 5. —
[2] Street, p. 56. Hope, t. 95. Du Sommerard, les arts au moy. âge, I, II, t. 13.
— [3] Runge, Backstein-Archit, Bl. 7, 22 (7). Street, p. 229. Hope, t. 76. —
Wiebeking, II, t 70. H. G. Knight, II, t. 39. Hope, t. 80.

Der Dom von Como [1] wurde seit 1396 erbaut. Das System des Innern gehört zu 'den besser wirkenden im Sinn italienischer Weiträumigkeit; die Pfeiler sind viereckig, mit vier Halbsäulen. Chor und Querschiff rühren aus der Epoche der Renaissance her. Die Façade ist wiederum ein glänzender Marmorbau, mit rundbogigen Portalen, schlanken Spitzbogenfenstern von edler Maasswerkfüllung, reichem Rosenfenster und andrer Ausstattung; aber der Austheilung fehlt auch hier das tiefere rhythmische Gefühl. Ein verwunderlicher Missverstand ist es, dass die Streben, welche die Paçade einschliessen und ihre Theile sondern, völlig in kleine Bildernischen aufgelöst sind, während ihnen zur Seite sich die vollen Wandflächen hindehnen.

Ebenfalls im J. 1396 wurde die Kirche der Certosa bei Pavia [2] begonnen. Das Innere ihres Schiffbaues hat ein in seiner Totalität würdevoll entfaltetes System, aus einer eigenen

Innere Ausicht der Certosa bei Pavia. (Nach Bussi.)

Verschmelzung romanischer und gothischer Gefühlsweise hervorgegangen. Sie ist dreischiffig, mit Kapellenschiffen. Die Mittelschiffpfeiler, in quadratischen Abständen stehend, sind viereckig, mit Halbsäulen und eingelassenen Eckdiensten; die

[1] Wiebcking, II, t. 63. Hope, t. 84. Chapuy, moy. âge pitt., No. 103 —
[2] Durelli, la Certosa di Pavia. Wiebcking, II, t. 61, 64, 65.

vorderen Dienste steigen zum Mittelschiffgewölbe empor, doch
mehrfach von starken Kapitälkränzen oder Gesimsen unterbrochen.
Die Scheidbögen, die Eingangsbögen der Seitenkapellen, die
Bögen kleiner Fenster, welche in dunkle Räume über den letztern
führen, sind halbrund; die Gewölbe spitzbogig und, durch Querrippen, welche auf Consolen oder Wanddiensten aufsetzen, sechstheilig. Eine zierlich farbige Musterung der Gewölbekappen,
zum Theil mit Sternen, ist von eigenthümlichem Reize. Die
Seitenschiffe sind hoch, durch dies Verhältniss zu der feierlichen
Wirkung des Innern wesentlich beitragend; nur kleine Kleeblattfenster, im Einschluss der Schildbögen, öffnen sich in den Oberwänden nach aussen. Chor und Querschiff, zu den jüngern
Theilen des Baues gehörig, kehren völlig zu einer romanischen
Disposition zurück; ihr Aeusseres, sowie das des Langschiffes,
zeigt ebenfalls die, zu den Motiven der Renaissance hinüber-
leitende Wiederaufnahme der romanischen Motive. (Vrgl. Bd. II,
S. 90). Die Façade ist ein überaus glänzender Renaissancebau.

–––––––––

Abweichend von dem Style der lombardischen und von dem
der gesammten italienischen Gothik ist der Bau des Domes
von Mailand. [1] Er wurde im J. 1386 gegründet und, nach
langsamen Fortschritten und wechselvollen Schicksalen, erst in
neuerer Zeit vollendet. Dennoch bildet er, wenig Einzeltheile
ausgenommen, ein Ganzes von gleichartigem Gusse. Es ist ein
Werk von nordischer Anlage, wenn auch nicht ohne Modificationen
des nordischen Systems, welche der Gefühlsweise des Südens angehören. Die verwickelte Baugeschichte des Domes lässt mehrfach und an gewichtiger Stelle die Namen deutscher Meister
hervortreten; einen von diesen, Heinrich von Gmünd, hält
man für den ursprünglichen Meister des Domes. Jedenfalls
deuten nicht bloss die Grundzüge in Anlage und Aufbau auf
die jüngere Gothik Deutschlands; auch das vorzüglichst charakteristische Detail bezeugt diese Verwandtschaft, — und zwar
völlig bestimmt, einen Anschluss an jene böhmisch-schwäbische
Schule, zu deren Hauptwerke namentlich der Prager Dom gehört und von deren Meistern einige der namhaftesten aus der
Stadt Gmünd herstammen. — Der Dom zeichnet sich ebensosehr
durch seine kolossalen Dimensionen und das glänzende Material
(durchweg weissen Marmor), wie durch die Klarheit der Anordnung im Allgemeinen und die reiche Fülle des Details aus.
Die Gesammtwirkung ist die einer grossartigen Majestät, einer

[1] Wiebeking, I, t 27, 41; II, t 57, 61, 69. D'Agincourt, t. 41 (14—18), 65
(17), 68 (47), 70 (31). H. G. Knight, II, t. 37, 38. Chapuy, moy. âge mon.,
No. 225; moy. âge pitt., No. 111, 145. U. A. m. *Denkmäler der Kunst, T.* 57
(7—10).

machtvollen Fülle; aber der innern Durchbildung fehlt, wie den deutschen Werken jener Schule, welche hier als vorzüglichst einflussreich erscheint, die innerlich lebenvolle Entwickelung, und die Modification des nordischen Systems nach den Bedingnissen des Südens hat zu noch weiteren Hemmungen dieser Entwicklung geführt. Der Grundplan des Domes ist völlig regelmässig und ein fünfschiffiger Langbau, von einem dreischiffigen Querbau durchschnitten; an den Stirnseiten der letztern kleine dreiseitige Absiden vorspringend; der Chor dreischiffig (doch mit Sakristeien auf den Seiten, welche das fünftheilige Grundverhältniss auch hier festhalten) dreiseitig schliessend, mit parallel dreiseitigem Umgange. Die Schiffe steigen bedeutend und in nur mässigen Höhenabständen übereinander empor; in der Mitte der Vierung eine abermals höhere Kuppel, über welcher sich als äussere Krönung eine pyramidale Spitze erhebt. An einem eigentlichen Thurmbau fehlt es, dem allgemeinen Charakter des Südens entsprechend. Die Maasse sind: 448 Fuss 6 Zoll innerer Länge; 175 F. 6 Z. gesammter Schiffbreite; 52 F. 4 Z. Mittelschiffbreite, 147 F. 9 Z. Mittelschiffhöhe, 97 F. Höhe der innern Seitenschiffe, 75 F. Höhe der äussern Seitenschiffe; 201 F. 6 Z. Kuppelhöhe; 339 F. 6 Z. Höhe der Kuppelspitze. Das innere System zeigt durchgehend gegliederte Pfeiler, mit acht breit birnförmigen Diensten in der unschön charakteristischen Form jener schwäbisch-böhmischen Schule. Statt der Kapitäle tragen die Pfeiler des Mittelschiffes einen hohen dekorativen Aufsatz, einen Kranz von Tabernakel-

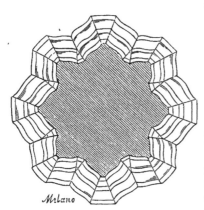

Dom zu Mailand. Profil der Schiffpfeiler.

nischen bildend. Wenn mit dieser, immerhin prächtigen Anordnung die aufsteigende Bewegung entschieden abgeschnitten wird, so ist die weitere Entwickelung des Pfeilerverhältnisses zum Gewölbe noch weniger befriedigend; geringfügige Dienste setzen über jenen Kapitälkränzen auf, in nicht erheblicher Entfernung bereits die Rippen des Gewölbes aufnehmend. Noch mangelhafter ist die Anordnung an den Pfeilern zwischen den Seitenschiffen; hier sind es nur die dem inneren Seitenschiff zugekehrten Dienste, welche die Höhe der Mittelschiffpfeiler erreichen und ein entsprechendes Stück jenes reichen Kapitälkranzes und über diesem sofort die Gewölbrippen tragen, während die übrigen Dienste um Einiges tiefer bereits durch einen andern geringeren Kapitälkranz abgeschnitten werden, —

eine Zerstückelung der Form, welche die Einheit des Eindruckes
scharf verletzt. Beiderseits, im innern Seitenschiff und im Mittelschiff, haben die oberen Wände nur geringe Höhe und sind
(während Rosen- oder Kleeblattfenster jedenfalls angemessener
gewesen wären) von kleinen Spitzbogenfenstern der üblichen Anordnung, die in der Wand eine sehr verlorene Stellung einnehmen,
durchbrochen. Alle diese Uebelstände rühren von der Reduction
der Aufgipfelung der oberen Räume auf ein thunlichst geringes
Maass, von der Unfähigkeit, solcher Anordnung eine selbständige
Durchbildung zu geben, oder von dem Mangel an Muth zu einer
entscheidenden Abweichung her. Doch ist in der That der
Mangel für die räumliche Totalwirkung nicht von allzuschwerem
Gewicht. Das Fünfschiffige der Anordnung lässt, bei den ansehnlichen und nur mässig unterschiedenen Höhen der Räume,
das Element des Hallenbaues vorherrschen, leitet somit den Blick
in die Seiten und Breiten, wo durch die grossen Fenster der
Seitenschiffe das Hauptlicht einströmt, und jene mächtigen Pfeiler-
krönungen, welche die Höhenbewegung abschliessen, tragen
immerhin dazu bei, diese Wirkung zu verstärken. Es ist etwas
Zwitterhaftes in dem innern System; aber es drängt sich dem
Auge nicht allzu empfindlich, nicht als das Vorwiegende und
Entscheidende entgegen. — Die Fenster der Seitenräume haben
durchgängig eine glänzende Maasswerkfüllung, die sich in den
breiten Prachtfenstern, namentlich in denen des Chorumganges,
durch überaus stattliche Maasswerkrosen im Bogeneinschluss, zur
reichsten Fülle steigert. Die Aussenflächen, die der Wände wie
der mässig vortretenden Streben, sind durchgängig mit einem
Leistenmaasswerk bekleidet, welches an den Dachsäumen mit
einem Zinnenwerk zierlicher Spitzgiebel gekrönt ist. Ringsum
schiessen schlanke Fialenthürmchen empor, während zierlich
dekorirte Strebebögen die flachgeneigten Dachungen überbrücken.
Der Kuppelthurm geht von der Laterne der Kuppel aus, in
luftiger Schlankheit emporsteigend, am Fusse von Fialen umgeben
und durch ein phantastisches Bogenwerk zwischen den Fialen
der äussern Kuppelecken gestützt. Der Gesammteindruck des
Aeussern, in seinen gediegenen und mustererfüllten Massen, in
der Fülle des leichten Zacken- und Spitzenwerkes, welches überall
seine Säume und Krönungen bildet, ist der einer wundersam
phantastischen Erhabenheit. Nur die Façade, obgleich ebenfalls
nicht ohne reiche Ausstattung, steht gegen die Wirkung des
Uebrigen zurück. Sie hat die übliche lombardische Gesammt-
anordnung einer breiten gleichartigen Masse, fünftheilig mit
Fialenstreben, dabei mit einer zerstreuten und, im Verhältniss
zum Ganzen, kleinlichen Fensteraustheilung. Zugleich mischen
sich hier, in den Portalen und der Mehrzahl der Fenster, fremd-
artig moderne Formen ein. Dies sind Ausführungen nach dem

Entwurfe des Pellegrino Tibaldi, welcher von 1570 ab den Dombau leitete.

In den Kirchen der östlichen Distrikte von Ober-Italien machen sich wiederum verschiedenartige Weisen in Auffassung und Behandlung geltend. Venedig [1] hat zwei Kirchen von Bedeutung, deren Anlage, wie es scheint, auf die Frühepoche der italienischen Gothik zurückgeht und in weiteren Kreisen Einwirkungen ausübte. Die eine ist S. Maria Gloriosa dei Frari, [2] gegründet 1250, in Haupttheilen schon 1280 fertig, doch erst 1492 beendet. Nicola Pisano wird (freilich ohne hinreichende Begründung) als Urheber des Planes genannt. Die Anordnung des Innern ist weit- und hochraumig, mit auffällig schmalen Seitenschiffen; das System zeigt charakteristisch frühgothische Formen: kräftige Rundsäulen mit Knospenkapitälen, Pilasterdienste mit feinen Ecksäulchen, breite spitzgewölbte Scheidbögen in einer ebenfalls den Frühcharakter bezeichnenden Gliederung, u. s. w. Die Façade ist höchst schlicht. Der Chorbau, polygonisch, mit reichen doppelgeschossigen Spitzbogenfenstern, und eine Reihe ähnlich behandelter Kapellen an der Ostseite des erheblich verlängerten südlichen Querschifflügels, tragen ein jüngeres Gepräge, in ihren zierlich edlen Formen auf das 14. Jahrhundert deutend. — Die zweite Kirche ist S. Giovanni e Paolo. [3] Sie ist um Einiges jünger, angeblich von Schülern des Nicola Pisano gebaut; ihre Einweihung fällt in das J. 1430. Die Disposition und das System des Inneren schliessen sich dem der eben genannten Kirche an; doch sind, bei noch breiteren (quadratischen) Säulenabständen, auch die Seitenschiffe breiter angelegt, so dass die Wirkung des Weitraumigen zur vollen Entfaltung kommt. Die unvollendete Façade hat unterwärts spitzbogige, hohe und massenhafte Wandarkaden, (hiemit an die Façade von S. Antonio zu Padua erinnernd und eine mögliche Uebereinstimmung in dem Verschiedenartigen, was dem Nicola Pisano und seiner Schule zugeschrieben wird, bezeichnend.) — Von andern Kirchen Venedigs sind S. Stefano [4] (1325) mit zierlicher und klar geordneter Backsteinfaçade, — S. Gregorio [5] (1342) mit ähnlichen trefflichen Details, — und S. Maria dell' Orto [6] (nach 1473) mit einer Façade in glänzend schweren Spätformen hervorzuheben.

---

[1] Vergl. Selvatico, sulla architettura ecc. in Venezia, p. 98. — [2] Wiebeking, II, t. 72. Runge, Beitr. zur Backst.-Arch., Bl. 19, 20 (1, 2), 44 (5, 6). Street, p. 132, ff. Hope, t. 85. Willis, remarks on the arch. of the middle ages, pl. 7. — [3] Le fabbriche più cospicue di Venezia. III. Wiebeking, a. a. O. Runge, a. a. O., Neue Folge, Bl. 13 (1), 21 (2). — [4] Runge, a. a. O., erste Folge, Bl. 20 (3, 4), 21 (3), 26 (6). — [5] Ebenda, N. F., Bl. 21 (1). — [6] Hope, t. 68.

In Vicenza[1] ist zunächst der Dom zu nennen, ein schlicht einschiffiger Bau mit Seitenkapellen und mit reicher Façade, die mit einer teppichartig bunten Marmorbekleidung versehen ist. — Sodann zwei Ziegelbauten: S. Lorenzo,[2] vom J. 1280, mit einer Façade von energischer, noch in etwas alterthümlicherer Fassung (etwa nach dem, bei der Façade von S. Giovanni e Paolo zu Venedig begonnenen System), — und S. Corona,[3] deren Façade, durch maassvolle Anordnung und reine Form der äusseren Ausstattung bemerkenswerth, ein vorzüglich charakteristisches Beispiel schlichten lombardischen Façadenbaues ausmacht.

S. Corona-Vincenza.

S. Corona zu Vicenza. (Nach Runge.)

Verona hat in S. Eufemia (soviel davon nicht erneut) einen Bau von schlichter, noch romanisirend lombardischer Erscheinung, — in S. Nazario das Gepräge einer einfach gothisirenden Umbildung des alten Musters. — S. Anastasia,[4] ebendaselbst, gehört zu den schätzbarsten Beispielen italienischer Gothik. Es ist die Kirche eines Dominikanerklosters, welchem im Jahr 1261 jene Stätte überwiesen ward; der Bau wird, der Hauptsache nach, in die Frühzeit des 14. Jahrhunderts fallen. Das Innere ist ein Säulenbau von leichten und weiten Verhältnissen; über den kräftigen Kapitälen der Säulen setzen Pilaster als Gurtträger auf; in den nicht hohen Oberwänden des Mittelschiffes sind kleine kleeblattverzierte Kreisfenster; in den Seitenschiffwänden schlanke Spitzbogenfenster mit schlichtem Maasswerk. Die Gewölbe und Andres haben eine reiche farbig dekorative Ausstattung.[5] Die Façade ist unvollendet geblieben und nur durch das stattliche Spitzbogenportal von Bedeutung. Zur Seite der Façade steht die kleine Kirche S. Pietro Martire, wiederum in der schlichtesten Weise italienisch gothischer Ausstattung. — S. Fermo,[6] ebenfalls aus dem Anfange des 14. Jahrhunderts, ist ein einschiffiger Bau, das Innere vorzugsweise nur durch eine (jüngere) Holzwölbung, in abgestuft tonnenartiger Form und reicher Ornamentirung von Bedeutung. Die Façade, in den Flächen mit wechselnden Schichten von Ziegeln und weissem Marmor, zeichnet sich durch maassvoll klare Anordnung und malerische Wirkung eigenthümlich aus: ein stattliches

[1] Chronologische Notizen über die dortigen Bauten von v. Eitelberger nach Magrini (dell' architettura in Vicenza) in den Mittheilungen der K. K. Central-Commission. II, S. 153. - [2] Runge, a. a. O, Neue Folge, Bl. 17 (3, 6). — [3] Ebenda, Bl. 14 (6), 17 (1, 2, 4, 5). — [4] Wiebeking, II, t. 71. - [5] Proben bei Gruner, specimens of ornamental art. — [6] Street, p. 103, f. Hope, t. 37. Runge, Backst.-Arch, Bl. 43 (1), Neue Folge, Bl 23 (5). Wiebeking, II, t. 71.

Rundbogenportal und zierliches Nischenwerk (mit andern Einbauten)
zu den Seiten; darüber eine Gruppe schlanker Lanzetfenster, und
über diesen der reichlich gekrönte Giebelbau. — Die jüngeren
Theile des Domes [1] von Verona, namentlieh der Innenbau, gehören der gothischen Schlusszeit an. Das Innere hat das übliche
weiträumige System, in nicht ungünstigen Verhältnissen, aber in
übler Behandlung. Die Pfeiler, viereckigen Kernes, haben vier
Halbsäulen und vier Eckdienste, diese jedoch sämmtlich in einem
stumpfbreiten birnenartigen Profil, welches als eine barbaristische

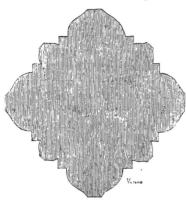

Dom zu Verona   Profil der Schiffpfeiler.
(F K.)

Nachbildung des Pfeiler-Profils
des Mailänder Domes gelten darf.
Bei den Veränderungen der alten
Façade (Thl. II, S. 73), welche
der Umbau des Domes veranlasste, wurden derselben schlank
spitzbogige Seitenfenster eingefügt.

Als Monumente benachbarter
Orte schliessen sich an: zu Ri-
voli (nordwestlich von Verona)
die Kirche S. Antonio di Ren-
versa, [2] deren Façade, namentlich
durch hochaufsteigende Giebel-
dekorationen über den Portalen,
von eigenthümlichster Wirkung
ist; — zu Mantua die schlichte,
doch mit Einzeltheilen von reicher und anmuthiger Gliederung
versehene Ziegel-Façade von S. Francesco, [3] und der Thurm
von S. Andrea, [4] gleichfalls durch reiches Ziegelornament, namentlich in den Fenstern, ausgezeichnet.

- - - - - - - -

Bologna hat verschiedene Kirchen frühgothischer Zeit,
sämmtlich im Ziegelbau, von deren ursprünglicher Anlage charakteristische Einzeltheile erhalten sind: S. Domenico, [5] mit
alterthümlichem Thurm und bemerkenswerthem Chorbau, die
Streben des letzteren oberwärts durch Stichbögen verbunden; —
S. Francesco, [6] dessen schlichte Façade durch zierlichen Giebelschmuck (u. A. mit emaillirten Rundplatten), ausgezeichnet
ist, zugleich mit stattlichen Spättheilen, namentlich einem reich
dekorirten Thurme; — S. Giacomo maggiore, mit einfacher
Façade von besonders glücklicher Austheilung: einem kräftigen

---

[1] Wiebeking, II, t. 69. Hope, t. 27. — [2] Hope, t. 92. — [3] Runge, Backst.-
Arch., N. F., Bl. 16 (1—5). — [4] Street, p. 187. — [5] Runge, erste F., Bl. 36
(3), 38 (1. 3). — [6] Ebenda, Bl. 25, 31, 33 (1, 2, 3, 5).

Rundbogenportal mit Giebel, schlanken Spitzbogenfenstern zu
den Seiten und reicher Bekrönung [1] (ebenfalls ·mit der Zuthat
emaillirter Rundtäfelchen). — Anderweit sind zu nennen: S. Martino maggiore, vom J. 1313, — und die Servitenkirche,
vom J. 1383.

Die Hauptkirche von Bologna, S. Petronio, [2] wurde
1390 nach dem Plane des Antonio Vincenzi begonnen. Die
Absicht ging, im Wetteifer mit den Prachtkirchen andrer Orte
Italiens und namentlich mit dem Dome von Florenz, auf kolossale Verhältnisse und entsprechende Wirkung aus. Ein Langbau
von 608 (nach andrer Angabe von 642) Fuss sollte von einem

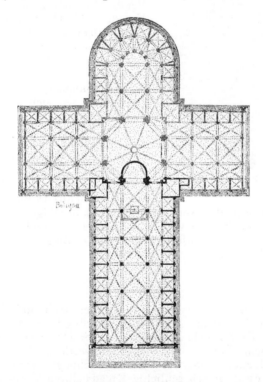

Grundriss von S. Petronio zu Bologna. (Nach Wiebeking.)

mächtigen Querschiff durchschnitten werden und über der Vierung
sich eine kolossale Kuppel erheben. Die Anlage war durchgehend
als eine fünfschiffige gedacht, in abgestuften Höhen; die Joch-
felder des Mittelschiffes quadratisch; die äusseren Seitenschiffe

---

[1] Runge, erste Folge, Bl. 6 (1). — [2] Wiebeking, II, t. 66, 69.

in Kapellen getheilt, je zwei auf ein Jochfeld kommend; der
Chor, im Halbrund schliessend, von dem Umgange und paralle-
lem Kapellenkranze umgeben; die Kuppel, achtseitig, in der
Breite des Mittelschiffes und der inneren Seitenschiffe, von vier
Thürmen in den Ecken der äusseren Seitenschiffe umgeben. —
Hievon ist aber nur der Bau der vorderen Langschiffe bis zum
Ansatz des Querschiffes zur Ausführung gelangt; eingezogenes
Mauerwerk und eine Absis in der Breite des Mittelschiffes schlies-
sen ihn ab. Das Vorhandene hat eine Gesammtlänge von 360 F.,
im Mittelschiff 46 Fuss breit und 128 1/2 F. hoch, in den inneren
Seitenschiffen 24 F. breit und 80 F. hoch, in den Kapellenschiffen 23 F. tief und 56 F. hoch. Im Aufbau zeigt sich eine
Annäherung an das Schiffsystem des Domes von Florenz, doch
nicht ohne erhebliche Modificationen. Es ist dasselbe Gesetz des
Weiträumigen mit kurzem Pfeilerverhältniss und absichtlichem
Geltendmachen des letzteren, während das entschiedene Beharren
auf der Horizontallinie (wie namentlich durch die Consolengallerie an den Oberwänden des Florentiner Domes) fehlt und die
mehrfach abgestufte Raumgliederung, nach den Breiten und nach
den Höhen, der räumlichen Bewegung eine grössere Freiheit
giebt. Es ist ein wenig mehr Annäherung an das Princip der
nordischen Gothik, auch in der Behandlung des Details; aber es
ist durch diese Modificationen doch wiederum nur, im Widerspruch der räumlichen Dispositionen, der Formen ihres Einschlus-
ses, der Austheilung und Gestaltung der Einzeltheile, ein zwitterhaftes Wesen erreicht. Die Schiffpfeiler haben eine Kreuzform,
mit abgekanteten Ecken und vier zwischengestellte Säulendiensten; sie tragen sehr starke Kapitälkränze, aus drei Blattreihen
bestehend, und darüber die ähnlich hohen, als ähnliche Halb-
pfeiler gebildeten Gurtträger des Mittelschiffgewölbes, an deren
Fuss zugleich die in steiler Spitzbogenform gebildeten Scheidbögen aufsteigen. Aehnlich steile Spitzbögen haben die Zugänge
zu den Kapellen, aus denen die äusseren Seitenschiffe bestehen.
Kreisfenster, mit Bogenzacken eingesäumt, sind in den Oberwänden befindlich; in den Wänden der Kapellen je zwei schlanke
Spitzbogenfenster mit Maasswerk und über ihm ein ähnliches
Rund. — Die Façade, nach Maassgabe des Innenbaues dreifach
abgestuft, ist unvollendet geblieben. Nur ihr Untertheil hat eine
Marmorbekleidung, etwa nach florentinischem Muster, in einer
nicht ganz reizlosen Verbindung italisch gothischer und antiker
Motive.

Es sind schliesslich noch einige andre kirchliche Bauten in
den östlichen Districten von Ober-Italien anzureihen. In Mo-
dena die Kirche S. Francesco. — In Ferrara der Obertheil
der Façade des Domes, wo sich die untere romanische Anlage
in stattlichen gothischen Arkaden und mit dreifachem Giebel-
schluss fortsetzt (vergl. Bd. II, S. 82); — und die Façade von

S. Stefano,[1] ein schlichter Spätbau, der in seinen reichen
Krönungsgesimseu sehon Renaissanceformen mit den gothischen
vereinigt. — In Rimini die Kirchen S. Maria in Acumine.[2]
ein schlichter Ziegelbau vom Jahr 1373, und S. Francesco,[3]
einschiffig, mit Seitenkapellen, durch spätere Ausstattung im Renaissancestyl (von L. B. Alberti) berühmt. — Weiter südlich, in
der ankonitanischen Mark, der Dom von Pesaro, mit einfach
edler Façade von lombardischer Disposition; das alterthümliche
Portal von S. Agostino, ebendaselbst; — das zierlich spätgothische Portal von S. Nicola zu Tolentino. U. A. m.

Profanbau.

Einen beachtenswerthen Gegensatz gegen die bunte Mannigfaltigkeit des Kirchenbaues von Ober-Italien in der Epoche der
gothischen Architektur, gegen den Mangel eines durchgehenden
Systems, gegen die Willkür in der Behandlung der dekorativen
Ausstattung, die hier überall, in grösserem oder geringerem
Grade, bemerklich werden, bildet der Pallastbau dieser Districte.
Er entfaltet sich in bestimmten Grundzügen, an denen festgehalten wird und deren Formenbildung dem Gange der stylistischen Entwickelung folgt. Er gewinnt ein reiches, bedeutungsvolles Gepräge, dem es an glänzender Ausschmückung nicht
fehlt, aber in der Weise, dass die Dekoration die festen und bestimmenden Grundformen nirgend überwuchert. Er giebt den
Interessen des Lebens, und namentlich ihrer öffentlichen Seiten,
den Ausdruck eines eigenthümlichen maassvollen Adels.

Zunächst und vorzugsweise gilt dies von den für öffentliche
Zwecke errichteten Gebäuden, den Sitzen der städtischen Behörden, den für einzelne Zwecke der Verwaltung, für besondres ge-
nossenschaftliches Bedürfniss ausgeführten Anlagen. Sie haben
ziemlich durchgehend die Anordnung einer offnen kräftigen Pfeilerhalle im Erdgeschoss, die, einen schattig luftigen Versamm-
lungsraum gewährend, mehrfach die gesammte Grundlage des
Gebäudes einnimmt, und geschlossener Räume über diesem, welche
sich durch stattliche Fenster öffnen, zuweilen durch vorspringende
Altane die Bezugnahme auf den freien Raum ausserhalb und auf
das harrende Volk, welches diesen erfüllt, ankündigen und oberwärts, in kriegerischer Reminiscenz, mit Zinnen abgeschlossen
sind. Gelegentlich erhebt sich der städtische Glockenthurm zur
Seite dieser Gebäude, ähnlich vie der Belfried der niederländischen Stadthäuser. Die Feststellung des baulichen Systems gehört, wie es scheint, der gothischen Frühepoche an; die untere

---

[1] Runge, a. a. O., Bl. 27 (2), 28 (3). — [2] D'Agincourt, t. 42 (20, 21). —
[3] Ebenda, t. 42 (23), 51,

Halle bildet insgemein eine schlichte Spitzbogenarchitektur, während die Fenster des Obergeschosses häufig noch im Rundbogen überwölbt und im Einschluss desselben mit zierlichen, an die Weisen des Uebergangsstyles erinnernden Arkaden ausgefüllt sind. In einigen Beispielen prägt sich dasselbe System sodann in den reichen Formen der jüngeren Gothik aus. Es sind nur wenig städtische Gebäude öffentlichen Zweckes vorhanden, die, der in Rede stehenden Zeit angehörig, eine abweichende Anlage zeigen.

Zu den früheren und schlichteren Gebäuden der Art gehört der sogenannte „Broletto" von Monza, [1] ein fester Bau, mit im Ganzen noch schlichteren und in minder stattlicher Wirkung vertheilten rundbogigen Arkadenfenstern, zu dessen Seite ein kräftiger Thurm aufragt; — ebenso der Broletto von Como, [2] an die Façade des Domes anstossend, von mässigem Verhältniss, aber durch den Wechsel verschiedenfarbiger Steinschichten und regelmässige Austheilung schon auf eine ausgezeichnete Wirkung berechnet. — Gleichfalls ein Frühbau ist der Palazzo pubblico zu Piacenza, [3] inschriftlich im J. 1281 begonnen. Er ist das

Palazzo pubblico zu Piacenza. (Nach Osten.)

würdevollste Beispiel dieser Gattung. Seine Vorderfront bildet unterwärts eine Halle von fünf hohen Bögen, aus Haustein und ebenfalls in farbigen Schichten, im Obergeschoss einen Ziegelbau

---

[1] Street, brick and marble, p. 228. — [2] Ebenda, p. 232. Hope, t. 57. Chapuy, moy. âge pitt., No. 103. — [3] F. Osten, die Baudenkmale der Lombardei, T. 19. Runge, Beitr. zur Backst.-Arch., Neue Folge, Bl. 20, 22. H. G. Knight, II, t. 30. Hope, t. 24.

mit sechs grossen halbrunden Fensterbögen, die mit breiter, reich-
gegliederter Einfassung umgeben, mit zierlichen Säulenarkaden
und in dem Bogenfelde über diesen mit verschiedenartiger
Musterung ausgefüllt sind; gekrönt von einem Friese sich durch-
schneidender Rundbögen und stattlichem Zinnenwerk. — Von
ähnlicher Anlage ist der Pal. pubbl. zu Cremona,[1] doch hat
das Obergeschoss hier einfachere Rundbogenfenster. Ein zweites
Gebäude, ebendaselbst, als „Casa delle Finanze" oder als
Gerichtshalle bezeichnet,[2] enthält, bei geringer Ausdehnung, im
Obergeschoss spitzbogige Arkadenfenster, die, wiederum ähnlich
wie beim Pal. pubbl. von Piacenza, die zierlichste Umrahmung
und Musterung haben. (Dies Gebäude dient gegenwärtig als
Schulhaus und die Halle des Erdgeschosses ist verbaut). —
Wesentlich jünger ist der Broletto zu Bergamo,[3] mit breiten
Pfeilern im Erdgeschoss und Säulen als Trägern für das Gewölbe
seines Innern und mit reich gothischen Maasswerkfenstern im
Oberbau. — Ebenso, als ein anmuthvoller Zierbau gothischer
Spätzeit, die Börse (Mercanzia, Loggia dei mercanti) zu Bologna.[4]
Sie hat unterhalb in der Vorderfront eine hochspitzbogige Doppel-
arkade mit Pfeilern, die einigermaassen auf die Bildung der
Schiffpfeiler von S. Petronio zurückdeuten, mit zierlich gegliederten
Bögen und Medaillons zur Füllung ihrer Eckzwickel; oberwärts
zwei schmuckreiche Spitzbogenfenster und zwischen diesen einen
Altan, der von einem Baldachin mit hohen Spitzthürmchen über-
dacht wird, während ein reiches bogengetragenes Gesims das
Ganze krönt. — Verwandtes in der Anlage hat auch die im
J. 1316 gegründete Loggia degli Osii zu Mailand,[5] an der
Piazza dell' archivio, unterwärts mit einer rundbogigen (moderni-
sirten?) Säulenhalle, darüber mit einer zweiten Halle von Spitz-
bogen auf Säulen und über dieser, in der Mitte, mit kleinen
Arkadennischen für Bildwerk.

Eine unregelmässige Anlage, nur durch Einzelstücke jüngeren
gothischen Styles bemerkenswerth, zeigt der Broletto zu Brescia.[6]
— Anderweit sind der (neuerlich modernisirte) Pal. della ragione
zu Ferrara vom J. 1326 und der Pal. della ragione zu Padua
zu erwähnen.

In andrer Weise gestalten sich ein Paar fürstliche Residenzen,
die, ihren alten Theilen nach, wiederum der gothischen Frühepoche angehören. Die eine ist das Schloss der Visconti zu
Pavia,[7] ein weiter, nach aussen fester Bau, durch eine glänzende

---

[1] Runge, a. a. O., erste Folge, Bl. 45 (1, 2.) — [2] Ebenda, Neue F., Bl. 6
(1—5). Street, p. 198. — [3] Street, p. 53. — [4] Runge, erste F., Bl. 32 (3—6),
35; neue F., Bl. 19 (2). H. G. Knight, II, t. 40. Wiebeking, II, t. 53. —
[5] Chapuy, moy. âge mon., No. 353. Hope, t. 56. — [6] Street, p. 66. — [7] Gailhabaud, l'architectura du V. au XIV. siecle etc., (liv. 31, 57, 63, 94, 119.)

Hofanlage ausgezeichnet: im Untergeschoss ringsum eine offne
Säulenhalle mit breiten Spitzbögen; im Obergeschoss grosse
Arkadenfenster in rundbogigem Einschluss, die Arkadensäulchen
mit kleinen gebrochenen Spitzbögen, die grossen Bogenschilder
mit schmuckreichen Rosetten; darüber eine ansehnliche Zinnen-
krönung. — Die zweite dieser Residenzen ist der alte Theil des
Schlosses von Mantua,[1] aus dem Beginn des 14. Jahrhunderts.
Er öffnet sich im Erdgeschoss ebenfalls durch eine spitzbogige
Säulenhalle und hat oberwärts, über einem kleinen (verbauten)
Zwischengeschoss, stattliche Spitzbogenfenster, die in eigenthüm-
licher Behandlung, aus Ziegeln und Haustein ausgeführt, eine
Einwirkung venetianischer Dekorationsweise verrathen.

Ihnen reiht sich der Dogenpallast von Venedig[2] an.
Dies ist ein weiträumiger und verschiedenzeitiger Bau, der, an
die Südseite der Markuskirche anstossend, den Raum zwischen
letzterer, der Piazetta, dem Molo und einem kleinen Seitenkanal
(Rio di Palazzo) umgiebt, an der Piazetta 230 Fuss, am Molo
220 F. lang. Die älteren Theile des Vorhandenen gelten insgemein als ein Werk des Filippo Calendario, der als
Theilhaber der bekannten Verschwörung des Dogen Marino
Falieri gegen die Uebergewalt der venetianischen Aristokratie
im J. 1355 hingerichtet ward. Man schreibt ihm die Anlage
des südlichen, am Molo belegenen Hauptflügels zu; der schmale
Flügel, welcher von diesem an der Piazetta bis zur Markuskirche
hinlauft und allerdings das System des Façadenbaues genau
fortsetzt, sei in späterer Zeit hinzugefügt.[3] Auch hier erscheint
im Erdgeschoss eine offne Spitzbogenhalle, auf schweren und
kurzen Säulen, die ein reiches, zumeist mit figürlicher Sculptur
versehenes Blattkapitäl tragen. Darüber jedoch ist eine hohe
Gallerie angeordnet, mit leichteren Säulen und prächtigem durchbrochenem Rosettenmaasswerk über den Bögen, gleich der unteren
Halle rings um beide Façaden laufend, den eigenthümlichsten
Reiz luftiger Bewegung, den Genuss mannigfaltiger Aus- und
Einblicke gewährend. Erst über der Gallerie erhebt sich die

---

[1] Street, p. 183, f. — [2] Le fabbriche più cosp. di Venezia, II. Wiebeking,
I, t. 41. II, t. 68. Chapuy, moy. âge mon., No. 22, 46, 54, 153, 301, 336. —
[3] Selvatico sulla architettura ecc. in Venezia, p. 125, setzt den ganzen Bau,
auf Grund einer urkundlichen Notiz und chronikalischer Nachrichten, erst
nach 1424. Ich muss den Sachverhalt einstweilen dahingestellt lassen, be-
merke jedoch, dass die Porta della Carta vom J. 1439 (s. unten) um ein sehr
Erhebliches jünger erscheint als das System, welches dem Uebrigen zu Grunde
liegt. Parker will den Oberbau des Pallastes gar erst in das 16. Jahrhundert
setzen. Ueber die zur Erhärtung dieser Ansicht veröffentlichte Darstellung des
Dogenpallastes vom Ende des 14. Jahrhunderts vergl. meine Bemerkungen in
Bd. II, S. 41, Anmerkung.

Masse der Wand, durch farbiges Gestein teppichartig gemustert,
von grossen und breiten Spitzbogenfenstern durchbrochen, mit
buntem Zinnenwerk in einer an die Bauten des Orients erinnernden
Weise gekrönt. Es ist eine eigenthümlich phantastische Majestät
in dieser gesammten baulichen Erscheinung, die sich allerdings
nicht in Verhältnissen von völlig rhythmischer Klarheit entfaltet,
die besonders in den Säulen der unteren Halle, in der Last der
oberen Wand mit ihren etwas unbehülflich breiten Fenstern nicht
frei von dem Eindruck des Schweren und Gewaltsamen ist, die
aber alle Anziehungskraft der völlig ausgesprochenen historischen
Individualität besitzt. Zu bemerken ist, dass die Oberfenster
an dem voraussetzlich ältesten Theile des Gebäudes, an der Ecke
des Molo und des kleinen Rio di Palazzo, tiefer stehen als die
übrigen (auch eine reiche Maasswerkfüllung haben), was für den
Rhythmus des Ganzen als eine wesentlich vortheilhaftere Disposition erscheint. — Die Verbindung des Flügels der Piazzetta
mit der Markuskirche bildet ein kleiner Zwischenbau, die „Porta
della Corta," inschriftlich von einem Maestro Bartolommeo
im J. 1439 ausgeführt. Es ist eine Durchgangspforte und ein
sehr schmuckvolles Fenster über dieser, mit einer Tabernakelarchitektur eingefasst und von einem ebenso schmuckreichen
Giebel in gebrochen geschweiften Linien gekrönt; die Spätformen stechen gegen die schlichtere Behandlung der Pallastfaçade
selbst in charakteristischer Weise ab. Jede der beiden Façaden
hat ausserdem in ihrer Mitte ein, aus späterer Bauveränderung
herrührendes Prachtfenster. Die Architektur des Hofes und die
Façade vom Rio di Palazzo (mit Ausnahme des bezeichneten Eck-
theils) sind ebenfalls jünger.

Dann ist es der Bau der Privatpalläste, der sich in der
gothischen Epoche Venedig's so glänzend wie in anmuthvoller
Eigenthümlichkeit ausbildet. [1] Die allgemeine Disposition war
schon in den Pallästen der romanischen Epoche (Thl. II, S. 45)
vorgezeichnet. Der fürstliche Reichthum der Geschlechter sollte
sich schon an der Schönheit des Wohnhauses aussprechen; die
Lage der Stadt im Schutz der Lagunen machte es überflüssig,
zugleich (wie besonders in Toscana) an kriegerische Festigkeit
zu denken oder die Erinnerung an einen burgartigen Ursprung
zu bewahren; die Enge des gebotenen Raumes, der von tausend-
fältigem Leben bewegte Spiegel der Wasserstrasse, zu deren
Seiten sich die Façaden erhoben, liessen überall die Anlage
offner Loggien und Altane wünschenswerth erscheinen. Die
venetianischen Privatpalläste gewinnen hiemit einen heiteren,
offnen, schmuckvollen Charakter, indem sie durch gemessene
Austheilung zugleich das Gepräge des Adels, durch orientalische

---

[1] Beispiel in den Fabbriche de Venezia. Gailhabaud, Denkm. d. Bauk., III,
Lief. 37. Bei Wiebeking, II, 68. Street, p. 153, ff. Hope, t. 77. U. A. m.

Reminiscenzen, die bei den Beziehungen des Staates zum Orient in Politik und Handel lebendig bleiben mussten, zugleich einen Zug romantischer Grazie empfangen. Das Erdgeschoss, unmittelbar am Wasser, ist durchweg schlicht behandelt; es dient zu Waarenlagern und öffnet sich insgemein durch einfache Portalbögen, seltener durch eine weitere Halle. In den Obergeschossen erscheinen die Mitteltheile als Räume geselligen Verkehrs; sie haben luftige Säulenarkaden, deren Bogenwerk, rechtwinklig umfasst, ähnlich und zum Theil reicher als bei der Gallerie des Dogenpallastes in Maasswerkmustern durcheinander geschlungen ist. Die Seitentheile enthalten Räume mit einzelnen Fenstern. Den Wänden fügt sich mancher Schmuck ein; zierliches Stabwerk gliedert die Ecken, gelegentlich in dem muthwilligen Spiele, dass eine freistehende Säule, mit Festen auf beiden Seiten, den Eckpfosten des Geschosses ausmacht. Bunte Zinnen, in moresker Weise blumenartig ausgeschnitten, bilden die obere Krönung. Das System findet sich in einfacher und in üppig reicher Ausführung, aber das Maassvolle in der Gesammt-Anordnung lässt die Wirkung so wenig dürftig wie überladen erscheinen. Die glänzendere Durchbildung gehört der jüngeren Epoche des gothischen Styles an. Als einige vorzüglich charakteristische Beispiele, am Canal grande abwärts vom Markusplatze belegen,

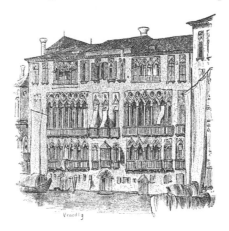

Palazzo Poscari zu Venedig. (Nach Rout.)

sind hervorzuheben: Palazzo Giustiniani (jetzt Albergo dell' Europa), ein stattlicher, doch noch in schlichten Formen behandelter Bau; Palazzo Cavalli, in kräftig edler Durchbildung; drei zusammenhängende Palläste der Familie Giustiniani und der neben ihnen belegene Pal. Foscari, der letztere von

vorzüglichst grossartigem Reichthum, das Ganze eine höchst
wirkungsreiche Gruppe bildend; Pal. Pisani, ebenfalls von
reicher Durchbildung; Pal. Barbarigo; Pal. Sagredo.
Endlich Ca Doro, ein Bau von schmuckvollster Feinheit und
Grazie, doch von nicht ganz regelmässiger Anlage, indem dem
einen Seitentheil die vollständige Entwickelung fehlt. [1]

Anderweit sind die Familien-Palläste der gothischen Epoche
Ober-Italiens nicht von erheblich hervorragender Bedeutung.
Mehrfach findet sich die Aufnahme einzelner Elemente des
venetianischen Systems, namentlich der orientalisirenden Züge
desselben. Manches der Art u. A. in Verona.

Ein eigenthümlich bedeutender Bau, welcher den letzten
Ausgängen der italienischen Gothik angehört, ist der alte Theil
des Ospedale maggiore zu Mailand. [2] Er wurde seit
1457 unter Leitung und nach dem Entwurf des Antonio Filarete
ausgeführt. Hier erschienen die Formen der antikisirenden
Renaissance und die des gothischen Styles in ungewöhnlicher
Weise, doch zugleich mit freierer Grazie ineinander gemischt:
im Untergeschoss antikisirende Wandsäulen-Arkaden mit Halbkreisbögen; dazwischen spitzbogige Arkadenfenster, deren Hauptform allerdings den Wandbögen nicht entspricht, in gothischer
Weise geordnet, in der Gliederung und der reichen schmückenden
Ausstattung nach Motiven der Antike behandelt; oberwärts eben
solche Fenster, von noch etwas strengerer Haltung; und in
rechtwinkliger Umrahmung, — diese besonders ein sehr günstiger
Beleg für die Vereinbarkeit jener, anscheinend so widersprechenden
Elemente, (des antiken und des gothischen.) Die Horizontalge-
simse haben überall einen fein antikisirenden Charakter. Das
Material ist Ziegel, von durchgeführt gediegenster technischer
Behandlung. (Der Portalbau, ein kurzes Obergeschoss und alle
übrigen Theile des grossen Hospitals sind erheblich später).

Dekorative Werke.

Es ist schliesslich eine merkwürdige Gruppe von Dekorativ-
Architekturen des 14. Jahrhunderts namhaft zu machen, die

------

[1] Einige Risse der Façade der Ca Doro, z. B. *Denkmäler der Kunst, T.* 57
(*11*), stellen sie mit gleichmässig entwickelter Façade dar. (Das Haus hat den
Namen von der Familie Doro; die öfters vorkommende Schreibart „Ca d'Oro"
ist somit nicht richtig.) — [2] Runge, Beitr. zür Backstein-Architektur Italiens,
Neue Folge, Bl. 1 — 3.

Mausoleen der Scaliger zu Verona,[1] die auf offnem Platze bei der Kirche S. Maria antica errichtet sind. Die bedeutendsten sind die des Can Grande (gest. 1328), des Can Mastino (gest. 1350) und des Can Signorio (gest. 1375). Das wiederkehrende

Die Mausoleen der Scaliger zu Verona. (Nach H. Gally Knight.)

Motiv ist, dass auf erhöhtem, zumeist von Saulen getragenem Unterbau ein Sarkophag ruht, überdacht von einem mächtigen Säulentabernakel, auf dessen hohem Gipfel das Reiterstandbild des Gefeierten sich erhebt. Die früheren haben eine schlichtere, mehr massenhafte Anordnung und eine mässig vertheilte Ausstattung; das jüngste dagegen, das Monument des Can Signorio, welches inschriftlich als Werk des Bonino da Campione bezeichnet wird, ist in Composition, Ornamentik, bildlicher Zuthat überaus reich und von glanzvoller Wirkung. Es ist durch

---

[1] H. G. Knight, II, t. 34. Gailhabaud, l'arch. du V. au XVI. s. liv. 50. Du Sommerard, les arts au moy. âge, II, VI, t. 4. Cicognara, stor. della scult, I, t. 24.

gehend etwas Kräftiges und Kühnes in dem Bau dieser Denkmäler und ihre Gesammterscheinung von eigenem, phantastisch
malerischem Reiz.

Einige venetianische Grabmonumente des 14. Jahrhunderts,
in S. M. de' Frari und in S. Giovanni e Paolo, Sarkophagnischen
mit Säulen- und Giebelschmuck, reihen sich als Werke verwandter
Behandlung an.

. R o m.

In der römischen Architektur der gothischen Epoche ist
lediglich nur das dekorative Element von Bedeutung. Vornehmlich ist es die Schule der Cosmaten, welche die zierliche
Technik, die sie in Werken spätromanischen Styles bekundet
hatte, (Thl. II, S. 98), auch auf die Formen gothischer Composition übertrug. Ihre gothischen Dekorativ-Arbeiten sind
ebenso mit feinen musivischen Füllungen, ebenso mit feiner
ornamentistischer Sculptur versehen, welche gern auf die antiken
Muster zurückgeht und dem Ganzen auch bei Anwendung der
Spitzbogenform zuweilen einen Zug von klassischer Haltung gicht.

Ein einfaches Werk der Art, das nur die Grundlinien des
gothischen Systems aufnimmt, ist das (einem antiken Sarkophage
aufgesetzte) Grabmal der Saveller in S. Maria d'Araceli [1] zu
Rom, aus der Zeit um 1266. In schlichtem Adel baut sich die
Grabnische des Kardinals Gonsalvo (gest. 1299) in S. Maria
maggiore [2] auf, inschriftlich als Werk des Johannes Cosmas
bezeichnet; ähnlich, von demselben Meister, das Grabmal des
Bischofs Durantus in S. Maria sopra Minerva. Ausserhalb
Roms schliesst sich diesen Grabmonumenten das des Papstes
Hadrian V (gest. 1276) in S. Francesco zu Viterbo als eine
Arbeit von ähnlicher Behandlung an. — Denselben Styl, reich,
doch in nicht sehr harmonischer Verbindung der antikisirenden
mit den gothischen Elementen, hat sodann das von vier Säulen
getragene Tabernakel des Hauptaltars von S. Paolo ausserhalb
Roms; [3] es ist inschriftlich als Werk eines Meisters Arnolphus
(den man, wie es scheint: ohne sonderlichen Grund, mit Arnolfo
di Cambio identificiren will), vom J. 1285 bezeichnet. Andre
Altartabernakel, von ähnlicher Beschaffenheit, in S. Cecilia und
S. Maria in Cosmedin zu Rom, letzteres von dem Cosmaten
Deodatus. — Ein selbständiger kleiner Bau derselben Schule
ist die Kapelle Sancta Sanctorum bei S. Giovanni in Laterano
zu Rom, um 1280 von einem „Magister Cosmatus" ausgeführt.
Ihre Innenwände sind von zierlichen gewundenen Säulen mit

---

[1] D'Agincourt, sculpture, t. 28. — [2] Ebenda, t. 24· Cicognara, a. a. O. t. 20.
— [3] D'Agincourt, sc. t. 23. Gailhabaud, Denkm. d. Bauk., III, Lief. 80.

Spitzbögen, welche bildlichen Darstellungen zum Einschluss dienen, umgeben.

Jüngerer Zeit, der Epoche um 1370, gehört das Tabernakel von S. Giovanni in Laterano zu Rom [1] an. Ein kräftiger, zugleich in angemessener Gliederung durchgeführter Bau, ein edles Gleichgewicht der Theile, ein klarer Halbkreis für die Linien der Hauptbögen, trefflich durchgebildetes und vielfach wiederum antikisirendes Detail machen dies Werk zu einem der gediegensten seiner Art. — Noch energischer, noch mehr den Geschmack der Renaissance vorbereitend, aber weniger rein und edel ist das Grabmal des Cardinals Ph. d'Alençon [2] (gest. 1397), in S. Maria in Trastevere zu Rom.

Sonst erscheint die römisch gothische Architektur überschlicht und ohne alle Entwicklung. Eine verfallene Kirche bei Capo di Bove [3] (Grabmal der Cäcilia Metella) ausserhalb Roms war ein einschiffiger Bau, dessen Dach auf einer Folge spitzer Querbögen ruht. — Aehnlich die Kirche im Kloster der h. Scholastica zu Subiaco, [4] wo der alten Anlage eine moderne Architektur eingebaut ist. — S. Maria sopra Minerva zu Rom [5] gegen Ende des 14. Jahrhunderts erbaut, ist der einzige eigentlich gothische Kirchenbau, mit Gewölben über quadratischen Jochfeldern, im Mittelschiff nur ein Weniges erhöht, die Pfeiler von einfachster Form und ohne alle Ausstattung. (Neuerlichst mit glänzender Dekoration versehen).

Als ein Dekorationsbau vom Schluss der gothischen Periode, in einem glänzenden Gemisch gothischer Formen mit denen der Renaissance, zeichnet sich das Portal der kleinen Kirche S. Giacomo zu Vicovaro, [6] nordöstlich von Tivoli, aus.

d. Königreich Neapel.

Neapel hat eine Reihe gothischer Kirchen, zumeist aus der Frühepoche des Styles, über die jedoch mannigfache Umwandlung ergangen. Bemerkenswerth ist ein entschieden nordischer Einfluss, ein Ergebniss der französischen Herrschaft, die seit 1265, unter Karl von Anjou, eingetreten war. Die Kirche St. Lorenzo, bald nach der französischen Besitznahme erbaut, später zum grössten Theil verändert, hat den Chorumgang und Kapellenkranz der französischen Kathedralen, der sonst in

---

[1] D'Agincourt, sculpture, t. 36. — [2] Ebenda, t. 39. — [3] D'Agincourt, Architecture, t. 36 (18, 19), 42 (14—17), 73 (74). — [4] Ebenda, t 59. — [5] Ebenda, t. 42 (22), 65 (16), 68 (53), 73 (75). — [6] Ruhl, Denkmäler der Baukunst in Italien, T. 14.

Italien nicht zu finden ist. [1] S. Domenico maggiore [2] hat in den Schiffarkaden schlanke, engstehende Pfeiler und steile Spitzbögen, ebenfalls nach nordischer Art, doch eine flache Mittelschiffdecke. S. Pietro a Majella zeigt eine verwandte Behandlung. Der Dom, [3] S. Gennaro, vom Ende des 13. Jahrhunderts, hat Pfeiler mit übereinandergesetzten und durch ringartige Gesimse verbundenen Halbsäulen. Seine Façade ist ein stattlicher Zierbau des 14. Jahrhunderts, in der Anordnung der jüngeren sienesischen Bauten; doch minder harmonisch, z. B. mit einem Flachgiebel über dem Mittelschiff und Spitzgiebeln über den Seitenschiffen, durch jüngere Bauveränderung wesentlich beeinträchtigt. S. Chiara, [4] unvollendet und umgebaut, besitzt nur geringe Stücke frühgothischer Art. S. Maria dell' Incoronata, das kirchliche Untergeschoss eines hohen Gebäudes (ähnlich wie Or S. Micchele zu Florenz) zeichnet sich bei einfacher Anlage durch ein zierliches Portal aus. S. Giovanni maggiore (S. Gio. de' Pappacoda) hat ein vorzüglich reiches Portal, [5] ebenfalls noch von frühgothischer Anlage, aber lebhaft gegliedert, mit Säulen und Bildtabernakeln auf den Seiten, im Bogen- und Giebelfelde mit figürlicher Ausstattung, an den Giebelschenkeln von schwerem Blattwerk eingefasst und mit figürlichen Darstellungen gekrönt, ein üppig phantastisches Schmuckwerk, welches die nordische Composition in südliche Gefühlsweise umsetzt.

Das Castel nuovo zu Neapel ist die feste Burg, welche Karl von Anjou an seinem neuen Königssitze, angeblich nach dem Plane des Giovanni Pisano, erbauen liess. Später ist sie ansehnlich erweitert und verstärkt worden. Die Schlosskirche zeigt spätgothisches Detail. Die ebendaselbst befindliche Kapelle des h. Franz von Paula ist wegen eines zierlich gothischen Gewölbes bemerkenswerth. —

An Werken dekorativer Architektur ist in Neapel der bischöfliche Thron im Dome, ein gediegenes Werk im Style der Cosmaten, hervorzuheben. Sodann eine namhafte Zahl von Grabmonumenten, [6] besonders in S. Chiara und S. Giovanni a Carbonara, mit einem Tabernakelbau, dessen System sich, wohl unter Einwirkung des Giovanni Pisano, in reicher, zumeist etwas schwerer Weise entfaltet.

Ein gothischer Bau im Norden des Königreiches Neapel, die Kirche von Collemaggio zu Aquila [7] (Abruzzo ult.) zeigt die

[1] Burckhardt, Cicerone, S. 125. Der Grundriss bei Wiebeking, II, t. 74, stimmt hiemit nicht. — [2] Wiebeking, ebenda. — [3] Ebenda. — [4] D'Agincourt, t. 64 (17). — [5] Chapuy, moy. âge pitt., No. 172. — [6] Cicognara, stor. della scult., t. 40. — [7] Nach einem Blatte des zu erwartenden Schulz'schen Werkes über die Denkmäler von Unter-Italien.

Aufnahme oberitalisch dekorativer Geschmacksrichtung. Die Façade hat drei rundbogige Portale, deren mittleres und grösseres
an seinen Gewänden, in barock spielender Weise, ein mehrge-
schossiges kleines Nischenwerk trägt, mit Wimbergen und Fialen.
Die Wand darüber ist breit und schwer, durch verschiedenfarbige
Steine teppichartig gemustert, von drei zierlichen Rosenfenstern
durchbrochen. — Die Kathedrale von Atri (ebendaselbst) wird
als grossartiger und wohlerhaltener spitzbogiger Bau, mit Säulen-
pfeilern, bezeichnet. [1]

Im südlichen Apulien sind ein Paar einfach gothische, zum
Theil noch übergangsartige Pfeilerkirchen [2] anzumerken: die
Kirche von S. Maria d' Arbona und die von S. Pietro in
Galatina, die letztere mit schwerem und niedrigem Schiff, aber
mit zierlichem Chore, dessen polygonischer Schluss, nach Art mehrerer nordischer Kirchen, über die Seitenfluchten hinaustritt. —
Ausserdem sind zwei Portale namhaft zu machen, das eine an
der Kirche von Altamura, [3] mit dem normannischen Zikzak
umfasst und mit inschriftlicher Angabe, die auf die ersten Decennien des 14. Jahrhunderts deutet; — das andre, an oberitalische Ausstattung erinnernd, an der Kirche von S. Maria del
Casale [4] bei Brindisi.

---

e. Sicilien.

Die gothische Architektur von Sicilien [5] ist nicht ohne eigenthümliche Bedeutung. Allerdings kommt bei ihr wiederum nur,
wie es scheint, das Element dekorativer Ausstattung in Betracht;
doch weiss sie dasselbe manches Mal in einer Grazie durchzubilden, die durch einen phantastischen Zug einen eigenthümlichen
Reiz, durch gemessene Austheilung eine würdevolle Erscheinung
gewinnt. Es sind die unmittelbaren Nachwirkungen der romanischen Architektur Siciliens mit ihren byzantinisirenden und sarazenischen Reminiscenzen, die sich hierin geltend machen; es
verbinden sich damit Motive, welche denen der oberitalischen
Gothik entsprechen; es werden am Schluss der gothischen Periode
andre Elemente bemerklich, die, auffällig genug, zumeist an
norddeutsche und englische Behandlungsweise erinnern.

Palermo hat eine namhafte Zahl kirchlicher Gebäude, die

---

[1] J. Friedländer, im D. Kunstblatt, 1851, S. 421. — [2] Bei Schulz. — [3] Willemin, mon. français, I, pl. 37. — [4] Fergusson, handbook of arch., II, p. 806.
— [5] H. G. Knight, über die Entwickelung der Architektur vom 10. bis 14.
Jahrhundert unter den Normannen, hsgb. von Lepsius, S. 357; 366. Knight,
Saracenic and Norman remains in Sicily. Hittorf et Zanth, architecture moderne de la Sicile. (Ausserdem nach den Skizzenbüchern einiger befreundeten
Architekten.)

ihrer Anlage oder einzelnen Theilen nach der gothischen Periode angehören. Einige fallen in die frühere Epoche. So die im Jahr 1255 gegründete Kirche S. Francesco, deren Façade die schlichte Anordnung lombardischer Kirchen aufnimmt, mit einem kräftig behandelten Spitzbogenportal, das im Wesentlichen, namentlich auch mit der reichen Zikzakverzierung in den Bogenwölbungen und dem Akanthusornament in deren äusserer Einfassung, die Dekorationsweise der Monumente der vorangegangenen Periode wiederholt. — Aehnlich die Façade der gegen Ende des 13. Jahrhunderts begonnenen Kirche S. Agostino, deren zierliches Portal in den Bögen mit feinen musivischen Mustern

Portalbogen von S. Agostino zu Palermo. (Nach H. Gally Knight)

geschmückt ist. — Aehnlich auch die älteren Theile von S. Giacomo la Marina, seit der Zeit um 1339, von S. Maria Annunziata (S. M. dei Dispersi), seit 1343, von S. Niccolo di Albergaria, seit 1400. — S. Maria della Catena,[1] vom Schlusse des 14. Jahrhunderts, zeigt den Grundriss einer Säulenbasilika. (Portal und Vorhalle sind Neubau vom Ende des 16. Jahrhunderts.)

Diesen Monumenten schliessen sich, in verwandter Richtung, mehrere Bauten zu Girgenti an, namentlich das Portal von S. Giorgio und das des Ospedale. — So auch die Façade von S. Agostino zu Trapani, die über deren ansehnlichem Portal mit einem mächtigen Rosenfenster ausgestattet ist. — Die

---

[1] *Denkmäler der Kunst*, T. 58 (8, 9).

(zum Theil modernisirte) Façade der **Kathedrale** von **Messina**
und die der dortigen Kirche S. **Maria della Scala**, beide aus
der mittleren Zeit des 14. Jahrhunderts, verbinden hiemit eine
Behandlungsweise, die einigermaassen an toskanische Motive erinnert.

Die Westseite der **Kathedrale** von **Palermo**, seit dem
Beginn des 14. Jahrhunderts erbaut, mit Reminiscenzen des
phantastischen Styles, der an den älteren Theilen des Gebäudes
herrscht (Thl. II, S. 112), erscheint in der dekorativen Austheilung von lokalen Bedingnissen abhängig. Ihr Portal, mit bunten
Säulenschäften, reicher Bogengliederung und kräftiger Umrahmung, ist vom J. 1421. Das ähnliche Portal der Südseite, [1] vom
J. 1426, hat eine weite Vorhalle, mit Säulen und stark über-
höhten Spitzbögen in der Disposition der Arkaden der normanisch
sicilischen Epoche, die im J. 1450 zur Ausführung gekommen.

Die Kirche S. **Maria degli Angeli** (la **Gangia**) zu **Palermo**, seit 1430 erbaut, hat, abweichend von den übrigen Monumenten, durchgängig die Form des Halbkreisbogens, in einer
feinen und edlen Gliederung, die zumeist etwa der Behandlungsweise derjenigen schottischen Monumente gothischen Styles, welche
mit rundbogigen Oeffnungen versehen sind, entspricht. — Andre
spätgothische Kirchen von Palermo, bis in das 16. Jahrhundert
hinab, verharren bei der Form des Spitzbogens: die Kirche des
Spedale grande, seit 1433, — die Ruine von S. **Maria dello
Spasimo**, 1506, — die Kirche S. **Maria delle grazie** (delle
ripentite) seit der Zeit um 1512. —

Ein Paar Palläste zu **Palermo**, vom Anfange des 14. Jahrhunderts, zeigen eine Nachahmung jener muhamedanischen Palläste, deren Behagen schon den ersten normanischen Herrschern
lebhaft genug eingeleuchtet hatte. (Vergl. Thl. I, S. 511.) Der
Palazzo Chiaramonte (jetzt **Pal. dei Tribunali**), 1307 auf
den Fundamenten einer sarazenischen Villa erbaut, erinnert in
seiner ursprünglichen Anlage an das bauliche System der Kuba.
Der **Pal. Salafano** (jetzt **Ospedale grande**), aus derselben
Zeit, hat im Aeusseren Wandpfeiler, mit wechselfarbigen, sich
durchschneidenden Spitzbögen, in deren Einschluss spitzbogige
Arkadenfenster und allerlei musivisches Rosettenwerk liegen. —
Jüngere Palläste, ebendaselbst, haben dagegen einen mehr nordischen Charakter. So der **Pal. Aiutami-Cristo**, vom Jahr
1485, mit offner flachbogiger Säulenhalle im untern Geschoss

---

[1] *Denkmäler der Kunst, T. 58 (7).*

und mit spitzbogiger im Hauptgeschoss. So der Pal. Patilla
(jetzt Kloster della Pietà), vom J. 1495, dessen Anlage an
den spätgothischen Schlossbau von England erinnert, mit Arkadenfenstern in rechteckigem Einschluss und mit flachbogigem,

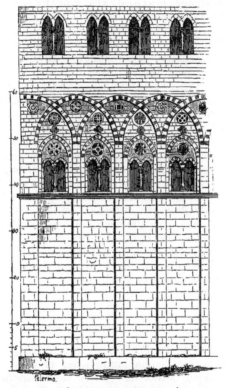

Vom Obergeschoss des Palazzo Salafano, jetzt Ospedale grande zu Palermo.
(Nach H. Gally Knight.)

innen rechteckigem Portal, dessen Umrahmung, aus sich kreuzen-
den Stäben bestehend, das in der spätgothischen Architektur der
deutsch sächsischen Monumente so häufig wiederkehrende Motiv
aufnimmt.

Unter den gothischen Pallastbauten andrer Orte sind namentlich einige Beispiele zu Taormina zu erwähnen. Hier finden
sich Einzelstücke, die ebenfalls an die eben bezeichneten Spätelemente erinnern.

11. Gothisches im Orient.

Auch auf den Orient, zu den Stätten occidentalischer Herrschaft, die in Folge der Kreuzzüge erstanden waren, wurden die
Formen der gothischen Architektur hinübergetragen. Sie blieb
jedoch ein fremdes Reis auf fremdem Boden, durch ein umfas-
senderes Kunstbedürfniss nicht getragen, zu eigenthümlicher Bedeutung nicht entwickelt. Was an einzelnen bemerkenswerthen
Bestrebungen hervorgetreten war, erlag zu bald dem erneut siegreichen Andringen des Islam.

Als ein schmuckreiches Dekorativstück früheren gothischen
Styles mag das Doppelportal der Kirche des heiligen Grabes zu
Jerusalem [1] erwähnt werden, mit schlanken Säulen in den Por-
talgewänden, mit feiner, steil aufsteigender und dann im gedrückten Spitzbogen zusammengewölbter Bogengliederung.

Eine namhafte Zahl von Monumenten oder den Resten von
solchen hat die Insel Rhodus, [2] die von 1309 bis 1522 der Sitz
des Johanniterordens war. Sie befinden sich in der Stadt Rhodus
oder in der Nähe derselben. Eins von diesen, die Kirche des h.
Stephan ausserhalb der Stadt, ist noch ein byzantinischer Bau,
mit einer Kuppel über spitzbogigen Wölbungen, zugleich mit
spätgothischen Details, welche der Zeit der Ordensherrschaft angehören. Die übrigen Denkmäler fallen sämmtlich in diese Zeit
und tragen somit das spätgothische Gepräge, mehr oder weniger
in charakteristisch südlicher Fassung, selten in einer edleren
Durchbildung. Die Hauptkirche St. Jean, schon 1310 gegründet, ist ein Bau von einfach basilikenartiger Disposition, im Innern spitzbogige Schiffarkaden mit verschiedenartigen, zumeist
antiken Säulen enthaltend und ungewölbt, im Aeusseren durch
die klaren Gesimsumfassungen der halbrund eingewölbten Fenster
von einer gewissen schlichten Würde. Das Kapitel von St. Jean
(„Loge de St. Jean"), jetzt eine verfallene Ruine, scheint ein
stattlicher gewölbter Hallenbau gewesen zu sein. Die Kirchen
Ste. Cathérine, die Ruinen von St. Marc und von Notre-
Dame de Philerme ausserhalb der Stadt tragen das Gepräge
schlichten Spätstyls. Von dem Justizgebäude (der „Châtel-
lerie") aus der Zeit um 1375 sind die Gallerieen des Hofes erhalten, spitzbogige Arkaden mit kräftig gegliederten Pfeilern,
nicht ohne eine lebhaft malerische Wirkung. Das Kloster des
Johanniterordens, 1445 beendet, bildet einen Bau, dessen Aeusseres sich durch eine fast römische Massenhaftigkeit auszeichnet.

---

[1] U. A. bei Maxime du Camp, Egypte, Nubie, Palestine et Syrie, dessins
photogr., pl. 115. — [2] Rottiers, description des monumens de Rhodes.

Zwei schmuckreiche Portale gebören zu den zierlichsten Resten der Architektur von Rhodus. Der geräumige Hof hat flachbogige Arkaden mit schweren Rundsäulen, das Refectorium als Träger der Decke eine durchlaufende gedrückt spitzbogige Arkade auf achteckigen Pfeilern.

Anmerkung der Verlagshandlung.

Mit der Geschichte der „gothischen Baukunst" hört die Arbeit des verstorbenen Franz Kugler auf. Die Verlagshandlung wird bemüht sein, für die Fortführung des Werkes, resp. für die Bearbeitung der „Renaissance" geeignete und tüchtige Kräfte zu gewinnen.

Druckfehler.

Dritter Band. Seite 135 Zeile 5 von oben statt „2. die britischen Lande" lies **3.**
Seite 466 Zeile 1 v. u. lies „das Uenglinger Thor" statt des Ueuzlinger Thor.

Verzeichnisse zum ersten Band.

Die römische Zahl zeigt den Band an, die arabische Ziffer bezeichnet die Seitenzahl.

A. Ortsverzeichniss.

A.

Aachen.
Münster, I. 407. 408.
Pallast Karls des Grossen, I. 407.

Abbendon.
Kirche, I. 415.

Abu Kîscheb.
Aufgefundenes Bildwerk, I. 50.

Abu-Roasch.
Pyramiden, I. 5.

Abu Simbel.
Grottentempel, I. 47.

Abusir.
Pyramiden, I. 5.

Abydos.
Denkmälerreste, I. 49.

Abyssinien.
Denkmäler altchristl. Arch., I. 377.

Adrianopel.
Moschee des Bajazet, I. 553.
Moschee des Selim II., I. 553.

Aegina (Insel).
Reste d. Tempels d. Athene, I. 228.

Aezani.
Tempel d. Zeus Panhellenios, I. 272.
Theaterreste, I. 273.
Marmorbrücken, I. 273.
Ufereinfassungen, I. 273.

Afghanistan.
Topebauten, I. 455.

Agbatana, siehe: Ekbatana.

Agouri.
Heiligthum, I. 457.

Agra.
Dschumna-Moschee, I. 566.
Mothy-Moschee, I. 566.
Schloss Akberabad, I. 566.
Unfern:
Mausoleum: Tadsche-Mahal, I. 568.

Agrigent, siehe: Akragas.

Ahmedabad.
Dschumnamoschee, I. 568.

Ain Amûr.
Tempelrest, I. 70.

Aix.
Baptisterienartiger Rundbau, I. 405.

Ajunta.
Grottenbauten, I. 465.

Akhmim, siehe: Echmîm.

Akkerkuf.
Trümmerhügel, I. 96.

Aklat, siehe: Khelat.

Akrae.
Reste architektonischer Anlagen, I. 223 u. f.

Brussa.
Moschee Ulu-Dschami, I. 551.
Medresseh, I. 551.
Grabmonumente, I. 551, 552.
Budrum, s. auch: Halikarnassos.
Schloss des h. Petrus, I. 271,
Burgos.
S. Maria la Real, I. 523.
Kapellen d. Klosters de las Huelgas, I. 534.
K. d. Hospit. del Rey, I. 534.

C.

Cadacchio.
Rèste e. dor. Peript. Tempel, I. 226.
Dor. Kapitäl, I. 226.
Caere.
Unterirdische Gräber, I. 162.
Caesarea.
Moschee mit dem Grab des Huën, I. 548.
Caparra.
Denkmälerreste, I. 343.
Capua.
Dom, I 392.
Carmona.
Kirche S. Maria, I. 524.
Carpentras.
Reste e. Bogens, I. 345.
Casal Crendi auf Malta.
Unfern:
Architekt. Aulage, benannt: Hadjar-Chem, I. 118,
Cassaba (Thal bei Phellus).
Kirche m. zwei achteckigen Seitengebäuden, I. 434.
Castellaccio.
Felsgräber, I. 154.
Castellum Tingitanum.
Reste einer Basilika, I. 372.
Cavaillon.
Reste eines Bogens, I. 346.
Cefala.
Badgebäude, I. 513.
Celenderis.
Baurest, I. 332.
Ceylon (Insel).
Topebauten, I. 453.
Reste von Wasserbauten, I. 454.
Chalembaram.
Pagode, I. 484.

Châlons.
Hauptkirche, I. 404.
Cherson.
Kuppelkirche, I. 571.
Chiusi.
Grabhügel (Poggio Gajella), I. 152.
Cinyps, am Flusse.
Terrassen, I. 132.
Cirta, siehe: Constantine.
Citium.
Grabkammern, I. 133.
Cividale.
Kap. im Benedict.-Kloster, I. 462.
Clermont.
Kirche in Kreuzform, I. 404.
Clusium.
Grabmal d. Porsenna, I. 153.
Coca.
Castell, I. 534.
Constantine.
Denkmälerreste, I. 342.
Unfern:
Suma (Thurm), I. 340.
Constantinopel.
K. d. Agia Theotokos, I. 431.
Kirchen d. Agios Pantokrator, I. 432.
Apostelnkirche, I. 419.
Kirche des Klosters Chora, I. 432.
Kirche d. h. Irene, I. 430.
Kirche d. Klost. Pantepoptae, I. 432.
K. der h. h. Sergiùs und Bacchus, I. 364. 420.
Sophienkirche, I. 266. 364. 419. 422.
Klosterk. des Studios, I. 419.
Baptisterium, I. 429.
Moschee Achmed's I., I. 555.
,, Ajazma, I. 556.
,, Bajazet's II., I. 555.
,, Ejub's, I. 554.
,, Muhammed's II., I. 555.
,, Osman's III., I. 556.
Prinzenmoschee, I. 555.
Moschee Selim's I., I 555.
,, Soliman's, I. 555.
Tulpenmoschee, I. 556.
Moschee Yeni-Dschami, I. 555.
Grabmal Ejub's, I. 555.
Mausoleum Soliman's, I. 555.
Pallastbauten d. Theophilus, I. 430.
Saalbau des Hebdomon, I. 430.
Obelisk von Tuthmes III., I. 31.
Säule des Marcian, I. 419.
Kreisrunder Kuppelbau: Sceuophylacium, I. 429.
Cisternen, I. 429.

R.

Rabat.
Hauptmoschee, I. 524.

Rachmed.
Grabfaçaden, I. 101 u. f.

Ravenna.
Kathedrale, I. 395.
S. Agata, I. 397.
K. d. h. Andreas, I. 397.
S. Apollinare in Classe, I. 401.
S. Apollinare nuovo, I. 397.
S. Croce, I. 396.
S. Francesco, I. 397.
S. Giovanni Evangelista, I. 396.
K. S. Giovanni in fonte, I. 395.
S. Maria in Cosmedin, I. 397.
S. Maria Maggiore, I. 400.
S. Micchele in Africisco, I. 400.
SS. Nazario e Celso, I. 396.
S. Teodoro (od. S. Spirito), I. 397.
Ecclesia Ursiana, I. 395.
S. Vitale, I. 364. 400.
Bischöfl. Kirche, I. 397.
Basilika d. Herkules, I. 399.
Baptist. d. Arianer, I. 397.
Grabmal Theodorichs (la Rotonda), I. 398.
Grabkap. d. Galla Placidia, I. 396.
Pallast d. Theodorich, I. 397.

Reims.
Dreithor. Bau, I. 345.

Rhamnus.
Zwei Tempel der Nemesis, I. 255.

Rhodine auf Rhodos.
Felsgrab, I. 132.

Rhodos, Insel.
Felsgrab bei Rhodine, I. 132.

Riez.
Baptisterienart. Rundbau, I. 405.

Riga.
Pyramiden, I. 5.

Rimini.
Thor, I. 313.

Rippon.
Klosterkirche, I. 415.

Rom.
Alterthum:
Tempel des Antoninus und der Faustina, I. 323.
  „ des Apollon, I 306.
  „ der Concordia, I. 307. 327.
  „ der Fortuna virilis, I. 303.
  „ des Friedens, I. 315.
  „ des Hadrian, I. 323.
  „ des Janus, I. 318.

Rom.
Tempel der Juno, I. 299.
  „ des Jupiter Stator, I. 299. 318.
  „ des Jupiter Tonans, I. 306. 324.
  „ des Kapitols, I. 161. 299. 315. 317.
  „ des Marc Aurel, I. 323.
  „ des Mars Ultor, a. d. Capitol, I. 306.
  „ des Mars Ultor, I. 306. 307.
  „ der Minerva, I. 318.
  „ der Minerva Medica, I. 309.
  „ des Quirinus, I. 306.
  „ des Salus, I. 199.
  „ des Sonnengottes, I. 325.
  „ des Trajan, I. 320.
  „ der Venus Genitrix (Tor de Conti) I. 301. 303.
  „ der Venus u. Roma, I. 322.
  „ der Vesta, I. 324.
  „ der Virtus und Honos, I. 299.
Reste der Tempel der Pietas, der Spes u. d. Juno Matuta (S. Maria in Carcere) I. 303.
Mausoleum des Augustus, I. 313.
  „ des Hadrian, I. 322.
Grabmal des Cajus Cestius, I. 313.
  „ der Caecilia Metella, I. 304.
  „ des Constantin, I. 327.
  „ des Eurysaces, I. 305.
  „ des C. Poblicius Bibulus, I. 305.
  „ des Scipio Africanus, I. 314.
Sarkophag des L. Corn. Scipio Barbatus, I. 302.
Alte Basiliken, I. 299.
Basilika Aemilia, I. 301.
Reste d. Basilika d. Friedens, I. 326.
Basilika Fulvia, I. 301.
  „ Julia, I. 301.
  „ Ulpia, I. 319.
Amphitheater d. Cäsar, I. 300.
Amphitheater, I. 306.
Theater d. C. Curio, I. 300.
  „ d. Marcellus (Augustus), I. 300. 310.
  „ d. Marc. Scaurus, I. 300.
  „ d. Pompejus, I. 300.
Forum d. Augustus, I. 306.
  „ d. Caesar, I. 301.
  „ d. Maxentius, I. 326.
  „ Palladium, I. 318.
  „ romanum, I 298.
  „ d. Septa Julia, I. 301.
  „ des Trajan, I. 319.
  „ transitorium, I. 318.
Cloaca maxima, I. 150.
Aqua Alseatina, I. 306.

S.

Sabratha.
Ruinen, I. 132.
Saccara.
Pyramiden, I. 5. 11 u f.
Sâ el Hager.
Baureste, I. 54.
Saguan.
Denkmälerreste, I. 342.
Sâi (Insel).
Tempelreste, I. 35.
Saintes.
Doppelbogen, I. 345.
Saint-Remy.
Römische Grabmonumente, I. 345.
Triumphbogen, I. 345.
Saïs.
Baureste, I. 54.
Salerno.
Erzbischöfl. Pallast, korinth. Säulen
von Pästum, I. 228.
Salonichi, siehe: Thessalonica.
Salz.
Pallast Karls des Grossen, I. 408.
Samanud, siehe: Sebennytos.
Samari.
Kirchen, I. 433.
Samos (Insel).
Reste des Hera-Tempels, I. 266.
Reste eines dorischen Portikus, I. 267.
San.
Tempelreste und Obelisken, I. 50.
Sanchi.
Topebauten, I. 450 u. f.
Sanfur, siehe: Assura.
San Roman de la Hornija.
Kirche, I. 418.
Saragossa.
S. Pablo, I. 534.
Reste d. Schlosses d. Aljaferia, I. 534.
Sarbistan.
Pallast, I. 439.
Sarbut el Châdem.
Felsengrotte, I. 17.
Sardes.
Tempel d. Kybele, I. 270.
Grabhügel (Bin-Tepe), I. 164.
Sardinien.
Nuraghen, I. 119. 154.
Sarnath.
Tope, I. 456.

Sasseram.
Mausoleum des Schir Schah, I. 566.
Satdhara.
Topebauten, I. 450.
Savenières.
Kirchenfaçaden, I. 406.
Savona.
Felsgräber, I. 156.
Schapur.
Trümmer, I. 437.
Schech Abadeh, siehe: Antinöe. ·
Schiras.
In der Nähe:
Baureste, I. 112.
Sebuseh, siehe: Susa.
Sebennytos.
Baureste, I. 55.
Sedeinga.
Tempelreste, I. 35.
Segesta.
Peripteraltempel, I. 218.
Theaterreste, I. 218.
Segovia.
Kirche Corpus Christi, I. 523.
Wasserleitungen, I. 344.
Sekket.
Felsgräber, I. 340,
Sekundra.
Mausoleum Akbar's, I. 567.
Selinunt.
Reste von 6 dorischen Peripteral-
Tempeln, I. 213 u. f.
Reste eines kl. Heiligthums, I. 217.
Selmas.
Kuppelthurm, I. 557.
Semneh. ·
Tempelreste, I. 35.
Felsengrotte, I. 17.
Inschriften am Uferfels, I. 17.
Seringapatam.
Mausoleum Hyder Ali's, I. 570.
Sessa.
Dom, I. 392.
Sesse.
Tempelreste, I. 38.
Sevilla.
Kathedrale: Reste der grossen Mo-
schee, I. 523.
S. Catalina, I. 524.
S. Marcos, I. 524.
Alcazar, I. 524. 533.
Pal. Medina-Coeli, I. 533.

Tel Nimrud, siehe: Akkerkuf.
Tentyris, siehe: Denderah.
Terracina.
  Dom, I. 392.
Theben, in Aegypten.
  Haupttempel, I. 17. 27. 39. 63.
  Gräber, I. 22. 27. 36. 56.
  Verschiedene Monumente, I. 27 u. f.
    52. 55. 59. 65. 66. 69.
Thebessa, siehe: Theveste.
Theos.
  Tempel des Dionysos, I. 270.
Thera (Insel).
  Felsgräber, I. 265.
Thessalonica.
  Aja Sofia, I. 432.
  Apostelkirche, I. 433.
  Kirche des hl. Baradias, I. 433.
  Basilika des hl. Demetrius, I. 433.
  Kirche des hl. Elias, I. 433.
    „ des hl. Georg, I. 432.
  Moschee Eski Dschuma, I. 433.
  Incantada, I. 329.
  Triumphpforte, I. 330.
Theveste.
  Tempel, I. 342.
  Triumphbogen, I. 341.
Thorikos.
  Reste eines Gebäudes, I. 256.
Thugga.
  Grabdenkmal, I. 134.
  Denkmälerreste, I. 342.
Thysdrus, siehe: El Djemm.
Tibur, siehe: Tivoli.
Tipaesa (Colonie).
  Ruinen einer Basilika, I. 373.
Tirynth.
  Mauern u. Burg, I. 140.
Tivoli.
  Tempel der Sibylla. I. 304.
    „ der Vesta, I. 303.
  Verschied. Bauten d. Hadrian, I. 323.
    In der Nähe:
  Grabmal d. Plautier, I. 313.
Tlos.
  Felsmonumente, I. 170. 171.
Toledo.
  Basilika der h. Leocadia, I. 418.
  S. Benito, I. 534.
  Kirche der h. Leocadia, I. 418.
    „ S. Maria la Blanca, I. 523.
    „ S. Roman, I. 521.
    „ Santiago del Arahal, I. 523.
    „ S. Tomé, I. 534.

Toledo.
  Kap. Cristo de la luz, I. 521.
  Hospital v. S. Cruz: Säulenkapitäle,
    I. 418.
  Casa de mesa, I. 534.
  Bäder der Cava, I. 523.
  Puerta de Sol, I. 522
  Taller de moro, I. 534.
    Ausserhalb:
  Schloss (Galiana), I. 522.
Toposiris.
  Araberthurm, I. 339.
  Casaba Schamame el Garbie, I. 339.
  Reste ein. Mauereinschlusses, I. 339.
Toscanella.
  Felsgräber, I. 154.
Tours.
  Kathedrale, I 404.
  K. des h. Martin, I. 404.
  Baptisterium bei S. Martin, I. 404.
  K. des h. Perpetuus, I. 404.
Trapezunt.
  Aja Sofia, I. 435.
  Ortassar Dschamissi, I. 435.
  Baptisterium, I. 435.
  Glockenthurm, I. 435.
Trier.
  Basilika, I. 347.
  Reste eines Amphitheaters, I. 347.
    „ des k Pallastes, I. 347.
  Portra Nigra, I. 347. 404.
Triest.
  Dom, I. 402. 404.
  Schloss des Nicetius. I. 404.
Tripoli.
  Grosse Moschee, I. 534.
Trözen, in Argolis.
  Säulentrümmer, I. 178.
Troja.
    In der Ebene:
  Denkmäler, I. 146.
Tschekirgeh.
  Moschee des Eroberers, I. 551.
Tschelesieh.
  Karawanserai, I. 562.
Tschihil-Minar, s.: Persepolis.
Tschimley.
  Karawanserai, I. 563.
Tucca.
  Triumphbogen, I. 342.
  Thurmartige und andere Monu-
    mente, I. 342.
Tunis.
  Bauanlagen, I. 534.

B. Verzeichniss der Künstlernamen.

C. Verzeichniss der Illustrationen.

Myra.
  Felsgrab, I. 169.

N.

Nacoleia
  Grab d. Midas, I. 166.
Naga.
  Tempel.
    Peristyl, I. 74.
Nicäa.
  Grüne Moschee.
    Portikus, I. 550.
Nimrud.
  Nordwest-Pallast.
    Grundriss, I. 84.
Nocera.
  S. Maria Maggiore.
    Grundriss, I. 391.
Norchia.
  Grabmonument.
    Ecke vom Giebel u. Gebälk, I. 160.

O.

Orléansville.
  Basilika d. Reparatus.
    Grundriss, I. 372.

P.

Paestum.
  Tempel des Poseidon.
    Grundriss, I. 224.
Palermo.
  Schloss der Zisa.
    Grundriss, I. 511.
  Schloss der Kuba.
    Dekorative Reste, I. 513.
Paphos.
  Tempel, Darst. auf einer Münze.
    I. 121.
Pasargadae.
  Grabmal des Cyrus.
    Kranzgesims, I. 100.
    Profil d. Säulenbasis, I. 100.
Payach.
  Tempel.
    Ansicht, I. 477.
Persepolis.
  Königsgräber.
    Von den Reliefportiken, I. 102.

Persepolis.
  Königl. Schloss.
    Obere Hälfte d. Voluten-Aufs. d.
      Säulen, I. 108.
    Von den Säulenbasen, I. 109.
Petra.
  El Deir.
    Grabfaçade, I. 337.
Pompeji.
  Dreieckiger Portikus.
    Dorisches Kranzgesims, I. 295.
  Grabmal der Priesterin Mamia.
    Basis d. Halbsäulen, I. 296.
  Grabmal (im Style zwischen hel-
    len. u. röm. Art).
    Krönungsgesims, I. 296.
Friene.
  Tempel d. Athene Polias.
    Profil d. Säulenbasis, I. 268.

R.

Ravenna.
  S. Apollinare in Classe.
    Kapitäl, I. 401.
  S. Apollinare nuovo.
    Kapitäl, I. 397.
  SS. Nazario e Celso.
    Kranzgesims, I. 396.
  Pallast Theodorich's.
    Kapitäl d. Wandsäulchen, I. 398.
  Grabmal Theodorich's.
    Kranzgesims, I. 399.
    Thürprofil, I. 399.
Rom.
  S. Croce in Gerusalemme, urspr.
    Anlage.
    Grundriss, I. 383.
  Tempel d. Fortuna Virilis.
    Grundriss, I. 303.
  Friedenstempel.
    Kranzgesims, I. 326.
  S. Maria in Cosmedin.
    Grundriss, I. 388.
  S. Peter.
    Grundriss d. urspr. Anlage, I. 384.
  Vom Theater d. Marcellus, I. 310.
  Triumphbogen des Titus.
    Kranzgesims, I. 317.
  Im Vatikan. Museum:
    Vom Sarkophag d. L. C. Scipio
      Barbatus, I. 302.

Verzeichnisse zum zweiten Band.

Die römische Zahl zeigt den Band an, die arabische Ziffer bezeichnet die Seitenzahl.

A. Ortsverzeichniss.

Kugler, Geschichte der Baukunst. II.

1

Deutsch-Altenburg.
Kirche, II. 523.
Rundkapelle, II. 528.
Deutsch-Pilsen.
Kirche, II. 535.
Devenish-Insel.
Thurm, II. 293.
Deventer.
St. Lebuinus, II. 363.
St. Nicolas, II. 363.
Devizes.
K. St. John. II. 276
Die.
Kirche, II. 126.
St. Dié.
Kirche, II. 481.
Diesdorf,
Klosterkirche, II. 560.
Dijon.
St. Bénigne, II. 150.
Dinan.
St. Sauveur, II. 199.
Dissibodenberg.
Klosterreste, II. 457.
Doberan.
Kirche, II. 561.
Dobrilug.
Klosterkirche, II. 553.
S. Domingo de la Calzada.
Kirche, II. 243.
Donaghmore.
Rundthurm, II. 292.
S. Donino.
Kirche, II. 84.
Dorat.
Kirche, II. 189.
Dorf Brakel.
Kirche, II. 431.
Dorf Zinna.
Kirche, II. 552.
Dortmund.
Marienkirche, II. 430.
Reinoldikirche. II. 441.
Rathhaus, II. 442.
Dover.
Kirchruine der Burg, II. 249.
Doxan.
Stiftskirche, II. 546.
Drontheim.
Dom, II. 582.
Königsburg. II. 584.
Drübeck.
Kirche, II. 387. 398.

Drüggelte.
Kapelle, II. 428.
Drumbo.
Rundthurm, II. 288.
Duddingston.
Kirche, II. 300.
Dunfermline.
Abteik. Holy Trinity, II. 299.
Dunstaple.
Prioreikirche, II. 280.
Durham.
Kathedrale, II. 264.
Galilaea, II. 264.
Durham-Castle.
Schloss, II. 286.
Dziedzkowitz.
Kirche, II. 533.

E.

Earl's Barton.
Kirche, II. 250.
Eberbach.
Klosterkirche, II. 458.
Sog. Aeltere Kirche, II. 467.
Eberndorf.
Kirche, II. 521.
Ebrach.
Klosterkirche, II. 478.
Echternach.
Abteik. St. Willibrord, II. 308.
St. Edmund's Bury.
Thorthurm von St. James, II. 275.
Eger.
Decanatkirche, II. 479.
Schlosskapelle, II. 478.
St. Egid.
Kirche, II. 508.
Egilshay.
K. d. h. Magnus, II. 298.
Eichstätt.
Dom, II. 504.
Eidsborg.
Kirche, II. 577.
Eisenach.
Nikolaikirche, II. 406.
Eldena.
Klosterkirche, II. 566.
Ellwangen.
Stiftskirche, II. 498.
Elue.
Kirche, II. 131.
Kreuzgang, II. 134.

Mareuil.
Kirche, II. 218.
Maria-Lerne.
Kirche, II. 351.
Mariana.
Kathedrale (Canonica) II. 57.
S. Perteo, II. 57.
Maria-Saal.
Dom, II. 521.
Heidentempel, II. 522.
Maria-Wörth.
Pfarrkirche, II. 522.
Ste.-Marie-aux-Anglais.
Kirche, II. 209
Marienberg, siehe: Helmstedt.
Marienfeld.
Kirche, II. 435.
Marienhafe.
Kirche, II. 443.
Marienthal.
Cisterc. Klosterkirche, II. 396.
Marmoutier, s.: Maursmünster.
S. Martino.
Reste der Klosterkirche, II. 57.
Martinsberg.
Klosterkirche, II. 536.
Matera.
Kirche, II. 103.
Maulbronn.
Kirche d. Cistercienserklost., II. 495.
Klosterbaulichkeiten, II. 501.
Mauriac.
Kirche, II. 150.
St. Maurice.
Abteikirche, II. 167. 189.
Maursmünster.
Kirche, II. 484.
Mauzac.
Kirche, II. 147.
Mayen.
Unfern:
Frauenkirche, II. 342.
Meissen.
Ruine d. Kirche u. d. Klosters zum
heil. Kreuz, II. 416.
Mellifont.
Baptist. oder Kapitelhaus in d. chem.
Abtei, II. 298.
Mellrichstadt.
Kirche, II. 479.
Melverode.
Kirche, II. 421.

Memleben.
Klosterkirche, II. 414.
Menat.
Ruine der Abteikirche, II. 148.
Mengede.
Kirche, II. 441.
St. Menoux.
Kirche, II. 164.
Merklingen.
Steinhaus, II. 502.
Merseburg.
Dom, II. 374. 423.
Neumarktskirche, II. 406.
Merzig.
Kirche, II. 348.
Mesnac.
Kirche, II. 185.
Messina.
Kathedrale, II. 108.
Nunziatella dei Catalani, II. 109.
Ueb. arch. Behandlung d. dortigen
Monum., II. 108.
Unfern:
Die Badia, II. 109.
Meteln.
Kirche, II. 441 (2).
Methler.
Kirche, II. 440.
Metternich.
Kirche, II. 324.
Mettlach a. d. S.
Achteckige Ruine, II. 318
Metz.
Kleine Kapelle, II. 481.
St. Michel-d'Entraigues.
Kirche, II. 187.
Michelsberg.
K. d. h. Michael, II. 543.
St. Miguel in Excelsis.
Kloster, II. 236.
Mikultschütz
Kirche, II. 533.
Mildenfurt.
Kirche (jetzt Jagdschloss), II. 414.
Mileto.
Unfern:
Abtei S. Trinità, II. 104.
Minden.
Dom, II. 426. 436.
Mittelheim.
Kirche, II. 458.
Mittelzell, siehe: Reichenau.

Murato.
Unfern:
S. Cesare, II. 57.
S. Micchelé, II. 57.
S. Nicola, II. 57.
Murrhardt.
Walderichskapelle, II. 500.
Muschana.
Kirche, II. 533.

N.

Nagy-Károly.
Kirche, II. 536.
Nantua.
Kirche, II. 163.
Narbonne.
Ste. Marie-majeure, II. 133.
Erzbischöfl Pallast, II. 133.
Naumburg.
Dom, II. 400. 413.
Domherrn-Curie, II. 412
Neapel.
S. Restituta, II. 106.
Nebbio.
Kathedrale, II. 57.
Neckarthailfingen.
Kirche, II. 495.
St. Nectaire.
Kirche, II. 147.
Nes.
Kirche, II. 577.
Nesland.
Kirche, II. 578.
Nesle.
K. Notre-Dame, II. 223.
Neuchâtel, siehe: Neuenburg.
Neudorf.
Kirche, II. 543.
Neuenburg.
Stiftsk. Unserer l. Frauen, II. 491.
Schloss, II. 491.
Neuen-Heerse.
Kirche, II. 429.
Neumarkt, Vorst. bei Jüterbog.
Kirche, II. 552.
Neuss.
St. Quirin, II. 332.
Neuvy-St.-Sépulcre.
Rundkirche, II. 193.
Neuweiler.
Kirche, II. 482.

Neuwiller, siehe: Neuweiler.
Nevers.
Kathedr. St. Cyr, II. 164.
St. Etienne, II. 164.
St. Sauveur, II. 164.
Newcastle upon Tyne.
Schloss, II. 286.
New-Port.
Baptisterienart. Rundbau, II. 592.
St. Nicolas-en-Glain.
Kapelle, II. 353.
Nicolausberg.
Kirche, II. 399.
Niederdorf.
Annakirchlein a. d. Friedhof, II. 515.
Nieder-Lahnstein.
Ruine d. St. Johanniskirche, II. 341.
Niederweissel.
Kirche, II. 461.
Nienburg.
Kirche, II. 424.
Nimwegen.
Kapelle auf dem Falkhofe, II. 317.
325. 362.
Nivelles.
St. Gertrud, II. 350; Kreuzg., II. 354.
Nocera.
Bapt. S. Maria Maggiore, II. 104.
Nordhausen.
Domkirche, II. 423.
Marienkirche, II. 409.
Northampton.
Heil. Grabkirche, II. 274.
Kirche St. Peter, II. 277.
North Burcombe.
Kirche, II. 251.
Norwich.
Kathedrale, II. 260.
Norwich-Castle.
Schloss, II. 286.
Nossen.
Kirche, II. 416.
Notre-Dame de Valère, b. Sitten.
Kirche, II. 169.
Nouvion-le-Vineux.
Abteikirche, II. 224.
Novara.
Dom, II. 67.
Noyon.
Kathedrale, II. 229.
Nudwojowice.
Kirche, II. 547.

Nürnberg.
Sebalduskirche, II. 472.
Euchariuskapelle, II. 475.
Schlosskapelle, II. 472.
Nydala.
Ruine d. Klosterkirche, II. 585.

O.

Oberbreisig.
Kirche, II. 338.
Oberburg.
Kirche, II. 522.
Ober-Marsberg.
Stiftskirche, II. 439.
Nikolaikapelle, II. 439.
Oberndorf bei Arnstadt.
Kirche, II. 396.
Oberndorf bei Völkermarkt.
Kirche d. Propstei Griffen oder Griventhal, II. 521.
Oberstenfeld.
Stiftskirche, II. 498.
Ober-Wittighausen.
Kapelle, II. 480.
Oberzell, siehe: Reichenau.
Occival.
Kirche, II. 146.
Ocza.
Kirche, II. 540.
St. Odilien.
H. Kreuzkapelle, II. 485.
Oedenburg.
St. Jakobskapelle, II. 541.
Ör-Boldogfalva.
Kirche, II. 543.
Oestra-Herrestad.
Kirche, II. 588.
Ohle.
Kirche, II. 439.
Oldenzaal.
St. Pleckelmus, II. 363.
Olite.
K. S. Pedro, II. 237.
Oliva.
Klosterkirche, II. 567.
Ootmarsum.
K. St. Simon u. Judas, II. 363.
Opherdicke.
Kirche, II. 432.
Oporto, siehe: Porto.

Oppenheim.
Katharinenkirche, II. 466.
Sebastianskirche, II. 466.
Orense.
Kirche, II. 244.
Orléans.
St. Avit, II. 215.
St. Aignan, II. 215.
Ornontowitz.
Kirche, II. 533.
Orval.
Ruine d. Abteikirche, II. 360.
Osnabrück.
Dom, II. 436.
Ostuni.
Kirche, II. 103.
Otterberg.
Kirche, II. 470.
Ottmarsheim.
Kirche, II. 482.
Oudenaarde.
Notre-Dame-de-Pamèle, II. 361.
St. Walburgiskirche, II. 354.
Ouestreham.
Kirche, II. 209.
Owen.
Pfarrkirche, II. 498.
Oxford.
Kathedrale, II. 271.
St. Michael, II. 251.
St. Peter, II. 276.

P.

Paço de Sousa.
Kirche, II. 245.
Paderborn.
Dom, II. 426. 428. 441.
Kirche d. Kl. Abdinghof, II. 427. 430.
Bartholomäuskap. II. 424.
Gaukirche, II. 430.
Padua.
Baptisterium, II. 83.
S. Antonio, II. 87.
Palermo.
Kathedr., II.112; Tabernakel, II.114.
S. Cataldo, II. 111.
S. Giacomo la Mazara, II. 110.
S. Giovanni degli Eremiti, II. 110.
K. la Magione, II. 111.
S. Maria Maddalena, II. 113.
S. Micchele, II. 110.
K. Mortorana, (S. Maria dell' Ammiraglio, II. 111.

Rüthen.
Pfarrkirche, II. 439.
Ruffec.
Kirche, II. 192.
St. Ruprecht, bei Bruck a. d. M.
Karner, II. 522.
Rupten.
Kirche, II. 533.
Ruremonde, siehe: Roermonde.
Ruvo.
Kirche, II. 103.
Rygge.
Kirche, II. 579.

S.

Saalfeld.
Hofapotheke, II. 412.
Sablonceaux.
Kirche, II. 185.
Sacy.
Kirche, II. 219.
Saeloe.
Ruinen d. St. Albaniklosters, II. 583.
Sunnivaskirche, II. 583.
Saintes.
Kathedrale, II. 185.
K. St. Eutrope, II. 186.
St. Falles, II. 187.
Kirche (jetzt Cavall.-Stall), II. 187.
Salamanca.
Alte Kathedrale, II. 243.
S. Adrian, II. 243.
S. Cristobal, II. 240.
S. Martin, II. 240.
S. Nicolas, II. 240.
S. Olalia, II. 243.
S. Tomas, II. 240.
Salerno.
Dom, II 104; Vorhof u. Thurm, II. 105.
Salzburg.
Dom, II. 518.
Augustinerkirche, II. 518.
Franciscanerkirche, II. 518.
Kirche v. Kloster Nonnberg, II. 516;
Kreuzg., II. 517; Kapitelh., II. 517.
K. d. Stifts St. Peter, II. 517.
Salzkotten.
Kirche, II. 440.
Salzwedel.
St. Lorenzkirche, II. 560.
St. Samson-sur-Rille.
Kirche, II. 201.

Sandau.
Kirche, II. 557.
Sangerhausen.
Ulrichskirche, II. 383.
Sanguirce.
Stiftskirche, II. 243.
Santander.
Kathedrale, II. 243.
Santarem.
Kloster S. Domingos, II. 245.
Kloster de Graça, II. 245.
Santiago.
Kathedrale, II. 243.
Santillana.
Stiftskirche, II. 239.
St. Saturnin.
Kirche, II. 148.
Saulieu.
Kirche, II. 158.
Saumur.
St. Nicolas, II. 195.
St. Pierre, II. 195.
Saussines.
Kirche, II. 110.
Savigny.
Klosterreste, II. 210.
St. Savin.
Kirche, II. 188.
Sayn.
Klosterkirche, II. 342.
Scawton.
Kirche, II. 280.
Schaffhausen.
Münster von Allerheiligen, II. 487.
Schelestadt, siehe: Schlettstadt.
Schelkowitz.
Kapelle, II. 546.
Schitscha.
Kirche, II 544.
Schlagsdorf.
Kirche, II. 561.
Schlenzer.
Kirche, II. 554.
Schlettstadt.
Kirche S. Fides, II. 484.
Schnallenberg.
Kirche, II. 440.
Schönau.
Kapitelsaal, II. 467.
Schöngrabern.
Kirche, II. 528.

South-Weald.
  Kirche, II. 280.
Souvigny.
  Kirche, II. 164.
Speyer.
  Dom, II. 444.450, Afrakapelle, II. 453;
  Emmeramkapelle, II. 454.
  Synagoge, II. 457.
Spitalitsch.
  Kirche, II. 522.
Spoleto.
  S. Pietro, (ebem. Kathedr.) II. 91.
Sponheim.
  Kirche, II. 343.
Stadt-Ilm.
  Kirche, II. 417.
Standorf.
  Kapelle, II. 486.
Stanton Lacey.
  Kirche, II. 251.
Stavanger.
  Domkirche St. Svithun, II. 581.
Stedje.
  Kirche, II. 576.
Steinbach.
  Kl. Kirche, II. 415.
Steinfurt.
  Doppelkap. a. d. Schlosse, II. 434.
Steingaden.
  Rundkapelle, II. 510
Steinheim.
  Kirche, II. 432.
Stendal.
  Dom, II. 560; Kreuzgang, II. 560.
Stettin.
  Haupttempel, II. 533.
Stewkly.
  Kirche, II. 277.
Steyning.
  Kirche, II. 271.
Stoneleigh.
  Kirche, II. 280.
Stora-Herrestad.
  Kirche. II. 588.
Stora-Slagarp.
  Kirche, II. 589.
Store-Ledinge.
  Rundkirche, II. 591.
Stowe.
  Kirche, II. 251.
Strassburg.
  Münster, II. 485.

Strassburg.
  Abteikirche St. Stephan, II. 483.
  St. Thomas, II. 486.
Strata Florida.
  Abteikirche, II. 301.
Straubing.
  Peterskirche, II. 506.
Studenitza.
  Kirche, II. 544.
Subiaco.
  Hof im Kl. der Scholastica, II. 99.
Süpplingenburg.
  Kirche, II. 421.
Sulejow.
  Klosterkirche, II. 548.
St. Sulpice.
  Kirche, II. 167.
Surburg.
  Kirche, II. 483.
Syrin.
  Kirche, II. 532.
Szakadat.
  Kirche, II. 543.
Szepesvárallya.
  Domkirche, II. 542.

T.

Tarascon.
  St. Marthe, II. 127.
Tardajos.
  S. Magdalena, II. 240.
Tarragona.
  Kathedr, II. 236; Kreuzgang, II. 237.
Teberga.
  Stiftskirche, II. 243.
Tepl.
  Stiftskirche, II. 547.
Tetin.
  Katharinenkapelle, II. 546.
Tewkesbury.
  Abteikirche, II. 270.
Thalbürgel.
  Kloster, II. 405.
Than.
  Kirche, II. 209.
Thernberg.
  Kirche, II. 527.
Thierry.
  Kirche, II. 218.
Thiers.
  K. St. Genèse, II. 147.

B. Verzeichniss der Künstlernamen.

C. Verzeichniss der Illustrationen.

Verzeichnisse zum dritten Band.

Die rumisohe Zahl zeigt den Band an, die arabische Ziffer bezeichnet die Seitenzahl.

A. Ortsverzeichniss.

A.

Aachen.
Münster, III. 371.
Dominikanerkirche, III. 379,
Franciskanerkirche, III. 379.
Rathhaus, III. 381.

Aarhuus.
Dom S. Clemens, III. 511.

Abbeville.
K. St. Wulfram, III. 99.

Abensberg.
Karmeliterkirche, III. 340.
Pfarrkirche, III. 343.

Aberbrothoc.
Abteikirche, III. 193.

Aberdeen.
Kap. d. King's College, III. 202.

Adderbury.
Kirche, III. 172.

Adlersberg.
Kirche, III. 303.

Aerschot.
Kirche, III. 412; Lettner, III. 419.

Agen.
Jakobinerkirche, III. 132.

Aggsbach, unf. Melk.
Kirche d. Karthause, III. 308.

Ahaus.
Kirche, III. 387.

Ahlen.
Bartholomäuskirche, III. 386; Tabernakel, III. 389.
Marienkirche, III. 386.

Ahlstad.
Kirche, III. 511.

Ahrweiler.
Stadtkirche St. Lorenz, III. 212. 374.

Aiguebelle.
Kirche d. Trappistenklosters, III. 122.

Ailly-sur-Noye.
Kirche, III. 53.

Aix.
Kathedrale, III. 134.

Akeu.
Liebfrauenkirche, III. 261.

Albachten.
Kirche, III. 388.

St. Alban.
Kirche, III. 345.

St. Albans.
Abteikirche, III. 147. 192.

Alby.
Kathedr. Ste. Cécile, III. 129. 134

Alcala de Henares.
S. Justo y Pastor, III. 525.

Brieg.
Nicolaikirche, III. 442.
Schlosskirche zu St. Hedwig, III. 442.
St. Brieuc.
Kathedrale, III. 89. 109.
Brilon.
Pfarrkirche, III. 246.
Brindisi.
Portal d. Kirche v. S. Maria del Casale, III. 583.
Brinklow.
Kirche, III. 179.
Bristol.
Kathedrale, III. 149. 168.
Redcliffekirche St. Mary, III. 176.
Briviesca.
Klosterkirche S. Clara, III. 524.
Bromberg.
Kirche, III. 325.
Bronsover.
Kirche, III. 162.
Brou.
K. Notre-Dame, III. 105.
Brousseval-lés-Vassy.
Kirche, III. 41.
Bruck a. d. M.
Gebäude am Markte, III. 327.
Unfern:
Ruprechtskirche, III. 326.
Heil. Geistkapelle, III. 327.
Brügge.
Frauenkirche, III. 410.
St. Gilles, III. 413.
St. Jacques, III. 413.
St. Sauveur, III. 416.
Kap. d. heil. Bluts, III. 418.
Halle, III. 421.
Niederlaghäuser der Hansa, Spanier, Florentiner u. Genueser, III. 426.
Stadthaus, III. 422.
Wohnhäuser, III. 427.
Brünn.
Augustinerkirche, III, 319.
St. Jakobskirche, III. 318.
Brüssel.
Kathedrale Ste. Gudule, III. 411.
Ste. Cathérine, III. 412.
St. Jean Baptiste, III. 412.
Notre-Dame de la Chapelle, III. 412.
Notre-Dame du Sablon, III. 411.
Chapelle du St. Sacrement des Miracles, III. 418.
Stadthaus, III, 422.
Brüx.
Kirche, III. 318.

Brunn.
Kirche, III. 324.
Buccles.
Kirche, III. 178.
Bucknell.
Kirche, III. 162.
Budweis.
Piaristenkirche, III. 318.
Büdingen.
Jerusalemer Thor, III. 383.
Bulkesch.
Kirche, III, 501.
Bullock.
Schloss, III. 202.
Bungay.
Kirche, III. 178.
Burford.
Kirche, III. 179.
Burgos.
Kathedrale, III. 513. 525; Kreuzgang, III. 520; Kapelle del Condestable, III. 326.
Klosterkirche St. Clara, III. 514.
S. Gil, III. 514.
S. Esteban, III. 514.
S. Francisco, III. 524.
S. Lesmes, III. 524.
De la Merced, III. 524.
S. Pablo, III. 524.
Kirche der beschuhten Trinitarier, III. 514.
Burlo.
Kirche, III. 388.
Bustorf.
Kirche, III. 387.
Byfield.
Kirche, III. 172.
Byland.
Abteikirche, III. 146.

C.

Caen.
St. Etienne, III. 82.
St. Pierre, III. 88.
Unfern:
Schloss Fontaine-le-Henri, III. 113.
Caix.
Kirche, III. 100.
Calcar.
Kirche, III. 379; Tabernakel, III. 381.
Rathhaus, III. 381.
Caldas.
Hospital, III. 535.

F.

Falkenhagen.
Kirche, III. 388.

Faouet.
K. St. Fiacre, III. 108.

Fécamp.
Abteikirche, III. 79.

Ferrara.
Dom, III. 571.
S. Stefano, III. 572.
Pal. della ragione, III. 574.

Flavigny.
Kirche, III. 77.

Flore.
Kirche, III. 162.

Florenz.
Dom (S. Maria del Fiore), III. 547;
Glockenthurm, III. 549.
S. Croce, III. 546.
S. Maria Maggiore, III. 546.
S. Maria Novella, 541.
Or S. Micchele, III. 553; Altartabernakel, III. 557.
S. Remigio, III. 547.
S. Trinità, III. 546.
Bigallo, III. 554.
Loggia de' Lanzi, III. 553.
Palazzo del Podestà (del Bargello), III. 553.
Palazzo vecchio, III. 553.

Folgoat.
Kirche, III. 107.

Forst.
Unfern.
Schwanenkirche, III. 375.

Fortrose.
Kathedrale, III. 200.

Fougères.
K. St. Léonard, III. 109.

Fountains.
Abteikirche, III. 146.

Franeker.
Martinskirche, III. 435.

Frankenberg.
Kirche, III. 243.

Frankfurt a. M.
Dom, III. 281. 366.
St. Leonhardskirche, III. 366.
Nikolaikirche, III. 281. 367.
Halle des Heiligengeisthospitals, III. 367.

Frankfurt a. d. O.
Marienkirche, III. 459.
Nikolaikirche, III. 459 (2).

Frankfurt a. d. O.
Unterkirche, III. 464.
Rathhaus, III. 464.

Frauenburg.
Dom, III. 492.

Freckenborst.
Kirche: Tabernakel, III. 389.

Freiberg i. Erzg.
Dom- (Frauenkirche), III. 400.
Wohngebäude, III. 403.

Freiburg i. Br.
Münster, III. 286. u. f. 290. 365.
Mauthgebäude, III. 366.

Freiburg i. Uechtlande.
Nicolauskirche, III. 362.

Freiburg a. d. Unstr.
Kirche, III. 265. 399.

Freienwalde.
Marienkirche, III. 478.

Freising.
Benedictenkirche, III. 303.
Georgskirche, III. 343.
Gottesackerkirche, III. 345.
Johanneskirche, III. 303.

Freiwaldau.
Kirche, III. 442.

Freixo de Espada-a-Cinta.
Kirche, III. 535.

Freudenstadt.
Kirche, III. 359.

Friedberg.
Stadtkirche, III. 243.
Judenbad, III. 244.

Friesach.
Collegiatkirche, III. 327.
Deutschordenskirche, III. 304.
Dominikanerkirche, III. 304.

Fritzlar.
Franciskanerkirche, III. 382.
Stiftskirche: Tabernakel, III. 383.

Frontenhausen.
Kirche, III. 345.

Fuenterrabia.
S. Maria la antigua, III. 524.

Fürstenwalde.
Marienkirche, III. 463; Tabernakel, III. 464.

Fuligno.
S. Salvatore, III. 552.

Furnes.
Kirche Ste. Walburge, III. 408.
Glockenthurm, III. 420.

G.

Galway.
Thüre eines Hauses, III. 202.　•

Gaming.
Kirche d. Karthause, III. 308.

Garsington.
Kirche, III. 172.

Garz a. d. O.
Stephanskirche, III. 478.

Geddington.
Steinkreuze, III. 163.

Geisnidda.
Kirche, III. 234.

Genf.
Kathedr. St. Pierre-ès-lieus, III. 122.

Gent.
Kathedr. St. Bavo, III. 408. 416.
Dominikanerkirche, III. 408.
St. Jacques, III. 413.
St. Michel, III. 413.
Glockenthurm, III. 419.
Halle, III. 421.
Haus der Schiffer, III. 422.
Stadthaus, III. 425.

Genua.
Dom S. Lorenzo, III. 559.

St. Georgen.
Kirche, III. 326.

Gerlingen.
Kirche, III. 358.

St. Germain-en-Laye.
Schlosskapelle, III. 69.

St. Germer.
Abteikirche, III. 72.

Gerona.
Kathedrale, III. 523.
S. Felix, III. 523; Thurm, III. 529.

Geseke.
Kirche, III. 387.

Giffords Hall.
Schloss, III. 191.

Girgenti.
S. Giorgio, III. 584.
Ospedale, III. 584.

Girkhausen.
Kirche, III. 246.

Gisors.
St. Gervais-et-St.-Protais, III. 97.

Gladbach.
Abteikirche, III. 215.

Glasgow.
Kathedrale, III. 193.

Glastonbury.
Kirche, III. 143.

Gleiwitz.
Kathol. Pfarrkirche, III. 442.

Glenfield.
Kirche, III. 162.

Gloucester.
Kathedr., III. 183; Grabmal, III. 174.

Gmünd.
Heiligkreuzkirche, III. 347.

Gnadenthal.
Klosterkirche, III. 295.

St. Goar.
Stiftskirche, III. 212. 376.

Goch.
Kirche, Tabernakel, III. 381.

Godesberg.
Unfern:
Hochkreuz. III. 226.

Görlitz.
St. Annenkirche, III. 404.
Frauenkirche. III. 404.
Nikolaikirche, III. 403.
Petrikirche, III. 403.
Heil. Kreuzkapelle, III. 404.
Kaisertrutz, III. 404.

Goes.
Maria Magdalenenkirche, III. 433.

Göttweih, bei Mautern.
Abteikirche, III. 325.

Gojau.
Marienkirche, III. 318.

Gollub.
Schloss, III. 483.

Goslar.
Rathhaus, III. 392.
Der Worth, III. 392.

Gottfrieding.
Pfarrkirche, III. 314.

Gouda.
Johanniskirche, III. 434.

Grafendorf.
Kirche, III. 325.

Gramzow.
Ruine der Klosterkirche, III. 458.

Granada.
Kloster S. Francisco, III. 525.
Kloster Santiago, III. 525.

Grand-Andelys.
Kirche Ste. Clotilde, III. 86.

Gransee.
Marienkirche, III. 460.
Profanbau, III. 466.

Gratz.
K. St. Maria am Leech, III. 304.

Graudenz.
Kirche, III. 492.

Great-Malvern.
Kirche, III. 177.

Greiffenberg.
Kirche, III. 475.

Greifswald.
Jacobikirche, III. 468.
Marienkirche, III. 468.
Nikolaikirche, III. 472.
Hausgiebel am Marktplatz, III. 479.

Grendon.
Kirche, III. 172.

Grenoble.
Kathedrale, III. 134.

Gresten.
Kirche, III. 325.

Gries, siehe: Kloster Gries.

Griethausen.
Kirche, Tabernakel, III. 381.

Grimme.
Kirche, III. 470.
Rathhaus, III. 479.

Gröningen.
Martinkirche, III. 434 (2).

Gr. Kopisch, siehe: Kopisch.

Grossprobstdorf.
Kirche, Tabernakel, III. 502.

Grosscheuern.
Kirche, III. 501.

Grünberg.
Kirche, III. 243.

Guadalupe.
Klosterkirche, III. 520.

Guben.
Klosterkirche, III. 457.

Guérande.
St. Aubin, III. 109.

Guetaria.
Kirche, III. 519.

Gütersloh.
Kirche, III. 387.

Guipuzcoa.
Klosterkirche S. Sebastian, III. 524.
„   S. Vicente, III. 524.

H.

Haag.
Jakobskirche, III. 435.
Klosterkirche, III. 435.

Haarlem.
K. St. Bavo, III. 433.

Haddington.
Abteikirche, III. 199.

Hadersleben.
Marienkirche, III. 512.

Haina.
Klosterkirche, III. 243.

Halberstadt.
Dom, III. 262. 392; Lettner, III. 392.
Andreaskirche, III. 393.
Hatharinenkirche, III. 393.
Martinikirche, III. 392.
Häuserbau, III. 394.

Hall (Schwäb.-)
Michaelskirche, III. 348; Tabernakel,
III. 359.
Unfern:
Klosterkirche Gnadenthal, III. 295.

Halle, bei Brüssel.
K. Notre-Dame, III. 414.

Halle a. d. S.
Domkirche, III. 397.
Liebfrauen- (Marktkirche), III. 397.
Moritzkirche, III. 396.
Ulrichskirche, III. 397.
Moritzburg, III. 397.
Der rothe Thurm, III. 397.
Rathhaus, III. 397.

Hallstadt.
Pfarrkirche, III. 326.

Haltern.
Pfarrkirche, III. 386.
Rathhaus, III. 254.

Hamburg.
Jakobikirche, III. 451.
Katharinenkirche, III. 451.
Peterskirche, III. 451.

Hamm.
Pfarrkirche, III. 246. 252.
Kloster- (kath.) Kirche, III. 388.
Rathhaus, III. 254.

Hamptoncourt.
Schloss, III. 192

Hanbach.
Kirche, III. 340.

Hannersdorf.
Kirche, III. 500.

Hannover.
Aegydienkirche, III. 254. 452.
Marktkirche (St. Georg), III. 254. 451.
Nikolaikapelle, III. 254.
Fachwerkbau, III. 453.
Profanbau, III. 452.
Rathhaus, III. 452.

Palermo.
Pal. Patilla (jetzt Kloster della Pietà),
III. 586.
Pal. Salafano (jetzt Ospedale grande),
III. 585.
Palma.
Kathedrale, III. 520.
Kreuzgang v. S. Francisco, III. 520.
Börse, III. 531.
Pamiers.
Kathedr. St. Antonin, III. 131.
Pampelona.
Kathedrale, III. 519; Kreuzgang,
III. 520.
Paris.
Kathedrale (Notre-Dame), III. 46.
K. St. Julien lè Pauvre, III. 52.
St. Germain-l'Auxerrois, III. 101.
St. Germain-des-Prés, III. 114.
St. Gervais, III, 101.
St. Jacques-de-la-Bouchery, III. 101.
St. Médard, III. 101.
St. Merry, III. 101.
St. Severin, III. 52. 101.
K. d. h. Vincenz (St. Germain-des-
Prés), III. 38.
Ste. Chapelle, III. 70. 101.
Kap. im Kloster St. Germain-des-
Prés, III. 72.
Refectorium von St. Germain-des-
Prés, III. 72.
Refectòrium von St. Martin-des-
Camps, III. 54.
Tabernakel üb. d. Grab v Abailard
u. Heloise a. d. Kirchhofe Père-
Lachaise, III. 66.
Chambre des Comptes, III. 111.
Hôtel de Cluny, III. 111.
Hôtel de Trémouille, III. 111.
Pasewalk.
Marienkirche, III. 468.
St. Pauls.
Pfarrkirche, III. 346.
Pavia.
Augustinerkirche, III. 560.
S. Francesco, III. 560.
S. Pantaleone, III. 560.
Schloss der Visconti III. 574.
Unfern:
Kirche dèr Certosa, III. 563.
Pencran.
Kirche, III. 108.
Penmarch.
K. St. Nona, III. 108.

Percha.
Expositurkirche, III. 347.
Perleberg.
Jakobikirche, III. 460.
Péronne.
St. Jean, III. 100.
Perpignan.
Kathedrale St. Jean, III. 130.
Justizpallast, III. 134.
Perugia.
Dom, III. 552.
S. Domenico, III. 546; Grabmal
Benedict XI., III. 557.
Pal. del Commune, III. 556.
Brunnen a. d. Domplatze, III. 557.
Pesaro.
Dom, III. 572.
S. Agostino, III. 572.
Peterborough.
Kathedrale, III. 149. 185.
Petit-Andelys.
Kirche, III. 86.
Pettau.
Kirche, III. 327.
Minoritenkirche, III. 304.
Unfern:
Kirche von Maria-Neustift, III. 326.
Petzenkirchen.
Kirche, III. 325.
Pforte.
Kirche, III. 264.
Piacenza.
S. Antonio, III. 561.
S. Francesco, III. 561.
Pal. pubblico, III. 573.
Piddleton.
Kirche, III. 180.
Piedra.
Klosterkirche, III 515.
St. Pierre-sur-Dives.
Kirche, III. 86.
Kapitelhaus, III. 87.
S. Pietro in Galatina.
Kirche, III. 583.
Pisa.
S. Maria della Spina, III. 545.
Baptisterium: Kanzel, III. 556.
Campo Santo, III. 545.
Gebäude d. Dogana, III. 556.
Pallast von Lungarno, III. 556.
Pistoja.
S. Andrea: Kanzel, III. 557.

4

Quimper.
  ·Kathedrale, III. 107.
  Kloster d. Cordeliers, III. 90. 107.
St. Quirico.
  Kirche, III. 544.

R.

Rabenstein.
  Kirche, III. 325.
Radeln.
  Kirche, III. 501.
Radkersburg.
  Stadtpfarrkirche, III. 327.
Ragnit.
  Schloss, III. 484.
Ramsdorf.
  Kirche, III. 387.
Randegg.
  Pfarrkirche, III. 325.
Ratibor.
  Dominikanerkirche, III. 440.
  Evangl. Pfarrkirche, III. 442.
  Kath. Pfarrkirche, III. 442.
  Schlosskapelle, III. 440.
Raudnitz.
  Klosterkirche u. Kreuzgang, III. 275.
Raudonen.
  Thurm u. Schlossruine, III. 496.
Raunds.
  Peterskirche, III. 163.
Ravengiersburg.
  Kreuzgangsresten. d. Kirche, III. 380.
Rechentshofen.
  Kirche, III. 295.
Recklinghausen.
  Kirche: Tabernakel, III. 389.
Redon.
  St. Sauveur, III. 89.
Redwitz.
  Protest. Pfarrkirche: Tabernakel,
    III. 345.
Rees.
  Rathhaus, III. 381.
Regensburg.
  Dom, III. 300. 338; Säulen-Balda-
    chine, Brunnen, Kanzel, III. 339.
  Dominikanerkirche, III. 299.
  St. Gilgen, III. 339.
  Minoritenkirche, III. 303.
  St. Oswald, III. 339.
  St. Ulrichskirche sog. alte Pfarr,
    III. 297.
  Rathhaus, III. 339.

Reichenhall.
  Zenokirche, III. 345.
Remagen.
  Kath. Kirche, Tabernakel, III. 381.
Remetinec.
  Kirche, III. 500.
Rendsburg.
  Marienkirche, III. 453.
Reps.
  Hauptkirche, III. 501.
Repton.
  Kirche, III. 162.
Rethel.
  Kirche, III. 105.
Reutlingen.
  Marienkirche, III. 295. 361; Heil.
    Grab, III. 361.
Reval.
    Unfern:
  Padiskloster, III. 497.
  Brigittenkloster, III. 497.
Rheden.
  Schlossreste, III. 483.
Rheenen.
  Cunerakirche, IH. 434.
Rheims.
  Kathedr. Notre-Dame, III. 58.
  K. St. Jacques, III. 53. 105.
  K. St. Nicaise, III. 61; Kreuzgang,
    III. 74.
  K. St. Rémy, III. 40.
  Erzbischöfl. Kapelle, III. 69.
Rheinbach.
  Kirche, III. 376.
Rheine.
  Kirche, III. 386.
Rhodez.
  Kathedrale, III. 132.
Rhodus.
  Ste. Cathérine, III. 587.
  St. Jean, III. 587.
  Kapitel v. St. Jean, III. 587.
  Kloster d. Johanniter-Ordens, III. 587.
  Justizgebäude, III. 587.
    Ausserhalb:
  Ruine v. St. Marc, III. 587.
  Ruine v. Notre-Dame de Philerme,
    III. 587.
  K. des heil. Stephan, III. 587.
Ribemont.
  Kirche, III. 100.
Ried.
  Kapelle, III. 303.

S.

Saalfeld.
Stadtkirche, III. 399.
Rathhaus, III. 399.

Saintes.
Kathedrale, III. 132.

Salamanca.
Neue Kathedrale, III. 524.
Universitätsgebäude, III. 530.
Unfern:
Kirche d. Klosters Neustra Señora
de la Victoria, III. 532.

Salem.
Kirche, III. 297.

Salisbury.
Kathedrale, III. 155; Grabmonument,
III, 156.
Kapitelhaus, III. 161.

Salmansweiler, siehe: Salem.

Salzburg.
Nonnbergkirche, III. 345.
Pfarrkirche, III. 345.

Salzburg, bei Neustadt a. d. S.
Münzgebäude, III. 276.

Samos.
Klosterkirche, III. 515.

Saumur.
Hôtel de Ville, III. 114.

Sayn.
Klosterkirche, III. 372.

Schässburg.
Bergkirche, III. 501; Tabernakel,
III. 502.

Scheibbs.
Kirche, III. 325.

Schiedam.
Johanniskirche, III. 435.

Schildesche.
Kirche. III. 252; Tabern., III. 389.

Schladming.
Kirche, III. 326.

Schlawe.
Marienkirche, III. 475 (2).

Schleswig.
Dom, III. 511.

Schlettstadt.
Hauptkirche, III. 292.

Schmalkalden.
Stadtkirche, III. 399.

Schorndorf.
Kirche, III. 358.

Schorsch·
Hauptkirche, III. 501.

Schulpforte, siehe: Pforte.

Schwabach·
Kirche, III. 336; Tabern. III. 336.

Schwaz·
Kirche, III. 345.

Schweidnitz·
Kath. Kirche, III. 442.

Schweischer·
Kirche, III. 501.

Schwerin·
Dom, III. 448.

Schwerte·
Kirche, III. 388.
Rathhaus, III. 254.

Scurlonghstown·
Schloss, III. 202.

Sebenstein·
Kirche, III. 324.

Séez·
Kathedrale, III. 86.

Segorve·
Kathedrale, III. 517.

Segovia·
Kathedrale, III. 524; Kreuzgang,
III. 529.
Klosterkirche Santacruz, III. 524;
Thurm, III. 529.
Pallast u. Thurm, III. 531.

Selby·
Abteikirche St. Mary and St. German, III. 168.

Seligenthal·
Afrakapelle, III. 303.

Sémur-en-Auxois·
Kirche, III. 77; Kreuzgang, III. 77.

Senden·
Kirche, III. 387; Tahern., III. 389.

Senlis·
Kathedrale, III. 41. 100.
K. St. Frambourg, III. 53.
K. St. Pierre, III. 101.

Sens·
Kathedrale, III. 75.
Hospitalgebäude, III. 76.
Bischöfl. Pallast, III. 79.
Ehem. Justizpallast, III. 76.

Seton·
Stiftskirche, III. 199.

Setubal·
Kirche, III. 535.

B. Verzeichniss der Künstlernamen.

C. Verzeichniss der Illustrationen.